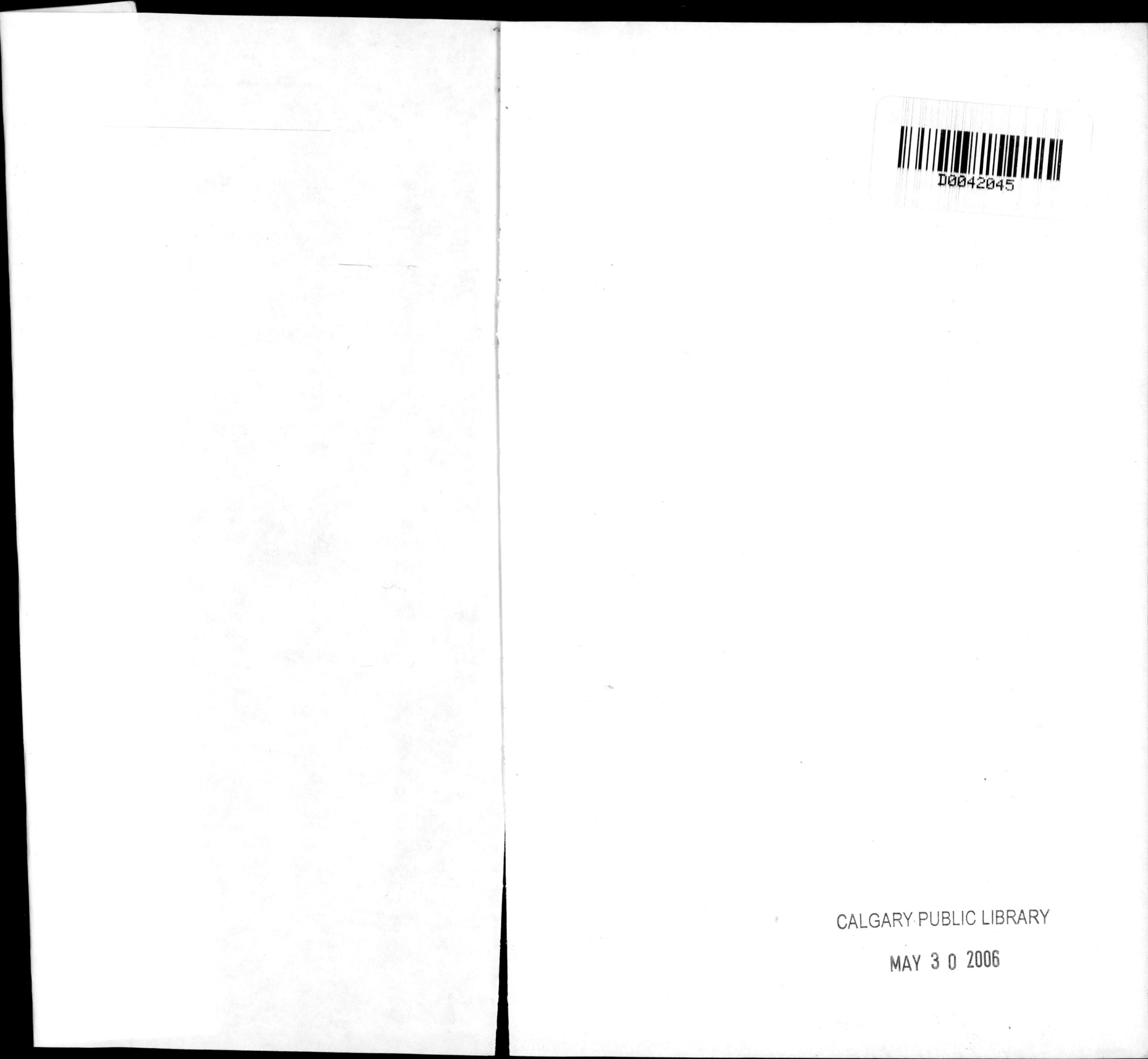

SALLY BEAUMAN

L'ANGE NOIR

roman

Traduit de l'anglais par Annick Granger-de Scriba

FRANCE LOISIRS
123, boulevard de Grenelle, Paris

Une édition du Club France Loisirs, Paris,
réalisée avec l'autorisation des Éditions Robert Laffont

Titre original : DARK ANGEL
© Sally Beauman, 1990
Traduction française : Éditions Robert Laffont, S.A., 1991

ISBN 2-7242-6644-7

Pour Ronald et Gabrielle Kinsey-Miles,
mon père et ma mère, avec amour.

Le cœur de l'homme est le siège de toutes les guerres...

Maurice, Comte de Saxe
Rêveries sur l'art de la guerre, 1732

Le cœur de l'homme est le siège de toutes les
guerres.

Maurice, Comte de Saxe
Mes Rêveries (Part de la guerre), 1732

PREMIÈRE PARTIE

Extrait de journal intime

Winterscombe, le 2 avril 1910

Lorsque les hommes se retrouvent entre eux, ils parlent de sexe. Quand ce sont les femmes, elles parlent d'amour. Quelle conclusion tirer de ce paradoxe ? Que les femmes sont des hypocrites.

Au club hier soir avec Jarvis et deux autres types. Après la seconde bouteille de porto, je leur ai demandé si l'un d'eux avait eu le bonheur de rencontrer une femme qu'il respectait. (A part leur mère, qui est toujours un cas à part.)

Pas un seul n'a défendu les qualités intellectuelles des femmes. Cela ne m'a guère surpris. Jarvis s'est lancé sur le sujet des avantages de leurs ouvertures : il leur vouait le plus profond respect. Hitchings, rendu irascible par le porto, s'anima sans raison. Juché sur une chaise, il déclara que — Dieu en était juge — il respectait toutes les femmes. Leurs instincts n'étaient-ils pas plus fins que les nôtres ? Ne jouissaient-elles pas de cette délicatesse et de cette sensibilité dont était dépourvu notre sexe plus endurci ? Les femmes (d'après lui) étaient désavantagées par leur asservissement à nos faveurs. Son plaidoyer n'a convaincu personne. S'ensuivit une tirade confuse teintée de darwinisme, selon laquelle les hommes, apparentés au singe, étaient des brutes, tandis que les femmes (échappant mystérieusement à la descendance des primates) étaient leurs anges gardiens. A cet instant, il dégringola de sa chaise et nous dûmes tous convenir que cela affaiblissait le poids de ses arguments.

Rentré tard à la maison. La nurse de l'enfant était affalée sur mon bureau. La lampe à gaz jetait une lueur bleue sur sa peau. Elle avait l'air

13

d'un cadavre. A mon grand désespoir, l'enfant s'est mise à brailler dans la pièce voisine, un cri aigu de mouette.

Je suis allé voir, mais elle dormait.

Partons à Winterscombe pour la comète (et autres délices enflammés) à neuf heures ce matin.

Ce qui m'était [...] Pour ma [...] qu'un autre
depuis l'été de... Ils avaient quand même et dit que pas un autre ami de [...]
et en moi [...] voilà qu'en les enquiquineurs, ceux-là [...] en effet, eux aussi sont

Je ne savais s'il m'occupait de faire revenir... Mon envers qu'ils revenus
ne sont-ils pas des souffrements suffisante à [...]
prochainement... en me le [...]? Un plaisir m'attirer qu'[...]
meilleur de ma famille. Je n'en [...]

I

Le diseur de bonne aventure et ma marraine

Un jour, je suis allée voir un diseur de bonne aventure. Ce M. Chatterjee exerçait dans une petite boutique, entre un pâtissier et un marchand de soie, au beau milieu du bazar de Delhi.

Je ne crois pas aux voyants, aux horoscopes, au tarot et au I Ching, ni à aucune forme de croyance. Pas plus que mon ami Wexton, pourtant à l'origine de cette consultation.

L'un des Indiens rencontrés au cours du voyage lui avait parlé de M. Chatterjee en termes élogieux : était-ce M. Gopal, de l'université, ou la maharani ? Le lendemain, lors d'une excursion au bazar, Wexton avait repéré l'endroit et m'avait suggéré d'y aller. Pourquoi pas ?

— Tu ne viens pas, Wexton ? Il pourrait nous prédire notre avenir à tous les deux.

Wexton m'adressa son sourire bienveillant.

— A mon âge, on n'a pas besoin d'un diseur de bonne aventure pour prédire son avenir, Victoria.

C'était une allusion à la mort, mais Wexton l'avait faite sans amertume. La visite fut fixée au lendemain après-midi.

Tout en jouant des coudes dans les ruelles bondées du bazar, je repensai à cette question d'âge. Dans les romans de l'époque victorienne dont raffolait mon père, une femme est vieille à vingt-cinq ans et finie à trente. Aujourd'hui, dans les années 1980, en partie grâce aux feuilletons télévisés à l'eau de rose, elle est encore jeune à cinquante ans. Quand je suis allée voir M. Chatterjee en 1968, c'était la mode des badges du style : *Ne faites pas confiance aux plus de trente ans.*

Septuagénaire, Wexton trouvait cela très amusant. Pas moi.

A ma visite chez le diseur de bonne aventure, j'étais célibataire et sans

enfants, situation familiale que je devais sans doute à ma carrière professionnelle. J'avais près de trente-huit ans.

Ce voyage en Inde était une idée de Wexton. Trois mois avant notre
départ, j'étais en Angleterre, à Winterscombe, où j'aidais mon oncle Steenie
à mourir ; ou du moins à faire en sorte qu'il meure paisiblement, sans souffrir.

Les cocktails à la morphine sont efficaces. Steenie disait qu'ils valaient
presque le champagne. Mais il est des souffrances contre lesquelles la
médecine ne peut rien. J'aimais Oncle Steenie ; il était l'un des derniers
membres de ma famille. A sa mort, Wexton avait perdu son plus vieil ami,
un iconoclaste que je soupçonnais d'avoir été plus qu'un ami pour lui, à
une certaine époque.

– Regarde-nous, m'avait dit Wexton, tandis que nous étions tous les
deux à Winterscombe. Nous sommes aussi lugubres qu'une paire de serre-
livres. Partons d'ici, Victoria. Que dirais-tu de l'Inde ?

La suggestion était surprenante. Prétextant un monceau de travail
(par peur en fait de me retrouver face à moi-même), je n'avais pas pris de
vacances depuis huit ans. Quant à Wexton, célèbre dans le monde entier
pour ses poèmes, il n'en prenait jamais. Américain de naissance, mais
anglais d'adoption depuis cinquante ans, il habitait dans Church Row, à
Hampstead, une maison désordonnée et bourrée de livres, dont il détestait
sortir : il était plus qu'improbable qu'il acceptât l'invitation officielle reçue
de Delhi. A mon grand étonnement, il décréta qu'il irait et que je partirais
avec lui. Ravie d'échapper aux mauvais souvenirs et à la responsabilité de
Winterscombe (une maison blanche gigantesque que j'allais devoir vendre),
j'acceptai. Je réorganisai mon emploi du temps et, trois jours plus tard,
nous atterrissions à Delhi.

Après avoir donné sa conférence à l'université et lu quelques-uns de
ses célèbres poèmes à un aréopage d'Indiens, d'Européens et d'Américains,
Wexton quitta les lieux, poliment mais fermement.

Beaucoup des poèmes de Wexton parlent de l'amour, du temps qui
passe et du changement : en l'écoutant, je pensais aux occasions ratées, à
mon idylle malheureuse huit ans plus tôt, et à mon âge. J'étais horriblement triste.

Wexton, toujours pragmatique face à la poésie, ne l'était pas. Il se
courba en point d'interrogation devant le micro et, machinalement, s'ébouriffa les cheveux : il ressemblait à un gros ours bienveillant, stupéfait que
les mots dont il était l'auteur produisent un tel effet sur son assistance.

Après la conférence, il descendit nonchalamment de l'estrade, assista à
la réception en son honneur et embarrassa ses hôtes en évitant les invités les

16

plus illustres. Il parla longtemps avec M. Gopal, un homme passionné et nerveux occupant un poste secondaire à l'université. Il discuta encore plus longuement avec la maharani, une femme de très bonne nature, monstrueusement grosse, dont les jours de prééminence sociale étaient révolus. Le lendemain, laissant ses hôtes consternés, il prit congé. Nous nous rendîmes à la gare et, au hasard, montâmes dans un train à vapeur pour Simla.

De Simla, nous allâmes au Cachemire, dont nous parcourûmes les lacs sur un bateau agrémenté d'un gramophone et dont les rideaux sentaient le curry. Du Cachemire au Taj Mahal et du Taj Mahal à un sanctuaire de singes où Wexton se fit asticoter par des babouins. M. Gopal, devenu un disciple, nous y rejoignit.

— Un homme formidable, votre distingué parrain, me fit-il remarquer tandis que Wexton fixait les babouins d'un regard bienveillant. Les morsures de ces créatures peuvent être terribles, ajouta-t-il.

Du sanctuaire des singes aux plages de Goa, de Goa à Udaipur. De là, après de multiples détours par des temples, forteresses et gares, nous regagnâmes Delhi.

Ce rythme frénétique plaisait beaucoup à Wexton.

— Exactement ce qu'il nous fallait, dit-il en s'installant dans le énième compartiment de notre énième train. Nouveaux lieux. Nouveaux visages. Il va se passer quelque chose.

Quelque chose allait en effet se passer après la visite chez M. Chatterjee : j'allais m'embarquer dans une tout autre sorte de périple auquel, à mon insu, je me préparais depuis quelque temps ; très exactement depuis certaines allusions alarmantes d'Oncle Steenie avant de mourir. Mais ce fut M. Chatterjee qui déclencha tout.

Apprenant mes intentions, Wexton se rebiffa. Selon lui, vouloir explorer le passé, terrain des plus périlleux, était une erreur. Il resta évasif, mais nous savions tous deux pourquoi. Dans mon passé, il y avait Winterscombe (« Aucun problème de ce côté-là », m'avait dit Wexton. Il avait tort). Il y avait aussi New York, où j'avais grandi (pas de problème non plus si je ne m'intéressais pas à un certain monsieur qui y vivait toujours). Mais il y avait également ma marraine, Constance.

Wexton ne prononçait plus son nom depuis longtemps. Elle était son antithèse et je crois qu'il ne l'avait jamais aimée. Wexton avait pris le parti de ne jamais parler des rares personnes qu'il n'aimait pas.

Lors d'une discussion avec Steenie, qui adorait Constance, je l'avais entendu la qualifier de diable fait femme. Une telle entorse à son habitude était chose exceptionnelle. Cela ne s'était jamais reproduit. Lorsque je lui parlai de ma visite chez M. Chatterjee et de la décision que j'avais prise, il ne prononça pas une seule fois le nom de Constance alors que, en son for intérieur, il ne pensait qu'à elle. Il avait l'air très attristé.

— Je n'aurais jamais dû écouter Gopal, dit-il (ou était-ce la maharani ?). J'aurais dû savoir que c'était une erreur.

Il me fixa d'un regard suppliant.

— Réfléchis un peu, Victoria. Je te parie cent roupies, ou ce que tu veux, que Chatterjee est un charlatan.

L'affaire était grave : Wexton n'était pas homme à parier.

*

M. Chatterjee n'avait pas l'air d'un charlatan. Pour tout dire, il n'avait rien non plus d'un diseur de bonne aventure.

C'était un homme de petite taille, d'environ la quarantaine, portant une chemise propre en nylon et un pantalon ocre fraîchement repassé. Ses chaussures, tout comme ses cheveux huilés, étincelaient. Il avait des yeux marron sans méfiance et d'une extrême gentillesse. Son accent, héritage de l'époque du Raj, n'avait plus cours depuis 1940, même en Angleterre.

Comparée à celle de ses concurrents du bazar, sa boutique était très modeste et difficile à trouver. Au-dessus de l'entrée une pancarte représentant un croissant de lune et sept étoiles annonçait en petites lettres : Passé et avenir. 12,50 roupies. Ces mots étaient agrémentés d'un point d'exclamation soulignant le tarif intéressant de M. Chatterjee : ses concurrents réclamaient 15 roupies et plus.

L'intérieur était austère. Nulle tentative pour évoquer les mystères de l'Orient : un bureau vieillot, deux chaises, un placard métallique et, punaisées au mur, deux affiches. L'une représentait la reine d'Angleterre et l'autre le Mahatma Gandhi.

La pièce sentait la pâtisserie de la boutique voisine et, en filigrane, le bois de santal. Un rideau de lanières en plastique, multicolores, barrait l'entrée et un gramophone jouait un morceau de sitar. La pièce ressemblait à une antre de petit fonctionnaire. M. Chatterjee s'assit derrière son bureau, rassembla ses cartes du ciel puis m'adressa un hochement de tête et un sourire d'encouragement. En vain : il avait un air aimable mais, comme diseur de bonne aventure, n'inspirait guère confiance.

M. Chatterjee prenait sa tâche très au sérieux : il ne comptait pas son temps. Petit à petit, je sentis la conviction me gagner, sans doute au moment où il me toucha la main, comme le fait un médecin. Ce geste calme, sans passion, avait quelque chose d'étrange. Je ressentis un étourdissement, un peu comme lorsque, l'estomac vide, on avale trop vite un verre de vin.

Je ne me rappelle pas tous les détails du rituel, à la fois simple et curieusement mouvementé. Il y avait des herbes, puisque je me souviens que M. Chatterjee m'enduisit les paumes d'une substance âcre, tout en m'interrogeant sur mon lieu de naissance (Winterscombe) et la date de celle-ci (1930).

Il fut aussi question d'étoiles. Pour examiner les cartes, M. Chatterjee chaussa ses lunettes puis, à l'aide d'un crayon à papier dont la mine n'arrêtait pas de se briser, il traça des dessins, très beaux, dans lesquels se rejoignaient destinées et planètes. A l'évidence, le résultat lui déplaisait.

— Je vois une date : 1910, dit-il en hochant la tête.

Il pointa du doigt un endroit du dessin qui commençait à ressembler à un échangeur d'autoroute. Son visage se rembrunit. Il semblait réticent à poursuivre.

— Que voyez-vous d'autre ? le pressai-je.

Pas de réponse.

— De mauvaises choses ?

— Pas très bonnes. Oh non ! vraiment pas bonnes.

Il retailla son crayon. La musique s'arrêta, puis reprit. M. Chatterjee semblait s'être assoupi (ses yeux étaient fermés) ou peut-être n'était-il que paralysé par cette date de 1910.

— Monsieur Chatterjee, dis-je doucement. C'était vingt ans avant ma naissance.

— Une poussière. M. Chatterjee ouvrit les yeux. Vingt ans ne sont qu'une poussière de temps. Un siècle est une seconde. Enfin ! Continuons. Essayons une autre tactique.

Il ramassa ses cartes avec un visible soulagement et les rangea dans le placard métallique qu'il ferma à clé. Les avoir mises hors de vue sembla le rasséréner. Pour la deuxième partie du rituel, il utilisait ce qu'il prétendait être de la poussière d'or.

— Soyez gentille, fermez les yeux et pensez très fort aux êtres qui vous sont chers.

Je fermai les yeux. Le sitar grinçait. Une substance poudreuse fut répandue sur mes paupières et mes joues. Une incantation mélodieuse en hindi commença.

J'avais chaud. Mon vertige s'accentua. Mon esprit se mit à fureter dans des directions que je n'aurais jamais imaginées. Lorsque l'incantation cessa, je rouvris les yeux tandis que la poussière d'or était consciencieusement remise dans sa boîte. M. Chatterjee me regarda tristement.

— Je vois deux femmes, dit-il. L'une est proche et l'autre très loin. Il me semble que vous allez devoir choisir entre les deux.

19

Il me dit ensuite la bonne aventure avec force détails : je fus déroutée par l'exactitude de son récit de mon passé, mais celui de mon avenir était trop rose pour être plausible. Il termina en disant que j'allais prochainement faire un voyage.

Ce fut une déception. Je commençais à apprécier M. Chatterjee et presque à le croire. J'eus peur qu'il ne me parle d'étrangers aux cheveux bruns, de voyages par-delà les océans. J'aurais détesté cela ; je ne voulais pas qu'il tombe dans la banalité.

Un voyage ? Mais je voyageais tout le temps. Mon travail de décoratrice m'obligeait à bouger en permanence, de maison en maison, de pays en pays. Dans une semaine, j'allais retourner en Angleterre. Ma prochaine commande était en France, celle d'après en Italie. De quelle sorte de voyages voulait-il parler ? Soudain, je me rendis compte qu'il existait d'autres types de voyages.

M. Chatterjee dut noter mon hésitation. Il m'adressa un sourire d'excuse, comme s'il s'estimait coupable. Il me prit les mains et les porta à mon visage.

– Sentez ! dit-il, comme pour tout expliquer. Sentez !

La substance âcre et volatile dont il avait enduit mes mains contenait des huiles, mais aussi de l'alcool. La chaleur de la pièce et de ma peau renforçait l'âcreté des odeurs. Cela sentait l'Inde : les croissants de lune, le miel et le bois de santal, le henné et la sueur, l'opulence et la pauvreté.

– Concentrez-vous ! Pour voir, il faut d'abord fermer les yeux.

Je humai à nouveau. Cette fois c'était l'odeur de Winterscombe : l'humidité, le bois qui brûle, les sièges en cuir et les longs couloirs, le linge et la lavande, le bonheur et la cordite. Cela sentait l'enfance, mon père et ma mère.

– Concentrez-vous encore !

M. Chatterjee resserra ses mains. Un tremblement y passa. Mon odorat ne pouvait s'y tromper : la fraîche verdure des fougères, le musc, la ciboulette. Je ne connaissais qu'une personne qui sentait cette odeur que je reconnaîtrais entre toutes. Je laissai retomber mes mains. C'était celle de Constance.

M. Chatterjee dut percevoir ma détresse car il devint très attentionné. Il me parla comme à un enfant puis, prenant l'air d'un prêtre dans un confessionnal, ou d'un préposé aux chemins de fer examinant un horaire complexe, il me donna un dernier conseil : il fallait rentrer.

– Rentrer où ? Rentrer quand ? demanda Wexton d'un ton lugubre le soir, au dîner.

Le lendemain, j'écrivis à Constance. Je ne fus pas autrement surprise de ne recevoir aucune réponse. Elle n'avait pas répondu lorsque je lui avais télégraphié que Steenie la réclamait. Je changeai mes projets.

Une semaine plus tard, Wexton rentra seul en Angleterre. Je parcourus la moitié du globe en avion, direction New York, chez ma marraine, Constance.

Constance m'avait faite. Je peux même dire que c'est elle qui m'a élevée puisque je suis arrivée enfant chez elle et qu'elle a pris soin de moi pendant vingt ans. Mais son influence sur moi était plus que cela. Je la considérais comme une mère, un mentor, une source d'inspiration, un défi et une amie. Mais elle était aussi le danger personnifié ; les hommes qu'elle avait fait souffrir en savaient quelque chose. Or, ce danger était également l'essence de son charme.

Oncle Steenie, qui l'admirait et, je crois, la craignait parfois, la comparait à un matador. Il suffisait de la regarder manier la cape fascinante de son charme. Elle le faisait de façon si accomplie, si étourdissante, qu'on remarquait trop tard avec quelle habileté elle avait porté l'estocade, disait-il. Mais Steenie exagérait toujours ; la Constance que je connaissais était forte mais vulnérable. Elle n'était que mystères.

Bien qu'ayant grandi auprès d'elle, je n'ai jamais eu l'impression de la comprendre. Je l'admirais et je l'aimais ; parfois elle me rendait perplexe, voire me choquait, mais je n'ai jamais pu la percer à jour. Cela faisait partie de son charme.

Quand je dis charme, je ne parle pas de cette aisance doucereuse et superficielle qui passe pour du charme en société, mais de quelque chose de plus insaisissable : la capacité à envoûter, à ravir. Constance était déjà ainsi bien avant notre rencontre. Lorsque je suis allée vivre avec elle à New York, elle avait déjà une solide réputation de Circé des temps modernes. A cause des hommes, probablement, mais j'étais trop innocente pour le comprendre.

— Des kyrielles d'hommes, ma chère Vicky, dira plus tard Oncle Steenie, sans malice aucune. Des myriades de cœurs brisés, d'hommes brisés : les débris de la vie mouvementée de Constance.

Steenie était convaincu que Constance détruisait les gens, surtout les représentants du sexe masculin. Lorsqu'une femme était blessée, c'était par une balle perdue, disait-il.

Je crois qu'il la voyait comme une sorcière, mais aussi comme une guerrière. Elle abordait les hommes, prétendait-il, toute sexualité dehors, usant de sa beauté, de son esprit, de son charme et de sa détermination comme d'autant d'armes, s'acharnant à quelque guerre d'usure. Du fait de ses penchants, Steenie était épargné : c'est ainsi, expliquait-il, qu'il avait pu rester son ami.

A l'époque, j'ai refusé de le croire. Pour moi, Steenie dramatisait la situation et j'aimais Constance. Après tout, elle avait toujours été adorable à mon égard. Mais Steenie terminait toujours en ajoutant : « Mais elle est tellement courageuse, dynamique, et si talentueuse, et si généreuse ». C'était vrai. Elle était tout cela ; mais sur un point en tout cas, il avait raison : Constance était dangereuse. Elle attirait le chaos comme un aimant attire le métal. Tôt ou tard, inévitablement, le don qu'elle avait de semer la zizanie se retournerait contre moi.

C'est ainsi que, huit ans plus tôt, elle avait réussi à empêcher mon mariage. Nous nous étions querellées à ce sujet et la rupture avait été totale pendant ces huit années. Jusqu'à l'agonie d'Oncle Steenie, qui ne cessait de la réclamer, j'avais essayé de toutes mes forces de ne pas penser à elle. Et j'y étais arrivée. J'avais refait ma vie. Constance, décoratrice elle-même, m'avait formée : ma carrière était florissante. Je m'étais habituée à vivre seule, et même à aimer cette vie. Un emploi du temps surchargé m'avait servi de consolation. J'avais appris (je le croyais en tout cas) à vivre avec l'idée que tous les adultes coexistent avec regret.

Et maintenant, je revenais vers elle. Mon avion filait vers l'est, un long voyage avec de nombreuses escales. De Delhi à Singapour, de Singapour à Perth, puis à Sydney, Fidji, Los Angeles et New York. Tant de fuseaux horaires. En atterrissant à l'aéroport Kennedy, je ne savais plus si nous étions hier ou demain.

Je faisais corps avec Constance. Dès que je sortis de l'aéroport et entrai dans la chaleur de la ville, je sus qu'elle était là, quelque part dans New York, hors de vue mais très proche. Pleurant dans le taxi m'emmenant vers Manhattan, les oreilles bourdonnant encore, les nerfs à vif par manque de sommeil, je n'étais pas seulement certaine qu'elle était proche : je sentais qu'elle m'attendait.

J'évaluai les possibilités : pas une réconciliation, bien sûr, mais des réponses à mes questions, des explications sur le passé. Bref, un règlement de comptes. Nous allions enfin nous comprendre : une compréhension réciproque qui allait me libérer.

J'avais tort, bien entendu. Je croyais être au terme d'un voyage ; il ne faisait que commencer.

Inconditionnelle du téléphone, Constance n'écrivait jamais et avait plusieurs lignes téléphoniques.

J'appelai sa maison d'East Hampton, sur Long Island. Puis aux trois numéros de son appartement de la Cinquième Avenue. La maison d'East Hampton avait été vendue deux ans plus tôt et les nouveaux propriétaires n'avaient pas revu Constance depuis. Aucun des numéros de la Cinquième Avenue ne répondait, ce qui était étrange car elle y avait des domestiques, même en son absence.

Nous étions vendredi, après les heures de bureau, et il était trop tard pour appeler son agence de la 57e Rue. Je décidai d'appeler ses amis.

Nous étions fin juillet et les coordonnées que j'avais dataient de huit ans. Je ne fus pas surprise que certains de ses amis aient déménagé ou soient partis en vacances, mais la réaction de ceux que j'eus au bout du fil fut pour le moins étonnante. Ils se montrèrent polis, prétendirent être ravis de m'entendre après tout ce temps, mais ignoraient où était Constance, ou ne se souvenaient ni où ni quand ils l'avaient vue pour la dernière fois. Aucun n'était surpris que j'appelle, ce que je trouvai tout à fait étrange. Après tout, ma rupture avec Constance était de notoriété publique et avait sûrement été l'objet de toutes sortes de ragots et de conjectures. Constance et moi avions été associées et avions vécu à la fois comme mère et fille et comme les meilleures amies. Je me serais attendue à ce que quelqu'un dise : « Est-ce si urgent ? Je croyais que vous étiez brouillées ? » Mais personne ne le fit. Au début, je pensai que c'était par tact. Au bout du dixième appel, je commençai à en douter.

Vers huit heures, luttant contre le sommeil, je me rendis en taxi à l'appartement de Constance, là où nous avions vécu ensemble. Un portier renfrogné et inconnu m'informa que Miss Shawcross était absente et que l'appartement était fermé. Aucune adresse pour faire suivre le courrier.

De retour à l'hôtel, je m'efforçai de raisonner. On était en plein été, l'air était chargé d'humidité et Constance ne pouvait être à New York. Si elle n'était pas à Long Island, elle devait être à Newport. Si elle n'était pas à Newport, elle serait en Europe. De toute façon, il y avait peu d'endroits où elle pouvait être et je les connaissais tous.

J'appelai tous les hôtels qu'elle aimait et dans lesquels elle prenait invariablement la même suite : aucune réservation à son nom, de toute l'année. Je ne renonçai pas. Je ressentais les effets du décalage horaire, un mélange d'énergie trompeuse et d'épuisement total.

Constance était là, je la sentais. Elle n'était pas en Europe malgré la saison mais là, à Manhattan, juste à côté, jouant à cache-cache. Encore un coup de téléphone et j'allais la débusquer. J'en donnai deux avant d'admettre que je ferais mieux de me coucher.

Le premier était pour Betty Marpruder, la cheville ouvrière de l'agence de Constance, celle qui savait toujours, sans erreur possible, où elle se trouvait. Elle ne partait jamais en vacances et, mieux encore, ne quittait jamais New York. Son numéro, le premier que j'avais appelé, ne répondit pas plus à dix heures qu'à six.

Je me mis au lit. Avant de dormir, épuisée mais l'esprit en éveil, je feuilletai le *New York Times*. Aux pages mondaines, je tombai sur la source d'informations idéale : Conrad Vickers, le photographe, était de passage à New York. Il préparait une rétrospective de cinquante ans de son œuvre au Musée d'Art moderne, qui débutait à l'automne par un cock-tail réunissant ce que l'auteur de l'article appelait « le Tout- New York ». Conrad Vickers avait des liens avec ma famille depuis très longtemps et, à part Steenie, était le plus vieil ami de Constance.

Je n'aimais pas Vickers et l'heure était tardive, mais je l'appelai quand même.

Comme il ne m'aimait pas non plus, je m'attendais à me faire rembarrer. A ma grande surprise, il m'accueillit avec effusion. Il esquiva mes questions sur Constance tout en répondant qu'il ne savait pas exactement où elle était, mais qu'en cherchant un peu je pourrais la trouver.

— Viens boire un verre. Nous en parlerons, proposa-t-il. Demain à six heures, chérie ? C'est d'accord. A demain.

— Ché-rie, dit Conrad Vickers.

Il embrassa le vide de chaque côté de mes joues. Comme il l'avait tou-jours fait, il prononçait le mot « chérie » en séparant bien les deux syllabes. Mais ce n'était un signe ni d'affection ni d'amitié, puisqu'il utilisait ce terme aussi bien pour ses proches que pour de parfaits étrangers : c'était plutôt par commodité, car il oubliait toujours le nom de la personne qu'il accueillait avec tant de chaleur. Vickers oubliait tous les noms qui n'étaient pas célèbres.

Il décrivit dans l'air quelques gestes d'enchantement feint. Conrad Vickers, dans son décor habituel : un visage exquis dans une pièce exquise d'un appartement exquis de la 62e Rue, à cinq minutes de celui de Constance sur la Cinquième Avenue. Un mouchoir en soie bleue dépassait de la pochette de son costume gris pâle, en parfaite harmonie avec sa che-mise bleue, elle-même assortie à la couleur de ses yeux. Un duvet blanc de cheveux souples sur un front quelque peu dégarni, un teint de jeune fille : Conrad Vickers, jeune homme à la beauté autrefois célèbre, comme Oncle Steenie, avait bien vieilli. La vigueur de son absence de sincérité était restée la même.

— Cela fait tellement longtemps ! Je suis heureux que tu aies appelé. Ché-rie, tu as l'air radieux. Assieds-toi et laisse-moi te regarder. Des années et des années. Adoré ce que tu as fait chez les Antonelli et chez Molly Dorset. Fantastiques, tous les deux. Tu avances à pas de géant !

Je m'assis. Je me demandais pourquoi il prenait la peine de me flat-ter, ce qu'il n'avait jamais fait. Il avait probablement décidé que j'étais devenue quelqu'un en vue.

— Qu'est-ce qu'il fait chaud ! C'est insupportable. Comment faisions-nous avant l'air conditionné ? Je suis un oiseau de passage, ché-rie. J'essaie de faire quelque chose de ça. Il esquissa un geste en direction d'une pile de

24

photos. Mon Dieu! Cinquante ans de travail, ché-rie. Par où commencer? Lesquelles choisir? Ces gens, au musée, sont impitoyables, ma chère. Ils veulent les têtes couronnées, bien sûr. Margot et Rudy, Andy et Mick, Wallis et Lady Diana. Et puis Constance, bien sûr. Mais ils ne veulent pas entendre parler de ceux qu'ils ne connaissent pas, ché-rie. Je vais perdre la moitié de mes amis.

Petit gémissement de désespoir. L'instant d'après, tout désespoir oublié, il montra de la main la composition florale sur la table.

– Ne sont-elles pas divines? N'adores-tu pas les delphiniums? Des fleurs de jardin anglais. J'en obtiens toujours, où que je sois. J'ai trouvé un garçon formidable qui les arrange exactement comme j'aime. Follement original. Je ne supporte pas les fleurs qui ont l'air arrangées, pas toi? Non, bien sûr que non. Tu es bien trop maligne. Si nous buvions un peu de champagne? Ne dis pas non. Je ne supporte pas le Martini – trop nocif. Le lendemain, on ne voit plus rien. Oui, du champagne. Faisons les choses vraiment bien et ouvrons une bouteille de Bollinger.

Vickers s'arrêta dans son élan. Il venait de prononcer le nom du champagne favori d'Oncle Steenie. Son visage devint flamboyant. Il tripota les poignets de sa chemise. Il se tourna pour donner des instructions au domestique qui m'avait fait entrer.

C'était un Japonais aux jolis traits délicats vêtu d'une veste noire et d'un pantalon rayé.

Lorsqu'il quitta la pièce, Vickers s'assit et je compris enfin pourquoi il m'avait invitée. Il était plus qu'embarrassé : il se sentait coupable. Je devais cette invitation non pas à Constance mais à Oncle Steenie.

Conrad Vickers avait été un ami de mon oncle pendant plus de cinquante ans, et son amant occasionnel pendant près d'un quart de siècle. Et comme il avait pris grand soin de rester absent tandis que Steenie se mourait, je comprenais son sentiment de culpabilité. Je ne dis rien. Je voulais voir comment il se sortirait de ce mauvais pas.

Il resta silencieux un moment, comme s'il attendait que je l'aide en abordant moi-même le sujet. Je restai muette. Je jetai un regard sur son salon qui, comme toutes les pièces de toutes ses maisons, était d'un goût parfait. Vickers n'avait pas un sens aigu de la loyauté et avait l'amitié facile, mais quand il s'agissait d'objets, de matières ou de meubles, son œil était aussi infaillible que celui de Constance. Je trouvais cela important autrefois. Je croyais que le bon goût était une vertu. J'en étais moins certaine maintenant.

Vickers caressa le bras de son fauteuil. Je reconnus la soie qui le recouvrait, une imitation parfaite d'un motif du 18e siècle appartenant à la dernière collection de Constance. Le siège était peint. Il avait été restauré, à mon avis, puis admirablement vieilli. Un badigeon de couleur sur du plâtre : venait-il des ateliers de Constance ? Il était impossible ou presque de dire si le bleu ardoise datait de deux cents ans ou de la semaine précédente.

– Le mois dernier, dit Vickers en accrochant mon regard. (Malgré tous ses défauts, il n'était pas stupide). Le mois dernier, soupira-t-il. Je sais que je ne pourrais pas te duper. C'est ce restaurateur de meubles que Constance fait travailler. Oh, mon Dieu !

Il se pencha en avant. Il semblait avoir décidé de sauter le pas.

– Nous devrions parler de Steenie. Je sais que j'aurais dû être là. Mais j'étais incapable d'affronter cette épreuve. Steenie mourant ! Cela ne lui ressemblait pas. J'avais du mal à y croire et je ne voulais pas voir ça. Ah ! le champagne.

Il se leva. Sa main tremblait légèrement en me passant mon verre.

– Cela t'ennuierait que nous buvions en son honneur ? Il aurait aimé cela. Après tout, Steenie ne s'est jamais fait d'illusions sur moi. Tu me trouves lâche et tu as raison. Les chambres de malades me donnent la nausée. Mais, tu vois, Steenie a dû comprendre.

C'était vrai. Je levai mon verre et Vickers m'adressa un regard attristé.

– A Steenie, alors ? Au bon vieux temps ? Il hésita. Aux vieux amis ?

– D'accord. A Steenie !

Nous bûmes. Vickers posa son verre et mit ses mains sur ses genoux. Il me lança un long regard comme pour me jauger. Ses yeux bleus me scrutaient : tout affecté qu'il soit, c'était un grand photographe. Il avait cette capacité des gens de sa profession à lire sur un visage.

– Tu ferais mieux de tout me dire. Je veux savoir. Quand tu m'as envoyé ce télégramme, je me suis senti misérable. Ça s'est bien passé ? Pour Steenie, je veux dire.

Je réfléchis. Mourir peut-il bien se passer ? Tout comme Wexton, j'avais fait de mon mieux pour le soulager. Nous y étions un peu parvenus. Juste avant de mourir, mon oncle avait été saisi par la peur.

Au début, il avait essayé de le cacher, bien sûr. Mais quand il s'était rendu compte qu'il n'y avait plus aucun espoir, il avait décidé de mourir avec style.

Oncle Steenie avait toujours placé le style au-dessus du reste. Je crois qu'il voulait rejoindre Hadès comme un ami, traverser le Styx comme s'il prenait une gondole pour la Giudecca. Et lorsqu'il a rencontré le passeur Charon, il l'a sûrement traité comme un portier du Ritz et l'a gratifié d'un bon pourboire.

Il est mort selon ses souhaits, adossé à des oreillers en soie, plaisantant un instant et s'éteignant celui d'après.

Mais ce départ soudain n'était que l'aboutissement de trois longs mois au cours desquels son sens de la comédie lui avait parfois fait défaut. Il n'avait pas souffert, nous y avions veillé, mais les médecins nous avaient prévenus que les cocktails de morphine allaient produire d'étranges effets. Ils avaient ramené Steenie dans le passé, et ce qu'il y avait vu lui avait arraché des larmes.

Pendant des heures et des heures, jusque tard dans la nuit, il essayait de me communiquer ces visions. C'était une véritable obsession. Je m'asseyais à ses côtés, lui tenais la main et l'écoutais. Il était le dernier membre de ma famille : il voulait me faire cadeau du passé avant qu'il soit trop tard.

J'avais souvent du mal à le comprendre. Ses paroles étaient claires mais les événements qu'il décrivait étaient confus. La morphine le faisait voyager dans le temps : il passait d'une conversation récente à une autre qui datait de vingt ans comme si elles avaient eu lieu le même jour, au même endroit.

Il m'avait parlé de mes parents et de mes grands-parents mais seuls leurs noms m'étaient familiers dans ses récits. Ce n'étaient pas le père ni la mère dont je me souvenais. La Constance dont il parlait était une étrangère. Certains de ses souvenirs étaient agréables, d'autres terribles : en les évoquant il se mettait à trembler, s'accrochait à ma main, se redressait dans le lit, jetait des regards inquiets et parlait à des spectres invisibles pour moi.

Cela me faisait peur. Etait-ce vraiment les effets de la morphine ? J'avais grandi entourée de mystères datant de ma naissance et de mon baptême, que je n'avais jamais résolus. Je croyais m'en être détachée avec le temps mais Oncle Steenie les faisait resurgir.

Tant de mots et d'images : il parlait de croquet un instant puis, sans transition, de comètes. Il évoquait souvent les bois de Winterscombe, sujet sur lequel il insistait de façon incompréhensible. Il parlait aussi, là je suis sûre que c'était à cause de la morphine, de mort violente.

Je crois que Wexton, témoin de plusieurs de ces délires, comprenait tout cela bien mieux que moi. Mais il ne m'a jamais rien expliqué. Il restait silencieux, calme et réservé, attendant la mort de son vieil ami.

Les deux jours qui l'ont précédée ont été sereins et lucides. Je crois que Steenie rassemblait ses forces pour l'assaut final. Ensuite, comme je l'ai dit, il s'est éteint d'un seul coup. Wexton a dit qu'il avait fait un suprême effort pour s'en aller. Pour moi, mon oncle était invincible, je l'aimais, et Wexton avait raison.

Pouvait-on dire que cela s'était bien passé ? Je regardai Vickers puis détournai mon regard. Je sentais que Steenie aurait voulu que je souligne sa bravoure.

— Il a sauvé les apparences, dis-je.

Cela parut satisfaire Vickers, ou soulager son sentiment de culpabilité. Il poussa un soupir.

— Ah! bien.

— Il était couché, dans sa chambre de Winterscombe. Tu te souviens de sa chambre?

— Ché-rie, comment pourrais-je oublier? C'est ridicule.

— Il portait un pyjama en soie. Le jour où les médecins venaient, il mettait le bleu lavande. Tu sais comme il aimait choquer.

Vickers sourit.

— Ne me dis pas qu'il se maquillait?

— Juste un peu. De façon très discrète. Pour lui, en tout cas. Il disait... il disait que s'il devait rencontrer la mort il voulait être à son avantage...

— Ne sois pas fâchée. Il aurait détesté que tu le sois.

Vickers parlait presque affectueusement.

— Dis-moi, ça aide de parler, tu sais. J'ai appris cela. C'est la rançon de la vieillesse. Tous ces amis qui s'en vont. Steenie et moi avions le même âge, tu sais. Soixante-huit ans. Ce n'est pas si vieux, de nos jours, et pourtant...

Il fit une pause.

— Il a parlé de moi... à la fin?

— Un peu, répondis-je, décidant de lui pardonner son égoïsme.

En fait, Steenie avait à peine évoqué Vickers. J'hésitai.

— Il aimait parler. Il buvait du Bollinger, il m'en reste un peu. Il fumait ces horribles cigarettes russes et lisait des poèmes.

— Ceux de Wexton?

Vickers, qui avait toujours considéré Wexton comme un rival, fit une grimace.

— Surtout ceux de Wexton. Et ses lettres. De vieilles lettres qu'il avait écrites à Steenie pendant la Première Guerre mondiale. Et tous les vieux albums de photos. C'était bizarre. Le passé récent ne l'intéressait pas du tout. Il voulait remonter plus loin en arrière. A son enfance, au Winterscombe d'autrefois. Il parlait beaucoup de mes grands-parents et de ses frères. De mon père, bien sûr... et de Constance.

— Ah! Constance. Ça ne m'étonne pas. Il l'adorait. Le reste de ta famille... Il me sourit avec malice. On ne peut pas dire qu'ils aient été trop gentils avec elle. Ta tante Maud la détestait, bien sûr, et ta mère... j'ai toujours entendu dire qu'elle l'avait plus ou moins bannie de Winterscombe. Je n'ai jamais su pourquoi. C'est resté un mystère pour moi. Est-ce que Steenie en a parlé?

— Non, mentis-je. Et si Vickers le remarqua, il n'en montra rien.

Il resservit du champagne. Quelque chose, l'évocation de Wexton, je suppose, l'avait un peu contrarié. Soudain, il sembla lassé du sujet de conversation. Il se leva et commença à examiner les photos sur la table.

— A propos de Constance, regarde ça! Je l'ai retrouvée l'autre jour. J'avais oublié cette photo. Ma toute première. Trop posée, artificielle, démodée, je suppose. Mais ça ne fait rien, je vais peut-être la mettre quand même dans la rétrospective. Elle a quelque chose, qu'en penses-tu? Il souleva une grande photo en noir et blanc. 1916... j'avais seize ans et Constance aussi, bien qu'elle soustraie les années maintenant, au lieu de les additionner. Regarde. Tu l'as déjà vue comme ça? N'est-elle pas extraordinaire?

Je regardai: je ne connaissais pas la photo et, oui, Constance était extraordinaire. Elle tenait une pose artificielle, à la mode de l'époque. Cela ne ressemblait pas à ce que Vickers avait fait par la suite. La jeune Constance était allongée sur quelque chose qui ressemblait à un cercueil drapé dans un tissu blanc, du satin peut-être. On ne voyait que ses mains, tenant une fleur, et sa tête. Le reste de son corps était drapé comme dans un linceul. Ses cheveux noirs étaient longs — je ne l'avais jamais vue avec les cheveux longs — coiffés en tresses qui tombaient des deux côtés de son visage, jusqu'au sol. Elle était couchée sur le côté. Un faisceau de lumières manquant de naturel faisait de ses traits, déjà très saisissants à l'époque, une composition picturale, un enchevêtrement de lumière et d'obscurité. Ses cils noirs formaient un croissant sur ses pommettes larges et hautes, presque slaves. Curieusement, alors que ses yeux, presque noirs, étaient ce qu'elle avait de plus beau, Vickers avait préféré la photographier les yeux fermés.

— La Belle Dame sans merci. Vickers, qui avait repris ses sens, se mit à rire bruyamment. C'est ainsi que je l'ai appelée. On faisait des choses comme ça à l'époque. Constance sur un cercueil, les Sitwell sur des cercueils, uniquement des cercueils pendant toute une année. Cela a fait très mauvais effet, bien sûr, car on était en plein milieu de la Première Guerre mondiale et les gens trouvaient cela scabreux. Utile, pourtant, tous ces outrages... Il me jeta un rapide coup d'œil. C'est ce qui m'a donné ma réputation d'enfant terrible: le meilleur moyen pour démarrer une carrière. Les gens ont oublié tout cela et aujourd'hui je suis un vieil homme célèbre. C'est pourquoi je vais mettre cette photo dans l'exposition. Juste pour le leur rappeler. Oh, et ses photos de mariage, bien sûr! Elles sont vraiment divines...

Il fouilla dans la pile de photos.

— Ah oui! elles sont déjà au musée, je crois. Tiens, regarde ça. Je crois que celle-ci va t'intéresser.

Le cliché qu'il me tendit était très informel: le type de photo qu'il appelait un « instantané familial ».

Je la reconnus tout de suite. Elle avait été prise à Venise en 1956. Constance et un groupe d'amis se tenaient près du Grand Canal et, derrière, on distinguait juste l'arc-boutant de l'église Santa Maria della Salute. Un groupe élégant en vêtements d'été. Il y avait les légendaires jumeaux Van Dynem, tous les deux morts maintenant. Je me souvenais que juste avant la photo les jumeaux avaient chahuté à propos d'un panama.

Légèrement à l'écart du groupe, il y avait deux personnages plus jeunes : un homme grand, à l'air grave, aux cheveux bruns et à l'aspect frappant, qu'on aurait pu croire italien, et une jeune femme qu'il regardait.

Elle aussi était grande. Son visage était mince. Les jambes nues, elle portait une robe verte et des sandales plates. Sa longue chevelure attirait le regard. Elle s'étalait en vagues autour de son visage et la lumière dorée de Venise renforçait leur couleur auburn. Une mèche de cheveux barrant son visage obscurcissait ses traits. Elle ne regardait ni l'appareil photo ni l'homme à côté d'elle. Cette jeune femme que j'avais été semblait prête à s'envoler.

J'avais vingt-cinq ans, presque vingt-six. Je n'étais pas encore amoureuse de l'homme à côté de moi sur la photo, mais j'avais senti, ce jour-là, que c'était possible. Je ne voulais pas regarder cette photo, ni l'homme, ni moi. Je la reposai sans faire de commentaire et me tournai vers Vickers.

– Conrad, où est Constance ?

Il eut l'air gêné. Il se tortilla et se retourna. Il avait bien passé quelques coups de fil, comme promis, mais qui n'avaient rien donné. Personne n'avait l'air de savoir où était Constance, ce qui était étrange, mais il n'y avait pas lieu de s'alarmer. D'après lui, elle allait resurgir tout d'un coup, comme à son habitude. Après tout, elle avait toujours été imprévisible.

– Une de ses fugues. Tu sais à quel point elle aime partir. Il y a probablement un homme derrière tout ça.

Ensuite, il m'abreuva de suggestions. L'appartement était fermé ? Bizarre. Est-ce que j'avais essayé East Hampton ? Quoi, la maison était vendue ? Il l'ignorait. Il détourna la conversation et je compris qu'il était parfaitement au courant, en dépit de son acharnement à me faire croire le contraire.

– Elle doit être en Europe ! s'écria-t-il, comme si l'idée venait de surgir. As-tu essayé le *Danieli*, le *Crillon* ? Et Molly Dorset, et les Connaught ?

Lorsque je lui eus expliqué que j'avais appelé tous les gens possibles et imaginables, il prit un air tout à fait perplexe.

– Alors, je ne suis d'aucune aide. Tu sais, ça fait au moins un an que

30

je ne l'ai pas vue. Il fit une pause et me regarda. Elle est devenue vraiment bizarre. Elle vit presque en recluse. Elle ne donne plus de fêtes depuis des lustres. Et quand on l'invite, on n'est jamais sûr qu'elle va venir.

— Recluse? Constance?

— Ce n'est peut-être pas le mot exact. Mais étrange, en tout cas. La dernière fois que je l'ai vue, j'ai eu l'impression qu'elle complotait quelque chose. Elle avait ce regard joyeux et mystérieux qu'on lui connaît. Tu te rappelles? Je lui ai dit : « Connie, je connais cette expression. Tu nous prépares quelque chose. Cela ne me dit rien de bon. »

— Et qu'a-t-elle répondu?

— Que je me trompais, pour une fois. Elle a éclaté de rire puis a dit qu'elle prenait exemple sur moi et se lançait dans sa propre rétrospective. Je ne l'ai pas crue, bien sûr. Et je le lui ai dit. Je devinais qu'il y avait un homme là-dessous et je lui ai demandé qui. Elle ne m'a pas répondu, naturellement. Elle restait là, assise, arborant son sourire de sphinx pendant que je jouais aux devinettes.

— Sans faire d'allusions? Cela ne lui ressemble pas.

— Pas une. Elle a dit que je saurais tout plus tard et que je serais très surpris. C'est tout. Vickers hésita et jeta un œil sur sa montre. Mon Dieu! Déjà si tard? Il faut que je parte en vitesse.

— Conrad...

— Oui, ché-rie?

— Constance m'évite. C'est ça?

— T'éviter? Il me jeta un regard – peu convaincant – de surprise outrée. Pourquoi dis-tu cela? Vous vous êtes disputées, tout le monde est au courant. Et je dois dire que j'ai effectivement entendu quelques rumeurs à propos d'un homme, tu sais ce que c'est... Il m'adressa un sourire malicieux. Mais Constance n'en dit jamais mot. Et elle parle toujours de toi chaleureusement. Elle a adoré tout ce que tu as fait dernièrement. Le salon rouge de Molly Dorset, par exemple.

Dans son ardeur à me convaincre, il avait fait une gaffe. J'ai tout de suite vu dans ses yeux qu'il s'en était aperçu.

— Le salon des Dorset? C'est bizarre. Je l'ai terminé il y a quatre mois. C'est le dernier travail que j'ai réalisé avant la maladie de Steenie. Je croyais que tu n'avais pas vu Constance depuis un an.

Vickers se frappa le front dans un geste théâtral.

— Mon Dieu! Je mélange tout. Ça ne devait pas être le salon des Dorset mais une autre pièce. C'est l'âge, ché-rie. La sénilité précoce. Ça m'arrive tout le temps : je confonds les noms, les dates et les lieux. Quel fléau! Ne sois pas fâchée, mais il va falloir que je te jette dehors. Je dois être au Village dans une demi-heure. Une petite réunion de vieux amis, mais je crains de ne pas trouver de taxi. Tu sais ce que c'est. Toute la ville

31

va être encombrée de gens épouvantables, des touristes, des vendeurs de voitures de Detroit, des maîtresses de maison de l'Idaho, accaparant jusqu'au dernier taxi...

Il me dirigea d'une main ferme, par le coude, vers l'entrée. Le domestique japonais s'y trouvait.

– Ce bleu te va à ravir, fantastique avec tes cheveux blond vénitien, gazouilla-t-il.

Et comme il utilisait souvent la flatterie pour se sortir d'un mauvais pas, je ne fus pas surprise de me retrouver, un instant plus tard, sur le trottoir.

Je me retournai mais Vickers, au charme si apprécié dans certains milieux, ne craignait jamais de se montrer discourtois.

Une main blanche me fit un signe d'adieu. Le domestique japonais gloussait. Il me ferma au nez la porte couleur aubergine de la petite maison raffinée.

Je trouvai cela intéressant. Un départ si précipité. J'étais certaine que Vickers, loyal envers Constance à défaut de l'avoir été envers Oncle Steenie, m'avait menti.

*

Avant d'aller chez Conrad Vickers, j'avais passé une journée décevante et frustrante, pendue au téléphone. Le reste de la soirée ne fut pas meilleur. J'avais eu tort de boire du champagne : j'avais soif et les effets du décalage horaire redoublaient. J'avais eu tort aussi de parler avec Vickers des trois mois passés avec Steenie à Winterscombe. Et, plus que tout, je n'aurais pas dû regarder la photo de Venise avec laquelle je n'avais plus rien à voir.

J'aurais pu appeler des gens si j'avais voulu de la compagnie. Mais je ne l'ai pas fait. Je voulais être seule. Il me fallait décider, je suppose, si je continuais mes recherches ou si je laissais tomber et rentrais en Angleterre.

Je réussis à forcer une fenêtre de ma chambre d'hôtel à s'ouvrir. Je restai ainsi, l'air chaud de la ville caressant mon visage, à contempler Manhattan. Là, entre chien et loup, entre le jour et la nuit, je me sentis moi aussi en transit, et retrouvai toute mon obstination. Je ne voulais pas m'avouer vaincue si facilement. Je savais que Constance était là ; la sensation de sa proximité était encore plus vive que la veille. « Viens, disait sa voix, si tu veux me retrouver. »

Avant de me coucher, je rappelai Betty Marpruder. Je fis trois fois le numéro avant d'appeler les renseignements puis les réclamations pour vérifier que la ligne n'était pas en dérangement. Je composai le numéro une quatrième fois. Toujours pas de réponse. C'était vraiment curieux.

Betty Marpruder – Miss Marpruder pour tout le monde, sauf pour Constance et moi qui l'appelions Prudie – ne ressemblait guère aux autres employées de Constance. Elle n'était ni jeune, ni belle, et aucun membre de sa famille n'avait jamais figuré au bottin mondain. Constance, comme de nombreux décorateurs, était attentive au choix de ses collaborateurs : leur accent, leur habillement ou leur comportement devaient impressionner les clients. Elle y mettait un certain pragmatisme dédaigneux. Elle appelait ça sa « vitrine ». Miss Marpruder, donc, avec ses colliers de pacotille, sa désinvolture, ses pantalons criards, sa vieille mère invalide, son célibat provocateur mais triste, était toujours reléguée dans les coulisses. Elle y faisait la loi : elle surveillait les comptes, tyrannisait les ouvrières, faisait une peur bleue aux fabricants, et, en aucune circonstance, ne rencontrait les clients. Constance apportait dans son affaire l'inspiration et Miss Marpruder compensait le caractère indéniablement capricieux de sa patronne en se chargeant de toute la logistique.

En contrepartie, elle avait obtenu certaines faveurs. Et j'étais sûre qu'elle les avait toujours. La première était de connaître en permanence tous les faits et gestes de Constance : elle était la seule à savoir l'adresse de la villa ou le numéro de téléphone de l'hôtel ; elle était au courant de tous les détails des vols. Constance lui confiait ces informations privilégiées car elle savait qu'elles seraient jalousement gardées : Miss Marpruder, disciple du temple de Constance, était aussi sa grande prêtresse.

Dans la décoration, les crises sont permanentes. Les gens adorent ça. Chez Constance, elles étaient quotidiennes. Ses clients étaient très riches, ce qui les rendait fantasques. Tel tissu coûteux, soumis à un délai de livraison d'un an, ne plaisait plus à son arrivée. Une fois achevée, une pièce peinte à la main de seize couches de laque était décevante. S'ensuivait un drame. Les assistants se démenaient. Les téléphones hurlaient. Les clients insistaient, suppliaient, pour parler à Constance en personne.

Au milieu de la mêlée, en sécurité dans son coin retiré, Miss Marpruder attendait. Non, impossible de joindre Miss Shawcross. Non, elle n'était pas disponible. Non, elle n'appellerait pas Venise ou Paris ou Londres ou la compagnie d'aviation.

– Prudie a du nez, jubilait Constance. En cas de crise, elle est le juge de la Cour suprême.

J'entendais sonner le téléphone de Miss Marpruder : je le voyais, très distinctement, et je l'écoutais sonner. Je voyais le napperon en dentelle sur lequel il était posé, la table branlante, tous les détails de cette pièce triste que Prudie appelait jovialement sa « garçonnière ».

J'avais souvent été confiée à Prudie quand j'étais enfant. Elle m'emmenait rendre visite à sa mère invalide, dans la 32e Rue, m'installait dans son petit salon et m'apportait des gâteries : cookies, citron pressé. Je crois que Prudie aurait aimé avoir des enfants.

33

Le salon était criard. Il faisait chiche ; on voyait que l'argent manquait, probablement à cause des frais médicaux. Il y avait un canapé peu accueillant, d'un rouge malheureux, drapé d'un châle de façon à imiter les effets coûteux de Constance. Dans les pièces décorées par Constance, le châle aurait été un jeté en cachemire ou un coton ancien de Paisley ; celui de Miss Marpruder était un morceau de soie de Taiwan.

Constance l'exploitait. Quand m'en étais-je rendu compte ? Prudie était loyale, irremplaçable, et horriblement mal payée. A quel âge ai-je ressenti cette injustice ? En tout cas, c'était sûrement dans le petit salon de Prudie que le doute m'avait saisi sur ma marraine.

Et le téléphone sonnait toujours sur le napperon de dentelle qui aurait fait frémir Constance d'horreur. La mère de Miss Marpruder l'avait confectionné. Quand elle se servait du téléphone, elle le remettait en place.

— J'adore les jolies choses, m'a-t-elle dit un jour.

Je devais être adolescente car cette remarque m'avait fait mal.

— Coussins, tapis, napperons... Ce sont les petits détails qui comptent, Victoria. C'est ta marraine qui me l'a enseigné.

Ce souvenir m'avait mise en colère. J'allai me coucher la haine au cœur, passant en revue les dégâts que Constance avait causés. Mais pendant mon sommeil, je rêvai de ma marraine sous un aspect tout autre. A mon réveil, je me sentis injuste. Autrefois, j'avais eu de bonnes raisons pour aimer Constance.

J'avais trouvé une nouvelle direction pour mes recherches. Je me levai, me douchai et m'habillai. Il était très tôt. J'appelai Miss Marpruder une nouvelle fois sans succès. Je sortis dans la rue surchauffée. Je hélai un taxi. Ce n'est qu'en y montant que je décidai de ma destination. Je donnai l'adresse au chauffeur.

— Le Queens ? interrogea-t-il d'un ton réticent.

— Oui, le Queens. Prenez par Triborough et ensuite je vous indiquerai le chemin.

— Green Lawns ?

— C'est ça.

— C'est une maison ?

— Non, un cimetière pour animaux.

*

Je ne m'y étais pas rendue depuis huit ans et j'eus du mal à trouver la tombe de Bertie. Je passai devant des pierres tombales blanches, des mémoriaux dédiés à des chiens, des chats et... même à une souris.

34

On y lisait « *Absente-toi un instant de la félicité* ». Me retournant, je tombai littéralement sur l'iceberg de Bertie.

C'était bien là. Un caprice affligeant de Constance, qui avait voulu recréer pour la dernière demeure de Bertie le paysage de ses ancêtres : c'était un chien de Terre-Neuve. Constance avait une vision poétique et très vague de ce qu'était Terre-Neuve. Elle disait toujours que Bertie rêvait d'icebergs.

Après d'âpres discussions avec les administrateurs de Green Laws qui préféraient les pierres tombales traditionnelles aux icebergs, Constance avait triomphé, comme toujours, et avait eu son iceberg. Sa ressemblance avec de la glace était peu frappante ; elle était plus évidente quand on était au courant.

J'avais adoré Bertie.

J'avais grandi avec lui. Il était énorme, noir, aussi majestueux qu'un ours. Je lus l'inscription : *A Bertie, mon dernier et meilleur chien*. Je regardai sa date de naissance et de décès puis mon regard fut attiré par quelque chose.

Entre les pics de l'iceberg blanc coulaient des rigoles de marbre vert censées représenter l'océan. Au pied de l'iceberg, il y avait un petit bouquet de fleurs enveloppé de papier blanc.

Quelqu'un avait choisi ces fleurs avec soin. Ce n'était pas un bouquet ordinaire. Il était aussi magnifiquement arrangé que les fleurs vues la veille chez Conrad Vickers.

Il y avait des freesias, des roses blanches, de petits brins de delphinium bleu, des œillets, des pensées et du muguet : certaines fleurs étaient de saison et auraient très bien pu venir du jardin de Winterscombe, mais on ne trouvait les autres que chez très peu de fleuristes de New York.

Je me penchai pour sentir leur fraîcheur puis reculai pour réfléchir. C'était le milieu de la matinée, la tombe de Bertie était complètement ensoleillée et il faisait au moins 27 °C. Les fleurs n'étaient pas fanées. Elles étaient donc là depuis moins d'une heure. Il y avait une seule personne à New York qui pleurait la mort de Bertie, une seule personne qui pouvait fleurir la tombe d'un chien mort depuis vingt-quatre ans.

Je regardai autour de moi. Personne en vue. Je fis demi-tour et me mis à courir.

Constance était en ville. La compassion me rapprocha d'elle. Tout mon amour pour ma marraine refit surface, étreignant mon cœur avec une force étonnante. Comme au bon vieux temps, quand Constance courait et que j'essayais de la rattraper. Cette fois, je savourai cet instant de triomphe, j'étais près du but.

Je fis une chose que je n'avais jamais faite de ma vie : je soudoyai un portier. Pas celui que j'avais vu à mon arrivée ni celui que j'avais connu – il avait dû prendre sa retraite. Non, un nouveau portier, jeune, soigné, malin et maniable, qui me scrutait d'une façon que ses prédécesseurs n'auraient jamais osée.

– Ça ne répond pas. Il remit le combiné en place. Je vous l'avais dit. L'appartement est fermé.

J'aurais pu essayer la séduction mais je préférai le billet de vingt dollars, m'attendant à un refus. A ma grande surprise, il passa en un clin d'œil de ma main à la sienne et disparut dans la poche de son élégant uniforme marron.

– OK. Il haussa les épaules. Montez. Mais personne ne répondra. Cinquième étage.

– Je sais. J'ai habité ici.

– Si quelqu'un demande... Vous vous êtes glissée à mon insu. OK ? Je ne vous ai pas vue.

C'était parfaitement ridicule. Ce n'était pas le genre d'immeuble où l'on pouvait entrer à l'insu du portier.

– Qui d'autre n'avez-vous pas vu entrer aujourd'hui ? A part moi.

– Comment ?

– Miss Shawcross, par exemple. Vous l'avez vue ?

– Pas du tout. Pas en semaine. Je vous l'ai dit...

Il devenait nerveux. Une question de plus et, malgré le billet, il changerait d'avis.

Je pris l'ascenseur jusqu'au cinquième puis longeai un couloir tranquille au tapis rouge. Sans grand espoir, j'appuyai sur la sonnette de l'appartement de Constance. A ma grande surprise, la porte s'ouvrit tout de suite.

Je jetai un coup d'œil à l'intérieur, dans mon ancien foyer et vis la célèbre « galerie des glaces » de Constance. Les miroirs de droite réfléchissaient ceux de gauche et créaient une impression fictive d'espace, d'infini.

– Compte, m'avait dit Constance le premier jour. Compte. Combien de Victoria vois-tu ? Sept ? Huit ? Il y en a bien plus. Regarde de plus près. Tu vois ? Il y en a à l'infini.

– Constance, dis-je, trente ans plus tard. J'entrai. Constance, c'est moi, Victoria.

– Pas ici. Pas ici.

Une silhouette émergea de derrière la haute porte : c'était une domestique philippine, lilliputienne, vêtue d'un uniforme gris impeccable. Elle semblait étonnée, comme si elle attendait quelqu'un d'autre. Elle me barra le chemin d'un air féroce mêlé d'effroi.

36

— Pas ici, répéta-t-elle, hochant la tête d'un côté et de l'autre. Miss Shawcross partie, dit-elle encore. Tout fermé. Pas visiteurs...

Elle me poussa légèrement.

— Ecoutez, s'il vous plaît. Attendez. Je veux juste savoir quand Constance est partie ? Où puis-je la joindre ?

— Pas de numéro de téléphone. Pas d'adresse. Pas de visiteurs. Elle me poussa à nouveau. Tout fermé maintenant. Fermé pour... pour l'été.

— Alors, puis-je laisser un message ? S'il vous plaît ? Je n'en ai pas pour longtemps. Laissez-moi entrer. Constance est ma marraine. Je dois absolument la voir.

Au mot « marraine », sûrement mal compris, les petits traits de la domestique se durcirent.

— Pas d'enfants ici. Jamais eu d'enfants.

— Non, pas maintenant. Autrefois, oui. J'ai vécu ici avec Constance quand j'étais petite. Ecoutez, vous avez sûrement un numéro de téléphone, une adresse.

— Police. Elle me repoussa plus violemment. Vous partez tout de suite ou j'appelle la police. Et très vite. Regardez, sonnette d'alarme, ici.

Elle se pencha légèrement en arrière. Tout en gardant une main sur le montant de la porte, elle tendit l'autre vers un petit boîtier sur le mur.

— Bouton d'urgence. Vous voyez ?

Elle se redressa de toute sa hauteur, pas plus d'un mètre quarante cinq, leva la tête vers moi et frappa le sol de son pied miniature.

— Attendez... commençai-je en reculant un peu, me demandant quand Constance avait engagé cette petite boule de nerfs (elle ne gardait jamais longtemps son personnel).

J'avais eu tort de reculer. Je lus un air de triomphe sur le visage de la servante. La porte se referma avec fracas puis j'entendis des bruits de verrous et de chaînes.

Dès que les portes de l'ascenseur se refermèrent sur moi, je m'aperçus que j'avais la chair de poule. L'ascenseur n'était pas grand et l'air était confiné. Je sentais une humidité insistante mais aussi une odeur persistante et familière : la fraîche verdure des fougères sur une note plus terreuse de ciboulette. C'était le parfum de Constance, celui qu'elle utilisait invariablement, aussi mémorable que ses yeux ou sa voix. Je sentis le passé me monter à la tête.

La descente me parut insupportablement lente. J'étais convaincue que Constance était juste devant moi, qu'elle était descendue par l'ascenseur de gauche pendant que je montais par celui de droite. C'était pour ça que la domestique m'avait ouvert si vite : comme Constance venait de partir, elle avait cru qu'elle avait oublié quelque chose. Une question de secondes. Constance était peut-être encore dans l'entrée, ou sur le trottoir devant l'immeuble.

L'entrée était déserte ; le portier avait la tête penchée sur son bureau. Je me précipitai dans la rue, scrutai les visages des passants puis regardai vers l'entrée du parc, le chemin que Constance et moi avions pris chaque jour avec Bertie il y a tant d'années.

Je crois que, l'espace d'un instant, je m'attendais à voir non seulement Constance mais également moi, petite fille, agrippée à son bras, riant toutes les deux tandis que Bertie tendait sa grosse tête vers l'entrée du parc.

Comme le temps passe ! Je ne voyais pas Constance. Elle s'était évaporée dans l'air que j'avais senti.

J'éprouvai une sensation de perte aiguë. Je restai là, hagarde, le regard fixé vers le parc. Ce sentiment en entraîna d'autres et je fis une autre chose pour la première fois, quelque chose de bien plus fou que de soudoyer un portier. Je traversai l'avenue et me mis en marche vers l'ouest, vers une rue et un pâté de maisons que j'avais soigneusement évités pendant huit ans.

Rien n'avait changé, et c'était douloureux. La 76e Rue, entre Amsterdam et Columbus, le troisième immeuble sur la gauche, orienté à l'ouest : de la brique rouge, dans un quartier que Constance méprisait. J'avais vécu là avec l'homme de la photo de Conrad Vickers. Notre appartement était au dernier étage. Les soirs d'été, nous avions l'habitude de nous asseoir sur l'escalier de secours extérieur à regarder, à écouter Manhattan.

Je levai les yeux. Personne sur l'escalier. Un torchon voletait sur un fil d'étendage improvisé ; quelqu'un d'autre y vivait maintenant. Un autre couple sans doute.

Je m'en allai, tremblante. On croit être guéri du passé et on découvre qu'il fait toujours souffrir, que le traumatisme existe encore.

De retour à l'hôtel, je m'aspergeai le visage d'eau et regardai le robinet couler.

Je m'allongeai sur le lit pour chasser le passé. En vain, bien entendu. Il murmurait sur le bruit de fond de la climatisation. Il s'approchait en rampant, de plus en plus près, me rappelant tous les chemins sinueux de ma vie qui, invariablement, menaient à Constance.

Le paysage de mon passé : chez moi, l'Angleterre, les sentiers à travers bois. Pendant mon sommeil, je rêvai de Winterscombe.

Imaginez une vallée anglaise clémente, des collines en pente douce, des bois de chênes, de hêtres, de frênes et de bouleaux. Rien n'indique, lorsqu'on s'y trouve, qu'à quelques kilomètres plus au sud on passe sans transition aux collines dénudées de la plaine de Salisbury.

La vallée n'est pas venteuse ; c'est un endroit protégé dont l'homme a affiné la beauté naturelle au fil des siècles. Le cours de sa rivière, très poissonneuse, a été dévié et se jette dans un lac ravissant et paisible.

Les bois commencent d'un côté du lac. On y a aménagé des sentiers menant à des clairières, ou à des buttes, dont certaines sont livrées à la nature et d'autres entretenues et agrémentées d'un obélisque ou d'un belvédère.

Sur l'autre bord du lac, la main de l'homme est plus visible. Il y a un parc et une petite église, pas bien belle, perchée sur une colline, une donation de mon grand-père ; des pelouses, des courts de tennis en herbe, des plates-bandes et un jardin de roses. D'un côté s'élève le mur des potagers dont émergent des verrières formant la toiture des serres où les jardiniers, moins nombreux aujourd'hui, cultivent raisin noir, melons et pêches blanches, rares et délicats, que les enfants n'ont pas le droit de cueillir.

De la fumée s'échappe des maisons du village. Le coq doré qui surmonte la grande horloge brille de tous ses feux. Vers les pelouses, on aperçoit une terrasse et la maison que mon grand-père a fait construire avec l'argent hérité de mon arrière-grand-père.

Tous les gens que je connais se sont toujours plaints de cette maison. Ma mère dit qu'elle est trop vaste, qu'elle a été construite pour un autre monde et qu'elle est grotesque. Mon père dit que c'est un gouffre financier à cause de ses pièces si spacieuses et leurs plafonds si hauts, du toit qui fuit et des fenêtres détraquées, et parce que la plomberie proteste, tousse et siffle. On peut d'ailleurs le visiter, ce gouffre, en descendant à la chaufferie voir Jack Hennessy alimenter la chaudière à charbon. Elle est énorme : elle contiendrait presque les turbines d'un paquebot, et Hennessy dit que même en maniant la pelle jour et nuit il n'arrivera jamais à satisfaire son appétit. Les pelletées de charbon – qui ressemblent à des billets de banque car on m'a enseigné l'économie – à peine enfournées, on entend en haut les toussotements et les sifflements des kilomètres de tuyaux sinueux qui restent tièdes. « Ce n'est pas le chauffage central, c'est le chauffage périphérique », disait mon père d'un ton désespéré. Il faut donc aussi allumer du feu dans les cheminées, devant lesquelles nous nous asseyons, le visage brûlant et le dos glacé.

Ça se passait comme ça, chez nous.

Mon arrière-arrière-grand-père avait fait fortune, d'abord dans le savon puis dans la blanchisserie. Ceci était considéré comme un inconvénient par la majeure partie de ma famille, dont ma grand-tante Maud, une vieille femme impressionnante autrefois célèbre pour les réceptions qu'elle donnait. Mon père est le seul à oser parler de blanchisserie et de savon, mais juste pour taquiner ma grand-tante Maud et Oncle Steenie. Mon arrière-grand-père a consolidé la fortune de son père avec ses blanchisseries et ses usines situées en Ecosse. Il n'aimait pas vivre trop près de ces usines, je crois, et lui aussi devait préférer ne pas penser à la blanchisserie puisqu'il a emmené sa famille dans le sud, est entré dans la politique, a acheté un titre de baron, est devenu le premier Lord Callendar et a envoyé mon grand-père, Denton Cavendish, à Eton.

Mon grand-père Denton était réputé pour son élevage de faisans, ses accès de colère et son épouse américaine, ma grand-mère Gwen, extrêmement belle mais sans le sou. Mon grand-père a fait construire cette maison, créé ces jardins et agrandi cette propriété et mon père, ses trois frères et moi y sommes nés.

A son édification, cette maison était à la pointe de la mode architecturale. Bien qu'achevée vers 1890, alors que la Reine Victoria était toujours sur le trône, elle était d'esprit et de conception édouardiens. Gigantesque, ouvragée, opulente et absurde, elle était parfaite pour les longues journées d'été d'avant la Première Guerre mondiale, pour les fêtes et les réceptions, pour les parties de billard, de croquet et de bridge, pour les week-ends de chasse et les divertissements d'adultes oisifs. Peu m'importait qu'elle coûte cher et, au fond de leur cœur, je crois qu'en fait mon père et ma mère s'en moquaient tout autant. Ils l'adoraient, je l'adorais, je les adorais. Lorsque je pense à cette maison, c'est toujours l'automne et une brume plane sur le lac (qui aurait bien besoin d'être dragué). Il y a toujours de la fumée et je suis toujours heureuse. Evidemment.

Lorsque je suis allée habiter chez Constance à New York, j'ai appris à vivre à un rythme plus rapide. J'ai appris à évaluer le charme des caprices et le plaisir de la fantaisie. J'ai appris à apprécier le luxe de l'insouciance.

Je n'avais jamais connu cela à Winterscombe et j'aimais ces extrêmes. Certains trouveraient notre vie de famille ennuyeuse, mais j'aimais la sécurité de ses rites et savoir avec certitude quand j'allais au lit que le lendemain serait identique à la veille. Comme mes parents, j'étais, je suppose, très anglaise.

Le matin, je me levais à sept heures quand Jenna, ma nurse, m'apportait une cruche d'eau chaude en cuivre et une serviette. Elle frottait mon visage, mon cou et derrière mes oreilles jusqu'à ce que ma peau soit luisante puis donnait à mes cheveux roux et bouclés, que je détestais, exactement cinquante coups de brosse. Ensuite elle les tressait en nattes serrées, comme pour les dompter, qu'elle fixait avec des élastiques et des rubans dont la couleur était assortie chaque jour au chemisier que je portais. Pour Jenna, l'ordre était une religion.

Deux fois par an, je recevais des vêtements de Londres dans des boîtes blanches. Ma garde-robe était très sage et ne variait jamais : l'été, un chemisier à manches courtes, des socquettes et une robe en coton, et un cardigan tricoté par Jenna ; l'hiver, un chemisier en laine à manches longues avec des chaussettes montantes ou des bas de laine, une jupe plissée et une veste en flanelle grise. J'avais trois sortes de chaussures : une paire à lacets, marron, très épaisse ; de robustes sandales brunes et des escarpins réservés aux réceptions, qui n'étaient d'ailleurs guère fréquentes. J'avais toute une collection de manteaux en tweed à col de velours, tous identiques, et toute une série de petits chapeaux ronds maintenus sur ma tête par un élastique passant sous mon menton. Je détestais mes chemises d'hiver qui grattaient mais, à part cela, je me souciais peu de ma tenue vestimentaire, sauf quand je rendais visite à ma grand-tante Maud à Londres.

Tante Maud n'aimait pas mes vêtements et ne se privait pas de le faire remarquer. « Cette enfant est terne, disait-elle, en me fixant d'un œil sévère. Je vais l'emmener chez *Harrods*. Elle a des... possibilités ».

Je me demandais quelles possibilités je pouvais bien avoir : dans la glace, je me voyais grande et décharnée. J'avais de grands pieds, qui paraissaient encore plus démesurés dans mes grosses chaussures à lacets que Jenna frottait jusqu'à ce qu'elles luisent comme des châtaignes. Mes taches de rousseur me mortifiaient. Mes yeux étaient d'un vert indéfinissable. Mes affreux cheveux roux tombaient à mi-hauteur de mon dos alors que j'aurais voulu des cheveux noirs et courts et les yeux bleus passionnés des héroïnes des romans favoris de Tante Maud.

Je ne voyais donc pas l'ombre d'une possibilité et j'attends toujours les visites promises chez *Harrods*. Je crois que Tante Maud, alors déjà vieille et l'esprit quelque peu confus, oubliait tout simplement de tenir sa promesse. En outre, je soupçonne ma mère, pour qui la mode n'était que frivolité, de s'y être opposée. « J'aime tendrement ma tante Maud, disait-elle, mais elle va trop loin. Il faut y mettre le holà ».

Il est vrai que pour mon septième anniversaire, Tante Maud a effectivement, comme elle le disait, « mis le bateau à l'eau ». Ses finances étaient un mystère mais, si j'avais bien compris, elle vivait de la vente de tableaux que lui avait offerts autrefois un ami très cher. Elle en avait déjà vendu la majeure partie mais en avait conservé quelques-uns « pour les mauvais jours ».

Je suppose qu'à l'approche de mon septième anniversaire, elle a sacrifié une de ces ultimes œuvres puisqu'elle s'est acheté plusieurs nouvelles tenues et m'a envoyé de Londres, quelques semaines avant mon anniversaire, une robe de fête.

Je la vois encore, somptueuse, tandis qu'on la sortait de son emballage dans la nursery. C'était une robe en velours de couleur ambre, avec une jupe ample, des jupons vaporeux, des manches bouffantes et un large col en dentelle.

— Oh, de la dentelle de Bruxelles! Maud est terriblement dépensière.

Ma mère contempla la robe d'un air triste et, au-dessus de sa tête, Jenna me fit un clin d'œil.

Plus tard, une fois ma mère montée, Jenna tira les rideaux, alluma les lampes et plaça la psyché au milieu de la chambre.

— Bon, dit-elle. Essayons-la. Je vais aussi te coiffer. Tu ne regardes pas avant d'être prête.

J'étais surexcitée, bondissais dans toute la pièce et gigotais dans tous les sens sous les mains patientes de Jenna. C'était si long! Les bas en soie couleur crème, retenus par des jarretières élastiques, les escarpins, les jupons. Une fois habillée, je n'eus toujours pas le droit de regarder. Il fallait encore que Jenna me brosse les cheveux et y noue un ruban noir tout neuf.

Il y avait un problème : pour mettre la robe, j'avais dû retenir ma respiration et Jenna avait fait une grimace. Mais j'oubliai tout en m'admirant dans la glace. La robe était si belle et la fille qui me regardait si différente. Je restai ainsi sans bouger, à contempler cette étrange jeune fille. Puis Jenna soupira et je commençai à voir tout ce qui n'allait pas : j'étais trop grande et la robe trop courte; j'étais mince mais pas suffisamment pour la robe et le corsage serré faisait ressortir mes côtes.

— Je peux peut-être la rallonger un peu, dit Jenna en touchant l'ourlet. Non, regarde Vicky, il n'y a que trois centimètres en plus, cinq au maximum. J'abandonne. Ta tante Maud s'est trompée sur ta taille. Mais ne t'en fais pas, ce sera parfait pour la fête de Charlotte cet hiver.

La fête de Charlotte était la seule réception sûre de tout l'hiver. Charlotte était une petite fille blonde et mince, de plusieurs années mon aînée, que je n'aimais pas beaucoup. Elle vivait dans une grande maison à environ vingt-cinq kilomètres de Winterscombe et donnait des réceptions d'un luxe inimaginable : des magiciens y venaient tout exprès de Londres et, l'année précédente, il y avait eu une bombe glacée. Son père s'achetait chaque année une nouvelle Rolls Royce et fumait des cigares, et sa mère portait des diamants même dans la journée. Charlotte était venue une fois prendre le thé à Winterscombe, et avait qualifié la maison de miteuse. J'en avais été blessée. J'étais presque impatiente de porter cette robe étonnante à la fête de Charlotte.

Mais cette année-là, Charlotte avait eu la rougeole et sa réception avait été annulée. La robe de velours était donc restée pendue dans le placard, ne cessant de raccourcir au fil des semaines. J'essayais de ne pas trop manger mais continuais malgré tout à grandir. Avant Noël, Jenna ressortit la robe et nous nous prîmes d'espoir. Nul doute que je pourrais la porter à Noël. Tante Maud venait. La veille de Noël, je fis un essayage mais les crochets ne pouvaient plus atteindre les œillets du corsage. Je parus donc au repas de Noël dans ma robe habituelle.

Tante Maud avait déjà oublié la robe. Le lendemain de Noël, j'abordai un autre sujet.

— Tante Maud, dis-je, l'arrêtant sur le chemin de sa chambre. Est-ce qu'on peut faire disparaître des taches de rousseur?

42

Tante Maud souleva sa lorgnette et scruta mon visage.

— Bien sûr qu'on peut. Il faut mettre de la terre à foulon. Cela blanchit la peau. J'en utilise depuis des années. C'est infaillible.

Nous fîmes un essai. Tante Maud m'emmena dans sa salle de bains et mélangea une pâte grisâtre. Elle m'en enduisit le nez et les joues, me fit asseoir sur une chaise et, pendant que la pâte séchait, me lut un passage de son roman. Le roman s'intitulait *The Crossroads of the Heart* et se passait sur un paquebot. Dans les lectures de Tante Maud, il y avait toujours de « bons morceaux », comme elle disait, et elle m'en lut un des meilleurs, qui se situait vers la fin du livre. C'était une scène d'amour sur le pont, au clair de lune, qui se terminait par une description de baiser fougueux des plus intéressantes. Si ma mère l'avait entendue, je crois qu'elle y aurait « mis le holà ». Mais Tante Maud était si émue qu'elle commença à me raconter un de ses propres récits sur Winterscombe, les réceptions qu'on y donnait autrefois, du vivant de ma grand-mère américaine Gwen.

— Je me souviens qu'un jour il y a eu une réception en l'honneur d'une comète. La comète de Halley, tu sais. Nous avions prévu de dîner tous ensemble puis de nous installer dehors pour regarder passer la comète...

Je restai assise sans dire un mot. J'aimais beaucoup ces histoires mais mon nez commença à me démanger. Je me demandai s'il serait impoli de l'interrompre pour la prévenir.

— Je portais mes émeraudes. Ou mes saphirs peut-être ? Oui, les saphirs, je pense, car ma robe était bleue, et Monty... Oh ! Elle poussa un cri perçant. La terre de foulon, Vicky, vite !

Elle m'entraîna précipitamment dans la salle de bains et me frotta le visage avec son savon français spécial.

— Je peux regarder, maintenant, Tante Maud ?

Tante Maud observait mon visage de façon inquiétante. Non sans réticence, elle me tendit un miroir. Je le plaçai tout contre mon nez, que j'inspectai. Mon nez était tout rouge et mon visage entier flamboyait. On aurait dit que j'avais encore plus de taches de rousseur.

— Je crois que ça n'a pas très bien marché, Tante Maud, commençai-je.

Tante Maud s'empara du miroir.

— Bien sûr, ça ne marche jamais du premier coup ! Il faut souffrir pour être belle. Il faut persévérer, Vicky. Je vais t'en laisser un peu et tu t'en mettras une fois par semaine...

Je pris le paquet de terre de foulon. J'en ai mis une fois par semaine pendant quatre semaines. Une fois la réserve épuisée, les taches de rousseur étaient toujours là et je dus admettre la vérité. J'adorais Tante Maud mais elle s'était trompée sur trois choses : la taille de la robe, la terre de foulon, et mes possibilités. Je n'en avais aucune. Ma confiance en Tante Maud, pourtant si forte, en avait pris un coup.

Tante Maud était l'un des piliers de ma vie ; elle en définissait les frontières. J'en avais d'autres : mon parrain, les amis de Steenie, le poète Wexton, Jenna, mon père, ma mère, mes oncles. Enfin, il y avait William, officiellement maître d'hôtel mais qui faisait dans la maison toutes sortes de choses que les maîtres d'hôtel ne semblaient pas faire chez les autres, comme cirer les bottes et les chaussures. Charlotte m'en avait d'ailleurs fait la remarque cinglante le jour où elle était venue prendre le thé.

— C'est le maître d'hôtel qui cire tes chaussures ? me demanda-t-elle.

C'était l'hiver et, les souliers crottés, nous rentrions d'une promenade.

— Vous n'avez pas de cireur ?

— Eh bien, en général, c'est Jenna qui cire les miennes.

— Jenna ? Mais c'est ta nurse. Maman dit même qu'elle n'est pas une gouvernante correcte. La mienne porte un uniforme marron.

Ceci m'ennuyait plus que je ne voulais bien l'admettre. Au moment du thé, Charlotte parut tout aussi critique à l'égard de ma mère. Elle observa la robe simple que ma mère mettait les après-midi de week-ends et sur laquelle elle portait une vieille veste en tweed. Je connaissais l'opinion de ma mère sur le fait de porter des diamants pendant la journée et, tout en étant persuadée qu'elle avait raison, j'en vins à souhaiter qu'elle portât quelque chose ayant plus d'allure qu'une simple rangée de perles. Après tout, elle en avait aussi des diamants. Mais ils étaient à la banque. Tous les six mois, elle parlait de les vendre.

J'aurais bien voulu parler à Charlotte des diamants en question et formai le projet de les évoquer « par hasard » dès que ma mère aurait quitté la pièce. D'un autre côté, je savais que ma mère aurait honte de moi si je faisais pareille chose. Je me tortillai sur ma chaise et fis mine de ne pas prêter attention lorsque Charlotte frissonna en lançant un regard vers les fenêtres qui laissaient passer les courants d'air.

Ma mère lui parlait de son travail à l'orphelinat et Charlotte écoutait avec un petit sourire dédaigneux qui me rendait encore plus nerveuse : elle détestait les orphelinats autant qu'elle méprisait ma mère, aurait-on dit.

Lorsque mon père vint nous rejoindre, je me détendis. Lui, au moins, était à l'abri de tout reproche : il était si grand et si beau. Il avait des mains fines, et une façon de parler très apaisante. Il était excellent cavalier et quand il portait sa tenue de chasse, William disait qu'aucun homme n'arrivait à sa cheville dans le pays. J'aurais aimé qu'il porte sa tenue de chasse à ce moment-là pour que Charlotte le voie à son avantage. En fait, il portait un de ses vieux costumes en tweed, mais coupés sur mesure, et William (à qui il incombait de les brosser) avait pour habitude de passer son doigt sur le tissu en disant : « Ça, c'est de la qualité ».

J'espérais que Charlotte le remarquerait. J'espérais que quand il allait commencer à parler, cet horrible sourire dédaigneux allait disparaître. Mon père bégayait légèrement sur certains mots, héritage de la Grande Guerre, mais, doux et aimable, il charmait tout le monde. Charlotte y succomberait elle aussi, ce n'était qu'une question de temps.

Il lui posa d'abord des questions sur ses leçons, ce qui devait être une erreur puisque Charlotte était maintenant en pension et que, pendant la promenade, elle m'avait dit ce qu'elle pensait des jeunes filles qui recevaient leur instruction à la maison.

— C'est ta mère qui s'occupe de ton instruction ? Je croyais que tu avais au moins un précepteur.

— J'en ai eu un, mais il est parti.

J'hésitai car j'étais en terrain dangereux. Aucun précepteur n'était resté longtemps, nous n'avions plus de femme de chambre et les cuisinières menaçaient tout le temps de donner leur congé.

C'était à cause de leurs gages, et de la chaudière, qui mangeait beaucoup d'argent, et des orphelinats, qui en mangeaient encore davantage.

— Elle t'enseigne tout ?

— Elle sait beaucoup de choses. Elle m'enseigne l'anglais, le français et la géographie et l'année prochaine nous commençons le latin. M. Birdsong vient plus de trois fois par semaine pour les mathématiques.

— M. Birdsong ? Mais c'est le pasteur !

Un mépris total. J'eus instantanément honte de M. Birdsong, un homme doux et patient que j'avais toujours apprécié. Je commençai à espérer que mon père change le sujet de conversation. Charlotte lui faisait un cours sur Rœdean, sa pension, et le petit sourire de dédain était toujours sur son visage.

— Et les vacances d'été ? dit-mon père à la fin du discours.

Il avait dit cela de sa voix la plus polie et la plus gentille, mais je savais qu'il n'aimait pas du tout Charlotte. En fait, je crois qu'il la trouvait grotesque, mais personne ne s'en serait aperçu car il avait des manières irréprochables.

— Oh, Maman dit qu'elle n'ira pas en France l'an prochain. Elle trouve que la Riviera est trop envahie. Nous irons peut-être en Italie, ou en Allemagne. Papa dit que l'Allemagne est en vogue.

Elle fit une pause, balança son pied et m'adressa un regard sournois.

— Et toi, Vicky ? Tu ne m'as pas dit où tu allais.

— Oh, nous avons des projets magnifiques, dit mon père.

— Ah bon ? Charlotte fixa sur lui un regard dur.

– Oui, nous restons ici, tu sais. Comme toujours.

– Tout l'été?

– Oui. Tout l'été. N'est-ce pas, chérie?

Il se tourna vers ma mère et je vis un regard amusé passer entre eux. Ma mère sourit.

– Je crois que oui, dit-elle de sa voix tranquille. Winterscombe est tellement merveilleux en juin et en juillet. De plus, les garçons de l'orphelinat vont venir. Nous devons donc être là. Voudrais-tu un sandwich, Charlotte? Ou un morceau de gâteau?

Une fois le thé achevé, mes parents nous laissèrent. Charlotte et moi jouâmes aux cartes près du feu. Après avoir commencé par un gin rummy, nous passâmes inopinément à des réussites. Charlotte me parla de la nouvelle Rolls qui allait venir la chercher et en quoi elle était bien mieux que la précédente. Elle me parla de Rœdean et me raconta combien d'écussons sa gouvernante avait cousu sur son nouvel uniforme marron, me faisant clairement sentir que faire des réussites n'était pas d'après elle un passe-temps idéal après le thé.

J'étais parfaitement humiliée et craignais que Charlotte ne remette sur le tapis le sujet des vacances d'été et le fait que je n'étais jamais allée à l'étranger. Lorsque ce fut mon tour de faire une réussite, je plaçai les cartes très lentement, essayant de rassembler mon courage pour parler des diamants de ma mère. Il fallait absolument que j'en parle car j'avais la certitude que Charlotte considérait ma mère comme grossière et miteuse, comme la maison. La désapprobation de ma mère ne me gênait plus et je continuai à placer les cartes en fouillant ma mémoire : il y avait bien quelque chose que je pourrais dire pour ôter à Charlotte son sourire dédaigneux.

Il y avait mes oncles, ces deux autres piliers de ma vie, qui étaient exotiques à leur façon : Oncle Freddie avait fait mille et un métiers, dont celui de pilote d'avion postal en Amérique du Sud, ce qui était certainement fascinant. Il avait ses « enthousiasmes », comme disait Tante Maud, dont le dernier en date était deux lévriers qu'il avait amenés à Winterscombe le mois précédent et nourris, sous les yeux horrifiés de ma mère, de bifteck. D'après Oncle Freddie, ces chiens allaient gagner l'Irish Derby des lévriers.

D'un autre côté, je n'étais pas très sûre du succès de ces chiens auprès de Charlotte car, à part manger, ils passaient leur temps assoupis et n'obéissaient jamais aux ordres spéciaux que leur dresseur irlandais avait indiqués à mon oncle. Les enthousiasmes d'Oncle Freddie, comme il le disait tristement, avaient rarement une fin heureuse. Mieux valait donc ne pas en parler, pas plus que de l'Amérique du Sud, qu'Oncle Freddie avait quittée dans des circonstances obscures. Oncle Steenie, alors?

Oncle Steenie, lui, était certainement fascinant. Il s'habillait de façon exquise et parlait de façon non moins exquise. Il avait les cheveux les plus blonds et le teint rose et blanc le plus magnifique que j'aie jamais vus. Oncle Steenie connaissait « absolument tout le monde » et appelait absolument tout le monde « chéri » ou « chérie » de sa chaude voix. Il prononçait aussi le mot « trop » un nombre incalculable de fois : le voyage était trop impossible, le vin était trop ignoble, l'hôtel était trop pittoresque. Oncle Steenie avait des amis dans le monde entier, et comme il ne travaillait pas, il passait son temps à leur rendre visite. Il envoyait toujours des cartes postales et j'en recevais pratiquement une par semaine. Il y inscrivait de brefs messages : « *Salut, Vicky ! Je suis à Capri* », par exemple. En dessous, il faisait un petit dessin de lui-même, ou d'arbre, ou de coquillage. Oncle Steenie dessinait merveilleusement et écrivait à l'encre violette. Grâce à lui, j'avais une immense collection de cartes postales : pour cette seule année, j'en avais de Capri, Tanger, Marseille, Berlin et d'une villa de Fiesole, qui était « trop » merveilleuse, la propriété de son meilleur ami, le fameux photographe Conrad Vickers.

Mon parrain. Oncle Steenie avait de nombreux amis célèbres : il connaissait des stars de cinéma, des peintres, des chanteurs et des écrivains. Wexton, qui avait été son meilleur ami, lui avait dédié un livre de poèmes qu'il avait écrit pendant la Grande Guerre et qu'il avait intitulé *Shells*.

Fallait-il parler d'Oncle Steenie ? Il ne venait pas souvent à Winterscombe, certes, et quand il venait il y avait des discussions d'argent : Oncle Steenie disait vouloir être le garçon le mieux « entretenu » du monde et ne se privait pas de le rappeler aux gens à haute voix quand il avait terminé tout le vin à table. Je trouvais cela étrange car, à mes yeux, Oncle Steenie était indéniablement bien entretenu, avait un teint merveilleux, et n'était plus un garçon depuis fort longtemps. Lorsqu'il faisait cette remarque, mon père se mettait en colère.

— Pour l'amour de Dieu, Steenie, l'ai-je entendu dire un jour, passant devant la bibliothèque. Pour l'amour de Dieu, tu as presque quarante ans. Ça ne peut pas continuer. Qu'est devenu le dernier chèque que je t'ai envoyé ?

Tout compte fait, il valait peut-être mieux ne pas parler non plus d'Oncle Steenie. Charlotte me demanderait certainement ce qu'il faisait, elle le demandait toujours et me l'avait même demandé à propos de mon père.

— Mais qu'est-ce qu'il fait ? m'avait-elle demandé après que je lui eus expliqué la propriété, les orphelinats de ma mère, le lac qui avait besoin d'un dragage et la chaudière et sa soif inextinguible de billets de banque.

— Je suppose qu'il a des revenus ? Dans sa bouche, on aurait dit qu'elle parlait d'une maladie incurable. Papa dit que ce doit être le cas, qu'autrement vous ne pourriez pas vous en sortir, avec cette énorme grange. Bien sûr, il y a le titre... Elle fronça le nez. Mais Papa dit que les titres ne servent pas à grand-chose aujourd'hui. Sauf s'ils sont très anciens, bien sûr, mais le vôtre ne l'est pas, n'est-ce pas ? Papa dit qu'ils peuvent servir. Il aimerait bien en avoir un sur sa carte de visite, parce qu'il y a toujours des gens que cela impressionne. Dommage que ton père ne soit pas à la City, comme Papa, non ? Ce doit être horrible d'être si pauvre.

— Je ne crois pas que nous soyons pauvres. Pas vraiment. J'étais rouge de confusion. Maman dit que nous avons beaucoup de chance.

— C'est absurde. Papa dit que vous êtes sans le sou. Il a fait une grosse affaire la semaine dernière, il l'a dit à Maman. Il a gagné plus d'argent en une seule fois que ton père en cinq ans. C'est vrai ! Tu peux le lui demander.

Non, mieux valait de pas évoquer Oncle Steenie, qui ne travaillait pas, ni Oncle Freddie et ses lévriers rétifs, ni Tante Maud qui avait été une hôtesse réputée à une époque mais était maintenant vieille, confuse, et se trompait sur mes possibilités. En fait, il valait mieux laisser toute ma famille à l'écart.

Je risquai un regard sur l'horloge, espérant qu'il serait bientôt l'heure que Charlotte parte et je commençai à empiler mes cartes : dame noire sur roi rouge, valet rouge sur dame noire : cette réussite, je le savais déjà, serait ratée.

Charlotte était assise en face de moi, observant le paquet de cartes comme si elle attendait que je triche. Elle tapait des doigts sur le tapis vert. Dame de pique sur roi de cœur. Soudain, j'eus une idée : la candidate parfaite, la carte maîtresse.

— Au fait, commençai-je. Le temps me manquait pour être subtile. Il se peut que j'aille en Amérique l'an prochain, je te l'ai dit ?

— En Amérique ?

— Oui, à New York. Ma marraine y habite et elle veut que j'aille vivre avec elle.

— Ta marraine ? Tu ne m'a jamais parlé d'une marraine américaine ?

— Eh bien, je l'appelle « Tante ». Tante Constance. Mais elle n'est pas vraiment ma tante.

Plus qu'une vantardise, c'était un mensonge, car je ne l'appelais pas ainsi. Mais j'étais lancée et je sentais la victoire approcher. Les yeux de Charlotte s'étaient faits petits et concentrés.

— Constance ?

— Constance Shawcross.

J'avais prononcé son nom avec délice. Je suppose que j'espérais impressionner Charlotte car je savais, de façon plutôt vague, que ma marraine était fort célèbre. Elle devait l'être encore plus que je ne le croyais car la réaction de Charlotte dépassa toutes mes espérances. Elle retint sa respiration, ses yeux s'arrondirent, et elle eut une expression de jalousie mêlée d'incrédulité.

— Non! Constance Shawcross? Elle-même?

— Bien sûr, dis-je avec assurance, tout en craignant subitement qu'il y eût deux Constance Shawcross, ma marraine n'étant pas la bonne.

— Seigneur! Charlotte me contempla avec respect. J'ai hâte de le dire à Maman.

Quel triomphe! J'avais peur qu'il ne soit de courte durée, sous le poids des questions de Charlotte auxquelles je n'aurais pu répondre. Mais j'entendis un crissement de pneus sur le gravier et le son d'un klaxon. Sauvée! Charlotte leva la tête. J'en profitai pour mélanger les cartes.

— C'est ton père, dis-je. Oh, regarde! J'ai réussi ma patience, finalement.

C'est ainsi que commença un mensonge dont les conséquences allaient être terribles.

En prononçant le nom de Constance cet après-midi-là, à la table de jeu, tout ce que je savais en réalité, c'était qu'il était susceptible d'impressionner. Je savais que ma marraine était renommée. Pourquoi, je n'en savais rien. Je savais qu'Oncle Steenie l'adorait et la qualifiait d'incomparable. Lorsqu'il venait à Winterscombe, il apportait parfois des revues décrivant en détail les activités mondaines de ma marraine. Je savais aussi que quand il prononçait son nom il se heurtait à un silence et qu'on changeait rapidement le sujet de conversation. Les revues qu'Oncle Steenie laissait ouvertes sur la table étaient enlevées à l'instant où il quittait la pièce. Bref, il y avait là un mystère.

Après ma naissance (c'est Jenna qui me l'avait raconté), Constance avait assisté à mon baptême et, comme les marraines des contes de fées, s'était penchée sur mon berceau pour m'embrasser. Elle m'avait tenue dans ses bras à la sortie de l'église et m'avait offert pour cadeau de baptême un bracelet des plus extraordinaires en forme de serpent lové. Ce bracelet, que Jenna jugeait « inconvenant », je ne l'avais jamais vu : il était avec les diamants de ma mère à la banque.

Après le baptême, il semble que Constance soit tombée en disgrâce car elle disparut. Plus précisément, elle fut effacée. Des nombreuses photos de mon baptême, Constance ne figurait sur aucune. Elle n'a jamais été invitée à faire un séjour chez nous alors qu'elle venait parfois en Angleterre. Je le tenais d'Oncle Steenie. Je savais qu'elle était ma marraine car elle me l'avait dit elle-même : chaque année, pour Noël et pour mon anniversaire, elle m'envoyait une carte qu'elle signait : « *Ta marraine, Constance* ». L'écriture était petite, les lettres appuyées et l'encre noire.

Ces cartes étaient placées avec les autres sur la cheminée de la nursery. Après mon anniversaire, j'avais le droit de les découper et les coller dans un album. Toutes... sauf celles de ma marraine, qui m'étaient enlevées.

Cette tactique avait pour but, je présume, de me faire oublier ma marraine. Mais comme j'étais une enfant, l'effet était contraire. Moins on m'en disait, plus je voulais savoir. Mais j'avais beaucoup de difficulté à en apprendre davantage.

Mes parents demeuraient inflexibles : rien ne pouvait les persuader de prononcer le nom de Constance, et toute question directe leur causait un déplaisir manifeste. Ils voulaient bien confirmer qu'elle était ma marraine, un point c'est tout.

Une ou deux fois, j'avais poussé Jenna à une discussion sur mon baptême et le bracelet exotique. Mais je crois qu'elle avait reçu des ordres après, car elle s'était ensuite refusée à parler de Constance. De toute évidence, Tante Maud, quant à elle, la détestait : un jour que j'avais risqué une question, elle s'était dressée puis avait baissé son nez impérieux et s'était mise à renifler.

— Ta marraine n'est pas quelqu'un de très fréquentable, Victoria. Je préfère que tu ne me parles pas d'elle. Je n'aurais jamais cru qu'elle puisse t'intéresser.

— Je me demandais seulement... si elle avait... des yeux passionnés, persistai-je.

— Ses yeux sont comme deux petits morceaux de charbon, répliqua Tante Maud. Et ce fut tout.

William, le maître d'hôtel, prétendait ne pas se souvenir d'elle. Oncle Freddie roulait des yeux chaque fois que je prononçais son nom. Un jour, pendant une promenade dans les bois, j'ai réussi à lui arracher que ses frères et lui avaient connu Constance enfant et qu'à sa façon, dit-il en grimaçant, elle était vraiment rigolote.

— Est-ce que Papa l'aimait à l'époque, Oncle Freddie ? Je crois qu'il ne l'aime pas beaucoup maintenant.

— Peut-être, peut-être. Oncle Freddie siffla. Je ne me rappelle pas. Bon, où sont ces sacrés chiens ? Appelle-les, Victoria. Oh, bien joué, les voilà !

Restait donc Oncle Steenie. Je mettais tous mes espoirs en lui, mais il me fallait le coincer après le repas ou dans sa chambre où il cachait une flasque en argent pour les après-midi frileux. Oncle Steenie ne venait pas souvent à Winterscombe, mais quand il y était, il devenait assez prolixe après quelques gorgées revigorantes. « Assieds-toi, Victoria, disait-il. Assieds-toi et bavardons à bâtons rompus ». Ainsi, à l'une de ses visites, ayant réussi à échapper à la promenade de l'après-midi avec Jenna, je me glissai furtivement dans la chambre d'Oncle Steenie.

Il me donna une truffe au chocolat de sa réserve secrète, me fit asseoir près du feu et me parla de Capri. Lorsqu'il fit une pause pour reprendre son souffle, je lui posai ma question. Il me jeta un de ses regards polissons.

— Constance? Ta marraine? Il fit claquer sa langue. Vicky chérie, c'est un véritable démon.

— Un démon? Tu veux dire qu'elle est méchante? C'est pour ça que personne ne veut parler d'elle.

— Méchante? Oncle Steenie parut trouver l'idée intéressante. Il prit une autre gorgée et réfléchit. Eh bien, dit-il enfin de sa voix la plus traînante, je n'ai jamais très bien su. Tu connais la petite fille de la comptine, celle qui a une boucle au milieu du front? Quand elle est bonne, elle est très bonne et quand elle est méchante, elle est épouvantable. Constance est comme ça, peut-être. Sauf que, personnellement, je la préférais quand elle était méchante. Ce qu'il y a de bien avec ta marraine, Vicky, c'est qu'elle n'est jamais triste.

— Est-ce qu'elle est... belle?

— Non, chérie. Ce n'est pas le mot. Elle est... saisissante. Il avala une autre gorgée. Elle sidère les gens. Surtout les hommes. Ils tombent comme des quilles.

— Est-ce qu'elle t'a fait tomber comme une quille, Oncle Steenie?

— Eh bien, pas exactement, Vicky. Il fit une pause. Elle était probablement trop occupée pour essayer. Je pense qu'elle avait d'autres chats à fouetter. Elle et moi avons sensiblement le même âge, tu sais, et nous avons toujours été amis. La première fois que nous nous sommes rencontrés, nous avions, attends voir, environ six ans. Nous étions plus jeunes que toi aujourd'hui. Nous sommes tous les deux du siècle, à peu de chose près, et ce devait donc être vers 1906. Mon Dieu, comme je suis vieux! J'ai l'impression que cela fait une éternité.

— Alors, elle a trente-sept ans, maintenant?

J'étais déçue, je crois, car trente-sept ans me paraissait très vieux. Oncle Steenie agita les bras.

— Trente-sept ans? Vicky chérie, pour Constance, les années ne comptent pas. L'âge ne la touche pas comme nous, malheureusement. Tu sais ce que j'ai vu dans la glace, ce matin? Une chose horrible. Un début de patte-d'oie, Vicky. Au coin de l'œil.

— Elle ne se voit pas beaucoup.

— Chérie, tu me rassures. Oncle Steenie soupira. C'est grâce à ma nouvelle crème. Je t'ai montré ma nouvelle crème? Elle sent la violette. C'est trop divin...

— Est-ce qu'elle peut faire partir les taches de rousseur, Oncle Steenie?

— En un éclair, chérie. Rien ne lui résiste. Cette crème fait des miracles. C'est bien pour ça qu'elle coûte les yeux de la tête. Tiens. Il sourit espièglement. Je t'en donne un peu si tu veux. Il faut t'en mettre tous les soirs et la faire pénétrer en tapotant du bout des doigts.

Oncle Steenie avait réussi à changer le sujet de conversation. Beaucoup plus adroitement que les autres, certes, mais il l'avait fait. Ce soir-là, j'entendis des discussions orageuses et des portes claquer. Oncle Steenie était si contrarié que mon père et William durent l'aider à aller se coucher. Le lendemain matin, il partit de bonne heure et c'est ainsi que je n'eus jamais mon pot de crème à la violette ni ne pus en savoir plus sur Constance.

Pendant plusieurs mois, il ne se passa rien. Charlotte attrapa la rougeole, sa fête fut annulée et sa mère l'emmena en Suisse pour sa convalescence. Noël passa et ce n'est qu'en janvier de la nouvelle année, 1938, que je revis Charlotte.

J'étais invitée, seule, à prendre le thé chez elle. Un honneur qu'elle ne m'avait encore jamais fait. A ma grande surprise, elle m'invita à nouveau la semaine suivante. Et la semaine d'après, elle me pressa de me joindre à son groupe d'amis pour aller voir une pantomime à Londres.

Ma cote avait monté, semblait-il. Pas seulement auprès de Charlotte, mais de ses parents également. Je n'étais plus une enfant insignifiante issue d'un milieu désargenté. J'étais la filleule de Constance Shawcross et je m'apprêtais à lui rendre visite à New York. Soudain, j'avais des possibilités.

Au début, je reconnais que j'en fus grisée. Les retombées sur ma personne de la fascination qu'exerçait Constance me donnaient des ailes. Ne sachant pratiquement rien de ma marraine, j'avais toute latitude pour inventer. C'est ainsi que je pris goût aux délices de l'imagination.

Au début, j'avais attribué à Constance toutes les vertus que j'admirais secrètement : des cheveux noirs, des yeux bleu foncé et un tempérament de feu. Elle avait cinq chats persans gris – j'adorais les chats – et un chien-loup irlandais. Elle était une cavalière émérite et montait en amazone. Je laissai entendre qu'elle commandait du parfum français dans de grands flacons, vivait au sommet de l'une des plus hautes tours de New York, dominant la statue de la Liberté, mangeait du rôti de bœuf trois fois par semaine, et j'insistai sur la marmelade au petit déjeuner. Tous ses vêtements, jusqu'à ses dessous, provenaient de chez *Harrods*.

– *Harrods*? Tu es sûre, Victoria?

La mère de Charlotte, qui avait prêté une oreille indiscrète mais très attentive à toutes ces vantardises, semblait maintenant soupçonneuse.

– Oh, pas tous, peut-être, avançai-je prudemment, tout en cherchant une réplique satisfaisante. Je pensai à Tante Maud et ses souvenirs.

— Je crois que parfois... elle va à Paris.

— Oh, c'est certain. Schiaparelli. Peut-être bien Chanel. J'ai vu une photo quelque part. Charlotte, où ai-je mis ce livre ?

La mère de Charlotte appelait toujours les revues des « livres ». Pour l'occasion, elle exhiba un exemplaire de *Vogue* cent fois feuilleté. Il datait d'au moins deux ans. Et là, entre mes mains tremblantes, je vis ma toute première photo de ma marraine. Soignée, insolemment chic, elle assistait à une réception à Londres où se trouvaient également l'horrible Wallis Simpson, Conrad Vickers et le Prince de Galles d'alors. Une de ses mains cachait à demi son visage.

Depuis lors, mes mensonges devinrent moins purs. J'avais tiré l'enseignement de l'erreur sur *Harrods* et j'adaptai l'image que je me faisais de ma marraine aux attentes de mon auditoire. Je lui attribuai plusieurs automobiles, dont, par malice, je décidai qu'aucune n'était une Rolls Royce, un yacht, une suite permanente au Ritz, une collection de diamants jaunes, des bagages en crocodile, des sous-vêtements en soie et une relation intime avec le Roi Farouk.

J'apprenais vite et je piochai tous ces détails soit dans ce que Charlotte et ses parents disaient, soit dans ces revues de luxe, interdites à Winterscombe, que l'on trouvait un peu partout chez eux. Je crois que j'aimais moins cette Constance que celle de mon imagination qui vivait dans une tour et chevauchait à vive allure derrière ses chiens. Mais peu importaient mes préférences ; l'essentiel était d'impressionner mon auditoire. Lorsque je fis allusion aux bagages en croco, la mère de Charlotte poussa un soupir. Elle-même, me dit-elle avec mélancolie, en avait admiré l'autre jour chez Asprey.

Le danger était omniprésent, je le savais. Car Charlotte et sa mère étaient terriblement bien informées sur ma marraine. Elles dévoraient le carnet mondain et citaient dans toutes les conversations les noms de gens que ma marraine semblait connaître.

— La robe de Lady Diana, Maman. Qu'en pensez-vous ?

— Oh, un tout petit peu terne, moins bien que ce qu'elle porte habituellement.

Connaissaient-elles Lady Diana ? Je n'en étais pas certaine et je devais me méfier. Ma marraine était-elle mariée ? Pouvait-elle même être divorcée ? Si c'était le cas, cela pourrait expliquer son exclusion de la famille car ma mère était résolument contre le divorce. Aucun moyen de savoir, mais je pressentais que Charlotte et sa mère étaient au courant. Elles savaient aussi, probablement, contrairement à moi, pourquoi ma marraine était riche, ce qu'elle faisait, qui étaient ses parents et d'où elle venait.

Je tournai donc avec plus de précaution mes affabulations sur ma marraine, éludant la question des maris et de son passé. En retour de mes inventions, je glanais des informations que j'amassais précieusement. J'appris que ma marraine était née en Angleterre mais qu'elle avait été naturalisée Américaine. J'appris qu'elle « réaménageait » des maisons, tout en ignorant en quoi cela consistait. J'appris qu'elle traversait l'Atlantique avec autant de facilité que s'il s'était agi de la Manche, et qu'elle adorait Venise où elle se rendait chaque année. Là, elle ne descendait qu'au *Danieli*.

— Pas au *Gritti*, je te l'ai dit, Harold.

Nous étions dans leur salon, assis sur un sofa de brocart. La mère de Charlotte buvait un Martini dans un verre givré. Elle remua l'olive, posa sa boisson sur la table de verre et de chrome et jeta un regard froid à son mari. Elle se tourna vers moi avec un regard d'excuse, comme si, à l'instar de ma marraine, j'étais un arbitre du bon goût.

— Nous sommes descendus au *Gritti* l'an dernier, Victoria, parce que le *Danieli* était plein à craquer. Nous n'avons pas eu le choix, c'était une disposition de dernière minute.

Les vacances. Je me raidis car, là aussi, il y avait un danger : mon séjour hypothétique à New York. J'espérais que Charlotte avait oublié cette autre invention, mais pas du tout. Elle se souvenait même que j'avais donné une date : cette année.

Mais quand, dans l'année ? Les semaines passant, ses questions se firent plus pressantes. Charlotte retourna à la pension mais dès les vacances de Pâques, j'eus droit à de nouvelles invitations pour le thé.

Quand, exactement, avais-je l'intention de partir ? Savait-on si je prendrais *l'Aquitania* ou *l'Ile-de-France* ? Devais-je voyager seule ou ma marraine venait-elle me chercher ? Je n'irais sûrement pas pour l'été, personne n'allait à New York en cette saison. Et, de toute façon, ma marraine était toujours en Europe à cette époque-là.

Ce printemps-là, j'eus un bref répit grâce aux événements politiques : l'Autriche avait été annexée par l'Allemagne et, tout en ignorant ce que cela signifiait, je savais que c'était grave car mon père et ma mère avaient à ce sujet de longues conversations, interrompues lorsque j'arrivais. Même le père de Charlotte avait l'air grave. Leur voyage en Allemagne, prévu pour cette année, fut annulé. Ils optèrent finalement pour l'Italie.

— Rien n'est sûr, dit la mère de Charlotte dans un profond soupir. Je me demande si tes parents vont t'autoriser à faire ce voyage, Victoria. Ce serait tellement décevant que tu annules ce séjour, mais, tu sais...

— Il sera peut-être... reporté, dis-je d'une toute petite voix.

— Je comprends pourquoi.

Charlotte, assise à côté de moi, me lança un regard lourd.

— Après tout, l'Amérique est dans la direction opposée. Il ne se passe rien, là-bas.

Je marmonnai quelque chose de peu convaincant, je crois, car Charlotte et sa mère échangèrent un regard éloquent. Charlotte commençait-elle à croire que ce voyage était pure invention ? Elle me regardait maintenant d'un air circonspect, avec un rien de son ancienne arrogance. Je ne l'aimais vraiment pas, et je commençais à regretter tous mes mensonges, mais j'aurais fait n'importe quoi pour reconquérir son respect.

Il n'y avait qu'une chose à faire pour obtenir quelque chose que l'on désirait ardemment : prier. Ma mère me l'avait enseigné. Pendant de nombreuses années après leur mariage, mes parents n'avaient pu avoir d'enfant. Ma mère avait tellement prié que ses prières avaient été exaucées.

— Est-ce que Papa a prié aussi ? lui demandai-je un jour. Ma mère fronça les sourcils.

— Je pense que oui, Vicky. A sa façon. N'oublie jamais qu'il ne faut pas prier juste pour soi-même. Dieu n'est pas le Père Noël et il ne faut pas trop Lui en demander. Mais si tu Lui demandes de bonnes choses, des choses justes, Il t'écoutera. Il ne pourra pas toujours te donner satisfaction, ou le fera d'une façon inattendue, mais Il écoute, Vicky. J'y crois réellement.

Ma visite chez ma marraine était-elle une bonne chose, une pour laquelle on avait le droit de prier ? Je pesai le pour et le contre pendant un certain temps. Finalement, je décidai qu'elle était assez bonne. On m'avait appris à être méthodique, et je l'avais été à cette occasion : j'avais prié tous les soirs et tous les matins, et le dimanche à l'église. Pour soutenir mes prières, j'avais acheté un cierge chaque semaine. Tout en l'allumant, je présentais ma requête, poliment, au Seigneur : « Dieu-s'il-vous-plaît-si-vous-pensez-que-c'est-une-bonne-chose-que-j'aille-à-New-York-chez-Constance-si-c'est-Votre-volonté-merci-Amen ».

Deux fois par jour pendant trois mois. A la fin de cette période, au beau milieu de l'été à Winterscombe, mon vœu fut exaucé. Mais j'aurais dû écouter ma mère avec plus d'attention car il le fut d'une façon inattendue.

Jusque-là, j'avais bien profité de cet été. Je me souviens des journées ensoleillées et chaudes, d'une sensation d'accalmie, comme si le monde était dans l'expectative et retenait son souffle. C'était le calme de l'attente : quelque part, au-delà des frontières de ce monde en sécurité, quelque chose était en train de se produire. Parfois, j'imaginais que je pouvais l'entendre, très loin et diffus, comme une grosse machine invisible prête à s'ébranler. Des événements se préparaient.

Je savais depuis des années, quoique de façon vague, que les orphelinats qui prenaient tant de temps à ma mère et tant d'argent à mon père entretenaient des rapports avec des institutions similaires d'autres pays d'Europe. Lorsque, cet été-là, ma mère me prit à part pour m'expliquer que leurs projets étaient changés, qu'elle devait partir en Europe avec mon père en juillet et août, je ne fus pas surprise outre mesure. Nous n'étions jamais allés en vacances à l'étranger mais ma mère y avait séjourné une fois ou deux, autrefois, en général avec son amie intime, la formidable Winifred Hunter-Coote, qu'elle connaissait depuis la Grande Guerre. Cette fois, m'expliqua-t-elle, mon père avait décidé de les accompagner ; ils n'allaient pas seulement visiter des orphelinats mais aussi voir des amis en Allemagne qui les aideraient à ramener certains enfants en Angleterre. Pendant quelque temps, précisa-t-elle, ces enfants seraient plus en sécurité ici que dans leur pays. Ils n'étaient pas forcément orphelins, mais plutôt comme des réfugiés. Les autorités ne se laissaient pas facilement persuader de les laisser partir et c'était pourquoi, parlant couramment l'allemand, mon père était du voyage...

A ce moment, de façon inhabituelle pour elle, ma mère fit une pause. Je sus tout de suite qu'elle ne me disait pas tout.

– Ils ne vont pas manquer à leurs parents ? demandai-je.

Ma mère sourit.

– Bien sûr, chérie. Mais ils savent que c'est pour leur bien. Nous allons partir assez longtemps et tu vas me manquer aussi. Tu m'écriras, n'est-ce pas Vicky ?

J'ai écrit. Tous les jours. Je réunissais les lettres pour qu'elles ressemblent à un journal et les envoyais une fois par semaine dans différentes postes restantes. Au début, cela me paraissait bizarre de passer l'été à Winterscombe sans mes parents. Mais au bout d'un moment, je me suis habituée à la nouvelle tranquillité de la maison, agrémentée de distractions. Tante Maud vint s'installer, apportant avec elle tout un lot de romans à la reliure éclatante. Elle était un peu frêle car elle avait eu une petite attaque à Pâques mais sa passion des romans n'en avait pas souffert. Oncle Freddie arriva à son tour avec ses lévriers, qui ne devaient pas avoir eu « une fin heureuse », eux, car il ne parlait plus du tout de l'Irish Derby. Jenna était là, William était là, et Charlotte était à une distance sûre, au *Danieli*, ce qui m'ôtait toute inquiétude quant à mes mensonges pendant quelque temps. Il y avait des fraises à cueillir, puis des framboises, des petits pois et des salades. C'était le plein été, et j'étais heureuse malgré l'absence de mes parents. Encore mieux, je m'étais fait un nouvel ami.

Il s'appelait Franz-Jacob, avait dix ans, était allemand et juif. Il était arrivé avec le premier contingent d'enfants d'orphelinats, un petit groupe de cinq ou six garçons allemands qui se tenaient un peu à l'écart des jeunes Anglais qui venaient chaque été à Winterscombe.

Je pense que mes parents devaient connaître sa famille, restée en Alle-magne, ou peut-être était-ce uniquement parce qu'il était étonnamment doué, car des dispositions spéciales avaient été prises pour lui. Il vivait avec les autres enfants dans les dortoirs aménagés il y a des années dans les anciens bâtiments de la laiterie et de la buanderie. Il était invité aux parties de cricket et de tennis, aux baignades et aux promenades organisées comme chaque année ; mais il venait aussi chaque matin à la maison pour assister à mes leçons.

En l'absence de ma mère, c'était M. Birdsong qui les assumait, se concentrant surtout sur ses points forts : l'histoire, les mathématiques et la poésie héroïque anglaise.

Je crois que je n'étais pas très bonne dans ces matières. Avec le recul, ce devait être un pensum pour lui, même s'il dissimulait bien son impa-tience. Du jour où Franz-Jacob se joignit à nous, M. Birdsong s'épanouit complètement.

J'en étais encore péniblement aux divisions et faisais peu de progrès. Franz-Jacob, dont l'anglais était limité, donna à M. Birdsong l'occasion d'exercer son allemand, premier motif d'exaltation. Le second fut ses dons pour les mathématiques. Ils commencèrent par les équations : M. Birdsong remit un livre à Franz-Jacob, qui se pencha aussitôt dessus. Le soleil bril-lait, il faisait chaud, sa plume crissait. Le temps que je fasse deux divisions, Franz-Jacob avait terminé tout un exercice.

Il remit les pages à M. Birdsong en s'inclinant légèrement. Celui-ci les vérifia puis hocha la tête, claquant la langue avec admiration. La sur-prise passée, ses joues prirent une teinte rose d'excitation.

– Très très bien, Franz-Jacob. *Das ist wirklich sehr gut.* Ah ça, oui. Si on essayait les fractions ?

Franz-Jacob acquiesça. Les fractions furent terminées en aussi peu de temps que les équations. De ce moment, M. Birdsong se sentit renaître : il entrait dans la salle de classe d'un pas énergique. J'entrevis, pour la pre-mière fois, l'homme qu'il avait dû être, un mathématicien talentueux d'Oxford qui, pour obéir à son père, avait abandonné sa carrière universi-taire pour entrer dans les ordres.

Dès lors, je fus complètement négligée, mais cela ne me dérangeait pas. M. Birdsong me donnait des poèmes à apprendre ou m'encourageait à écrire les dates importantes de la Réforme, tout en restant aimable. Il n'y avait plus aucune flamme dans ses yeux quand je récitais les poèmes ou les listes de dates. Cette flamme était réservée à Franz-Jacob. Ils étaient passés au calcul et la main de M. Birdsong avait un peu tremblé en ouvrant le livre.

Pour moi, la réaction de M. Birdsong était tout à fait normale. Franz-Jacob était exceptionnel. Moi aussi, je m'en rendais compte. Il était dif-férent de tous les gens que je connaissais.

Physiquement, il était petit et fragilement bâti, mais il possédait une force qui enlevait toute velléité de brutalité au plus costaud des pensionnaires anglais. Il avait un visage étroit et intense, des yeux foncés et de fins cheveux noirs coupés court sur la nuque et laissés longs sur le front, de sorte que sa mèche tombait souvent devant ses yeux et qu'il la balayait d'un geste impatient. Il souriait rarement : il y avait dans ses yeux une expression que je ne connaissais pas alors mais que j'ai souvent revue depuis. Cette expression particulière à ces Européens dont les familles ont été persécutées par le passé et pourraient l'être à nouveau : des yeux européens qui regardent le bonheur avec prudence.

C'était un enfant grave, démodé par bien des façons. Il était seul. Moi aussi j'étais seule, mes parents étant au loin. Je crois que j'étais aussi grave, et certainement démodée car j'avais été élevée selon un certain mode de vie et une série de principes déjà archaïques. Il n'était peut-être pas surprenant que nous devenions amis.

Tout l'été, Franz-Jacob et moi sommes restés inséparables. Le soir, lorsqu'il retournait au dortoir, nous nous envoyions des messages en morse, à l'aide de torches électriques, de nos fenêtres. Dans la journée, après les leçons, il restait avec moi à la maison. Il devint le chouchou de Tante Maud, dont l'allemand était peu orthodoxe mais efficace. Elle l'abreuvait d'histoires sur l'empereur Guillaume, qu'elle avait connu mais n'avait pas aimé. Elle prenait beaucoup de plaisir à expliquer aux domestiques et à la famille les besoins diététiques de Franz.

– Pas de rôti de porc pour Franz-Jacob, William, disait-elle d'une voix sonore. Je crois avoir demandé du saumon. Ah oui, le voilà! Tiens, Franz-Jacob, tu peux en manger en toute tranquillité. J'ai moi-même supervisé sa préparation à la cuisine, et je m'y connais! Je t'ai parlé de mon ami Montague? Oui, bien sûr. Eh bien, il n'était pas complètement strict sur son alimentation, tu vois. Mais je faisais tout de même en sorte qu'on ne lui serve jamais du jambon chez moi. Des saucisses non plus; je les avais bannies de la table du petit déjeuner. Ce n'était pas plus mal, d'ailleurs. Je me méfie toujours des saucisses, on ne sait jamais exactement ce qu'il y a dedans...

Oncle Freddie lui aussi s'entendait bien avec Franz-Jacob, surtout lorsqu'il s'est aperçu qu'il aimait les chiens et qu'il mourait d'envie d'entraîner les lévriers. Oncle Freddie avait un nouveau projet, un nouvel « enthousiasme » qui lui faisait passer de longues heures dans la bibliothèque, armé d'un cahier. Mais il refusait d'en expliquer la nature précise. Avec son embonpoint, réfractaire à tout exercice, Oncle Freddie était ravi de rester dans la bibliothèque pendant que Franz-Jacob et moi emmenions les chiens en promenade.

Il semble que Franz-Jacob et moi ayons marché pendant tout l'été :

nous avons longé le lac et la rivière, exploré le village et le cottage en ruine tout au bout d'un chemin, là où Jack Hennessy avait vécu. Nous sommes passés devant les champs de maïs, dont la récolte n'était jamais satisfaisante, et avons longé les murs délimitant la propriété de mon père.

Tout en marchant, nous parlions. J'ai appris quelques bribes d'anglais à Franz-Jacob, qui m'a enseigné quelques mots d'allemand. Il m'a parlé de son père, professeur d'université, qui avait perdu son poste l'année précédente. Il m'a décrit sa mère, ses deux frères aînés et ses trois jeunes sœurs. Aucun d'eux n'allait survivre à la guerre et je me suis demandé par la suite s'il l'avait pressenti : il parlait de sa famille avec beaucoup d'affection mais ses yeux étaient toujours tristes, fixés sur l'horizon européen, remplis d'une douleur future.

Je n'avais jamais eu de confident de mon âge et, par nature, je n'étais pas secrète. En explorant Winterscombe, j'ai tout raconté à mon compagnon : la maison, les sommes qu'elle engloutissait. Je lui ai parlé des passions d'Oncle Freddie et de la façon dont elles tombaient toujours à l'eau. Je lui ai raconté la mystérieuse ambition d'Oncle Steenie d'être le « garçon le mieux entretenu du monde ». Je lui ai parlé de Tante Maud et de la robe en velours qui ne m'allait pas et du malheur d'être née avec des taches de rousseur et des cheveux roux bouclés.

Franz-Jacob, qui avait du malheur une expérience autre que la mienne, était patient. Cela m'encourageait à lui raconter les choses les plus terribles. Je lui ai tout dit sur Charlotte, ma marraine Constance et mes mensonges. Je lui ai parlé des prières que je continuais à faire chaque matin et chaque soir. Je retins mon souffle car je craignais un peu Franz-Jacob et m'attendais à des reproches.

Mais il haussa à peine les épaules.

— Pourquoi t'en faire ? Cette fille est stupide et tes parents sont bons. *Das ist alles selbstverständlich...*

Aucune condamnation ; il siffla les chiens et nous reprîmes notre marche.

C'est ce jour-là, je crois, en retournant à la maison, que Franz-Jacob, qui m'avait avoué aimer les mathématiques pour leur perfection et leur caractère incontournable, comme la meilleure musique, s'est soudain arrêté sur les marches du perron. Il me dévisagea, comme s'il me voyait pour la première fois.

— Tu sais combien de taches de rousseur tu as ? dit-il enfin en reculant d'un pas.

— Combien ?

Je l'ai trouvé cruel d'avoir compté.

— Soixante-douze. Tu sais quoi ?

— Non.

– Elles ne me dérangent pas. Elles sont OK.

– Tu es sûr ?

– *Natürlich !*

Il me lança un regard impatient, comme si j'étais trop lente. Le même regard que pendant les leçons. Ensuite, il gravit les marches en courant, les chiens sur ses talons, et me planta là, écarlate et enchantée.

Le jour fatal n'eut lieu que de nombreuses semaines plus tard, vers la fin août. Je ne sus que le soir que ce jour serait spécial, mais il fut étrange depuis le début.

Ce matin-là, pour la première fois depuis trois mois, j'avais omis ma prière du matin concernant New York et ma marraine. Je commençais en effet à me rendre compte de l'absurdité de mon mensonge et de l'impossibilité, au retour de Charlotte d'Italie, de le soutenir plus longtemps. La condamnation sans merci de Franz-Jacob – « Cette fille est stupide » – m'avait donné du courage. Peu importait l'opinion de Charlotte. Je ne l'aimais ni ne l'admirais. Elle trouvait ma famille insignifiante et pauvre mais Franz-Jacob, bien meilleur juge, trouvait Winterscombe un endroit magnifique, *ein Zauberort*, un lieu magique, et il savait que mes parents étaient de bonnes gens.

J'avais désormais l'esprit assez clair pour mettre fin aux prières et je me sentais curieusement libérée d'un poids. Même mes leçons avec M. Birdsong se passèrent mieux que d'habitude : il me laissa entendre que nous allions bientôt passer à l'algèbre.

Après le déjeuner, Franz-Jacob et moi avons emmené les lévriers en promenade.

Nous avons pris le sentier descendant vers le lac, comme nous le faisions souvent, et nous sommes arrêtés pour admirer les cygnes noirs. Ensuite, fait inhabituel, nous nous sommes dirigés vers les bois de Winterscombe. Pour quelque raison, Franz-Jacob évitait ces bois alors que je les aimais en toute saison, surtout en été pour la fraîcheur de leur ombrage.

Il faisait très chaud. Franz-Jacob haussa simplement les épaules, indiquant qu'il acceptait d'aller dans cette direction. Nous aurions très bien pu longer la lisière d'arbres et nous engager sur le chemin du village, mais les deux lévriers avaient capté quelque odeur et s'étaient mis à courir en avant. Nous étions obligés de les suivre, appelant et sifflant, de plus en plus profond dans les bois, où les sentiers devenaient étroits et encombrés d'herbes folles.

Nous sommes passés devant l'endroit où mon grand-père conservait autrefois ses plumes de faisan puis avons bifurqué vers un chemin envahi d'épais ronciers. J'avais un peu d'avance sur Franz-Jacob et j'entendais les chiens fureter dans les broussailles. Je débouchai sur une clairière où j'allais parfois avec Jenna.

— Ils sont là, Franz, viens!

Je l'appelai une nouvelle fois. Il hésita puis j'entendis à nouveau le bruit de ses pas. Lorsqu'il apparut dans la lumière de la clairière, je lus sur son visage qu'il se passait quelque chose.

Toujours pâle, Franz-Jacob était cette fois littéralement livide; son front transpirait et il frissonnait malgré la chaleur.

— Va-t'en! Va-t'en! Il me tira par la manche. Ne reste pas dans cet endroit.

— Franz, qu'y a-t-il?

— *Gespenster.*

Il regarda par-dessus son épaule en direction des arbres et des buissons.

— Des fantômes. *Ich spüre sie. Sie sind hier. Es ist übel hier. Komm, lass uns schnell gehen.*

La peur est très communicative. Je n'avais pas saisi ce flot de mots allemands mais j'avais compris l'expression de ses yeux. Une seconde plus tard, j'étais morte de peur, moi aussi. Cet endroit familier et agréable était devenu menaçant. Franz-Jacob m'a saisie par la main et nous nous sommes mis à courir de plus en plus vite, glissant sur la mousse, trébuchant sur les branchages, ne nous arrêtant qu'en atteignant la pelouse en contrebas de Winterscombe.

— Qu'est-ce qui s'est passé là-bas? Quelque chose s'y est passé, répétait Franz-Jacob.

Il regardait d'un air hagard en direction des arbres, à l'autre bout de la pelouse, et les deux chiens émergèrent des taillis.

— Dans ces bois? Rien. Enfin, je crois qu'il y a eu un accident, autrefois. Mais cela fait des siècles. Personne n'en parle plus.

— C'est là.

Franz-Jacob tremblait toujours.

— Je l'ai senti. *Ich konnte es riechen.*

— Quoi? Quoi? Je ne comprends pas. Qu'est-ce que tu as dit?

Les chiens nous avaient rejoints. Franz-Jacob se pencha sur eux. Ils devaient avoir attrapé un lapin ou un lièvre car, quand il s'est relevé, ils avaient de la boue sur le museau et Franz-Jacob avait du sang sur les mains.

— J'ai dit que je l'avais senti.

Il fixa sur moi ses grands yeux sombres.

— C'est ça que j'ai senti.

Il tendit la main et je le regardai stupidement.

— Du sang? Tu veux dire que tu as senti du sang?

— Nein. Nein. Du bist ein dummes englisches Mädchen, und du vers-
tehst nichts.

Il se retourna.

— Ich konnte den Krieg riechen.

J'avais compris, cette fois. Il me trouvait stupide et anglaise. Les larmes me montèrent aux yeux. Blessée, je me mis en colère. Je tapai du pied.

— Si, je comprends. J'ai très bien compris. Ce n'est pas moi qui suis stupide. C'est toi. Tu te fais des idées. Tu ne peux pas sentir la guerre. Comment pourrais-tu sentir la guerre dans un bois ?

J'avais crié. Franz-Jacob me tourna le dos. Suivi par les chiens, il s'éloigna. Je courus derrière lui, l'attrapai par la manche et posai à nouveau ma question. Il ne répondit pas.

Ce soir-là Tante Maud, qui se plaignait qu'on la laissât seule toute la journée, improvisa une petite fête. Elle aussi, à sa façon, voyait des fantômes. Ceux du glorieux passé de Winterscombe, les tristes spectres des réceptions de jadis.

— Il y avait toujours des gens ici, dit-elle au dîner, de façon mélancolique, lançant un regard de reproche sur la longue table. Et regardez, maintenant ! Quatre pelés et un tondu ! Je me rappelle quand cette table accueillait quarante convives. Nous dansions, jouions au bridge, les hommes au billard. Il y avait de la musique, et du champagne, un valet derrière chaque chaise... Et aujourd'hui ? Nous avons William, dont les chaussures grincent. Freddie, il faut que tu lui parles.

William, debout à un mètre de Tante Maud, continua à regarder droit devant lui. Il aimait bien ma tante, était habitué à ses manières et avait appris que les meilleurs domestiques devaient être sourds.

Oncle Freddie se mit à rougir et se resservit de tourte à la viande. Plus tard, lorsqu'arriva la tarte aux groseilles, il refit bonne figure. Je crois que c'est lui qui a suggéré que nous dansions après le dîner. Ragaillardie, Tante Maud s'anima : non, le salon ne convenait pas, même en roulant le tapis. Ce serait la salle de bal, ou rien du tout. A ma connaissance, cette salle de bal, à l'autre extrémité de la maison, ne servait jamais. Cet endroit caverneux, couleur de sucre filé, était une idée de mon grand-père.

Oncle Freddie et Franz-Jacob s'activèrent. William fut chargé de trouver un escabeau et le gramophone de ma mère. Une fois les chandeliers allumés, la pièce se mit à revivre et sa couleur sembla moins criarde. Franz-Jacob et moi examinâmes l'estrade de l'orchestre : elle surplombait le sol comme une scène de théâtre et son devant arrondi était décoré de chérubins dorés. Elle était ornée de rideaux de soie rose, plutôt élimés.

– Quelle magnifique soirée!

Rien ne disait si Tante Maud n'en évoquait pas une autre, appartenant à un passé lointain. Elle ouvrit les fenêtres et l'air doux entra, amenant avec lui quelques papillons de nuit attirés par la lumière.

– Quand a-t-on utilisé cet endroit pour la dernière fois, Freddie?

Perché sur l'estrade, je le vis hésiter.

– Je ne sais plus très bien..., commença-t-il.

Tante Maud fit la moue.

– Tu t'en souviens parfaitement bien, Freddie, et moi aussi. C'était pour la soirée de débutante de Constance. Elle portait une robe des plus grossières. Freddie, remonte le gramophone.

Dans une collection de disques comprenant des sonates pour piano de Beethoven et quelques morceaux de Mozart et Haydn, Oncle Freddie dénicha enfin deux disques sur lesquels on pouvait danser. Des valses de Vienne.

Aux premiers accents du *Beau Danube bleu*, Oncle Freddie et Tante Maud s'engagèrent sur le parquet, elle droite et royale, lui rapidement essoufflé.

Ensuite ce fut le tour de Tante Maud et Franz-Jacob. Comme en toute chose, Franz-Jacob dansait avec gravité. Il s'approcha de ma tante, s'inclina et mit son bras autour de sa taille. Tante Maud était grande et son cavalier petit pour son âge : le sommet de sa tête atteignait le corsage de ma tante. Il détourna poliment la tête et ils se mirent à virevolter sur le plancher. Franz-Jacob portait son plus beau costume, le marron, dont le pantalon s'arrêtait sous le genou. Il avait aux pieds ses gros souliers bien cirés, plus adaptés à un sentier de campagne qu'à une salle de bal. Ils constituaient un couple singulier : Tante Maud toute édouardienne, Franz-Jacob soigné, mais dégingandé comme une marionnette. Nous les regardâmes quelque temps. Ensuite, je fus invitée par Oncle Freddie qui m'assura avoir été un as du Black Bottom et du Charleston mais n'avoir jamais été très bon cavalier à la valse. Puis vint le tour de Franz-Jacob et moi.

Tante Maud était assise sur une petite chaise dorée et nous encourageait :

– Penche-toi, Vicky, à partir de la taille. Sois plus souple! Mon Dieu, que cette enfant est raide!

Oncle Freddie méditait près du gramophone tandis que Franz-Jacob et moi tournions tout autour de la pièce.

Je n'avais qu'une vague notion des pas à exécuter. Franz-Jacob semblait mieux s'y connaître mais je me moquais de trébucher ou de ralentir quand la musique accélérait. C'était une musique aigre-douce et une danse aigre-douce. Pendant que nous tournions, je pensais à un autre monde :

celui des soirées bleues et des aubes mauves, des villes, des jeunes filles mélancoliques, des épaules et des gants blancs, de l'odeur de patchouli, des perspectives de distraction et d'idylles. Un rêve viennois dans une maison anglaise. Je me laissai glisser dans le personnage de ma marraine : je l'entendais me parler à l'oreille, dans cette salle de bal qui avait été la sienne.

Ce n'est qu'en entamant une seconde danse avec Franz-Jacob que je le regardai. Son visage était pénétré de concentration, comme s'il s'appliquait à penser aux pas de danse pour chasser des idées plus sombres. Je me rappelai son comportement de l'après-midi, son expression en regardant les bois derrière lui, et je me demandai s'il voyait toujours ses fantômes, car ses yeux tristes semblaient hantés.

— Tu danses très bien, Franz-Jacob. Tu connais tous les pas.

— C'est ma sœur Hannah qui m'a appris, répondit-il.

Il s'arrêta soudain.

— *Es ist genug*. Nous n'irons pas plus loin.

Il me lâcha et recula. Etonnée, je mis un moment à me rendre compte qu'il écoutait quelque chose. C'est alors que j'entendis moi aussi, tandis que l'air de valse s'estompait, un bruit atténué par les longs corridors mais audible : le téléphone sonnait quelque part dans la maison.

Je ne sais plus si la suite des événements s'est déroulée lentement ou à toute allure : les deux, aurait-on dit. William appelant Oncle Freddie ; Tante Maud bavardant quand il quitta la pièce et se taisant brusquement à son retour ; mon oncle et ma tante partant ensemble et un silence glacial planant sur la salle de bal.

On nous fit venir dans le salon où Tante Maud et Oncle Freddie, étranges, se tenaient devant la cheminée, avec l'air de conspirateurs. Je crois qu'ils auraient préféré me parler seule mais, Franz-Jacob m'accompagnant, ils n'avaient pas eu le courage de le faire sortir.

Oncle Freddie m'expliqua qu'il y avait eu un accident et Tante Maud que rien n'était certain mais que je devais être courageuse. Les mots qu'ils prononçaient semblaient arriver de très loin. Je ne me rappelle pas précisément tout ce qu'ils ont dit.

Mais je me souviens de Franz-Jacob : il était debout à côté de moi et écoutait, le regard fixé sur ses souliers. Quand Oncle Freddie et Tante Maud eurent terminé, Franz-Jacob alla jusqu'à la fenêtre, écarta les vieux rideaux et regarda dehors.

La pleine lune teintait d'argent le coq perché sur l'écurie, qui chantait aux premières lueurs du jour ; elle donnait aux bois l'aspect d'un filet d'ombres, au lac une couleur métallique. Franz-Jacob observa Winterscombe et laissa retomber le rideau.

— *Es geht los*, murmura-t-il.

Voyant que je n'avais pas compris, il traduisit :

– Ça commence. Ça recommence. Je le savais. Je l'ai entendu cet après-midi.

Ils finirent par m'annoncer, une semaine plus tard, que mes parents étaient morts. Je crois qu'Oncle Freddie savait pertinemment ce qu'il en était lorsqu'il a reçu le premier coup de téléphone ; mais il a dû trouver moins pénible pour moi de m'apprendre progressivement la vérité. Il a fini par me l'avouer car il a un cœur tendre et ne voulait pas que je me fasse trop d'illusions. A ce moment-là, la situation était déjà confuse, et elle l'est demeurée : on n'a jamais su exactement comment ni pourquoi mes parents étaient morts.

Winifred Hunter-Coote, la personne qui avait téléphoné cette nuit-là, a parlé d'émeutes, de violence de rue et de brutes nazies. Tante Maud, qui avait connu von Ribbentrop, le ministre des Affaires étrangères allemand, lui écrivit une lettre impérieuse et fut informée, en termes suaves, qu'il y avait eu un incident de frontière, une affaire d'erreur d'identité qui, bien entendu, serait l'objet d'une enquête approfondie par les plus hautes instances du Reich.

De nombreuses années plus tard, après la guerre, je tentai en vain de découvrir la vérité : l'incident, mineur, avait eu lieu dans les mois précédant la guerre et les archives, conservées à Berlin, avaient été détruites.

A l'époque, les journaux relatèrent brièvement l'affaire. Je crois qu'un vieil ami de mon père posa une question au Parlement mais que dans la tension qui régnait en ce mois de septembre, elle n'eut aucune suite. La mort de mes parents fut balayée par la mobilisation de la Marine britannique. Lorsque Chamberlain revint de Munich avec une promesse de paix, la presse eut d'autres chats à fouetter.

Le manque de mémoire peut constituer une forme de thérapie car je ne me rappelle pas grand-chose des semaines qui ont suivi. Je revois certaines images distinctes mais sans lien entre elles, comme un collier de perles en verre séparées par des trous que je ne peux combler. Les corps de mes parents furent ramenés en Angleterre et les obsèques eurent lieu à Winterscombe. La petite église était comble et je me rappelle en avoir été étonnée car mes parents sortaient peu et je pensais qu'ils n'avaient pas beaucoup d'amis. Mon parrain, Wexton, aussi proche de ma mère qu'Oncle Steenie, était là. Debout devant le pupitre, il a lu un poème sur le temps et les changements, que je n'ai pas compris mais qui a fait pleurer Jenna. Il y avait un ou deux camarades de régiment de mon père, de la Première Guerre mondiale, et les parents d'autres camarades qui n'étaient jamais revenus des tranchées. Il y avait des gens des homes d'enfants et des innombrables organismes de charité dont s'occupait ma mère. Il y avait les enfants de l'orphelinat, portant un brassard noir sur la manche de leur costume marron, et mon ami Franz-Jacob, assis sur un banc derrière moi.

Lorsque ce fut fini, Winifred Hunter-Coote, grande et magnifique en bombasin noir, qui avait chanté les psaumes avec beaucoup d'ardeur, me serra contre son corsage et me planta un baiser moustachu. Ensuite, elle m'offrit du thé et des sandwiches au beurre d'anchois et me dit que ma mère avait été la meilleure femme qu'elle ait jamais connue.

— Jamais! cria-t-elle en jetant un regard circulaire dans la pièce, comme si quelqu'un avait pu la contredire. Jamais. La meilleure de toutes. Elle avait un cœur de lion! Et je sais de quoi je parle!

Ce soir-là, une fois tout le monde parti et Tante Maud couchée, l'air malade et vieillie, je montai dans la salle de classe, y pris mon atlas et l'apportai à Oncle Freddie.

J'avais l'idée fixe que je pourrais comprendre ce qui s'était passé si on me montrait sur la carte le lieu de l'incident.

J'en parlai à Oncle Freddie et ouvris l'atlas à la double page montrant le monde dans son entier.

Il y avait une énorme surface rouge, l'Empire britannique, sur laquelle, Oncle Freddie me l'avait expliqué un jour, le soleil ne se couchait jamais. Il y avait l'Amérique, où vivait ma marraine Constance; il y avait l'Europe, dont les frontières changeaient si souvent, et n'allaient pas tarder à changer encore.

— Où cela s'est-il produit, Oncle Freddie? demandai-je.

Oncle Freddie considéra la carte avec une confusion désespérée. Je crois qu'en vérité il ne savait pas très bien mais, me voyant anxieuse, il pointa son index sur l'Allemagne avec fermeté.

— Là, dit-il. C'était juste là, Victoria.

J'inspectai l'endroit, quelque part à la gauche de Berlin. Soudain, à ma grande surprise à cause de son âge, Oncle Freddie se couvrit le visage de ses mains.

Lorsqu'il refit surface, il se moucha et me regarda d'un air suppliant, comme s'il était l'enfant et moi la grande personne.

— Cela me rappelle tant de souvenirs, tu sais. Quand nous étions ici, enfants. La dernière guerre. Ton père est parti se battre, Victoria, mais pas moi. J'aurais pu mais je ne l'ai pas fait. Par lâcheté, sans doute.

— Je suis sûre que tu n'es pas un lâche, Oncle Freddie. Tu conduisais une ambulance, toi.

— Oui. Mais j'étais un lâche et je le suis toujours.

Il prit une profonde inspiration et me fixa de ses tristes yeux bruns.

— C'est terrible, tu sais. Absolument terrible. Je n'arrive pas à rassembler mes pensées. Oh, Victoria, qu'est-ce que nous allons faire?

— Ça ira. Nous allons y arriver. Je t'ai et tu m'as.

J'avais parlé très vite, du même ton de voix que ma mère, car j'avais très peur qu'Oncle Freddie se remette à pleurer.

— Oncle Steenie sera bientôt là, ajoutai-je. Ça va aller. Il saura quoi faire.

Oncle Freddie eut l'air rasséréné car son visage s'éclaira nettement.

— C'est vrai. C'est vrai. Steenie ne se laisse jamais abattre. Il trouvera une solution... Bon, au lit, jeune fille !

Je voulais lui demander de quelle solution il parlait, mais il ne m'en laissa pas le temps et me poussa vers l'escalier. Quand Jenna m'eut préparée pour la nuit, il vint dans la nursery me lire une histoire pour m'endormir.

Oncle Freddie lisait avec une grande vivacité mais ses choix de lectures n'étaient guère plus appropriés que ceux de Tante Maud. Il me lut une histoire qui, d'une certaine façon, ressemblait à celle-ci, à la différence qu'il s'agissait d'une intrigue policière et qu'il y avait un meurtre.

Oncle Freddie, qui adorait le sang, me fit la lecture d'une voix sépulcrale en roulant des yeux.

*

— Il faudra me passer sur le corps !

Oncle Steenie était arrivé, comme promis par câble, mais trois jours plus tard, n'ayant pu trouver plus tôt une cabine dans le bateau de New York. Il adorait organiser, et plus c'était compliqué, plus il y prenait plaisir. En le suivant dans sa chambre, je voyais briller dans son œil l'excitation des dispositions à prendre. Il me donna une truffe en chocolat, qui était un peu desséchée, et but quelques lampées revigorantes de sa flasque en argent.

— Bon. Il faut que tu saches, Vicky chérie, que tout va bien se passer. J'ai tout arrangé. D'abord... avant tout, j'ai quelque chose à régler. Juste un petit différend. Tu m'attends en haut, il faut que je parle à ta grand-tante Maud.

Tant d'efforts pour me rassurer m'inquiétaient. Après tout, je savais déjà que tout allait bien se passer, aussi bien que possible, vu les circonstances. J'allais rester à Winterscombe avec Jenna et William ; Tante Maud viendrait de temps en temps, Oncle Freddie aussi, Oncle Steenie ferait des visites-éclairs, comme d'habitude. Que pouvait-il bien avoir à régler ?

Je restai quelques instants en haut, comme il me l'avait dit, puis me glissai sur le palier. Un peu plus tard, le différend semblant s'éterniser, je descendis silencieusement l'escalier. La porte de la pièce du petit déjeuner était entrebâillée et Oncle Steenie parlait haut et fort.

— Il faudra me passer sur le corps ! déclara Tante Maud d'une voix furieuse.

Oncle Steenie l'interrompit :

— Maud chérie, sois raisonnable! La guerre est imminente. Si tu crois à une conciliation, pas moi. Et Steenie non plus. As-tu une meilleure suggestion? Il n'y a pas d'argent. Freddie ne peut pas s'occuper d'elle. Je ne pense pas que tu me juges convenable pour le faire. La pauvre petite a l'air anéantie. Elle a besoin de partir loin et d'oublier tout cela.

— Jamais. Pas chez cette femme. Je ne le permettrai pas, Steenie. Il n'en est pas question, tu m'entends? C'est encore une de tes idées insensées. Il n'y a aucun problème, sauf dans ton esprit. Victoria viendra à Londres. Elle vivra avec moi.

— Insensé? Oncle Steenie commençait à se fâcher. Ce n'est pas insensé du tout. C'est même tout à fait raisonnable. Il se trouve que tu as des préjugés à l'égard de Constance, mais c'est la marraine de l'enfant.

— Marraine! C'était une grosse erreur. Je l'avais d'ailleurs dit à l'époque.

— Elle a tout de suite proposé de prendre Victoria. Sans hésitation...

— Il n'en est pas question, Steenie, et tu peux lui dire que je lui serais reconnaissante de ne pas s'en mêler. Victoria va venir à Londres avec moi.

— Et quand la guerre va éclater? Tu vas rester à Londres? Ça n'est pas très raisonnable, si tu veux mon avis. De plus, tu n'es pas en parfaite santé et tu n'es plus toute jeune.

— Je ne suis pas complètement gâteuse, Steenie, si tu veux bien me l'accorder.

— L'Amérique est l'endroit idéal. Au début, en tout cas. Et s'il y a la guerre, elle y sera en sécurité. Pour l'amour de Dieu, Maud, nous ne parlons pas de dispositions définitives. Ce serait excellent pour elle. Elle va s'amuser. Elle a toujours voulu connaître Constance, tu sais bien qu'elle pose tout le temps des questions sur elle.

— Tu as bu, Steenie?

— Non, pas du tout.

— Oh que si! Tes yeux sont rouges. Je m'en rends toujours compte. Tu deviens fou et je te suggère d'aller te reposer. La discussion est close. Tu vas oublier ce projet ridicule et j'oublierai que tu l'as proposé.

— Je n'oublierai rien du tout! Oncle Steenie devenait agressif. Je te ferai remarquer, Maud, que Freddie et moi avons la garde de Victoria, pas toi. Donc, juridiquement, c'est à nous de décider.

— Balivernes! Freddie est d'accord avec moi, n'est-ce pas Freddie?

— Eh bien... Il soupira. Il n'avait jamais aimé la position d'arbitre. Dans un certain sens, Maud a raison. Il fit une pause. D'un autre côté, Steenie aussi. Enfin, je veux dire que s'il y a la guerre, l'Amérique sera plus sûre. Mais je ne crois pas que Constance...

Et ainsi de suite, pendant au moins une demi-heure.

En allant me coucher ce soir-là, j'étais pratiquement certaine que Tante Maud allait gagner car, même vieillissante et parfois confuse, elle avait une volonté formidable quand on la défiait. Je priai fort et longtemps pour qu'elle gagne et que j'aille vivre avec elle à Londres.

Si elle perdait, je voyais devant moi un horizon épouvantable. J'irais à New York chez ma marraine Constance, comme j'en avais fait la prière deux fois par jour pendant des mois, visite rendue possible par la mort de mes parents causée par mes terribles prières. « Oh, mon Dieu, priai-je ce soir-là, ce n'est pas ce que je voulais. Ne me faites pas ça. »

Cette nuit-là, Tante Maud fut vaincue, non pas par les arguments d'Oncle Steenie mais par les caprices de son cœur. Au dîner, elle s'était plainte de sensations de piqûres d'aiguille dans le bras et avait accusé Steenie de l'avoir contrariée. La nuit, elle eut une seconde attaque, plus sérieuse que la première, qui la laissa paralysée du côté droit, incapable de parler, d'écrire ou de se débrouiller seule des mois durant. Elle finit par se remettre mais progressait très lentement. Pendant ce temps, Oncle Steenie fut seul maître à bord. Je crois qu'Oncle Freddie lui a résisté du mieux qu'il pouvait mais, de sa vie, il ne l'avait jamais emporté sur son jeune frère. J'ai essayé de leur expliquer que je voulais rester en Angleterre mais Oncle Freddie craignait de contrarier Oncle Steenie et celui-ci faisait la sourde oreille : il était en plein élan, le mors aux dents. Rien n'aurait pu l'arrêter.

— Mais non, Victoria, c'est la meilleure chose à faire. Beaucoup de petites filles donneraient n'importe quoi pour avoir une telle chance. New York – tu vas adorer New York ! Et Constance, tu vas l'adorer aussi, tout comme moi. Elle est vraiment amusante, Vicky. Elle va partout, connaît tout le monde. Tu vas passer un merveilleux moment. Cela va te changer les idées, tu vas voir...

— Je ne crois pas que Papa aurait voulu que j'y aille. Ni Maman. Ils ne l'aimaient pas, Oncle Steenie, tu le sais bien.

— Eh bien, ils avaient des raisons pour cela. Oncle Steenie détourna les yeux et agita les mains. Oublie tout cela, chérie. Cela n'a aucune importance. C'est du passé. Il but une gorgée et m'adressa son regard le plus espiègle. De toute façon, ce n'est pas complètement vrai. A une certaine époque, ton père a beaucoup aimé Constance.

— Tu es sûr, Oncle Steenie ?

— Tout à fait. Et elle l'a toujours aimé. Donc, tout va bien, n'est-ce pas ?

Avant que je puisse ajouter quoi que ce soit, il me fourra une truffe dans la bouche.

Je quittai l'Angleterre sur l'*Ile-de-France*, le 18 novembre 1938, un mois avant mon huitième anniversaire.

Tante Maud était encore trop faible pour m'accompagner jusqu'au port et je lui fis mes adieux à Londres, dans son salon autrefois célèbre avec vue sur Hyde Park. Je fus escortée à Southampton par Jenna, qui faisait le voyage avec moi, par mes deux oncles et, à ma demande, par mon ami Franz-Jacob.

Ils me firent tous un présent pour le voyage. Oncle Freddie m'offrit un lot d'histoires policières, Oncle Steenie une orchidée, qui avait l'air carnivore, Franz-Jacob une boîte de chocolats.

Il me la présenta au dernier moment, sur le bateau, près de la passerelle. Les accompagnateurs des passagers avaient déjà regagné le quai, mes oncles me faisaient de grands signes, les premiers confetti et serpentins furent lancés.

– Tiens !

Franz-Jacob sortit de sa poche une boîte carrée en carton doré. Elle contenait, je l'ai découvert plus tard, huit exquis chocolats, un pour chaque année de ma vie. Ils étaient décorés de violettes en sucre, semblables à des améthystes, et de rubans d'angélique aussi verts que des émeraudes. Ils étaient disposés dans leur écrin comme des pierres précieuses. Des chocolats viennois : je suppose qu'ils avaient été envoyés tout spécialement par sa famille. Franz-Jacob me remit son cadeau en s'inclinant légèrement, de sorte que sa mèche tomba sur son front pâle.

Je fus très touchée qu'il se soit donné autant de mal, mais je ne voulais pas l'embarrasser en laissant paraître mes émotions. Je le remerciai et serrai fort la boîte.

– Tu vas me manquer, Franz-Jacob, risquai-je enfin.

– Je ne vais pas te manquer. La distance ne compte pas en amitié.

Je crois qu'il avait préparé cette phrase car il l'a pratiquement récitée. Nous nous sommes regardés puis, à l'anglaise, nous sommes serré la main.

– Je t'écrirai toutes les semaines, Franz-Jacob. Tu m'écriras aussi ? Tu me diras où ils vont t'envoyer.

– Bien sûr que je vais t'écrire.

Il me jeta un regard d'impatience puis sortit de son manteau une paire de gants en cuir brun qu'il enfila et boutonna avec soin aux poignets.

– J'écrirai tous les samedis. Et je mettrai une opération de calcul dans chaque lettre. Il sourit presque. Je garde un œil sur tes progrès, d'accord ?

– Pas d'algèbre, Franz-Jacob. Promets-moi, pas d'algèbre.

– Bien sûr que si. C'est bon pour toi. Souviens-t'en.

Il savait sûrement que je risquais de pleurer, et mes larmes l'auraient gêné. La sirène du bateau retentit. Une femme près de moi lança en l'air un serpentin rose. Je le regardai se dérouler, voltiger puis retomber.

Lorsque je me retournai, Franz-Jacob descendait froidement la passerelle et sortait de ma vie : ce garçon à qui j'aurais confié ma vie ne tiendrait pas sa promesse. Il ne m'a jamais écrit.

Les remorqueurs se préparèrent et les amarres furent larguées. Le bateau commença à s'éloigner du port. Jenna et moi restâmes longtemps accoudées au bastingage, essayant de voir à travers la bruine qui tombait. Sur le quai, un orchestre jouait, mes oncles nous faisaient des signes et Franz-Jacob restait immobile : leurs visages s'estompèrent petit à petit, jusqu'à ce que, nous évertuant à distinguer encore quelque chose, nous dûmes admettre qu'ils avaient disparu.

Mon souvenir de ce départ restera Franz-Jacob et sa promesse qu'il ne tiendra jamais. J'ai tout oublié du voyage lui-même, et n'en rêve jamais. Le paquebot, la vue sur l'Atlantique à partir du pont : tout cela s'est évanoui. Mais je rêve parfois de la ville qui m'attendait au-delà de l'océan. Je revois Manhattan tel que j'ai vu pour la première fois ce lieu étranger au charme saisissant : une brume flotte sur l'eau, j'ai le goût du matin dans la bouche, le soleil d'hiver brille sur une kyrielle de pinacles.

Constance m'attend sur le quai. Elle est vêtue de noir de la tête aux pieds alors que je ne porte qu'un brassard noir, cousu sur la manche de mon manteau en tweed. Dans mes rêves, Constance m'accueille exactement comme elle l'a fait dans la réalité. Elle s'avance et me prend dans ses bras. Ses vêtements sont doux. Je sens son odeur, aussi verte que des fougères, sur un fond plus humide, comme de la terre mouillée. Elle me touche le visage de ses gants. Ses mains sont minuscules, presque aussi petites que les miennes. Ses gants en chevreau sont aussi moulants qu'une seconde peau.

Comme Constance aime toucher ! Elle touche mes cheveux. Elle sourit en voyant mon chapeau. Elle détaille mes traits, un à un, ma peau pâle, mes taches de rousseur, mes yeux brouillés à la couleur indéterminée, puis quelque chose qui semble lui plaire puisqu'elle se met à sourire.

C'est comme si elle me reconnaissait, bien que ce soit impossible. Je regarde fixement ma marraine. Elle est radieuse.

– Victoria, dit-elle en me prenant les mains. Victoria, c'est toi. Bienvenue.

– C'est toi ?

Miss Marpruder allait me dire exactement la même chose, trente ans plus tard, lorsqu'elle me trouva sur le pas de sa porte.

– C'est toi, répéta-t-elle.

Son visage se décomposa. Elle semblait paralysée.

Elle n'ajouta pas « bienvenue ». Elle resta simplement là, bloquant l'entrée, cette même Miss Marpruder qui avait toujours été si hospitalière. Nous étions l'une en face de l'autre, embarrassées, nous fixant mutuellement. Derrière elle, j'apercevais le salon si familier et le canapé rouge. Une chaise défoncée avait été tirée devant la télévision, qui passait un feuilleton de troisième catégorie. La mère de Miss Marpruder était décédée, je l'avais appris. Prudie vivait maintenant seule et je sentais l'odeur de sa solitude – elle parvenait jusqu'à l'entrée.

– Prudie, commençai-je, interloquée par un tel accueil. J'ai essayé d'appeler des dizaines de fois, pendant tout le week-end. A la fin, j'ai pensé...

– Je sais que tu as appelé. J'avais deviné que c'était toi. C'est pourquoi je n'ai pas répondu.

Je la regardai, consternée. Elle ne faisait rien pour masquer son hostilité.

– Va-t'en! Je ne veux pas te voir. J'ai à faire. Je regarde la télévision.

– Prudie, s'il te plaît. Attends. Qu'est-ce qui se passe?

Elle avait été à deux doigts de me fermer la porte au nez puis s'était ravisée. A mon grand étonnement, son visage se crispa de colère.

– Ce qui se passe? Il se passe que tu as tort. Je sais pourquoi tu es ici. Ce n'est pas pour me voir, ça c'est sûr. Tu cherches Miss Shawcross. Eh bien, je ne peux rien faire pour toi, même si je le voulais. Je ne sais pas où elle est. Voilà! Ça te suffit?

– Prudie, attends. Je ne comprends pas.

Alors que je tendais la main pour toucher son bras, elle réagit comme si j'allais la gifler.

– Tu ne comprends pas? Pauvre petite Mademoiselle Réussite. Il paraît que ça marche bien pour toi. Tant de gros clients! Et combien d'entre eux étaient autrefois ceux de ta marraine?

Elle avait parlé précipitamment, comme lancée sur la pente du ressentiment. Sous tant de force, je reculai d'un pas et elle en fit un en avant.

– Tu as utilisé Miss Shawcross. Tu crois que je ne le sais pas? Tu t'es servie d'elle. Maintenant, tu essaies de me manipuler, moi. Huit ans, je ne t'ai pas vue depuis huit ans!

– Prudie, je ne suis pas venue à New York depuis huit ans. Juste en transit entre deux avions. Et de toute façon, je t'ai écrit. Tu le sais bien. Je t'ai écrit quand...

– Quand ma mère est morte. Oh oui! bien sûr. Ses yeux s'embuèrent. Tu as écrit. Et alors? Je te dois quelque chose, c'est ça?

– Bien sûr que non. Prudie, comment peux-tu dire une chose pareille?

– Sans difficulté, parce que je vois maintenant qui tu es vraiment. A une époque, je ne m'en rendais pas compte. Maintenant, oui. Et ça me rend malade.

Elle avança encore vers moi. Elle tremblait. J'ai d'abord pensé que c'était à cause de l'effort qu'elle avait fourni pour me convaincre. En fait, une partie de sa colère était dirigée contre elle; comme si elle tentait de se convaincre elle-même.

Je dis, aussi calmement que je pouvais :

— D'accord, Prudie. Je m'en vais. Mais avant, je voudrais éclaircir un point. Je ne veux pas que tu croies que j'ai pris les clients de Constance. C'est faux. Constance et moi travaillons de façon totalement différente, tu le sais bien.

— Ah bon ? Et les Dorset ? Et les Antomelli ?

Les noms sortaient de sa bouche comme si elle s'était entraînée longtemps. Je la regardai, hébétée.

— Ecoute, Prudie. Ils ont tous les deux proposé le travail d'abord à Constance. Ils sont venus me voir parce qu'elle avait refusé. Je fis une pause. Ce sont mes deux seuls clients qui ont quelque chose à voir avec Constance. J'ai fait mon chemin toute seule, Prudie. Fais-moi au moins la justice de le reconnaître.

— Elle a refusé ?

Miss Marpruder sembla rentrer en elle-même. Elle m'adressa un regard dubitatif et hocha la tête.

— C'est vrai, Prudie.

— Sans doute. Tu as peut-être raison. Je n'aurais pas dû te dire ça. J'étais furieuse contre toi. Je suis fatiguée. Je crois que je n'ai pas bien dormi. Tu ferais mieux de partir maintenant. Je te l'ai dit, je ne peux pas t'aider.

— Prudie, il se passe quelque chose ?

— Quelque chose ? Sa voix était pleine d'amertume. Quelle chose ? Après tout, je suis tranquille maintenant. Plus de conflits à résoudre, plus de hâte pour prendre le métro le matin. Je peux regarder la télévision vingt-quatre heures sur vingt-quatre si j'en ai envie. Tout va bien. Je suis à la retraite.

Je la regardai. Je ne l'imaginais vraiment pas à la retraite et je n'imaginais pas non plus que les affaires de Constance pouvaient tourner sans elle, à moins qu'elle n'ait été remplacée par quelqu'un de plus jeune.

La pitié m'envahit. Miss Marpruder, semblant avoir perdu son âme, était vieillie. De profonds sillons parcouraient son maquillage épais. Les os de son cou étaient saillants. Ses cheveux permanentés s'étaient faits un peu rares. Avec un sentiment de culpabilité, je me rendis compte que je ne connaissais pas son âge.

— Soixante-cinq, dit-elle, comme si elle avait lu dans mes pensées. Et, avant que tu me poses la question, non, ce n'est pas moi qui l'ai voulu. Je n'ai jamais voulu arrêter. C'est Miss Shawcross qui m'a mise à la retraite. Il y a deux mois. J'ai discuté mais elle ne m'a pas écoutée. Tu sais comment elle est. Une fois qu'elle a décidé quelque chose...

— Prudie, je suis vraiment désolée.

— Je m'en sortirai. Je m'habituerai. Elle est en train de tout flanquer par terre. Comme si elle voulait tout plaquer. C'est pour ça qu'elle m'a fait partir, je suppose.

Elle dut lire mon expression car elle reprit la parole avant même que je formule ma question.

— Non, elle n'est pas malade. Pas elle! Toujours aussi belle. Toujours aussi énergique. Mais elle a changé. Depuis ton départ à peu près. Et la mort d'Oncle Steenie lui a causé un choc. Tout cela la bouleverse. Elle veut voyager, m'a-t-elle dit.

— Voyager? Mais où? Prudie, j'ai appelé tous les hôtels. Elle n'a fait aucune réservation et ses amis ne l'attendent pas. En tout cas, c'est ce qu'ils disent.

Prudie haussa les épaules. Son visage se ferma.

— Je ne sais rien. Elle a dit qu'elle avait tout préparé. Je ne sais ni où ni quand elle doit partir, et je ne le lui ai pas demandé.

— Prudie, ce n'est pas possible. Tu dois savoir où elle est et où elle va. Tu l'as toujours su. Il faut que je la voie. J'ai besoin de lui parler. Maintenant que Steenie est mort, c'est elle mon passé. Il y a certaines choses qu'elle seule peut m'expliquer. Tu dois pouvoir comprendre ça.

Elle hésita. Elle se mit à tripoter ses perles en verroterie et je crus un moment qu'elle allait se laisser fléchir. Son expression se fit plus douce. Elle hocha la tête une ou deux fois.

— Bien sûr que je comprends. Quand ma mère est morte, il y avait un tas de choses que j'aurais voulu lui demander, qu'elle seule pouvait me dire. Mais je ne l'avais pas fait et c'était trop tard. Elle s'arrêta brusquement. Son visage se durcit. Je comprends donc très bien. Mais cela ne change rien. Je te l'ai dit, je ne peux pas t'aider.

Elle fit un pas en arrière. Derrière elle, on entendait un générique d'émission de télévision.

— Tu ne peux pas ou ne veux pas?

— Comme tu voudras. C'est mon émission préférée qui commence. Je ne veux pas la manquer.

— Prudie.

— Laisse-moi tranquille! dit-elle en s'énervant un peu.

Et, pour la seconde fois, on me claqua la porte au nez.

Je crois que si je n'avais pas rencontré Prudie j'aurais laissé tomber et serais rentrée à la maison. Winterscombe avait accompagné mes pensées toute la soirée : mon foyer m'appelait.

J'aurais pu me dire « Au diable Constance ». Mais cette entrevue m'en a empêché. Connaissant Constance, je doutais que Prudie se soit montée toute seule contre moi. Je l'imaginais procédant subtilement : pas de véritables récriminations mais tout en nuances, des petites allusions perfides. Prudie avait-elle fini par comprendre qu'elle avait été utilisée ? Etait-ce pour cela qu'elle m'avait accusée de m'être servie de Constance ?

Cette accusation sans fondement me mettait en colère et me blessait : j'aimais toujours Constance ; elle avait conservé le pouvoir de me blesser.

« Deux femmes », avait dit M. Chatterjee. Par quelque hasard extraordinaire, il avait vu juste. Qui était Constance ? Etait-elle la bonne marraine de mon enfance à New York, ou la mauvaise ? Etait-ce ma mère qui, comme l'avait dit Vickers, l'avait bannie de Winterscombe ? Et, dans ce cas, pourquoi ? Que savait ma mère sur Constance que j'ignorais toujours ?

« A une certaine époque, ton père a beaucoup aimé Constance... Et elle l'a toujours aimé... »

Une vague allusion, trente ans plus tôt, que je n'avais jamais oubliée. Je souhaitais que cette voix s'en aille, que toutes les voix s'en aillent, mais rien à faire. J'étais dans une impasse. Constance était à New York et m'évitait. Si Miss Marpruder refusait de m'aider, personne ne pouvait le faire.

Petit à petit, une idée s'insinua en moi. Je repensai à la tombe de Bertie et aux fleurs que j'y avais trouvées, semblables à celles vues chez Vickers la veille.

Je repensai aux relations entre Constance et Vickers. Ils sacrifiaient tous les deux à l'autel du style. Je les revoyais s'échangeant en permanence des noms et des numéros de téléphone de jeunes gens talentueux : ceux qui savaient restaurer des chaises, draper des rideaux, peindre des trompe-l'œil, teindre des tissus ou composer un bouquet de fleurs de telle sorte qu'elles aient l'air d'avoir été cueillies le jour même dans un jardin anglais.

Je téléphonai immédiatement à Conrad Vickers.

Il parut d'abord sur ses gardes, comme s'il attendait d'autres questions sur Constance. Lorsqu'il sut que ma seule préoccupation était le nom de son merveilleux fleuriste, il se détendit tout de suite.

— Ché-rie, bien sûr ! C'est pour un client ? Un futur client ? Ma chère, ne m'en dis pas plus. Son nom est Dominic. Il fera ça à la perfection. Une milliseconde, j'ai son numéro... Et surtout dis-lui que tu viens de ma part. Il se peut qu'il se montre un peu difficile. L'an dernier, il ne m'a pas été très utile, mais cette année... enfin, tu sais ce que c'est ! Une question de tempérament. La folie des grandeurs. Au fait, demande à lui parler en personne ; il va fondre sous ton charme. Au revoir...

— Ou-i-i ?

Dominic prononçait ce mot en l'allongeant de quelques syllabes, pour lui conférer quelque langueur, de la grandeur et une obséquiosité réprimée. Il fallait sous-entendre qu'il allait peut-être pouvoir faire quelque chose pour son interlocuteur, à condition que ce soit une duchesse, ou la Première Dame qui, à sept heures un lundi matin, appelait Dominic en personne.

Je réfléchis. Dans mon travail, j'avais affaire à de nombreux Dominic. J'avais deux possibilités : me montrer péremptoire ou complètement dépassée. Je choisis la seconde, qui était susceptible de me gagner un allié. J'utilisai mon accent anglais : une sorte de pleurnichement de Knightsbridge.

— Dominic ? Est-ce Dominic lui-même ? Dieu merci, j'ai réussi à vous joindre. C'est une telle panique.

— Calmez-vous, dit Dominic en français avec un accent épouvantable.

Je lui donnai un faux nom à rallonge.

— J'adore votre nom. Et votre accent aussi.

— Dominic, j'espère que vous allez pouvoir m'aider. Je suis la nouvelle assistante, et vous connaissez Miss Shawcross : la moindre erreur et je serai son ex-assistante. Elle est dans tous ses états à propos de la commande. Vous êtes en train d'y travailler, bien sûr ?

— Ché-rie. C'était une imitation presque parfaite de Conrad Vickers. Bien sûr ! C'est justement ce que je suis en train de faire.

— Vous envoyez les delphiniums ?

— Bien sûr, mon ange. Il était effectivement devenu mon allié. Les delphiniums, les roses les plus sublimes, quelques insolentes petites pensées.

— Pas de lys ? Vous êtes sûr ?

— Des lys ? Pour Miss Shawcross ? Il sembla pris de panique. Enfin, ma chère, elle les a en horreur.

— Dieu merci ! Il y a eu confusion. Miss Shawcross a cru comprendre que quelqu'un avait parlé de lys. Je fis une pause. Dernier problème, Dominic. A quelle adresse les envoyez-vous ?

— Quelle adresse ?

Son ton s'était teinté de suspicion. Mon cœur battait la chamade.

— Vous les envoyez à l'appartement de la Cinquième Avenue ?

– A la Cinquième? Non, à Park, ché-rie. Au même endroit que la semaine dernière. 756 Park Avenue, appartement 501. Ne me dites pas que c'est pour la Cinquième, sinon je crucifie mon assistant...

– Non, non, pas du tout. C'est à Park, dis-je précipitamment en notant l'adresse. Oh, quel soulagement! Et pour quelle heure?

– A dix heures, mon chou, vous avez ma parole...

– Dominic, vous avez été merveilleux. Merci mille fois.

– De rien, ma chère. Oh, au fait...

– Oui?

– Miss Shawcross a-t-elle aimé le bouquet spécial? Celui de dimanche, pour la tombe de sa petite fille, vous savez? Elle m'a appelé personnellement. Je l'ai même entendue pleurer. Cela m'a réellement touché. En fait, je ne l'imaginais pas en mère. Je ne savais même pas qu'elle avait eu des enfants...

Il y eut un silence.

– Non, dis-je. Non, Dominic, moi non plus.

Constance n'avait jamais eu de petite fille, pas plus que de petit garçon, d'ailleurs. Elle m'avait tout raconté en détail : elle n'avait jamais pu avoir d'enfant à elle. J'étais sa fille, disait-elle; elle avait toujours insisté là-dessus.

S'était-elle sentie gênée d'expliquer que les fleurs étaient pour un chien qu'elle avait beaucoup aimé? Dans ce cas, pourquoi raconter toute une histoire alors qu'aucune explication n'était nécessaire? Je pensais connaître la réponse. Le mensonge était chez Constance une seconde nature. Un jour, elle m'avait fait un énorme mensonge et la vérité m'avait frappée de plein fouet : Constance prenait grand plaisir à mentir, elle s'en délectait. « Qu'est-ce qu'un mensonge? » était l'une de ses maximes favorites. « Un mensonge n'est rien. Ce n'est que le reflet de la vérité ».

Je me trouvais devant son immeuble de Park lorsque j'y repensai. Il était neuf heures et demie du soir et j'avais sous le bras une énorme boîte de fleurs achetée plus tôt chez Dominic, avec mon accent américain. Une boîte flamboyante arborant le nom du fleuriste en grosses lettres vertes. Il me semblait naturel, après tout, de retrouver Constance grâce à un acte de duplicité.

Je l'avais enfin retrouvée. C'était donc là qu'elle se cachait. Elle avait dû emprunter l'appartement d'un ami. Et pourtant, ce choix était des plus étranges.

Constance était bourrée de principes irrationnels : on pouvait vivre ici, mais pas là. Elle avait toujours été impitoyable concernant Park Avenue :

77

c'était un endroit ennuyeux, sûr, prévisible et bourgeois. Elle disait « Park est un endroit sans imagination ». Il ne fallait pas tellement d'imagination pour vivre sur la Cinquième Avenue, à mon avis, mais je comprenais ce qu'elle voulait dire. De plus, si Park était respectable et ennuyeux, l'immeuble qu'elle avait choisi était le plus ennuyeux et le plus irréprochable de tous les pâtés de maisons à la ronde. Douze étages en pierre rouge et une entrée prétentieuse rappelant le Knickerbocker Club. Bref, une cachette impensable pour Constance.

Ce devait être un arrangement très provisoire, me dis-je en pénétrant dans le hall majestueux. J'étais nerveuse. Encore quelques minutes et je serais devant elle. Allait-elle bien m'accueillir ? Me rejeter ? Je me présentai à l'accueil.

– Je travaille chez Dominic. J'apporte les fleurs pour Miss Shawcross. Je suis un peu en avance, je crois. Pouvez-vous vérifier que je peux monter ?

Je mentais très mal. Quand je me mis à rougir, j'eus peur de me faire démasquer. L'homme raccrocha le combiné et m'annonça à ma grande surprise : « 501. Allez-y ! »

A l'étage, je comptai jusqu'à cinquante. Mes mains commençaient à trembler.

Ce n'est pas Constance mais une domestique qui m'a ouvert. Pire, c'était la même mégère lilliputienne que la veille.

J'aurais pu prévoir cette éventualité, j'imagine. Mais c'était trop tard. Désespérée, j'attendis qu'elle me reconnaisse.

Je mesure un mètre soixante-dix-sept. Ses yeux, qui m'arrivaient à la poitrine, remontèrent lentement jusqu'à mon visage. J'attendis une nouvelle rage miniaturisée, un claquement de porte devant mon nez. Echouer si près du but m'était insupportable. Je coinçai mon pied dans l'entrebâillement de la porte.

Ce faisant, j'avais baissé les yeux. En les relevant, je vis quelque chose de surprenant.

Aucun signe d'hostilité : la domestique était tout sourire.

– Victoria ? Elle gloussa. A l'heure. Très bien. Entrez. Par ici, vite.

Elle prit les fleurs, disparut derrière elles un instant puis les posa quelque part. Elle s'engagea à vive allure dans le couloir étroit et ouvrit une porte ouvragée. Elle s'arrêta pour me laisser passer.

La pièce, donnant sur l'avenue, était vide. Pas de Constance. Je me retournai, interloquée, vers la domestique. Un téléphone sonna dans l'entrée.

– Attendez. Une minute. Excusez.

Elle disparut en fermant la porte derrière elle.

J'avançai jusqu'à la pièce attenante, une chambre. Personne non plus.

Pas de Constance. Les deux pièces me laissaient perplexes. Je n'imaginais pas Constance, même *in extremis*, dans un lieu pareil.

Il faut savoir que Constance avait un goût obsessionnel pour la décoration. Dans n'importe quelle pièce, même une chambre d'hôtel, tout devait être conforme à ses goûts. Elle ne serait pas plus entrée dans une pièce qu'elle trouvait désagréable qu'un pianiste de concert n'écouterait un amateur esquinter Mozart.

Quelles que soient les circonstances, était-il possible que Constance vive là ?

Elle aimait les pièces flamboyantes, les couleurs fortes, vives, osées : le jaune perruche, le vert pinson, le bleu de Prusse ou, sa préférée entre toutes, un grenat, rouge comme des entrailles, qu'elle qualifiait, à tort, d'étrusque.

Elle aimait enfermer ces couleurs vives dans des espaces somptueux regorgeant d'objets rares et surprenants. Avec des couleurs qui, dans des mains moins expertes, auraient juré, avec des meubles dont le détournement et l'époque ne concordaient pas, Constance trouvait une harmonie.

Des paravents japonais, qu'elle avait toujours adorés, comme toutes les sortes de paravents d'ailleurs. Des fleurs en abondance, toujours. De la porcelaine chinoise. Quelque curiosité charmante : une cage à oiseaux, par exemple, en forme de pagode, un récipient rempli de coquillages, un jouet en bois ancien. Des meubles peints, toujours. Et des miroirs partout, des vieux miroirs dont le mercure était abîmé. Pouvait-elle vivre dans cet endroit ? Certainement pas.

La pièce était toute blanche, une symphonie de crème et de beiges. Elle était de style 1925-30, période que Constance abhorrait. Elle était rectiligne, sobre, avec un rien de la brutalité du Bauhaus. Je m'étais trompée d'endroit, Constance ne pouvait pas être là. Lorsque je me dirigeai vers la porte, la domestique entra et je m'aperçus de mon erreur.

Constance était bien là. Je l'avais effectivement trouvée et, j'aurais dû m'en douter, elle me préparait un de ses tours.

– Cadeau.

La domestique pointa le doigt vers une table en bois cérusé. Elle se remit à glousser.

– Miss Shawcross au téléphone. Avion partir. Très pressée. Laissé cadeau pour vous. Vous l'emporter.

Elle fit un nouveau geste vers la table.

Je traversai la pièce et regardai. C'était un présent étrange. Sur la table se trouvait une pile de vingt ou vingt-cinq cahiers. Tous étaient de mêmes dimensions et avaient la même couverture noire. Ils ressemblaient à de vieux cahiers d'écolier. Celui du dessus ne portait ni étiquette ni marque distinctive ; j'allais découvrir plus tard que les autres non plus. Ils avaient été minutieusement empilés et ficelés ensemble.

Pour confirmer que le cadeau m'était destiné, un message à mon intention y était joint. Un papier blanc épais couvert d'une écriture familière : des traits gras à l'encre noire. Le message était bref : « *Siffle et j'arrive. Tu m'as cherchée, ma très chère Victoria. Eh bien me voilà* ».

Je retournai à Winterscombe en emportant le cadeau de Constance sans l'avoir ouvert. Il était inutile de poursuivre mes recherches, d'appeler les amis, ou les hôtels ou les compagnies d'aviation. J'avais les cahiers : « *Me voilà* ».

J'étais réticente à défaire le paquet. Les circonstances dans lesquelles il m'avait été offert me mettaient mal à l'aise et le message de Constance m'irritait : « Siffle et j'arrive ». C'était une citation, sans doute. Il me semblait la connaître. Un poème ? Comment savoir ?

En arrivant à la maison, je reléguai les cahiers dans la bibliothèque. Winterscombe m'offrant de multiples distractions, je n'eus pas grand mal à éviter cette pièce pendant un certain temps.

Pour pouvoir y aller, j'avais dû différer quelques commandes et déléguer mon travail. Mieux vaut ne pas trop tarder, m'étais-je dit avant de boucler mon appartement. Plusieurs semaines avaient déjà passé lorsque je pus enfin quitter Londres. On était en septembre. Winterscombe étant en piteux état, il ne fallait pas laisser la maison fermée, inhabitée, un hiver de plus. C'est en tout cas le prétexte que je me donnais. En vérité, après l'avoir évitée pendant des années, j'étais attirée vers ma maison.

Les souvenirs ne se manipulent pas. Je voulais que Winterscombe reste la maison de mon enfance, celle que j'avais adorée entre les deux guerres. Même quand Steenie y habitait, j'avais évité d'y aller. Tant que j'étais en Amérique, cela n'avait posé aucune difficulté mais après mon retour je m'y étais rarement risquée. J'avais acheté mon appartement de Londres, dans lequel j'étais d'ailleurs moins souvent que dans les chambres d'hôtel. Quand Steenie m'invitait avec insistance, ce qu'il fit au début, il me suffisait d'invoquer une surcharge de travail. Jusqu'à ce qu'il tombe malade, je n'y étais retournée que deux ou trois fois et n'y avais pas passé une seule nuit. Je redoutais cette maison et les changements qu'elle avait dû subir, preuves du temps qui passe. Maintenant, je le ressentais avec force, elle m'appelait.

Pour des raisons purement pratiques, me disais-je. Il fallait vendre Winterscombe, mais avant d'appeler *Sotheby's* ou *Christie's* pour vendre aux enchères son contenu, je voulais la parcourir encore une fois. Je ne voulais pas que les mains étrangères d'un commissaire priseur ou d'un expert fassent leur tri parmi les malles et les boîtes, examinant les vieux vêtements, les vieux jouets, les papiers, les photos, les lettres. Cette tâche pénible, à laquelle toute personne d'âge moyen se voit confrontée un jour, m'incombait. C'était mon passé et celui de ma famille : moi seule saurais ce qu'il fallait jeter et ce qu'il fallait garder.

Je m'étais donné un mois. Dès mon arrivée, je sus que cela ne suffirait pas : Steenie avait laissé Winterscombe dans un état chaotique.

Pendant les années où il y avait vécu, il avait fermé de nombreuses pièces. Les derniers mois de sa maladie, je n'avais pas eu le courage de les explorer. Une fois les gardiens montés de leur loge, les portes déverrouillées, les fenêtres et les placards ouverts, je me rendis compte de l'ampleur des dégâts.

Au début, je pensai que c'était de la négligence : Steenie n'avait jamais été gêné par le désordre. Les jours passant, je changeai d'avis : Steenie cherchait quelque chose, avec un désespoir grandissant, allant de pièce en pièce, ouvrant un bureau ici, une malle là, en sortant pêle-mêle le contenu, sans le ranger derrière lui. Il avait laissé une sorte de piste qu'il m'était possible de suivre.

Dans l'ancienne salle de bal désaffectée, où Franz-Jacob et moi avions dansé la valse, je trouvai une boîte contenant des robes de ma grand-mère. Une autre, à demi défaite, gisait dans ce qu'on appelait autrefois la Chambre du Roi. J'en découvris une troisième, remplie de corsets à baleines, dans les écuries.

Il y avait un jeu de croquet dans une salle de bains, une collection de peluches mangées aux mites sur un palier. Une partie du service de table autrefois opulent était dans le vaisselier et le reste sous la table de billard. Et les papiers... Il y en avait partout. Des traces du passé de ma famille dont j'ignorais l'existence. Des lettres d'amour de mon grand-père à ma grand-mère, des lettres que ses fils lui avaient envoyées des tranchées. De vieilles factures, des programmes de théâtre, des dessins d'enfants, des albums de photos, des enveloppes contenant des boucles de cheveux de bébés, des registres de tableaux de chasse ou de pêche, des plans d'orphelinats jamais construits, des brouillons de discours au Parlement, des coupures de presse, des photos de chiens morts depuis longtemps, de chevaux favoris, de belles inconnues à grands chapeaux, de jeunes gens inconnus à moustache, jouant au tennis ou posant sur les marches du portique, en uniforme de la Première Guerre mondiale.

Dans cet amas de papiers, je trouvai des trésors. Je découvris des journaux intimes de ma mère dont j'ignorais l'existence et des lettres de mon père envoyées à ma mère bien avant ma naissance. J'examinai toutes ces choses avec un certain plaisir mais beaucoup de gêne : je mourais d'envie de les lire mais n'étais pas sûre d'en avoir le droit. Je me sentais comme une intruse et de toute évidence, ce qui renforçait ma gêne, je n'étais pas la première. Là où je cherchais maintenant, Steenie avait cherché avant moi. Les lettres avaient été mises de côté, les enveloppes déchirées, les journaux ouverts puis jetés : comme si Steenie avait cherché quelque chose, ne l'avait pas trouvé, et était devenu de plus en plus frénétique. Un horrible soupçon me vint. Mon oncle cherchait-il les cahiers que j'avais entreposés en bas, dans la bibliothèque ?

Le jour, accompagnée des gardiens, j'avais tant à faire que je n'avais aucun mal à penser à autre chose. A la tombée de la nuit, c'était plus difficile. Une fois seule dans la maison, la présence des cahiers devenait une obsession : je devais aller dans la bibliothèque, je devais les lire.

Le troisième soir, toujours tentée mais réticente, j'appelai Wexton à Londres.

— Wexton, dis-je après les plaisanteries habituelles entre nous, j'ai une citation à te soumettre. Elle me travaille depuis des semaines. Je l'ai déjà entendue mais je n'arrive pas à la resituer.

— D'accord. Il eut l'air amusé. Je suis un assez bon dictionnaire. Vas-y !

— « *Siffle et j'arrive* ». C'est un poème, Wexton ?

Il se mit à rire.

— Non, ce n'est pas un poème et c'est incomplet. « *Oh, siffle et j'arrive vers toi, mon garçon* ». C'est le titre d'une histoire de M.R. James. Rien à voir avec Henry, soit dit en passant. Un linguiste médiévaliste érudit en matière de textes bibliques. Tu en as entendu parler ?

— Vaguement. Je ne l'ai jamais lu.

— Eh bien, il est mort, bien entendu. Il a aussi écrit des histoires, pas mauvaises dans leur genre. C'est le titre de la plus désagréable de toutes.

— Désagréable ?

— Ce sont des histoires de fantômes. Très réfrigérant, vois-tu. Si tu décides de les lire, ne le fais pas à Winterscombe. Surtout si tu es seule la nuit.

— Je vois. Et cette histoire en particulier, Wexton. Tu te souviens de quoi elle parle ?

— Bien sûr. C'est sans doute la plus connue qu'il ait écrite. Mais je ne veux pas te raconter l'intrigue si tu as l'intention de la lire.

— Juste l'essentiel, Wexton. Cela suffira.

— Bon. Comme tu peux t'y attendre, c'est une histoire d'apparitions.

Cela me décida. Constance n'était pas une lectrice assidue. Je ne l'avais jamais vue terminer un livre – c'était l'un des grands points divergents entre nous. Mais elle adorait emprunter les livres des autres et les feuilleter. Elle n'avait pas choisi cette citation au hasard ; elle faisait partie du jeu de piste.

J'en avais assez des jeux de Constance. Puisqu'elle m'avait fait ce cadeau, j'allais lire ses cahiers et les oublier dans la foulée. Mais je voulais le faire à ma convenance et à ma façon. Si son but était de me hanter – elle aurait adoré ça – elle n'y arriverait pas. J'allais l'exorciser.

Je commençai les préparatifs le lendemain. Le temps avait changé et il faisait froid. Winterscombe était glacé, avec ce froid humide et tenace particulier aux maisons longtemps inhabitées.

Je persuadai le gardien de remettre en marche la vieille chaudière du sous-sol, celle que j'avais vue avaler des billets de banque. A force de cajoleries et malgré bien des protestations, j'obtins gain de cause. Je remontai. Les tuyaux se mirent à siffler et à crachoter. Je sentis repartir les battements de cœur de ma maison.

Ce soir-là, une fois seule, j'emportai le cadeau de Constance dans le salon. J'allumai un feu, tirai les vieux rideaux élimés puis changeai quelques meubles de place. Certains manquaient, disparus au fil des années, mais il en restait suffisamment pour créer l'illusion du passé. Le sofa défoncé, les barreaux de chaises usés, la chaise de ma mère, le bureau entre les fenêtres, la chaise longue où Tante Maud recevait sa cour, le tabouret sur lequel s'asseyait toujours Franz-Jacob. Lorsque tous ces objets eurent regagné leur place d'origine, ma maison commença à revivre. J'étais presque prête. Il manquait juste une chose.

Je la trouvai enfin, rangée dans un placard : la table pliante à laquelle, dans une autre vie, une petite fille prénommée Charlotte s'asseyait avec moi pour jouer aux cartes.

Je la mis à sa place puis disposai deux chaises de chaque côté, une pour moi et une pour la petite fille que je n'avais pas revue depuis trente ans. Alors, je posai les cahiers noirs sur le tapis vert. C'était à cet endroit précis que Constance était entrée dans ma vie ; c'était là aussi qu'elle allait en sortir. « *Me voilà* ».

La pièce était silencieuse. Je fermai les yeux et laissai Winterscombe pénétrer les pores de ma peau et habiter mon esprit tout entier : l'humidité et la fumée, les sièges en cuir et les longs corridors, le coton et la lavande, le bonheur et la cordite. Lorsque je rouvris les yeux, la pièce était pleine de monde.

Oncle Steenie bâillait et s'étirait tout en feuilletant une revue. Tante Maud lisait un roman d'amour intitulé *The Crossroads of the Heart*. Oncle Freddie faisait un somme, ses deux lévriers à ses pieds. Ma mère avait laissé son livre de comptes et jouait un air de Chopin, quelques mesures décousues. Mon père la regarda puis se pencha vers le feu. Il repoussa une bûche du pied. Le bois craqua et des étincelles s'envolèrent.

Derrière eux, silencieux mais présents, comme attendant d'être accueillis, il y avait d'autres personnages : mon troisième oncle, celui que je n'avais jamais connu, qui était mort pendant la Première Guerre mondiale ; mon grand-père Denton, mort avant ma naissance ; ma grand-mère américaine, Gwen, morte peu après lui. Ils attendaient humblement. A cause de leur présence, et de ma confiance en eux, je coupai la ficelle.

C'étaient des journaux intimes, en quelque sorte : je crois que je m'y attendais. J'ouvris le premier. Une date, 1910, et un lieu, Winterscombe. Des lignes d'une écriture bien moulée parcouraient la page : je ne la connaissais pas.

Je la regardai confusément. Cette écriture avait quelque chose de familier, mais quoi ? A qui appartenait-elle ? Pourquoi Constance m'avait-elle fait remettre des journaux intimes aussi vieux ? J'ouvris un deuxième cahier : toujours la même écriture inconnue. J'ouvris le troisième : une écriture différente que je reconnus. Une lettre insérée entre la couverture et la première page s'échappa.

Ce fut la première et la dernière lettre que je reçus de Constance. J'allais la relire maintes et maintes fois.

Ma très chère Victoria,

Es-tu confortablement assise ? Bien. Je vais te raconter une histoire – une histoire que tu connais déjà, je crois.

Cela concerne Winterscombe, ta famille, tes parents et moi. Il s'agit également d'un meurtre, alors lis bien attentivement. Je détesterais que tu rates les passages essentiels.

Bon, par où commencer ? Par ton baptême et mon bannissement ? Tu aimerais bien résoudre tous ces mystères, bien sûr. Mais je préfère te faire attendre. Je passerai bientôt à l'épisode qui te concerne, mais pour l'instant c'est moi qui joue le personnage principal.

Je crois que je vais te surprendre. Tu ne dois pas connaître cette Constance-là, ni ton père et ta mère sous ce jour. Tu vas peut-être même être un peu choquée. Tant pis ! Cela ne fait pas de mal de temps en temps, tu ne trouves pas ? Prends ma main et reviens en arrière avec moi. Je suis enfant, nous sommes en 1910.

Ce soir, ta grand-mère Gwen, qui est toujours jeune et belle (ton âge de maintenant, ma chère Victoria), donne une grande réception. Ce soir, une comète, la comète de Halley, va passer. Une comète n'est peut-être pas le meilleur augure pour une telle occasion mais ta grand-mère n'en a cure : elle a d'autres choses en tête. Tu as sûrement entendu parler de cette soirée-là. Eh bien, écoute encore une fois. Je vais t'en faire un récit non censuré. Lis d'abord la version des faits de mon père (les deux premiers cahiers sont de lui) puis lis la mienne. Mais ne t'en tiens pas là si tu veux me rattraper. Il faut que tu lises tout jusqu'à la fin. Ces petits journaux couvrent une longue période.

Lorsque tu auras terminé, pourrons-nous en parler ? J'aimerais bien car tu me manques, ma petite filleule si morale. Oui, nous parlerons. Tu me diras qui est le meurtrier et qui est la victime et tu m'expliqueras la nature du crime.

Bon, nous sommes en 1910. Cela te paraît-il si loin ? Regarde, voici la maison. Voilà les jardins. Et ces bois où ton petit ami si malin, Franz-Jacob, a senti le sang autrefois...

Le passé. C'est un beau cadeau à faire à quelqu'un, qu'en dis-tu ? Je suis la seule à pouvoir te l'offrir. Tu sais à quoi il ressemble ? A mon couloir aux miroirs de New York, celui que j'aimais tellement, qui renvoyait une image à l'infini.

Lorsque tu auras fini de lire tu me diras combien de pères tu vois. Et combien de Constance.

Elle avait cherché à m'intriguer et elle y avait réussi. Je me mis à lire. Je laissai Constance et son père me guider, au début en tout cas.

Je me rappelais la première fois qu'on avait évoqué l'année 1910 : un air de sitar, le portrait d'un Mormon, l'odeur de l'Inde et celle de Winterscombe. Une atmosphère magique, en quelque sorte. Lorsque je posai les yeux sur l'écriture bien moulée et que je vis une date d'avril 1910, je sentis la présence de M. Chatterjee à mes côtés.

Vers la Maison en Pierre, dans les jardins. Ce matin avec Gwen. Les nouveaux rubans noirs dans ma poche, bien cachés. Une fois là, hélas, ce casse-pieds de Boy nous a fait poser pour une photographie. Ce qu'il peut être niais ! Une attente interminable, un long temps de pose; une preuve d'adultère évidente : ce pauvre Boy est vraiment nigaud, il ne se doutait de rien...

Je poursuivis ma lecture. Ce qui suit est la reconstitution des faits d'après ce que j'ai appris de Constance, de son père et d'autres témoins. Je les décris tels qu'ils se sont présentés à moi, c'est-à-dire sous forme de récit mais aussi de puzzle. Les pièces ne s'adaptaient pas toujours et certaines des plus importantes manquaient.

Vous découvrirez peut-être plus vite que moi comment les pièces s'assemblent. Vous serez peut-être plus rapides et plus ingénieux que moi pour résoudre ce qui fut, probablement, un crime.

Un mot d'avertissement avant de commencer. Qui est le principal narrateur? Constance. Et qui est Constance? Une décoratrice.

Faites attention aux décorateurs! Il n'est pas toujours sage de leur faire confiance. Comme beaucoup d'arrangeurs de réalité, escrocs, photographes et écrivains, leur panoplie d'outils de travail inclut toujours la tromperie.

La preuve : quelle est la première règle du manuel du décorateur, la première technique qu'il doive apprendre?

Le trompe-l'œil. C'est en tout cas ce que me disait Constance à l'époque où j'étais son élève.

DEUXIÈME PARTIE

II

Comète et copulation

— Eddie, vous venez près de moi ?

L'année : 1910. Le mois : avril. Le jour : vendredi. Le temps : merveilleux. Ma famille savoure le printemps à Winterscombe. Elle ne sait pas qu'elle est proche de la fin d'une époque, qu'elle est en équilibre sur la tranche entre deux mondes.

Dans un mois, le roi va mourir. Edouard VII est venu une fois à Winterscombe. Ses obsèques, auxquelles assistera mon grand-père, seront somptueuses : neuf rois, plus son neveu, l'empereur allemand Guillaume, qui tiendra la place d'honneur, juste derrière le corbillard. Les rois, l'empereur, les innombrables archiducs, princes et reines, se partagent l'Europe ; beaucoup, par naissance ou par alliance, appartiennent à la même famille, la lignée de la reine Victoria : ils règnent en maîtres de la Grande-Bretagne à l'Oural. Quatre ans après ces obsèques, cette grande famille sera déchirée par la guerre.

Ma propre famille, qui aura elle aussi ses conflits internes, ne se doute de rien. Comment pourrait-elle savoir que la comète de Halley, en ce beau jour de printemps, pouvait être de mauvais augure ? Bien plus tard, à Winterscombe et ailleurs, certains feront le rapprochement. Pour l'heure, la comète de Halley est une occasion de réjouissances. Pour ma grand-mère Gwen, elle est un prétexte pour une réception qui va débuter dans quelques heures ; pour l'instant, c'est le matin. L'air est doux, le lac serein, la visibilité bonne, la lumière excellente pour prendre des clichés.

Ma grand-mère se prépare à poser devant l'appareil photographique de Boy, son fils aîné. Elle tourne la tête et pose ses yeux charmants bien qu'astigmates sur le visage de son amant, Edward Shawcross. A trois mètres d'elle, sa silhouette est légèrement estompée. Elle tend la main pour qu'il se rapproche et sourit.

— Eddie, vous venez près de moi ?

Gwen n'y entend rien en comètes et en étoiles et ne saurait identifier avec certitude des constellations comme la Grande Ourse ou Orion. La comète de Halley a su capter son imagination pourtant. Elle croit savoir à quoi elle ressemble : un grand éclair de lumière zébrant le ciel. La queue de la comète peut faire plus de trois cent millions de kilomètres d'après Eddie (qui a consulté les journaux qui, eux-mêmes, ont consulté des astronomes). Plus de trois cent millions. Elle regarde fièrement Eddie : il est écrivain, il comprend la poésie des faits.

*

Ce soir, elle va regarder la comète avec lui. Il y aura aussi une quarantaine d'invités et les domestiques regarderont du jardin donnant sur la cuisine, sur le côté de la maison. Mais les autres spectateurs sont sans intérêt. Cette soirée mémorable leur appartiendra, à Eddie et à elle. Ils regarderont le spectacle ensemble et, sous le couvert de la nuit, il se peut qu'elle lui tienne la main. Plus tard...

Mais c'est pour plus tard. Pour l'instant, c'est le matin et – les domestiques sont bien polissés – tout est prêt depuis des semaines. N'ayant plus rien à faire, elle va pouvoir profiter du bon air printanier, se montrer dans sa nouvelle robe de soie – dont Eddie l'a déjà complimentée – et savourer la présence d'Eddie autant que l'absence de son mari. Elle a réussi à s'échapper de la maison et s'est installée dans son lieu favori de Winterscombe, un petit bâtiment rustique, dont la façade comporte un balcon, à l'écart de tout, dans les jardins, un endroit qu'elle a fait sien. On l'appelle la Maison en Pierre.

Dans ce petit Trianon, comme l'appelle Eddie, elle peut se détendre. Elle l'a meublé simplement et de façon charmante, selon son propre goût. Winterscombe appartient à Denton : elle a bien fait autrefois quelques vaines tentatives pour y imprimer sa marque mais, face à l'intransigeance irritable de son mari, elle a renoncé. Il était plus simple de se retirer dans cet endroit, avec ses aquarelles et son chevalet, son métier et ses soies à broder, les livres américains qu'elle adorait dans son enfance, et un ou deux meubles, sobres mais beaux, qu'elle avait fait venir de Washington après la mort de sa mère.

Elle peut y admirer de loin la lumière sur le lac, le vert pâle des bois au-delà, dont les feuilles naissent à peine. Un peu plus tôt, elle a vu Denton et son intendant, Cattermole, disparaître dans ces bois, probablement pour compter les faisans, peut-être tirer des lapins ou des pigeons. Cattermole s'était sans doute encore plaint de la présence de braconniers.

Un instant, cette vision avait gâché son plaisir. Mais Denton et son intendant étaient maintenant hors de vue et ne se montreraient pas avant une heure au moins. Gwen se sent à nouveau paisible. Elle soupire. L'air de Winterscombe, se plaît-elle à dire, est plus que frais, il est bénéfique.

Son plus jeune fils, Steenie, âgé de dix ans, tire sur sa jupe, et elle se penche avec un sourire affectueux pour le prendre sur ses genoux. Eddie, comme elle l'en a prié, s'est approché et a pris place derrière elle. Elle sent la fumée de son cigarillo. Avec le sentiment qu'ils forment un groupe charmant, presque une famille – elle, Steenie et son amant – elle tourne son visage afin d'offrir à l'objectif son profil le plus flatteur. L'appareil photographique de son fils Francis est du dernier cri ; c'est un Videx Adams coûteux monté sur un trépied. Francis, que l'on appelle toujours Boy, se penche dessus pour le réglage. Il a dix-huit ans. Il a quitté l'école et va entreprendre une formation militaire à Sandhurst pour devenir soldat. Gwen n'imagine pas Boy en adulte ; pour elle, il reste son enfant.

Le Videx est un cadeau de Gwen pour le dernier anniversaire de son fils. Boy en est fou. Ces derniers mois, la photographie est devenue chez lui une obsession, ce qui n'est pas du goût de son père. De son côté, Denton lui a offert une paire de fusils Purdey assortis. Symboles d'un statut social, pourrait-on dire, ces armes sont les meilleures de leur type. Il a fallu deux ans pour les fabriquer. Denton en personne a supervisé jusqu'au moindre détail de leur conception. Il a accompagné Boy aux ateliers Purdey et, tout en sachant ces armes très ostentatoires, surtout pour un garçon de cet âge et mauvais tireur de surcroît, il en est très fier. Gwen est presque contente que son mari soit jaloux du Videx.

Boy consacre tout son temps à ses photographies : la famille, les domestiques, la maison, tout y passe. Même à la chasse, l'automne dernier, où il était censé se servir de ses fusils : Denton était furieux. D'ordinaire craintif devant son père et ses crises de rage, Boy avait fait preuve pour l'occasion d'une obstination aussi nouvelle qu'inattendue.

Rabattant la bâche noire de l'appareil par-dessus sa tête et ses épaules, Boy jette un coup d'œil dans le viseur. Comme sa mère, il est satisfait de la composition de la photo de famille : Eddie Shawcross est un si vieil ami que, en ce qui concerne Boy, il fait presque partie de la famille. Ses yeux s'attardent sur l'image inversée de sa mère. Cette femme de trente-huit ans est remarquablement belle. Elle a mis au monde sept enfants, dont trois sont morts, mais a gardé sa silhouette conforme aux critères édouardiens : en forme de « sablier ». Ses traits sont forts, ses cheveux liés sont foncés, son expression est placide. Dans ses yeux pâles on lit un air rêveur, suggérant une certaine lassitude que de nombreux hommes jugent sensuelle mais que son mari, lorsqu'il est en colère, attribue à la stupidité et à la paresse.

Boy est prêt : il faudra poser six minutes sans bouger un cil. Gwen jette un coup d'œil rapide sur Steenie, qui lève son regard vers elle avec adoration, et un coup d'œil rapide derrière, sur Eddie : oui, c'est parfait.

Ou presque : du coin de l'œil, elle saisit un mouvement, un trait noir. C'est Constance, la fille d'Eddie.

Jusqu'à cet instant, Gwen avait réussi sans peine à oublier jusqu'à l'existence de Constance. Mais, *in extremis*, l'enfant réussit à s'insinuer dans la photo. Elle fonce en avant, se met à genoux aux pieds de son père, à côté de la chaise de Gwen, et tourne son visage volontaire et ingrat vers le Videx. Gwen ne peut réprimer une grimace de dépit.

Sous la bâche de l'appareil, Boy regarde dans le viseur, la main prête à actionner la lampe. Une seconde plus tôt, la composition était excellente. Constance l'a déséquilibrée, elle est fichue maintenant, mais il est trop poli pour le dire. Il ignore l'expression presque hostile du visage de Constance et vérifie celle des autres : Steenie, ravissant, charmant, délicat ; Shawcross, soigné, beau, l'air détaché, écrivain jusqu'au bout des ongles ; sa mère... Boy émerge de dessous la bâche.

– Maman, Maman ! Souriez.

Gwen lance un bref regard à Constance puis se tourne vers Boy. Eddie Shawcross, la sentant irritée, pose sa main gantée sur son épaule. Un pouce, invisible pour Boy, masse la base de son cou. Gwen, apaisée, décide d'oublier Constance. Elle replace son menton pour se présenter sous son angle le plus avantageux. Du cuir sur sa peau nue. C'est délicieux. Elle sourit.

Sous la bâche, Boy déclenche la lampe. Pendant une minute, l'appareil ronronne et personne ne bouge.

Au loin, vers les bois, un coup de feu éclate. Denton, ou Cattermole. « Un autre lapin tué », se dit Gwen. Personne ne réagit au bruit, assez éloigné, et, Dieu merci, la photo de Boy n'est pas fichue.

Six minutes plus tard, Boy émerge, le rouge aux joues.

– Voilà, s'exclame-t-il triomphalement. C'est fait.

Un autre coup de feu éclate, plus loin cette fois. Steenie bâille et descend des genoux de sa mère. Boy s'occupe à démonter le trépied. Gwen, sûre qu'aucun de ses fils ne la regarde, se courbe légèrement en arrière. Pendant une seconde, elle sent, contre sa nuque, la pression des cuisses de son amant. Elle se met debout, s'étire, croise son regard, lit le message qu'il contient, vacille et détourne pudiquement les yeux.

Elle se retourne, avec un sentiment de culpabilité. Mais le bonheur qui l'inonde l'incite à un geste de générosité : sur le point de dire un mot gentil à Constance, elle la cherche. En vain. La petite fille n'est déjà plus là.

Plus tard dans la matinée, Boy plante son trépied sur la pelouse de croquet. Les joueurs sont Acland et Frederic, deux de ses frères. Acland gagne : cela se voit plus à l'expression des joueurs qu'à la position des boules et des arceaux. Acland aura dix-huit ans dans quatre mois, Freddie n'en a pas quinze ; il éprouve parfois un sentiment d'infériorité.

Freddie est en colère, son visage est renfrogné, sa bouche maussade, il fronce les sourcils. Sa ressemblance avec son père est frappante. Tous deux bien bâtis, la carure large, les hanches carrées, ils ressemblent à des boxeurs toujours en garde et prêts à frapper. Mais cette apparence est trompeuse : contrairement à son père, dont les fameuses rages peuvent couver des semaines avant d'éclater, les colères de Freddie retombent aussi vite qu'elles explosent et sont immédiatement oubliées. Quinze minutes après cette photographie, sa colère aura passé.

Dans l'ensemble, Freddie aime sa vie et ses rares exigences sont simples : il aime la bonne chère – son début d'embonpoint le prouve –, il commence à apprécier le vin, il aime courtiser les jolies filles et regrette amèrement le manque d'occasions.

« Il a une nature ensoleillée », dit Gwen de lui. C'est le moins dur de ses garçons : il n'a rien de la timidité angoissée de Boy et discutera ouvertement, et avec plaisir, avec le premier étranger venu. Il n'est pas aussi tendu que Steenie, à croire qu'il est dépourvu de nerfs. Sa grande qualité, d'après elle, est sa simplicité : il est peu bavard, mais un moment passé avec lui est aussi chaleureux qu'une journée de juin. Si paisible, dirait Gwen, si réjouissant, si amusant, si... pas comme Acland. Elle soupire, contrainte d'admettre la vérité : Acland est le plus difficile de ses fils. Elle l'aime mais ne le comprend pas.

Sur la photo, Acland est en bordure du cadre et, contrairement à Freddie qui regarde l'objectif, sa tête est légèrement tournée, comme s'il n'aimait pas que l'on fixe son image. Il est de grande taille par rapport à ses frères. Ses vêtements sont élégants et son attitude – maillet de croquet à la main – est étudiée, soigneusement négligée. Mais Boy, photographe subtil, a perçu quelque chose dans le comportement de son frère : une touche d'arrogance, un air de triomphe. Il a gagné la partie et ne peut dissimuler sa satisfaction.

La lumière illumine son visage et le vent soulève la mèche de cheveux qui balayait son front. Ses cheveux clairs ont des reflets roux ; ses yeux, le trait le plus visible de son visage saisissant, sont de couleurs différentes : le gauche est noisette et le droit vert clair.

Lorsqu'il était petit, Gwen, enchantée de ce fils qui ne ressemblait à personne de la famille, lui donnait des surnoms fantaisistes. Elle l'appelait son enfant échangé, son Ariel, jusqu'à ce que Denton, exaspéré par tant de sentimentalisme, y mît un terme. Gwen obéissait toujours à son mari, mais dans l'intimité de sa chambre ou de la nursery, elle continuait à attribuer à son fils toutes sortes de surnoms.

Acland était si rapide, si brillant, si étrange et imprévisible, si violent et soudain dans ses passions. Il était fait de feu et d'air, pensait Gwen. Il n'y avait rien de terrestre en lui.

Les premières années, il avait fait les délices de sa mère. Elle était fière de sa vivacité d'esprit et appréciait sa compagnie. Elle avait découvert, ce qui l'avait beaucoup émue, qu'il était vulnérable. Il était très curieux, cherchant toujours à en savoir plus, impatient de comprendre, et cette quête permanente semblable à une traque le rendait fébrile.

Ce trait de personnalité, déjà très marqué dans son enfance, lui donnait un tempérament agité. Gwen s'était aperçue qu'elle arrivait à le calmer, non pas avec des mots, ni avec des arguments, toujours inutiles, mais simplement par sa présence.

— Acland! disait-elle, tu ne peux combattre le monde.

Et elle le prenait dans ses bras, jusqu'à ce qu'il s'apaise.

Par la suite, il avait changé. Peut-être après son entrée à l'école, ou à la naissance de son plus jeune frère, Steenie. Gwen cite souvent ces événements en guise d'excuse mais elle sait qu'en réalité aucun n'explique vraiment ce revirement. Soudain, sans cause apparente, Acland s'est éloigné d'elle. S'il avait besoin de réconfort, il ne se tournait plus vers elle et lorsqu'il eut atteint ses douze ans, la rupture était complète.

Il ne se confiait plus à elle comme autrefois; il semblait craindre de trahir ses émotions et portait sur les gens des jugements qu'elle finit par détester et craindre. Avare de sympathie, il ne faisait aucune concession : si l'on évoquait devant lui la fragilité de la nature humaine, il affichait du dédain. Il observait, évaluait, jaugeait et, trop souvent, condamnait.

Etre condamné par Acland, âgé de quinze ou seize ans, était une expérience fort désagréable. Gwen avait mis cela sur le compte de l'adolescence et décidé que cela lui passerait. Mais quand Eddie Shawcross était entré dans sa vie, le refus implacable d'Acland d'accepter cet homme lui avait fendu le cœur.

Elle avait tenté au début de plaider la cause de son amant en soulignant ses qualités. Elle avait donné à Acland des exemplaires de ses livres puis avait souffert en silence lorsque le verdict impitoyable de son fils était tombé : il les trouvait mauvais. Elle avait bien essayé, la première année, de les rapprocher. Mais en vain. Il lui vint à l'esprit qu'Acland savait : qu'il n'était pas dupe, contrairement aux autres membres de la famille, de sa véritable relation avec Eddie. Elle en conçut une grande crainte : Acland ne jugeait pas seulement le monde en général, il la jugeait, elle, sa mère, et la trouvait probablement médiocre.

« J'ai perdu un fils », songea-t-elle, au bord des larmes. Elle se retenait pour ne pas l'entourer de ses bras et tout lui avouer, lui expliquer. Mais elle le craignait trop. Elle aurait pu le faire revenir vers elle, mais le prix à payer eût été trop cher : pour regagner sa confiance et son respect, elle aurait dû sacrifier son amant et cela, même ses déboires avec Acland ne pouvaient l'y résoudre. Elle aimait Shawcross, elle ne pouvait renoncer à lui, et jamais son fils ne pourrait le comprendre. Acland n'est pas un sentimental : la passion n'a pas de place dans son univers.

Mais Gwen se trompe car Acland est lui-même amoureux. L'an dernier l'amour a bouleversé sa vie, mais il n'en a dit mot à quiconque. Il met son amour à l'abri des regards, derrière une barrière de sarcasmes et de nonchalance.

Pour l'heure, oubliant tout cela, il pose pour Boy. Il balance le maillet et s'immobilise ; il exècre l'immobilité et les interminables photos de Boy l'exaspèrent. Freddie a l'air hostile, Acland inattentif.

– Ne bougez pas ! ordonne Boy.

Et l'appareil se met à ronronner.

– Quelle journée ! Quelle journée ! crie Acland, la pose enfin terminée.

Il se laisse tomber sur l'herbe, les bras en croix, son
visage en extase tourné vers le ciel.

Freddie grimace. Tout en démontant son trépied, Boy jette sur Acland un regard réprobateur. Les manières de son frère manquent de retenue à son goût. Elles tombent trop facilement d'un extrême à l'autre. Il le trouve prétentieux.

– Pour l'amour du ciel, Acland ! dit-il en fichant son trépied sous son bras. Pourquoi faut-il toujours que tu te montres aussi extravagant ?

– Faux, réplique Acland, sans même le regarder. Faux, faux, faux ! Je ne suis pas extravagant ; je suis... résolu.

On ne sait s'il proclame ce mot à l'intention de ses frères, du ciel ou de lui-même.

Boy s'en va, traverse la pelouse et, arrivé à la bordure, se retourne. Acland n'a pas bougé. Il est allongé sur le dos et fixe le soleil, mais son expression a changé. Son visage, aussi pâle qu'une statue de marbre, est grave.

Boy prit ce fameux jour toute une série de photos qui seront bien utiles.

On voit ici Mme Heyward-West, une ancienne maîtresse du roi, qui descend d'une automobile, vêtue d'une fourrure et coiffée d'un grand chapeau.

A côté d'elle, une autre invitée, Jane Conyngham, l'une des riches héritières de l'époque. Jane dont le père, veuf de longue date, possède une

95

propriété adjacente dans le Wiltshire, connaît la famille Cavendish depuis sa plus tendre enfance. Elle a été invitée ce week-end pour une raison bien particulière : Denton a l'intention de la marier avec Boy, son fils aîné. L'annonce des fiançailles est imminente.

Nous reviendrons sur Jane. Pour l'instant, vêtue d'une tenue de marche peu flatteuse, elle est à côté d'Acland, qu'elle ne quitte pas des yeux. Elle a un visage intelligent et, selon les canons de la beauté d'aujourd'hui, on ne la trouverait plus quelconque. Acland regarde ailleurs.

Près d'eux se trouve un groupe de domestiques alignés devant l'entrée de service, comme pour une photo de classe. Boy est très patient. Vers le fond, au bout d'une rangée, on aperçoit une jeune fille du nom de Jenna Curtis.

Jenna a seize ans. Elle fait partie du personnel de Winterscombe depuis deux ans. Ses deux parents, maintenant décédés, y travaillaient avant elle. Elle a connu promotion sur promotion depuis son arrivée; elle est maintenant camériste. Ce soir, elle aura un rôle particulier : la camériste personnelle de Jane Conyngham étant malade, elle va la remplacer. C'est elle qui va déballer les robes de Jane, les repasser et les préparer. C'est elle qui va aider Jane à se coiffer pour le grand dîner. Elle va le faire avec tant de tact, de talent et de patience que Jane se souviendra d'elle et, des années plus tard, l'aidera à se marier. Une erreur!

Jenna est jolie. Aujourd'hui, on dirait qu'elle est ronde. Elle a l'air aussi douce qu'une colombe, avec ses grands yeux sombres et calmes. Malgré son uniforme terne et sa coiffe peu seyante, elle est ravissante.

« Ma Jenna », pensai-je en trouvant ce cliché. Elle n'avait rien de commun avec celle de mes souvenirs ni avec celle décrite dans les cahiers noirs.

Une dernière photogaphie. Boy a abandonné les gens à l'extérieur et nous sommes maintenant à l'intérieur. Il s'est donné du mal pour l'éclairage.

Il semble avoir un projet, qu'il n'a encore dévoilé à personne. Il veut photographier toutes les pièces de Winterscombe puis coller les photos dans un album qu'il offrira à son père. Il espère ainsi ramener Denton à de meilleurs sentiments et lui montrer que le Videx a son utilité après tout : Denton est immensément fier de sa maison.

Surtout de la pièce où se trouve Boy. Il l'appelle sans vergogne la « Chambre du Roi ». Toutes les chambres portent un nom : la Chambre Bleue, la Chambre Rouge, la Chambre Chinoise, la Chambre Chèvrefeuille... Mais son père n'a que la Chambre du Roi à la bouche, surtout devant les invités qui ne connaissent pas encore Winterscombe.

C'est une façon de rappeler – il tient à le faire savoir – que sa maison a été honorée de visiteurs royaux. Cela fait de lui un patriote, un monarchiste et un snob, et lui fournit l'entrée en matière idéale pour se lancer dans les anecdotes que ses proches appréhendent tant : comment le roi Edouard l'a complimenté sur l'excellence de son coup de fusil, sur son bordeaux, son architecte, son installation de plomberie et, avant tout, sur sa perspicacité pour avoir épousé une beauté telle que Gwen.

Denton parlera de la bonne humeur du roi à Winterscombe, lui dont le caractère est notoirement inégal, qu'il attribuera au bon air de Winterscombe, le meilleur d'Angleterre. Denton évoquera l'invitation cordiale du roi à sa chasse de Sandringham et omettra de mentionner que ladite invitation ne s'est jamais concrétisée.

Puis, ignorant les froncements de sourcils de Gwen qui, américaine, trouve assommante cette glorification du monarque, Denton emmènera ses invités à l'étage pour leur montrer la chambre où le roi a dormi.

Il arpentera cette pièce à la décoration surchargée, frappera du poing les bourrelets des chaises en velours rouge, lissera les renflements des rideaux cramoisis, caressera les courbes du lit. La pièce avait été entièrement refaite à l'intention du roi et, dans la salle de bains attenante, on avait fait venir à grands frais une installation de plomberie allemande. Mais c'était le lit, conçu par Denton lui-même, qui faisait sa plus grande fierté.

Il est si vaste que les menuisiers du domaine ont été obligés de l'assembler sur place. Il faut des marches pour y accéder ; il est surmonté d'un baldaquin aux armoiries royales ; à son pied, deux chérubins folâtrent de façon suggestive ; le matelas, bourré à la main de crin de cheval et de la laine la plus fine, fait quarante-cinq centimètres d'épaisseur. Pour prouver son luxe et son ressort, Denton se laisse parfois aller à rebondir dessus.

Néanmoins il le fait avec une certaine révérence car cette chambre est un haut lieu, un sanctuaire. Parfois, il se permet d'imaginer les mystères dont elle a été témoin. (Lors de la visite du roi, la reine était souffrante mais sa maîtresse du moment avait été invitée). Tout en donnant libre cours à son imagination, il reste imprégné de respect. C'est pourquoi la Chambre du Roi n'a pas été utilisée depuis cinq ans, jusqu'à ce week-end.

Gwen a insisté pour que ce prestigieux sanctuaire soit réouvert : les huit chambres disponibles sont insuffisantes pour le nombre d'invités. Elle a usé de son autorité de maîtresse de maison et Denton, furieux, a dû s'incliner. La Chambre du Roi sera occupée par Eddie Shawcross.

En fait, son amant l'a tannée depuis des mois pour avoir cette chambre. Il a une imagination débordante en matière de sexualité et elle se doute qu'il a en tête une idée particulière qu'il ne lui dévoilera qu'au moment opportun. Ce secret a enflammé sa propre imagination et, depuis des mois, l'excitation et la timidité se sont livrées en elle à une bataille sans merci. Finalement, elle a osé en parler à Denton et, à son propre étonnement, lui a arraché son accord.

Mais sa victoire la mettait mal à l'aise. Elle se demandait si son mari soupçonnait quelque chose et si elle n'était pas allée trop loin. Ces derniers jours, pourtant, son angoisse a diminué. Denton est de mauvaise humeur, pour ne pas changer, mais elle est pratiquement certaine qu'il n'a aucun soupçon. D'une part, parce que Shawcross et elle ont été discrets, et d'autre part parce que Denton n'a aucune imagination et que – c'est ce qu'elle pense en tout cas – il ne s'intéresse pas à elle.

Depuis la naissance de Steenie, Denton s'est éloigné d'elle. Ses visites hebdomadaires dans sa chambre ont cessé mais, en revanche, il se rend régulièrement à Londres où elle suppose qu'il entretient une femme. Il n'aime pas Shawcross, et ne s'en cache pas, mais c'est par pur snobisme, pense-t-elle. Il ne l'aime pas à cause de sa classe sociale, de l'école qu'il a fréquentée et de sa profession pour laquelle il a le plus profond mépris. Mais ce snobisme a son utilité : il ne lui viendrait pas à l'esprit qu'un homme comme Shawcross puisse être son rival.

Dans l'ensemble, Gwen se sent donc en sécurité mais en oublie de plus en plus d'être prudente. Son mariage commence à lui peser, elle a du mal à supporter les sautes d'humeur de son mari. Elle a trente-huit ans et Denton soixante-cinq. Lorsqu'elle a enfin osé lui annoncer que Shawcross dormirait dans la Chambre du Roi, lorsque le visage de son mari s'est empourpré de rage, une question s'est posée à elle pour la première fois : devait-elle rester liée à Denton le reste de sa vie ?

Cette question tourne et retourne dans son esprit mais elle n'ose pas s'en ouvrir à son amant. Quel choix a-t-elle ? Le divorce ? Hors de question : elle perdrait ses enfants et son statut social. Elle n'aurait plus d'argent et serait mise au ban de la société. Payer un tel prix pour sa liberté était impensable et, du reste, cela ne plairait pas à Eddie. Il ne vit que de sa plume et a déjà du mal à pourvoir aux besoins de sa fille. Il s'en plaint souvent. De plus, il n'est pas réputé pour sa constance. Lorsqu'elle l'a rencontré, il avait déjà une réputation de coureur, avec un penchant particulier pour les femmes de l'aristocratie. On disait à son propos qu'il n'aimait pas se coucher plus bas que sur la femme d'un comte, et ses amis hommes faisaient des plaisanteries désobligeantes sur les méthodes qu'il employait pour grimper dans la société.

Sachant cela, elle se demande constamment comment elle a pu le séduire et s'attacher à lui. Leur idylle dure depuis quatre ans. Elle n'ose pas lui poser la question mais elle est persuadée que c'est un record pour lui. De plus, il n'a jamais dit qu'il l'aimait et elle n'est pas sûre de lui. Divorce ? Séparation ? Non, jamais elle n'irait parler de tout cela à Eddie : il se sentirait coincé et la quitterait. En revanche, une nouvelle idée avait germé dans son esprit quand elle avait insisté pour qu'il dorme dans cette chambre. Le visage de Denton était devenu cramoisi, il avait crié et claqué la porte... Et si son mari mourait ?

Elle a honte de cette pensée, bien entendu. Mais, maintenant qu'elle lui est venue, elle ne peut plus s'en défaire. Si son mari mourait, elle serait riche, très riche, et cela pourrait modifier l'attitude d'Eddie. Après tout, Denton est bien plus vieux qu'elle, il mange trop, il boit trop, il a trop de poids, souffre de goutte et ses médecins le mettent souvent en garde contre son caractère coléreux. Il pourrait avoir une attaque, faire une crise d'apoplexie...

Elle ne veut pas vraiment qu'il meure. A vrai dire, la seule pensée de sa mort la déprime car, malgré son irascibilité, il est par bien des aspects un bon mari. Lorsqu'il est de bonne humeur, il est facile à vivre : il est très fier de ses fils et les aime; il peut être galant, voire prévenant, avec elle. Dans l'ensemble, ils s'accordent bien. Elle est suffisamment sensée pour savoir que cette stabilité lui convient et qu'elle ne doit pas la rejeter à la légère.

D'un autre côté, à cause d'Eddie, elle aspire à la liberté. Mais que signifie exactement le mot « libre » ? Libre d'être avec son amant, libre de se donner à lui ? Cette liberté, elle l'a déjà. Libre d'être en permanence avec lui ? Libre de l'épouser ? Non. Elle répugne à cette idée. Eddie est un amant. Elle n'est pas certaine de le vouloir pour mari.

En fait, elle a la meilleure part des deux situations. Denton ne sait rien, Shawcross ne se plaint pas et ses exigences lui sont douces. Bien qu'intenses, elles ne vont pas trop loin. « Ne compromets pas les choses, Gwen », lui a-t-il dit un jour. Bien que blessée par cette remarque un peu dure, elle a fini par admettre qu'il avait raison. Leur sécurité avant tout.

Gwen avait-elle raison ? Nous le saurons plus tard. En ce qui concerne son fils aîné, elle a effectivement raison. Boy, dévoué à sa mère, craignant son père, ne peut concevoir que l'un de ses parents se rende coupable d'adultère. Pour lui, ses parents s'aiment puisqu'ils sont mari et femme. Quant à Shawcross, il est un ami bon, loyal et de confiance. Le fait de ne comprendre ni ses livres ni ses plaisanteries lui donne un sentiment d'humilité.

Après avoir monté son trépied et vissé le dernier boulon, Boy contemple la pièce qu'il va photographier pour l'album de son père. Pour lui, c'est une pièce comme une autre. Il regarde les ondulations du lit, les rideaux qui séparent le côté chambre du côté salon. Il sourit en voyant les lourdes draperies barrant les fenêtres et, méticuleusement, les arrange pour laisser entrer la lumière. Quelqu'un pourrait se cacher dans cette chambre sans qu'on le découvre, se dit-il.

L'intérieur manquant de la lumière naturelle, la pose doit être plus longue. Dix minutes, décide-t-il en espérant que personne ne viendra le déranger. Dix minutes.

Rappelez-vous cette chambre. Elle est très importante.

– Pourquoi t'appelle-t-on Boy ?

Boy lève des yeux étonnés. La petite fille est entrée silencieusement. Peut-être même l'observe-t-elle depuis un bon moment. Heureusement, il a terminé et est en train de démonter son Videx. Sur le pas de la porte, Constance semble ne pas attendre de réponse : elle jette un regard circulaire sur la pièce, s'arrête sur les armoiries royales, le lit rebondi, les tableaux quelconques représentant le domaine écossais de Denton et les rideaux. Boy hésite. Elle pose à nouveau son regard sur lui.

– Tu n'es pas un garçon. Tu es un homme. Tu as l'air d'un homme. Alors pourquoi t'appelle-t-on Boy ?

Son ton est agacé, presque accusateur. Boy, facile à embarrasser, se met à rougir. Il penche la tête pour le cacher, espérant que l'enfant va s'en aller.

Pour être honnête, il ne l'aime pas et en éprouve de la honte. Son cœur généreux lui dit que ce n'est pas charitable de sa part. Après tout, elle a perdu sa mère et ne se souvient même pas d'elle. Jessica est morte de tuberculose dans un sanatorium suisse quand la petite fille avait à peine deux ans.

Non seulement elle n'a pas de mère, mais son père la traite froidement, presque cruellement. Témoin des moqueries de Shawcross à l'égard de sa fille, Boy se dit qu'elle devait rappeler à son père de mauvais souvenirs et la perte de sa femme... Il ne devrait pas agir ainsi. Elle doit se sentir bien seule et il a honte de n'éprouver aucune pitié pour elle. Après tout, ce n'est pas comme si elle vivait en permanence à Winterscombe. Elle vient rarement et il pourrait être plus gentil avec elle.

D'un autre côté, être gentil avec Constance n'est pas facile. Elle repousse obstinément toute pitié et lorsque Boy a ces pensées, elle semble s'en apercevoir et désamorce tout de suite ce sentiment : son comportement devient abrupt, irritable et brusque. Elle a un instinct infaillible pour les faiblesses des autres et a le don de les retourner à son avantage. Ce n'est probablement pas intentionnel : après tout, elle n'est pas responsable de son comportement puisqu'elle n'a jamais été éduquée correctement. Sa gouvernante ne se montre jamais à Winterscombe ; Eddie Shawcross n'a peut-être pas les moyens d'employer quelqu'un de présentable.

Si gouvernante il y a, se dit Boy en regardant le petit visage devant lui, elle insisterait pour qu'on arrange l'aspect physique de Constance. Elle n'est jamais coiffée, son visage, ses mains et ses ongles sont souvent crasseux, elle porte des vêtements bon marché, laids et peu seyants. Décidément, elle mérite qu'on soit gentil avec elle. Ses mauvaises manières sont dues à un manque d'éducation et non à sa nature. Après tout, elle n'a que dix ans.

Constance attend toujours sa réponse. Une fois de plus, elle a mis le doigt sur un point sensible et Boy ne sait que dire. Il déteste son surnom et aurait préféré qu'on l'oublie définitivement. Il se sent pris au piège. Il faut qu'il réagisse. Il hausse les épaules.

– Cela ne veut rien dire. Maman m'appelait comme ça quand j'étais petit et c'est resté. Des tas de gens ont un surnom. Cela n'a aucune importance.

– Je n'aime pas ça du tout. C'est idiot. Je t'appellerai Francis.

Elle lui adresse un sourire qui éclaire son petit visage habituellement renfrogné et maussade et qui renforce immédiatement le sentiment de culpabilité du jeune homme. Mais Constance pense à autre chose : elle aussi a un surnom. Son père l'appelle l'albatros. « Je me demande où est l'albatros », dit-il souvent par malice devant ceux qui l'écoutent. Il va parfois jusqu'à mimer le fardeau de cet oiseau de mauvais augure sur ses épaules.

Boy sourit timidement à Constance en montrant son Videx.

– Je vais prendre une photo de toi, si tu veux. Ce ne sera pas long.

– Tu en as déjà pris une ce matin.

La réponse est sèche. Son bon geste est rejeté, comme d'habitude.

– Oui, mais tu étais avec les autres. Je veux en faire une de toi seule.

– Ici ? Le visage de l'enfant s'anime soudain.

– Eh bien, si tu veux. Mais l'éclairage n'est pas très bon. Je préférerais dehors.

– Pas dehors. Ici.

Son ton est déterminé, exigeant même. Boy cède. Il remonte le trépied et l'appareil puis se penche pour visser les pieds de l'engin.

Lorsqu'il relève la tête, il est sidéré. Constance a pris la pose : elle a grimpé sur le lit du roi et s'est assise, les jambes pendantes, la jupe légèrement relevée. Consterné, Boy jette un regard inquiet vers la porte.

Ce n'est pas seulement qu'elle a osé s'asseoir sur le lit sacro-saint, dont elle froisse probablement le dessus-de-lit, ce qui ferait hurler de rage Denton Cavendish, c'est surtout la façon dont elle est assise.

Au-dessus de la paire de bottines à boutons remontant jusqu'à la cheville, il entrevoit des bas blancs en coton et une couche de jupons d'une propreté douteuse.

Constance a étalé sur ses épaules ses longs cheveux noirs mal coiffés. Son visage est pâle et concentré, son expression sarcastique. Elle mord sa lèvre inférieure de ses petites dents blanches puis passe sa langue sur ses lèvres pour qu'elles paraissent plus rouges sur sa peau pâle. Boy la fixe, détourne son regard et se concentre sur son Videx. Quelques réglages ; il jette le drap noir sur sa tête et règle le viseur.

Le point est parfait mais il a l'impression de voir encore plus les bas, moins de jupe et plus de jupons crasseux que tout à l'heure. Il se racle la gorge et essaie de prendre un ton professionnel.

— Il ne faut surtout pas que tu bouges, Constance. Il n'y a pas beaucoup de lumière et le temps de pose sera long. Tourne un peu ton visage vers la gauche.

L'enfant tourne la tête, penche son petit menton pointu. Elle pose avec précaution pour que la photo soit flatteuse.

Sous le drap, il cherche le déclencheur de l'obturateur et règle l'ouverture. Une demi-seconde avant qu'il appuie, trop tard pour arrêter son mouvement, l'enfant change de position. Deux minutes. Le moteur ronronne.

Boy émerge, écarlate. Il regarde Constance avec reproche. En une demi-seconde, elle a écarté les cuisses et changé la position de sa main. Elle l'a posée sur sa cuisse, les doigts écartés, pointant vers son genou. On voit une jarretière, un morceau de peau brune et une partie de sa culotte. Cette position peut paraître innocente mais, associée à l'impudence de son regard, c'est la position la plus obscène, la plus lascive qu'il ait jamais vue.

A sa grande honte, son corps a frémi. Il reste derrière l'appareil, heureux de ce refuge, se traitant de fou, de mal intentionné. Constance a dix ans, elle n'a pas de mère, elle est innocente... La petite fille bondit au bas du lit. Elle semble maintenant d'excellente humeur.

— Merci, Francis, dit-elle. Tu m'en donneras une épreuve?

— Oh, oui... Si cela donne quelque chose. Je ne suis pas sûr que l'exposition soit bonne.

Il ment mal; il a déjà décidé de détruire la plaque. Plus tard, lorsqu'il la verra, il changera d'avis.

— Oh, s'il-te-plaît, Francis!

Constance se met sur la pointe des pieds et lui plante un baiser enfantin sur la joue. Dans la confusion, il laisse tomber, sans s'en apercevoir, l'un des écrous papillon de son trépied, qui roule sur le tapis et s'arrête sous un bureau. C'est là qu'il ira le dénicher quelques heures plus tard. Constance se dirige vers la porte.

— Je la donnerai à mon père, dit-elle en regardant par-dessus son épaule. Il va l'aimer, tu ne crois pas?

— Allez chercher les pièges!

Denton avale une longue gorgée de bordeaux.

— Au diable la loi. C'est ma terre. Allez les chercher! On va voir si ces misérables vont apprécier! Il y en a plein qui rouillent dans les granges et qui ne servent à rien. Posez-les, je préviendrai Cattermole. Patrouillez dans le bois. Prenez quatre hommes, six s'il le faut! Je n'en supporterai pas davantage. J'ai dû perdre cinquante pièces de gibier le mois dernier, cinquante! Trois rien que la nuit dernière. Je ne sais pas comment ils font pour entrer. Mais je trouverai, et ils vont le regretter. Un bon coup de chevrotine dans les fesses, voilà ce qu'ils méritent. Et ensuite, au tribunal! Ce bon vieux juge Dickie Peel saura quoi faire d'eux. La peine maximale, tout le poids de la loi. Attention! La prison est trop douce pour ces braconniers. Vous savez ce que je ferais, moi? Je les enverrais aux colonies : en Amérique, en Australie. Voilà qui nous débarrasserait définitivement d'eux. Aucun respect pour la propriété d'autrui. Cela me fait bouillir...

Effectivement, le sang de Denton semble avoir atteint le point d'ébullition. Son visage est violacé comme une prune trop mûre. Il pointe un index menaçant, l'agite, scrute les visages, comme si ses invités étaient des coupables potentiels.

Il fixe ensuite chacun de ses trois fils aînés, lance un regard noir au petit mari aux manières douces de Mme Heyward-West puis à Jarvis, un ami d'Eddie Shawcross invité à sa demande pour une affaire d'œuvres d'art, semble-t-il.

Jarvis porte une cravate un peu trop voyante. Lorsqu'il l'avait vue chez *St James*, à Londres, la cravate lui avait bien plu. Mais maintenant que Denton la fixe bizarrement, il doute de son choix. Le regard de Denton passe enfin vers l'extrémité de la table et s'arrête sur Eddie Shawcross, assis à la gauche de Gwen. A sa vue, ses traits se durcissent encore plus.

– Braconniers. Intrus.

Denton a prononcé ces mots avec une férocité particulière. Shawcross, plus habitué à ces explosions de colère que la plupart des autres invités, et suffisamment amusé pour les rapporter, avec force détails malicieux, dans son journal intime, lui retourne un sourire poli. La gorge de Denton émet un gargouillis, que sa famille connaît comme étant le signe d'une fureur extrême, et le cœur infidèle de Gwen bondit dans sa poitrine. Attaque? Apoplexie? A table? Devant ses invités? Mais non, c'est une simple rage provoquée par l'inspection des bois ce matin, la sincère indignation d'un homme dont l'unique credo est la propriété individuelle. Elle n'est pas dirigée contre Eddie Shawcross et semble d'ailleurs retomber.

Ses instincts de maîtresse de maison reprennent le dessus. Denton paraît avoir totalement oublié la présence des femmes. Elles ont déjà dû supporter le mot « fesses » et il est maintenant plus que probable que, emporté par sa colère, il se mette à jurer ou à blasphémer.

Gwen se penche pour intervenir mais Acland la devance.

– Juste une chose, Monsieur, dit-il au moment où le silence revient. En fait, la Déclaration d'Indépendance a été signée en 1776... Autrement dit, l'Amérique n'est plus une colonie depuis un certain temps...

– Et alors? Et alors?

On lit dans les yeux de Denton un regain de belligérence.

— Eh bien, il serait difficile d'y envoyer ces félons. Même des braconniers. Les Américains pourraient ne pas être d'accord, vous ne croyez pas?

La voix d'Acland est extrêmement polie. Son père, la tête baissée comme un taureau prêt à charger, le regarde avec suspicion, flairant l'hérésie, mais se laisse abuser par le ton respectueux de son fils.

— C'est gênant, je te l'accorde. C'est un problème pour le moins délicat.

Il règne ensuite un silence pénible, pendant lequel Shawcross sourit d'un air narquois derrière sa serviette. Gwen espère que la charmante et diplomate Mme Heyward-West va venir à sa rescousse. Assise à la droite de Denton, elle se penche en effet et pose sa main sur le bras de son voisin. C'est une jolie femme, très bien conservée.

— L'Amérique! dit-elle de sa voix profonde. J'adore ce pays. Et les Américains, aussi. Ils sont si accueillants, si gentils. Vous ai-je raconté, mon cher Denton, notre dernier séjour là-bas? Nous sommes allés en Virginie chez des amis éleveurs de chevaux. Oh, je sais ce que vous allez dire, Denton! Vous allez dire que je n'y connais pas grand-chose en chevaux et vous aurez tout à fait raison. Mais je crois que cela va vous intéresser...

Le miracle s'était produit. Mme Heyward-West avait réussi à capter son attention. Les yeux bleus légèrement protubérants de Denton se radoucissent et se fixent sur elle. Tout le monde se détend, même Jarvis avec sa cravate bleu lavande. En bout de table, Gwen et Shawcross échangent un regard.

Le drame est passé et le déjeuner se déroule ensuite très agréablement. Gwen a une excellente cuisinière et le repas est léger, selon les critères de l'époque, en prévision des festivités du soir. Eddie Shawcross entretient de la façon la plus charmante sa voisine de gauche, une vieille dame sourde, dernier membre célibataire d'une famille autrefois éminente du Wiltshire. Il lui parle de l'œuvre de Bernard Shaw, dont elle n'a manifestement jamais entendu parler. Sur la droite de Gwen, George Heyward-West, un petit homme plein de dignité, que les scandales concernant son épouse et le roi n'ont jamais semblé affecter, explique les subtilités du marché boursier à Maud, la sœur de Denton. Cette femme impressionnante, à la beauté célèbre, a fait un si beau mariage qu'Eddie prétend qu'elle lui donne le vertige. Maud qui, Gwen le remarque avec satisfaction, semble prendre quelques rondeurs, a lié son destin à celui d'un petit prince italien qu'on ne voit pas beaucoup. Elle dit qu'il est au Casino de Monte-Carlo.

En fait, Maud est très avertie sur les questions de marché boursier mais suffisamment féminine pour n'en rien dévoiler à George Heyward-West, qui lui explique patiemment la différence entre actions et obliga-

104

tions. L'argent n'est pas à proprement parler un sujet de conversation de rigueur pendant un déjeuner mais tous deux y prennent du plaisir et Gwen renonce donc à intervenir.

Elle se laisse plutôt aller à rêver. Il fait bon, le vin l'endort légèrement, tous ses invités semblent occupés, elle s'accorde quelques instants.

Quatorze convives, dont tous ses fils sauf Steenie qui est dans la nursery avec, Dieu merci, Constance l'albatros. Nanny a reçu des ordres stricts pour qu'ils y restent tout l'après-midi. Steenie est fragile et doit se reposer; Constance devra se faire à ce confinement forcé. Ce qui énerve le plus Gwen, c'est sa façon d'épier sans arrêt son père et, une fois qu'elle l'a trouvé, de refuser de le quitter. Un vrai crampon, cette enfant.

Quatorze convives à déjeuner, trente à dîner. Gwen est satisfaite de son menu du soir : soupe de tortue, petits pâtés aux huîtres et son ragoût de langouste qui remporte toujours un franc succès. Ensuite viendront les plats principaux qui lui assureront la bonne humeur de Denton : oisons et selle d'agneau rôtis et chapon à la cocotte. Et les pintades ? A-t-elle pensé à les commander ? Eddie en raffole. Mais oui. Puis des entremets colorés : de la gelée au champagne dans des coupes en cristal et des sorbets au citron servis dans des paniers de feuilles de menthe. Steenie les adore. Elle doit penser à lui en faire monter quelques-uns.

Enfin, le dessert. Pour Gwen, friande de sucreries, c'est le meilleur moment du repas. On enlève la nappe et on couvre la table d'une multitude de plats d'argent : friandises et sucreries, fruits déguisés, petites pyramides de cerises à l'eau de vie et de raisins glacés, avelines, figues des serre, sorbet de Sauternes. Ce sera magnifique !

On dînera à l'intérieur. Ensuite, tout le monde se rendra sur la terrasse pour assister au passage de la comète.

A cette occasion, Gwen mettra son nouveau manteau en phoque à col d'hermine. Denton ne l'a pas encore vu, ni la facture qui l'accompagne. Il ne sera pas content car il est près de son argent. De toute façon, il sera bien trop saoul pour y prêter attention.

Après, ils rentreront dans la maison. Un peu de musique, peut-être : Jane Conyngham, pianiste de talent, a promis de jouer quelques morceaux et Gwen chantera probablement une ou deux ballades romantiques. Ensuite, rien de précis. Chacun suivra ses propres inclinations.

Denton disparaîtra, c'est une certitude. Il ira avec ses amis fumer des cigares et boire des quantités de porto, malgré sa goutte. Ensuite il ira se mettre au lit, tard, très tard, mais qu'importe : elle n'a plus à supporter ses ronflements. Oui, Denton disparaîtra, complètement ivre, comme à l'accoutumée. Constance la fouineuse sera au lit. Les invités se divertiront et, enfin, Gwen et Eddie pourront se retrouver seuls. Quelque part.

En pleine rêverie, tandis que ses pensées se cristallisent sur ce doux moment à venir, Gwen est soudain impatiente. Elle veut Eddie. Elle a besoin de lui. Son désir est si fort qu'elle a des bouffées de chaleur et du mal à respirer.

Ce matin, après le départ des enfants de la Maison en Pierre, Eddie a pris sa main et l'a glissée dans une poche de sa veste. Elle y a senti quelque chose de doux puis en a extrait plusieurs longueurs de rubans de soie noire. Elle les a contemplés en silence et une lascivité familière est montée en elle. Nul besoin de le questionner à propos des rubans ; son esprit vagabondait déjà... vers la Chambre du Roi, peut-être, ou vers la clairière où elle le retrouve parfois.

Gwen regarde son amant. Il ne semble pas avoir les mêmes pensées qu'elle. Au contraire, il a une attitude détachée. Il parle avec Jarvis d'un certain peintre de ses amis qui traite les seuls sujets que Denton considère comme appropriés à l'art : chevaux, chiens, cerfs et renards.

Eddie évoque maintenant une galerie d'art dont Gwen n'a jamais entendu parler. Malgré les rubans noirs qui se trouvent probablement dans sa poche, il parle avec assurance, ses yeux gris foncé brillent, sa barbe rouquine luit de pommade, ses petites mains blanches féminines s'agitent, s'agitent...

– Mon cher ami, dit-il, s'il vous plaît, vos histoires de barbouille ne m'intéressent pas. Les mots, les phrases, tout est là. L'art dans son entier aspire à la condition littéraire, pas à la musique, et certainement pas à vos peintures et sculptures banales. Si cela ne tenait qu'à moi, nous vivrions tous comme des moines : des livres en abondance et des murs nus.

En prononçant les mots « murs nus », il jette un regard insolent vers les murs de la salle à manger. Ils sont ornés d'énormes peintures à l'huile du plus pur style victorien. Deux cerfs se battant, un lièvre coupé en deux par des lévriers et plusieurs marines obscures achetées par le père de Denton.

Gwen oublie instantanément les rubans noirs, s'intéresse à nouveau à la conversation, cesse d'être la maîtresse d'Eddie et se rappelle son rôle d'hôtesse.

Ses yeux scrutent anxieusement les invités. Que s'est-il passé ? Il s'est passé quelque chose. Denton est à nouveau rouge de colère. Acland l'observe d'un air détaché, comme à l'accoutumée. Freddie se retient de rire, Boy est rouge de confusion, Jane Conyngham a le nez plongé dans son assiette et Mme Heyward-West, à l'humeur habituellement égale, grimace d'ennui.

Serait-ce la remarque d'Eddie ? Non, c'était encore avant. Gwen, troublée, hésite. A sa grande horreur, son mari se penche sur la table, faisant tinter l'argent contre les verres, lève à nouveau un doigt accusateur et le pointe vers Shawcross silencieux.

– Vous, Monsieur, grogne Denton. Oui, vous. Vous feriez bien de surveiller vos manières. N'oubliez pas, s'il vous plaît, que vous êtes ici chez moi. Chez moi, Monsieur...

Pis encore, Denton se lève. Cette fois, il est allé trop loin : au mépris de toute règle de civilité, il n'a pas attendu que les dames se retirent. Il se lève, tourne les talons et quitte la pièce à pas lourds. La porte claque. Gwen est tellement vexée qu'elle est au bord des larmes, ou de l'évanouissement. Le comportement de son mari est inexcusable. Sa réception, si prometteuse, est gâchée.

C'est Acland qui va la sortir de ce mauvais pas. Il regarde les visages gênés. Eddie Shawcross esquisse des mots d'excuse mais Acland l'interrompt d'un regard dédaigneux.

– Ne vous inquiétez pas, Shawcross, vous n'avez rien dit de déplacé. Quand il perd des faisans, mon père est toujours furieux. Je suppose qu'il est parti étrangler lui-même ces braconniers. Maman ?

Les convives se mettent à rire nerveusement. Acland se tourne vers sa mère qui saisit l'occasion. Elle se lève, imitée des autres femmes, et sort de la pièce avec dignité.

Une demi-heure plus tard, sur la terrasse, tandis que les invités forment quelque projet pour l'après-midi, Gwen se sent réconfortée. La situation s'est arrangée, la plupart des convives sont des amis de la famille et sont habitués aux sautes d'humeur et aux excentricités de Denton. Maintenant qu'il a disparu, la bonne humeur et la gaieté reviennent.

– Ma chère, mon frère Denton est un rustre. Je le lui dirai personnellement, dit gentiment Maud.

– Ma chère Gwen, ne vous en faites pas, lui dit la vieille voisine sourde en prenant son crochet.

Elle-même avait passé soixante années sous la coupe d'un père tyrannique. Elle caresse la main de Gwen.

– Les hommes ont des sautes d'humeur. Nous les femmes, nous finissons par nous y faire.

Les Heyward-West décident de se promener vers le lac. Maud annonce son intention de se retirer pour écrire à Monte-Carlo. Boy accepte de jouer au tennis avec Jarvis, Acland et Jane. Freddie s'éloigne avec nonchalance. Les autres invités se dispersent. Gwen et Eddie se retrouvent seuls sur la terrasse avec la vieille voisine à moitié endormie sur un ouvrage de crochet.

Gwen lève son ombrelle. Ses craintes et sa gêne s'estompent peu à peu. Elle contemple les jardins et offre sa peau aux caresses de la brise. Il est 3 heures. (L'heure est importante). Eddie pose sa main sur le bras de sa maîtresse puis la retire en effleurant sa poitrine au passage.

Elle lève les yeux vers lui. Le silence est maintenant pesant. Leurs yeux se rencontrent et elle lit chez son amant un regard qui ne peut signifier qu'une chose.

— A quelle heure arrivent les autres invités ? demande-t-il.

— Pas avant 5 heures.

— Et le thé est à quelle heure ?

— A 4 h 30. Pour ceux qui veulent. Mais je dois y être.

La voix de Gwen est presque imperceptible. Eddie consulte sa montre de gousset avec une lenteur exaspérante. Il met sa main dans sa poche, la fameuse poche, et la ressort aussitôt.

— Votre mari a un fichu caractère, fait-il remarquer.

Gwen comprend tout de suite : la grossièreté de son mari ajoute du piquant aux projets des amants.

— Venez me raconter un peu tout cela, reprend-il.

Il se lève et lui offre son bras. Ils se dirigent vers la maison d'un pas mesuré. Près des fenêtres, ils s'arrêtent.

— Dans ma chambre, je pense, dit Eddie en jetant un regard furtif vers le jardin.

— Maintenant ? Eddie...

Gwen hésite, replie son ombrelle et pénètre dans la fraîcheur de la maison.

— Ma chère Gwen, avez-vous l'intention de gaspiller une heure et demie ?

— Des bottes en caoutchouc !

Boy s'arrête, juste devant la maison, et regarde les pieds de Jane d'un air ennuyé.

— L'herbe est trempée. Je crois que vous feriez mieux de chausser des bottes pour traverser le jardin, poursuit-il.

— Je n'en ai nul besoin, Boy, répond sèchement Jane.

L'éternelle galanterie de Boy l'agace. Acland attend à côté d'eux, le visage dénué de toute expression. Il balance sa raquette de tennis, contemple le ciel, puis regarde ailleurs.

— Il a plu la nuit dernière. L'herbe n'est pas encore sèche. Vous pourriez prendre froid. Le court de tennis est encore loin. J'insiste, il vous faut des bottes en caoutchouc.

Boy a pris la voix impérieuse qu'il utilise toujours lorsque son attitude protectrice est contestée. Jane a remarqué qu'il bute légèrement sur certaines consonnes, séquelle de son bégaiement d'enfant. Son handicap réapparaît dès qu'il est nerveux, notamment quand il discute avec son père, quand Acland le taquine ou quand il se trouve avec Jane, dont la présence le met mal à l'aise. Tout le monde sait que tôt ou tard il va la demander en

108

mariage. Son père l'a exigé. Jane sait que Boy n'a pas envie de l'épouser. Pauvre Boy! L'hypocrisie n'est pas son fort. Compatissante mais agacée, Jane pousse un soupir.

— Je n'ai pas apporté mes bottes, Boy. S'il vous plaît, cessez de vous tracasser!

Elle se tait soudain car Acland la détaille de la tête aux pieds : la chemisette de tennis à col marin, la large ceinture noire à boucle d'argent, la longue jupe plissée blanche qui s'arrête aux chevilles, les chaussures blanchies par Jenna. C'est une nouvelle tenue commandée pour l'occasion, tout comme la robe en soie verte qu'elle portera ce soir. Elle a passé des heures à consulter des albums de modèles, à faire des essayages tandis que la couturière de sa tante, à genoux, des épingles à la bouche, faisait des remplis et ajustait le vêtement.

Jane a encore des doutes sur cette robe verte. Ce n'est pas la couleur qu'elle aurait choisie mais sa tante, qui l'a élevée et qu'elle aime de tout son cœur, avait rapporté le tissu d'une excursion à Londres. Elle était si fière, si contente d'elle, si anxieuse aussi, que Jane n'avait pas eu le cœur de la contrarier.

— De chez *Bourne et Hollingsworth*, avait dit naïvement sa tante en palpant la soie. Une vendeuse très obligeante qui m'a assurée que c'était le dernier cri. Une robe très spéciale pour une soirée très spéciale.

Après un bref silence et un échange de regards avec la couturière, les mots étaient tombés, sans pourtant avoir été prononcés : demande en mariage. Enfin!

— Prends mon collier d'agates, ma chérie, avait dit sa tante en lui présentant une boîte de cuir. William me l'a offert pour nos fiançailles quand j'avais dix-huit ans. Il sera magnifique avec ta robe.

La tante de Jane était veuve depuis quinze ans et son oncle n'était qu'un vague souvenir, mais elle était touchée. Elle embrassa sa tante. Comme promis, elle portera le collier ce soir. Pas pour Boy, comme le croit sa tante, mais pour quelqu'un d'autre, le jeune homme qui sourit en contemplant sa tenue de tennis neuve.

Sous le poids de ce regard narquois, Jane se reprend. Elle lisse sa jupe, rougit et détourne les yeux. Quelques minutes plus tôt, en vérifiant dans la glace que cette tenue simple lui seyait bien, elle s'était sentie confiante : confiante dans ses vêtements, confiante en elle-même et confiante dans le futur immédiat. Acland était là. Elle avait l'après-midi devant elle.

Depuis combien de temps l'aimait-elle? Elle ne s'attarda pas sur la question, à laquelle, de toute façon, elle aurait été incapable de répondre. Peu importe. Aussi loin que remontaient ses souvenirs, elle l'avait toujours aimé.

Lorsqu'ils étaient enfants et que leurs familles se voyaient fréquemment, elle l'aimait comme un frère. Son propre frère, Roland, qu'elle idolâtrait et qui était bien plus âgé qu'elle, avait des sentiments mitigés à l'égard d'Acland. D'après lui, Acland était trop sauvage ; une bonne école saurait le discipliner.

La bonne école n'y a rien fait, mais Roland n'a pas vécu assez longtemps pour le savoir. Parti pour la guerre des Boers en Afrique, il n'était jamais revenu. Après la mort de Roland... mais était-ce bien à ce moment-là ? Non, Jane n'avait alors que onze ans, elle était trop jeune. Plus tard alors, à quinze ou seize ans, elle s'était aperçue que ses sentiments pour Acland n'avaient plus rien de fraternel.

Elle se souvient d'un jour particulier. C'était avec Fanny Arlington, sa meilleure amie. Les propriétés de leurs pères étaient adjacentes et elles partageaient toutes les deux la même préceptrice. Fanny la douce et l'étourdie, aux cheveux blonds bouclés, aux yeux bleus comme des jacinthes. Elles étaient à Winterscombe avec Hector, le frère de Fanny, Boy, Freddie et Acland. C'était le printemps. Les garçons avaient grimpé sur un chêne et les filles les regardaient faire.

Plus haut, toujours plus haut. Et qui était monté le plus haut ? Acland, évidemment. Six mètres, neuf mètres. Hector et les autres avaient finalement renoncé, laissant Acland poursuivre seul son ascension. Jane observait en silence. A côté d'elle, Fanny battait des mains à tout rompre. Elle criait des encouragements d'une voix que Jane ne lui connaissait pas. Soudain, une pensée amère avait envahi l'esprit de Jane : Fanny encourageait Acland !

– Arrêtez ! criait-elle. N'allez pas plus loin, Acland !

Acland avait grimpé un mètre de plus et un sourire béat avait éclairé le visage de Fanny.

Acland avait-il réalisé cet exploit pour Fanny ? Jane en était convaincue. Pour la première fois de sa vie, elle avait été jalouse. L'espace d'un instant, elle avait détesté son amie pour ses cheveux bouclés et ses yeux couleur jacinthe et détesté Acland d'avoir joué les héros pour elle. Il n'avait pas l'air de se douter – et pourquoi l'aurait-il fait ? – que Fanny était une fille stupide.

Jane avait envie de hurler : « Regarde-moi, Acland. Regarde-moi. Je parle français, je suis bonne en latin. Je suis rapide en mathématiques. Je m'intéresse à la politique. Je lis des poèmes et des essais philosophiques qui font bâiller Fanny d'ennui. » Elle aurait voulu crier tout cela, et bien d'autres choses. « Parle-moi, Acland », brûlait-elle de dire. Elle s'était éloignée de l'arbre, complètement désespérée : pourquoi l'aurait-il préférée aux joues roses délicates et aux yeux de Fanny ?

« Je ne suis pas belle », pensa Jane, s'avouant pour la première fois la cruelle vérité. Acland était redescendu, avait sauté les trois derniers mètres, fait un roulé-boulé dans l'herbe et s'était relevé indemne.

Fanny s'était précipitée vers lui pour épousseter sa veste et s'assurer qu'il n'avait aucun mal. Contre toute attente, mais au grand plaisir de Jane, il l'avait écartée :

– Ne te crampone pas à moi, Fanny. Je n'aime pas ça.

Le reproche était sans appel. Les yeux de Fanny s'étaient arrondis de consternation et Acland s'était éloigné.

C'était il y a fort longtemps. Fanny s'était mariée à dix-huit ans, vivait maintenant dans le Northumberland et avait deux enfants. Jane, toujours sa meilleure amie, était la marraine de l'aîné. Elle lui rendait visite deux fois par an et parfois, lorsqu'elles parlaient ensemble du bon vieux temps, Jane soupçonnait Fanny de connaître ses sentiments pour Acland. Elle n'en parlait jamais directement mais par allusions discrètes très gênantes. Personne ne devait savoir. Jane n'en parlait jamais, pas même à Tante Clara, sa plus proche confidente. C'était son secret, enfoui au plus profond de son cœur et qu'elle gardait jalousement. Son amour pour Acland était merveilleux et douloureux ; elle le protégeait avec acharnement.

Si Acland devinait ses sentiments, ce serait la fin de leur amitié. C'est parce qu'il les ignore, et ne les soupçonne même pas, qu'ils peuvent rester amis. Ils se rencontrent fréquemment, jouent au tennis, dansent ensemble aux bals de leurs amis, montent à cheval, se promènent... Leurs conversations, qu'Acland doit oublier instantanément, sont précieuses pour Jane. Depuis des années, elle les consigne dans son journal, notant les remarques les plus désinvoltes d'Acland, n'omettant aucun détail. Elle les connaît par cœur mais les relit parfois pour essayer de découvrir la personnalité, le fond de l'homme qu'elle aime.

« Quel nihiliste ! » se dit-elle parfois en se relisant. Il semble ne croire en rien : il renie la religion qu'on l'oblige à pratiquer, nie l'existence d'un dieu. Il prend un plaisir pervers à contester tous les principes sacrés de sa famille et de sa classe sociale. Le patriotisme ? L'influence bénéfique de l'aristocratie ? Acland désavoue tout cela. Le caractère sacré de la féminité ? Le mariage ? Il est très cynique sur ces sujets. Pourtant, elle a remarqué qu'il est moins sarcastique depuis peu.

Acland est un radical, un libre-penseur. Cela fait partie de son charme, bien entendu. Il ose ce que Jane n'ose pas. Tout nihiliste qu'il soit, il fait son admiration. Il est d'une loyauté irréprochable, rejette obstinément l'hypocrisie et fait preuve de considération à l'égard de ceux qu'il aime ou respecte. C'est une âme noble. S'il commet des erreurs, c'est sans mesquinerie. Il est impatient, impétueux, arrogant, certes, mais vu sa grande intelligence, Jane n'en attend pas moins de lui. Il n'a aucun défaut

111

incorrigible. Elle connaît la solution : seule une femme aimante saura s'y prendre avec lui.

Elle s'arrête sur cette réflexion et voit Acland tel qu'il pourrait devenir : plus calme, plus stable, plus gentil, un homme satisfait. « Je pourrais le sauver de lui-même », songe-t-elle. Elle s'efforce de chasser cette idée profondément ancrée en elle. Pour lui, elle n'est qu'une amie. En dehors de cela, il est aveugle à tout ce qui la touche, et la situation n'est pas près de changer.

Acland l'apprécie et semble la respecter. Par moments, elle trouve cela insupportable.

Debout dans l'herbe humide, Boy continue à fulminer à cause de l'humidité, de la pelouse mouillée et de la fragilité des femmes. Jane reprend son habituel masque d'indifférence.

Acland s'impatiente mais Boy reste inflexible. Il explique qu'il y a un vestiaire dans la maison, un vestiaire désordonné que l'on surnomme le « bouge » dans lequel sont entreposés un nombre incalculable de bottes en caoutchouc. Il s'en trouvera certainement une à la pointure de Jane.

— Pour l'amour de Dieu, Boy! dit Acland, exaspéré. Tu viens jouer au tennis, oui ou non? Nous avons déjà perdu la moitié de l'après-midi.

— Mais je pensais simplement..., ébauche Boy d'une voix pondérée.

Acland jette sa raquette dans l'herbe.

— Bon, je vais les chercher, puisque tu insistes. Mais tu es vraiment ridicule. Jane n'en veut pas, de toute façon.

Sur ce, il disparaît dans la maison. Boy commence à s'excuser, puis y renonce, s'affaisse sur un banc et se relève précipitamment jusqu'à ce que Jane soit assise.

Cinq minutes s'écoulent. Encore une fois, Jane se dit que Boy est vraiment gentil et que s'il est parfois casse-pieds, comme maintenant, c'est tout simplement qu'il manque de confiance en lui. Elle reconnaît ses qualités. Son honnêteté, surtout. Et puis, il est un beau parti. Elle a vingt-deux ans et trouve humiliant, vu sa fortune, d'être encore célibataire.

Dix minutes ont passé. Boy a déjà parlé deux fois du beau temps. Il jette un regard sur sa montre et se lève.

— Mais qu'est-ce qu'il fait? Il a juste une paire de bottes à trouver. Oh!

Il s'interrompt. Acland émerge de l'obscurité de la porte d'entrée. La lumière joue dans ses cheveux, il lève son visage vers le soleil et rit, comme si quelqu'un venait de dire une plaisanterie. Jenna le suit, une paire de bottes noires à la main.

— Enfin! s'exclame Boy sur un ton de reproche.

– Tu sais combien il y a de paires de bottes dans le « bouge » ? répond Acland. Au moins trente. Toutes dépareillées et la moitié sont trouées. En plus, j'ai dû deviner la pointure. Jane a de tout petits pieds. Heureusement, Jenna passait par là et...

– Merci, Jenna, dit Jane.

Elle lui prend les bottes. Maudissant Boy, elle les enfile le plus dignement possible. Elle se met debout, fait un pas ou deux. Les bottes font floc-floc. Jane s'arrête, rougit d'humiliation et aperçoit le visage amusé d'Acland.

– On y va, Boy ? demande-t-elle sèchement.

Boy prend son bras.

Après quelques mètres dans le chemin herbeux, ils se rendent compte qu'Acland ne les suit pas. Il a jeté sa raquette et s'est allongé sur le banc.

– Acland ! appelle Boy. Tu ne viens pas ? Jarvis va nous attendre. Je lui ai dit que nous faisions un double.

– J'ai changé d'avis. Je n'en ai plus envie. Il fait trop chaud pour jouer au tennis.

Boy s'apprête à lui répondre puis change d'avis. Il reprend sa marche en allongeant le pas.

– Tant mieux, après tout. Acland a un service terrible, dit-il plus gentiment.

Jane, écoutant à peine, hoche la tête d'approbation. Sans Acland, cet après-midi a perdu tout son éclat. Elle a déjà commencé à effacer de son esprit les quelques heures à venir, pour voir encore plus loin. Le thé. Elle verra Acland au thé. Et ce soir, quand elle portera la robe verte et le collier d'agates.

– Il déteste perdre, ajoute Boy. Et il le montre. Mais il ne perd pas souvent.

Bras dessus, bras dessous, ils contournent une haute haie d'ifs et marchent entre les plates-bandes fleuries, en direction du court de tennis.

– Ravissant, dit Boy à mi-chemin, gesticulant de droite et de gauche. C'est la belle saison.

Jane le regarde, surprise. Boy ne manque jamais de faire cette remarque, mais d'habitude c'est en arrivant à l'extrémité de la plate-bande.

– Les roses sont écloses, répond Jane, comme chaque fois.

Elle jette un dernier coup d'œil en arrière. Des arbres, des arbustes, l'énorme massif d'ifs noirs : on n'aperçoit plus que le toit de Winterscombe et Acland reste invisible.

– Maintenant ! dit Acland à la seconde où Jane et Boy ont disparu au tournant de la haie. Maintenant, Jenna.

Il prend sa main et tire la jeune fille dehors, dans le soleil. Il lui fait lever les deux mains et pose ses paumes contre les siennes. Ils restent ainsi à se regarder, sans bouger ni parler, pendant un moment. Jenna s'écarte la première.

— Pas maintenant. J'ai des choses à faire. Du repassage. La robe de Mlle Conyngham. Il faut que je la repasse pour ce soir.

— Combien de temps pour repasser une robe ?

— Dix minutes, un quart d'heure. Plus, si elle s'est complètement froissée dans les bagages.

— Et ensuite ?

— Pas grand-chose. Préparer ses affaires. J'ai tout déballé ce matin.

— Nous avons donc une heure. Presque une heure.

— Non. Je dois être là à 4 heures. Elle va sûrement vouloir se changer pour le thé.

— Mon amour !

Acland, resté tranquille tout ce temps, recommence à s'agiter. Il presse la paume de Jenna contre ses lèvres. Jenna sent qu'il est à la fois pressé et furieux. Chez lui, les deux sont souvent mêlés. Elle attend patiemment en le regardant dans les yeux : un regard grave et serein. C'est sa sérénité que j'aime, se dit-il, un don que je ne possède pas.

— Des instants furtifs, se plaint-il finalement. Une heure par-ci, quelques minutes par-là. Je déteste ça. C'est beaucoup et c'est rien. Des mensonges et des subterfuges. Ça me révolte. Je veux...

— Dis-le. Dis ce que tu veux.

— Du temps. Du temps pour nous. Tout le temps du monde. L'éternité ne suffirait même pas. Je mourrais pour avoir plus de temps...

— Tout le monde meurt ainsi, dit Jenna sèchement.

Elle met ses bras autour du cou d'Acland. Elle connaît ces tempêtes qui l'agitent. Elle sait aussi qu'elle peut les calmer avec son corps. Après un regard derrière elle, elle attire Acland plus près et prend sa main qu'elle place sur sa poitrine. Ils s'embrassent. Jenna voudrait qu'ils s'embrassent puis se séparent tout de suite, mais cela ne se produit pas. Cela ne se produit jamais. Dès qu'ils se touchent, leur besoin l'un de l'autre se fait impérieux. Acland la tire à l'intérieur de la maison, hors de vue, puis dans le vestiaire. Il fait sombre. Il l'appuie contre les manteaux. Ils respirent vite. Il claque la porte avec son pied et force la bouche de Jenna.

— Vite. Ici. On peut le faire ici. Personne ne viendra...

Acland a défait la robe de la jeune fille. Il doit encore se frayer un chemin entre les jupons et le corselet pour toucher sa peau.

— Ah ! Ce truc ! Pourquoi est-ce que tu portes tout ça ?

— Pour rester décente.

Jenna se met à rire.

— Je suis une jeune fille décente. Ne t'énerve pas. Regarde, c'est simple.

Elle dégrafe son corselet et ses seins en jaillissent.

— Décente? Décente?

Acland se met aussi à rire. Il murmure dans ses cheveux. Les seins sont lourds dans sa main. Ils sont pleins et légèrement humides. Il lèche le filet de sueur qui ruisselle entre eux. La peau de Jenna est salée et sent le savon.

— Décente est un mot épouvantable. Un mot obscène. Je devrais te détester d'être décente.

— C'est Jack qui l'a dit.

— Au diable Jack. Jack est un alibi. Oublie-le et viens ici.

— Attrape-moi!

Jenna s'échappe en riant. Acland fait un geste vif pour saisir sa taille. Il la soulève et ils se retrouvent à nouveau contre les manteaux, puis roulent par terre haletant, luttant, riant. Ils s'embrassent à nouveau. Acland s'écarte le premier.

— Je ne peux pas te faire l'amour sur une pile de bottes en caoutchouc. Je pourrais...

— Je sais, dit Jenna. Mais je n'irai pas dans le bois de bouleaux. Et la robe? Il faut que je la repasse.

— Au diable cette robe!

— Est-ce que je dois prévenir Mlle Conyngham?

Jenna s'agenouille et presse sa bouche contre la sienne. Acland sent la langue de la jeune fille à travers ses lèvres et ses seins se frotter contre ses paumes. Ses yeux, plantés dans les siens, brillants, sont taquins.

— Je viendrai. Mais je m'occupe d'abord de la robe. Je ne ferai pas les jupons, elle ne s'en apercevra pas. Dix minutes. Tu pourras attendre?

— Non, je ne pourrai pas.

— Si je peux, tu peux aussi. Il faut que tu t'en ailles.

Jenna sait être ferme et elle a toujours le sens pratique. Elle reboutonne son corselet et sa robe de ses doigts agiles. Ses seins magnifiques disparaissent. Elle remet en place la bavette de son tablier amidonné, enroule ses cheveux terriblement désordonnés et, d'une main experte, y plante une épingle.

Acland l'observe avec fascination. Il la regarde tenir ses épingles à cheveux entre ses dents, pencher son cou, rassembler sa chevelure, la tourner et la fixer. Le tout n'a duré que quelques secondes. Il aime cette Jenna pratique, il adore la regarder se déshabiller ou s'habiller, il aime son impudeur.

La première fois — il ne l'oubliera jamais — ils sont allés au hangar à bateaux, près du lac. Il était en plein tourment de désir physique et d'angoisse morale. Son cœur battait la chamade, son corps palpitait, son esprit était envahi de questions, de justifications, d'explications. Il avait seize ans et était vierge, comme elle. Lui expliquer qu'il l'aimait était une entreprise insurmontable mais il ne voulait pas la toucher sans être certain qu'elle l'ait compris. Il était debout dans le hangar, rouge d'émotion, tiraillé entre son instinct et sa coûteuse éducation qui avait toujours mis l'accent sur la primauté des paroles.

Jenna, à quelques mètres de lui, fronçait les sourcils en regardant l'eau ; le reflet couvrait son visage d'un entrelacs de lumières et d'ombres. Elle s'était retournée et avait adressé à Acland, toujours silencieux, un regard long et pensif. Sans un mot, elle avait commencé à se déshabiller. Elle avait enlevé tous ses vêtements de la façon aussi méticuleuse qu'elle les remettait maintenant, dans le vestiaire. Elle les avait soigneusement pliés et empilés dans un coin avant de défaire ses cheveux. C'était la première fois qu'il voyait une femme nue. Sa peau était rose, les courbes de son corps l'étonnaient. La lumière se projetait sur ses cuisses et ses seins. Il avait découvert la couleur inattendue de ses mamelons sombres, le galbe jusque-là secret de ses jambes, ses bras, sa taille et sa gorge.

« Jenna, Jenna, Jenna », pense Acland en quittant la maison. Il prend le chemin vers le bois de bouleaux. Son prénom à voix haute résonne dans sa tête comme un cri de triomphe. Au loin, au-dessus des bois, les noires corneilles s'envolent des branches comme effrayées par son cri silencieux.

Elles volent en cercle, poussent des cris rauques puis se posent à nouveau. « J'ai trouvé ma religion », pense Acland l'athée. Son esprit féru d'idées, de paradoxes, d'ironie, développe ce concept et en joue. Il sourit tout seul.

Il est 2 h 30 et Steenie dort. Constance, qui a attendu impatiemment cet instant, se glisse dans sa chambre et l'observe : ses joues sont roses et sa respiration est régulière.

Deux fois déjà, Steenie a failli mourir : une fois du croup, quand il était bébé, et une autre de la scarlatine, à huit ans. Constance se demande si c'est pour ça que sa mère l'aime tant. Mais Gwen aime aussi Boy, Acland et Frederic, qui sont tous trois solides et en bonne santé. Ils n'ont jamais été obligés de faire la sieste l'après-midi comme Steenie.

Constance fait la grimace. Peut-être que si elle frôlait la mort son père l'aimerait davantage. Resterait-il assis auprès d'elle toute la nuit, comme l'avait fait Gwen pendant la maladie de Steenie ? Peut-être bien, pense-t-elle, bien qu'il soit un homme et toujours occupé. Occupé, occupé, tout le problème est là : il est occupé à écrire et personne ne doit le déranger. Il est occupé à se changer pour se rendre à une réception ou prononcer un discours lors d'une réunion littéraire ; occupé même lorsqu'il est simplement assis, à penser ; il le lui a dit une fois en s'impatientant.

« Je déteste qu'il soit occupé, pense-t-elle. Je déteste qu'il soit ici à Winterscombe, où il est plus occupé que jamais... avec Gwen, toujours avec elle ». Constance se tord les mains et fait une petite pirouette rageuse. Elle voudrait bien taper du pied, ou déchirer quelque chose, ou casser quelque chose. Mais Steenie dort. S'il se réveille, elle ne pourra plus s'en aller.

Sur la pointe des pieds, elle passe dans la pièce voisine. Tout va bien. Aucune trace de la gouvernante de Steenie. Nanny Temple, la vieille nurse qui doit bien avoir cent ans puisqu'elle a été aussi celle de Denton, est assoupie près de la cheminée. Facile ! Constance passe subrepticement devant elle, sort dans le couloir et descend l'escalier de service. Un étage plus bas, elle se trouve à l'extrémité de l'aile est. Il y a là une buanderie où l'on déballe les boîtes à chapeaux et les malles, et où sont suspendues, nettoyées et repassées, les robes des invitées.

Elle passe la tête dans l'encadrement de la porte. Une domestique repasse un vêtement et Constance perçoit la chaleur du poêle où l'on fait chauffer les fers. Elle sent l'odeur du coton chaud. La servante sursaute et lui sourit.

Constance la connaît. C'est Jenna. Elle vit au village chez les Hennessy ; elle est orpheline et sort avec le fils du charpentier, Jack Hennessy. Elles les a vus ensemble au village ; elle a épié leurs promenades tranquilles. Elle a aussi observé certains autres faits et gestes de Jenna, moins innocents ceux-là. Elle espère que Jenna l'ignore. La domestique change de fer et Constance se faufile dans la pièce.

— La robe de Mlle Conyngham, dit Jenna en montrant les volants de soie. Elle approche le fer de son visage pour en vérifier la chaleur puis, d'une main experte, le passe doucement sur le vêtement.

— C'est moi qui l'habille, ce soir. Je vais la coiffer, aussi. Je vais m'occuper de tout.

Constance regarde Jenna d'un air hautain. Il est vrai qu'elle a un joli visage. Et de longs cheveux épais, couleur châtain, qui luisent dans la lumière. Elle a le teint clair et de ravissants yeux noisette. Son regard franc, parfois moqueur, est pénétrant. Elle n'est pas bête, Jenna. Mais ses mains, abîmées par les travaux domestiques, sont carrées et rougies, et son accent campagnard est marqué. Mais elle doit être stupide : elle a l'air contente de faire ce travail. Fière, même. C'est pathétique. Quelle fierté peut-on avoir à repasser la robe de quelqu'un d'autre ? A la porter, peut-être, mais à la repasser ?

— La couleur est affreuse, dit Constance. Quel horrible vert ! Ce n'est pas à la mode à Londres.

Jenna la fixe du regard puis dit posément :

— Elle est très belle à mon goût, en tout cas. Je la trouve parfaite pour la campagne.

Il y avait peut-être un reproche dans cette remarque. Constance regarde Jenna un peu plus attentivement. Et celle-ci, qui ne peut rester longtemps sérieuse, sourit soudain. Des fossettes creusent ses joues.

— Regardez! dit-elle en enfouissant sa main rougeaude dans la poche de son tablier. J'ai gardé quelque chose pour vous. Ne dites pas comment vous l'avez eu et ne vous faites pas prendre. Vous êtes censée vous reposer.

Elle tend à Constance un des petits fours que Gwen sert pour accompagner le café. C'est une petite pomme en pâte d'amandes enrobée de chocolat, colorée de vert et de rose, avec un clou de girofle en guise de tige et des morceaux d'angélique pour les feuilles.

— N'allez pas avaler le clou de girofle. Je ne voudrais pas que vous vous étouffiez.

Constance prend la friandise. Elle devrait remercier Jenna mais les mots ne franchissent pas sa gorge, comme chaque fois qu'elle doit dire merci. Elle sait que c'est une des raisons pour lesquelles tout le monde la déteste.

La servante ne semble pas s'en préoccuper. Elle hoche simplement la tête et reprend son travail. Elle a l'air pressée d'en finir et ses mains bougent prestement. Près de la porte, Constance se retourne et l'observe un moment : elle n'a que quelques années de plus qu'elle; elle a seize ans et est heureuse de son sort; elle ne sera jamais que domestique. Elle fait volte-face et part en courant, descend l'escalier et sort dans le jardin.

Derrière un buisson, elle s'arrête enfin. Certains des invités sont dehors. Elle entend le murmure de leurs voix au loin. Mais pas celle de son père. Où est-il allé après le déjeuner? Aux abois, comme un animal, elle lève la tête. Elle attend un moment, écoute, réfléchit puis, prenant soin de ne pas être vue de la maison, court en direction des bois.

En y arrivant, elle se montre plus prudente. Elle s'arrête pour reprendre son souffle et choisir le chemin qu'elle va prendre. Pas les deux grands sentiers, dont l'un mène au village et l'autre au petit bâtiment gothique que Gwen, cette femme stupide, appelle un belvédère. Elle prend une petite sente étroite envahie de mauvaises herbes qui serpente jusqu'à l'autre extrémité du bois. Seuls les gardes-chasse sont censés l'emprunter mais ils préfèrent les itinéraires directs par le village.

Ici, tout est calme, tranquille, un peu effrayant. Il n'y passe pas grand monde à part... son père et Gwen; elle les a suivis. Oh oui! elle les a vus faire!

Le sol est boueux, les ronces s'accrochent à sa jupe, les épines éraflent ses chevilles mais elle ne s'arrête pas. Elle s'enfonce dans les bois, en direction de la clairière.

Il faut faire attention aux pièges. Freddie lui a dit que Cattermole en plaçait pour attraper les braconniers : des pièges en acier aux mâchoires dentelées qui se referment sur la jambe, et des fosses pour les imprudents. Elle n'a pas vraiment cru à l'histoire de Freddie. Cela fait des années que les pièges à hommes sont interdits. Mais mieux vaut être prudente.

Elle s'arrête tous les deux ou trois mètres, écoute, fouille les fourrés du regard, mais il n'y a rien. Juste des chélidoines, l'odeur de l'ail sauvage et le silence. Elle a tout de même un peu peur. En atteignant la clairière, elle est à bout de souffle. L'herbe y est courte et donc sûre. Elle s'assied, pantelante. Gwen viendra-t-elle cet après-midi ? Et son père ? Il doit être plus de 3 heures maintenant. S'ils viennent, ils ne sauraient tarder.

Au moment où elle s'allonge et sent l'humidité de l'herbe imprégner sa robe, elle entend quelque chose. Un bruissement, le silence, et un nouveau bruissement. Elle s'assied, sur le qui-vive, prête à s'enfuir. Elle entend à nouveau le bruit, juste derrière elle, dans un roncier. Immobile comme une pierre, elle entend son cœur battre la chamade. Finalement, elle se rend compte de son erreur : un être humain ne pourrait faire un si petit bruit, ce doit être un animal.

Elle s'approche, écarte épines et feuillage, se penche, et découvre un lapin. Elle se demande pourquoi il ne détale pas, pourquoi il se tord et remue dans tous les sens. C'est alors qu'elle aperçoit le collet qui enserre son cou. A chacun de ses mouvements, le piège se resserre.

Constance pousse un petit cri de désarroi et se penche vers l'animal qui, de terreur, remue de plus belle.

– Ne bouge pas, ne bouge pas, lui murmure-t-elle.

Aucun moyen de retirer le collet, il est trop serré et le lapin saigne. Elle doit d'abord le détacher des bâtons auxquels il est fixé, et ce n'est pas facile. Le piège a été habilement préparé. Elle tourne, pousse, tire les bâtons. Le lapin ne bouge presque plus, il tremble juste un peu et Constance reprend espoir. Il sait, il sait qu'elle est en train de le sauver.

Voilà ! Elle a libéré le collet des bâtons. Elle sort le lapin des ronces.

Tout doucement, elle berce l'animal dans ses bras. Il est tout petit, presque un bébé. Elle le pose sur l'herbe de la clairière, au soleil.

Elle s'agenouille près de lui, caresse sa fourrure grise, essuie le sang avec son jupon. Le lapin est couché sur le flanc. Un œil en amande se pose sur elle. Elle doit maintenant dénouer le collet. Elle se penche vers lui mais l'animal fait une convulsion.

Constance recule de terreur. La tête du lapin se soulève, remue et retombe. Ses pattes grattent le sol. Il se met à uriner. Une petite goutte de sang coule de son nez. Il ne bouge plus.

Elle comprend tout de suite qu'il est mort. Elle n'a encore jamais vu d'animal mort, ni en train de mourir, mais elle est certaine. Les yeux du lapin se voilent.

Elle s'assied sur ses talons, tremblante. Elle sent une douleur dans sa poitrine. Elle a du mal à déglutir, elle a envie de crier, de tuer le coupable.

Soudain, elle se met debout, attrape un bâton et se met à frapper les buissons, les orties, les ronciers, à la recherche d'autres pièges. C'est alors qu'elle le voit, juste à droite du sentier par lequel elle est venue, caché par des branches qu'elle vient d'écarter. Elle s'arrête, laisse tomber le bâton et fixe l'objet, les yeux écarquillés.

C'est un piège à hommes; exactement comme Freddie l'a décrit. Une bouche en métal, deux mâchoires en acier bordées de dents acérées et rouillées, et un ressort. Les mâchoires semblent lui faire une grimace.

Elle reste immobile pendant un moment. Le piège est-il en état de marche ? Il doit être vieux, cassé. Elle regarde de plus près. Il n'a pas l'air cassé. Tout autour, le sol a été piétiné, comme s'il venait d'être posé. Les branches qui étaient dessus, celles qu'elle vient d'enlever, sont fraîchement coupées, leurs feuilles sont à peine fanées.

Elle fixe le piège, à la fois fascinée et écœurée, tentée de le titiller du bout de son bâton pour s'assurer qu'il fonctionne. Subitement, elle se désintéresse du piège. Il doit être 3 h 30 maintenant. Le silence règne, son père ne viendra pas. Elle décide de partir à sa recherche.

Mais elle ne peut pas laisser le lapin sans l'enterrer. Elle retourne vers lui, caresse sa fourrure encore chaude. Pauvre lapin! Elle va lui faire une belle tombe.

Elle reprend son bâton, choisit un emplacement sous un petit bouleau et commence à gratter la terre. Après des semaines de pluies printanières, le sol est meuble mais elle a du mal. Laissant le bâton de côté, elle se met à gratter de ses mains nues. C'est douloureux, ses ongles se tordent, mais elle va jusqu'au bout. Un quart d'heure plus tard, elle a réussi à creuser un trou suffisamment profond. Très concentrée, elle y étale une couche de cailloux, qu'elle recouvre d'herbe. La tombe a maintenant l'air accueillant, comme un nid, un lit pour son lapin. Elle cueille quelques fleurs sauvages en bordure de la clairière : une chélidoine jaune, une violette et deux primevères précoces à demi ouvertes.

Elle les dispose autour de la tombe et recule pour admirer son œuvre. Tout doucement, elle prend le lapin, le couche sur le côté dans le trou et place une chélidoine entre ses pattes. Elle recouvre le corps de touffes d'herbe en commençant par les pattes postérieures. Lorsqu'on ne voit plus que la tête du lapin, on dirait qu'il est couvert d'un édredon vert. Ensuite, elle recouvre son visage pour que la terre ne rentre pas dans ses yeux et jette sur lui quelques poignées de terre, qu'elle tasse. Pour finir, elle place une dernière couche d'herbe et de feuilles.

120

Son lapin. Son lapin à elle. Elle s'agenouille et penche la tête. En rejetant une mèche de cheveux tombée sur son visage, elle s'aperçoit que des larmes coulent sur ses joues. Son cher lapin. Ses larmes sont-elles pour lui, elle qui ne pleure jamais ?

*

De son perchoir dans les branches d'un chêne, Freddie domine la situation. D'un côté, il voit le chemin qui conduit des bois au village, et de l'autre les pelouses menant à la maison. Personne ne peut le voir.

Il s'adosse au tronc de l'arbre et s'installe le plus confortablement possible, à califourchon sur une branche. Se souriant à lui-même, il sort la cigarette qu'il a dérobée dans la chambre d'Acland. Il ouvre le papier dans lequel il l'a cachée, allume la cigarette et tire une bouffée. Il tousse un peu, pas trop, et se sent satisfait : il fait des progrès.

Sa première cigarette – mendiée à Cattermole et roulée à la main – l'avait rendu horriblement malade, au grand amusement de Cattermole. Depuis, il s'était entraîné : une cigarette par jour, exceptionnellement deux, mais jamais plus, par crainte qu'Acland ne s'aperçoive de l'amenuisement de ses provisions. Ses cigarettes, faites du meilleur tabac de Virginie et vendues par une société londonienne, sont nettement meilleures que celles de Cattermole. Elles sont douces mais piquantes et procurent une agréable sensation de vertige.

Allumer la cigarette, exhaler la fumée avec sophistication et l'éteindre sont pour lui tout un art : il a étudié la façon de faire de l'acteur Gerald du Maurier dans le rôle de Raffles, le gentleman cambrioleur. Du Maurier, l'homme qu'il admire le plus au monde, a une façon bien à lui de tenir sa cigarette, et Freddie s'applique à l'imiter. Il sent maintenant qu'il y est parvenu. Il plisse légèrement les yeux, voilà, comme ça, et tient la cigarette avec désinvolture...

Freddie la fait durer et l'éteint à regret. Il consulte sa montre de gousset – il est presque 3 heures – et réfléchit à ce qu'il pourrait faire.

Du côté du village monte une fine colonne de fumée. Freddie voit deux hommes en grande conversation sur le chemin venant des bois. Celui qui s'appuie contre la barrière est Cattermole, l'autre est Jack Hennessy, le fils du chef charpentier de son père. Hennessy a toute une kyrielle de fils qui travaillent au domaine. Celui-ci, Jack, sort avec l'une des domestiques de Winterscombe, la petite mignonne rondelette qui s'appelle Jenna. Freddie a eu cette information par son valet, Arthur Tubbs, un garçon maigre, plein d'acné, originaire de Londres. Les autres, des locaux pour la plupart, ne l'aiment pas beaucoup. Freddie ne l'aime pas tellement non plus mais il est une bonne source d'informations, surtout pour les filles.

Les informations d'Arthur dans ce domaine sont bien plus précises que celles, souvent contradictoires, que lui fournissent ses camarades d'école. Mais Freddie n'apprécie pas les remarques concernant Jenna et Jack Hennessy. Quelques années plus tôt, quand il avait treize ans, il avait éprouvé une passion inavouée et non partagée pour Jenna. Aussi, lorsqu'Arthur lui a dit que Jenna et Jack se fréquentaient, il a ressenti les affres de la jalousie. Aujourd'hui, sa passion éteinte, il se rend compte de sa stupidité. Plus question de s'amouracher d'une servante, si mignonne soit-elle. Dans un an ou deux, il pourra s'attaquer à des conquêtes autrement plus gratifiantes.

Il tourne la tête : Cattermole et Jack Hennessy se sont séparés. Le premier retourne au village et le second se dirige vers les bois. Freddie regarde en direction de la maison, puis du jardin, où Boy et cette tapette de Londres, Jarvis, viennent de jouer au tennis. Sur la ligne de fond du court, Jane Conyngham vient de servir à la cuiller et d'envoyer la balle dans le filet.

Boy ne reste pas pour la regarder jouer, remarque Freddie en fronçant le nez. Tout le monde sait pourquoi elle est là aujourd'hui : Denton et Gwen ont des projets pour elle. Ils veulent la marier à Boy, ce qui assurerait à celui-ci un domaine de cinq mille hectares et un revenu estimé, au bas mot, à cinquante mille livres par an. Boy ne s'intéresse pas le moins du monde à Jane Conyngham, bien sûr, ce dont Freddie ne le blâme vraiment pas.

Il regarde dédaigneusement la silhouette lointaine de Jane. Grande, mince, gauche, les cheveux raides, blond roux, et un petit visage étroit, couvert de taches de rousseur. Elle porte des lunettes pour lire et... passe son temps à lire. Pire que tout, cette fille stupide rate toutes les balles. Même Jarvis semble perdre patience.

Freddie commence à s'ennuyer. Il a besoin de compagnie. Peut-être devrait-il retourner à la maison ? Il balaie la terrasse des yeux. Aucun signe de distraction possible. Juste la vieille Mme Fitch-Tench pratiquement endormie sur son ouvrage de crochet. La mère de Freddie vient de rentrer dans la maison – il la voit replier son ombrelle et disparaître – et Eddie Shawcross, qu'il n'aime pas beaucoup, flâne devant la maison d'un air dégagé, jetant un ou deux coups d'œil furtifs derrière lui.

Freddie regarde jusqu'à ce que Shawcross ait lui aussi disparu dans la maison – pour se rendre à la bibliothèque, sans doute – puis descend de son perchoir. Il va aller voir Acland. Il sait que son frère aime être seul mais, tant pis, il a besoin de discuter. Il se demande s'il doit lui avouer la vérité à propos des cigarettes : Acland serait d'ailleurs bien capable de lui en offrir une pour sa peine. Il sait où le trouver : il se rend presque tous les après-midi au belvédère du bois.

Il y est effectivement, assis, un livre dans les mains. En l'apercevant de dehors, il estime qu'il est là depuis un certain temps. Mais, en entrant, il se pose la question : premièrement, Acland n'a pas l'air content de le voir ; deuxièmement, il est tout essoufflé, comme s'il avait couru ; et troisièmement, il tient son livre, un roman de Sir Walter Scott, à l'envers.

Freddie hésite à le lui faire remarquer puis décide de n'en rien faire. Acland est relativement secret : il n'aime pas être épié. « Le problème avec cette satanée maison est qu'il est impossible d'être seul », dit-il souvent.

Freddie s'assoit donc sur un siège en pierre et s'éponge le front. Il a pris du poids cet hiver et la ceinture de son nouveau pantalon est vraiment trop serrée : quels imbéciles ces tailleurs ! Il n'aurait pas dû se resservir deux fois de dessert. En repensant au déjeuner et à la scène avec son père, il pousse un soupir.

— Dieu, quelle journée ! D'abord tu me bats au croquet. Ensuite cet horrible Shawcross m'ennuie à mourir. Et Père qui fait cette scène épouvantable. Je ne savais pas quoi faire. Mon visage ressemblait à une betterave alors que je n'avais pas rougi depuis un an et demi. Je croyais que c'était fini. Tu as remarqué ?

— Pas particulièrement.

Acland a remis son livre à l'endroit et se penche sur les pages.

— Sacrément embarrassant...

Freddie s'est entraîné à jurer de la même façon qu'il s'est entraîné à fumer.

— Pourquoi nous a-t-on affublés d'un père pareil ? Je te le demande. Aucune de nos connaissances n'a un tel lunatique pour chef de famille.

— Lunatique ? dit Acland en levant les yeux. Tu trouves ?

— Oui, répond Freddie d'une voix ferme. Je crois qu'il est cinglé. Il a un grain. Toujours de mauvaise humeur. Il s'emporte sans raison, marmonne entre ses dents. Arthur m'a dit qu'il a bu son eau de rasage l'autre jour.

— Arthur n'est pas très fiable.

— C'est vrai. En fait, si tu veux savoir, je crois que notre père devient sénile. Ça se pourrait, non ? Il est plus vieux que Mathusalem et il bave. Tu as vu ? En buvant son vin. En plus, il pète. Il en a lâché un énorme l'autre soir. J'étais en train de jouer au billard avec lui. Il s'est penché sur la table et... paf ! On aurait dit un coup de feu. Il a regardé le chien comme s'il était le coupable et l'a fait sortir à coups de pied. Comme si on était dupes ! Il est ignoble avec Maman, avec Boy, avec tout le monde. C'était malin d'offrir ces fusils à Boy en sachant parfaitement qu'il déteste ça et n'est pas doué, d'ailleurs. Et lui, sa façon de tirer... Tu as vu ? Même Cattermole était gêné, il me l'a dit. Il ne peut même plus contrôler son arme. Il tremble de partout. Il a failli blesser Shawcross en novembre. Je sais bien qu'il portait son affreux chapeau, mais ce n'est pas une raison. On ne tue pas un homme parce qu'il ne sait pas s'habiller. Je te dis, il est dingue. Tiens, prends la scène du déjeuner. J'ai cru qu'il allait exploser. Bon, c'est vrai, ce n'était pas poli de la part de Shawcross de dire tout ça sur les tableaux. Tu as vu comment il les regardait ? Personnellement, je ne sais pas ce qu'il leur reproche. Celui avec les lévriers est sacrément bien, à mon avis, très vivant, mais...

— Cela n'avait rien à voir avec la peinture. Ni avec la remarque de Shawcross.

Acland ferme son livre. Il regarde Freddie d'un air à la fois exaspéré et amusé. Il tâte sa poche, regarde l'heure, puis sort son étui à cigarettes en or.

— Tu en veux une, je suppose ?

Freddie, consterné, se remet à rougir. Il hésite.

— Tu en fumes une par jour, maintenant. Parfois deux. Tu m'en as fauché une ce matin, alors tu en voudrais peut-être une autre ?

— Acland... Je...

— Pour l'amour de Dieu ! Si tu en veux une, prends-la. Pendant ce temps, tu arrêteras de parler, au moins. Et avec un peu de chance, tu partiras peut-être.

Silence. Freddie allume la cigarette, espérant qu'Acland va remarquer son style à la du Maurier. Peut-être bien, car Acland sourit légèrement, mais sans faire de commentaire. Il allume sa cigarette à son tour, inhale la fumée, l'exhale et s'appuie contre le mur du belvédère, pensif.

— Ce qui a provoqué sa colère, poursuit Acland après un moment, c'est la remarque de Boy. Tu as entendu ?

— Boy ? Non. J'écoutais cette tapette de Jarvis. Boy parlait à Jane, je crois.

— Exactement. Boy obéissait aux ordres de Père.

Acland se lève, va vers la porte et regarde dehors.

— Boy parlait avec Jane, et Jane, qui a un cœur tendre, lui posait des questions sur ses photographies. Il faut que je lui dise de ne plus le faire, au fait. Quand Boy est lancé sur ce sujet, on ne l'arrête plus. Nous avons donc eu droit à une liste détaillée de toutes les photos qu'il avait prises entre le petit déjeuner et le déjeuner. La dernière s'est passée dans la Chambre du Roi. Il a eu le tort de le dire et Père l'a entendu. C'est tout.

Acland a prononcé les mots « Chambre du Roi » avec dégoût. Freddie le regarde avec des yeux ronds.

— C'est tout ? Mais pourquoi ?

— Parce que cette chambre va être occupée ce soir pour la première fois depuis cinq ans. Par Shawcross, qui plus est. Père préférerait qu'on ne le lui rappelle pas. Il est sensible à tout ce qui touche cette pièce, tu sais bien.

124

— Et il n'aime pas Shawcross.

— Exactement.

— En fait, il ne peut pas le supporter. Arthur me l'a dit ; il dit que c'est parce que Shawcross n'est pas un gentleman.

— Et toi, qu'est-ce que tu en penses, Frederic ?

Acland s'est tourné en posant cette question et Freddie, étonné par le ton nouveau de la voix de son frère, grimace.

— Eh bien, je ne sais pas. C'est peut-être pour ça. Shawcross est un malotru. Il est complètement superficiel et a d'horribles petites mains blanches. Tu as vu ? Et il porte des costumes épouvantables. Tu te souviens de cet affreux costume bleu qu'il portait avec des chaussures marron ? Et ses chapeaux...

Acland se met à sourire. Il se retourne et Freddie a le sentiment qu'il lui cache quelque chose.

— Bien sûr, dit Acland de sa voix la plus désinvolte. Bien sûr, Freddie. Tu n'es pas bête. C'est sûrement ça. Les costumes. Absolument. Et les chapeaux. Bon, pousse-toi maintenant. Je vais me promener... et seul.

Freddie sait reconnaître quand son frère se moque de lui, et aussi quand il veut se débarrasser de lui. Il lui jette un regard maussade et suspicieux et retourne vers la maison.

Une fois son frère hors de vue, Acland jette son livre, regarde à gauche et à droite, se dirige vers le bois de bouleaux et, après quelques mètres, se met à courir.

Jenna est déjà là. En le voyant, elle comprend que quelque chose ne va pas. Acland ne sait pas cacher ses émotions : l'effort qu'il a fourni devant Freddie a laissé son visage blanc de colère et ses yeux verts lancent des flammes.

Jenna connaît cette expression. Elle sait aussi ce qui la provoque. Ils en ont parlé très souvent ensemble.

— Oh, Acland, Acland ! Elle jette ses bras autour de son cou. Arrête. Ne t'en fais pas. Ne pense pas à lui.

— Ne pas penser ? Comment le pourrais-je ? Il est là. Je suis obligé de le voir, d'être assis à la même table que lui. Faire comme s'il était un invité comme les autres. Faire comme si je ne voyais pas leurs petits sourires, leurs attouchements quand ils se croient seuls. Ça me donne envie de...

— Acland !

— Tu as remarqué ses mains ? Il a d'horribles petites mains blanches. Il en est incroyablement fier. Je crois même qu'il les enduit d'une lotion. Elles sont en perpétuel mouvement et quand je les regarde je me dis : « Elle doit les aimer. Ma mère doit aimer ces mains ». Comment peut-elle être aussi aveugle ? Et comment peuvent-ils tous être aussi aveugles ? L'ami de la famille. Le prétendu écrivain. J'ai lu ses livres, c'est elle qui me l'a demandé. C'est un ridicule petit scribouillard sarcastique qui me donne envie de vomir. Je pourrais le tuer, tu sais? Je pourrais vraiment. L'abattre comme un chien galeux.

— Tu ne parles pas sérieusement?

— Oh que si! Ce serait facile. Un simple coup de feu. Mon père pourrait le faire lui aussi. Je me demande s'il n'a pas essayé l'automne dernier. Il l'a manqué, malheureusement.

— Mais, Acland, c'était un accident.

— Vraiment? N'était-ce pas plutôt un avertissement? Ça date d'il y a six mois et il est toujours là. Il nous insulte avec son air suffisant. Il se sert de nous et nous méprise. Il méprise ma mère aussi. Il ne l'aime pas. Il n'a pas même de la considération pour elle. Il passe son temps à lui parler comme à une débile mentale : « Oh, mais ma chère madame Cavendish, vous n'avez pas lu...? » J'ai envie de le prendre à la gorge et de le secouer pour ne plus entendre cette horrible voix maniérée. Comment peut-elle le supporter?

Jenna fait un pas en arrière. Acland tremble de rage. Son imitation de Shawcross — Acland imite bien les gens — était parfaite.

— Tu ne devrais pas parler comme ça. Je ne te reconnais plus quand tu es comme ça.

Acland ne répond pas. Immobile, il a l'air de ne plus la voir.

— Tu veux que je m'en aille? Je ferais mieux de partir, poursuit-elle.

Elle s'apprête à se retourner et c'est seulement alors qu'il fait attention à elle.

— Non, Jenna, ne t'en va pas.

Il l'attrape, l'attire vers lui avec rudesse, la regarde, touche son visage, puis enfouit sa tête dans sa chevelure.

— Oh non! Ne t'en va pas. Laisse-moi te toucher. Serre-moi, Jenna. Fais partir toutes ces affreuses idées!

— Mais où sont-ils tous partis?

La vieille Mme Fitch-Tench vient de se réveiller. Elle s'est redressée le plus droit possible et a tamponné ses yeux chassieux avec un mouchoir sorti d'un objet en cuir qu'elle persiste à appeler réticule. Elle jette un regard circulaire dans le jardin. Elle est peut-être sourde mais elle a des yeux de lynx, surtout de loin. Le jardin est désert.

— Je ne sais pas, madame Fitch-Tench, répond Freddie.

— Comment, mon cher garçon?

— J'ai dit que je ne savais pas, Madame Fitch-Tench, crie Freddie. Je suppose qu'ils sont partis se changer pour le thé.

— Thé? Certainement pas. Nous sortons à peine de table.

126

– Il est près de 4 heures, madame Fitch-Tench, s'égosille Freddie. Le thé est à 4 h 30. Nous avons fini de déjeuner depuis quatre heures. Vous vous êtes assoupie.

Mme Fitch-Tench a l'air offensée.

– Mais non, mon cher Freddie. Je ne dors jamais. Je me reposais, voilà tout. En tout cas, si l'heure du thé approche, je ferais bien de rentrer.

Freddie se lève et aide Mme Fitch-Tench à en faire autant. Il ramasse réticule, ombrelle, sac à ouvrage, étui à lorgnette, livre de poèmes et châle. Une fois la vieille dame en sécurité à l'intérieur de la maison, il retourne sur la terrasse.

Il se sent plus grognon que jamais, et coupable car, malgré ses bonnes résolutions, il a encore faim. Il s'ennuie aussi, ce qui n'améliore pas son humeur : il se sent à l'écart. Aucune trace de sa mère, ni d'aucun invité d'ailleurs. Boy est introuvable et Acland est revenu en douce par l'entrée latérale, comme s'il voulait passer inaperçu.

Son père est aussi de retour. Il l'a vu se ruer hors des bois comme un éléphant en train de charger, furieux, gesticulant et invectivant ce pauvre vieux Cattermole. Il a traversé la terrasse à pas lourds, sa chienne Daisy sur les talons, et a disparu dans la maison. Il est passé à deux pas de lui sans même le voir.

Quel lunatique ! Freddie fronce les sourcils en contemplant la vue merveilleuse devant lui. Il consulte sa montre : 4 h 10. Le thé est dans vingt minutes. Il décide d'aller se laver les mains dans sa chambre et de se mettre de la poudre dentaire pour effacer l'odeur de tabac.

L'action et l'approche du thé le requinquent. Il entre en sifflant dans la maison et donne une petite tape affectueuse à la tête du cerf que Denton a tué dans sa propriété d'Ecosse dix ans auparavant. Il se sent de meilleure humeur, gravit les marches deux par deux et s'engage dans le couloir de l'aile ouest.

La ségrégation des sexes est de rigueur quand sa mère reçoit : l'aile ouest est réservée aux invités célibataires, même si, Freddie le sait bien, personne ne s'attend sérieusement à ce qu'ils y restent. Ils n'ont aucun mal à trouver la chambre de la femme qu'ils cherchent puisque Gwen a pour habitude d'indiquer le nom de l'occupant sur la porte de chaque chambre. Ainsi, les règles de la bienséance sont-elles à la fois observées et contournées.

En passant devant les portes, Freddie lit les noms. Il jette un coup d'œil vers le bout du couloir où se situe, séparée du reste de la maison par un petit couloir, la Chambre du Roi. La meilleure chambre de la maison, avec son propre escalier descendant à l'office, un étage en dessous. Freddie grimace : ce soir, Eddie Shawcross y sera comme un coq en pâte.

La chambre de Freddie est au second étage, pratiquement au-dessus de la Chambre du Roi. C'est l'étage des garçons de la maison. Continuant à siffler, il frappe à la porte d'Acland, l'ouvre et trouve la chambre vide. Il frappe ensuite à celle de Boy et, ne recevant aucune réponse, lui donne un léger coup de pied. La porte s'ouvre.

Boy est assis sur son lit. La tête entre les mains, il fixe le sol. Sur le lit, près de lui, se trouvent son appareil photo et son trépied.

— Thé! crie Freddie. Allez, Boy. C'est l'heure du thé dans quinze minutes. Remue-toi! Je te dis que... Il s'arrête et regarde son frère. Quelque chose ne va pas? Tu es complètement défait.

— Je n'ai pas envie de thé.

Boy lève les yeux vers Freddie. Son visage est pâle. L'espace d'un instant, il soupçonne son frère d'avoir pleuré.

— Boy! Tu as l'air vraiment bizarre. Tout va bien?

— Parfaitement bien.

Boy se lève et tourne le dos à son frère. Il commence à tripoter son trépied en y mettant beaucoup de soin.

— Il fait trop chaud ici. C'est irrespirable. Saleté d'appareil!

Freddie est étonné car Boy ne jure jamais. Il examine l'appareil pour voir ce qui a causé tant de colère.

— Il manque un écrou, dit-il avec bienveillance. Un écrou à ailettes du pied. Ton appareil ne peut plus tenir debout comme ça.

— Je sais.

— Tu as dû le faire tomber quelque part. Tu veux que je cherche?

— Non merci. Mais pousse-toi, Freddie!

Freddie est surpris par la violence de son frère.

— Je peux le trouver tout seul, reprend-il. Je n'ai pas besoin d'aide. Et je n'ai pas besoin que tu m'expliques comment fonctionne un trépied.

— D'accord, d'accord. Je voulais seulement t'aider. Pas la peine de me rembarrer. Qu'est-ce que tu as?

— Je te l'ai dit. Il fait chaud. Et j'ai mal à la tête. Allez, laisse-moi, tu veux bien?

Faisant une grimace dans le dos de Boy, Frederic s'exécute.

Une fois dans sa chambre, il se remet à siffler. D'abord Acland de mauvaise humeur, et maintenant Boy. Qu'ils aillent au diable tous les deux avec leurs sautes d'humeur! Freddie avance vers le lavabo. Au moment de prendre sa brosse à dents, il se retourne.

A-t-il remarqué cela en entrant dans sa chambre? Ah oui. Arthur a préparé sur son lit ses vêtements pour le soir. Un pantalon, une queue-de-pie, une chemise blanche amidonnée et... Là, au beau milieu de la chemise blanche comme neige, il y a... une friandise: un de ces petits fours à la pâte d'amandes que sa mère sert avec le café. Il se trouve dans une corolle en papier et, heureusement, le chocolat fondant n'a pas encore taché la chemise.

Freddie n'est pas du tout content. Est-ce une plaisanterie d'Arthur ?

Il tire la sonnette de service puis se dirige vers l'escalier.

— Arthur ! hurle-t-il. Mais qu'est-ce que ça veut dire ?

Aucune réponse, aucun bruit de pas précipités. Au moment de retourner dans sa chambre, il entend, assez distinctement, un cri.

Il s'arrête, hébété, pensant un instant qu'il fait erreur. Mais non, il l'entend une deuxième fois. Un cri de femme, ou d'enfant peut-être. Freddie tend l'oreille. Le second cri est suivi d'un silence total. Qui que ce soit, Steenie ou Constance, et quoi qu'il se passe, personne ne crie plus.

*

— Prépare-toi, dit Shawcross au moment où Gwen entre dans sa chambre, la Chambre du Roi.

Il verrouille la porte donnant sur le couloir de l'aile ouest sans même regarder Gwen.

Elle hésite. Il se retourne et elle tend la main vers lui, comme pour le retenir ou le caresser. Il déteste le manque de contrôle de cette femme. Il écarte sa main tendue. Gwen pousse un petit gémissement.

— Et dépêche-toi ! ajoute-t-il comme pour faire bonne mesure.

Ils n'ont qu'une heure devant eux et il a bien l'intention d'en profiter à fond. Gwen va gaspiller la moitié de ce temps s'il la laisse faire ; sans l'aide de sa servante, elle est très lente à se déshabiller. Elle est lente pour tout, d'ailleurs : lente dans ses mouvements, dans ses réponses et aussi, pour couronner le tout, dans ses pensées. Gwen la grande, la majestueuse, la maladroite, la stupide. Shawcross se demande parfois si elle se rend compte que c'est sa stupidité qui l'attire.

— Oh, Eddie, plaide-t-elle.

Peu disposé à perdre son temps à la rassurer, il se tourne vers elle avec réticence. Il connaît la façon la plus rapide de s'assurer sa coopération. Il va falloir lui faire comprendre. Sans aucun préliminaire, il caresse les seins de sa maîtresse de la paume de sa main.

Gwen se change au moins quatre fois par jour. Elle a remplacé la robe du matin par une tenue de déjeuner en crêpe de Chine bleu pâle. La matière est très fine. A travers les plis et les remplis, il sent sa poitrine généreuse et les mamelons qui se durcissent. Gwen soupire et se rapproche de lui. Ses yeux s'agrandissent, ses pupilles se dilatent, ses lèvres s'entrouvrent.

Quand elle est ainsi, à la fois aimante et excitée, il la méprise au plus haut point. Cette expression qui la rend à la fois belle et attendrissante le met en fureur. Il a envie de la punir.

Penchant sa tête, il force sa langue à travers les lèvres de Gwen. Elle frémit et il se retire immédiatement.

— Tu avais envie de moi pendant le déjeuner. Tu ne pensais qu'à ça. Tu étais assise en face de ton mari et c'est cela que tu avais en tête. Tu crois que je ne l'ai pas vu ? Qu'est-ce que ça te fait, Gwen ?

Sans répondre, elle baisse la tête, ce qui énerve Shawcross. Elle sait très bien la réponse. Ils ont répété cette scène maintes et maintes fois.

Shawcross attrape son menton et lui tord les lèvres.

— Allez, réponds. Qu'est-ce que ça te fait ?

Il desserre son emprise. Gwen lève les yeux vers lui.

— Impudique, Eddie, dit-elle à voix basse. Je me sens impudique comme... une putain.

Shawcross lui adresse un bref sourire de récompense. Il lui a fallu trois mois pour qu'elle ose prononcer ce mot. Parfois, par un regain de pudeur, elle le bannit à nouveau de son vocabulaire pendant plusieurs semaines. Mais pas aujourd'hui, c'est une bonne chose.

— Et quel effet cela a-t-il produit sur moi, Gwen ?

Il se penche au-dessus d'elle.

— Allez ! Tu le sais. Dis-le.

— Vous... vous avez eu envie de moi, Eddie.

— Exactement. Ça m'excite. Allez ! Dépêche-toi ! Prépare-toi !

A son grand soulagement, Gwen commence à déboutonner une à une les petites perles qui ferment son corsage. Shawcross se détourne : il n'y a que deux tactiques pour que Gwen se dépêche de se préparer à faire l'amour : des déclarations enflammées, ou lui faire comprendre son besoin pressant. La seconde est la meilleure. Elle est plus rapide, moins ennuyeuse et, en fin de compte, plus vraie que l'autre, même si la vérité n'a pas réellement sa place dans ses rapports avec les femmes.

Quoi qu'il en soit, il a gagné. Gwen se déshabille. Il ouvre les rideaux de l'alcôve, passe dans le vestiaire et se rend dans la salle de bains. Il y prend les rubans de soie noire qu'il lui a montrés le matin et les frotte entre ses doigts. Ce sont de larges rubans que les femmes utilisent pour fixer leur chapeau sous leur menton. Il les contemple, les remet dans sa poche, puis décide de rester habillé. Il l'a déjà fait, mais pas encore avec Gwen.

Cette décision l'excite immédiatement. Sensible aux détours de son imagination, son pénis se tend et durcit. Jetant un regard froid sur le luxe de la salle de bains, Shawcross se met devant le lavabo et se lave les mains.

Cette opération est essentielle. Comme un chirurgien se préparant à une intervention, il se frotte trois fois les mains avec un savon à l'œillet et les rince trois fois. Parfois, il lui arrive de faire l'amour à une femme sans

130

s'être lavé les mains, dans les bois par exemple. Mais il n'a pas le choix dans ce cas. Pour lui, le sexe est sale. Est-ce que les femmes se rendent parfois compte à quel point elles sont obscènes avec leurs seins laiteux et lourds, leurs fesses charnues et pâles, leurs bourrelets détestables?

Apparemment pas. C'est à cause de cette stupidité plutôt que de leur saleté ou du dégoût qu'elles lui inspirent qu'il aime les punir. Et il connaît une infinité de punitions : les faire attendre jusqu'à ce qu'elles le supplient, les châtier par la parole. Quand il fait l'amour, il reste rarement silencieux mais aucun mot affectueux ne passe jamais ses lèvres. Enfin, comble de raffinement, il peut les punir avec son corps : pincer, griffer, frapper, mordre; les punir avec son poids et avec son sexe, qu'il aime regarder plonger en elles, comme une épée.

Plus la femme est respectable, plus son rang social est élevé, plus le châtiment lui donne du plaisir. Les femmes que l'on achète n'ont aucun intérêt. Elles ont trop souvent été humiliées par d'autres hommes. Mais une femme mariée, une femme réputée, une vierge, ou une femme qui n'a encore jamais pris d'amant : celles-ci ont de la valeur pour lui. Apprendre à des femmes si vertueuses ce qu'elles sont en vérité, les forcer à reconnaître qu'elles ont besoin de lui, tout cela excite sa virilité. Si on lui posait la question, il dirait que la séduction est une sorte de croisade morale.

Evidemment, Gwen croit qu'elle l'aime. Elle croit même sans doute qu'il l'aime. Ainsi, au nom de l'amour, tous les excès sont permis. Il lui fera perdre ses illusions en temps voulu. Montrer son mépris total, mettre fin à leur liaison en lui jetant à la figure son dégoût d'elle et la déloyauté qu'il n'a cessé de pratiquer : ce sera l'ultime frisson.

Avec Gwen, ce moment n'est pas encore arrivé. Leur relation, calcule-t-il en se séchant les mains, a cinq ou six mois. Il a plus de mal qu'autrefois à changer de maîtresse, et cette faiblesse lui a fermé la porte de quelques grandes maisons, de bons territoires de chasse. Pour l'instant, Gwen lui suffit. Elle est subjuguée par lui et, surtout, il se sert d'elle pour humilier son mari.

Gwen, sa nonchalance et sa sottise, et, en prime, son butor de mari : double récompense. En caressant les rubans de soie, il se dirige vers la chambre et s'arrête soudain. Il y a une autre porte, celle du vestiaire qui mène à l'escalier de service. Il ferait bien de la verrouiller.

Il traverse le vestiaire, ouvre la porte de service et la referme. Ni clé ni verrou. Il s'interroge : il est peu probable que quelqu'un les dérange à cette heure et si le domestique qui s'occupe de lui venait, il frapperait certainement. Il se retourne, s'arrête à l'alcôve et, pour plus de précaution, ferme les lourds rideaux de velours.

131

Gwen attend. Elle est assise sur une ottomane au pied du lit du roi, adossée à deux chérubins. Elle a pris soin, comme Shawcross le lui a enseigné, de ne pas se dévêtir entièrement. Elle a gardé son corset et attend patiemment son amant, les mains croisées sur ses genoux, comme une écolière bien élevée. Sa robe est bien pliée sur une chaise.

Lorsque Shawcross entre, elle lève son visage vers lui et ses yeux s'illuminent. Quand elle s'aperçoit qu'il est encore tout habillé, l'étonnement transforme ses traits.

Shawcross se campe devant elle, met ses mains dans ses poches et se balance d'avant en arrière sur ses talons.

— Tu as envie ?

— Eddie, je...

— Tu en as envie, alors dis-le !

— J'ai envie de vous, Eddie. Je vous aime.

— Si tu le veux, prends-le !

Le visage de Gwen s'empourpre. Ses doigts s'escriment sur la braguette. Pauvre Gwen, elle est si maladroite ! Shawcross se garde bien de l'aider. Il attend, la toisant du regard, observant sa taille fine trop serrée, ses seins pigeonnants débordant de son corset. Elle est nue en dessous de la taille. Il distingue les veines bleues de ses cuisses et contemple le triangle sombre des poils de son pubis. Son ventre, caché par des volants en organdi, et le haut de ses cuisses sont couverts de vergetures, séquelles de ses grossesses successives. Il arrive à Shawcross de les pincer en faisant une remarque vexante. Il sait qu'elle en a honte.

— Dans ta bouche, dit Shawcross lorsqu'elle est enfin parvenue à ouvrir son pantalon et à sortir son sexe. Penche la tête en arrière.

Initiée par son amant, et malgré son dégoût, elle s'exécute. Après des mois d'apprentissage, elle s'y prend toujours aussi mal. Les mains dans les poches, Shawcross joue avec les rubans de soie. Il trouve le temps long et s'impatiente.

Son sexe se ramollit. Il le retire de sa bouche. Les yeux écarquillés de crainte, Gwen le regarde. Il a envie de la frapper. Rien ne le satisferait plus que d'effacer d'une gifle sa stupide expression apeurée. Il se retient : il vient de trouver la façon idéale de se servir des rubans. Les diverses possibilités qu'il avait envisagées ont pris la forme d'un scénario complet. Instantanément, son sexe se durcit à nouveau. Gwen pousse un petit gémissement de triomphe et tend une main.

Shawcross frappe sur sa main pour arrêter son geste et la repousse.

— Retourne-toi ! ordonne-t-il. Mets-toi à genoux !

Soumise, Gwen se met de dos, à califourchon sur l'ottomane. Shawcross noue les rubans autour de ses poignets et les fixe aux deux montants en bois du lit. Il ne voit plus le visage de Gwen, appuyé contre les ailes

132

d'un chérubin. C'est un avantage, se dit-il. Quand il la touche, il préfère ne pas voir l'expression de ses yeux.

Debout entre les cuisses de Gwen, Shawcross contemple la scène. Sûr de ne pas être vu, il se caresse. Ses mains blanches et propres bougent doucement au début puis plus rapidement. Son esprit est en feu. Il se penche en avant et se frotte contre la fente des fesses de Gwen. Elle est à sa merci. Ce sentiment de pouvoir et d'ascendance l'excite terriblement. Il s'imagine en train de se frotter contre elle et de répandre sa semence sur son dos. Puis il change d'avis. Son désir de la choquer et de lui faire mal s'intensifie. Il glisse la main entre les cuisses de sa maîtresse, y sent l'humidité et renonce à son idée.

Les femmes sont des créatures visqueuses, se dit-il au passage, comme des escargots ou des limaces. Il insère un pouce dans l'orifice qui lui est présenté et le fait tourner. Comme il s'y attendait, Gwen frémit et pousse un gémissement.

C'est le moment de commencer sa litanie : Shawcross parle d'une voix mécanique, à peine conscient de ce qu'il dit. Plus il la touche, moins il la voit. Elle n'existe plus. A mesure que son désir augmente et devient pressant, c'est le mari de Gwen, Denton, qui lui vient à l'esprit.

— Comment trouves-tu mon sexe, Gwen ?

— Gros, très gros.

— Plus gros que celui de ton mari ?

— Beaucoup plus.

— Que ferait-il s'il nous voyait, Gwen ?

— Il serait furieux. Il serait blessé. Il voudrait vous tuer.

— Est-ce qu'il t'a déjà fait ça ?

— Jamais. Jamais.

— Est-ce qu'il bande fort avec toi ?

— Pas aussi fort que vous. Votre sexe est tellement gros. Tellement dur. Cela me fait peur. Vous... vous allez me remplir. J'en ai envie.

Elle hésite, mais Shawcross n'est plus en état de s'en rendre compte. Son corps tremble. Il se penche en avant et saisit les seins de Gwen. Il pince ses mamelons. A ce moment-là, s'écartant dangereusement du scénario prévu par son amant, Gwen murmure qu'elle l'aime. Shawcross se décide.

Il se relève bien droit, prêt à l'action. La colère le prend : il regarde les rubans noirs, l'amas de chair devant lui, et sent cette détestable odeur de femme en sueur. Entre les plis et les bourrelets, son regard est soudain attiré : l'autre orifice. Son désir de punition, de violence le submerge. Stupide Gwen.

En s'aidant d'un peu de salive, il plonge en elle. A moitié seulement, il n'a encore jamais fait cela. Gwen ne sait même pas qu'une telle chose est possible. La douleur est intense. Gwen crie. Il s'enfonce complètement. Gwen crie de plus belle. Satisfait, Shawcross plaque sa main sur sa bouche. Gwen se tord de douleur. C'est fini.

Lorsqu'il se retire, dégoûté par elle et se dégoûtant lui-même, il sait qu'il a commis une erreur. Il est 4 h 20 et il n'a que dix minutes pour la calmer et l'aider à se rhabiller. Cela ne suffira pas.

S'étant recomposé un visage, il détache les rubans. Une seule chose à faire : agir en bon amant. Il s'y emploie, mais en vain. Gwen tremble de tout son corps. Son visage est baigné de larmes. Elle refuse de le regarder.

Elle semble ne pas entendre les mensonges qu'il profère pour la réconforter. Elle ne semble pas comprendre quand il lui dit de se dépêcher.

— Ma chérie, laisse-moi t'aider. Vite. Dépêche-toi! Nous devons faire vite. Tes cheveux. Ton visage. Il faut le laver. Gwen, réfléchis. Il est tard. Tes invités vont attendre.

Lentement, Gwen relève la tête.

— Vous n'auriez pas dû faire ça, dit-elle d'une voix éteinte. Vous n'auriez pas dû, Eddie. Vous m'avez fait mal.

— Je sais, très chère. Je n'ai pas fait exprès. C'est venu comme ça, dans la folie du moment. J'avais tellement envie de toi, Gwen. C'est quelque chose que les hommes et les femmes font parfois. Rappelle-toi, je t'ai expliqué qu'il y avait beaucoup de choses que tu ignorais, que tu n'avais jamais faites. Je sais que tu as eu mal, mais il faut que tu comprennes, Gwen. Tout est permis. Même la douleur, parfois. Les besoins des hommes sont différents de ceux des femmes. Tu le sais. Ecoute. Lève-toi et marche un peu. Essaie, Gwen.

— C'était mal, Eddie.

Gwen tourne à nouveau son visage et l'enfouit dans ses mains. Au désespoir de Shawcross, exaspéré, elle se remet à pleurer. Dans pareille situation, s'il avait disposé d'un peu plus de temps, il aurait essayé la froideur : il sait d'expérience que rien ne pousse plus vite Gwen à se reprendre que la crainte de l'offenser. L'ultime arme qu'il peut utiliser contre elle est de lui laisser entendre qu'elle peut le perdre. Mais il hésite. Tout ce qui compte maintenant c'est qu'elle se rhabille et quitte la pièce.

Shawcross prend sa main en soupirant. Il n'y a plus qu'un moyen. Il lui adresse un regard brûlant et, d'une voix contrite et passionnée, lui dit :

— Gwen, je t'aime. C'est pourquoi rien de ce que nous faisons ne peut être mal.

Heureusement, ses paroles semblent l'atteindre. Les sanglots cessent. Gwen est maintenant très calme. Elle baisse ses mains et regarde son amant. C'est la première fois qu'il lui dit cela. Il se félicite d'avoir gardé cet argument en réserve pour un cas d'urgence. Il est sauvé. Gwen va fondre et se jeter dans ses bras. Ensuite, tout ira bien. Elle le regarde longuement puis, d'une voix étale que Shawcross n'aime pas du tout, elle dit :

– Vraiment, Eddie ? Je suis étonnée.

Elle se lève, lui tourne le dos et se rhabille lentement, calmement et, cela ne lui ressemble guère, avec efficacité. Elle remet à leur place les trente boutons en perle, jusqu'en haut.

– Je retourne dans ma chambre, Eddie. Je vous verrai en bas.

Shawcross n'aime pas du tout cette voix. Il craint le pire. Gwen a l'air d'une somnambule quand elle franchit le pas de la porte. C'est maintenant lui qui se précipite vers elle, qui prend sa main. Il a peur. Cette nouvelle Gwen a l'air capable de tout : de décider que tout est fini entre eux, de tout raconter à son mari. Shawcross, être lâche, ferait n'importe quoi pour l'éviter. Des images de Denton Cavendish, cravache à la main, traversent son esprit. Il étreint Gwen avec passion.

– Ma chérie, dis-moi que tu n'es pas fâchée. Dis-moi que tes sentiments à mon égard sont toujours les mêmes. Gwen, s'il te plaît, laisse-moi t'expliquer...

– Je dois descendre.

– Oui, bien sûr, mais plus tard. Gwen, ce soir, nous parlerons ce soir. Promets-moi, chérie. Jure-moi que tu viendras après le dîner, quand la comète sera passée. Nous pourrons être seuls. Tu sais que c'est possible, tu me l'as dit. Je viendrai dans ta chambre.

– Non, Eddie.

– Alors, ici.

Voyant l'expression de son visage, il change d'idée.

– Non. Pas ici. Dans les bois. Notre lieu de rendez-vous. Nous pourrions nous retrouver à minuit, sous les étoiles. Réfléchis, Gwen. Ma chérie, dis oui. Je veux te tenir dans mes bras. Je veux te regarder. Je veux t'admirer. S'il te plaît, dis oui.

Silence. Gwen ouvre la porte, jette un coup d'œil dehors, vérifie que le couloir est vide puis se retourne.

– Très bien. Je vous le promets, dit-elle avant de disparaître.

Resté seul, Shawcross pousse un soupir de soulagement et regarde l'heure. Il doit descendre bientôt. Mieux vaut ne pas arriver en même temps qu'elle, même s'ils viennent de directions opposées. Mais d'abord, il doit se laver.

Il se hâte vers le vestiaire. Arrivé près des rideaux de l'alcôve, il s'arrête. Il a l'impression d'avoir entendu quelque chose.

Il écarte les rideaux. Personne dans la pièce attenante et personne dans la salle de bains non plus. Quelque chose cloche : la porte de service est entrouverte. Pourtant, il l'avait bien fermée. Elle bouge encore légèrement. Ce doit être un courant d'air.

Il a dû oublier de la fermer. Ce n'est pas très prudent. Il est sur le qui-vive. Il ouvre le battant de la porte et regarde dehors.

Soudain, il se sent stupide. Il n'y a personne, bien sûr. Le palier est vide, l'escalier de service aussi. Aucune raison de s'inquiéter.

Il retourne à la salle de bains, fait couler l'eau et prend son savon. Il enduit sa barbe, dont il est si fier, d'un peu de pommade, se passe un peigne dans les cheveux et met un col propre. En quelques minutes, il retrouve son assurance. Il est prêt.

En bas, sur la terrasse, la brise s'est levée et il commence à faire frais. Mme Fitch-Tench boit son thé d'une main gantée. Elle a jeté deux châles sur ses épaules et une couverture sur ses genoux. Eddie Shawcross traverse la terrasse pour se joindre au groupe, un livre sous le bras. Tout le monde est là : Denton, Maud, qui fait le service en l'absence de Gwen, les Heyward-West, Jarvis, qui a changé de cravate, Jane Conyngham et les quatre garçons.

Shawcross s'approche en disant :

— Je vous prie de m'excuser. J'ai failli oublier l'heure. J'étais absorbé par mon livre.

Une ombre se détache d'un coin et Constance emboîte le pas à son père. Il la regarde avec irritation.

— Ah ! tu es là, petit albatros ? dit-il d'une voix douce en s'asseyant sur une chaise. Envole-toi, maintenant, sois gentille. Ne reste pas dans mes pattes.

Constance recule. Quelques rares sourires accueillent cette remarque. Shawcross accepte une tasse de thé. Une servante lui tend un petit napperon bordé de dentelle, une petite assiette avec un couteau en argent et propose des sandwiches. Shawcross les refuse en prétextant qu'il n'a pas très faim. Il ignore la conversation et lorsqu'une pause le lui permet enfin, il lance, sur un ton admirablement détaché, selon lui :

— Mais où se trouve Lady Callendar ? Notre hôtesse nous a abandonnés ?

— Elle se repose sans doute.

C'est Acland qui lui a répondu. Maud abonde dans son sens et Constance, à la surprise générale, les contredit :

— Non, dit-elle distinctement. Je viens de la voir dans l'escalier.

— Maman est venue me voir, s'interpose Steenie. Elle a dit qu'elle s'était endormie et avait oublié l'heure. Elle est en train de se changer.

Il semble que Steenie ait raison car à cet instant précis apparaît Gwen, le teint reposé et plus jolie que jamais. Ses cheveux sont enroulés en un lourd chignon fixé par des peignes d'écaille et d'argent. Elle porte une nouvelle tenue en dentelle de Calais sur une jupe couleur crème qui bruisse à chacun de ses mouvements.

Les hommes se lèvent. Gwen sourit et les prie de se rasseoir. Elle prend place auprès de Maud et accepte une tasse de thé de Chine.

— Veuillez me pardonner, dit-elle. J'ai dormi une éternité ! Dites-moi, maintenant. A quoi avez-vous passé l'après-midi ? Maud, vous avez écrit vos lettres ? Ross les timbrera et les fera poster au village si elles sont prêtes. Madame Heyward-West, avez-vous trouvé le sentier du lac ? Avez-vous vu les cygnes ? Ne sont-ils pas délicieux ? Denton, mon cher, avez-vous retrouvé votre bonne humeur ?

Elle a dit cela sur un ton tout à fait charmant en prenant la main de son mari. Elle lui sourit comme une jeune coquette. Denton caresse sa main puis répond d'une voix bourrue :

— Presque, ma chère. Mais je vous dois des excuses. Ainsi qu'à tout le monde, d'ailleurs. J'espère que vous me pardonnerez. Cette histoire de faisans m'a mis hors de moi...

Un murmure de pardon général s'élève. Maud raille gentiment son frère. Boy devient écarlate et Eddie Shawcross regarde ailleurs. Il ne s'était jamais rendu compte, jusqu'à cet instant, que cette sotte de Gwen était aussi bonne comédienne. Cela ne lui plaît pas, pas plus que son attitude envers son mari.

Shawcross repense à la scène qui s'est déroulée à peine une demi-heure plus tôt. Aurait-il sous-estimé Gwen ? Se serait-elle jouée de lui avec ses aveux avilissants et inutiles ? Shawcross est souvent de mauvaise humeur lorsqu'il vient de quitter une femme : l'acte sexuel lui laisse une amertume, comme un résidu de bile. Il n'est pas de meilleure humeur maintenant, à cause de l'assurance de Gwen et parce que, comme toujours à Winterscombe, tout le monde feint indéniablement d'ignorer sa présence.

Le cercle des invités bavarde avec quelque animation. Comme d'habitude, ils parlent de leurs amis communs. Même Jarvis semble être de la partie ; Jarvis qu'il a fait inviter pour ne pas se sentir trop à l'écart. Shawcross scrute les visages un à un. Comme il déteste ces gens ! Il les méprise, tous, avec leurs bavardages insignifiants, leurs fortunes colossales et leur calme certitude qu'ils n'auront jamais à travailler.

Ils ont de l'argent et pas lui. Ils sont les mécènes et il doit accepter leur protection. Il leur est pourtant supérieur à tous égards. Mais ils le dédaignent. Par politesse, ils sourient à ses traits d'esprit : des perles à des cochons ! Ils écoutent même attentivement ses récits sur la vie littéraire à Londres mais cela ne les intéresse pas vraiment. Ils ne savent pas ce que signifie être insolvable, devoir gagner péniblement sa vie en corrigeant des épreuves. Ils n'ont pas à s'aplatir devant les éditeurs, cette race méprisable : il ferait beaucoup mieux qu'eux si on lui en donnait l'occasion. Ils n'ont pas à lutter pour se faire une réputation dans un monde où le vrai talent et les qualités sont supplantés par la mode. Shawcross connaît les mérites de son œuvre : il a écrit trois romans et connaît le prix de la sueur. Pour lui, les mots tenacité, danger et défi sont ceux de la vie au quotidien. Les critiques ne l'ont pas suivi mais il les met dans le même sac : ce sont des gens vénaux.

Mais qu'est-ce que ces gens comprennent à tout cela ? Aux luttes d'un artiste ? Rien. Cela ne les intéresse même pas. S'il était plus célèbre, peut-être... Mais non, ils seraient quand même des obstacles. Avec amertume, et pour la centième fois au moins, il se rappelle l'amère vérité. Il est né du mauvais côté de la barrière sociale et ne pourra jamais la franchir, sauf au lit. Le seul endroit où il jouit d'une certaine domination... c'est entre des draps.

Shawcross sent un acide familier couler dans ses veines. Il a envie de se lever et de les accuser publiquement, de leur cracher au visage ce qu'ils sont réellement : des dégénérés, des béotiens, des parasites.

Denton, le cocu ; Freddie, gras et niais ; Boy, le bien nommé, un sot immature, gauche et ennuyeux ; Maud avec son playboy de prince et ses diamants ; Jane Conyngham, future vieille fille ; Acland Cavendish, le fils de Gwen qu'il déteste le plus, Acland le malin, froid et condescendant, le seul de l'assemblée à ne jamais cacher son mépris.

Voilà ce qu'il voudrait faire, mais il doit rester prudent. Leur heure viendra, se dit-il. Leur classe sociale ne durera pas éternellement. Leurs jours de gloire sont comptés. En attendant, leurs maisons de campagne, leur luxe insolent, leurs fêtes, leurs recommandations et leur protection ont leur utilité.

Shawcross les observe encore. Il se sent maintenant vindicatif. Il mord rageusement dans un sandwich au concombre, détourne les yeux et accroche le regard de sa fille, Constance. Comme d'habitude, elle l'observe. Accroupie dans l'herbe à un mètre de lui, près de Steenie, elle mastique un morceau de gâteau. Steenie est vêtu d'une culotte de cheval en velours immaculée. Constance est dégoûtante. Ses cheveux sont emmêlés et mal peignés, sa robe, dont l'ourlet est défait, est couverte de boue. Elle ne s'est pas lavé les mains et ses ongles sont noirs.

Son sang ne fait qu'un tour. Puisqu'il ne peut s'en prendre aux Cavendish et à leurs invités, il peut se venger sur Constance, cette enfant qu'il n'a jamais voulue, qui le prive de ses moyens, qui lui coûte de plus en plus cher. Elle offre l'immense avantage de ne pas pouvoir se défendre.

– Constance, ma chérie, dit Shawcross d'une voix doucereuse en se penchant en avant.

Constance, qui connaît ce ton et le craint, cligne des yeux.

– Constance, je sais que tu as une âme de gitane, mais ne trouves-tu pas que tu vas un peu loin ? Nous ne sommes pas chez des romanichels ici, nous sommes à Winterscombe, et je crois, Constance, que l'idée eût été bonne de te laver et de te changer avant de nous honorer de ta présence...

Shawcross avait commencé sa tirade au milieu des bavardages. Lorsqu'il la termine, le silence est total, ce qui donne encore plus de poids à ses paroles.

Un murmure gêné monte de l'assistance. Plusieurs des invités n'aiment pas Shawcross et n'apprécient pas qu'il brime sa fille. Conscient de cette réprobation et la ressentant comme une humiliation supplémentaire, il continue sur sa lancée :

— Tu as déjà entendu parler de savon et d'eau, Constance ? Tu sais à quoi ressemble une brosse à cheveux ? Qu'as-tu fait cet après-midi ? Grimpé aux arbres ? Creusé des trous ? Il se met à rire. Oui, certainement creusé des trous à en juger par l'état de tes ongles.

— Non, dit Constance. Elle se lève en regardant son père. Je n'ai rien fait. J'étais dans la nursery avec Steenie.

Elle jette un regard vers Steenie. Celui-ci, qui sait que c'est faux puisque quand il s'est réveillé elle n'était plus là, hoche la tête en signe d'approbation. Il est le seul des fils de Gwen à apprécier Constance et n'aime pas Shawcross qui accapare trop sa mère. Il a décidé depuis longtemps d'être l'allié de Constance. Son soutien renforce l'irritation de Shawcross qui pose brutalement son assiette.

— Constance, ne mens pas, s'il te plaît. Cela ne fait qu'envenimer les choses. Je ne le tolérerai pas. Va dans ta chambre ! Et pendant que tu y seras, sois gentille de te servir d'eau et de savon.

— Je vais monter avec elle.

A la surprise générale, c'est Jane Conyngham qui a pris la parole. Elle s'est levée et tend la main à Constance, qui l'ignore.

— Je rentre de toute façon, ajoute-t-elle. Le vent se lève, Gwen, pardonnez-moi mais j'ai un peu froid.

C'est une pure coquetterie de la part de cette odieuse petite héritière, Shawcross n'est pas dupe. Sa colère lui embrume le cerveau et aucune repartie ne lui vient à l'esprit. Avant qu'il puisse intervenir, Jane est partie. Elle a mis son bras autour des épaules de Constance et l'a entraînée à l'intérieur de la maison.

Le silence retombe. Mme Heyward-West fait une remarque sur les caprices du printemps, Freddie tousse, Boy fixe les bois des yeux, Daisy, la chienne labrador, se roule sur le dos et présente son ventre à son maître, Denton.

— Un peu de thé, Eddie... ?

Gwen tend la main pour prendre sa tasse. Elle a repris la théière à Maud et trône derrière la table. Un plateau en argent, une théière en argent, un sucrier et une pince en argent, un pot à lait en argent... Shawcross regarde toutes ces splendeurs. En vendant ces quelques objets, il pourrait vivre une année entière, peut-être deux. Et sur un grand train.

Plus besoin de réprimer ses prétentions artistiques, son génie aurait toute latitude pour s'exprimer.

— Merci.

Il tend sa tasse et jette un regard sur Denton, assis près de Gwen, ses grandes mains plaquées sur ses genoux. Il vient à l'esprit de Shawcross, pour la première fois, que si Denton venait à mourir, Gwen ferait une très riche veuve.

— Non, pas de sucre. Merci.

Une veuve très riche qui, lorsque les convenances le permettraient, pourrait se remarier. Avec lui. Il n'aurait pas de mal à la convaincre. A supposer, toutefois, qu'il supporte l'idée d'un second mariage, l'ennui et le confinement étouffant du premier lui ayant suffi.

Si Denton Cavendish mourait... Shawcross laisse cette éventualité séduisante pénétrer son esprit. Il prend la tasse des mains de Gwen. Leurs doigts ne se touchent pas mais — lit-elle dans ses pensées ou repense-t-elle aux événements de l'après-midi ? — sa main tremble. C'est un mouvement presque imperceptible, une faiblesse passagère. La tasse tinte contre la cuiller en argent. Apparemment, Acland l'a aussi remarqué.

Shawcross trempe ses lèvres dans le thé, trop chaud, et se brûle. Il croise le regard glacial et acéré d'Acland. Shawcross remue sur son siège. C'est un instant pénible.

— Shawcross...

Acland s'est penché et parle d'une voix polie. Shawcross a le désagréable pressentiment qu'il va poser une question dont il connaît déjà la réponse.

— Vous ne nous avez pas dit. Avez-vous passé un bon après-midi ? Qu'avez-vous fait ? Tennis ? Croquet ? Une promenade dans les bois peut-être ? Etes-vous allé voir les cygnes du lac ? Dites-nous tout, Shawcross. Vous n'avez pas passé l'après-midi à lire ?

III

Rendez-vous galant et accident

Extrait de journal intime

Winterscombe, le 10 avril 1910

Un souvenir de ma mère : son éducation bourgeoise était à la fois raffinée et dure, tout comme la porcelaine la plus fine. Quand je l'embrassais, elle se tamponnait les joues avec un mouchoir blanc. Lorsque j'étais enfant, je priais pour qu'un jour elle n'efface pas mon baiser avec son mouchoir. Je le lui ai demandé et elle m'a répondu que les baisers étaient vecteurs de microbes.

Un souvenir de mon père : quand il rotait, son ventre se comprimait. A l'œil nu, on le voyait se vider. C'était un homme plein de gaz, un gaz nocif. Il se putréfiait de l'intérieur. On en sentait l'odeur quand il est mort. Des lèvres molles et de grandes mains. Je les vois, ses mains, frayant leur chemin à l'intérieur de sa robe à elle. J'avais trois ans la première fois que je les ai vus faire : ma mère haletait.

Un souvenir de ma fille : Jessica avait déjà commencé à mourir dans la pièce d'à côté. Elle toussait nuit et jour pour m'empêcher de travailler. Ma fille a fait ses premiers pas à douze mois, au milieu d'un chapitre, et cette saleté de nurse me l'a amenée pour me montrer, évidemment. Cinq pas vacillants et elle s'est accrochée à mes genoux. Quelle horreur cette Constance que j'ai mise dans ce putain de monde : une peau jaune, des cheveux asiatiques, un crochet sémite au bout du nez, des yeux malveillants. J'avais envie de la frapper.

La haine, et sa pureté. Ce soir, la comète. Un accident d'éléments, comme ma fille. Chaude et gazeuse, comme mon père.

Curieux, les associations d'idées. Ma mère me manque. Douze ans qu'elle est morte, elle doit être complètement décomposée maintenant. Je

141

pense à elle tous les jours. Je la vois se tamponner les joues. Elle était propre, froide et distante. Comme la lune.

– Gitans. Romanichels. Tziganes. Manouches. Tous de la vermine. Ecoutez bien ce que je vous dis. Ce sont eux qui sont derrière tout ça.

Denton avale d'un seul trait une grande gorgée de porto et jette à la ronde un regard noir. Le dîner est achevé, les femmes se sont retirées. A sa droite et à sa gauche, ses vieux copains. Assuré de leur sympathie – ils sont aussi propriétaires terriens – il est revenu à son idée fixe.

– Je croyais qu'ils avaient été chassés ? fait remarquer Sir Richard Peel, son plus grand complice.

Ce bon vieux Dickie Peel, président du tribunal, est un chasseur hors pair. Il grimace. Sa propriété jouxte celle de Denton et si Denton Cavendish a perdu des faisans ce mois-ci, c'est lui qui va en perdre le mois prochain.

– Chassés ? Chassés ?

Denton est au bord de l'apoplexie.

– Bien sûr qu'ils ont été chassés. Mais ils sont revenus. Ils sont près du pont du chemin de fer. C'est de la racaille. Ils volent et répandent saleté et maladie. Cattermole m'a prévenu que le fils d'Hennessy, Jack, les a vus rôder près de mes bois la semaine dernière. Tu devrais t'en occuper, Peel.

– C'est un terrain communal, près du pont. C'est un peu difficile... dit Sir Richard d'un air pensif.

Le nez de Denton s'empourpre et palpite.

– Un terrain communal ? Qu'est-ce que ça veut dire ? Qu'ils peuvent faire ce qu'ils veulent ? C'est ça ? Qu'ils peuvent s'introduire dans mes bois la nuit et se servir comme ils l'entendent ? Qu'ils peuvent venir dans mon village avec leurs saletés de chiens bâtards bourrés de puces ? Ils mériteraient d'être empoisonnés. Il y en a un qui a couvert la meilleure chienne de Cattermole l'an dernier. Juste devant l'église. Evidemment, on a noyé les chiots dans un sac, mais la chienne a complètement changé depuis. Ça lui a porté sur les nerfs. Elle est fichue. C'était une bonne chienne, l'une des meilleures. Un bon nez, une bonne bouche souple. Et maintenant...

Pour quelque raison, le triste sort de la chienne de Cattermole semble émouvoir profondément Denton. Il ne semble plus entendre ses camarades raconter d'autres histoires de romanichels. Il secoue la tête, marmonne tout seul, attrape la bouteille de porto et s'en verse une bonne rasade.

C'est son troisième verre, remarque Shawcross en bout de table. Ivrogne. Imbécile. Béotien. Denton le cocu était déjà ivre en arrivant à table. Maintenant, il est bel et bien saoul.

Shawcross prend une petite gorgée de porto, comme le ferait une femme. Il est excellent. Il essuie délicatement sa bouche et sa barbe soignée avec une petite serviette immaculée. La vue de l'objet impeccable, de ses mains parfaitement manucurées, lui fait plaisir. Ses narines frémissent. L'odeur du savon à l'œillet, de son eau de Cologne, appliquée généreusement, le rassure. Avec un sourire dédaigneux, il détourne les yeux de Denton et passe en revue les invités proches de lui. A sa gauche sont assis successivement un comte sénile, puis un évêque compassé et enfin Jarvis qui a entrepris un voisin de Cavendish sur une collection de Landseers. Rien de très prometteur de ce côté-ci.

A sa droite se trouve le financier Sir Montague Stern, en grande conversation avec George Heyward-West : ils parlent sans doute de pourcentages. Après eux, il y a un groupe de jeunes gens, parmi lesquels Hector Arlington, dont le père possède des terres attenantes à celles de la famille Conyngham. D'après la rumeur, Arlington, jeune homme sérieux et studieux, serait un botaniste amateur averti. Shawcross s'autorise un sourire méprisant. Un botaniste! Rien d'intéressant de ce côté non plus.

Après Arlington se trouve un groupe de jeunes étudiants élégants d'Eton, et encore après eux, émaillé d'un certain nombre d'hommes éminents, le trio des fils aînés de Gwen : Boy, fiévreux et anxieux, Freddie, qui a trouvé le moyen d'être légèrement éméché, et Acland, qui est resté silencieux et préoccupé la majeure partie de la soirée.

Shawcross voit Acland réprimer un bâillement et remarque qu'il ne boit que de l'eau. Il s'aperçoit également qu'il feint d'écouter son voisin. En fait, son regard très perçant erre de visage en visage.

Shawcross trouve Acland inquiétant. Il se détourne, de crainte de croiser son regard. Il a le sentiment, renforcé ces derniers temps, qu'il sait. Il est au courant de ses relations avec Gwen; il connaît ou devine son mépris pour elle. Et sa question, lancée pendant le thé à travers la table : « Qu'avez-vous fait? » Ce n'était pas une question innocente. Elle visait à l'embarrasser. Dieu qu'il déteste ce garçon... Shawcross prend tout son temps pour allumer un cigarillo, conscient qu'Acland le regarde. En plus de tout le reste, il est furieux d'être vu tel qu'il est en ce moment : socialement inférieur, ne parlant avec personne, à nouveau tenu à l'écart. Se raclant la gorge, il se penche en avant et interrompt la conversation monétaire à sa droite.

George Heyward-West s'interrompt, surpris. Le financier, Sir Montague Stern, est plus courtois : il répond à l'interjection de Shawcross et l'admet dans la conversation. En quelques secondes, ils passent des valeurs boursières à l'opéra. Shawcross se sent mieux.

Montague Stern est un grand assidu de Covent Garden. Shawcross n'éprouve aucun intérêt pour la musique et ignore tout de l'opéra, qui le laisse indifférent. Mais au moins est-ce un art, un sujet relativement sophistiqué, préférable aux éructations et aux rouspéteries à propos de gitans et de chiens.

Après un mot d'esprit – plutôt bon, selon lui – sur Wagner, il examine le gilet de Sir Montague, une sorte de soie écarlate rebrodée, peu conventionnelle. Shawcross se détend et Sir Montague, magnanime, ne le reprend pas lorsqu'il confond Rossini et Donizetti.

Shawcross boit son porto avec plus de cœur, conscient de devenir légèrement, agréablement, ivre. Encore deux gorgées et il se sent prêt à faire des prouesses. De l'opéra au théâtre, du théâtre aux livres, le pas est franchi.

Sachant qu'Acland le regarde toujours, il devient de plus en plus expansif. Qu'il regarde! Qu'il essaie de le prendre en défaut, s'il le peut! Il est dans la course, maintenant; il est en plein cœur de l'action et cite à n'en plus finir des noms de vedettes à la mode, tous des amis proches, comme Wells, Shaw, Barrie.

Sir Montague écoute patiemment. De temps à autre, il acquiesce. Une ou deux fois, mais Shawcross ne le remarque pas, il hoche négativement la tête. Shawcross exulte, risque même un coup d'œil triomphant dans la direction d'Acland. Sur son terrain de prédilection, la littérature en général, et la sienne en particulier, il se sent en sécurité. Dans ces hauteurs, nul ne peut l'atteindre, en tout cas aucune des personnes présentes. Sir Montague? Un homme cultivé, certes, intelligent et raffiné, mais son attention ne fait qu'ajouter à son sentiment de sécurité.

Car Sir Montague est le seul des hommes présents à ne pas pouvoir le prendre de haut. Il ne peut le mépriser pour son éducation, son instruction scolaire, ses manières, sa façon de se vêtir. Et pourquoi éprouve-t-il grâce à lui la plus douce des sensations : pouvoir se montrer condescendant, pouvoir jouer les protecteurs?

Rien de plus simple : Sir Montague est juif. Selon la rumeur, il est d'origine très modeste et bien qu'il se soit élevé très, très haut, dans la société, il ne peut rejeter ses origines, à la fois sociales et raciales. Elles sont imprimées sur ses traits, reconnaissables à son gilet et même, par instants, à sa voix, dont la richesse et la cadence ont un air d'Europe centrale, et non d'une province anglaise.

C'est une occasion merveilleuse pour Shawcross, qui méprise les Juifs autant que les femmes, les classes laborieuses, les Irlandais et tout individu à la peau foncée. Faire de Sir Montague son allié contre les béotiens, et affirmer par la même occasion sa supériorité à lui, quelle aubaine! Ses mots d'esprit atteignent de nouveaux sommets mais la dégustation de porto prend fin et sa performance tourne court.

– Mon cher ami, dit-il en posant la main sur le bras de Sir Montague. Vous ne l'avez pas lu? Mais il faut le faire. Vous apprécierez énormément mon style, j'en suis certain. Dès que je retournerai à Londres... Si, si, j'insiste. Je vous en enverrai un exemplaire, dédicacé, bien entendu. Donnez-moi votre adresse et ce sera la première chose que...

Sir Montague incline la tête, puis le corps.

– Mon cher ami, dit-il d'une voix bienveillante, dans laquelle Shawcross ne décèle aucune ironie, faites donc.

Plus tard, la fête bat son plein, le salon retentit de rires et de conversations à bâtons rompus, les esprits s'échauffent. Le moment de la comète approche, Boy Cavendish emmène Jane Conyngham dans l'armurerie.

C'est Jane qui a demandé cette visite. Placés côte à côte à table, après avoir épuisé le seul sujet qui rende Boy prolixe – la photographie – ils se sont évertués à entretenir une conversation polie puis ont échoué sur le sujet des voyages : Jane a déjà visité Florence, Rome, Venise et Paris alors que Boy passe ses étés à Winterscombe, ses automnes dans la propriété écossaise de Denton et ses hivers à Londres. Pressé par Jane, il se rappelle être allé une fois en Normandie avec sa tante Maud mais il était alors très jeune et la nourriture l'avait rendu malade.

– Père... dit-il en rougissant, Père n'aime pas l'étranger.

Lorsque les hommes ont rejoint les femmes dans le salon, après le dîner, il est sauvé par Acland qui vient le chercher. Soulagée, Jane se retrouve avec Freddie qui, lui, est moins ravi. Il grimace en direction de ses frères qui sont pâles et semblent se disputer. Il se retourne vers Jane et, comme il s'y est entraîné, la complimente sur sa robe.

En réalité, il n'aime pas cette robe mais elle lui va très bien. Le visage fin de Jane est légèrement coloré, les ondulations de ses cheveux accentuent son front et ses grands yeux noisette. Acland a toujours prétendu que Jane n'était pas belle mais que son visage respirait l'intelligence, ce qui lui conférait une certaine beauté. Freddie n'est pas d'accord mais réussit malgré tout son compliment. Jane fait une grimace.

– Freddie. N'essaie pas d'être poli. Cette robe est... une erreur.

– Pardon ?

– Elle était destinée à une occasion particulière... qui ne s'est pas réalisée, dit-elle en jetant un regard discret vers Acland.

Freddie ne comprend pas. Ce doit être une plaisanterie mais il n'a jamais compris les plaisanteries de Jane.

Un lourd silence tombe. Freddie cherche de l'aide des yeux mais ne trouve personne. Il croise le regard d'Hector Arlington qui, apercevant Jane, s'éloigne à grands pas.

Freddie sait pourquoi : à une époque, Arlington devait épouser Jane. Du moins était-ce ce que voulait sa famille, sur le conseil de la tante de Jane. Arlington, célibataire endurci d'après Acland, avait réussi à s'extriquer de la situation avant que les bavardages le compromettent. Freddie ne voit pas par quel moyen Boy pourrait s'en sortir aussi bien. Surtout si son père est dans le coup.

Quel destin, de terminer avec un bas-bleu! Freddie observe Jane du coin de l'œil. Toujours d'après Acland, elle avait décroché une place pour étudier la littérature à Cambridge mais l'avait refusée lorsque son vieux père était tombé malade. Freddie remue sur sa chaise et se demande comment il va pouvoir s'esquiver. Il se demande aussi si l'idée d'accepter les femmes à l'université est intéressante ou ridicule.

— Est-ce que Boy est souffrant? interroge Jane.

La question a été si soudaine que Freddie est surpris.

— Souffrant?

— Il a l'air si pâle. Pendant le dîner, je l'ai senti distrait...

« Il est sans doute inquiet au sujet de sa demande en mariage », songe Freddie en réprimant un sourire.

— C'est le temps, je pense. Il avait mal à la tête tout à l'heure. Et en plus il a perdu une pièce du trépied de son appareil photographique. Vous savez comme il y tient, à cet appareil. Il est très contrarié.

— Je ne crois pas. Il a dû le retrouver. J'étais avec lui quand il a pris les cygnes en photo, juste avant le dîner.

Freddie réprime un nouveau sourire. Boy a donc eu l'occasion de faire sa demande en mariage et n'en a pas profité.

— Bon, alors je ne sais pas. De toute façon, le revoilà, poursuit Freddie. Excusez-moi.

Il fait une sortie rapide. Boy s'assied près de Jane et, au grand désespoir de celle-ci, la conversation guindée reprend. Rien ne semble éveiller l'intérêt de Boy. Ni la musique, ni les livres, ni les invités, ni la comète. Rien du tout. La conversation en vient à la chasse, de là aux armes, et aux fameux Purdey. Jane fait remarquer qu'ils doivent être particulièrement beaux car son frère Roland lui a dit un jour que les armes hollandaises n'étaient pas aussi bien que...

— Voulez-vous les voir?

Au grand étonnement de Jane, Boy vient de l'interrompre. Il se lève, lui offre son bras et l'entraîne d'un pas rapide. Il ne semble pas remarquer les sourires de connivence. Jane, si. Les gens croient que la demande en mariage est imminente, et ils ont tort.

Se hâtant dans les couloirs et les escaliers, Jane croit savoir ce qui presse Boy. Il y a beaucoup d'endroits où un homme conventionnel peut faire une demande en mariage : près d'un lac, par exemple, d'où la vue est charmante, sur une terrasse au clair de lune. Ou peut-être dans une serre? Oui, dans une serre, ce serait bien le genre de Boy. N'importe où mais sûrement pas dans une armurerie.

Dans l'armurerie, à l'abri de toute demande en mariage, une surprise les attend : la paire de Purdey a disparu.

Boy se sent très nerveux. Il réfléchit : son père organise l'armurerie avec un soin maniaque. La pièce n'a que quatre clés : son père en a une, lui-même une deuxième, Acland vient d'en recevoir une et la quatrième est dans le coffre-fort de Cattermole. Les domestiques qui nettoient les armes sont toujours accompagnés soit de son père soit de Cattermole.

Devant la valise vide, Boy ne se résigne pas. Il se met à chercher partout comme fou.

— Père va être absolument furieux ! S'il vous plaît... Il prend le bras de Jane. S'il vous plaît, n'en parlez à personne, d'accord ?

— Vous pouvez compter sur moi.

Elle tiendra parole. Tous deux inscriront l'incident dans leur journal intime mais n'en souffleront mot. Deux jours plus tard, Boy annoncera que les armes ont été retrouvées. Il n'en reparlera plus jamais, même quand on l'interrogera à propos des événements de cette nuit-là.

Dans l'armurerie, il a l'air tout penaud. « Pauvre Boy », pense Jane. Mais celui-ci songe déjà à autre chose. Ce qui le préoccupe, c'est son père et la demande en mariage.

Jane est triste pour ce jeune homme pris au piège. Elle a l'intention de lui dire qu'il n'a pas besoin de la demander en mariage et que, de toute façon, elle refuserait sa proposition. Elle a tourné et retourné tout ça dans sa tête. Elle est prête, mais les mots ne sortent pas de sa bouche.

A cet instant précis, un gong retentit, se réverbérant dans les couloirs et les escaliers. Boy sursaute. Mais ce n'est qu'un signal : la comète arrive, il est temps pour les invités de se rassembler dehors.

— Mieux vaut nous dépêcher, dit-il.

Sachant qu'il est trop tard pour les aveux, Jane jette un regard sur les armes et le suit.

Sur la terrasse, tous les cous sont tendus vers le ciel nocturne. Une brise souffle. La nuit est calme. Tout le monde attend, s'occupe à essayer de reconnaître les constellations.

L'Etoile polaire, le Baudrier d'Orion, Cassiopée, les Gémeaux Castor et Pollux, la Grande Ourse, la Petite Ourse : ce soir, le ciel est sans nuages, les étoiles sont splendides. Acland trouve qu'elles ressemblent à des graines scintillantes semées dans les cieux par la main d'un Dieu généreux et prodigue : leur profusion est éblouissante. Il s'écarte des autres et de leurs exclamations incessantes. Les yeux rivés sur le ciel, il exulte. Par une telle nuit, tout est possible. Toutes les petites misères de la vie, tous les subterfuges, les compromis et les mensonges sont oubliés. Pendant un instant, juste avant d'apercevoir la comète, son esprit s'envole, échappe à la gravité terrestre et se fond parmi les étoiles.

— Là-bas !

C'est lui qui aperçoit la comète le premier. Dès qu'il la voit, il retombe sur terre, complètement dégrisé. Il pensait être déçu par ce phénomène annoncé avec tant de fracas. De simples particules éparses, des gaz et de la poussière : il était certain que le spectacle n'en vaudrait pas la peine.

Il s'est trompé. La comète lui inspire une crainte mêlée de respect. Ses compagnons ont la même réaction. Au moment où il crie en pointant le doigt, les conversations s'arrêtent. Le silence est total sur la terrasse.

*

Une longue courbe de lumière. La comète décrit un arc de cercle, les étoiles pâlissent, l'obscurité flamboie, la grande trajectoire est silencieuse.

Voilà ce qui rend cette manifestation si surnaturelle, se dit Acland : une apparition, une lueur et le silence. Avec une telle vitesse et une telle conflagration, on s'attendrait à ce qu'il y ait du bruit, que les flammes crépitent, qu'une explosion embrase le ciel, qu'on entende au moins comme le ronflement d'un moteur, d'une automobile, d'un train à vapeur ou d'un aéroplane. Acland a déjà vu un aéroplane.

Mais non. La comète est aussi silencieuse qu'une étoile. C'est cela qui est effrayant.

Acland fait un calcul rapide : la comète repassera dans soixante-treize ans, en 1986. Cette date lui paraît lointaine et irréelle. Il aura... quatre-vingt-douze ans.

Il ne vivra pas aussi longtemps puisque l'espérance de vie de l'homme est de soixante dix ans. Il ne détache pas son regard pour fixer dans son esprit ce moment unique : on ne le vit qu'une fois dans sa vie.

Soudain, il prend conscience de sa propre mortalité. Avant d'en finir, il aimerait commettre un acte audacieux, faire quelque chose d'extrême, d'extraordinaire.

Il s'en va pour rejoindre Jenna. Il se fiche pas mal qu'on le voie partir. La vie est trop courte, pense-t-il. Il se dirige vers les écuries, où elle a promis de le retrouver. Il allonge le pas : seule Jane Conyngham, les yeux rivés sur lui, remarque son départ.

L'air est vivifiant. Acland retrouve son exaltation. « Ce soir, je pourrais faire n'importe quoi », se dit-il. Il commence à courir et lance un regard, un seul, par-dessus son épaule.

Mais non. Personne ne l'appelle, personne ne crie son nom et, plus tard, personne ne lui demandera où il était.

148

Et les autres ? Même Denton se sent mélancolique. Il pense à la raideur de ses extrémités, à son souffle court, à la mort qui se rapproche. Vêtue de son manteau de phoque bordé d'hermine, debout près de Shawcross comme elle l'avait prévu, Gwen comprend à quel point l'espoir peut être loin de la réalité.

Elle s'était imaginé un bonheur sans nuages. En fait, elle s'interroge sur son adultère. Elle ne peut plus ignorer ses doutes : elle aime Eddie et ne l'aime pas ; il l'aime et ne l'aime pas. Elle est à la fois maîtresse et mère et pour la première fois ces deux rôles deviennent incompatibles. Elle redoute un châtiment.

Elle a commis un péché. Le mot ferait rire Eddie mais pour une fois elle ne se laissera pas influencer. Ce qu'elle a fait est inexcusable. Elle est mortifiée. Elle se revoit, enfant, dans le petit salon, écoutant son père lire la Bible, et la même certitude s'empare d'elle : tout péché mérite une pénitence.

Eddie prend sa main, mais elle la dégage. Elle va s'amender, rompre, et ne plus jamais se laisser tenter. Il lui lance un regard qu'elle ne remarque même pas. Soudain, elle sait.

Elle ne sera pas simplement meurtrie, la peine serait trop douce : la perte d'un être cher sera son expiation. Terrifiée, elle scrute les visages, à la recherche de ses enfants, de son mari. Elle pivote sur elle-même et se dirige vers la maison.

— Gwen, où allez-vous ? appelle Shawcross.

Elle ne se retourne pas.

— Je vais voir Steenie. Il faut que je le voie.

Steenie et Constance ont été autorisés à regarder la comète par la fenêtre de la nursery. A genoux l'un à côté de l'autre, ils se penchent dangereusement. Le visage de Steenie est coloré, excité. Celui de Constance est pâle et fermé. Ils suivent des yeux la courbe de lumière qui s'estompe au loin.

Nanny Temple, ses cheveux gris noués en catogan, bien enveloppée dans une robe de chambre en flanelle rouge, s'agite derrière eux. En voyant Gwen se précipiter dans la chambre et prendre Steenie dans ses bras, Nanny Temple est vexée : la nursery est son domaine.

Gwen couvre de baisers le visage de Steenie. Elle insiste pour le mettre au lit, lui donne un verre de lait, arrange ses oreillers, pose la main sur son front, lui remonte drap et couvertures jusqu'au menton. Mais elle s'attarde encore : elle se rappelle ses nuits de veille, persuadée que sa présence protégeait son enfant et qu'il mourrait si elle partait. L'angoisse de ces nuits est revenue. Ce n'est qu'une fois son fils endormi, sa respiration régulière, qu'elle le laissera.

Absorbée dans ses pensées, elle a encore oublié Constance. Nanny Temple insiste pour qu'elle s'éloigne de la fenêtre ouverte.

– C'est l'heure du marchand de sable, dit Nanny d'un ton brusque.

– Bonne nuit, Constance, dit Gwen en quittant la pièce.

Sachant pertinemment qu'elle ne dormira pas, Constance se laisse conduire à sa chambre.

– J'ai enterré un lapin aujourd'hui, dit-elle à Nanny en se mettant au lit.

– Bien sûr, ma chérie, répond Nanny en éteignant la lampe de chevet.

Nanny Temple, qui n'aime pas Constance, est habituée à ses mensonges. Elle a décidé de ne pas y faire attention.

– C'était un bébé lapin. Tout gris.

– Allez! En route pour le pays des songes, dit Nanny en fermant la porte.

Dans l'obscurité, Constance reste immobile. Elle ne bouge que le bout de ses doigts et fredonne un petit air. Elle attend. Au bout d'un moment, l'albatros arrive, comme tous les soirs.

Elle le regarde voler en cercle au plafond et écoute le battement de ses énormes ailes blanches. L'albatros n'est pas un oiseau de mauvais augure, les gens sont stupides de le croire. Il est son conseiller, son ami, son ange gardien.

Il est magnifique. Chaque jour il vole jusqu'aux confins de la terre et revient. Chaque jour il traverse les océans. Un jour il l'emmènera avec lui, il l'a promis. Elle montera sur son dos et s'installera entre ses ailes. Elle y sera autant en sécurité qu'une noix dans sa coquille. Et alors, elle aussi verra le monde. Elle a hâte que ce jour arrive. Pour l'instant, il faut attendre patiemment.

11 heures. En bas, on a allumé les chandeliers. Le salon des Cavendish brille de mille feux. Jane Conyngham est au piano.

Elle a commencé par les morceaux qu'on lui a demandés : une ou deux valses, une mazurka douce. Bref, le genre de musique convenable pour une jeune fille de bonne famille. Mais c'est aussi celui qu'elle déteste le plus.

Au début, tout le monde l'écoute : les invités sont assis en cercle autour d'elle, espérant peut-être que leur hôtesse aille rejoindre Jane au piano, comme elle le fait souvent. Gwen a une jolie voix douce et son répertoire ne manque jamais de faire vibrer la corde sensible de l'auditoire. Ce soir, après s'être excusée de son absence auprès de ses invités, elle a refusé de chanter.

Jane connaît cette mazurka par cœur et joue sans regarder les touches. Elle regarde Gwen circuler parmi ses invités, en commençant par les plus éminents, un vieux comte et sa femme qui apparaissent rarement en public. Elle rejoint ensuite Maud, la sœur de Denton, et Sir Montague Stern, le financier. Elle salue colonels et capitaines, hommes d'Etat et politiciens, personnalités de la City et agents de change. Elle encourage Boy et Freddie à faire la même chose parmi les jeunes gens. Tout en riant, elle accompagne son mari et ses vieux amis vers le fumoir ou le billard. Un mot par-ci, un geste par-là : Gwen excelle dans ce rôle, songe Jane.

La mazurka est terminée. Les convives réunis autour du piano se dispersent. A partir de ce moment, elle va jouer en musique de fond. Cela ne la dérange pas ; en restant seule, elle préserve son intimité.

Elle observe les autres invités et se rappelle la comète. Au début, elle ne l'a pas regardée car elle était absorbée par une autre scène : la silhouette d'Acland se découpant sur le ciel embrasé, le bras tendu vers la comète.

Elle incline la tête vers le clavier. Acland n'est pas revenu du jardin. Apparemment, elle est la seule à s'en être rendu compte. Peu importe. On ne s'occupe pas d'elle et elle a tout loisir de penser à lui. Elle voit ses cheveux un peu roux que la lumière surnaturelle du ciel entoure d'un halo. Elle détaille ses traits qui l'ont toujours fascinée. Il a une peau claire, presque diaphane, qui laisse transparaître ses émotions : quand il est en colère – elle l'a souvent vu ainsi – son visage pâlit, quand il est heureux, ou excité, ou amusé, il se colore. Le substantif qui le qualifierait le mieux est la rapidité. Son esprit, son langage, sa faculté de jugement sont rapides. Il ne tient jamais en place, passe d'un lieu, d'un projet à un autre, d'une idée, d'une personne à une autre. Il serait facilement destructeur. Il est formidable mais insouciant.

En l'observant dans le jardin, un peu plus tôt, elle a senti monter en elle un mouvement de rébellion, une attirance irrépressible vers le monde marginal d'Acland, dont sont bannis tous les concepts ennuyeux qu'on lui a inculqués : le devoir, la discrétion, l'obéissance. Elle y oublierait son père souffrant et les secrets espoirs de sa tante. Elle serait... libre. Elle ferme la partition, pose ses mains sur le piano et, de mémoire, attaque un morceau qu'elle aime : l'*Etude révolutionnaire* de Chopin. C'est un morceau difficile qui ne convient guère à une réunion de salon.

Libre, libre, libre. Vers la fin, elle sent une présence derrière elle. Un homme. A mesure que le temps passe, elle est convaincue que c'est Acland.

Mais c'est Boy. Il attend qu'elle ait fini puis applaudit poliment.

– Je me demande... dit-il tandis que Jane referme le piano. Aimeriez-vous prendre un peu l'air ? Je pensais que nous pourrions aller dans la véranda.

Jane se lève et le suit. Elle ne veut pas penser à ce qui va se passer. Elle écoute la musique résonner dans sa tête et pense à Acland pointant le doigt, non plus vers la comète, mais vers un chemin, une route, une voie différente qu'elle pourrait emprunter.

Les camélias effleurent ses bras. Dans la véranda, Boy met un genou à terre et pose sa main sur son cœur.

— Miss Conyngham... Jane... commence-t-il.

Jane fixe son esprit sur la comète, sur un halo de cheveux, sur le silence absolu qui résonne dans sa tête.

— ... demander votre main.

Boy s'arrête. Jane attend. Un long silence plane entre eux. Comme elle l'avait craint, la force qui l'habitait quelques minutes plus tôt l'a abandonnée. Que veut-elle au juste ? De longues années de célibat à assister aux baptêmes des enfants d'autres femmes ? Quel avenir aura-t-elle quand son père et sa tante seront morts ? Elle restera seule avec son immense fortune.

Boy est sa dernière chance. Elle se tourne vers lui et accepte sa proposition mais insiste pour que les fiançailles soient longues. Elle préfère attendre que Boy ait vingt et un ans.

Les yeux brillants, Boy se lève. Ses genoux craquent. Jane a envie de rire : tout cela est si absurde, si pitoyable ! Elle lui tend la main en souriant.

C'est une nuit propice aux demandes en mariage, et à l'amour, peut-être.

Dans le salon, Freddie courtise une jeune fille prénommée Antoinette, vague parente par alliance de Maud. Précoce pour ses quatorze ans, Antoinette n'est pas insensible à son charme. Le jeune homme fanfaronne.

A l'autre bout de la salle comble, Maud, parée de ses fameux saphirs, découvre qu'elle a beaucoup de choses en commun avec le financier Sir Montague Stern. Tandis qu'ils parlent d'opéra, elle examine son luxueux gilet. Elle essaie de rassembler ce qu'elle sait de cet homme dont le nom est un mot de passe dans les cercles londoniens. Un homme qui s'est élevé rapidement, un homme de grande influence puisque la rumeur dit qu'il a l'oreille du Premier ministre. Juif, évidemment, bien que cette caractéristique soit rarement évoquée devant lui, et généralement par ceux qui lui doivent de l'argent. Quel est son véritable nom ?

Pas Stern, en tout cas. Elle en est certaine. Des histoires sinistres, dont les détails lui échappent, circulent à son sujet. Il a peut-être quarante ans, ou moins. Il est plus jeune qu'elle de quelques années, se dit-elle. C'est un homme puissant, mélancolique, distrayant et invariablement courtois. Maud se dit soudain qu'elle n'a jamais fait l'amour avec un Juif et, juste à ce moment, accepte une invitation dans la loge de Stern à Covent Garden.

— Délicieux, murmure-t-elle. Votre femme se joindra-t-elle à nous ? Est-elle ici ce soir ?

— Je ne suis pas marié, répond Sir Montague.

La placidité de sa réponse fait battre le cœur de Maud. Sir Montague incline la tête.

— Et votre époux, le Prince?

— A Monte-Carlo, dit Maud avec fermeté.

Ils se sourient. Il est évident pour tous deux que la question du prince est réglée.

Sir Montague prend le bras de Maud et la dirige à travers la foule jusqu'à un serveur portant du champagne sur un plateau d'argent. Ils passent devant le vieux comte, qui adresse un signe de tête formel à Sir Montague, puis devant un politicien, qui le salue avec plus de chaleur, et enfin devant Eddie Shawcross, légèrement éméché, qui se fraie un chemin pour rejoindre Gwen.

— Quel homme déplaisant, fait remarquer Stern en regardant vers lui.

Maud s'étonne: elle ne soupçonnait pas tant de franchise chez Sir Montague.

— Gwen l'aime bien, répond-elle.

A l'instant, elle regrette à la fois sa remarque et la façon dont elle l'a faite. C'était indiscret. Elle aime bien Gwen, ne se fait aucune illusion sur l'horreur que doit être la vie avec Denton, et trouve touchant que sa belle-sœur soit si discrète sur sa vie privée. Elle a un moment d'hésitation.

— Je veux dire par là que Gwen s'intéresse beaucoup à l'art, vous comprenez. A la littérature. Et mon frère Denton...

— Mais bien sûr, dit Sir Montague sans sourciller.

Il change le sujet de conversation.

Maud est rassurée. Son instinct lui dit qu'il n'est pas homme à colporter des commérages. Toutefois, elle a le pressentiment que cette information, dévoilée par inadvertance, ne sera pas oubliée. Quand leurs regards se croisent, elle sent que cet homme est bourré de secrets, et d'informations, utiles ou inutiles, qu'il stocke à tout hasard, par mesure de précaution.

Un banquier. Une banque. Une réserve de puissance. Est-ce cela qui lui donne cet air contenu? En tout cas, cette puissance exerce sur elle un grand pouvoir érotique. Son cœur se remet à battre la chamade.

Un court silence s'installe entre eux. Maud regarde Sir Montague dans les yeux puis détourne son regard.

— Dans quelle chambre dormez-vous? demande-t-il.

Ni préambule, ni subterfuge, alors qu'ils n'ont été présentés qu'il y a quelques heures. Maud répond tout aussi directement, sans coquetterie feinte, sans provocation. Sir Montague l'apprécie pour cela.

— Première porte à gauche. A côté de l'escalier de l'aile est.

— Minuit? dit Sir Montague en regardant sa montre.

— Quelle impatience! répond Maud en posant la main sur son bras. Minuit et demi.

— Dans une demi-heure, dit Eddie.

Sa voix est à peine distincte. Il attrape le bras de Gwen.

— Impossible. C'est trop tôt.

— A minuit, alors. Je m'éclipserai juste avant et je t'attendrai là-bas. Tu viendras ? Tu n'auras pas peur ?

Gwen dégage sa main puis regarde à droite et à gauche. Bien sûr que non elle n'aura pas peur. Elle n'a jamais peur. Elle a déjà retrouvé Eddie dans les bois, dans l'obscurité, et sa peur, en cherchant son chemin dans le noir, avait renforcé son excitation.

— Nous ne risquons rien ?

Gwen regarde Eddie, ne comprenant pas.

— Nous ne risquons rien ? répète-t-il avec impatience. Et les gardiens ? Tu te rappelles ? Pendant le déjeuner, ton mari a dit qu'il allait faire patrouiller la propriété.

Cette question agace Gwen. Elle témoigne d'un caractère peureux, et ce n'est pas la qualité principale qu'elle attend d'un amant.

— Pas ce soir, répond-elle. Tout le village a sa soirée. Ils ont regardé la comète et ils ont fait un grand dîner eux aussi. Ils sont probablement tous ivres. Bien trop pour s'occuper des braconniers.

Eddie presse son bras.

— A minuit alors, dit-il en s'en allant.

Gwen se dirige vers un autre invité. Plus tard, quinze minutes avant leur rendez-vous, elle voit Eddie sortir sur la terrasse. Cinq minutes après, elle en fait autant.

La fête bat son plein et personne ne remarque son départ. Elle court dans l'escalier pour rejoindre sa chambre.

« Une heure, se dit-elle. Pendant une heure, on pourra se passer de moi ». Elle s'arrête sur le palier et tend l'oreille. De la salle de billard s'élève un rire d'homme. C'est son mari. Il est complètement saoul et donne de la voix.

Dans la cour des écuries, Acland est aux aguets. Il lève son visage vers le ciel étoilé et entend au loin, au-delà du jardin des cuisines, le murmure des voix. Les ouvriers du domaine, les villageois et les domestiques qui ne sont pas de service observent eux aussi la comète. Dans un instant, Jenna va les quitter subrepticement pour le rejoindre. Cinq minutes, dix : chaque seconde est un supplice. « Vite, vite », se dit-il en scrutant l'ombre autour de la maison.

Une lumière s'est allumée à l'un des étages. Deux petites silhouettes se découpent en ombres chinoises dans l'encadrement de la fenêtre : Steenie et Constance. A cet instant, Steenie disparaît, happé à l'intérieur par une voix inaudible et Constance reste seule. L'espace d'une seconde, Acland a l'impression qu'elle l'a vu. Il se retranche dans l'obscurité. Constance Shawcross l'albatros. Il ne l'aime pas.

Il se méfie d'elle et cela le contrarie car peu de gens lui inspirent ce sentiment. Alors pourquoi une enfant de dix ans ?

Elle fourre son nez partout, c'est déjà une bonne raison. Elle passe son temps à écouter aux portes et lorsqu'elle se fait prendre – Acland l'a déjà surprise plusieurs fois – elle prend un air effronté invraisemblable.

– Ça t'arrive souvent, Constance, de lire des lettres qui ne te sont pas adressées ? l'a-t-il interrogée une fois, quand elle avait neuf ans.

Prise la main dans le sac, la gamine n'avait même pas sourcillé.

– Parfois. Et pourquoi pas ? Je voulais savoir ce que mon père pouvait bien écrire à ta mère. Si je le leur demandais, ils ne me répondraient pas.

Devant un tel aplomb, Acland était resté muet de stupéfaction. Il y avait dans le ton de Constance un sous-entendu terriblement choquant : qu'il ait, lui, des soupçons quant à sa mère et Shawcross était une chose, mais qu'une sale gosse de neuf ans les lui confirme en termes à peine voilés en était une autre. Constance avait le don, il l'avait déjà remarqué, de faire des autres ses complices involontaires. En voyant son visage dénué de tout remords, une lueur de dérision dans les yeux, il s'était effectivement senti coupable.

– Remets ça à sa place !

Il avait fait un pas et lui avait attrapé la main, la secouant pour lui faire lâcher prise. Il lui avait peut-être fait mal car elle avait fait une petite grimace.

– Tu es en colère, Acland. Tu es tout blanc. Tu deviens toujours blanc quand tu es furieux. Ses yeux noirs scintillaient comme si elle était ravie d'avoir provoqué cette colère. Et tu m'as fait mal à la main. Tu n'aurais pas dû faire ça.

Sur ce, elle s'était mise sur la pointe des pieds et avait griffé Acland au visage. Ils étaient là tous les deux, se jaugeant du regard, sans bouger ni parler, puis, une seconde plus tard, Constance avait quitté la pièce.

Acland repensait parfois à cet incident dont ils n'avaient jamais reparlé. Il était troublé par les émotions inexplicables qu'il avait alors ressenties. D'une certaine façon, il respecte Constance : elle est l'antithèse de ce qu'il admire, avec sa sournoiserie, ses mensonges flagrants et ses petites remarques insidieuses,mais, à sa façon, elle est honnête.

En tout cas, elle est bien trop futée, ce qui le met mal à l'aise. Il préférerait qu'elle ne sache pas certaines choses : sa haine pour Shawcross, par exemple. Il regarde encore une fois vers la maison mais la silhouette a disparu, la lumière est tamisée, les rideaux sont tirés. Il se sent libéré d'un grand poids. Il ouvre la porte et monte l'escalier de la grange.

Une agréable odeur de foin. Il entend le bruit de la paille foulée par les sabots des chevaux. Il s'approche de la fenêtre ouest. La nuit est calme, les jardins sont plongés dans l'obscurité, la lumière de la comète décline. Il se sent bien. Si seulement Jenna pouvait arriver!

Il fixe son esprit sur elle. Il l'imagine sortir de l'ombre et s'approcher de lui. Quand elle est là, il oublie tout, même sa mère et Shawcross.

Il s'affale sur le foin à l'odeur un peu poussiéreuse, ferme les yeux et détaille mentalement le corps de la jeune fille, comme s'il égrenait un chapelet : ses cheveux, ses yeux, sa bouche, sa poitrine. Lorsqu'il entend ses pas sur les marches, il saute sur ses pieds, court vers elle et l'étreint.

Jenna sent sa colère. Elle attend qu'il se calme puis lui prend la main.

— Encore lui?

— Lui. Ma mère. Tout. La comète, peut-être.

Jenna s'agenouille. Acland ne la regarde pas, il fixe les yeux vers la fenêtre ouest, le corps tendu, le visage renfrogné.

— Pourquoi la comète?

— Sans raison. L'urgence, peut-être. Le temps passe si vite, et rien ne change. Cet endroit, cette maison, cet homme... je sens la violence monter en moi. Ça me donne envie de faire quelque chose... d'extrême. Tuer quelqu'un. Me tirer une balle dans la tête. Mettre le feu à la maison et tout regarder s'envoler en fumée : les tableaux, les meubles, les mensonges. Quel bel autodafé! Il se tait un instant. Tu trouves que c'est fou?

— Oui.

— Peut-être bien. Mais c'est ce que j'ai ressenti. C'est passé maintenant.

— Je vais te faire oublier tout ça.

— Tu crois?

— Si tu fais exactement ce que je te dis, sinon...

Il se retourne enfin et contemple les cheveux, les yeux, la gorge, la poitrine de la jeune fille. Jenna pose une main sur sa cuisse et la remonte lentement. Il soupire et se laisse aller en arrière :

— Montre-moi.

Les mains tremblantes, Gwen ôte ses souliers de satin, enfile des chaussures en cuir et attrape son manteau en phoque. Si elle veut aller retrouver Eddie et revenir sans qu'on remarque son absence, il faut qu'elle se dépêche. Le manteau à la main, elle s'arrête et se contemple dans la psyché.

Que va-t-elle dire à Eddie ? Que va-t-elle faire ? Rompre ou attendre le matin pour prendre posément sa décision ?

« Qui est cette femme ? » songe-t-elle en regardant ses traits tirés dans la glace. Malgré ses trente-huit ans, Gwen se sent jeune mais ce n'est pas un visage de jeune fille que lui renvoie le miroir. « Où est la sagesse ? » pense-t-elle encore.

C'est alors qu'elle entend un bruit à la porte. Elle s'immobilise. Ce doit être sa servante. Mais que va-t-elle penser si elle voit le manteau ? Elle tente frénétiquement de le replacer sur le cintre, qui s'emmêle dans les broderies de sa robe. Elle vient de le dégager lorsque Constance entre dans la pièce.

— C'est Steenie, annonce-t-elle sans préambule.

Gwen pâlit, saisie d'une mauvaise prémonition.

— Il a fait un cauchemar, je crois, poursuit-elle en ne quittant pas Gwen du regard. Il vous a appelée et il pleure. Il est brûlant. Je l'ai touché mais il ne s'est pas réveillé. Je crois qu'il a... de la fièvre.

Constance s'exprime clairement. Ses yeux passent du visage blême de Gwen au manteau jeté sur le lit.

— Oh, vous alliez sortir ? continue-t-elle sur le même ton dégagé. Excusez-moi. Est-ce qu'il faut que je réveille Nanny ?

Gwen ne prend pas le temps de répondre. Elle ne s'aperçoit même pas de la singularité de la situation – c'est la première fois que Constance vient dans sa chambre et la première fois qu'elle s'excuse de quelque chose. A peine a-t-elle fini de parler que Gwen l'a déjà oubliée.

Elle se rue vers la porte, se précipite dans le couloir, monte en courant l'escalier de l'aile de la nursery, court vers Steenie, son petit dernier, son bébé, son fils chéri. Pendant sa course, elle prie : « Mon Dieu, pardonne-moi ! Epargne Steenie ! »

Elle ouvre à toute volée la porte de la nursery et se précipite vers le lit. Quand elle s'agenouille près de son fils, celui-ci marmonne quelque chose dans son sommeil, se frotte le nez et se tourne de l'autre côté. Gwen se penche au-dessus de lui.

Elle renvoie Constance qui vient d'arriver :

— Retourne dans ta chambre. Va dormir. Je reste avec lui. Tout ira bien si je suis là.

Constance s'éclipse et ferme la porte. Gwen pose la main sur le front de son fils et tâte son pouls. Toutes ses terreurs passées refont surface : le Dr Haviland, hochant la tête ; le spécialiste de Londres la prenant à part pour lui annoncer qu'il y a peu d'espoir. Elle tient dans ses bras le bébé mort. Lequel déjà ? Ah oui, la petite fille, avec son teint cireux et ses lèvres bleues. Les quintes de toux rauques du croup, la crainte horrible de la scarlatine lorsque la gorge de Steenie était si enflée qu'il ne pouvait pas même avaler sa salive. Une crise d'une semaine. Elle avait éponge son corps heure après heure avec du vinaigre et de l'eau fraîche pour faire tomber la température. Au plus fort de sa fièvre, Steenie ne la reconnaissait même plus. « S'il vous plaît, mon Dieu ! »

Gwen pose sa tête sur la poitrine de l'enfant. Son front est frais, sa respiration et son pouls aussi. Elle compte ses battements de cœur et lentement, très lentement, se calme.

Aucun signe de fièvre. Constance s'est trompée. Ce n'était qu'un cauchemar. Dieu s'est montré miséricordieux. Steenie va bien.

En 1910, on n'avait pas encore découvert la pénicilline. Il faudra attendre encore dix-neuf ans. Gwen sait combien le fil entre la vie et la mort est ténu. Les maladies infantiles, rougeole, oreillons, et même une simple grippe, une bronchite ou une petite plaie infectée sont bien souvent fatales.

Cette fois, se dit-elle en enfouissant son visage dans ses mains, elle a été épargnée. Dieu ne l'a pas punie mais lui a rappelé sa puissance. Elle croise ses mains et incline la tête.

Elle sait maintenant ce qu'elle doit faire : rompre avec Shawcross, ne plus jamais le revoir. A partir de cette nuit, elle sera telle qu'on lui a enseigné depuis son enfance : une épouse fidèle et une mère vertueuse.

A son grand étonnement, cette décision n'est ni douloureuse ni difficile mais la soulage instantanément. Le matin même, elle pensait que ses liens avec Shawcross seraient éternels ; maintenant, elle les sait définitivement coupés.

La tête penchée, elle se dit qu'elle vient de faire un choix moral entre le mal et le bien, entre le lien sacré du mariage et l'adultère. Mais dans son cœur, elle sait qu'elle vient de choisir entre son amant et son fils.

Gwen reste dans la chambre de Steenie jusqu'à ce qu'elle soit complètement rassérénée puis descend rejoindre ses invités.

Des bûches ont été remises dans les cheminées du salon et les domestiques circulent parmi les invités. L'ambiance commence à retomber. Le vieux comte et sa femme prennent congé et c'est le signal du départ pour ceux qui ne restent pas dormir. S'ensuivent remerciements, félicitations et adieux. Les domestiques se hâtent pour aller chercher chapeaux, manteaux et cannes. Les automobiles et les voitures à cheval sont amenées devant la maison. Ceux qui restent viennent un par un souhaiter bonne nuit à la maîtresse de maison avant de monter dans leurs chambres.

Denton n'est pas aux côtés de Gwen pour saluer les invités ; il a disparu. Elle a l'habitude : il doit être en train de finir une bouteille de porto ou de xérès dans le fumoir ou la salle de billard.

158

Elle ne réagit pas plus lorsque Boy, très agité, vient lui dire que son père est introuvable.

— Ne t'en fais pas, Boy, lui dit-elle en l'embrassant. Il a dû monter se coucher. Tu sais comme ces soirées le fatiguent.

Poliment, Boy escorte Jane Conyngham jusqu'à la porte de sa chambre, lui souhaite bonne nuit, et va se réfugier dans le sanctuaire de sa propre chambre. Il passe en revue sa collection de soldats de plomb, d'œufs d'oiseaux, de livres d'aventures, tous ces vestiges de son enfance. Il s'assied sur son lit, prend son menton dans sa main et regarde le feu. Il sait qu'il n'arrivera pas à dormir : son enfance est derrière lui.

Dans sa chambre, Jane Conyngham sonne Jenna. Tandis que la jeune domestique défait sa robe, son corset et ses cheveux, elle remarque à quel point elle est jolie.

Ses doigts sont agiles, ses joues roses, ses yeux scintillent. « Je suis fiancée, je devrais être comme elle », se dit Jane en regardant son reflet. Elle soupire. Cinquante coups de brosse. Mais rien ne pourra rendre ses cheveux fins aussi beaux que ceux de Jenna, brillants, lourds, épais. Quelques mèches s'échappent négligemment du bonnet, comme s'il venait d'être replacé à la hâte.

— Tu as vu la comète, Jenna ? demande Jane tandis que la servante repose la brosse en argent, prend la robe verte et en lisse un pli.

— Oui, mademoiselle Conyngham. Tous les domestiques l'ont vue.

— C'était magnifique, tu ne trouves pas ?

— Tout à fait magnifique.

— Mais effrayant aussi.

Jane regarde le reflet de Jenna dans la glace et poursuit :

— J'ai eu l'impression... Je ne sais pas comment dire... Que le monde était en train de changer. Que les choses bougeaient. Je...

Elle s'interrompt. Ce n'est pas du tout ce qu'elle a ressenti. Et, de plus, elle ne saurait partager ses sentiments avec quiconque, surtout avec une domestique. Elle reprend, plus brutalement :

— Mon imagination, je suppose. C'est stupide. En tout cas, c'était une nuit inoubliable. Bonne nuit, Jenna.

*

En bas, dans le salon, les derniers invités se sont retirés. Restée seule, Gwen se tourne vers un miroir, lisse ses cheveux sombres et lit sur son visage les effets de la décision qu'elle vient de prendre : elle est parfaitement sereine.

Elle caresse les émeraudes qui ornent son cou comme autant de

159

gouttes d'eau. C'est le cadeau de fiançailles de Denton : elle avait dix-huit ans et venait d'arriver en Angleterre avec sa mère veuve. Elle faisait partie de ce lot de jeunes filles américaines venues en Angleterre à la recherche d'un prétendant aristocrate. Tout cela est si loin! Si elle croyait alors que Denton était un aristocrate, elle ne se fait plus d'illusions aujourd'hui. Elle décide de prendre un peu l'air avant d'aller se coucher, de jeter un dernier regard sur les étoiles.

Elle aperçoit la silhouette d'un homme en robe de chambre appuyé contre la balustrade et regardant vers les jardins. De loin, elle pense que c'est Shawcross. Elle s'apprête à faire demi-tour lorsque la silhouette se retourne. C'est Acland.

Elle sourit de soulagement et se dirige vers lui. « Ce ne pouvait pas être Eddie, se dit-elle. Il a dû cesser d'attendre et aller se coucher de mauvaise humeur ».

Elle met ses bras autour des épaules de son fils et se hisse sur la pointe des pieds pour l'embrasser.

— Acland! Ta robe de chambre est toute humide. Où étais-tu ? Tu devrais rentrer avant d'attraper froid, mon chéri.

— J'y vais, Maman, dit-il sans lui rendre son baiser. Assez froidement, il se dégage de son étreinte.

Gwen regagne la maison et se retourne sur le pas de la porte. Acland n'a pas bougé.

— Acland! Tu devrais rentrer maintenant, dit-elle plus sèchement. Il est 1 heure passée. Tout le monde est parti. Que fais-tu ?

— Rien, Maman. Je réfléchis.

C'est Cattermole qui va découvrir l'accident. A 5 h 30, il se lève, la gorge sèche, en proie à une terrible gueule de bois.

Il se glisse tant bien que mal hors du lit sans réveiller sa femme, descend dans la cuisine, allume le poêle et remplit un pichet d'eau glacée à la pompe. Debout devant l'évier, il s'asperge la tête et pousse un grognement frigorifié.

La petite cuisine se réchauffe rapidement. Cattermole met la bouilloire sur le feu, étale du papier journal sur la table et y dispose un couteau, une fourchette, une assiette et une grande chope. Il se sent déjà mieux. Il se taille une longue lanière de lard fumé et la met à griller dans une poêle. Deux œufs, un gros quignon de pain, quatre cuillerées de thé indien dans un grand pot tenu au chaud – il aime le thé bien fort – et son petit déjeuner est prêt. Cattermole est un lève-tôt. Tous les jours, il se prépare lui-même son petit déjeuner. Les coudes sur la table, dos au feu, il se restaure.

Lorsqu'il a terminé, il se rase avec le reste d'eau puis remonte à l'étage pour finir de s'habiller. Deux paires d'épaisses chaussettes de chasse en laine, sur lesquelles il enfile des bottes marron grossières héritées de son père, une culotte en tweed, une chemise en laine, un gilet en velours de coton, une veste en tweed : rien de tel pour tenir un homme au chaud.

Redescendu, il prépare une tasse de thé pour Rose, sa femme, qu'il dépose sur sa table de chevet. En bas, il fait les derniers préparatifs : boîtes de cartouches, cartouchière et canne. Il prend son fusil, autre héritage de son père, vérifie son fonctionnement, le casse et le cale au creux de son bras. Dehors, la brume se dissipe, l'air est frais, le sol humide sent le printemps.

Les chiens sont prêts, comme d'habitude. Il se rend au chenil et en fait sortir deux : Dancer et Lightning, ses deux retrievers noirs à poil ras, père et fille, les meilleurs.

Ils lui font bon accueil et se mettent au pied. Chacun reçoit une caresse amicale sur son museau humide. Ils ne tiennent pas en place. Ils aiment autant que Cattermole les tournées matinales dans les bois.

6 h 30 : ils sont en retard. Cattermole siffle, et les voilà partis.

Il contourne le village et jette un regard vers la maison des Hennessy. Il se demande si, comme lui, la famille Hennessy va se lever tard ce matin. Jack a trop bu la veille : il a manqué la moitié du spectacle en disparaissant au milieu du dîner. Pour retrouver cette Jenna, d'après Rose. Mais Cattermole en est moins certain. Hier soir, Jack était ivre avant de passer à table – trop ivre pour aller conter fleurette, d'après lui. Il avait l'air de boire pour oublier quelque chose.

A un croisement, Cattermole prend à gauche et s'enfonce plus profond dans les bois. Le silence est total.

Ses tournées suivent un itinéraire dont il dévie rarement : il quadrille les bois puis se rend dans la clairière diamétralement opposée au village, fait une pause de cinq minutes pour griller une cigarette, reprend le chemin en sens inverse, vérifie, selon l'époque de l'année, les enclos à faisans, ouvre les mangeoires et donne au gibier sa ration de maïs.

Aujourd'hui, le soleil est déjà haut quand il atteint la clairière. Il s'adosse à un arbre, sort sa blague à tabac et son papier et se roule une grosse cigarette odorante.

Dancer et Lightning savent qu'ils ont cinq minutes de liberté. Ils furètent à droite et à gauche, reniflent tout ce qu'ils rencontrent et marquent leur territoire.

Cattermole les observe un instant, jambes écartées, les fesses protégées par sa veste en tweed, la cigarette à la bouche. Il ôte sa casquette et lève son visage vers le soleil. Il repense à la comète. Son père l'a regardée passer, du même endroit, en 1834, alors qu'il était un petit garçon.

Il tire une dernière bouffée de cigarette puis enterre le mégot. Il se lève et remarque un curieux petit monticule dans l'herbe, juste à sa droite, qui n'était pas là la veille. A l'examiner, c'est le travail d'un enfant. « Les enfants ne devraient pas venir dans cette partie du bois », se dit-il.

C'est alors que les chiens se mettent à aboyer. Cattermole se raidit. Il ne les voit pas mais les sait tout proches. Il connaît cet aboiement, le même petit glapissement aigu et répétitif que lorsqu'ils ont dépisté un renard ou un lapin.

Il attend, mais aucun des chiens n'apparaît et les aboiements continuent. Intrigué, il traverse la clairière, tourne dans le sentier qui traverse les bois et s'arrête soudain.

Cattermole a déjà vu la mort. Il a même déjà vu un homme défiguré par un coup de fusil en pleine face. C'était il y a trente ans ; cette vision le hante encore. Mais rien ne l'a préparé au spectacle qu'il a maintenant sous les yeux. Pétrifié d'horreur, il se tourne brusquement pour vomir. La sueur perle sur son front, il tremble de tous ses membres. C'est au moment où il se redresse qu'il entend un grognement. « Doux Jésus, se dit-il, tant de sang et il est toujours vivant. Ce n'est pas possible ».

– Un accident. Y a eu un terrible accident...

Arthur vient de faire irruption dans la chambre de Freddie. Celui-ci émerge d'un sommeil profond et regarde son valet d'un air hébété.

– Dans les bois. La nuit dernière. M'sieur Cattermole vient d'le trouver. Il a envoyé Jack Hennessy à la maison. On a appelé le docteur et ils sont partis chercher l'corps avec un brancard. Y a du sang partout, qu'il a dit Jack. A peine croyable. Vous devriez vous l'ver, M'sieur Frederic !

Qui ? Qui ? Freddie veut savoir mais Arthur n'en a aucune idée. Jack Hennessy ne le savait pas non plus ou, en tout cas, n'a rien dit. Pour l'instant, Arthur est trop excité pour s'en préoccuper : tout le monde est survolté, c'est le branle-bas de combat dans la maison... « Du sang, du sang », ne cesse-t-il de répéter en roulant des yeux. Freddie repousse ses draps et cherche ses vêtements.

A sa grande fureur, Arthur vient de partir aux nouvelles vers les cuisines, laissant Freddie chercher seul sa chemise et sa cravate. Il entend des bruits de pas précipités, des cris lointains, une corne de voiture et des crissements de pneus sur le gravier. Ses doigts tâtonnent. Arthur ne revient pas. Se hissant pour atteindre la haute fenêtre, il aperçoit dehors un groupe de gens rassemblés dans l'allée. Il y a Boy, Acland, sa mère, Tante Maud et Ross, le maître d'hôtel. Lorsqu'il voit le flegmatique Ross prendre ses jambes à son cou, il devine qu'il se passe quelque chose de grave.

Le maître d'hôtel agite les bras en l'air comme une oie surexcitée battant des ailes. On dirait qu'il essaie en vain de faire rentrer les servantes dans la maison. Elles affluent toutes en courant, les rubans de leur coiffe flottant au vent, et se regroupent, complètement affolées. L'une d'elles, Jenna, pleure.

D'un geste rageur, Freddie laisse tomber col et cravate et s'élance dans l'escalier, ses souliers à demi lacés. Il traverse le vestibule, descend les marches du perron et découvre une scène apocalyptique.

Jack Hennessy a disparu. « Il est parti aider à porter la civière », dit quelqu'un. Personne ne sait réellement ce qui s'est passé, ni qui est la victime. De tous côtés, Freddie perçoit des bribes de conversations : des rumeurs, des démentis. Il scrute les visages : Boy, l'air ahuri, se presse aux côtés de sa mère ; Acland, blême, est à l'écart et regarde en direction des bois ; la responsable des femmes de chambre pleure ; Ross réclame des sels, et vite ; Nanny Temple essaie d'attraper Steenie pour le ramener à l'intérieur mais il court de groupe en groupe en criant.

Sa mère aussi s'est habillée à la hâte. Sur sa nuque, des mèches de cheveux s'échappent d'épingles mal fixées. Elle s'est précipitée dehors sans se couvrir.

— Mais que s'est-il passé ? répète-t-elle.

Elle se retourne et balaie la terrasse du regard. Freddie est là, Boy aussi, et Acland, et Steenie. Un instant, son visage s'apaise. Soudain, elle s'écrie :

— Denton, où est Denton ?

Toutes les têtes se tournent. Ross donne un ordre pressant à l'un des domestiques qui court vers la maison. Aucun signe de Lord Callendar. Alertés par le bruit, d'autres invités apparaissent sur les marches : Montague Stern, majestueux dans une robe de chambre molletonnée en soie écarlate, aucunement gêné par cette tenue vestimentaire incongrue, observe un moment la scène du haut du perron avant de s'adresser à Acland :

— Que s'est-il passé ?

— Un accident.

La voix d'Acland est brusque, il n'a pas l'air troublé.

— A-t-on appelé le médecin ?

— Je crois que le voilà.

Tout en parlant, Acland court vers une voiture dont le moteur se fait entendre. Elle remonte rapidement l'allée et pile devant Freddie dans un jaillissement de gravier. En émerge le Dr Haviland, le visage rouge, mal rasé, le chapeau enfoncé sur le front, qui saisit sa sacoche en crocodile. Symbole d'autorité au milieu du chaos, son apparition provoque un soupir de soulagement collectif parmi les servantes.

L'arrivée du docteur fait diversion. Il s'approche de Gwen entourée des siens, à l'exception d'Acland qui reste à l'écart, comme la veille pour observer la comète. A cet instant, Jane Conyngham arrive en haut des marches avec Mme Heyward-West. Elle voit Acland lever la tête et tendre le doigt, comme la nuit précédente.

Elle se retourne et plisse ses yeux de myope. Au début, elle ne voit rien, puis, petit à petit, elle distingue le groupe qu'Acland désigne du doigt.

De la vallée, en contrebas, s'élève une fine brume mauve, comme c'est souvent le cas les matins de printemps. Elle enveloppe les bords du lac et les bois. Un groupe d'hommes en émerge petit à petit. Ils sont neuf, dix peut-être, avec à leur tête Cattermole, Jack Hennessy et les autres fils musclés d'Hennessy. Ils progressent lentement, prudemment, par à-coups en lançant par moments des cris d'avertissement.

Ils portent quelque chose. Jane plisse les yeux : elle voit quatre hommes portant une civière improvisée recouverte d'un amas de couvertures, ces plaids écossais que l'on utilise à Winterscombe pour les déjeuners de chasse et les pique-nique.

– Oh, mon Dieu! dit Mme Heyward-West d'une voix à peine perceptible en saisissant la main de Jane.

Sur la terrasse, le silence est lourd. Tous n'attendent qu'une seule chose : voir le visage de la victime.

Les hommes se rapprochent. Jane distingue leurs visages défaits. Cattermole, le plus vaillant des hommes, tremble de tous ses membres. Il a ôté sa casquette en tweed et la tourne sans cesse dans ses mains en marchant, comme un enfant nerveux devant son professeur. A quinze mètres, le groupe s'arrête, n'osant pas approcher plus. Près de la maison, tout le monde retient son souffle.

Six mètres, cinq : les hommes s'arrêtent à nouveau. Ils transpirent et leur souffle s'échappe en volutes de leur bouche. Un mot de Cattermole et doucement, comme avec réticence, en détournant le visage, ils déposent leur fardeau sur le sol.

Un léger mouvement parcourt le groupe des servantes. Montague Stern retient son souffle, Acland se raidit, Jane regarde fixement, Frederic aussi. Ils distinguent une forme tapie sous les couvertures. Des lambeaux de plastron blanc en dépassent. Ils voient du sang et une tête inerte.

C'est Gwen qui réagit la première. Jane ne l'a jamais admirée autant qu'à cet instant précis. Ecartant le bras de Boy qui tente de la retenir, elle s'avance. Elle s'approche du tas de couvertures, se penche et s'agenouille sur le gravier. Cattermole lève une main, comme pour l'avertir, puis la laisse retomber. Gwen repousse les couvertures.

Comme tout le monde, elle a pensé à un accident de chasse, mais aucune arme ne saurait provoquer ce genre de blessures. Ebahie, les yeux fixes, son esprit est ralenti par le choc. Le corps est tellement ensanglanté qu'à première vue elle ne distingue pas les blessures et ne reconnaît pas l'homme. Ses mains, ses bras et son visage sont lacérés. Des rigoles de sang coulent de sa bouche, ses lèvres sont retroussées de telle façon que ses dents semblent prêtes à mordre.

Les ongles des mains sont arrachés et les extrémités de ses doigts sont noires de sang coagulé. Les mains sont immobiles et l'odeur – Gwen détourne son visage – est épouvantable.

Gwen regarde Cattermole d'un air effaré. Celui-ci hésite et c'est le Dr Haviland qui, s'étant approché d'elle, pose sa sacoche et écarte un peu plus les couvertures.

Gwen se raidit. Derrière elle, elle entend un grondement, un soupir puis un cri. La jambe droite de l'homme est fracturée de toutes parts. Au-dessous du genou, elle est tordue et déchiquetée. Un pied déchaussé est replié sous le corps. Le tibia, cassé en deux endroits, a transpercé la chair. Un éclat d'os scintille.

– Seigneur! s'exclame le Dr Haviland. Il se tourne vers Cattermole. Seigneur! Que s'est-il passé?

– Un piège, Monsieur, répond Cattermole à voix basse. Il a dû y rester pendant des heures avant que je le trouve. Il marque un temps d'arrêt. Il a dû se démener comme un beau diable, comme un animal, pour essayer de se dégager du piège. Regardez ses mains... et sa langue, Monsieur.

Cattermole se penche vers le Dr Haviland et poursuit en murmurant à son oreille pour que Gwen n'entende pas.

– ... Il l'a mordue très fort... Mais il est vivant, Monsieur. C'est ce qu'il y a de plus incroyable. Enfin, il l'était quand nous l'avons sorti du piège.

Le Dr Haviland se retourne, le visage macabre. A côté de lui, Gwen n'a toujours pas bougé. Il se penche vers elle. Ce n'est pas un spectacle pour une dame.

– Lady Callendar... Il lui prend le bras pour l'aider à se relever et lance un regard au maître d'hôtel qui s'approche avec les sels. Lady Callendar, s'il vous plaît...

Gwen ne bouge toujours pas. Le docteur jette un regard désespéré sur le groupe. Boy, l'aîné, devrait intervenir. Mais il est pétrifié. C'est Acland qui s'avance. Il se penche, prend le bras de sa mère et le tient fermement.

– Venez! dit-il à voix basse. Venez, Maman! Laissez Haviland faire son travail...

Il ne finit pas sa phrase. Du coin de l'œil, il vient d'apercevoir un mouvement. C'est Constance, Constance Shawcross l'albatros, qui se précipite en courant. Elle descend les marches et saute sur le gravier. Elle passe devant Jane, Nanny Temple, qui essaie en vain de l'arrêter, devant Montague Stern et Maud qui s'est mise à pleurer, devant Boy et Freddie...

Elle fond sur le groupe près de la civière, se faufile entre les hommes, ses cheveux noirs flottant sur ses épaules, sa jupe noire ondulant et, avant

165

qu'Acland puisse l'arrêter, avec une force incroyable, s'abat sur les couvertures et sur le corps en poussant un hurlement. C'est un cri qu'Acland n'oubliera jamais, qu'aucune des personnes présentes n'oubliera jamais. C'est un cri à la fois terrifiant et primitif. Ce n'est pas celui d'un enfant mais un cri de colère et de chagrin aussi rauque que celui du goéland. Il se termine sur une note aiguë qui se réverbère dans l'air. Constance enfouit son visage dans la barbe autrefois soignée et pommadée.

— Papa! crie-t-elle en le secouant. Papa...

Le silence est absolu. Le corps de Shawcross se contracte, sa tête roule sur le côté.

Constance lève son visage blanc et lance un regard accusateur sur l'assemblée silencieuse : Gwen, Acland, Boy, Freddie, le médecin, Cattermole.

— Vous l'avez tué, s'écrie-t-elle. Vous avez tué mon père!

Acland n'avait jamais entendu une voix aussi chargée de haine. Il se sent glacé.

Il fixe Constance qui lui rend son regard. Son visage exsangue est inexpressif, ses yeux noirs semblent aveugles. Un visage de pierre, celui de la Méduse, se dit Acland. Une fraction de seconde, le regard de Constance se modifie. Une lueur passe dans ses yeux et elle sait qu'Acland l'a remarquée. Acland sent que quelque chose passe entre eux. Il voudrait se détourner mais n'y arrive pas. L'idée que cette enfant et lui ont quelque chose en commun lui répugne mais il n'arrive pas à quitter des yeux son regard péremptoire. Derrière lui, rien ne bouge, et c'est Constance qui rompt le charme. Elle se lève en vacillant. Il a l'impression qu'elle va s'évanouir mais elle se ressaisit. Elle reste debout, absolument immobile, hideuse dans ses vêtements noirs miteux. Ses yeux sont deux petits morceaux de silex. Elle lève ses mains et les pose sur sa tête puis, sur un ton de plus en plus aigu, se met à répéter :

— Je l'aimais, je l'aimais, je l'aimais...

« On nage en plein mélodrame », se dit Acland. Mélodramatique, facile et horriblement déplacé. Et pourtant, il ne peut détacher ses yeux de cette scène, qu'il trouve mal venue et peu respectueuse des conventions mais qui, en dépit de son aspect théâtral, exprime la sincérité.

Constance achève sa mélopée sur une note funèbre, un dernier cri de douleur, puis se tait. Trois événements vont alors se succéder.

D'abord, Eddie Shawcross émet un grognement. Ensuite, Jane Conyngham fait un pas en avant. C'est elle qui prend Constance par le bras et qui, avec une calme détermination, l'emmène. En haut de l'escalier, Constance s'arrête devant Sir Montague Stern et sa robe de chambre cramoisie. Ils se confrontent : la petite fille en robe noire et le grand homme en rouge. Enfin, Stern s'écarte. Le troisième événement se produit alors : un ultime acteur entre en scène, en haut de l'escalier.

C'est Denton Cavendish, se mouvant avec raideur, clignant des yeux à la lumière du jour. Tout indique qu'il vient de se réveiller, en proie à une violente gueule de bois.

Acland voit son père poser sa main sur son front et regarder autour de lui avec un certain étonnement, les yeux injectés de sang. Il regarde, comme sans les voir, la voiture du docteur, le groupe en bas, la civière. La vieille Daisy arrive à côté de lui et se frotte contre ses jambes.

– Bon chien, bon chien, dit-il d'une voix absente.

Ses yeux s'arrêtent sur Sir Montague Stern, toujours en observateur, avec sa robe de chambre si incongrue, et poursuivent leur revue. Enfin, son expression de confusion totale cède la place à une colère outragée.

– Il s'est passé quelque chose ? gronde-t-il en direction de la robe de chambre.

A son ton, on devine que seule une intervention d'Armagédon pourrait excuser une telle tenue dans ces lieux.

Ses paroles absurdes résonnent dans l'air du matin. Avant que quiconque ait pu répondre, Daisy, la chienne de Denton, lève la tête. Tout comme l'observateur patient qu'est Stern, elle sent que quelque chose ne va pas. Ou peut-être est-ce simplement l'odeur du sang. Ou alors, comme Stern, elle sent l'odeur de la culpabilité et de la peur, car, à coup sûr, un membre du groupe, coupable, a peur. Quoi qu'il en soit, les poils de Daisy se hérissent, elle pousse un long hurlement.

Denton se prend la tête à deux mains puis donne une claque sur le dos de l'animal. Mais la chienne ignore son maître et sa gueule de bois. Elle continue à hurler.

Il était évident que Shawcross allait mourir. Même aujourd'hui, malgré les progrès de la médecine, sa mort aurait été inévitable. Resté coincé de longues heures dans le piège, il avait perdu énormément de sang. Il n'y avait plus aucun espoir. C'était une question de temps, avait expliqué le Dr Haviland. Mais combien ? avait-elle demandé. Une heure ? Une semaine ? Un jour ? Elle avait pressé le docteur de donner une réponse :

– Une semaine, au grand maximum.

L'hôpital le plus proche était à cinquante kilomètres et le voyage le tuerait à coup sûr, avait précisé le médecin. Mais Gwen l'écoutait à peine. L'envoyer à l'hôpital était hors de question. Eddie devait rester à Winterscombe, dans la Chambre du Roi, sur le lit du roi, au pied duquel batifolaient les cupidons. Gwen et Maud allaient le veiller, des infirmières en uniforme amidonné seraient engagées. Shawcross serait surveillé vingt-quatre heures sur vingt-quatre.

Certain que son patient ne survivrait pas aux prochaines vingt-quatre heures, le Dr Haviland fit tout de même le nécessaire. Il lava les plaies avec une solution antiseptique, réduisit la fracture de la jambe et posa une attelle. Shawcross reprit conscience, hurla de douleur puis perdit à nouveau connaissance. Un problème grave se posait : il aurait fallu plâtrer la jambe mais le docteur craignait la gangrène.

Combien de temps était-il resté dans le piège ? Nul ne pouvait répondre à cette question. Plusieurs heures au moins. Un membre dont la circulation sanguine était coupée pouvait se gangréner en l'espace d'une demi-heure. Haviland toucha le pied nécrosé de Shawcross, le renifla et décida : pas de plâtre. La douleur qui s'ensuivrait n'en valait pas la peine, surtout pour un homme auquel il ne restait que quelques heures à vivre.

Il y avait d'autres problèmes : le cerveau devant manquer de sang, il fallait placer le patient, comme il l'avait déjà vu faire, la tête plus bas que le corps et les pieds surélevés. D'un autre côté, il fallait que le sang continue à irriguer la jambe et le pied blessés. Dans ce cas, ne fallait-il pas au contraire relever la tête et baisser les pieds ? Haviland fronça les sourcils et réfléchit. Pendant ce temps, Maud rappela qu'il n'y avait rien de tel qu'un bon bouillon de bœuf et Gwen envoya l'infirmière chercher de l'eau de Cologne.

Pour les femmes, la dignité semblait d'une suprême importance : elles s'efforçaient de disposer Shawcross de façon avantageuse, les épaules appuyées contre des oreillers en coton brodé de monogrammes, la jambe écrasée protégée par une armature sous des draps très fins. Devant ce déploiement d'efforts qu'il savait vains, Haviland renonça. Qu'elles le mettent dans la position qui leur conviendra. Qu'il absorbe du bouillon de bœuf, s'il y parvenait. Oui, oui, de l'eau de Cologne tamponnée sur son front aura un effet apaisant.

Toutefois, Haviland ne négligea pas d'accomplir les gestes de tout médecin au chevet d'un malade : avec une grande maîtrise, il examina les yeux du patient avec une petite lampe et la langue mordue avec une spatule. Il recommanda le calme, administra de la morphine et, sans donner de faux espoirs, ne parla ni de fièvre ni de délire. Il ne fit pas mention de la septicémie, qui était pourtant au centre de ses préoccupations. A coup sûr, ces dames auraient demandé la signification du terme et l'expression « empoisonnement du sang », autre façon de l'expliquer et sentence de mort, avait le pouvoir de rendre complètement hystérique la femme la plus calme.

Pour Haviland, nul doute que Shawcross ne passerait pas le premier jour, en tout cas pas la première nuit. Il avait tort. Shawcross survécut au premier jour, à la première nuit, au deuxième jour, et était encore vivant au matin du troisième. Maud et Gwen jubilaient : elles étaient dans cet état d'optimisme et d'excitation faisant généralement suite à un choc et au manque de sommeil. Elles se prenaient à croire que Shawcross allait s'en sortir.

— Docteur Haviland! Il a bu un peu d'eau dans un verre, ce matin, s'écria Gwen en accueillant le médecin le troisième jour.

— Et une cuillerée de bouillon hier soir, ajouta Maud. Nous nous demandions... peut-être que quelque chose de très léger? Un petit toast grillé? Ou un œuf?

Elles l'interrogeaient du regard. Haviland ne répondit pas. Il regarda son patient, ouvrit sa sacoche, croisa le regard aguerri de l'infirmière et saisit sa moue discrète. Il s'étonna une fois de plus de la capacité des gens à se leurrer eux-mêmes.

Le malade avait un fort accès de fièvre : avant même de poser la main sur sa peau sèche et brûlante, le docteur l'avait compris. Il s'était tellement décharné en deux jours que les os de son visage saillaient sous la peau. Ses lèvres étaient sèches et craquelées par la déshydratation. Ses yeux ouverts roulaient de droite et de gauche. Lorsqu'Haviland se pencha sur lui, le blessé fut pris d'un tremblement et des gouttes de sueur se mirent à perler sur son front.

— Lady Callendar, pourriez-vous nous laisser un instant pendant que nous changeons le pansement?

Maud et Gwen échangèrent un regard terrifié puis quittèrent la pièce sans un mot. Haviland repoussa les draps et souleva les arceaux sur lesquels ils reposaient.

L'odeur fétide le renseigna avant même qu'il regarde le pansement.

— Quand a-t-il été changé pour la dernière fois?

— Il y a une heure, Docteur Haviland. L'infirmière marqua une pause. Il a quarante de fièvre. Trois dixièmes de plus que tôt ce matin.

— Il a déliré?

— Il a parlé en dormant. Rien d'intelligible. Il n'a pas repris connaissance ce matin.

Haviland soupira. Avec l'aide de l'infirmière, il changea encore une fois le pansement puis administra de la morphine au blessé. Le visage grave, il descendit au rez-de-chaussée et demanda une entrevue avec Lady Callendar et son mari.

Dans la petite salle à manger, il regarda successivement le mari et la femme. Le visage de Lady Callendar était gonflé par le manque de sommeil et les pleurs. Son mari semblait avoir pris plusieurs années en quelques jours. Haviland leur fit un petit exposé qu'il préparait depuis deux jours. C'était triste et tout à fait regrettable mais il devait les informer que ce n'était plus qu'une question d'heures. Lorsque le patient serait décédé, il faudrait avertir la police, ce qui était parfaitement pénible en pareille occasion mais indispensable. Il y aurait une enquête. Simple formalité, bien entendu.

Après avoir prononcé ces paroles pénibles, le Dr Haviland retomba dans le silence. Lady Callendar ne répondit rien. Son mari, tournant le dos à la cheminée, remit en place le plaid qui couvrait ses genoux, à la façon d'un vieil homme infirme. Il évitait le regard du médecin.

– Cattermole n'a rien à se reprocher, dit-il simplement. Vous entendez ? C'était un accident, un accident.

Etait-ce un accident ? Ce n'est pas l'avis de Constance, évidemment. Elle n'a pas le droit d'entrer dans la chambre de son père et ne l'a pas revu depuis qu'on l'a ramené dans la maison. Consignée dans la nursery, sous la haute surveillance de Nanny Temple, elle se sent prisonnière.

Elle ne dort plus. Nuit après nuit, elle contemple le plafond de la chambre, écoutant le battement des ailes de son albatros. Lui qui peut aller partout et voit tout lui dit que ce n'était pas un accident mais que quelqu'un voulait la mort de son père.

Mais qui ? L'albatros ne répond pas à cette question et elle passe son temps à chercher la réponse. Denton Cavendish ? Gwen ? Boy ? Acland ? Frederic ? N'importe lequel d'entre eux pouvait s'éclipser de la fête comme son père l'avait sans doute fait, puis... puis quoi ? Le suivre ? Le pousser ? Lui tendre une embuscade ? Le menacer ? Avec une arme peut-être, pour le faire reculer, s'enfoncer dans le sous-bois vers ces horribles mâchoires grimaçantes ?

Constance retient son souffle et écoute le battement des grandes ailes blanches de l'oiseau tournoyant lentement dans la pièce. Ce n'était pas un accident, pas un hasard : elle avait bien vu le lapin et elle sait. Quelqu'un voulait du mal à son père ; quelqu'un voulait qu'il tombe dans le piège.

Elle aurait voulu pleurer : ses yeux lui font mal mais les larmes refusent de couler. Dans une minute ce sera le matin. La lumière point à travers les rideaux. Dans le jardin, les oiseaux chantent. Au matin, l'albatros va la quitter. Elle sera à nouveau seule.

Lorsque la pièce s'emplit de lumière, elle rejette les draps et s'approche sans bruit de la porte. Il est encore très tôt et si elle fait très, très doucement... Sa geôlière, Nanny Temple, dort sûrement encore. Sur la pointe de ses pieds nus, elle se glisse dans la chambre de Steenie puis sort sur le palier. Aucun bruit, aucun mouvement : elle prend courage. Ils ne parviendront pas à la tenir à l'écart, ces Cavendish qui prétendent ne pas la mépriser.

Pas par l'escalier de service. Une des servantes pourrait la surprendre. Elles aussi sont très matinales à Winterscombe. L'escalier principal est plus sûr. Elle arrive dans le grand vestibule, est saisie par le froid des dalles sous ses pieds nus, puis passe dans le petit vestibule contigu, emprunte un premier corridor, suivi d'un second. Elle traverse l'office réservé à l'argenterie puis celui de la vaisselle en porcelaine et enfin l'office de la gouvernante. Un véritable dédale de pièces et de couloirs qu'elle connaît dans ses moindres recoins. En approchant des cuisines et de l'arrière-cuisine, elle entend des voix. Elle se faufile dans la pièce attenante et échappe au danger.

Elle passe une porte capitonnée et s'arrête, le cœur battant. A sa droite se trouve une petite pièce vide équipée d'un châlit en acier et d'une console de toilette. Autrefois chambre du chambellan du roi, cette pièce ne sert plus. Juste en face, à gauche, s'ouvre l'escalier menant au vestiaire du roi. Elle hésite. Elle sait qu'il est interdit d'y monter. Peu importe. Cela lui est bien égal. Ils n'ont pas le droit de la séparer de son père.

Sans un bruit, elle grimpe les marches. En haut, la porte est fermée. Elle tend l'oreille. Elle entend des pas, le bruissement de jupes. C'est sans doute l'infirmière à l'uniforme amidonné. Un tintement de verre contre du métal, un murmure de voix et c'est à nouveau le silence. Son père est tout près. Elle n'ose pas aller plus loin mais le savoir si proche l'apaise.

Elle s'allonge par terre et se tapit comme un animal. Elle essaie de communiquer avec l'esprit de son père pour qu'il sache qu'elle est là, son petit albatros, sa fille qui l'aime. Elle ferme les yeux et ne tarde pas à s'endormir.

Dans la Chambre du Roi, auprès du lit, Gwen ne dort pas. Restée éveillée toute la nuit, elle a assisté à l'aggravation de l'état d'Eddie. Elle a aussi surpris l'expression sur le visage de l'infirmière et ne se fait plus d'illusions : elle sait que la fin est proche.

L'infirmière s'est retirée. Gwen est seule avec Eddie, le silence de la pièce n'étant troublé que par les morceaux de charbon qui remuent dans le feu et le tic-tac de l'horloge. Presque 6 heures. Elle se demande combien de minutes Eddie a encore à vivre. Elle a atteint un tel stade d'épuisement qu'elle espère que la mort ne va pas tarder. Malgré sa mauvaise conscience, maintenant qu'elle a accepté l'idée qu'Eddie allait mourir, elle est impatiente que tout soit fini. Pourvu que ce soit facile et rapide!

Elle tord ses mains sur la soie de sa robe. Se forçant à regarder le visage de son amant, elle a du mal à croire qu'elle l'a aimé.

Ses lèvres sont fendues de toutes parts. Ses mains, jadis merveilleusement manucurées, remuent maladroitement et tirent sur les draps : Gwen détourne les yeux des ongles cassés et des bandages. Elle regarde ailleurs. Dans son esprit surgit une image qu'elle ne peut chasser : ici même, avec Eddie, quelques jours plus tôt. Elle se voit, les poignets liés par les rubans noirs et, alors qu'elle est seule, elle se met à rougir de honte. Elle se frotte les poignets, pense à son asservissement et à la douleur, à l'odeur du savon à l'œillet, à l'attrait de l'interdit. Elle tente de chasser cette image. Shaw-cross bouge. Elle se tourne vers lui.

La sueur a recommencé à perler sur son front. Ses yeux sont ouverts et fixes, ses lèvres flasques laissent échapper des sons secs et inaudibles.

Gwen tend la main vers la sonnette pour appeler l'infirmière. L'aspect d'Eddie lui fait peur et elle n'aime pas le toucher. Avant qu'elle ait atteint la sonnette, il se met à parler : un jet continu de mots et de phrases, dont certains sont compréhensibles.

Des rats. Il se met à parler de rats : des gros, des noirs, des rats qui se tortillent, aux yeux globuleux, des rats qui grignotent, des rats dans des garde-manger, des granges, des égouts et des pièges, oui, des pièges. Le mot semble lui plaire car il le répète à l'infini. Il se redresse dans le lit, avec une force que Gwen ne lui soupçonnait pas et, soudain, passe des rats aux rubans.

— Les rubans noirs! crie-t-il.

Bien qu'il ait du mal à articuler, les mots sont parfaitement audibles.

— Les rubans noirs. Sur leurs têtes. C'est ça. Sur leurs têtes.

Gwen est pétrifiée de peur et de dégoût. Les rubans, les rubans. Oh, mais pourquoi parle-t-il des rubans? Elle tire de toutes ses forces sur le cordon de la sonnette et s'oblige à se pencher sur lui, à faire sa voix susurrante.

— Eddie, dit-elle doucement. Eddie, mon chéri. Il faut vous reposer, il ne faut pas parler. S'il vous plaît, Eddie...

La voix d'Eddie se tait. Il se rabat sur les oreillers. De sa gorge sort une succession de bruits de gargarisme. De la salive coule de ses lèvres. Gwen le fixe, terrifiée. Est-ce un râle de mort? Elle tire à nouveau sur le cordon de sonnette tandis que les yeux d'Eddie arrêtent leur sarabande effrénée. Ils semblent se focaliser sur elle. Il la regarde en face et dit avec une parfaite lucidité :

— Tu m'as appelé. Dans le bois. Je t'ai entendue m'appeler.

— Non, Eddie, commence Gwen, terrifiée à l'idée que l'infirmière pourrait entrer. Non, Eddie, vous vous trompez. Vous avez de la fièvre. Je vous en prie, ne bougez pas...

Mais tandis qu'elle lui parle, quelque chose se produit. Pas exactement une secousse, rien de violent en tout cas. Rien de plus qu'une légère crispation des muscles faciaux, suivie d'un relâchement. En une fraction de seconde, il est passé dans l'au-delà. Gwen le comprend instantanément, bien avant que l'infirmière, à côté d'elle, touche la poitrine d'Eddie, soupire, consulte sa montre et déclare :

— Tout est fini.

Il est 6 h 15, une nouvelle journée commence. Le Dr Haviland est

172

appelé sans attendre et un dernier incident va se produire, auquel Gwen, fort heureusement, n'assistera pas.

Avant que la raideur cadavérique ne s'empare du corps, il faut procéder à la toilette mortuaire. A 7 h 30, cette opération presque achevée, tandis qu'Haviland s'apprête à partir, un horrible bruit, mi-gargouillis, mi-éructation, émane du mort. Le docteur et les deux infirmières se retournent. L'une d'elles, une novice catholique, saisit son crucifix et se signe. Le spectacle est peu ragoûtant. Le Dr Haviland se rappelle avoir déjà vu ça dans des cas d'importants empoisonnements du sang. De tous les orifices de son corps, Shawcross se répand. Une substance jaunâtre gluante et nauséabonde s'écoule de ses oreilles, ses narines, sa bouche...

Il faut recommencer la toilette. La chemise de nuit doit être changée, de même que les oreillers et les draps. La plus expérimentée des infirmières demande aux cuisines de faire monter des fleurs des serres, des lys si possible.

Vers 9 heures, la suite des formalités peut avoir lieu. Tous les stores de la maison ont été baissés et, dans cette pénombre, les membres de la famille Cavendish défilent pour rendre leurs derniers hommages au défunt. Boy, Acland, Frederic. Steenie ne participe pas au rituel car c'est un enfant délicat. Constance arrive la dernière, se tenant avec raideur entre Denton et Gwen Cavendish au pied du lit du roi.

Elle contemple les chérubins et les armoiries royales, là où, il y a quelques jours, elle a posé devant l'appareil photographique de Boy. Elle regarde son père, ses yeux clos, les draps de coton remontés sous son menton. Guidée par Gwen, elle se penche sur son corps et place un baiser sec dans le vide, à côté de sa joue.

La pièce embaume le lys, une fleur que Constance détestera désormais. Elle ne pleure pas, ne dit mot. Elle écoute le bruit des ailes de l'albatros, alors qu'on est en plein jour, mais elle sent la présence de son ange gardien. Pour la première fois, elle courbe la tête.

Le silence de Constance et son absence de larmes inquiètent Gwen. Elle ramène l'enfant à sa chambre, la fait asseoir et lui parle doucement, aussi gentiment qu'elle peut. Elle sait que ses paroles sont banales mais les prononce quand même. Elle hésite à la questionner sur sa présence en haut de l'escalier du vestiaire, là où l'infirmière l'a découverte. Elle renonce. L'enfant est capable de sentiments bien plus profonds qu'on l'aurait cru, se dit-elle. N'en parlons pas.

— Constance, dit-elle enfin, sache que nous nous sentons responsables de toi, ma chérie, et que tu comptes beaucoup pour nous. Il faudra réfléchir, mais n'oublie pas que tu seras toujours chez toi ici, à Winterscombe.

Constance s'y attendait. Elle sait que même si Gwen a les larmes aux yeux, cette invitation est un geste de culpabilité et non d'affection.

— Je comprends, répond-elle. Elle s'arrête et fixe Gwen du regard. Quand vont-ils emmener mon père?

La question affole Gwen.

— Plus tard, Constance. Cet après-midi. Mais il vaut mieux ne pas y penser, ma chérie.

— Quand il sera parti... Elle pose une petite main sale sur la manche de Gwen. Est-ce que je pourrai rester un instant seule dans sa chambre? Juste un petit instant. Pour lui dire au revoir.

Après le départ des entrepreneurs de pompes funèbres, Gwen conduit Constance dans la Chambre du Roi. Elle ouvre la porte et allume les lampes – elle ne veut pas que Constance ait peur. Elle vérifie que le lit a été refait et les lys enlevés. Elle assied Constance sur une chaise.

— Tu es sûre de vouloir rester seule, Constance? Tu ne veux pas que je reste avec toi?

— Non, je préfère être seule, répond l'enfant sur son ton froid habituel. Une petite demi-heure. Je voudrais penser à lui.

— Je reviendrai à 4 heures, alors, répond Gwen avant de sortir.

Une fois seule dans la chambre, Constance regarde le lit.

Elle se lève et s'en approche doucement. D'une main, elle rabat le couvre-lit. Les oreillers la rassurent. Ils sont propres et doux. Aucune empreinte de tête.

Elle remet le couvre-lit en place, le lisse et s'éloigne du lit. Elle fait lentement le tour de la chambre, en caressant les meubles en passant. Le dossier d'une chaise; sa garniture en crin de cheval crisse sous ses doigts. Le dossier d'une autre, du velours cette fois; elle défroisse un pli de l'appui-tête. Elle passe dans le vestiaire, puis dans la salle de bains attenante, allumant les lumières au fur et à mesure. Elle examine la grande douche en cuivre, ses leviers et ses brise-jet, merveille de la plomberie allemande. Sur le lavabo, elle prend un petit pain de savon à l'œillet qu'elle enfouit dans sa poche.

Elle retourne dans la chambre. Sur le valet de nuit se trouvent les effets personnels de son père : on les a sortis de sa tenue de soirée quand on l'a amené dans la chambre. De la menue monnaie, son étui à cigares, une boîte d'allumettes, sa montre à gousset et un mouchoir de coton propre et neuf.

Elle prend le mouchoir : il sort de la buanderie et ne sent pas l'odeur de son père. Elle le presse contre son visage et le replace sur le valet. Elle prend la chaîne de montre en argent.

Elle soulève le couvercle de la montre et examine le mécanisme. La montre n'a pas été remontée depuis plusieurs jours et s'est arrêtée. Ses deux petites aiguilles pointent dans des directions opposées. Constance referme le couvercle et serre l'objet dans sa main. Elle promène un regard circulaire qui s'arrête à nouveau sur le lit. Il est toujours vide.

De côté, à la façon d'un crabe, elle s'éloigne du vestiaire en direction du secrétaire situé entre les fenêtres.

Il n'est pas fermé. Dans le tiroir en bas à droite, sous des piles de papiers, elle trouve un nécessaire à correspondance de voyage. Il est fermé, comme toujours. Sa clé en argent minuscule est attachée à la chaîne de montre de son père.

Constance mord sa langue, se penche, se concentre pour introduire la clé dans la serrure et la tourne.

Dans le sous-main elle découvre un certain nombre de lettres et de factures qu'elle ne prend pas le temps d'examiner. En dessous, il y a un cahier d'écolier à couverture noire.

Ses mains hésitent. Elles avancent vers le cahier, reculent puis replongent et s'en emparent. La couverture est souple.

Elle le roule aussi serré que possible et l'enfouit dans la poche la plus profonde de sa jupe noire. Elle examine sa jupe : un renflement est-il visible ? Non.

Après, elle fait vite. Elle referme le nécessaire à correspondance et le tiroir puis replace la chaîne de montre sur le valet. Elle évite le miroir par crainte d'y voir le pâle visage de son père et sa barbe impeccable. Il risquerait de faire quelque chose de terrible : lui faire un signe. Elle retourne à la chaise où Gwen l'a installée et s'y assoit à la façon d'une petite fille sage. Elle pense à son père et essaie de ne pas imaginer l'endroit où il a été emmené. Où que ce soit, c'est sûrement un endroit isolé et froid. Doit-elle lui dire au revoir, à haute voix ? Elle hésite. Elle sent son père si proche qu'il lui paraît stupide de lui dire au revoir.

— Bonne nuit, Papa, dit-elle finalement dans un filet de voix.

Comme l'avait prévu le Dr Haviland, il y eut une sorte d'enquête, peu approfondie pourrait-on dire.

Une enquête superficielle, pour le moins, et pleine de tact. La police locale, intimidée, ne voulut en aucun cas faire offense à un propriétaire aussi éminent que Lord Callendar, dont le cousin n'était autre que le chef de la police et dont les amis proches étaient aussi influents dans la juridiction locale.

Aucun membre de la famille Cavendish n'a comparu à l'enquête : ils firent tous une déposition écrite indiquant le plus précisément possible le moment où Shawcross avait quitté la réception. Il en ressortait que la victime, un écrivain après tout, allait souvent se promener seule. Le jury n'en apprit pas plus.

Cattermole, qui fut entendu en personne et à qui l'expérience eut l'air dc plaire, fut plus loquace. Il expliqua que les pièges, autrefois utilisés contre les braconniers, avaient été rangés dans une grange abandonnée où ils avaient rouillé, oubliés de tous. Avant que le coroner puisse l'arrêter, il rappela au jury qu'il y avait des gitans dans la région depuis plusieurs semaines et que ceux-ci étaient repartis le jour même où l'accident avait été découvert. Comme ni lui, ni ses hommes, dont il se portait garant, n'avait mis en place ces pièges aujourd'hui illégaux, il en tira des conclusions toutes personnelles. Le jury pouvait en faire autant, poursuivit-il, au moment où le coroner se penchait en avant pour l'interrompre : à son avis, c'étaient les gitans qui avaient placé les pièges pour blesser ses hommes, ou lui-même.

Le jury se composait de personnalités locales, dont plusieurs métayers des terres Cavendish. Ils conclurent à la mort accidentelle et l'affaire fut close.

Les habitants de Winterscombe étaient-ils d'accord avec ce verdict ? Certains, probablement, mais d'autres conservaient quelques doutes. Le seul à les exprimer clairement fut Sir Montague Stern, le lendemain de l'enquête, dans son appartement d'Albany, à Londres, où Maud lui rendait visite pour la première fois.

– Mort accidentelle, dit Stern de sa voix égale. C'est commode, et propre.

Maud, distraite à la fois par son attirance pour Stern et par la décoration de son salon – une pièce parfaite, meublée d'objets parfaits, un tel contraste avec l'homme lui-même – ne releva pas tout de suite. Lorsqu'elle eut saisi, elle poussa un petit cri aigu.

– Montague ! Que voulez-vous dire ? Il est évident que c'est la seule conclusion possible. Nous savons tous que c'était un accident.

– Vraiment ?

Stern était près des fenêtres et regardait dans la rue.

– Mais oui. Bien sûr ! Les gitans...

– Je ne suis pas convaincu par l'histoire des gitans.

La façon dont il dit cela poussa Maud à s'approcher de lui. Elle fit quelques pas en avant et l'observa : il était grand, son teint était pâle, ses traits portaient la marque de sa race et ses yeux avaient des paupières lourdes. Ces yeux ne lui apprirent rien. Stern la regardait de façon on ne peut plus naturelle : on aurait dit qu'ils étaient en train de parler d'une réception plutôt que d'un décès. Elle eut l'impression, déjà ressentie à Winterscombe, d'un homme contenu, d'un pouvoir contenu.

– Vous ne voulez pas dire que... Si ce n'était pas un accident, alors... Un meurtre ?

Stern fit une petite grimace, comme s'il trouvait le mot déplaisant. Maud fit un autre pas en avant.

176

– C'est ridicule. Impensable. Pour que ce soit un meurtre, il faudrait qu'il y ait un meurtrier...

– Eh bien, nous avons quelques candidats possibles.

– Grotesque! Je n'en entendrai pas plus. Vous essayez de me faire peur. Elle hésita. Qui?

Stern sourit et tendit la main vers elle. Maud regarda les mains fines, les manchettes de chemise exceptionnellement blanches, avec une certaine fascination. Elle aperçut un scintillement doré à l'un de ses poignets.

– Inutile de se perdre en conjectures, dit-il brutalement. La question est résolue. J'aime les énigmes, c'est tout. J'aime essayer de les résoudre. Juste pour le plaisir, bien entendu.

Maud décida de changer le sujet de conversation. Elle se demandait si elle devait prendre sa main.

– C'est une pièce magnifique, commença-t-elle d'une façon particulièrement gauche qui ne lui ressemblait guère.

– Je suis heureux que vous l'appréciiez.

Il fit ce curieux demi-salut qui lui était propre et fit un geste vers les tableaux accrochés aux murs et les vases en porcelaine sur les étagères.

– J'aime ces objets. Je suis une sorte de collectionneur.

Quelque chose dans l'assurance avec laquelle il venait de prononcer ces paroles, et quelque chose dans ses yeux, décidèrent Maud. Un souvenir aigu lui vint à l'esprit, celui de cet homme dans sa chambre à Winterscombe.

Oubliant les sinistres histoires d'enquête, il fit un nouveau pas en avant et lui prit la main. Stern semblait lui aussi avoir oublié la conversation. Quittant la fenêtre, de manière décidée mais avec précaution, il prit Maud dans ses bras.

L'enquête achevée, l'affaire résolue, restaient les obsèques. Où devaient-elles avoir lieu? Pas à Winterscombe.

Cette timide suggestion de Gwen fut immédiatement rejetée par Denton. A Londres, donc, où Shawcross était locataire d'un appartement à Bloomsbury.

Gwen s'occupa des formalités car le défunt semblait n'avoir aucune famille. Elle le fit au nom du passé : c'était son devoir envers un vieil ami de la famille. Le jour de la cérémonie, elle en était presque convaincue.

Les obsèques n'attirèrent pas énormément de monde. Gwen avait ouvert sa maison de Mayfair pour l'occasion et fait de son mieux pour y réunir une assemblée distinguée. Elle fut atterrée par les maigres résultats qu'elle avait obtenus.

Sa famille était venue en force, naturellement. Mais où étaient donc ces nombreux amis écrivains dont Eddie parlait avec tant de chaleur ? Elle avait écrit à tous ces hommes de renom. Mais où étaient-ils donc, ces illustres romanciers, poètes aux vues avancées, éditeurs influents, ces pontes avec lesquels Eddie prétendait dîner régulièrement ?

Personne. Les arts étaient représentés par Jarvis, l'homme à la cravate lavande, qui quitta la cérémonie en hâte, refusant l'invitation de retourner à Park Street, et par un jeune Américain présenté sous le nom de Hitchings. Celui-ci prétendait représenter un journal de New York. Son haleine sentait le whisky.

Retournant dans son salon de Mayfair, Gwen contempla l'assistance si peu représentative. Elle aurait pleuré de dépit et d'humiliation. Un pauvre petit groupe glacial. Sa propre famille : la fiancée de Boy, Jane Conyngham, Maud, Sir Montague Stern, invité à la demande de Maud, qui avait envoyé une couronne d'une taille démesurée. Il y avait Constance, enrhumée, dont le nez ne cessait de couler, un étudiant aux yeux tristes, locataire de la même maison de Bloomsbury que Shawcross et une veuve d'un certain âge, dont Gwen ne saisit pas le nom, qui prétendait avoir autrefois présenté Shawcross à quelque éditeur littéraire.

A part ceux-ci, il n'y avait qu'un autre participant : un frêle jeune homme, clerc d'avoué, qui n'avait jamais rencontré Shawcross en personne mais représentait les associés de sa société.

Jane Conyngham parla gentiment à l'étudiant. La famille de Gwen restait massée pour présenter un front uni. Montague Stern, avec une grande patience, engagea la conversation avec la peu loquace Constance. Gwen, sentant qu'elle ne pourrait pas supporter longtemps la situation, prit le clerc d'avoué à part.

Elle l'emmena dans la bibliothèque, où le jeune homme lui énuméra un certain nombre de faits. Apparemment, Shawcross avait fait un testament après la mort de sa femme : sa légataire était Constance. Toutefois, il ne lui avait pas laissé grand-chose. Ses comptes bancaires étaient à découvert et son propriétaire et ses tailleurs réclamaient leurs créances. L'héritage de Constance se limitait aux livres de son père, à ses effets personnels et à une flopée de dettes.

Il y avait un autre problème. Après une enquête des plus approfondies, il semblait que Shawcross n'eût aucun parent proche. Ses parents étaient morts, il n'avait ni frère ni sœur, et son unique famille proche encore en vie était la sœur de sa mère et son mari, qui possédaient une petite affaire à Solihull.

– A Solihull ?

Gwen ne savait pas où c'était, mais n'aimait pas ce nom.

On avait contacté ces parents, poursuivit le mince jeune homme en passant un doigt sur son col jauni et mal ajusté. Ils avaient demandé que l'on présente leurs condoléances à l'enfant mais avaient été clairs et précis : ayant de faibles moyens, ils ne pouvaient prendre la responsabilité d'une enfant qu'ils n'avaient jamais vue. Devant leur détermination, il était hors de question – hors de question répéta le jeune homme avec insistance – qu'ils prennent Constance avec eux.

Gwen était outrée. Outrée également par ce jeune homme dont le col était taché d'une ligne de crasse et par sa pomme d'Adam qui gigotait pendant qu'il parlait. Elle n'aimait pas sa façon de prononcer son nom à elle, en faisant rouler son titre sur ses lèvres. Elle n'aimait pas sa façon d'inventorier mentalement le contenu de sa bibliothèque.

Elle lui adressa un regard des plus hautains. Elle n'avait cure de ces parents si peu charitables et de l'endroit déplaisant où ils vivaient. Peu lui importait cette question de dettes futiles qu'elle ferait en sorte de régler. Elle s'occuperait de Constance.

Elle prendrait l'enfant avec elle, dans sa propre famille. Cela avait été leur intention première.

M. Shawcross était un vieil ami très cher à sa famille. Il était hors de question – elle jeta un regard froid sur le jeune homme – qu'il en soit autrement.

Le jeune homme fut peut-être contrarié par cette remarque et par la façon dont elle avait été faite car sa peau cireuse se colora. Il fit remarquer que cela soulagerait bien sa société et simplifierait les choses.

– Bien entendu, il y a encore la question du logement de Bloomsbury. Il s'arrêta à la porte. Il faudra le vider. Le propriétaire en a besoin Il avait dit cela d'une façon désagréable, avec un regard de dédain vers le tapis en peau de tigre. S'étant ainsi débarrassé de Shawcross qui, bien qu'ayant des amis riches et nobles, n'en était pas moins insolvable, il prit congé.

Deux jours plus tard – son dernier devoir, se dit-elle avec soulagement – Gwen partit pour Bloomsbury avec Constance. Celle-ci avait insisté pour l'accompagner : elle voulait emballer elle-même ses affaires. Cela ne prendrait pas longtemps. Une valise suffirait.

La maison était lugubre. L'odeur de cire de l'entrée commune masquait celle de chou cuit. Se sentant défaillir, Gwen s'adossa au mur.

C'est Constance qui insista pour qu'elle se dépêchât, qui la pressa dans le vaste escalier jusqu'au premier palier puis, par un escalier plus raide, jusqu'au second.

On avait fourni une clé à Gwen mais la porte n'était pas verrouillée. Elle pénétra pour la première fois dans l'endroit où son amant avait vécu.

Ils ne s'y étaient jamais rencontrés et les pièces n'avaient rien de commun avec ce qu'elle avait imaginé. Gwen avait peu d'imagination et, dans son esprit, elle voyait des pièces agréables, remplies de livres : le domaine d'un écrivain. Elle pensait trouver des bibliothèques agrémentées de reliures en cuir luisant à la lumière d'un feu de bois, un bureau surmonté d'une lampe verte, des piles de papiers, un bon siège, de l'espace. Elle avait pris plaisir, lorsqu'ils étaient séparés, à l'imaginer dans un tel cadre, assis devant un bureau, puis faisant une pause pour penser à elle.

Elle l'avait imaginé prenant un repas que quelque domestique lui aurait apporté sur un plateau et, de temps en temps, invitant quelques-uns des hommes illustres qu'il comptait parmi ses amis. Elle les avait vus assis de part et d'autre de la cheminée, discutant de la vie, d'art, de religion, de philosophie.

Lorsqu'elle vit la pièce, toutes ces images s'évanouirent. Tout d'abord, elle était minuscule. Il y avait bien des rayonnages mais ils étaient en bois ordinaire. Les livres, nombreux, étaient poussiéreux. Le bureau, placé devant une fenêtre sale donnant sur une rue bruyante, était lui aussi bon marché. Il était par ailleurs surmonté d'une lampe affreuse et parsemé d'un fouillis de lettres, papiers, épreuves, factures. Elle n'en revenait pas. Shawcross attachait une telle importance à son apparence qu'elle l'avait toujours pris pour un homme rangé et soigneux.

— Il y a trois pièces en tout.

Constance avait posé à terre sa petite valise noire et se tenait au milieu de la pièce. Elle avait les traits tirés.

— La chambre de mon père est par là, indiqua-t-elle en pointant le doigt. La mienne est en face, de l'autre côté du couloir. Elle a deux lits. Ma nurse dormait dans ma chambre.

Elle avait dit cela avec un air important, comme si partager sa chambre avec sa nurse lui conférait un certain statut.

— Elle est partie depuis plusieurs années, bien sûr. J'avais passé l'âge. Nous nous en sortions très bien tous les deux, Papa et moi.

Elle fit une pause, tournant son petit visage émacié vers la fenêtre.

— Ça vous plaît ? Moi, oui. Quand on se penche par la fenêtre, on voit la place. Et il y a une église à l'autre bout de la rue. J'entendais ses cloches le dimanche matin. Saint Michael et tous les Anges. J'ai toujours aimé ce nom.

Gwen se laissa tomber sur une chaise inconfortable devant l'âtre vide. L'étagère en face d'elle était encombrée de bouteilles vides et de verres à vin sales. Elle porta sa main gantée à son front.

— Constance... Il est peut-être encore trop tôt pour faire cela. Je ne m'en sens pas la force. Ce n'est pas la peine de rester. Je ferai tout envoyer à Winterscombe et nous ferons le tri là-bas. Ce sera bien mieux.

— Mais j'ai besoin de mes vêtements, répliqua Constance d'un ton obstiné. J'ai des livres. J'ai des objets venant de ma mère, ses brosses à cheveux. Je les ai laissés ici et je veux les prendre avec moi.

180

– Bien sûr, bien sûr.

Gwen tenta de se ressaisir. Elle se leva à demi puis retomba sur la chaise. Elle se prit à regretter d'avoir mis les pieds dans cet endroit sordide. Elle aurait pu envoyer quelqu'un. Elle soupira. La curiosité, se dit-elle, la pire des curiosités l'avait amenée ici.

Elle avait voulu voir où Eddie habitait et elle l'avait vu!

– Restez là, lui intima Constance avec gravité. Vous avez l'air fatiguée. Je peux me débrouiller toute seule. Je n'en ai pas pour longtemps.

Elle fouilla dans les papiers sur le bureau et mit sur le dessus une lettre en papier mauve. Elle attrapa ensuite un paquet d'épreuves qu'elle fourra dans la main de Gwen.

– Regardez! Ce sont les épreuves du dernier roman de Papa. Vous pouvez les regarder en m'attendant. Je sais que vous aimiez beaucoup son travail. J'aimerais que vous les lisiez.

Gwen était touchée. Constance prit sa valise et partit vers les chambres.

Une fois la porte refermée, elle s'activa. Elle alla d'abord dans la chambre de son père, s'empara d'une chaise, s'y jucha et fouilla le dessus poussiéreux de son placard. Elle trouva la clé qu'elle cherchait et ouvrit la table de chevet près du lit. A l'intérieur, il y avait deux étagères. Celle du dessus était couverte de toutes sortes de médicaments, onguents, lotions et boîtes à pilules : son père souffrait d'hypocondrie. Sur celle du dessous, bien empilés, se trouvaient des carnets noirs.

Elle s'assit sur ses talons. Ce qu'elle avait l'intention de faire l'effrayait un peu car elle savait que ces carnets étaient secrets. Son père y écrivait tous les soirs. Si elle entrait à ce moment-là, il les recouvrait de quelque chose ou les fermait. Il les rangeait toujours dans un endroit fermé à clé et gardait la clé sur lui sauf quand il allait à Winterscombe. Dans ce cas seulement, il mettait la clé au-dessus du placard, hors de vue.

Aurait-il voulu qu'elle les prenne? Constance pensait que oui. Maintenant qu'il était mort, ils appartenaient à sa fille. « Je veillerai sur eux pour toi, Papa », se dit-elle. Elle sortit les carnets et les éparpilla au fond de sa valise. Elle essuya ses mains moites sur sa jupe.

Elle se leva et traîna la valise dans sa chambre. Elle ne voulait pas y rester plus longtemps que nécessaire. Elle prit deux robes dans l'armoire et les jeta en vrac dans la valise. Quelques chemisiers, quelques jupons froissés, une chemise de nuit, une paire de bottines à boutons en mauvais état et une paire de pantoufles.

Elle dut s'asseoir sur la valise pour la fermer. C'est alors qu'elle s'aperçut qu'elle avait oublié les brosses à cheveux. Elle regarda ces objets qui avaient appartenu à quelqu'un qu'elle n'avait jamais connu : une parfaite étrangère. Elle décida de les laisser. Quand elle retourna dans le salon, elle était tout essoufflée, avait les joues rouges et les mains tremblantes.

Gwen avait dû se lasser de sa lecture car elle avait remis les épreuves sur le bureau, à côté duquel elle se tenait debout. Elle avait sûrement vu la lettre mauve, comme Constance l'avait prévu. Pourquoi la cacher, après tout ? Gwen n'avait sûrement pas écrit à son père alors que d'autres ne s'en étaient pas privées. Son père n'avait pas pris la peine de répondre. La lettre était restée des semaines dans cet amas de papiers.

Cette lettre d'une seule page était maintenant ouverte. Le papier était parfumé et l'écriture féminine large et impulsive. Gwen, contrairement à Constance, n'avait certainement pas l'habitude de lire le courrier des autres mais, dans le cas présent, il semblait qu'elle n'avait pu y résister.

Gwen mit un certain temps avant de s'apercevoir du retour de Constance. Elle était près du bureau, comme figée. Son visage était rougi. Elle émit un léger son et battit des paupières. Très digne, elle se tourna vers la porte et, avant de la franchir, rabattit son voile.

Elles retournèrent toutes les deux à Mayfair. Constance entra dans la maison avec une certaine raideur, sa petite valise noire à la main. Le reste de la famille prenait le thé au coin du feu dans la bibliothèque.

A la stupéfaction de Gwen, Constance entra dans la pièce sans enlever son manteau et son chapeau et se campa bien en vue devant la cheminée. Denton était juste en face d'elle, étonné de cette interruption, une couverture sur les genoux. Il s'immobilisa au moment où il portait sa tasse à ses lèvres. Ses quatre fils, plus prompts à réagir que lui, se levèrent. Constance les dévisagea l'un après l'autre avec une apparente sérénité.

– J'ai mes affaires maintenant, dit-elle en indiquant la valise. Je voudrais que vous sachiez que je suis très heureuse de venir ici. C'est très gentil de votre part de me prendre avec vous.

Sur le pas de la porte, Gwen regarda Constance d'un air perdu. Elle avait parlé de ce projet avec Constance et avec Denton, qui avait accepté contre son gré, mais pas encore avec ses fils.

C'est ainsi qu'ils apprirent de façon abrupte que Constance Shawcross l'albatros serait désormais là en permanence et non plus quelques semaines par an. Steenie applaudit, réellement enchanté, mais ses trois frères ne purent cacher leur déception.

Boy devint écarlate et fixa le tapis à ses pieds. Freddie émit un grognement qu'il tenta de masquer en quinte de toux. Acland, qui avait toujours du mal à cacher ses sentiments et n'essayait d'ailleurs pas de le faire, lança à Constance un regard froid et soupçonneux puis tourna son regard vers sa mère. Leurs yeux se rencontrèrent. Gwen y lut un peu de colère, peut-être, mais également, fait plus étrange, de l'amusement. Elle n'aurait su dire.

Constance contempla sa nouvelle famille avec une feinte assurance. Prenant l'attitude d'une enfant modèle, obéissante et aimante, elle s'avança vers Denton. Elle se mit sur la pointe des pieds et Denton, ahuri et désemparé, dut se pencher pour recevoir un baiser.

Elle se tourna ensuite vers Steenie qu'elle entoura de ses bras. D'une façon très solennelle, elle administra le même traitement aux trois autres garçons. Bien plus grands que Constance, ils durent chacun à son tour s'incliner pour recevoir leur dû.

Seul Acland, le dernier de la rangée, dit quelque chose. Il parla doucement à l'oreille de Constance. Un seul mot, qu'elle fut la seule à entendre : « Hypocrite ».

Constance était aux anges.

Elle recula et son visage s'anima soudain. Ses yeux étincelaient. Elle écrivit plus tard qu'elle avait pris ce mot comme une déclaration de guerre.

TROISIÈME PARTIE

TROISIÈME PARTIE

IV

Déclaration de guerre

– Alors ? Ça marche ? cria Wexton par la porte ouverte de sa kit-chenette. Tu avances ?

J'entendais un bruit de boîtes de conserve et de grille-pain électrique. Wexton me préparait un dîner avec ces aliments tout prêts qu'il affection-nait tant. Son dieu culinaire était Heinz and Campbell ; il était toujours enchanté et surpris des délices qu'ils parvenaient à mettre en boîte. Qu'aurions-nous ce soir dans nos assiettes ? De la soupe à la queue de bœuf relevée d'un trait de xérès, du corned-beef à la sauce Worcestershire, ou encore, son plat préféré, une concoction – datant de la période du rationnement – à base de ketchup et de fromage grillé ? En tout état de cause, Wexton imposait une règle inviolable : personne n'était autorisé à le regarder faire la cuisine.

– Je n'en sais rien, répondis-je. Je fais du sur-place, je crois. L'expert de Sotheby est venu hier et j'ai vu des agents immobiliers aujourd'hui. J'avance un peu mais il y a tellement de choses.

– Catastrophe !

Une odeur de toast brûlé remplit l'air et j'entendis Wexton taper sur le grille-pain. Je savais qu'il valait mieux ne pas intervenir dans les amours contrariées de Wexton et de son grille-pain. Je m'approchai de la fenêtre en me faufilant entre les piles de coupures de journaux et de livres.

Wexton, le moins violent des hommes, semblait obnubilé par la vio-lence : toutes les coupures de presse relataient les événements violents de l'année précédente. La guerre du Vietnam, la guerre civile au Nigeria, les assassinats en Amérique, les petits Biafrais au ventre gonflé par la famine : la pièce tranquille de l'érudit qu'était Wexton regorgeait de preuves de l'« inhumanité » de l'homme envers l'homme.

M'appuyant contre la fenêtre, je regardai dehors. La rue était tranquille, comme si le temps s'était arrêté. A part la présence de voitures, la vue avait dû peu changer depuis deux cents ans. Les vieux réverbères avaient été conservés, les maisons de l'époque de la reine Anne et du roi George, très recherchées, étaient restaurées avec soin. Cette rue avait résisté au XXe siècle : c'était sans doute pourquoi elle était si recherchée.

J'apercevais juste l'église à l'autre extrémité de la rue et les arbres longeant la partie sud du vieux cimetière de Hampstead. Wexton aimait vivre près de vieux cimetières, c'était ce qu'il disait en tout cas. Il aimait aller lire les épitaphes des vieilles pierres tombales. Ce cimetière était son préféré à Londres. Il s'y rendait chaque jour pour ce qu'il appelait sa « petite promenade matinale ».

En sortant de chez lui, il empruntait Church Row, dépassait le cimetière avec ses urnes et ses élégants sépulcres, traversait un dédale de ruelles et de passages pour atteindre le haut de Holly Hill puis descendait vers les boutiques du village pour faire son choix de boîtes de soupe chez l'épicier.

Ce rituel quotidien, relaté un jour dans un journal du dimanche, était désormais connu. Il attirait des admirateurs qui rôdaient dans Church Row en guettant le célèbre poète, attendant impatiemment de le voir ajuster son chapeau bosselé, lever son visage ridé vers le ciel et humer l'air du matin. La veille, l'un d'eux lui avait demandé un autographe. C'était une première.

— Tu lui as donné, Wexton ?

— C'était une femme portant une longue robe en velours, un collier de perles indien et un badge prônant la paix. Bien sûr que je le lui ai signé. J'ai même dédicacé : « Amitiés, Tom Eliot ». Elle était ravie.

Je pris un livre sur la pile à côté de moi : Wexton devait être aussi obsédé par Eliot que par la violence car il s'agissait d'un exemplaire écorné de *La Terre désolée*. Je lus les lignes consacrées à Mme Sosostris, une célèbre voyante, et son impitoyable paquet de cartes. Je reposai le livre. Je n'avais encore rien raconté à Wexton de ma semaine à Winterscombe et du journal intime de Constance.

— De sacrées sardines ! Sur des toasts non brûlés, annonça Wexton en apportant un plateau. Un vrai régal !

Nous fîmes un peu de place entre les journaux et les livres pour poser le plateau entre nous. Nos assiettes sur les genoux, nous nous assîmes devant le feu. Wexton aimait les feux au charbon. La pièce était paisible et conviviale, les sardines épicées et délicieuses. Wexton, qui sentait toujours quand j'avais quelque chose sur le cœur, s'efforça de maintenir la conversation sur un terrain neutre.

— Raconte-moi pour l'expert, dit-il tout en mâchonnant.

— Il aime les meubles victoriens. Les chaises Pugin et le placard peint de Philip Webb. Il s'est extasié sur les tentures de William Morris. Il s'appelle Tristam.

188

– Quel nom!

– Et l'agent immobilier s'appelle Gervase. Gervase Garstant-Nott.

– Il s'est extasié aussi?

– Pas vraiment. Si ç'avait été du Blenheim il aurait pu être intéressé, m'a-t-il dit.

– A ce point-là?

– Pis encore. Négatif du début à la fin. Mauvaise période : ses clients veulent des maisons Reine Anne. Trop loin de Londres. Trop loin de la gare. Trop grand : seules les institutions peuvent être intéressées par une maison de vingt-cinq chambres et les institutions n'ont pas d'argent. J'ai voulu l'appâter avec les bois. Les arbres coupés ont de la valeur. Il a tiqué quand nous avons arpenté le terrain : la question était de savoir si obtenir un permis de construire serait possible. Il revient la semaine prochaine. Il m'a fait comprendre qu'il me faisait une faveur.

– Déprimant?

– Oui. Je ne veux pas qu'on coupe les bois; ils sont magnifiques. Je ne veux pas voir des maisons pousser comme des champignons dans les champs. C'est peut-être égoïste, mais c'est comme ça. J'aurais voulu trouver quelqu'un qui veut la maison. A part un millionnaire excentrique, c'est fort peu probable. Je sais qu'elle est grande, Wexton. Je sais qu'elle est d'époque édouardienne. Je sais qu'elle est délabrée. Mais je l'aime. Je pense à tout le soin qui y a été apporté, à tous les événements qui s'y sont déroulés. Enfin! Ce que je ressens importe peu. Apparemment, personne n'y est sensible à part moi. Ou bien je suis trop partiale, ou bien il y a quelque chose qui cloche chez moi.

– Allez! Sers-toi de la glace! dit Wexton en se levant. C'est une nouvelle marque que j'ai découverte. Américaine. Tu peux y ajouter des cerises. En boîte, naturellement. Elles sont extra.

– Je ne peux plus rien avaler, Wexton. C'était parfait. Désolée.

– Pas de problème. Il se rassit et se pencha en avant. Écoute. Tu ferais mieux de me dire ce qui ne va pas.

Je lui racontai tout, enfin presque... Je lui expliquai la pagaille laissée par Steenie, les boîtes, les malles, les papiers de famille, les paquets de lettres, les journaux intimes, les albums de photos : tous ces vestiges du passé. Après un instant d'hésitation, j'omis de mentionner les journaux de Constance.

Wexton n'aurait pas aimé ces journaux. Il m'aurait peut-être dit de m'en débarrasser, de les brûler, et ç'aurait sans doute été un sage conseil. Il s'y trouvait des récits, surtout ceux du père de Constance, qui me donnaient la nausée et que j'aurais préféré n'avoir jamais lus. Il y en avait d'autres qui, confrontés à certaines preuves restées dans la maison, m'inquiétaient et m'intriguaient tout à la fois. Cette investigation dans le passé était devenue une obsession. Un peu comme une drogue.

C'était sans doute pourquoi je restais discrète à ce sujet, même avec Wexton qui avait habituellement droit à toute ma franchise. Tout comme un alcoolique cache ses bouteilles, je cachai à Wexton l'existence des journaux intimes. C'était plus commode pour moi. Je pouvais faire comme si je n'en avais pas besoin, comme si je n'allais pas reprendre un verre. Je suis quasi certaine que Wexton avait deviné que je ne lui avais pas tout dit. Toujours respectueux des réticences des autres, il ne m'a pas forcé la main. Je me sentais coupable. Je l'aimais beaucoup et je m'en voulais de trahir notre amitié.

— Cela me perturbe, je suppose. Je croyais connaître le passé. Je reconnais les lieux mais pas les événements. Ils n'ont rien à voir avec ce qu'on m'a raconté. Je ne reconnais pas non plus les personnages, c'est ça le pire. Tante Maud, Oncle Freddie. Ceux-là, oui. Mais Jenna, mon père, ma mère... Ils sont différents et cela me fait mal.

— C'est normal, tu sais.

— Je sais. C'est normal, et stupide. Ils ont eu leur vie avant que je les connaisse, et ils ont changé. Mais j'ai l'impression de ne pas les connaître du tout. Comme si tous mes souvenirs étaient erronés. Ils le sont probablement.

— Bon, arrête! Tu n'as pas besoin de lire tout ça. Tu ne veux pas tout balancer, d'accord. Mais tu peux les emballer et les mettre dans un coin. Tu y reviendras plus tard. Quand tu seras plus vieille.

— Allez, Wexton! J'ai presque trente-huit ans. Si je ne peux pas régler ça maintenant je ne le ferai jamais. En plus... Comment expliquer? Je sens que c'est le moment ou jamais.

— Très bien. Suis ton instinct.

Wexton regarda ses mains.

— Tu suis la chronologie? Où en es-tu exactement?

— Aux alentours de la Première Guerre mondiale. Non. Au moment de la guerre. Juste avant. Vers 1910-1912. Je ne fais pas ça très méticuleusement. J'essaie juste de mettre un peu d'ordre dans les événements. Lorsque Constance est venue vivre à Winterscombe. La mort de son père. J'ai trouvé beaucoup de renseignements sur cette période.

— Je ne l'ai pas connue. J'étais encore en Amérique.

— Mais tu as dû en entendre parler. Je veux dire, Steenie a dû te raconter. Constance, son père et... l'accident. Ils t'en ont forcément parlé.

— C'est possible, mais je ne m'en souviens pas bien. Pourquoi n'interroges-tu pas Freddie? Après tout, il y était.

— Impossible. Il est parti pour son périple annuel. Après avoir envisagé le Pérou, il s'est résolu pour le Tibet.

190

Wexton sourit. Les excursions annuelles d'Oncle Freddie dans les coins les plus reculés du globe l'enchantaient : comme moi, il les trouvait à la fois impressionnantes et comiques.

— Puis-je faire une suggestion ?

— Je t'en prie. Je patauge péniblement. C'est peut-être toi qui as raison. Je devrais laisser tomber.

— Je n'ai pas dit que tu devrais mais que tu pourrais laisser tomber. Pourquoi ne pas passer aux années de guerre ?

— La Première Guerre mondiale, tu veux dire ?

— Ce serait une idée. Il marqua une pause et haussa les épaules.

— Tous ces problèmes que tu as, c'est-à-dire ne pas reconnaître les gens que tu croyais connaître, c'est peut-être une question de conflit de générations. Tu n'avais que neuf ans quand la dernière guerre mondiale a éclaté et tu étais en Amérique. Mais si tu avais eu, disons cinq ans, et si tu avais vécu le Blitz à Londres, cela t'aurait marquée. Prends les gens qui ont combattu pendant cette guerre, quelle que soit leur nationalité – Russes, Américains, Anglais, Australiens, Allemands, Polonais – ils ont tous quelque chose en commun, une expérience commune. Il peut être difficile de les comprendre quand on n'a pas vécu ça avec eux.

— Et d'après toi, ça a été la même chose pour la première guerre ?

— Bien sûr. Surtout celle-là. Elle nous a tous marqués. Tes grands-parents, tes oncles, ton père et ta mère, eux les premiers, d'ailleurs. Même... même Constance.

Je me retournai vers la fenêtre. J'étais étonnée que Wexton prononce son nom et je savais qu'il pouvait avoir raison. Je sentais déjà que ces journaux menaient à la guerre. Le mot guerre était d'ailleurs l'un des préférés de Constance même si elle l'employait sans relation directe avec des questions politiques ou militaires. Je me tournai vers Wexton.

— Et comment dois-je m'y prendre ? Lire les lettres du front, c'est ce que tu veux dire ?

— Non, pas exactement, répondit-il calmement.

Il avait l'air distrait, distant, comme si son esprit était ailleurs et que je n'étais plus là. Il y eut un long silence puis il sembla se ressaisir. Il se leva et mit un bras autour de mes épaules.

— Tu es fatiguée. Tout cela te trouble. N'écoute pas ce que je te dis. Je suis vieux. Je fais sûrement fausse route. Je n'ai que la guerre en tête en ce moment.

Il fit un geste en direction des monceaux de coupures de journaux.

— Je n'ai jamais mis les pieds dans tous ces endroits. L'Afrique, le Sud-Est asiatique. Mais ce n'est pas la question. Ce ne sont ni le terrain, ni la politique, ni l'armement qui m'intéressent. Je n'écris pas sur le napalm. Les journalistes font cela mieux que moi et lorsqu'ils en ont terminé les historiens prennent le relais. Non, ce n'est pas ça. Je voulais écrire sur...

Il s'arrêta au milieu du salon. Il parlait rarement de sa poésie. Lorsqu'il le faisait, il passait d'abord de l'agitation à l'autocritique avant de sombrer dans la mélancolie. Il ressemblait à quelqu'un essayant d'expliquer quelque chose de particulièrement complexe. Il reprit :

— Je voulais écrire sur la guerre... en tant qu'état d'esprit. Oui, c'est cela. Cela existe, je l'ai constaté. Les soldats sont entraînés dans ce sens. Mais d'autres gens y arrivent. Certains naissent ainsi, je suppose. Je parle des gens qui n'ont jamais tenu une arme, qui n'ont jamais été en première ligne. C'est latent en nous. Des baïonnettes dans le cerveau. Je crois que c'est là-dessus que je voulais écrire.

Son visage redevint naturel. Ses plis et ses rides retrouvèrent leur place d'origine.

— J'ai fini la première partie hier. Mais c'était très mauvais, bien sûr. Quand je l'ai relue ce matin, je l'ai trouvée embarrassante. Une catastrophe.

— Qu'en as-tu fait, Wexton ?

— J'ai tout déchiré. Que faire d'autre ?

Je connaissais Wexton. Je connaissais ses allusions et je les respectais. Lorsqu'il donnait des conseils, ce qui était rare, ils étaient toujours judicieux. Plus il se montrait désinvolte lorsqu'il faisait une suggestion, plus celle-ci avait des chances d'être bonne. De retour à Winterscombe, et au passé, j'ouvris le journal de Constance à la page du dix-neuvième anniversaire d'Oncle Freddie, le jour de la déclaration de guerre.

J'étais installée dans un recoin du salon. En haut, Tristam Knollys et son équipe d'assistants s'employaient à dresser un inventaire. Ils faisaient des listes : chaque tableau, chaque tapis, chaque meuble était répertorié. Constance, de son côté, avait aussi dressé des listes, mais d'une tout autre nature.

Voici ce qu'elle avait écrit :

4 août 1914

Comme il est bon d'entamer un nouveau cahier, une nouvelle page vierge. Tu vois, Papa, j'ai trouvé des cahiers exactement identiques aux tiens ! Même taille, même papier, même couverture. J'ai eu de la chance d'en trouver. Je les voulais assortis aux tiens.

Il fait à nouveau très chaud aujourd'hui. Francis relève la température tous les jours. Je l'aide à tenir une courbe. A 8 heures, il faisait 24 °C. Tu te rends compte ? J'ai porté le chiffre sur le graphique et prolongé la courbe. Elle ressemble à une chaîne de montagnes. A l'Himalaya. La chaleur est torride. La maison est chauffée à blanc par ce mot brûlant de « guerre ».

Alors je me suis réfugiée dans le bois de bouleaux pour écrire. L'air est plus frais sous les arbres. Floss me lèche les jambes. Acland venait rencontrer Jenna ici mais il a changé. Ils ne se rencontrent plus, ni ici ni ailleurs. Cela m'intéresse, un peu.

Je vais dresser une liste, Papa. Celle que je t'ai promise. Les personnes de la colonne de gauche avaient un mobile et celles de droite avaient la possibilité.

Denton	*(jalousie)*	*Denton*
Gwen	*(culpabilité)*	*Cattermole*
Francis	*(s'il était au courant)*	*Hennessy*
Acland	*(il savait – haine)*	*Acland*
Jack Hennessy	*(jalousie – pas de toi)*	*Francis*
Gitans	*(erreur)*	*Gitans*

Voilà. Cela sert-il à quelque chose? Dis-moi ce que tu en penses.

En venant ici aujourd'hui, Floss et moi avons trouvé un nid de fauvettes d'hiver. Il y avait sept œufs d'une couleur ravissante. Aussi bleus que tes yeux, Papa, mais ils n'étaient pas couvés. D'après Floss, le nid est abandonné.

« Abandonné » est un bon mot. Il a deux significations. Cela te plairait. Certains mots en ont trois et quelques-uns quatre. J'en ferai peut-être aussi une liste. Cela te plairait-il?

Le calme règne ici. On est à l'abri dans les fourrés. Oh, Floss se met à grogner. Il me dit : « Attention, Constance! Arrête, maintenant. Quelqu'un te regarde. »

Acland s'arrêta juste après le belvédère. A travers les branches il apercevait une tache bleue. Il hésita puis fit encore quelques pas. Au milieu des bouleaux, adossée à un tronc argenté, il y avait Constance. Floss était avec elle, étendu à ses pieds. Elle était en pleine concentration, sa tête sombre penchée vers ses genoux.

Sans un bruit, il fit un pas de plus. Constance était en train d'écrire, d'une façon lente et laborieuse, comme si elle s'appliquait sur un devoir. Très souvent, elle s'arrêtait, caressait Floss d'une main distraite, puis se remettait à la tâche. Elle écrivait sur un cahier à couverture noire.

Elle semblait très absorbée. Lorsque Acland fit craquer une brindille sèche, le chien dressa les oreilles mais Constance ne leva pas la tête.

Acland était fasciné par Constance, ce qui ne manquait pas de l'exaspérer. Il aimait l'observer, surtout à son insu. Il le faisait comme un enfant regarde à l'intérieur d'un kaléidoscope. Il aimait voir ses traits bouger, se reformer et scintiller. Il aimait ces formes pour leurs teintes brillantes et leur complexité. Il y en avait un nombre infini – ce n'était jamais deux fois les mêmes – mais la rapidité avec laquelle elles se défaisaient et se reformaient lui plaisait.

Acland s'y connaissait en kaléidoscopes : on lui en avait offert un lorsqu'il était enfant. Un jour, pour en résoudre les mystères, il l'avait démonté et s'était retrouvé avec un tube de carton et une poignée de particules brillantes. Mélangées dans sa paume, les couleurs étaient devenues ternes. Leur diversité et leur contradiction avaient disparu. Il en avait tiré une leçon : Constance était fascinante, d'après lui, justement parce qu'il la regardait à une certaine distance. Il n'avait pas envie de creuser la question.

En quatre ans, elle avait beaucoup changé. Le fait que ses tenues étaient maintenant choisies par Gwen et que Jenna s'occupait de ses vêtements et de ses cheveux indisciplinés y était pour beaucoup, bien entendu. Mais le principal changement était autre : Constance était en train de trouver son identité.

Plus tard, lorsqu'elle serait devenue décoratrice, Acland l'admirerait toujours pour la méfiance et l'énergie de son art. Mais, d'une certaine façon, il l'admirait plus lorsqu'elle était jeune, mal dégrossie, comme en cette année 1914. L'énergie de Constance, toujours formidable, était aussi tangible qu'un champ de force, au point qu'il avait parfois l'impression qu'en posant sa main sur les cheveux de Constance il recevrait une décharge d'électricité statique.

Elle était petite, acharnée, imprévisible et rapide comme l'éclair. Son visage avait la plasticité naturelle d'une actrice : elle pouvait être grave comme un clown puis impérieuse comme une reine douairière l'instant suivant. Ses cheveux, que Jenna brossait religieusement, étaient indomptables. Trop jeune pour les relever en chignon, elle laissait tomber sur ses épaules et dans son dos cette épaisse chevelure noire vivante, aussi abondante qu'une crinière de cheval. Gwen était désespérée : même sur son trenteet-un, Constance ressemblait toujours à une gitane.

Elle était incapable de se comporter comme une dame : quand elle voulait croiser les jambes, elle les croisait ; s'il lui prenait l'envie de s'allonger par terre, elle s'allongeait. Et, tout le temps, qu'elle soit en train de courir ou non, de parler ou non, qu'elle soit assise ou debout, ses mains bougeaient sans arrêt. Elle avait de petites mains qui remuaient sans cesse et que les trop nombreuses bagues qu'elle y empilait faisaient scintiller. Un jour, Gwen avait été vexée de découvrir à l'un de ses doigts une ravissante bague qu'elle lui avait offerte, juste à côté d'un horrible objet de pacotille trouvé dans quelque pochette surprise.

Constance ne pouvait y résister : elle adorait les couleurs vives. En la regardant à travers les arbres, Acland se rendit compte pour la première fois qu'il ne l'avait jamais vue vêtue de couleurs douces ou pastel. Ses robes étaient aussi vives, voire criardes, que les ailes du colibri : rouge écarlate, rose fuschia, violet électrique, jaune d'or, un bleu irisé si cru qu'il faisait mal aux yeux. C'étaient ses couleurs préférées et Gwen cédait toujours. Quand Constance avait une nouvelle robe, elle l'agrémentait chaque jour de quelque élément : des paillettes par-ci, un morceau de broderie par-là, une boucle en strass sur ses chaussures. Gwen soupirait et laissait faire. Elle désapprouvait mais ne pouvait nier que ces mille et un petits ornements allaient bien à Constance. Avec un tas d'objets insolites et de morceaux de ferraille, Constance se façonnait. « Regardez-moi, disait cette créature. Je ne suis pas comme les autres. Vous n'arriverez jamais à me dompter. Regardez comme je brille ! »

Ce jour-là, elle portait une robe d'un bleu aussi acidulé que celui de cristaux d'acide prussique. Simple au départ, elle était maintenant parée d'une broderie en zig zag qui faisait le tour de sa taille et naviguait entre ses petits seins qui commençaient à pointer. Acland se demanda si la disposition de la broderie, soulignant la silhouette de Constance, était le fruit du hasard. Non, sûrement pas. Constance était incapable d'innocence. Ce jour-là, exceptionnellement, elle était paisible. Elle écrivait, s'arrêtait, reprenait. De temps à autre, elle caressait Floss.

Floss, un cadeau de Boy, était le tout premier chien de Constance : c'était un petit épagneul King Charles adorable, à l'air effronté et à la queue aussi vaporeuse qu'une plume. Il avait une soif d'affection intarissable et encourageait sans vergogne les caresses de sa maîtresse. Au bout d'un moment, il se roula sur le dos et offrit son ventre à la main de Constance.

Se surprenant lui-même, Acland fut touché par cette scène. Quand on ne sait pas qu'on est observé, on est sans défense. Or, les défenses de Constance étaient habituellement impossibles à abattre. Acland la soupçonnait d'avoir découvert que le charme était une barrière bien plus efficace que le dédain qui la caractérisait, enfant. Comme elle ignorait sa présence et ne faisait donc aucun effort pour provoquer ou séduire, Acland se sentit proche d'elle.

Bien qu'elle approchât de ses quinze ans, elle faisait très enfant. Comme cette petite fille avait l'air triste, studieuse et solitaire avec son chien, son cahier et son crayon ! Que pouvait-elle bien écrire ?

Acland s'apprêtait à avancer lorsque Constance referma son cahier et leva les yeux vers lui.

— Oh, Acland ! Tu m'as fait peur.

— Tu avais l'air occupée, dit-il en en s'allongeant près d'elle dans l'herbe. Il sentit la caresse du soleil sur son visage. Il se releva sur un coude et observa la jeune fille.

Elle avait des yeux étranges : grands, légèrement en amande et d'une couleur indéterminée. Il les trouvait tantôt bleu marine, tantôt vert très foncé, tantôt noirs. C'étaient des yeux impénétrables. Il était souvent tenté de les regarder de plus près, à l'intérieur, pour percer le mystère qu'ils renfermaient. Il avait parfois envie de les toucher et de suivre des doigts leur contour. Ses lèvres lui faisaient le même effet : la lèvre supérieure avait un contour très net tandis que celle du bas était plus souple et sensuelle. Entre ses lèvres légèrement écartées, on voyait ses petites dents blanches régulières. Il fit un mouvement en arrière.

— Tu ne viens pas au pique-nique de Freddie ? demanda-t-il.

— C'est l'heure ?

— Presque. Il se rallongea dans l'herbe. Je retourne à la maison.

— Moi, j'évite la maison. La guerre, la guerre. On ne parle plus que de ça. Sir Montague dit qu'elle est inévitable. Alors Tante Maud se met à le contredire, ta mère à pleurer, ton père à sortir ses cartes et Francis à parler de son régiment... J'ai préféré m'enfuir.

— Qu'étais-tu en train d'écrire ? Tu avais l'air vraiment absorbée.

— Juste mon journal.

Constance enfouit le cahier sous les plis de sa jupe, ce qui fit sourire Acland.

— Tu écris un journal ? Ça m'étonne beaucoup. Et qu'est-ce que tu écris ?

— Oh, tout ce qui me passe par la tête. Elle lui jeta un regard oblique. J'écris des choses très sérieuses : ma dernière robe, mes nouvelles chaussures, mon tour de taille. Mes rêves, aussi. Mon futur mari : je lui consacre des pages entières, comme toutes les filles de mon âge.

— Ah bon ?

Acland, qui n'en croyait pas un mot, lui adressa un regard indolent.

— Et quoi d'autre ? poursuivit-il.

— La famille. J'écris beaucoup sur la famille. Ce que Steenie a dit. Ce que Freddie veut pour son anniversaire. Francis et ses photographies. Son mariage avec Jane, qui a encore été reporté... Parfois sur toi aussi.

— Et qu'est-ce que tu écris sur moi ?

— Eh bien... Je parle de ta progression dans le monde, des livres que tu lis et des commentaires que tu en fais. Des gens que tu admires et des autres. Et puis je te décris, bien sûr. Je dis que tu me rappelles Shelley. Tu lui ressembles, tu sais ?

— Mais non ! C'est stupide.

Il savait pertinemment que c'était faux mais n'en était pas moins flatté.

— Je parie que tu n'as jamais rien lu de Shelley, reprit-il.

— Bon, d'accord. Je n'écris peut-être pas cela. J'écris peut-être... que tu as changé.

La voix de Constance avait soudain perdu tout dédain. Elle lui lança un nouveau regard oblique. Acland se mit à arracher des touffes d'herbe et dit d'une voix douce :

– Oh, j'ai donc changé?

– Mais bien sûr! Tu as quitté Oxford maintenant. Tu es l'homme qui monte. C'est ce que tout le monde dit, en tout cas.

– Et tu y crois, toi, à ce que tout le monde dit?

– Bien sûr. Je donnerais ma vie pour une rumeur. Acland le fêtard, l'enfant chéri de Balliol. Et...

– Et quoi?

– Je fais mes propres observations. Je note tout. Evidemment, quelquefois ce que je découvre ne correspond pas à ta réputation...

– Quoi, par exemple?

– Ah! Tu m'écoutes maintenant! Ce que vous pouvez être égoïstes, vous les hommes. Vous voulez toujours savoir ce que les femmes pensent de vous. Très bien! Je vais te le dire. J'écris que tu es plus âgé, moins impétueux, moins rebelle.

– C'est d'une tristesse! Je ressemble à un banquier.

– Je veux dire par là que tu t'opposes moins à moi. Tu as fait une sorte de trêve.

– Une trêve? C'est comme ça que tu vois les choses? Mais ce n'est qu'un repli stratégique. Se battre est épuisant. Du reste, toi aussi tu as changé. Tu es un peu moins odieuse qu'avant.

– Merci du compliment.

– Tu t'es améliorée. Tu admettras qu'il y avait de quoi faire.

– Oh oui! et cela ne fait que commencer. Tu n'as encore rien vu. Je suis tout à fait capable de faire mon autocritique et de m'améliorer. Tu vas voir, Acland : je vais me polir et m'aiguiser jusqu'à friser la perfection. Elle fit une pause. Mais ne change pas le sujet de conversation. On parlait de toi. J'ai oublié le principal.

– Ah! Et qu'est-ce que c'est?

Constance sourit.

– Jenna.

Acland se leva et s'éloigna. Il était furieux contre Constance. Il aurait voulu la gifler pour sa façon d'épier les gens, sa précocité, sa façon provocante de passer d'une attitude de jeune femme à celle d'une jeune fille. Ses paroles l'avaient piqué au vif, surtout parce qu'elles étaient vérité. S'il avait changé, c'était à cause de Jenna et de la fin de leur liaison.

Constance avait repris son cahier. Décidément, elle en savait trop.

Non seulement elle n'ignorait rien d'une liaison secrète qui était terminée depuis plus de deux ans, mais en plus elle avait remarqué qu'il avait changé. En pire, sûrement, depuis la fin misérable de sa liaison.

Il était parti pour Oxford débordant d'amour et de promesses : une fidélité, un amour éternels. Mais cet état d'esprit n'avait pas tenu trois mois. Jenna avait été purement et simplement effacée. Il l'avait perdue de vue

197

derrière une montagne de nouveaux amis, de nouveaux défis intellectuels, de nouveaux horizons, de nouveaux livres. A son premier retour à Winterscombe, il doutait déjà de lui et se sentait coupable. Il avait retrouvé une Jenna inchangée et pourtant méconnaissable.

Il s'était aperçu qu'elle n'était que mignonne alors qu'il la croyait belle. Ses mains rougeaudes, ses doigts calleux lui faisaient maintenant honte, de même que son accent et son lent débit de parole typiques du Wiltshire. Bref, tout ce qu'il avait adoré chez elle était devenu source d'irritation. Il avait désormais la tête pleine d'idées nouvelles, d'amis nouveaux, de livres nouveaux, dont il ne pouvait discuter avec elle.

Sa trahison le remplissait d'une honte provoquant en lui un sentiment de culpabilité qui érodait son désir. Il s'était aperçu avec amertume que ni l'amour ni le désir physique n'étaient immortels, qu'ils pouvaient s'évanouir du jour au lendemain.

Jenna, qui avait certainement perçu ce changement avant lui, ne lui fit aucun reproche. D'un air résigné, expliquant clairement la situation par des truismes crispants, elle lui avait dit qu'elle savait que tout était fini entre eux, que c'était sans doute mieux ainsi, qu'elle s'y ferait avec le temps et qu'il n'avait rien à se reprocher.

Tandis qu'elle parlait, il y avait dans ses yeux un regard qui inspirait de la honte à Acland. Il se sentait superficiel, libertin, irresponsable, snob, et pourtant, au moment où il se méprisait le plus, il se sentait soulagé.

Ego Farrel qui, au plus grand étonnement de tous tellement ils étaient dissemblables, était son meilleur ami, disait que par manque d'expérience Acland avait confondu amour et sexe : il aimait non pas Jenna mais l'image qu'il se faisait de la femme. Il entendait par là, avec sa façon sèche, qu'Acland devait profiter de cette expérience et que se faire des reproches ne servait à rien puisque sa liaison lui avait permis de mûrir.

Acland admettait l'argument mais conservait un fond de culpabilité et de dégoût de soi. A Oxford, tout comme maintenant à la lisière du bois de bouleaux, il avait estimé qu'évoluer de cette façon pouvait aussi être rabaissant. N'aurait-il pas, au contraire, régressé ?

Toute la question était là. A Oxford, il avait excellé mais avait aussi appris à se méfier de l'excellence. Au moment précis où sa vivacité d'esprit, sa capacité d'abstraction lui avaient valu des lauriers, au moment même où, comme l'avait souligné Constance, son brillant avenir était tout tracé, il doutait.

Il se trouvait souillé, imparfait et décevant. « Je manque de volonté », se disait-il. Il se sentait confiné dans sa classe sociale, prisonnier de l'aisance procurée par sa naissance.

« Jenna aurait pu me libérer de tout cela », pensait-il. Et cela ne faisait que renforcer ses doutes. Il était un excellent coureur à pied, lui avait dit son principal, à Oxford. Mais qu'advenait-il des sprinters dans les courses de fond ?

— Pourquoi as-tu dit cela ?

Il s'était retourné vers Constance, qu'il dominait du regard. Celle-ci ferma son cahier et haussa les épaules.

— Sur Jenna ? Parce que c'est vrai. Tu l'as aimée. Tu la rencontrais ici. Je t'ai vu l'embrasser une fois, il y a des années. C'était un trimestre d'automne ; elle s'est mise à pleurer. Il paraît qu'elle va épouser cet horrible Jack Hennessy...

— Tu n'es qu'une vilaine petite espionne. Tu l'as toujours été.

— C'est vrai. Un autre défaut à corriger. J'y ferai attention. Merci, Acland. Et ne prends pas cet air renfrogné. Tu as peur que je cafarde ? Ne t'inquiète pas. Je sais être discrète.

— Va au diable, Constance !

Alors qu'il commençait à se retourner, elle le retint par la main.

— Ne sois pas fâché. Aide-moi à me lever. Regarde-moi dans les yeux maintenant. Tu vois ? Je n'ai pas dit ça méchamment. Tu m'as demandé en quoi tu avais changé. Je t'ai répondu, c'est tout. Oui, tu as changé. Et en mieux.

Acland hésita. Constance était tout près. Son visage était levé vers le sien.

— En mieux ?

— Bien sûr. Tu es plus fort maintenant. J'aime ça. Parfois, je me dis que je te préfère à tes frères. Mais c'est inutile de te dire ça. Tu ne me croiras pas. Tu me trouves hypocrite. C'est ce que tu as dit un jour. Elle s'arrêta. Tu le penses toujours ?

Acland baissa les yeux sur son petit visage devenu grave. Une petite goutte de sueur perlait sur sa tempe, comme une larme. Son nez l'intriguait. Ses larges pommettes plates l'intriguaient. L'abondance de sa chevelure l'intriguait. Il fut pris d'une pensée extraordinaire, irrationnelle : il n'avait qu'à se pencher de quelques centimètres pour toucher ces cheveux souples, embrasser ces lèvres entrouvertes, répondre une fois pour toutes à sa question. Etait-elle hypocrite ? Le goût de sa bouche le dirait.

Il se retourna brusquement en lâchant sa main et dit avec rudesse :

— Je retourne à la maison.

— Oh, attends-moi. Je vais avec toi.

Elle lui prit le bras. Floss cabriolant sur ses talons, elle se mit à bavarder en feignant d'ignorer le silence d'Acland : elle parla de Freddie, de son anniversaire, du pique-nique, du cadeau qu'elle lui avait acheté, de ce qu'ils allaient manger, de la photographie que Francis allait sûrement faire...

199

— Pourquoi appelles-tu Boy ainsi ? dit Acland, légèrement irrité par la sensation de s'être fait avoir. Pourquoi l'appelles-tu Francis, pour l'amour du ciel ? Personne ne l'appelle ainsi.

— C'est son prénom, non ? Alors pourquoi pas ?

Elle fit un petit bond.

— Tu as l'air de tellement y tenir.

— Bien sûr. Elle fit un autre petit bond. Francis aime ça. Tu dois avoir remarqué que...

Elle lui lâcha le bras et courut en avant, Floss aboyant derrière elle. La distance se creusa entre eux. Soupçonnant qu'elle voulait le faire courir après elle, Acland ralentit son pas.

Ils étaient arrivés au bord de la pelouse. Acland s'arrêta. Constance continuait à courir sans se retourner. De loin, elle faisait très enfant, une minuscule silhouette légère, une tache bleue.

Sur la terrasse, la famille se rassemblait. Comme un éclair, Constance courut jusqu'à Boy qui fut la proie d'une exubérance folâtre. D'après Acland, Constance aimait ce jeu. Lorsqu'elle s'élança vers lui, Boy émit un cri d'enchantement. Il l'attrapa au vol, la fit tourner autour de lui en un cercle bleu puis la reposa par terre. C'était le genre de jeu enfantin dont un oncle pouvait gratifier une petite fille. A ceci près que Boy n'était pas l'oncle de Constance et que celle-ci, toujours d'après Acland, n'était plus une petite fille !

De la bordure de la pelouse, il fixait le spectacle. Boy se ridiculisait devant tout le monde. Constance faisait ce qu'elle voulait de lui.

« Hypocrite », se dit-il.

Le pique-nique commença par une photographie.

Voici comment Boy disposa ses personnages : au centre de la rangée de derrière, Denton et Gwen entourant Freddie, l'invité d'honneur, Acland et Steenie de part et d'autre de leurs parents, Maud à côté de l'un et Jane Conyngham à côté de l'autre. Il y avait deux autres hommes à placer : Ego Farrell, et James Dunbar, un officier avec lequel Boy s'était lié d'amitié à Sandhurst.

Héritier d'une des plus grandes propriétés d'Ecosse et être apparemment dépourvu de tout sens de l'humour, Dunbar portait un monocle. Farrell fut placé près de Jane et Dunbar près de Maud : pour améliorer la composition du tableau, les deux hommes mirent un genou à terre. Maud s'empressa d'abriter le visage de Dunbar sous son ombrelle.

Montague Stern étant resté dans la maison pour attendre les informations, le tableau était presque complet. Seul un dernier personnage manquait encore : Constance.

Boy s'activait. Maud se plaignait d'avoir le soleil dans les yeux. Freddie, impatient d'ouvrir ses cadeaux, protestait contre l'attente. Constance apparut enfin, se précipita pour s'asseoir au milieu du groupe, devant Freddie.

Freddie étant grand et Constance petite, cela convenait parfaitement. Boy disparut sous la bâche de l'appareil.

– Souriez! ordonna-t-il, une main dressée, prête à presser la poire.

Tout le monde sourit. Freddie, se penchant, posa ses mains sur les épaules de Constance. Celle-ci, s'inclinant légèrement en arrière, lui murmura quelque chose. Freddie se mit à rire. Boy sortit la tête.

– Je n'y arriverai jamais si vous parlez.

– Désolée, Francis.

Boy retourna dans sa cachette et pressa la poire. Le Videx se mit à ronronner. C'était fait. La photo sépia est dans l'un des vieux albums : c'est la seule que j'ai trouvée de Constance avec ma famille à Winterscombe.

Constance tient son petit Floss dans les bras et regarde droit dans l'objectif. Ses cheveux flottent, ses doigts sont couverts de bagues. Elle adorait être prise en photo. Elle disait toujours qu'on pouvait connaître la personnalité de quelqu'un en le regardant sur une photo.

Freddie aimait les cadeaux et trouvait agréable d'être pour une fois le centre d'intérêt. Lorsque Boy commença à déballer le pique-nique, Freddie avait à côté de lui toute une pile de cadeaux formidables. Celui de Constance, le dernier qu'il ait ouvert, était autour de son cou : une cravate flamboyante en soie de Paisley – tout à fait le genre de cravate que Sir Montague aurait pu lui envier. Freddie la regardait avec scepticisme.

– Ne t'en fais pas, lui murmura Constance, c'est ton cadeau officiel. Je te donnerai le vrai plus tard...

Ces mots trottèrent dans l'esprit de Freddie, comme Constance l'avait probablement prévu. « Vrai cadeau », « plus tard ».

– Constance, dit Boy d'une voix dure, poulet ou saumon ?

Il lui adressa un regard aussi sévère que s'il attendait d'elle un choix sérieux et moral entre le bien et le mal, le salut et la damnation.

– Du saumon, s'il te plaît, Francis, répondit-elle distraitement en se retirant à l'ombre des bouleaux.

Il faisait horriblement chaud. L'air était humide. Il n'y avait aucune ride sur la surface du lac. Freddie dévora à belles dents ce qui composait le menu habituel des pique-nique de Winterscombe : des œufs de mouette, du saumon poché, du poulet froid dont la gelée fondait à vue d'œil. Il partagea avec son père un sandwich à la viande froide, avala des framboises puis une tranche de gâteau aux pommes et arrosa le tout de champagne rosé. Repu, il baissa son panama sur ses yeux et s'adossa au banc. Une délicieuse somnolence s'empara de lui.

Avant le pique-nique, Acland avait pris chacun des participants à part : il fallait à tout prix éviter le sujet de la guerre pour ne pas contrarier sa mère. Bien que tout le monde eût ce sujet en tête, chacun joua le jeu jusqu'au bout et n'en fit pas mention. Freddie, à moitié endormi, écoutait les conversations d'une oreille distraite. Son père parlait d'Ecosse et de saumon, Gwen et Maud de chiffons, Acland et Jane d'un livre qu'ils avaient lu tous les deux et Steenie commentait le portrait de famille qu'il était en train de dessiner. Freddie ferma les yeux à demi. Le fusain de Steenie courait sur le papier. Les paroles de Constance trottaient dans sa tête. A travers ses paupières mi-closes, il l'aperçut en train de minauder auprès de James Dunbar.

Cet ami de Boy ne présentait pas un grand intérêt mais il en fallait plus pour décourager Constance. Elle aimait tester son charme sur les plus irréductibles, se disait parfois Freddie. Et elle le faisait avec une habile persévérance, comme un pianiste en herbe répétant ses gammes.

Après avoir un instant contemplé lui aussi la scène, Boy ramassa de petites branches et se mit à les tailler. Ensuite, il commença à les lancer à Floss pour le faire courir. Le chien n'était pas obéissant et n'avait aucun des instincts du retriever : une fois qu'il avait attrapé les bâtons, il refusait de les rapporter à Boy. Il sautait dessus, jouait avec et les mordillait.

Constance se pencha et tapa sur la main de Boy.

— Francis, ne fais pas ça. Je te l'ai déjà dit cent fois. Il va mâcher l'écorce et se rendre malade.

— Désolé.

Boy sembla ignorer la sévérité de la réprimande et Constance reprit avec Dunbar une conversation qui tournait à l'inquisition.

— Dites-moi, dit-elle en posant une petite main baguée sur sa manche. Etes-vous un bon soldat ? Et Boy ? Que faut-il pour faire d'un homme un bon soldat ?

Dunbar tripota son monocle. Il avait l'air perplexe. De toute évidence, il ne s'était jamais posé la question. Il lança un regard vers Gwen puis, estimant qu'elle était hors de portée de voix, se risqua à répondre :

— Eh bien. Il se racla la gorge. Le courage, bien entendu.

— Oh! j'étais sûre que vous alliez dire cela. Mais soyez un peu plus précis. Je suis une femme, et les femmes n'y entendent pas grand-chose au courage des hommes. Le nôtre est si différent, voyez-vous. Qu'est-ce qui rend un homme courageux ? L'audace ? La stupidité ?

Dunbar prit un air dérouté. Acland sourit dans son coin. Boy, Constance lui tournant le dos, envoya un bâton encore plus gros vers le chien.

— Non, pas la stupidité, poursuivit Constance. Elle eut un sourire de jubilation. C'est pas le mot exact. Je me demande pourquoi j'ai dit cela. Le manque d'imagination, voulais-je dire. J'ai toujours pensé que les grands héros devaient manquer d'imagination. Ils doivent refuser d'imaginer le pire : la douleur, la défaite, la mort. C'est de là qu'ils tirent leur force. Vous ne croyez pas ?

Lorsqu'elle prononça le mot « force », Freddie remarqua qu'elle posa à nouveau sa main sur la manche de Dunbar. Celui-ci avait l'air perdu. Il tiraillait le cordon de son monocle et laissa échapper un soupir sonore. Si l'argument de Constance qui, d'après Freddie visait Acland, ne l'avait pas convaincu, son regard, en revanche, avait été très persuasif : Dunbar émit quelques sons puis capitula.

Freddie sourit intérieurement. Il savait pertinemment que Constance méprisait totalement Dunbar, qu'elle avait surnommé le « soldat de plomb ». Il vit Boy lancer un autre bâton et Floss courir après puis ferma les yeux et se laissa aller.

Les mots tourbillonnaient autour de lui. « Le fait est, disait son père d'un ton affligé, qu'ils fraient n'importe où. Vous leur fournissez les conditions idéales et que font vos saumons ? Ils remontent dans la rivière de Dunbar, voilà ce qu'ils font... »

— Je crois que je préfère chez M. Worth, Gwen. J'y ai vu la semaine dernière l'ensemble le plus charmant qui soit. Montague l'aurait adoré.

— C'est un livre parfait.

— Qu'est-ce que la perfection ?

— Un livre peut être parfait. Pendant qu'on le lit.

— La femme est le sexe faible. Je n'en ai jamais douté, disait Constance, qui n'en croyait pas un mot. Une femme attend de son mari la même chose que de son père. Il doit la protéger, après tout...

— Car, voyez-vous, le saumon est une créature contrariante. Je me dis parfois que je ferais mieux de ne m'occuper que de truites et d'oublier ces satanés saumons...

— Un petit passepoil et, sur la jupe, la plus ravissante broderie qui soit.

Freddie soupira d'aise. Une vision embrouillée flottait dans son inconscient : des saumons en robe de bal, des rivières de livres. Il se vit accrocher une nouvelle mouche au bout de sa ligne et s'entendit dire tout haut, avec une certaine autorité, qu'avec cette mouche il allait repêcher les livres. Et le voilà en cuissardes dans l'eau tourbillonnante, attrapant un volume avec son appât – un livre que Constance lisait la veille – une belle prise de quinze livres au bas mot, avec laquelle il commença à lutter...

— Floss !

Ce cri de détresse éveilla instantanément Freddie. Il se redressa en clignant des yeux.

Tante Maud avait bondi sur ses pieds et se tordait les mains. Acland se mettait debout. Constance courait vers les roseaux dans un nuage de jupes bleues.

– Boy, c'est votre faute, dit Jane. Constance vous avait prévenu.

– Ce n'était qu'un jeu, répondit Boy en achoppant sur le « j ».

– C'était un jeu stupide. Constance, tout va bien ? Que s'est-il passé ?

Freddie se leva. Constance avait atteint la rangée de roseaux. Il la vit se pencher et ramasser son chien. Floss tressaillait et se tortillait dans tous les sens.

– Il n'arrive plus à respirer.

Le visage de Constance était d'un blanc cireux. Elle était désespérée.

– Je te l'avais dit, Francis. Quelque chose est coincé dans sa gorge. Oh, aidez-moi. Que quelqu'un m'aide, vite...

Floss avait des sortes de haut-le-cœur. Un tremblement parcourut tout son corps, de la truffe à la queue. Il eut un soubresaut et ouvrit sa gueule comme pour bâiller. Ses pattes battirent l'air et il retomba, inanimé. Constance poussa un gémissement, s'agrippa à son chien et se pencha sur lui comme pour protéger son agonie des regards indiscrets.

– Tiens-le tranquille !

Acland poussa Freddie, s'agenouilla près de Constance et attrapa le museau de l'animal. Floss se rebiffa d'un mouvement si violent que Constance faillit le lâcher.

– Tiens-le tranquille, je te dis !

– Je ne peux pas. Il a peur. Du calme, Floss, du calme...

– Enfin, Constance ! Tiens-lui la tête. Voilà.

Acland obligea l'animal à relever la tête, écarta ses crocs et plongea un doigt dans sa gorge. Du sang et de la salive coulèrent le long de son bras. D'un mouvement sec, il retira sa main renfermant un bout de bois de quelques centimètres. Floss tressaillit, se secoua et se décida enfin à respirer. Il aspira de l'air, se lécha le museau, fit un petit bond héroïque et mordit Acland. Cela fait, il récupéra instantanément. Requinqué par les soupirs de soulagement et les paroles d'affection, conscient d'être une fois de plus le centre de toutes les attentions, il se sentit tout revigoré. Il gratifia Constance de quelques coups de pattes, renifla sa main puis se mit à batifoler au milieu du groupe en dressant sa fine queue. C'est à cet instant, Floss hors de danger, que Sir Montague Stern rejoignit le groupe.

Sa présence passa un certain temps inaperçue et personne ne saisit immédiatement l'expression de son visage. Tout le groupe se tourna vers lui et l'assaillit de questions. En était-il certain ? Comment savait-il ?

Guerre, guerre, guerre : le mot tabou avait fini par être prononcé. Il passa de bouche en bouche, se propageant comme une langue de feu.

Tous les yeux se tournèrent vers Stern, à l'exception de ceux de Freddie qui continuait à observer Constance. Il fut donc le seul à remarquer la scène qui suivit.

Malgré l'air catastrophé de Stern et les mauvaises nouvelles qu'il apportait, ni Constance ni Acland n'avaient bougé. Ils étaient toujours à genoux, face à face, Floss reniflant et haletant à leur gauche. Ils se regardaient.

Acland dit quelque chose que Freddie ne put saisir. Il n'entendit pas non plus la réponse de Constance. Celle-ci tendit la main et prit celle d'Acland que Floss venait de mordre. La morsure n'était pas très profonde mais on distinguait des marques de dents en demi-cercle. La peau n'était pas entamée.

Constance souleva la main d'Acland vers son visage, se pencha et appuya ses lèvres à l'endroit de la morsure. Ses cheveux tombèrent en avant et firent un écran.

Tout d'abord, Acland ne bougea pas. Puis, lentement, il leva sa main, l'approcha des cheveux de Constance et la posa dessus.

Ils restèrent ainsi, comme tétanisés, sourds, aveugles, indifférents au lac, au soleil, au groupe familial, aux cris et aux exclamations. Le calme de ces deux personnes habituellement en perpétuel mouvement, était sidérant. Il eut envie de les interrompre mais se retint.

En retournant vers la maison quelques minutes plus tard, Freddie se sentait mal à l'aise. Quelque chose le gênait, il avait un sentiment de malaise confus et prégnant. Acland marchait devant, tenant par la taille sa mère en larmes. Freddie fermait la marche en fixant le ciel. Constance le rattrapa, Floss bondissant à ses pieds, et lui prit le bras.

— Nous savions que cela arriverait, Freddie, dit-elle d'une voix douce. C'était une question de temps...

— Quoi donc ?

— La guerre, bien sûr.

Elle allongea le pas. Les nouvelles semblaient curieusement lui avoir remonté le moral. Elle pressa le bras de Freddie.

— Ne sois pas triste. N'oublie pas le cadeau que je vais te donner plus tard.

— Quand ? demanda Freddie avec impatience.

— Après le dîner, répondit-elle en lâchant son bras.

Elle rejeta ses cheveux en arrière puis se mit presque à courir. Freddie la suivit sans accélérer, l'esprit complètement embrouillé. La guerre ; le cadeau. La guerre ; Constance.

– Qu'allez-vous faire, Acland et Farrell ? Attendre d'être appelés ou vous porter volontaires ?

En train de se couper une tranche de rôti, Dunbar jeta un regard circulaire sur la tablée. Après l'interdiction de l'après-midi, il était enfin soulagé de pouvoir parler de la guerre.

– Je n'ai pas encore pris de décision, répondit Ego Farrell en détournant son regard.

– Vous allez vous porter volontaires tous les deux. N'est-ce pas, Boy ? Finalement, si tout est terminé à Noël il n'y aura peut-être pas conscription.

– Je conseille la patience, intervint Sir Montague Stern. Vous êtes un peu trop optimiste, Dunbar. Les choses peuvent traîner en longueur, vous savez.

– Vraiment, Monsieur ? Est-ce ce qu'on dit dans la City ?

La voix de Dunbar frisait l'insolence. Par le mot « City », il entendait les bailleurs de fonds et par bailleurs de fonds les Juifs. En d'autres termes, sa remarque visait à remettre Montague Stern à sa place, c'est-à-dire à une autre table que celle-ci. S'il était vrai que certains Juifs éminents, dont Stern, avaient accès à la haute société londonienne et étaient parfois invités à des réceptions comme celle-ci, Dunbar semblait suggérer qu'en Ecosse, chez lui, c'eût été hors de question.

– Dans la City ?

Habitué à ce genre d'insinuation, Stern ne se laissa pas démonter.

– Non. A Downing Street. La semaine dernière, reprit-il.

Il était rare qu'il fasse allusion à son influence ou à ses relations. Il l'était encore plus qu'il remette à leur place ceux qui s'en prenaient à lui. Un lourd silence tomba. Steenie, qui détestait Dunbar, jubilait. Constance, qui admirait le sang-froid de Stern, lui lança un regard approbateur. Dunbar devint rouge écarlate. Maud, ne supportant pas les manques d'égards envers son amant, fut prompte à intervenir. Contrairement à Dunbar, elle avait remarqué que ses allusions étaient désagréables à Gwen.

– Mon cher Monty, dit-elle avec légèreté. Vous avez souvent raison mais vous êtes un pessimiste invétéré. Personnellement, j'ai une confiance sans bornes en notre Ministère des Affaires étrangères, surtout maintenant qu'Acland va y entrer. A mon avis, tout cela sera résolu par la voie diplomatique. Il n'y aura peut-être aucune bataille. Le Kaiser, j'en suis certaine, est un homme de raison. Lorsqu'il aura compris dans quoi il se lance – n'oubliez pas la marine britannique – il fera machine arrière. Ces vaillants Belges sont des gens très bien. Nous ne pouvons certes pas rester sans rien faire pendant qu'ils se font envahir, mais, à y regarder de près, de quoi retourne-t-il exactement ? D'un certain nombre de pays des Balkans, que je serais bien incapable de citer ou de placer sur une carte. Sans compter que j'ai appris la semaine dernière, de source très sûre, chez cette chère Lady Cunard, que...

A l'autre extrémité de la table, Gwen scrutait les visages de ses fils. A part Steenie, tous étaient en âge de se battre. Même Freddie, qu'elle considérait toujours comme un petit garçon et qui venait de quitter l'école. Elle poussa de côté son assiette, à laquelle elle n'avait pas touché. Le pire était de devoir garder ses craintes pour elle ; les exprimer passerait à la fois pour de la lâcheté et un manque de patriotisme. Elle s'était déjà mal conduite en pleurant. Toute autre expression de ses sentiments mettrait Denton en colère et ferait honte à ses fils.

Tandis que la conversation se poursuivait, elle tenta d'élaborer un plan d'avenir. Denton ne serait d'aucune aide, elle en était persuadée. Il était favorable à la guerre et serait fier que ses fils aillent se battre. De toute façon, il avait près de soixante-dix ans. C'était un vieillard. Elle regarda son mari, dont la main tremblait en portant la nourriture à sa bouche. Pauvre Denton ! Toute ardeur l'avait quitté. Ses accès de rage se faisaient de plus en plus rares et, depuis deux ans, elle sentait revivre ses sentiments envers lui.

Pour une raison qu'elle n'arrivait pas à comprendre, la mort de Shawcross, ce terrible accident, avait marqué un tournant dans la vie de son mari. Avant, il était irascible et vigoureux ; depuis, il était un vieil homme.

La guerre ranimerait peut-être un peu sa flamme mais cela ne durerait pas. Dans quelques jours, il retournerait à la vie tranquille qui était désormais la sienne. Les jours s'écouleraient et il recommencerait, comme il le faisait fréquemment maintenant, à parler du passé lointain. Ses souvenirs d'enfance étaient encore très vifs alors que, de plus en plus, il oubliait les événements de la veille. Les noms, les dates, lui échappaient. Et ces trous de mémoire soudains et imprévisibles, au lieu de l'enrager comme avant, le laissaient curieusement indifférent.

De plus en plus souvent, il cherchait du réconfort auprès de Gwen. « Parle-moi, Gwennie », disait-il parfois, un soir qu'ils étaient seuls. Ou : « Chante-moi quelque chose, Gwennie. Une de ces vieilles chansons. Tu as une voix si douce ».

Gwen prit une gorgée de vin. Grâce à Maud, la conversation avait dévié sur un autre sujet. Elle sentit un peu de courage revenir en elle. « Nos amis, se dit-elle, nos amis dans la politique, dans les forces armées ». Voilà qui l'aiderait : des amis qui, à sa demande, tireraient des ficelles et ouvriraient des portes.

Il fallait obtenir pour Boy un poste d'état-major – comme adjudant, peut-être – loin du front. Quant à Acland, il avait réussi le très difficile examen d'aptitude au service civil et devait prendre prochainement son poste au Ministère des Affaires étrangères. Une brillante carrière se présentait devant lui. Gwen le voyait déjà ambassadeur. Les Affaires étrangères : occupant une place aussi cruciale, si l'on en venait à la conscription, il serait peut-être exempté. « Pas si difficile à obtenir », se dit Gwen. Restait Freddie. Elle décida qu'il aurait quelque problème de santé, faiblesse cardiaque ou pieds plats. Et avec l'aide de quelques médecins complaisants...

Ces projets lui remontèrent le moral. Elle devait entamer cette campagne dès après le dîner. Inutile de reporter : elle commencerait par Maud et Montague Stern.

Jetant un œil sur Stern, qui portait ce soir un de ses gilets flamboyants vert jade rebrodé d'or – que Constance avait regardé avec convoitise – elle envia un instant Maud. Il fallait admettre que sa vie était transformée depuis l'apparition de Sir Montague. En évitant habilement le scandale, elle avait fait sortir de sa vie son prince italien et était maintenant à l'abri des dettes, des voyages incessants, de l'insécurité permanente et d'une succession de maîtresses plus jeunes qu'elle. Stern lui avait offert à Londres un splendide appartement dominant Hyde Park. Elle s'habillait chez les meilleurs couturiers de Paris et, mois après mois, se bâtissait une solide réputation d'hôtesse. A ses réceptions londoniennes, où Gwen se faisait souvent l'effet d'une péquenaude, elle invitait le haut du panier : des têtes couronnées britanniques et européennes, des maharajahs, de riches Américains avec lesquels Stern était en affaires, des célébrités du monde de la musique, de la littérature, de l'opéra, de la peinture et de la danse.

Maud donnait des réceptions pour le Ballet Russe, invitait Diaghilev à prendre le thé et se montrait à Covent Garden, dont Stern lui expliquait toutes les intrigues. L'artiste Augustius John venait d'achever son portrait. Maud jubilait : elle était en passe de devenir la première rivale de la doyenne des hôtesses, Lady Cunard.

Gwen était éblouie par un tel triomphe. Elle n'était pas envieuse du succès de Maud car elle l'aimait pour son cœur sincère et son esprit astucieux. Mais de temps à autre, elle se sentait un peu mélancolique en regardant sa belle-sœur. Et pourtant, celle-ci était plus âgée qu'elle : elle avait beau le cacher, d'après Denton, elle approchait la cinquantaine. A quarante-sept ou quarante-huit ans, elle avait à ses côtés un homme sage, fiable, considéré et discret, plus jeune, énergique, actif et vigoureux. Il était en quelque sorte à la fois un amant et un ami alors que Gwen passait ses journées en compagnie d'un vieillard qu'elle protégeait comme un fils.

Parfois, elle aurait aimé avoir un homme sur lequel elle pourrait se reposer, qui l'embrasserait et qu'elle étreindrait. Tout compte fait, non. De toute façon, Shawcross l'avait guérie des gestes de démonstration. Cette époque-là était révolue : à quarante-deux ans, elle avait le sentiment

208

d'avoir dépassé le sommet d'une colline et entamé la descente en pente douce de l'autre versant. Au fond de son cœur, elle n'en éprouvait aucune amertume. Cette pente-là était reposante. Lorsqu'elle y songeait, elle était satisfaite. Après tout, contrairement à Maud, elle était mère : sa vie était accomplie.

« Mes fils chéris, se dit-elle, en incluant à demi Denton dans ce groupe. Ma très chère famille. »

– Infirmière!

La voix claire de Jane Conyngham interrompit ses pensées.

– Infirmière, répéta-t-elle. Je vais commencer tout de suite. Je me suis renseignée il y a quelques mois. L'hôpital Guy me prendra, je pense.

– Moi, je vais tricoter, s'exclama Constance en jetant un regard de sainte nitouche vers Montague Stern. Enfin, je ne sais pas encore mais je vais apprendre. Je vais tricoter tout le temps. Des passe-montagne, des gilets en laine, des petites gibernes et des ceintures. Que pensez-vous de mon idée, Sir Montague? Je veux dire, pour une femme?

Assis à côté d'elle, Stern sourit. Il avait décelé dans sa voix une dérision visant Jane.

– Excellente, répliqua-t-il. Bien que difficile à réaliser en ce qui vous concerne, Constance.

– Enfin, il faut que je fasse quelque chose, rougit Jane. Je ne voulais pas dire que... C'est seulement qu'infirmière...

Infirmière? Gwen fronça les sourcils. Elle aimait bien Jane mais trouvait qu'elle manquait d'à-propos. Ses fils n'auraient pas besoin d'infirmières : aucun doute là-dessus.

Elle se pencha et toucha le bras de Stern :

– Mon cher Monty, dit-elle. Pourrais-je vous dire un mot après le dîner?

– Ça va être encore long? demanda Freddie, exaspéré, tandis que derrière le paravent du salon de Constance s'élevaient cris aigus et gloussements.

– Mais non! Attends un peu, Freddie! Steenie, reste tranquille! Arrête de gigoter! Je n'y arrive pas...

Freddie grogna et se mit à arpenter la pièce. L'insistance de Constance pour que Steenie se joigne à eux l'avait contrarié. De plus, son cadeau se faisait attendre.

Mais il devait absolument cacher son irritation. S'il râlait trop, Constance se fâcherait et le priverait de cadeau en tapant du pied. Mieux valait ne pas se plaindre. Et puis, de toute façon, l'attente était toujours récompensée. « Attente », le mot favori de Constance. Résigné, Freddie se mit à fredonner et à marcher de long en large. Il alluma une cigarette et jeta un regard circulaire autour de lui.

Quelques années plus tôt, Constance était passée de la nursery à une petite succession de pièces qu'elle avait arrangées d'une façon qui le fascinait. Le salon était devenu, pour lui-même, Constance et Steenie, une sorte de quartier général. C'était là qu'ils se réfugiaient lorsque les activités des adultes menaçaient de devenir ennuyeuses. Pour Freddie, cette pièce était un élément de la clé du mystère qu'était Constance.

Lorsqu'elle s'était installée ici, la pièce avait été redécorée selon les instructions de Gwen. Celle-ci, peu intéressée par les questions de décoration, avait vaguement suggéré que la pièce devait avoir un air de fraîcheur et de féminité.

On avait donc choisi des couleurs pâles et disposé çà et là une certaine quantité de fanfreluches : des rideaux en dentelle, de petits bibelots, des petits coussins décoratifs. Tout cela avait été remanié par une main plus habile : Constance avait jeté son dévolu sur la pièce et y avait apposé son empreinte. Elle ressemblait maintenant à une roulotte de gitans ou à une tente de nomades. Constance avait recouvert les chaises de Gwen de tissu et de jetés éclatants dénichés au grenier. Elle avait tamisé la lumière des lampes avec des carrés de soie aux couleurs vives, et des bougies brûlaient en permanence. Sur le vieux paravent, derrière lequel elle était en train de conspirer avec Steenie, elle avait collé des images colorées découpées dans des revues et des cartes, ou peintes pour elle par Steenie. Près de la fenêtre se trouvait une grande cage en laiton abritant un perroquet rose fuschia. Sous cette cage étaient installés les autres animaux de Constance et Steenie, leur ménagerie : une souris blanche répondant au nom d'Ozymandias (une invention de Steenie), un poisson rouge dans son bocal, une couleuvre donnée à Constance par Cattermole. Elle adorait cette créature inoffensive et somnolente. Elle la cachait dans sa poche, la faisait s'enrouler autour de son bras et s'amusait à effrayer Maud. Elle semblait lui accorder autant d'affection qu'à Floss, mais Freddie l'acceptait bien. Il se disait parfois que Constance préférait les animaux au genre humain.

Il bâilla, tira sur sa cigarette et s'installa dans un des sièges. Il aimait cette pièce. Constance la critiquait tout le temps, bien sûr, et affirmait que si on la laissait faire elle serait toute noire, argent et rouge. Il ne la prenait pas au sérieux. Pour lui, c'était un autre exemple du goût de Constance pour les choses théâtrales. Ce trait de caractère, qu'il appréciait par ailleurs, lui faisait parfois un peu peur. Avec elle, il y avait toujours un danger : irait-elle trop loin ou, pis encore, n'irait-elle pas assez loin ?

– Ça y est ! cria Constance derrière le paravent.

Petite bagarre, nouveaux rires puis Constance et Steenie daignèrent enfin paraître. Freddie se raidit, cligna des yeux et resta sans voix tandis que Constance surveillait attentivement sa réaction.

Les deux enfants avaient échangé leurs vêtements. Constance était habillée en garçon : Steenie étant plus grand qu'elle et très mince, sa chemise empesée et son pantalon noir du soir lui seyaient très bien. Freddie n'avait encore jamais vu de femme en pantalon. Il regardait, fasciné, les fines jambes de Constance, ses hanches étroites et, tandis qu'elle pirouettait devant lui, ses fesses insolentes et érotiques.

A côté d'elle, Steenie émit un soupir langoureux et battit des cils. Il était hideux dans la robe vert foncé de Constance qu'il avait rembourrée à la hauteur des seins. Il s'était couvert les doigts de bagues et peinturluré les lèvres et les joues de rouge. Ses cheveux mi-longs étaient remontés en une sorte de brioche à la base de son cou et son nez était chaussé de petites lunettes de lecture rondes. Il jetait des œillades à Freddie effaré et se déhanchait lascivement. Constance lui lança un regard réprobateur.

— Steenie en fait trop. Comme d'habitude. Je lui ai dit que le rembourrage était superflu ; Jane est plate comme une planche à repasser. Et quant au maquillage : est-ce que tu l'as jamais vue avec la moindre trace de maquillage ? Tu as vraiment l'air d'une tapette, Steenie.

— Toi aussi tu as triché, repartit Steenie, pas le moins du monde affecté par cette critique. Tu ne ressembles pas du tout à Boy. Il est lourd et plutôt corpulent, sans vouloir être méchant. Carré, en tout cas. Je t'avais dit de mettre un coussin pour que ce soit plus convaincant.

— Calme-toi, Steenie ! Arrête maintenant !

Constance se tourna vers Freddie d'un geste magistral.

— Et maintenant, ce soir, devant vos yeux émerveillés et pour une représentation unique, nous vous présentons un moment solennel et historique... Il s'agit de la fameuse scène des fiançailles entre l'Honorable Boy Cavendish et Mlle Jane Conyngham, riche héritière de notre vénéré voisin. Pour votre plus grand plaisir, nous allons vous interpréter « La nuit de la grande comète ». La scène se passe, nous sommes désolés du manque d'imagination de Boy, dans le belvédère de Winterscombe...

Constance se tourna vers Steenie qui mit ses mains sur ses seins avec affectation. Elle se composa une attitude et, sous les yeux ahuris de Freddie, se transforma : elle n'était pas assez grande, bien sûr, elle était trop mince et avait encore l'air d'une fille mais, comme par magie, elle était devenue Boy. Elle avait pris sa démarche raide, les pieds légèrement écartés, son torse bombé et ses épaules carrées, ses mains malhabiles. Freddie avait devant lui son frère, dont la gaucherie, les bonnes intentions, le bon cœur et la stupidité lui faisaient pitié.

Constance tomba à genoux aux pieds de Steenie et posa du côté de son cœur une main aussi inerte qu'un poisson cuit sur un plat.

— Mademoiselle Conyngham... Jane... commença-t-elle.

Sans avoir la voix profonde de Boy, elle en avait les intonations. Elle avait saisi la solennité pesante, l'insécurité sous-jacente, et même la façon dont Boy hésitait sur certaines consonnes, séquelle de son bégaiement.

– Bien entendu, j'en parlerai à votre père. Enfin, si vous voulez. Mais, en attendant, j'ai l'honneur de... Enfin, j'aimerais vous demander votre main.

Freddie écoutait son frère se noyer, lutter avec les mots et, finalement, tout juste maintenir sa tête hors de l'eau. Le jeu de Constance était hilarant. Elle poursuivit avec une calme conviction en ignorant les gestes grotesquement exagérés de Steenie. A la fin, Freddie et Steenie éclatèrent de rire.

– Mon Dieu! Ne me dites pas que... Boy est complètement ridicule. Tu es sûre, Constance?

– C'est exactement ce qu'il a dit. Mot pour mot.

Constance hocha la tête et, la représentation étant achevée, enleva le lien qui retenait ses cheveux.

– Pauvre Boy!

Freddie, toujours gloussant de rire, prit une autre cigarette.

– Je ne suis pas étonné que ç'ait été aussi catastrophique. Il ne l'aime pas, vous savez. Il est incapable de cacher ses sentiments. J'imagine son visage s'éclairer et soupirer de soulagement lorsqu'elle a insisté pour que les fiançailles soient longues.

– Oh, elle aussi était soulagée, ajouta Constance en se carrant dans un siège. Très soulagée. Elle ne l'aime pas non plus. A mon avis, ils sont fiancés pour trente ans. Et pendant tout ce temps, Jane soigne son cœur brisé...

– Cœur brisé? Jane? Comment ça?

Freddie écarquilla les yeux. Constance et Steenie échangèrent un regard de connivence.

– Allez, Freddie, tu le sais bien... dit Steenie en faisant un clin d'œil. Tu as dû le remarquer. Jane n'est pas aussi guindée qu'elle paraît. Cela fait des années qu'elle en pince pour...

Il s'arrêta exprès.

– Pour qui? Qui?

– Pour Acland, bien sûr, répondirent Steenie et Constance à l'unisson, en éclatant de rire.

Leurs rires et leurs airs de conspirateurs dégrisèrent Freddie. Son sourire s'effaça. Ce qu'ils insinuaient lui semblait impossible et absurde mais leur certitude l'impressionnait. Comme toujours dans ce genre de circonstances il se sentit exclu. A l'évidence, Steenie et Constance en avaient déjà abondamment parlé ensemble. Cela faisait partie de leurs petits secrets. Ce lien entre eux le froissait.

– Espèce d'idiots! dit-il après une courte pause. Vous avez tout inventé. Jane amoureuse d'Acland ? Je n'ai jamais rien entendu d'aussi bête. Je ne vous crois pas. Et je ne crois pas non plus à votre petit sketch. C'est une pure invention. De toute façon, comment pourriez-vous savoir ?

— Oh, Constance sait ! dit Steenie en souriant.

— Ah oui ? Elle y était, je suppose ? Elle était assise dans le belvédère quand Boy et Jane sont arrivés et elle a dit : « Ne vous occupez pas de moi. Fiancez-vous devant moi ». Foutaises ! Vous étiez tous les deux au lit dans la nursery.

— Pas exactement, dit Steenie en rigolant. N'est-ce pas, Constance ?

— Pas exactement.

Le visage de Constance se ferma.

— En d'autres mots, vous avez tout inventé, c'est bien ça ?

— Oh non ! Tout est vrai. Mot pour mot. Et Constance n'était pas au lit. Hein, Constance ?

Steenie adressa à Constance un petit sourire espiègle.

— Pas à ce moment-là, répondit-elle.

Elle détourna son regard. Elle avait l'air ennuyée. On aurait dit qu'elle en avait assez de cet interrogatoire et qu'elle aurait voulu que Steenie s'en tienne là.

— La vérité est que... poursuivit Steenie en glissant une main sous sa robe pour enlever le rembourrage, la vérité est qu'à l'époque Constance était une sale petite curieuse. La petite espionne de Winterscombe. A l'époque, bien sûr. Quand elle était petite. Plus maintenant, évidemment.

— Oh, je ne dirais pas ça ! répondit Constance. Elle se leva et croisa les yeux de Steenie. Je vois toutes sortes de choses, Steenie. Encore maintenant. Je n'y peux rien. C'est comme ça. Je vois des choses que les gens préféreraient que je ne voie pas et j'entends des choses qu'ils voudraient bien que je n'entende pas. Mais, de toute façon, ça n'a pas d'importance puisque je n'en parle jamais. Pas vrai, Steenie ?

Tout en parlant, Constance avait étendu le bras. Elle leva la main et, délibérément, passa un doigt sur le rouge à lèvres de Steenie pour en faire une traînée sur sa joue. Un silence dangereux tomba.

— Non, dit Steenie d'une voix morne. Tu es très discrète, Constance. C'est ce que nous aimons en toi. Ouh là là ! Il est tard. Je ferais mieux d'aller au lit.

Il passa derrière le paravent et les deux autres échangèrent un regard. Freddie passait d'un pied sur l'autre, conscient que l'atmosphère avait changé, mais ne sachant pas pourquoi. Il avait un sentiment inexplicable à la fois d'hostilité et de menace.

Pourtant, Constance semblait la même. Quand il la regarda, elle lui envoya un très léger baiser. Elle hocha la tête en direction de la porte et forma avec ses lèvres les mots « ton cadeau ». Aussitôt, le cœur de Freddie se mit à battre très fort. Il ressentit soudain cette douleur familière provoquée par l'attente, la lassitude et le danger.

Depuis un certain temps, Constance produisait très facilement cet effet sur lui. Depuis combien de temps ? se demanda-t-il en se dirigeant vers la porte. Et pourquoi ?

La porte se referma derrière lui. Bien élevé, il attendit sur le palier. Depuis combien de temps ? Pourquoi ? Ces questions sans réponse revenaient sans cesse.

Cela avait dû commencer après la mort du père de Constance, c'est-à-dire plus de quatre ans auparavant. Au début, ce fut d'une façon imperceptible, si furtive qu'il n'en était même pas sûr.

Pas à pas, rencontre après rencontre : il avait parfois la sensation que Constance l'avait harcelé. « Tu as trouvé le cadeau que j'ai laissé pour toi, Freddie ? La petite pomme en pâte d'amandes ? Je l'ai laissée sur ton plastron. Dans ta chambre. C'est un petit cadeau à ton intention, Freddie... » « Tu as trouvé le livre dans ta chambre, Freddie ? Celui que j'ai laissé ? Tu as vu le petit mot que j'y ai écrit ? Ne le montre à personne... » « Oh, Freddie, tu sais à quoi je pensais pendant le dîner ? Tu t'en es aperçu quand tu m'as regardée ? Je t'ai vu rougir... » « Regarde, Freddie. Je t'ai apporté un autre cadeau. Il sent mon odeur. Tu reconnais cette odeur, Freddie ? Elle est agréable, non ? »

Magie diabolique. Tous ces moments lui revenaient à l'esprit ; l'innocent et le moins innocent. Mais il n'était pas certain de leur chronologie. Avait-elle alors onze ans, douze ? Ou plus tard ? Cela s'était-il en fait déroulé plus progressivement que dans ses souvenirs ?

Il n'était sûr de rien. Tout ce qu'il savait c'était que Constance avait fait de lui son esclave. Un claquement de doigts, un regard impérieux, une inclination de la tête et elle obtenait ce qu'elle voulait de lui. Il allait partout où elle le lui ordonnait, tantôt dans les bois, tantôt dans les caves, tantôt dans l'ancienne cabane du garde-chasse, pleine de l'odeur du gibier en train de faisander, et sombre... Où encore ? Dans un nombre infini d'endroits. Un jour, à Londres, dans la chambre de sa mère, la porte à demi ouverte pour accroître le danger, ils s'étaient mirés tous les deux dans la glace de sa mère. Une fois, ici à Winterscombe, dans la Chambre du Roi. Une fois dans le belvédère. Non, deux fois. Une fois dans la bibliothèque, sous le bureau de Denton.

Et qu'avaient-ils fait dans ces endroits ? Dans la cabane sombre, devant la glace, dans le belvédère ? Pas assez à son goût, en tout cas, juste de quoi exacerber son désir.

Une allumeuse, voilà ce qu'elle était. Freddie connaissait ce terme et, une ou deux fois, en colère, avait eu envie de le lancer à la figure de Constance. Mais il savait que c'était injuste. Trop grivois, trop froid, trop évident, trop insignifiant. Constance l'allumait, oui, mais pas seulement son corps. Elle allumait aussi son esprit et son imagination et c'était de là qu'elle tirait son pouvoir.

C'était magique. Magique et diabolique.

— Dans la chambre d'Acland, lui chuchota-t-elle en le rejoignant sur le palier, vêtue de sa robe verte, ses cheveux tombant sur ses épaules décolletées. Dans la chambre d'Acland. Vite !

La chambre d'Acland ? Pour une fois, Freddie hésita et consulta sa montre. Il craignait Acland, ses sarcasmes, sa colère, sa langue acérée. Il était près de minuit. Et s'il montait ? Et s'il les découvrait ?

— Il est en bas. Il joue au billard en parlant de la guerre. On s'en fiche. Dépêche-toi, Freddie. Tu veux ton cadeau ou pas ?

Freddie voulait son cadeau plus que jamais. Son esprit était plein des possibilités qu'il annonçait. Au diable Acland ! Il pressa le pas dans le couloir. De l'aile est à l'aile ouest. En passant au-dessus du vestibule, il entendit de la musique et des voix, hésita à nouveau puis allongea le pas. Le second étage. Constance voltigeait dans l'ombre qu'il projetait devant lui. Ils se trouvaient maintenant au-dessus de la Chambre du Roi, dans le couloir où, il y a de si nombreuses années, il avait entendu les deux mystérieux cris. Il les avait oubliés depuis longtemps. Sa chambre, celle de Boy, puis celle d'Acland : devant les trois portes, Constance s'arrêta.

— Il faut d'abord que je te montre quelque chose. En vitesse.

Au grand étonnement de Freddie, elle ouvrit la porte de la chambre de Boy, alluma la lumière et sourit à Freddie par-dessus son épaule. A côté d'un grand bureau à cylindre, sous les étagères où se trouvaient les trophées d'enfance de Boy — œufs d'oiseaux, soldats de plomb peints, livres, photographies de classe — dans le coin, il y avait un grand meuble en bois à tiroirs. C'était là que Boy conservait ses photographies.

— Tu penses que je ne suis pas gentille avec Boy, n'est-ce pas ?

— Non. Enfin, pas vraiment. Tu t'entends très bien avec lui. Mais tu vas un peu loin. Boy peut être un peu rustre et lourd mais il est gentil. Il a bon caractère. Il n'a jamais rien fait pour te blesser.

— Ah bon ? Il a failli tuer mon chien aujourd'hui, tu n'as pas remarqué ? C'est peut-être toi qui es stupide, Freddie. Tu prends les gens pour ce qu'ils ont l'air d'être. Sous prétexte que Boy est ton frère, tu le respectes et prétends qu'il est toutes sortes de choses qu'il n'est pas.

— Bon ! Laisse tomber, d'accord ? Boy est mon frère, il est donc normal que ce qui le touche me concerne et que je le respecte. Et alors ? Que faisons-nous ici ? Pourquoi perdre notre temps ?

— Nous ne perdons pas notre temps, Freddie. Et je ne veux pas que tu me croies injuste. Ni envers Boy, ni envers personne. Boy n'est pas si lourdaud. C'est un artiste. Regarde !

Interloqué, Freddie attendait. Constance extirpa de sa poche une petite clé.

— Où as-tu pris ça ?

— Ne pose pas de questions. Je l'ai, c'est tout. Regarde...

Constance se pencha et ouvrit le dernier tiroir. Il était très profond : sur le devant se trouvait une pile impeccable d'enveloppes et d'albums à la reliure en cuir. Elle les poussa de côté et plongea la main au fond du tiroir. Elle farfouilla un peu puis sortit un épais paquet enveloppé dans ce qui semblait être du tissu de coton blanc.

— Qu'est-ce que c'est ?

— Ça ? Un vieux jupon à moi. Et à l'intérieur il y a des clichés. Pas les plaques, il les cache ailleurs.

— Un jupon à toi ?

— Mon jupon et mes photos. Enfin, c'est Boy qui les a prises mais elles sont toutes de moi. Et ce n'est pas le genre de photos qu'il pourrait mettre dans un album, au beau milieu du salon. Regarde !

Elle déplia le jupon, le posa à plat sur le lit et Freddie avança d'un pas hésitant. Elle lui montra les photos une par une.

Comme elle l'avait dit, tous les clichés la représentaient, mais dataient déjà d'un certain temps. On l'y voyait debout, assise, allongée, dans une grande diversité de costumes singuliers. Elle était parfois vêtue d'une fine chemise débraillée mais le plus souvent ne portait guère plus que des guenilles. Ses cheveux étaient en désordre et ses pieds toujours nus. Son maquillage était pour le moins étrange : sur certaines prises de vue son visage avait été barbouillé de boue et sur d'autres ses lèvres étaient outrageusement peintes en rouge ; elle ressemblait ainsi tantôt à un garnement, tantôt à une prostituée.

Cette impression était renforcée par les poses qu'elle avait prises. Elle s'efforçait en quelque sorte d'avoir l'air à la fois perdu et dépravé. Parfois, les guenilles ou la chemise collaient à sa peau comme si elles avaient été mouillées ; parfois une main rouée attirait l'attention sur une partie interdite de son anatomie, un mamelon, le bouton d'un sein naissant. Sur l'une des photos – Freddie retint son souffle car il n'avait jamais rien vu de tel – elle écartait les jambes. Au centre, on distinguait une fente dans la chair potelée, quelques traces de poils pubiens.

A mesure qu'il découvrait les photographies, Freddie sentit monter en lui un dégoût, mêlé, à sa grande honte, d'excitation.

216

– Ça a commencé quand j'avais dix ans et ça s'est terminé quand j'en avais presque treize. Ma poitrine avait trop poussé. Je commençais à ressembler à une femme et Boy n'aimait pas cela. Il aime les petites filles. Les petites filles pauvres. J'imagine qu'il aimerait aller dans les bas quartiers de Londres pour y photographier des petites filles. Il le fait peut-être, d'ailleurs. Il voulait que j'aie l'air pauvre et sale. Il me maquillait, enduisait mon visage de boue, ce genre de choses. Ça a commencé juste avant la mort de mon père, le soir de la comète, dans la Chambre du Roi. Quelques mois plus tard, il m'a demandé si je voulais bien recommencer. C'est parti de là. Bizarre, non ? Je crois que cela développait en lui un sentiment de culpabilité. Il m'a fait promettre de ne jamais en dire un mot. Et j'ai tenu ma langue jusqu'à maintenant. Mais j'ai pensé qu'il fallait que tu saches, Freddie. Pour que tu saches que ton frère n'est pas exactement ce qu'il paraît être.

– Mon Dieu !

Freddie s'éloigna. Il ne faisait aucun doute dans son esprit que ces clichés étaient de la pornographie, bien qu'il y trouvât une certaine tendresse et une retenue qui le troublaient. Il fit brusquement volte-face.

– Mais pourquoi, Connie ? Pourquoi as-tu accepté ? Pourquoi l'as-tu fait ?

– Et pourquoi pas ? J'étais très jeune et je n'y voyais aucun mal. Au début, en tout cas. J'aimais bien Boy. Je voulais lui faire plaisir. Et quand j'ai été assez grande pour me rendre compte que ce n'était pas normal, pas bien, nous avons arrêté. J'étais trop vieille, de toute façon.

Elle lança à Freddie un regard intense puis, avec une gentillesse inhabituelle, couvrit ses mains des siennes.

– Ce n'est rien, Freddie. Il ne m'a jamais touchée. Il ne m'a jamais... rien fait. Je ne l'aurais pas laissé faire. J'aurais su que c'était mal. Je ne laisse personne me toucher, sauf toi, parfois.

Freddie se sentit hésitant. Constance le regardait droit dans les yeux et son expression était sincère. Ses paroles le flattaient, l'excitaient, le touchaient et pourtant il n'était pas certain de la croire. Il savait d'expérience qu'elle mentait très bien.

– Freddie, je t'ai fait de la peine. Pardonne-moi.

Constance se leva, remit les photos dans le jupon et les enferma dans le tiroir. Elle prit la main de Freddie et, après avoir éteint la lumière, ferma la porte derrière eux.

Le palier était plongé dans l'obscurité et Freddie mit un certain temps à s'y faire. Constance n'était qu'une petite forme à côté de lui. Elle pressa sa main, la lâcha et s'écarta.

– Je n'aurais pas dû te montrer tout ça. Je voulais que tu saches, c'est tout. Sa voix était maintenant triste. Tu ne veux plus ton cadeau, je suppose. Tant pis. Je te l'offrirai une autre fois. Demain. Ou après-demain.

Freddie était abasourdi. Son cœur se remit à battre la chamade. Les images et les souvenirs resurgissaient dans son esprit : la petite poitrine enfantine de Constance pointant sous un vêtement mouillé, des ombres entre les cuisses, le toucher d'une main, d'une paume humide, l'odeur de la peau et de ses cheveux. Il essaya en vain de lutter contre ces réminiscences.

— Non. Non. Je veux mon cadeau maintenant, s'entendit-il dire à voix basse.

A côté de lui, quelque part dans l'obscurité, Constance soupira.

— Très bien, Freddie, dit-elle en ouvrant la porte de la chambre d'Acland.

— Regarde et attends... avait-elle ordonné.

Freddie obéissait. Une seule bougie était allumée, sur la table de chevet. Constance aimait l'ambiguïté de la lumière d'une bougie. La chambre était nue et monacale. Freddie était debout au pied du lit. Sur le plancher, un jupon affalé, un bruissement de soie verte, la robe verte ôtée.

A la lueur de la bougie, la complexion de Constance était crémeuse et son petit corps anguleux paraissait langoureux. Très lentement, elle s'étira. Dans sa main, elle tenait sa petite couleuvre qu'elle avait gardée cachée dans sa poche. Elle tint l'animal au-dessus d'elle. Il remua la tête à droite et à gauche en dardant sa langue. Doucement, elle le plaça entre ses petits seins haut placés. Elle lui caressa l'épine dorsale et il cessa de bouger. On aurait dit un collier en forme de S sur sa peau pâle.

Freddie ne savait que regarder en premier : les cheveux noirs de Constance, serpentant sur ses épaules ? Ses lèvres rouges, légèrement écartées, de sorte qu'il apercevait ses petites dents blanches et le bout rose de sa langue ? Ses seins, qu'il n'avait encore jamais vus mais qu'il avait été autorisé une ou deux fois à toucher ? Les courbes de sa taille, son ventre plat de garçon, ce mystérieux et terrifiant triangle de poils qui avaient l'air si souples mais qu'il avait trouvés drus l'unique fois où il avait été autorisé à les toucher ?

La vue de Freddie se brouilla. Regarder ne suffisait pas. Ce spectacle était-il son cadeau ? Il n'en était que plus frustré. Il tendit la main.

— Attends ! dit Constance d'une voix cassante. Attends et regarde !

Elle écarta les jambes et le serpent commença à bouger. Habituellement, il était extrêmement paresseux. Pas cette fois. Il entama un trajet complexe, s'enroula et se déroula entre les seins de Constance, rampa jusqu'à la courbe de sa gorge, se nicha au creux de ses salières. Il se mit à descendre le long de son buste, passa entre ses cuisses, à travers la toison de poils et ne s'arrêta qu'à sa cheville autour de laquelle il s'enroula à la façon d'un bracelet d'esclave.

Le visage de Constance affichait maintenant une énorme concentration. Elle grimaça, passa sa langue sur ses lèvres et en mordit le bout entre

218

ses petites dents blanches acérées. Le serpent semblant avoir élu domicile quelque part, elle commença à se caresser.

D'abord les seins, qu'elle prit dans ses mains et caressa avant d'en pincer les bouts qui se durcirent. Freddie, à qui on avait déjà raconté que cela se faisait mais qui ne l'avait jamais vu, sentit son corps s'embraser.

Ensuite, les mouvements de Constance se firent plus savants et expérimentés. Elle avait de petites mains carrées, aux ongles rongés, qui n'étaient pas la partie la plus gracieuse de son anatomie. Elle insinua sa main droite entre ses cuisses tandis que la gauche titillait machinalement le bout de son sein, comme si elle s'ennuyait. Entre ses cuisses, la main droite se mouvait prestement. Pour Freddie, cette main si petite, couverte de bagues et aux ongles rongés, ajoutait à l'érotisme de la scène.

Ne voyant pas très bien à quoi elle s'occupait, il se pencha en avant, ce qui fit grincer le lit. Il eut soudain peur d'avoir enfreint la règle et d'avoir mis fin, par sa faute, au spectacle.

Heureusement, elle eut pitié de lui. Ses paupières s'entrouvrirent et ses yeux sombres le fixèrent sans le voir. Ou peut-être appréciait-elle qu'il la regarde avec une telle attention car elle sourit.

— Ouvre la porte, susurra-t-elle.

— Quoi ?

— Ouvre la porte...

Freddie obéit. Il entendit monter d'en bas une voix prononçant le mot « guerre », puis un murmure puis « guerre » à nouveau. Freddie hésita. Et si Acland montait ? Et si Tubbs, son valet, faisait son apparition ? Et si la gouvernante de Constance, cette irritante Fräulein Erlichman, arrivait ?

Mais, à part Acland, c'était peu probable : Tubbs, qui devenait insolent et paresseux, ne viendrait que si on le sonnait et Fräulein Erlichman se retirait tôt. De plus, Freddie savait d'expérience que la peur d'être découvert renforçait le désir. Il n'hésita pas plus d'une seconde et retourna au pied du lit. Les yeux de Constance, toujours ouverts, restèrent posés sur lui tandis que, avec délicatesse et précision, elle écartait les lèvres de son sexe.

L'esprit de Freddie était incapable de s'intéresser aux détails. Il ne vit qu'une masse confuse et, plus tard, lorsqu'il tenta de se les remémorer, les détails lui échappèrent. Il poussa un grognement.

— Laisse-moi toucher. Oh, Connie, s'il te plaît, laisse-moi te caresser. Vite, vite. Quelqu'un pourrait arriver...

Constance repoussa sa main.

— Regarde et attends, dit-elle, comme à son habitude.

Terrifié à l'idée de lui désobéir, Freddie retira sa main. Il serra son poing, l'enfonça dans sa poche, et commença à se caresser. Près de lui, sur le lit d'Acland, le visage de Constance devint pâle et concentré. Sa petite main bougeait de plus en plus vite. Le doigt qui frottait était tout luisant. Freddie, qui ne comprenait pas du tout ce qu'elle faisait, frottait son sexe contre sa paume fébrile. Il se passa alors quelque chose, et même le serpent sembla sentir le danger. Le corps de Constance se souleva, l'animal s'enfuit et se lova sur l'oreiller.

Elle fléchit les genoux et décolla ses hanches du lit. Sa gorge était soulevée par des spasmes et ses yeux étaient fermés. Elle frémit, fut prise d'une secousse, puis ne bougea plus. On aurait dit une petite convulsion, juste avant de mourir. Un instant, Freddie fut terrifié. Malgré son besoin pressant de se caresser, sa main s'arrêta.

Après un court moment, Constance ouvrit les yeux. Elle essuya sa main humide sur l'édredon d'Acland et émit un profond soupir de satisfaction. Elle caressa le dos du serpent, passa le doigt sur les diamants sombres de son épine dorsale. Puis, après s'être ressaisie, elle leva les bras, les replia sous sa tête et regarda Freddie.

– Tu peux y aller maintenant, Freddie, dit-elle de la voix la plus douce qu'il lui connaissait. Je sais que tu le fais le soir dans ta chambre, après avoir fermé la porte à clé. Tu étais en train de le faire. Allez! Fais-le correctement. Je veux te voir. Je veux regarder. Tu peux le faire sur moi, si tu veux, pour ne pas salir la chambre d'Acland. S'il te plaît, Freddie, mon Freddie chéri. Je veux regarder. Maintenant!

Etait-ce là son cadeau d'anniversaire? D'abord de le laisser la regarder puis de le regarder faire? De se soulager tout de suite, d'une façon qu'il n'avait jamais imaginée possible devant une femme, et qu'il considérera plus tard comme sale, dépravée et probablement tabou – ce qui rendait l'instant encore plus merveilleux. Sans aucun doute, se dit-il, c'était bien là son cadeau d'anniversaire.

Le lendemain, il en fut moins certain. Dans l'atmosphère de guerre qui régnait dans la maison, il repensa aux événements de la veille d'un esprit plus calme. Il vit sa mère pleurer lorsque Boy et Dunbar partirent, rappelés à leur régiment. Il assista au départ des autres invités. Après avoir vécu ces déchirements, à la fin de cette longue et chaude journée oppressante, une fois Sir Montague parti lui aussi, il se retrouva seul, le dernier jeune homme restant à Winterscombe. A la tombée de la nuit, une incertitude insidieuse s'empara de lui : Constance lui avait offert son cadeau avant d'entrer dans la chambre d'Acland : c'était le paquet de photographies. Son cadeau avait été la destruction de l'image qu'il avait de son frère.

Pendant toute la journée, il avait eu du mal à croiser le regard de Boy. Il s'était montré distant au moment du départ de son frère, tout en sachant qu'il partait vers le danger et qu'ils ne se reverraient peut-être jamais. Après son départ, il s'était senti rongé par la culpabilité, le remords, la mélancolie et le dégoût. Il fut très froid avec Constance et l'évita. Il fut froid le lendemain aussi, et le surlendemain encore. Ensuite il s'aperçut que si elle avait remarqué sa froideur, elle ne semblait absolument pas affectée. Elle se comportait comme si rien ne s'était passé.

Il en fut vexé. Une étrange jalousie irréfléchie s'empara de lui. Après s'être tracassé pour son frère, puis pour lui-même et sa conduite, il se tracassa pour Constance. Le détestait-elle? L'avait-il déçue? Se retrouveraient-ils à nouveau tous les deux?

Au bout d'une semaine, après avoir attendu, sans doute, que les pensées de Freddie se retournent en sa faveur, Constance lui fixa un nouveau rendez-vous. Ensuite, elle le fit encore attendre, indécis, impatient, avant de daigner lui en accorder un autre.

Rencontre après rencontre, cachette après cachette, de l'été à l'automne, de l'automne à l'hiver. Ce fut une période singulière. Plus tard, Freddie se dit rétrospectivement que ce ne fut pas une période heureuse : les mois avaient passé, mais sans satisfaction. Autour de lui, la vie avait changé et les piliers soutenant la structure de son monde s'étaient effondrés. Boy, enchanté d'avoir été affecté dans le nord de la France, avait appelé son valet auprès de lui. Au Ministère des Affaires étrangères, à Londres, Acland effectuait un travail qui, d'après Gwen, était d'une importance nationale. Un à un, à mesure que les semaines s'écoulaient, les domestiques étaient pris par la fièvre de la guerre : Denton les encourageait à s'engager et menaçait même de congédier les indécis. A l'étonnement de Freddie, Arthur partit aussi. Jack Hennessy se fit enrôler et ses trois frères le suivirent. Tour à tour, tous les jeunes – valets, chauffeurs, jardiniers, intendants et ouvriers – en firent autant. Freddie apporta sa contribution à la dernière récolte cette année-là : il travailla dur dans les champs avec les plus âgés des hommes. La guerre, la guerre, la guerre : tous n'avaient que ce mot à la bouche. Il faisait la une de tous les journaux. Tous croyaient encore à une victoire rapide. Au petit déjeuner, on lisait les lettres du front. Boy avait l'air transporté de joie. Il attendait un poste en première ligne et avait passé un après-midi près de Chartres à observer les oiseaux.

Rien à craindre de cette guerre : pour Freddie, elle évoquait les colis de nourriture et le son des orchestres escortant les officiers de recrutement à travers les villages. Elle évoquait l'excitation et un nouveau sens du patriotisme, mais aussi, en ce qui le concernait, de la frustration et de la honte.

Car quelques semaines après la déclaration de guerre, Gwen l'avait accompagné chez un célèbre spécialiste de Harley Street recommandé par Montague Stern. Celui-ci l'examina longuement, prit sa tension avant et après l'effort – avec la désagréable impression d'être ridicule il avait dû courir sur une petite plate-forme en mouvement, avec pour seuls vêtements son tricot de corps et son caleçon. On avait pris son pouls, fait des prises de sang et on l'avait passé aux rayons X. Ce fut un examen des plus approfondis. A la fin, Gwen fut soulagée : le spécialiste avait pris un air grave.

Il était hors de question, avait-il dit, que Frederic s'engage dans l'armée et, s'il y avait conscription, il serait exempté. Il expliqua que les valves de son cœur présentaient un léger défaut. Peut-être avait-il souffert de palpitations, de moments de vertige ? C'était exact, et encore récemment, mais en des occasions qu'il ne pouvait décemment pas révéler. Il nia avoir eu quelque malaise que ce soit mais le docteur resta inflexible. Frederic avait un cœur faible. Il fallait qu'il perde du poids, qu'il fasse des exercices doux, qu'il évite tout énervement et qu'il oublie l'armée. Il en fut troublé et sa mère aussi. Elle quitta le cabinet du médecin le visage défait, et pleurait en rentrant à la maison.

Enfermé dans sa chambre le soir, Freddie se mit à gesticuler dans tous les sens, s'attendant à tomber raide mort. Rien. L'homme avait paru catégorique mais Freddie n'était pas convaincu. Tout éminent qu'il fût, le médecin avait pu se tromper.

Il pressa sa mère de lui faire subir un contre-examen par quelqu'un d'autre et tenta de lui expliquer à quel point il était pénible d'être le seul homme de sa promotion d'Eton à être encore à la maison. Gwen fit une telle crise de larmes, une scène d'une telle violence, qu'il renonça et demeura à Winterscombe. Il préférait rester dans leur propriété car les visites à Londres le rendaient nerveux : chaque fois qu'il mettait le pied dans la rue, il craignait de se faire accoster et traiter de lâche. Son obsession vis-à-vis de Constance ne cessait de croître. Celle-ci lui servait à la fois de confidente et de réconfort. Au moment de sa vie où il se sentait le moins viril, elle lui prouvait le contraire de la seule façon, d'après elle, qui comptait vraiment. Ses baisers effaçaient la guerre. Dans ses bras, s'imprégnant des odeurs de son corps, il oubliait patriotisme et lâcheté.

Les semaines passèrent comme un éclair : il connut les délices de l'esclavage, dans lequel la seule urgence était leur prochaine rencontre, les cheveux, la peau, les yeux de Constance, le murmure de sa voix, ses suggestions et ses ambiguïtés. Chaudes journées, chaudes pensées, attentes et promesses. Cet été fut une véritable fournaise.

Constance, qui expérimentait alors des techniques qu'elle allait raffiner plus tard, était une artiste en matière de sexe. Elle avait compris que les allusions, les promesses, les caprices, l'attente créaient une dépendance bien plus efficace que le passage à l'acte. Petit à petit, baiser après baiser, elle entraînait Freddie dans une passion dévorante : son corps transpirait pour elle, elle le hantait en permanence. La nuit, il rêvait d'elle. Parfois elle lui donnait plus puis, pendant des semaines, moins. Les journées de Freddie passaient comme dans un rêve. A la seconde où elle le quittait, il imaginait quelque nouveau jeu exquis.

222

Mais elle ne se laissait pas baiser. Ce mot, qu'elle employait fréquemment et sans vergogne pour l'exciter résonnait, dans la tête de Freddie, comme un coup de feu. Il ne comprenait pas pourquoi Constance, qui semblait n'avoir aucune pudeur, qu'aucun tabou sexuel n'arrêtait, qui lui apprenait toutes sortes de pratiques qu'il n'avait jamais soupçonnées, imposait cet arbitraire, cette restriction incompréhensible. Sur ce point, elle était inflexible : il pouvait obtenir tout ce qu'il voulait, sauf baiser. Puis il lui arrivait de sourire en disant : « Pas encore ».

Ce qu'elle préférait par-dessus tout, c'était prendre des risques lorsqu'un membre de la maison n'était pas loin ; la peur d'être découverte par un domestique, un jardinier ou un fermier, ce qui, depuis un certain temps, était de moins en moins probable. Freddie reconnaissait maintenant les moments où elle était le plus excitée : lorsque sa mère, son père ou l'un de ses frères était à proximité.

L'exemple le plus flagrant se produisit à Londres, dans la maison des Cavendish, à Mayfair, en janvier 1915. Avec ses parents, Steenie et Constance, ils avaient rendu visite à des amis possédant une propriété sur la côte sud. C'est là qu'il avait entendu pour la première fois le bruit terrifiant des batteries de canons de l'autre côté de la Manche. En les entendant, Gwen avait été prise d'un de ses accès de terreur et de besoin de protection : il fallait s'arrêter à Londres, avait-elle décrété ; elle ne pouvait retourner à Winterscombe sans voir Acland. On lui téléphona au Ministère et ils convinrent d'un rendez-vous à la maison pour 5 heures.

La maison des Cavendish, dans Park Street, comprenait un escalier principal en colimaçon qui menait du hall d'entrée au belvédère, quatre étages plus haut. De là, on pouvait se pencher sur la balustrade et regarder la cage d'escalier vertigineuse qui descendait jusqu'au sol de marbre du rez-de-chaussée. Freddie, qu'on avait averti dès son plus jeune âge du danger de cet escalier, en conservait une peur étrange, presque viscérale.

Juste avant 5 heures, sur l'insistance de Constance, il alla la retrouver sur le palier mal éclairé du troisième étage. A 5 heures pile, Constance se pencha contre la balustrade et Freddie se mit derrière elle, se pressant contre ses petites fesses anguleuses et si agiles. Il était dans un état de tumescence violente. Ces derniers temps, à vrai dire, la seule pensée de Constance lui provoquait une érection immédiate. Il avait glissé une main sous sa robe, d'un rouge flamboyant ce jour-là, et s'employait à dégrafer son corset. L'autre – il avait plaidé sa cause pendant des semaines avant d'y être autorisé – était sous la jupe de Constance, qui ne portait pas de culotte.

Sa main gauche empoigna les seins de Constance et se mit à les caresser tandis que la droite explorait un endroit doux et humide. Il était si excité qu'il n'entendit pas la porte de devant se refermer ni les pas dans le hall et ne s'aperçut de la présence d'Acland que lorsque Constance l'interpella.

Acland s'arrêta au pied de la cage d'escalier, leva les yeux et salua Constance. Freddie se figea, interrompit son exploration et ne bougea plus. Il se savait invisible d'en bas. Constance engagea alors avec Acland une conversation très joyeuse tout en faisant comprendre à Freddie, sans équivoque, qu'il devait poursuivre son travail.

Elle se trémoussa, se frotta contre lui et se pressa si fort sur sa main droite que, pour la première fois, il trouva la délicieuse ouverture qu'il cherchait depuis si longtemps et y enfila deux doigts. Constance frémit légèrement puis, tout en poursuivant sa conversation amicale avec Acland, effectua un mouvement de rotation pour s'empaler sur les doigts de Freddie.

Celui-ci était bien trop excité pour hésiter. Le fait de continuer sa besogne sans être vu, pendant que Constance conversait d'une voix presque normale, le rendait à la fois furieux, terriblement excité et effrayé. Un mélange de crainte, de colère et de désir : Constance savait y faire. Il s'employa à lui pincer et lui caresser les seins tout en fourrageant dans son endroit le plus intime d'où, de dessous ses jupes, il entendait des petits bruits humides : elle était toute mouillée.

– Nous avons entendu des canons, Acland. C'est le vent qui a dû pousser le bruit dans notre direction. Ils étaient très distincts...

La voix de Constance s'interrompit une fraction de seconde. Au moment où elle prononçait le dernier mot, elle atteignit l'orgasme. Freddie sentit son corps se raidir pendant une seconde puis ses doigts enfoncés en elle perçurent ses battements de cœur de l'intérieur. Elle jouissait. Pour la première fois, c'était lui qui l'avait amenée au paroxysme du plaisir car, d'habitude, elle le faisait elle-même. Parfois, par amusement, elle lui demandait même de la chronométrer. Son record était de trente secondes.

Freddie savait qu'il allait recevoir une récompense : Constance était très à cheval sur ce principe. Lorsqu'Acland, n'ayant rien soupçonné, finit par s'en aller, elle s'agenouilla, déboutonna le pantalon de Freddie et prit son pénis dans sa main. Le visage dénué d'expression, elle dit :

– Je veux que tu dises quelque chose, Freddie. Juste trois mots. Dis : « dans ta bouche ». Juste ça. Rien d'autre. D'accord ?

« Dans ta bouche ». L'esprit de Freddie s'enflamma. Elle ne lui avait encore jamais accordé cette privauté. Avec l'impression de plonger de très haut dans une eau noire, il prononça les mots magiques et Constance se mit à l'œuvre.

Le soir, Acland resta dîner. Constance ne broncha pas de la soirée, au point que Gwen lui demanda si elle se sentait bien. Prétextant la fatigue, elle se retira de bonne heure.

Freddie resta une heure encore dans le salon tandis que son père somnolait devant le feu. Il essaya de lire un roman policier mais ne réussit pas à se concentrer sur l'intrigue. Des fragments de conversation entre Acland et sa mère parvenaient jusqu'à lui.

— Ego s'est engagé – Ego Farrell, fit remarquer Acland d'une voix douce. J'ai du mal à imaginer Ego en train de combattre. Il est si calme. Ils doivent avoir assez d'hommes là-bas maintenant!

Acland changea de sujet. Plus tard, Gwen alla chercher la lettre la plus récente de Boy et en lut des passages. Freddie, qui avait déjà eu droit au moins quatre fois à cette lecture, profita de l'occasion pour dire bonsoir. Il n'avait qu'une chose en tête : voir Constance. Il gravit l'escalier et se rendit à la chambre de la jeune fille. La maison de Londres était moins spacieuse que Winterscombe. Il fallait être très prudent. Constance l'attendait.

Elle était assise à une table, une pile de cahiers noirs devant elle. Lorsqu'il ferma la porte derrière lui, il vit qu'elle avait l'air tendue, son visage affichant l'expression sombre et fermée qu'elle avait toujours étant petite. Sans se retourner, elle ouvrit l'un des cahiers et feuilleta quelques pages.

— Le journal intime de mon père.

Elle le lui tendit.

Freddie l'examina. Il aperçut une date et des lignes d'une écriture moulée. Ce journal, dont il ignorait l'existence, ne l'intéressait pas le moins du monde. Il était préoccupé par tout autre chose.

Constance évoquait rarement son père. Si elle avait choisi de le faire maintenant, il était obligé d'en tenir compte. Après tout, son père lui manquait peut-être toujours.

— Tu ne devrais pas lire ça, Constance, commença-t-il. Cela ne ferait que raviver le passé. Il vaut mieux oublier.

Il mit un bras autour d'elle mais elle le repoussa.

— Il parle des femmes qu'il a eues, annonça-t-elle d'une voix plate. En majeure partie. Parfois d'autre chose mais le plus souvent de femmes.

Ceci éveilla la curiosité de Freddie : il lança un nouveau coup d'œil sur la page et aperçut un mot, puis plusieurs, qui le stupéfièrent. Seigneur Dieu! Et lui qui avait toujours pris Shawcross pour un asexué!

— Tu l'as lu, Connie?

— Bien sûr. Et je le relis tout le temps. C'est comme une pénitence. Je ne sais même pas pourquoi je le fais. Peut-être aimerais-je... comprendre.

Cet aveu parut la ranimer un peu car sa voix n'était plus aussi morne.

— On verra ça plus tard, Connie.

Il avait réussi à insinuer une main sous sa jupe. Il sentit au bout de ses doigts le haut d'un bas, un ruban de jarretelle en soie, une cuisse tendue. Il songea qu'aucun mot, si cru fût-il, ne saurait remplacer la souplesse de la peau de Constance, l'agilité et l'agressivité de son corps, ni la façon dont elle écartait tout grand ses jambes et les refermait comme des ciseaux.

— Plus tard, Connie. Je t'en prie.

— Non. Pas plus tard. Maintenant.

Freddie retira tout de suite sa main.

— Je veux que tu lises ça, Freddie. Cela te concerne aussi. Regarde cette page. C'est là que tout a commencé.

— Que quoi a commencé ?

Freddie recula de quelques pas. Il lut une expression alarmante sur le visage de Constance : la même que dans la chambre de Boy, quand elle lui avait montré les photos. Il fut pris de doute et de gêne.

Constance soupira et dit d'une voix lasse :

— Lis.

Il hésita encore puis sa curiosité l'emporta. Il pencha la tête et commença en haut de la page :

elle ne l'avait pas fait depuis la mort de son mari — ou du moins était-ce ce qu'elle prétendait. J'ai fait un rapide calcul : je disposais de vingt minutes tout au plus, ou plutôt quinze. J'aimais sa bouche et ses lèvres molles, mais j'avais un train à prendre.

Je l'ai prise contre le mur avant même que la porte se soit refermée mais son con n'était pas à mon goût : trop vaste, trop flasque, je les préfère petits. Je l'ai flanquée à genoux pour qu'elle me suce. Son mari avait dû être un homme aux mœurs libérales car elle a eu l'air d'avoir l'habitude. Elle s'est jetée sur moi comme une truie nasillante et goinfre sur des pommes de terre pourries. Elle s'est mise à tripoter mes couilles, a poussé un grognement et s'est soulevée. Je me suis enfilé dans sa bouche de toute ma longueur. Ses lèvres élastiques se sont refermées autour de ma bite que sa langue se mit à lécher.

La meilleure pipe depuis des années. Quand j'ai éjaculé, cette vieille salope a tout avalé et s'est même léché les babines. Ensuite elle a déboutonné sa blouse et a brandi vers moi ses gros seins tombants. « A mon tour, maintenant », avait-elle l'air de dire. Je l'ai laissée mariner un moment puis l'ai obligée à dire les mots — tous. Si ses amis avaient pu la voir ! Eux qui ne lui diraient même pas le temps qu'il fait sauf pour de l'argent !

Je l'ai laissée, insatisfaite, sans même prendre le temps de me laver et j'ai attrapé mon train de justesse. Je me sentais souillé et j'avais l'impression d'être imprégné de l'odeur de sa bouche et de son con, mais je me suis calmé dans le train. Quel changement ! Le seul fait de ne pas m'être lavé...

C'était la fin de la page. Freddie leva les yeux vers Constance qui lui ordonna, d'une voix toujours aussi morne :

— Tourne la page !

Il s'exécuta et reprit sa lecture.

... me suggérait des possibilités intéressantes. Les circonstances étaient avec moi : mon moyen de transport était à l'heure et mon autre albatros m'attendait, seul, dans son boudoir.

J'ai attendu que la servante sorte de la pièce puis je me suis jeté sur elle. Je l'ai fait mettre à quatre pattes, son cul généreux en l'air. Elle n'attendait que ça, comme d'habitude, et a joui presque tout de suite, bruyamment, comme toujours. Je l'ai pilonnée pendant cinq bonnes minutes en pensant du début à la fin à l'autre salope. Ma bite brûlait comme un tisonnier que l'on remue dans du charbon ardent mais je craignais de ne pas pouvoir amener les choses à leur conclusion normale. J'y suis pourtant arrivé et ai éjaculé. Juste quelques giclées et je l'ai obligée à me sentir.

Elle a tenté de me faire croire à l'extase mais en fait elle était gênée. Son embarras n'a fait qu'aviver mon plaisir. Je me suis lavé comme d'habitude – avec cet excellent savon à l'œillet – mais je ne l'ai pas autorisée à en faire autant. Je voulais qu'elle s'assoie en bas, sur son siège bleu, son rustre de mari affalé, comme d'habitude, dans le sofa rouge. Je voulais qu'elle se retrouve avec les autres invités, à côté de la table du thé recouverte de ses délicates tasses en porcelaine et de sa théière en argent, son con suintant de mon sperme.

C'est ce qu'elle a fait : je l'ai bien domptée. Est-ce que son mari a senti l'odeur de sexe, je me le suis demandé. J'ai presque espéré qu'il la sente, ce qui était imprudent de ma part.

Je me suis montré charmant, loquace même. Je me suis retiré à 6 heures pour prendre un bain et me changer pour le dîner.

Deux fois en quelques heures est une performance honorable. Quand j'étais plus jeune, je faisais beaucoup mieux. Un feu bien fourni dans ma chambre, un whisky à la main, quelques épreuves à corriger avant le dîner, un bon cigare à savourer. Ah ! Shawcross, me dis-je en écrivant ces lignes, les récompenses de l'adultère sont une douce rétribution.

Freddie était arrivé à la fin de la page. Il fixait le papier, les mots vacillant devant ses yeux : un siège bleu, un sofa rouge. « Je refuse d'aller plus loin », se dit-il. Les semaines suivantes, il allait en fait lire le cahier entier et d'autres encore.

— Un siège bleu ?
— Un siège bleu.
— Mon autre albatros ? Qu'est-ce que cela veut dire ?
— Tu as très bien compris.
— Non. Pas du tout.

Freddie agrippa Constance par le poignet et la secoua.

— Dis-le-moi. C'est ton père.

Elle réussit à se dégager. Silencieuse, le visage fermé et pâle, elle reprit le cahier, tourna une page ou deux et lui montra l'en-tête.

— Winterscombe, lut Freddie. Le 3 octobre 1906.

— Cela a commencé cette année-là. En été. Et ça a duré longtemps. Quatre ans. Tout est marqué. Il appelle souvent ta mère « l'autre albatros ». Tu peux vérifier si tu veux.

— Quatre ans ?

— Oui. Quatre ans. Jusqu'à sa mort, en fait.

Soudain, le visage de Constance changea : ses traits semblèrent se froisser, elle ferma les yeux et trembla. Elle croisa ses bras sur sa poitrine, en les serrant, puis se mit à se balancer d'avant en arrière, en proie à un chagrin terrible.

Freddie, sur le point d'invectiver Shawcross, prit peur. Il la regarda fixement : ses lèvres bougeaient comme si elle poussait des cris silencieux. Hésitant, réticent à la toucher, il avança vers elle.

— Connie, non. S'il te plaît. Tu me fais peur. Attends. Réfléchis. Ce ne sont peut-être que des mensonges. Il a peut-être inventé tout ça, comme quand il écrit un roman. Ce ne peut pas être vrai. Ma mère... Ce n'est pas possible. Connie, s'il-te plaît, calme-toi. Regarde-moi...

— Non ! cria Constance. Tout est vrai. Je le sais. J'ai vérifié. J'ai regardé les dates. Et, de toute façon, je les ai vus...

— Tu les as vus ? C'est impossible.

— Si. Par hasard. Une ou deux fois. Dans les bois. Ils se rencontraient dans les bois. Je les y ai vus et je me suis enfuie en courant. Et une fois dans l'escalier. Ils étaient en train de descendre. Oui. Je m'en souviens.

Freddie se mit à pleurer. Les larmes jaillirent soudain de ses yeux. Cela faisait des années qu'il n'avait pas pleuré. Il revit sa mère dans le jardin, qui l'appelait. Il la revit entrer dans sa chambre pour lui dire bonsoir, il la revit dans un millier de circonstances, toujours égale à elle-même, douce, gentille, pieuse. Sa vue baissait un peu maintenant et il se moquait gentiment d'elle. Il chassa de son esprit toutes ces images grotesques qui n'avaient plus de sens.

— Connie, s'il te plaît... Il chercha sa main. Regarde, je pleure, moi aussi.

— Ne me touche pas, Freddie.

Elle s'écarta de lui, s'adossa au mur, puis s'éloigna encore, jusqu'à un angle de la chambre. Elle s'y blottit puis, alors que Freddie allait vers elle, elle tomba à genoux.

— Je veux mourir, dit-elle d'une voix à peine audible.

V

Déclaration d'amour

Extrait de journal intime

Park Street, le 10 janvier 1915

Un souvenir de mon père : il écrivait sur des rames de papier blanc qu'il coupait lui-même avec un coupe-papier en argent. Il écrivait à l'encre : son encrier en verre était muni d'un couvercle en cuivre. Il avait une écriture moulée, dont les pleins et les déliés étaient parfaitement formés et les lignes traversaient la page comme des soldats partant se battre.

Son écriture, contrairement à sa personnalité, était facile à lire.

La pommade qu'il utilisait pour sa barbe était au citron.

Son savon préféré était à l'œillet.

Parfois, il mâchait des cachous, de sorte que son haleine sentait le clou de girofle.

Ses cigarillos provenaient de Cuba.

Il changeait de chemise deux fois par jour, comme un gentleman.

Il cirait lui-même ses chaussures puis les faisait briller.

J'aimais son costume bleu : il rendait ses yeux encore plus bleus.

Un jour, il m'a permis de l'aider à repasser sa veste. Il y a eu un accident. Je me suis brûlé la main avec la vapeur.

Sa voix était mélodieuse. A Winterscombe, il surveillait son accent mais moins à la maison. A Winterscombe, il pouvait paraître maniéré. C'est ce que pensait Acland. Et vulgaire. Je l'ai entendu l'imiter un jour.

Il était petit. Ses livres aussi.

S'il n'était pas mort, il m'aurait aimée.

Constance entend sa plume crisser. Elle l'entend aussi quand il s'affaire sur la nurse.

Elle sent l'odeur des œillets, du citron et des clous de girofle. Elle voit le costume bleu et l'épingle de cravate dorée et les chaussures marron. Elle voit ses mains blanches comme le lys.

Constance revoit son père. Il est tout proche. Il est assis à son bureau noir, sur sa chaise noire, avec son papier blanc.

Non. Il est encore plus près. Il ne pourrait pas l'être plus. Il ne l'aime pas. Il dit qu'il l'aime, mais seulement quand ils sont seuls.

Mon esprit s'égare. Je ne comprends pas. Qui a posé le piège là ? Ou plutôt, qui t'a poussé, Papa ? Il ne me répond jamais. Je ne comprends pas pourquoi.

Où est-il ?

C'est en parvenant à ce texte, une semaine environ après mon dîner à Londres avec Wexton, que je compris que Constance était malade.

Je l'ai compris à cause du fond, mais aussi de la forme. Son écriture se faisait de plus en plus petite et difficile à déchiffrer. L'inclinaison des lettres, jusque-là égale, penchait maintenant tantôt à droite tantôt à gauche. Je tournai une page, puis une autre. Suivait une série de listes.

Déjà adepte des listes, Constance en était devenue une fanatique. Il y en avait partout : des listes de couleurs, de formes, de mots, de noms, d'oiseaux, de pays, de fleuves, de montagnes, de villes, de batailles. C'était comme si, sentant la dépression arriver, elle avait tenu à mettre de l'ordre.

Je la plaignais : quoi qu'elle ait fait à Freddie, il était impossible de ne pas avoir pitié d'elle. Elle avait été témoin des torts causés à son père et avait commis la terrible erreur de lire son journal intime. La voir s'évertuer ainsi, cinq ans après sa mort, à se débarrasser de ce traumatisme au moyen de listes d'écolier et de petits détails tristes sur son père, était pitoyable.

Je me demandais comment elle avait fait pour tenir tout ce temps. J'étais aussi très étonnée que pendant nos nombreuses années de vie commune elle n'ait jamais évoqué sa maladie. En avait-elle honte ? C'était plausible car elle détestait reconnaître ses faiblesses. Par exemple, elle m'avait toujours fait croire qu'elle avait eu une enfance heureuse. Elle avait aimé son père, elle avait aimé ma famille et elle parlait rarement de cet accident qui avait séparé ces deux périodes de sa vie. Etait-ce pour me protéger ?

Cette pensée me gênait. Si elle m'avait protégée jusqu'ici, et si elle se décidait maintenant à me révéler la vérité, cela devait avoir un rapport avec la mort de son père et la possibilité qu'il ait été assassiné. Ce sujet revenait en leitmotiv dans son journal. Obsession dans les écrits de Constance. Elle jonglait avec les noms de coupables possibles et avançait, selon l'époque, différentes théories quant à la méthode et au mobile. Elle réexaminait sans cesse les événements de la journée de sa mort : qui était où et quand ? Sa liste finale des suspects était courte et sans surprise : elle incluait tous les membres de ma famille.

Si elle avait été la seule à avoir des soupçons, il aurait été facile de les ignorer car son journal révélait son état mental dérangé. Mais d'autres témoins, bien moins impliqués personnellement, savaient quelque chose. Si elle m'avait protégée contre la vérité sur la mort de son père, certains de mes proches en avaient apparemment fait autant.

Certaines remarques de Tante Maud dans une lettre adressée à mon grand-père Denton étaient énigmatiques. Boy avait écrit à Acland du front et avait mentionné d'une façon incompréhensible pour moi la disparition de ses Purdey. Enfin, le plus troublant, j'avais trouvé dans la masse des dessins et des papiers de Steenie un début de lettre adressée à Wexton et jamais envoyée. Elle était datée de l'année de mon baptême. « Je sais ce que tu as dit, mais plus j'y pense, mon cher Wexton, plus je suis convaincu que nous avions tort. Nous ne sommes vraiment pas faits pour jouer les Sherlock Holmes. Au risque de te paraître borné, je crois que les conclusions de l'enquête étaient justes : c'était un accident. »

C'était aussi mon avis. Du moins était-ce ce que je voulais croire. Mais j'étais curieuse de connaître la théorie de Wexton et, tout en pensant qu'il faisait fausse route, j'avais l'intention de la découvrir. Le doute est contagieux ; Constance avait contaminé d'autres gens de son entourage. Si le choc et le souvenir avaient contribué à sa maladie, son imagination débridée y était aussi pour beaucoup. Une fois rétablie de sa dépression, elle cesserait certainement de parler de meurtre.

Comment et quand avait-elle guéri ? me demandai-je le soir en me couchant. Je le saurai le lendemain, par son journal ou par un autre moyen. Je m'endormis avec la curieuse impression qu'un incident m'avait échappé. Constance n'avait jamais parlé de sa maladie mais quelqu'un d'autre l'avait fait. Je ne parvenais pas à me rappeler qui et dans quelles circonstances.

Le lendemain matin, je n'eus pas l'occasion de retourner fouiller dans le passé. Le présent m'en empêcha sous la forme d'un costume Prince de Galles, d'une chemise de chez *Turnbull* & *Asser*, de mocassins *Gucci* à pompons dans lesquels m'apparut l'agent immobilier, M. Garstang-Nott.

C'était sa quatrième visite en huit jours. Très bel homme affichant la quarantaine, Garstang-Nott, avait finalement l'air intéressé... par la maison, espérais-je.

A sa première visite, il n'avait été que pessimiste. A la seconde, plus longue, il s'était montré plus expansif : son père avait été à Eton avec le mien et Oncle Freddie, auquel il me chargeait de transmettre ses amitiés. A la troisième, encore plus longue, il m'avait dit que ma cliente Molly Dorset était sa tante et qu'il admirait le travail que j'avais fait chez elle, surtout le salon rouge.

Il avait pris des photos de Winterscombe, mesuré les pièces, répertorié toutes les dépendances, tracé les plans du jardin, de la propriété et des terres agricoles. Cette quatrième visite avait donc pour objet les détails de la vente. Je pensais qu'il y en aurait pour une heure, mais deux heures et un verre de xérès plus tard, Garstang-Nott était toujours là.

Il me dit avoir un acquéreur potentiel.

Un milliardaire, apparemment – mais pas un type excentrique – dont il ne pouvait me divulguer le nom, cherchait à acheter une propriété dans le Wiltshire. Une grande propriété d'un « certain standing » car sa fortune était récente ; elle datait des années soixante. Il lui fallait de la place pour recevoir ses clients, un certain nombre d'hectares, des écuries et enfin un terrain d'atterrissage approprié pour son hélicoptère. Cela semblait trop beau pour être vrai.

– Vous voulez dire qu'il ne détruirait pas pour construire ?

– Absolument. Il possède déjà quelque chose en Espagne et en Suisse et c'est sa première maison de campagne en Angleterre. Il veut quelque chose de sérieux.

– Pas du reine Anne ?

– Pour être franc, je ne pense pas qu'il fasse la différence.

Nous étions alors sortis de la maison et nous approchions de l'Aston-Martin de Garstang-Nott. Il caressa le capot de la main.

– J'ai dépassé le cent soixante à l'heure juste en sortant de Reading. Si vous êtes libre pour dîner, nous pourrions en discuter.

– De l'Aston ?

Il esquissa un sourire.

– Non. De la maison, évidemment.

– Je suis désolée mais je ne suis pas libre.

– Bon, ce sera pour une autre fois, peut-être. Bien, je vous tiens au courant.

– Cet acheteur potentiel, vous allez lui envoyer tous les détails ?

– Oh oui ! bien sûr. Nous allons voir s'il mord à l'hameçon. Mais je ne me fais pas beaucoup d'illusions.

J'eus le sentiment qu'il s'en serait fait davantage si j'avais accepté de dîner avec lui. Il grimpa dans la voiture et démarra dans un crissement de pneus et un jet de gravier. Je rentrai dans cette maison qui ne semblait intéresser personne d'autre que moi et repris le journal de Constance.

De mornes pages couvertes de listes, suivies de pages blanches puis d'une page ne portant qu'un mot : Floss.

Cela me revint d'un seul coup : le lieu, le moment et par qui j'avais entendu parler pour la première et unique fois de la maladie de Constance.

Trente ans s'étaient écoulés. Mes parents venaient de mourir et j'attendais d'être envoyée en Amérique. Un jour, une semaine environ avant mon départ, j'étais allée prendre le thé chez Oncle Freddie à

Londres. Il avait dû beaucoup prendre sur lui, je suppose, car il avait évoqué le sujet tabou de ma marraine. Ses révélations m'avaient déçue mais aujourd'hui, trente ans plus tard, j'en comprenais toute l'importance. Ce que Freddie m'avait dit ce jour-là – et ce qu'il ne m'avait pas dit – était intéressant.

– Je suppose, avait-il commencé, que tu voudrais en savoir plus sur Constance.

Nous prenions le thé chez lui, dans une grande maison en stuc blanc surplombant un bassin de retenue. Contrairement à aujourd'hui, ce quartier surnommé la Petite Venise à cause de ses canaux n'était pas un quartier chic à l'époque. Je n'y étais encore jamais allée. Lorsque je suis arrivée, Oncle Freddie a commencé par s'excuser du désordre dans le salon.

Je ne voyais pas pourquoi. J'aimais cette pièce remplie des trésors de son passé. Il se décrivait souvent comme un globe-trotter et avait rapporté des objets du monde entier : une table en cuivre provenant d'Inde, dont le pied en cuivre était un cobra dressé, de nombreuses tables branlantes, des paravents japonais en laque, une loutre empaillée provenant de Winterscombe, des masques péruviens, des poupées de Bali, une lampe Tiffany et de nombreuses affiches de cabarets allemands sur lesquelles des femmes anguleuses portant haut-de-forme fumaient avec de longs fume-cigarette.

Avant d'en venir à Constance, à mon grand soulagement, Freddie parla sans cesse. Avec le recul, je me dis qu'il devait être nerveux. Aidé par les nombreux objets présents dans la pièce, il se lança dans de longs souvenirs. Il me parla d'avions postaux en Amérique du Sud, de Chicago où il vendait des encyclopédies, du zoo de Berlin où il était responsable des ours et de la période plus récente où il était actionnaire à cinquante pour cent d'une boîte de nuit, désormais fermée, le *Flamant rose*.

En passant, j'eus droit également à ses nombreux coups de cœur : sa période de collection de timbres, celle des mots croisés et celle des lévriers irlandais. Ceux-ci étaient définitivement retournés en Irlande depuis qu'il s'était découvert cette nouvelle passion qui l'avait occupé tout l'été dans la bibliothèque de Winterscombe tandis que je promenais les chiens avec Franz-Jacob.

Il s'agissait de romans policiers. Depuis toujours passionné par ce genre littéraire, il avait décidé que puisqu'il pouvait les lire pourquoi ne pas en écrire ? Ce nouveau hobby allait devenir son métier : après la guerre, il allait connaître un succès considérable. Pour l'instant, il en était au point d'affiner une méthode qu'il m'exposa en détail.

– Trois meurtres, Victoria, me confia-t-il. Il doit y en avoir au moins trois. J'ai essayé avec un, puis avec deux, mais ça marche mieux avec trois.

233

Il était debout près de son bureau et farfouillait dans son manuscrit. Puis, sans transition, comme si un sujet entraînait forcément l'autre, il passa à celui de Constance.

Le terrain était périlleux pour lui. De plus, il commençait peut-être à douter du bien-fondé de l'idée de Steenie de m'envoyer chez Constance. Je crois qu'il se sentait coupable et peut-être même inquiet de n'avoir opposé aucune résistance. La description qu'il fit de Constance était compatissante.

— Je me dis souvent que ta marraine doit se sentir bien seule.

— Seule, Oncle Freddie ?

— Oui. Tu vois, elle a eu une vie plutôt triste. Son mariage, tu sais. Je ne crois pas qu'il ait bien marché...

Je ne bougeai pas. Un mariage ?

Oncle Freddie semblait perdu dans ses pensées. Après une longue pause, je finis par tenter une question. Ma marraine était-elle divorcée ?

— Oh non ! heureusement pas, dit-il en secouant violemment la tête. Il connaissait l'opinion de ma mère sur le sujet. Mais ils ont eu des problèmes. Cela arrive, Vicky. Ta marraine vit seule maintenant.

— Son mari est mort ?

— Eh bien, je ne sais pas exactement. C'est possible. Il était très très riche et... ta marraine n'a jamais eu d'enfant. Enfin, elle a eu un bébé qu'elle a perdu. Cela l'a beaucoup affectée, évidemment.

— A-t-elle prié pour en avoir un autre, Oncle Freddie ? C'est ce que Maman a fait.

— Eh bien... Constance n'est pas vraiment croyante, tu vois. Mais elle l'a peut-être fait. Qui sait ? Et puis maintenant elle va t'avoir, alors...

Il s'interrompit. Je me dis que Constance et moi avions peut-être prié en même temps et que nos deux prières avaient été exaucées. Cela m'effrayait et Oncle Freddie dut le remarquer car il passa tout de suite à autre chose.

— Elle adore les animaux ! Steenie et elle avaient une véritable ménagerie : un perroquet, un poisson rouge, une tortue. Elle a même eu une couleuvre...

Il s'arrêta, changea de position et alluma la lampe Tiffany dont le verre coloré fit scintiller les murs de mille feux.

— Est-ce qu'elle aime les chats ?

— Les chats ? Non. Pas que je me souvienne. Mais elle adore les chiens. Elle en a eu toute une série. La premier était un épagneul King Charles dont elle raffolait. Il s'appelait Floss.

Il s'interrompit à nouveau et j'attendis. Comme il ne poursuivait pas, je lui demandai ce qu'était devenu Floss.

— Floss a eu une fin plutôt triste qui a bouleversé ta marraine. Elle l'aimait beaucoup, tu sais et elle a eu tellement de chagrin qu'elle est tombée malade. Très malade.

— Comme pour la rougeole ou la scarlatine ? Oncle Steenie l'a déjà attrapée, il me l'a dit.

— Non, pas exactement. Certaines personnes disent que ce n'était pas seulement à cause de Floss. Les médecins. Et Tante Maud aussi. En y repensant... Oui, c'était à cause de Floss. C'était son meilleur ami, tu sais. Ça s'est passé un jour dans le parc...

Et il me raconta l'histoire de Floss. Elle était vraiment triste et éclairait ma marraine d'une lumière très sympathique.

— Comment a-t-elle guéri, finalement ? Quelqu'un lui a offert un autre chien ?

— Non, non. C'est Acland. Il a eu une longue conversation avec elle et a réglé la question. Après, elle se portait comme un charme. En fait, c'est à ce moment-là qu'elle a...

Il s'arrêta et eut l'air de regretter ce qu'il venait de dire. C'est alors que Mme O'Brien, son « aide », est apparue sur le pas de la porte. Mme O'Brien n'avait rien de commun avec les domestiques de Winterscombe car elle portait des pantoufles et un tablier à fleurs. Oncle Freddie se leva, heureux de cette interruption.

— Jésus, Marie, Joseph ! Regardez-moi ça, s'écria Mme O'Brien. Vous êtes complètement dans le noir.

La lampe Tiffany semblant insuffisante, elle alluma le plafonnier.

Toutes les couleurs magiques s'évanouirent et l'image de Constance avec elles. Oncle Freddie n'en reparla plus jamais.

Trente ans plus tard, d'autres s'en chargèrent. Tout prouvait que Constance était tombée malade mais tout le monde ne s'accordait pas sur la cause : était-ce Floss ? Jane Conyngham, par exemple, qui avait été conviée en tant qu'infirmière et en tant qu'amie, à un conseil de famille sur la question au printemps 1915, était circonspecte.

Les symptômes de Constance, écrivit-elle, sont les suivants : refus de manger, déclin physique rapide, sommeil très troublé, absence de menstruations. La perte d'un chien peut-elle justifier tout cela ? Je crois que ses troubles sont bien plus profonds. Mais le quatrième symptôme, délicat, ne peut être discuté avec des hommes. De plus, le diagnostic de Maud est catégorique : anxiété causée par la guerre et exacerbée par l'incident du parc...

— L'incident du parc ? s'écria Maud au conseil de famille réuni dans le salon de Gwen, à Park Street. Pardonnez-moi, Jane. Je respecte vos connaissances médicales, bien entendu, mais je crois que vous compliquez les choses. Soyons raisonnables. C'est parfaitement clair.

— Pas du tout! Jane a raison, lança Steenie en se levant. Il y a autre chose que Floss. De toute façon, peu importe la cause. La question est qu'elle va de mal en pis. Elle ne me parle même plus et tourne sa tête vers le mur. Et regardez à quoi elle ressemble! Elle n'a plus que la peau et les os. Et ces épouvantables plaies sur sa peau.

— Ça suffit, Steenie. Tu bouleverses ta mère. Nous savons tous cela. Le peu qu'elle mange ne suffirait pas à maintenir un moineau en vie. Du bouillon, des miettes de toasts grillés. Gwen, il faut trouver quelque chose pour stimuler son appétit.

— Nous avons essayé, Maud. Steenie a tout essayé. Il est resté trois heures avec elle hier. Elle n'a pas prononcé un mot. Elle n'a avalé qu'une gorgée de sirop d'orgeat. Je ne sais plus à quel saint me vouer.

— C'est la faute des médecins. Le dernier était un parfait imbécile. Parler de dépérissement! Ce terme n'existe plus depuis la génération de ma grand-mère. A mon avis, tout cela est à cause de la guerre. De l'incident du parc, aussi, mais surtout de la guerre. Nous sommes tous inquiets, pour nos amis, et pour Boy, avant tout. Et Constance est inquiète elle aussi. Elle a toujours été très attachée à Boy, rappelez-vous. Elle lui écrivait de longues lettres. J'en ai posté une pour elle. Avant sa maladie, bien sûr.

— Constance écrit à Boy? interrogea Acland, qui prenait la parole pour la première fois.

— Bien sûr. Et pourquoi pas?

— Je ne l'ai jamais vue écrire plus qu'une simple carte postale.

— Vous voyez! C'est bien la preuve. Elle a écrit à Boy parce qu'elle s'inquiétait pour lui. Je crois que j'ai mis le doigt dessus. Son inquiétude au sujet de Boy explique tout. N'est-ce pas? Acland? Freddie?

Acland fit un geste de contrariété mais ne dit rien. Freddie fixait le mur. Parler de Boy lui avait rappelé les photos. Il se sentait mal. Maud, dont les questions étaient parfois de pure rhétorique, poursuivit.

— Gwennie, ma chérie, ne soyez pas si bouleversée. Ecoutez. Je crois que nous devons prendre un second avis. Je n'aime pas ce nouveau médecin. On dirait un croque-mort! Il nous faut un homéopathe. Maud Cunard en a recommandé un excellent. Un Polonais, ou un Hongrois, peut-être. Il a guéri sa sciatique en un rien de temps. Je crois que vous devriez l'appeler. Jane, Montague, qu'en pensez-vous?

Montague Stern était en train de lire un journal dans un recoin de la pièce. Il leva des yeux pleins de patience.

— C'est possible, ma chérie. De toute façon, ça ne peut pas lui faire de mal. Il replia son journal. Mais que pourra-t-il faire pour un esprit malade? murmura-t-il.

236

— Un esprit malade ? s'écria Maud.

— Ce n'est qu'une citation, ajouta-t-il en rouvrant son journal.

— Eh bien elle est fort mal à propos, repartit Maud. L'esprit de Constance n'a rien à voir là-dedans. Et je dirais même... Elle se leva brusquement et jeta un regard décidé sur l'assistance. Je dirais que je n'ai aucune confiance dans cette nouvelle mode. Des médecins viennois ? Je crois qu'ils vous demandent d'écrire vos rêves. C'est complètement stupide ! Si vous voulez mon avis, ce sont tous des charlatans. J'ai appris qu'une amie de Gertude Arlington croyait beaucoup en l'un d'eux. Elle a trois consultations par semaine. Douze guinées par consultation pour s'allonger sur un divan et parler ! J'ai dit à Gertrude que je n'avais jamais rien entendu de plus stupide. Si c'est ce qu'il nous faut, on peut le faire gratuitement. Il suffit d'inviter un ami pour le thé et de...

Acland se leva :

— Si on revenait au sujet qui nous préoccupe ?

— Mais c'est le sujet qui nous préoccupe, Acland. Je ne m'écarte jamais d'un sujet.

— J'aimerais savoir ce qu'a dit le médecin. Il se tourna vers Gwen. Maman ?

— Le nouveau médecin ? interrogea Gwen en fixant ses mains. C'était horrible. Il était si grave. Il a dit... il a dit que si son état ne s'améliorait pas d'ici à la fin de la semaine il faudrait envisager des mesures plus draconiennes. Il a dit que si on ne parvenait pas à la faire manger correctement, l'orgeat et le bouillon ne suffisant pas, il faudrait peut-être faire venir une autre infirmière qui la nourrirait de force.

Un silence tomba. Steenie tapa du pied.

— Par la force ? C'est révoltant. On ne lui fera pas ça ?

— Bien sûr que non, répondit Maud. Gwen ne le permettrait pas. Mais qu'est-ce que cet homme imagine ? Que cette maison est une prison, que Constance est une forcenée ?

— Maud, il a dit qu'il faudrait peut-être. Que si elle refusait de manger, c'était la seule solution. Qu'autrement, elle pourrait mourir.

— Non, Maman. Vous ne pouvez pas les laisser faire ça. Steenie était au bord des larmes. Pas à Constance. C'est trop horrible. Je sais comment ils font, j'ai lu quelque chose là-dessus. Ils attachent la personne et lui enfoncent un tuyau dans la gorge. Après, ils prennent un entonnoir et...

— Steenie, s'il te plaît. C'en est trop, cria Maud. Nous n'avons pas besoin de détails. Gwen, restons calmes. Vous êtes complètement bouleversée. Vous ne pouvez tout de même pas envisager cette solution. Monty, pouvez-vous aller me chercher mes sels ? Merci. Bon, restons raisonnables. Je téléphone à cet homéopathe. Voilà ce qu'il faut faire. Et ce soir, nous allons préparer son plat favori que Steenie ira lui monter. Et puis Freddie montera aussi, et Acland. Acland, tu devrais le faire. Tu ne vas jamais la voir. Vous pourriez bavarder de choses agréables, simples. Freddie, où vas-tu?

Freddie, ne pouvant en supporter davantage, s'était levé.

— Je sors faire un tour. J'ai besoin d'un peu d'air frais pour réfléchir.

Acland se leva aussi.

— Je viens avec toi.

— A pied ou en voiture? demanda Acland dans l'escalier.

— En voiture.

— La tienne ou la mienne?

— La tienne, grogna Freddie. Elle va plus vite.

— Dans Londres ou plus loin?

— Plus loin.

— D'accord, dit Acland. Sortir de cette maison, sortir de cette ville. Viens, Freddie! Dépêche-toi!

Derrière la maison, où Denton rangeait autrefois son attelage, il y avait maintenant des garages : dans le premier se trouvait sa Rolls, dans le second la petite voiture de Freddie, reçue pour ses dix-huit ans, et dans le troisième la nouvelle acquisition d'Acland, un engin énorme et magnifique, une Hispano-Suiza Alfonso rouge.

Freddie caressa son long capot avec amour et respect.

— Elle fait du combien?

— En vitesse de pointe? En ligne droite, du quatre-vingt- dix, du cent, peut-être. On vérifie?

— Allons-y!

Acland donna un tour de manivelle et le moteur rugit. Ils montèrent. Freddie jeta un regard à son frère, dont le visage était fermé et comme absent. Il avait un air misérable. Il sortit la voiture du garage et l'arrêta en débouchant sur Park Lane.

— Où allons-nous, Acland?

— On sort de Londres par le plus court chemin, répondit celui-ci en mettant les gaz. N'importe où. Cela n'a aucune importance.

Il accéléra dans Park Lane et se dirigea vers le sud. Quelque part vers l'autre côté du fleuve. Freddie ne savait pas où car sa connaissance de Londres se limitait pratiquement à Mayfair et aux rues entourant Hyde Park. Acland ralentit :

— Ego est mort. Sa mère a reçu le télégramme la semaine dernière.

— Je suis désolé, Acland.

— Ce sont des choses qui arrivent.

— C'est ça qui ne va pas, Acland? Je savais bien que quelque chose n'allait pas.

— Oui. C'est ça.

238

Acland accéléra encore. Ayant atteint la banlieue, ils apercevaient déjà la campagne.

– Ça et d'autres choses. Constance, je suppose. La guerre. Tout. Je ne supporte plus cette maison.

Il changea de vitesse, le bruit du moteur enfla et le vent se mit à siffler dans les oreilles de Freddie.

– Laissons tout ça. Taisons-nous et faisons un peu de vitesse.

*

La vitesse les mena jusqu'au Kent, où les maisons succédèrent aux champs et les champs aux vergers. Ils roulèrent, perdus dans leurs pensées.

Pendant un moment, Freddie repensa à Ego Farrell, qu'il aimait bien mais avait peu fréquemment rencontré. Farrell qui lui était apparu comme un homme si calme et si peu assorti à Acland. Comment était-il mort ? Une balle, une baïonnette, une mine, un obus ?

Il essaya de se représenter la guerre et ce qui serait advenu de lui si un docteur n'avait pas menti – il en était maintenant persuadé – et s'il avait dû aller au front, dans les tranchées et la boue. Il avait entendu plusieurs récits sur la situation en France mais Boy, en permission, s'était montré aussi peu loquace que les autres officiers rencontrés à Londres. Il lisait les journaux et les chiffres qu'ils avançaient mais, apparemment, seules les victoires étaient rapportées. Même les replis avaient l'air voulus, stratégiques.

On utilisait du gaz, maintenant ; les Allemands en tout cas. On lui avait raconté les terribles ravages du gaz moutarde. Malgré ces détails, l'idée qu'il se faisait de la guerre restait vague et floue, brumeuse et changeante. Quelque chose de très gazeux, pourrait-on dire. Il y voyait une bonne raison : il n'était qu'un lâche.

Doublement lâche : d'abord, parce qu'il aurait dû passer outre la volonté de sa mère et s'engager ; et ensuite à cause de Constance. Après tout, il était le seul à savoir pourquoi elle allait si mal. Ce n'était pas seulement l'incident du parc, contrairement à ce que prétendait la famille. La maladie de Constance, son dépérissement volontaire étaient la faute de son père et de son journal intime. Elle était en train de mourir à cause du passé et il était trop lâche pour proclamer la vérité.

Ces sombres pensées étaient maintenant son lot quotidien. Elles tournaient et retournaient dans sa tête en une trame inextricable provoquant maux de tête et d'estomac.

Le journal. Constance. Ce qu'ils avaient fait ensemble, qui ressemblait tant à ce que Shawcross avait écrit. Sa mère. Il ne pouvait plus supporter de la toucher, évitait de parler avec elle et esquivait toute démonstration de tendresse.

Voilà ce qui les rendait tous les deux malades, Constance et lui. Pas seulement la guerre ou l'incident du parc, même si ces deux facteurs y contribuaient. « Le passé... » se dit-il une nouvelle fois, tandis que la voiture atteignait le sommet d'une colline. Le passé les avait empoisonnés et Constance, il en était fermement persuadé, avait pris une décision : impuissante à l'évacuer, elle se laissait mourir.

Elle irait jusqu'au bout : il n'avait jamais douté de sa volonté.

— Etait-ce l'incident du parc ?

Acland avait arrêté la voiture sur le bas-côté et les deux frères s'étaient mis à marcher. La campagne anglaise était magnifique en cette fin de printemps : des champs verts, des brebis et leurs agneaux nouveau-nés, une ferme au sommet d'une colline, le ruban pâle d'une rivière à ses pieds. Il hésita.

— Il semble que cela ait commencé à ce moment-là, répondit-il avec précaution.

— Peut-être. Moi je dirais que c'était plus tôt. Il y a plusieurs mois déjà. Cela n'a fait qu'empirer par la suite.

— Elle pleurait, Acland. Maud a raison. Je ne l'avais jamais vue pleurer avant.

— C'est vrai, dit Acland en s'arrêtant.

Il s'appuya sur un échalier et contempla la rivière et les champs en contrebas. Freddie vint près de lui et, au lieu des champs, revit la grande étendue de Hyde Park deux mois auparavant.

Ils étaient allés chez Maud pour le thé, dans sa ravissante maison — offerte par Stern — qui dominait Hyde Park et le Serpentine. Sa mère était là, ainsi que Jane Conyngham, Steenie, Acland et Constance.

Constance avait amené Floss. C'était une journée magnifique, la première belle journée de l'année, et tout le monde était de joyeuse humeur. Gwen avait lu à haute voix la dernière lettre de Boy et Maud les avaient régalés des derniers potins. Floss réclamait des friandises d'une façon si charmante que personne ne les lui refusait.

Tandis qu'il donnait des miettes de gâteau au chien, Freddie, pour la première fois depuis des semaines, se sentait formidablement bien. Lorsque Maud proposa un tour dans le parc, il prit spontanément le bras de sa mère.

Gwen lui jeta un regard attendri, ne dit rien et sourit. Conscient qu'il venait de lui faire un grand plaisir – c'était si facile de lui faire plaisir – il se sentit très heureux. Il aimait sa mère. Quel qu'ait été le passé, il l'aimait. Il venait de sortir du labyrinthe.

Ils firent le tour du parc, s'arrêtèrent pour admirer un groupe de cavaliers au petit galop dans une allée sablonneuse longeant le Serpentine, regardèrent les barques et les enfants qui jouaient.

– Comme la guerre paraît loin aujourd'hui! dit Maud.

Constance, qui jouait à quelque jeu stupide avec Steenie, laissa Floss partir devant.

Ils s'arrêtèrent près de l'eau pour regarder le chien courir à droite et à gauche, creuser un trou, se rouler dans l'herbe. Steenie grimpa dans un arbre et déchira sa veste. Ils décidèrent de faire demi-tour et c'est en atteignant les grilles que l'accident se produisit.

Les chevaux et leurs cavaliers avaient entamé un second tour et repassaient, toujours au petit galop.

Floss était resté un peu en arrière, à renifler le pied des arbres. Lorsque les chevaux arrivèrent à sa hauteur, il leva la tête, aperçut Constance de l'autre côté de l'allée et s'élança en aboyant pour la rejoindre.

D'après Freddie, les cavaliers ne l'avaient même pas vu. Il fut pris dans les sabots des chevaux qui le projetèrent dans les airs, petite boule de poils noirs, blancs et brun roux. On aurait dit qu'il exécutait une de ces pirouettes de son invention qu'il affectionnait tant. Acland affirma plus tard qu'il était mort, la nuque brisée, avant même d'avoir atteint le sol.

– Elle l'a porté pendant tout le chemin du retour, dit Freddie. Tu te rappelles? Elle ne voulait pas le laisser. Et elle pleurait. Elle s'est assise, l'a déposé sur ses genoux et s'est mise à le caresser.

Il détourna les yeux. Il la revoyait nettement, dans sa robe écarlate, agrippée à Floss. A la consternation générale, personne n'arrivait à l'en séparer.

– Viens, Constance, avait fini par dire Acland, le soir tombant. Nous allons trouver un endroit dans le jardin pour l'enterrer.

Elle sembla accepter la proposition et le suivit. Accompagnés de Steenie, Acland et Freddie creusèrent une tombe au fond du jardin, sous un lilas en boutons.

– Je ne veux pas qu'il soit à même la terre, dit Constance lorsqu'ils eurent terminé. Je ne veux pas que de la terre rentre dans ses yeux.

Comme une somnambule, elle posa Floss tout doucement, en le caressant, puis se mit à arracher des touffes d'herbe. Freddie, qui trouvait la scène insupportable, voulut l'arrêter mais Acland le retint par le bras.

– Laisse-la, dit-il.

Elle tapissa la tombe d'herbe puis ramassa Floss et l'allongea sur le tapis de verdure. Alors, sous les yeux de Freddie horrifié, elle s'affala de tout son long, souleva la têtc de Floss, lui caressa le museau et commença une mélopée funèbre.

– S'il te plaît, Floss. Ne meurs pas. Respire. Je sais que tu peux respirer. Lèche ma main. Oh, Floss! S'il te plaît, lèche ma main. Je t'aime tellement. S'il te plaît...

– Constance. Viens avec moi. Je te ramène à la maison.

Acland s'agenouilla, la prit par la taille et essaya de la relever. Mais elle résista.

– Non. Non. Ne me touche pas! Je ne veux pas partir. Il faut que je reste avec lui.

Acland la souleva de force en la prenant dans ses bras. Pendant un moment, elle se débattit à coups de pied, essaya de lui tirer les cheveux, se tortilla comme une anguille, les cheveux en bataille, le visage couvert de boue et de larmes. Acland resserra son étreinte avec une douceur qui étonna Freddie. Puis, brusquement, elle abandonna la partie et se tint tranquille. Acland la ramena à la maison.

Gwen la mit au lit et elle était restée couchée depuis, buvant un peu d'eau mais refusant de s'alimenter. Elle se laissa d'abord affamer puis, comme pour se punir davantage, elle cessa de parler.

Freddie ne l'avait pas entendue parler depuis une semaine. Saisissant son fin poignet, il avait songé, pour la première fois, qu'elle ne guérirait peut-être jamais.

– Constance, je vais brûler ces cahiers, explosa-t-il. Je vais les brûler. Tout est de leur faute. Ce n'était pas seulement Floss, n'est-ce pas? Ce sont eux. Je les déteste. Je t'en prie, Connie, arrête tout ça! Est-ce moi le coupable? Est-ce à cause de ce que nous avons fait? S'il te plaît, je veux que tu guérisses.

– J'aimerais aussi, avait répondu Constance en esquissant un sourire fantomatique.

Elle avait détourné les yeux et à la visite suivante de Freddie elle n'avait pas parlé.

Il avait constaté que le bureau de Constance était fermé à clé mais n'avait pas eu le courage de forcer la serrure.

– Est-ce qu'elle te parle? demanda-t-il à Acland. Elle ne me dit jamais un mot à moi. J'ai l'impression qu'elle a cessé de parler pour toujours. Je ne sais même pas si elle voit encore. Elle est en train de mourir.

– Je sais, dit Acland en se tournant vers lui.

Freddie regarda ses yeux, dont le droit était plus vert que le gauche. Mentir à Acland n'était pas chose facile.

Malgré le besoin pressant de tout lui avouer, il hésitait encore. Acland posa sa main sur son bras.

– Raconte-moi tout, dit-il.

242

– Je ne sais pas par où commencer.

– Commence par le commencement, dit Acland en se détournant une fois de plus. En parfait confesseur, il se mit à regarder au loin.

– Eh bien, cela a commencé il y a longtemps. Je suis monté dans ma chambre...

– A Winterscombe?

– Oui. Arthur avait préparé ma chemise pour la soirée sur mon lit. Il y avait une friandise dessus. Un de ces petits fours que Maman commande. C'était une petite pomme en pâte d'amandes et...

– Quand était-ce?

– La nuit de la comète. Celle où Shawcross est mort.

– Ah! la nuit de l'accident.

L'intonation d'Acland l'intrigua.

– Pourquoi dis-tu cela de cette façon? Tu penses que ce n'était pas un accident?

– Peu importe. Si on fumait une cigarette?

Il en alluma une pour deux, protégeant la flamme de sa main. Puis, voyant que Freddie voulait continuer, il se détourna à nouveau.

– Une pomme en pâte d'amandes. Continue!

– Cela n'a pas cessé ensuite.

– Jusqu'à ce qu'elle tombe malade?

– Non. Avant. Jusqu'à ce qu'elle me montre le journal intime. Ça s'est arrêté à ce moment-là. C'est à cause du journal. J'en suis sûr. Il lui a porté sur les nerfs, puis sur les miens. Tu comprends.

– Oui. Je comprends.

Freddie avait parlé longtemps. Le ciel se teinta de mauve puis de gris. Les champs s'obscurcissaient et les moutons étaient à peine visibles. Le crépuscule masquait les traits d'Acland. Il était immobile, calme, mais Freddie sentait la tension qui montait en lui. Il regarda la lueur du mégot. D'un geste impatient, Acland le jeta par terre et l'écrasa sous son pied.

– Rentrons! dit-il en prenant son frère par le bras.

– Maintenant? Je n'ai pas envie de rentrer. L'ambiance est insupportable là-bas. Acland, restons encore. On pourrait aller boire un verre quelque part.

– Non. On rentre. Dépêche-toi!

Acland s'engagea dans le sentier et Freddie peinait à le suivre. Ses semelles de cuir glissaient sur l'herbe humide. Il pataugeait dans la boue.

– Ne t'approche plus d'elle.

Ils étaient arrivés à la voiture. Acland s'arrêta, une main sur la portière, et se tourna vers son frère.

– Ne t'approche plus d'elle. Je ne te dis pas d'oublier tout ça parce qu'il est évident que tu n'y arriverais pas. Mais essaie de t'en détacher, d'en faire abstraction.

– Ce n'est pas seulement Constance. Ce n'est pas seulement son épouvantable père et les choses stupides qu'il a écrites. C'est tout le reste aussi.

Freddie s'affala contre la voiture.

– La guerre. Maman. Le médecin qu'elle m'a fait consulter. Je crois qu'il a menti, Acland.

– Et pourquoi l'aurait-il fait ?

– Je crois que c'est Maman qui l'en a persuadé pour que je n'aille pas combattre.

– Je suis sûr que tu te trompes.

– Peut-être bien. Mais je me sens si inutile. Si terriblement inutile ! Boy se bat. Toi, tu as un travail important...

– Important ? Là, tu te trompes.

– Mais si, mais si. Même Stern a dit que ton travail était capital. Je l'ai entendu. Et moi, qu'est-ce que je fais ? Rien. Je reste à la maison. Je sors avec les amis de Steenie, qui sont tous plus jeunes que moi. Même eux font quelque chose. Ils peignent. Ils écrivent. Ils font des photographies. C'est mieux que rien. Regarde-moi. Je n'ai aucune utilité, pour personne.

La voix de Freddie s'était cassée. Il se moucha bruyamment et prit tout son temps pour replier son mouchoir. Acland posa son bras sur son épaule et approcha son visage de lui : il n'avait pas l'air grave, mais en colère, Freddie l'aurait juré.

– Tu pourrais certainement trouver quelque chose pour te rendre utile. Freddie, tu n'as pas besoin d'aller te battre. Personne n'y est obligé !

Il fit une pause et ouvrit la portière.

– Je vais en parler à Jane Conyngham. Va la voir, elle te donnera un coup de main. Ils ont besoin de personnel à l'hôpital : des gardiens, des auxiliaires, des chauffeurs...

– Des chauffeurs ?

– Pour les ambulances. Allez, monte !

Freddie grimpa dans la voiture. Acland fit démarrer le moteur à la manivelle puis vint s'asseoir à côté de lui. Il ouvrit la manette des gaz, la voiture trembla et le moteur rugit. Acland s'engagea sur la route de Londres puis accéléra.

S'ils avaient roulé vite à l'aller, ce n'était rien par rapport au retour. Ils prirent un virage à toute allure, puis un autre, et encore un autre. La voiture fendait la nuit tombante. Freddie suggéra à son frère de lever le pied mais sa remarque se perdit dans le bruit.

Il s'accrocha à son siège et pressa ses pieds contre le sol. Les pneus crissèrent. Un autre virage apparut devant eux et il ferma les yeux. Il eut le sentiment très fort qu'il allait mourir. Si ce n'était pas à ce virage, ce serait au prochain, ou à celui d'après. Il attendait le choc.

244

Il n'ouvrit les yeux qu'à l'entrée des faubourgs de Londres, lorsque Acland ralentit. Dans le garage, les pneus crissèrent à nouveau. Acland était déjà sorti du véhicule et proche de la maison quand Freddie comprit qu'il pouvait sortir en toute sécurité.

– Tu es en colère, dit-il en courant après son frère et en l'attrapant par la manche.

– Oui. Je suis en colère.

Acland s'arrêta, regarda le ciel et prit une profonde inspiration.

– Contre moi ?

– Non. Contre elle. A cause de ce qu'elle t'a fait et de ce qu'elle essaie de se faire à elle-même. Je vais monter et elle va voir à quel point je suis furieux.

– Maintenant ? Mais tu ne peux pas. Ne fais pas ça.

– Si. Tout le monde est sorti. Ils sont à l'opéra avec Stern. Il n'y aura personne. Juste Curtis et l'infirmière.

– Acland ! Elle est malade.

– Tu crois que je ne le sais pas ?

Acland repoussa son frère.

– Tu viens même de me dire à quel point.

Constance dormait peut-être, ou du moins était-elle dans cet état d'hébétude désormais permanent, les heures passant à son insu. En tout cas, elle n'entendit pas Acland entrer dans la chambre et s'asseoir sur la chaise près du lit. Lorsqu'elle ouvrit les yeux, elle ne le vit pas tout de suite.

Elle regarda vers les fenêtres. Elle aimait observer le ciel, les nuages mobiles. Elle aimait écouter le bruit de la rue mais, ces derniers jours, elle avait remarqué quelque chose d'étrange. Les bruits se faisaient plus distants et plus sourds et la lumière changeait elle aussi. Elle n'était plus aussi vive, même à midi. La fenêtre paraissait plus loin qu'avant et même les rideaux étaient flous. En fait, elle devait se concentrer pour distinguer le contour des fenêtres et des meubles de la pièce. Elle avait compris – était-ce hier ou avant-hier ? – qu'elle devenait aveugle.

Elle essayait de réfléchir à ce fait nouveau mais avait du mal à fixer ses pensées. « Je suis peut-être en train de mourir », se dit-elle une heure plus tard, ou un jour plus tard. Pendant un moment, cette idée éclaira son esprit puis elle s'effaça et l'obscurité revint. Elle préférait l'obscurité : c'était bien plus paisible.

Ce soir-là, en ouvrant les yeux, elle tourna la tête vers l'endroit où devait se trouver la fenêtre et aperçut... des violettes. Non pas la forme de ces fleurs mais leur couleur et leur odeur. Elle distinguait tous les tons de leur couleur, du gris le plus pâle, le plus opalin, au violet foncé en passant par le lavande. Cette vision et l'odeur de terre humide étaient si délicieuses qu'elle poussa un cri.

— Touche-les !

La voix d'Acland – elle était sûre que c'était lui – était si faible qu'elle se crut en train de rêver. Mais il répéta les mêmes mots. Au bout d'un moment interminable, elle tourna la tête sur l'oreiller et l'aperçut, son visage attentif s'éloignant et se rapprochant sans cesse. Il tenait quelque chose dans ses mains. Il passa un bras sous ses épaules et la souleva. Il approcha quelque chose de son visage. C'était un petit bouquet de violettes. Elle ne pouvait pas savoir qu'il venait de les prendre dans un vase du salon. Elle était étonnée de les voir, de ne pas être aveugle. Elle voulut les toucher mais sa main était trop lourde.

— Sens-les.

Acland approcha encore les fleurs de son visage et les pétales effleurèrent sa peau. Chaque fleur avait un œil qui la regardait. Les feuilles étaient veinées. L'odeur de terre la submergeait. Se noyer dans les violettes. Acland attrapa son poignet.

— C'est l'heure de ton Veronal. Bois-le toute seule, c'est juste de l'eau. Doucement.

Il porta le verre aux lèvres de Constance et comme elle avait du mal à contrôler ses muscles, elle renversa un peu d'eau. Contrairement à l'infirmière ou à Jenna, il ne l'essuya pas. Il posa le verre et la regarda.

Etait-ce l'effet de l'eau fraîche ? Elle voyait Acland. Elle voyait les boucles de cheveux sur son front, comme sculptées, la fine arête de son nez, la pâleur et la concentration de ses traits. Elle voyait que ses yeux l'examinaient avec une expression sévère.

— Tu me vois ?

Constance hocha la tête.

— De quelle couleur est ma veste ?

— Noire.

Le mot mit longtemps à sortir. Au moment où elle le prononça, elle eut l'impression de s'être trompée. Sans doute pas, car Acland hocha la tête. Il se leva et revint avec un miroir à la main.

— Assieds-toi !

Il la souleva, l'adossa aux oreillers et fit alors une chose étonnante. Il mit le miroir devant elle alors que depuis des semaines tout miroir avait été banni de sa chambre. Jenna avait même recouvert d'un châle la grande glace placée sur la table.

— Regarde-toi, Constance !

Constance regarda. Tout d'abord, la surface du miroir lui parut embuée, grise et nacrée, comme l'intérieur d'une coquille. Mais, voulant obéir à Acland, elle concentra le plus possible son regard et cligna des yeux. Elle aperçut un visage.

Ce visage lui causa un choc : il n'appartenait à personne de sa connaissance. Il était cendré, les os saillaient sous la peau, la bouche était entourée de plaies, les yeux étaient creux et cernés. Tandis qu'elle observait ce visage étranger, ses mains se mirent à bouger toutes seules contre les draps frais.

Acland baissa le miroir, attrapa une main de Constance, la plaça devant son visage et entoura son poignet de ses doigts.

– Tu vois comme tu es maigre ? Tes poignets sont aussi épais que des allumettes. Je pourrais les casser entre deux doigts.

Acland avait l'air furieux. Constance regarda ses poignets : ils lui semblèrent horribles et osseux. Ils n'étaient sûrement pas comme ça hier.

Elle fronça les sourcils et s'aperçut qu'elle pouvait voir non seulement ses poignets mais aussi ses mains, celles d'Acland, les draps de coton blanc, l'édredon rouge et la chaise sur laquelle était assis Acland, en bois noir sculpté et chantourné.

– Je veux que tu sortes de ce lit. Il repoussa les couvertures. D'accord ? Je sais que tu ne peux pas marcher. Je vais te porter.

Il la prit dans ses bras. La pièce se mit à tourner et elle sentit ses mains s'agripper aux revers de la veste d'Acland.

Il l'amena à la fenêtre. Elle poussa un petit cri car elle était ouverte. Il l'emmena sur le petit balcon en fer forgé. Tant d'air ! Sa légèreté remplit ses poumons et éclaircit son esprit embrumé. Elle jeta un regard circulaire autour d'elle : les formes des maisons et des nuages, le murmure de la circulation. Le ciel était bas. Elle cria :

– Il pleut !

– Oui, il pleut. Beaucoup, même. Il va y avoir un orage. Tu le sens ? Tu sens la pluie sur ton visage ?

– Oui, répondit-elle.

Elle fit retomber sa tête contre l'épaule d'Acland et laissa la pluie laver sa peau. Elle ferma les yeux et sentit la piqûre des gouttes sur ses paupières, ses joues, sa bouche. Au début, ce fut agréable, délectable. Ensuite, quand la pluie commença à pénétrer sa chemise de nuit, elle eut froid.

– Ramène-moi à l'intérieur ! s'entendit-elle dire. Sa voix la surprit car elle ressemblait à son ancienne voix, juste un peu plus cassée. Acland ne bougea pas et elle dut répéter : Ramène-moi à l'intérieur, Acland.

– Non.

C'est alors que Constance prit conscience qu'il était furieux, plus furieux qu'elle ne l'avait encore jamais vu.

– Tu m'entends, Constance ? Tu comprends ce que je dis ?

247

– Oui... commença-t-elle.

Avant de pouvoir dire quoi que ce soit d'autre, Acland la secoua brutalement. Elle eut l'impression que tous les os de son corps s'entrechoquaient.

– Alors écoute-moi ! Tu es en train de te tuer. Tu crois peut-être que tout le monde va te laisser faire. Eh bien pas moi, tu m'entends ? Alors tu vas choisir, maintenant. Soit tu rentres dans la chambre et tu recommences à vivre, soit je te laisse tomber dans le vide. Je me mets au bord du balcon, tout contre la balustrade, et je te laisse tomber. Ce sera beaucoup plus rapide et moins douloureux que de te laisser mourir de faim. Tout sera fini en un instant. Douze mètres de chute. Tu ne sentiras rien. Qu'est-ce que tu décides ?

Tout en parlant, Acland avait avancé. Constance sentait la balustrade en fer contre ses pieds. Elle regarda la rue en bas : au moins douze mètres.

– Tu ne ferais pas ça.

– Peut-être pas. Je suis peut-être plus sensible que je le voudrais. D'accord. Alors, tu choisis toi-même. Je te pose par terre. Regarde, la balustrade est assez basse, tu n'auras qu'à t'appuyer contre et tu passeras par-dessus.

Il la posa. Le sol était froid sous ses pieds. Ses genoux tremblaient.

– Tiens-toi au rebord. Voilà. Tu peux le faire. Tu dois le faire. Lâche-moi !

Acland détacha les mains de Constance de sa veste.

Elle tangua, chercha le rebord, et finit par l'attraper. Acland se tenait derrière elle. Etait-il tout près ou s'était-il éloigné ? Elle le sentait juste derrière elle mais quand il parla, sa voix venait d'assez loin. Elle regarda par-dessus le rebord ; la rue l'appelait.

– Décide-toi !

Il avait dû s'éloigner encore. Elle entendait à peine sa voix, happée par la pluie, le vent et le ciel. Elle pouvait sauter, se dit-elle. Acland avait raison : c'était ce qu'elle voulait. Elle n'avait même pas besoin de sauter, elle avait juste à se pencher un petit peu. Ensuite, elle serait débarrassée des cahiers noirs, de ses cauchemars, et des vers noirs qui dévoraient son cœur dans ses cauchemars. C'était si facile !

Elle inclina la tête et se concentra sur la rue au-dessous, qui l'appelait toujours, mais un peu moins fort que tout à l'heure. Elle se demanda ce qu'elle allait sentir et à quoi elle ressemblerait, écrasée sur le trottoir, aussi facilement qu'une coquille d'œuf. Tout serait terminé pour toujours. Mais tomber était facile, encore fallait-il sauter.

Elle leva son visage vers la pluie et respira l'air humide de la ville. Elle y sentit un avenir. Après tout, si elle était capable de se laisser mourir, elle saurait bien se laisser vivre : des années et des années d'avenir. Elle fronça les sourcils. L'avenir, lui aussi, l'appelait.

« Vas-y ! », lui disait une petite voix claire. Juste au moment où elle décida que cette petite voix avait raison, ses mains glissèrent sur le rebord du balcon. Elle vit la rue se rapprocher d'elle à une telle vitesse que sa tête en bourdonnait. Elle cria et les bras d'Acland se refermèrent autour d'elle. Elle ne s'était pas rendu compte qu'elle se trouvait aussi près du bord. Ils restèrent debout, sans bouger, sous la pluie. Au loin, un éclair raya le ciel dans un fracas.

Un orage d'été. Acland la fit pivoter vers lui et la regarda dans les yeux. Il avait l'air perplexe, comme s'il lui arrivait quelque chose qui ne lui plaisait pas et qu'il ne comprenait pas – un regard sidéré, comme s'il venait d'être frappé par une main invisible.

Une expression de dégoût parcourut son visage et il tordit la bouche. D'une voix calme et lasse, il dit :

– Viens à l'intérieur.

– Je ne peux pas changer, lui confia Constance beaucoup plus tard dans la nuit. Elle avait mangé un peu et se sentait revivre, reprendre des forces. Je ne peux pas changer complètement. Tu le sais, Acland ?

Acland lui tenait la main ou, du moins, l'avait posée si près de la sienne sur le couvre-lit que leurs doigts se touchaient.

– Je ne t'ai jamais demandé de changer. Tu es comme tu es. C'était Floss ? C'était l'accident ?

– Non, c'était autre chose aussi.

– Freddie alors ? Le journal de ton père ?

– Tu as parlé à Freddie ?

– Oui. Ce soir.

– Il t'a dit ce que j'ai fait ? Ce que nous avons fait ?

– En partie.

– Je n'ai pas à m'excuser. Je n'ai pas à demander pardon.

Elle s'était mise à parler très vite, ses mains se tordant dans tous les sens.

– Maintenant tu me connais telle que je suis. Tu connais le pire de moi. Je suppose que tu n'es pas surpris. Cela ne fait que confirmer ce que tu as toujours pensé. Tu ne m'as jamais aimée, Acland.

– Je t'ai détestée, autrefois, vraiment très fort.

– Très bien. Eh bien, tu avais raison. Je me déteste souvent aussi. Je me hais.

– C'est pour ça que tu voulais te punir ?

– Me punir ?

– Tu étais décidée à mourir. C'était une punition, en quelque sorte.

– Peut-être... Je ne m'aimais pas. Je pensais que je faisais du mal aux gens. Je ne peux pas l'expliquer, Acland, mais je ne suis pas toujours comme ça. Parfois, je me dis presque que je pourrais être bonne, ou meilleure en tout cas. Puis il se passe quelque chose. Je change et j'ai besoin de faire du mal. Mon père disait...

— Qu'est-ce qu'il disait ?

— Rien. Ça n'a pas d'importance.

— Il faut oublier ton père. Tu devrais... le chasser de ton esprit.

— Mais je suis sa fille! répliqua-t-elle, ses mains recommençant à s'agiter sur les draps.

Elle semblait fiévreuse. Acland posa la main sur son front, qui était vraiment chaud. Lorsqu'il la toucha, elle ferma les yeux. Elle bougea un peu, comme incommodée, puis se calma. Il fallait qu'elle se repose, qu'elle dorme. Il s'écarta du lit, s'assit, puis se releva et se mit à arpenter la pièce. Au bout d'un moment, la respiration de Constance devint régulière. Réticent à la laisser seule, il s'approcha de la fenêtre et la ferma.

Sans rien en montrer, il avait été choqué par ce que Freddie lui avait raconté, et qui laissait supposer ce qu'il avait omis. Il s'était auto censuré. Certains blancs obsédaient Acland. Il essaya de se concentrer sur les révélations de Freddie : Shawcross tenait un journal intime, Constance et Freddie l'avaient lu. Freddie était au courant de la liaison de sa mère et, de quelque façon – physique, en tout cas – Constance avait séduit son frère.

— Elle aimait aller dans les endroits où nous risquions de nous faire prendre, avait dit Freddie. Je ne sais pas pourquoi. Le bureau de Père ou l'escalier de service. Nous sommes allés dans ta chambre un jour.

— Dans ma chambre?

— Nous sommes allés dans toutes les chambres sauf la sienne et la mienne. Alors, elle me caressait ou je la caressais. Tu sais...

Acland regarda par la fenêtre l'orage s'éloigner puis retourna près du lit. « Ma chambre », pensa-t-il.

Constance dormait toujours. Ses joues avaient repris des couleurs et ses cheveux ébouriffés étaient étalés sur les oreillers. « C'est encore une enfant », se dit Acland. Mais il savait que ce n'était pas vrai. Constance n'avait jamais été une enfant comme les autres, même lors de leur première rencontre. Déjà à l'époque, son regard méfiant, perçant, sur la défensive, était celui de quelqu'un de plus âgé.

Quelqu'un lui avait volé son enfance. Il fit encore un pas vers le lit. Constance poussa un cri. Elle faisait un cauchemar et ses paupières palpitaient. Elle commença à se débattre en se tordant dans les draps et tira les rubans qui fermaient sa chemise de nuit. Elle se remit à crier puis, les yeux toujours clos, respirant vite, elle s'apaisa.

Acland s'approcha du lit. Elle avait repoussé les draps et y avait emmêlé ses jambes. Sa chemise de nuit était froissée. On aurait dit qu'un homme venait de lui faire l'amour. Elle avait les bras écartés, les cheveux qui dégringolaient sur sa poitrine et son visage. L'une de ses jambes était dénudée. Il apercevait sa cuisse et la tache sombre de ses poils pubiens à travers la chemise. Son sein gauche était nu. Acland constata que malgré son décharnement elle avait des seins bien pleins, à l'aréole large et foncée. Il tendit la main pour remettre la chemise de nuit en place et toucha les rubans. Constance bougea. Sa main se referma sur la sienne.

— Caresse-moi, dit-elle les yeux toujours fermés. Oh oui. Caresse-moi comme ça.

Il sentit dans sa paume la courbe de son sein puis sa pointe. Constance frissonna. Ses paupières frémirent.

Acland enleva sa main. Constance ouvrit les yeux et rejeta une mèche de cheveux. Elle le fixa puis comprit la situation.

— Oh, Acland, c'est toi! J'ai fait un cauchemar. Un horrible mauvais rêve. Prends ma main. Tiens-la, s'il te plaît. Voilà. Je me sens mieux maintenant. Non, ne t'en va pas. Reste avec moi. Parle-moi un peu.

— De quoi veux-tu parler?

Acland restait sur ses gardes. Il hésita puis s'assit près du lit.

— De n'importe quoi. Aucune importance. Je veux entendre le son de ta voix. Dis-moi: où sont les autres?

— A l'opéra avec Stern. Ils ne vont pas tarder à rentrer. L'infirmière et Jenna sont là si tu veux.

— Non. Je ne veux pas les voir. L'infirmière est si revêche. Et Jenna est trop agitée. J'ai dormi si longtemps. Elle s'est mariée avec Hennessy?

— Pas encore. Repose-toi, Constance. Hennessy est en France. Il s'est engagé, tu te rappelles? Ils se marieront après la guerre sans doute.

— Ne parlons plus d'eux. Je ne veux plus entendre parler d'eux. J'ai toujours détesté Hennessy. Il tue les coccinelles. Il leur arrache les pattes et les enferme dans une boîte. Il m'en a montré un jour, quand j'étais petite.

— Constance, reste calme. Oublie Hennessy.

— Cattermole dit qu'il est un peu simplet. Mais je n'y crois pas. Je crois qu'il est très malin au contraire. Malin et lugubre. Est-ce que Jenna le trouve beau? Je suppose qu'il l'est. Comme un grand chêne. Mais il tue les coccinelles. Et les papillons. Et les araignées. Avant, je pensais qu'il avait aussi tué mon père...

— Constance, arrête! Tu ne devrais pas parler. Tu as de la fièvre. Ne bouge plus.

— Ah bon? J'ai de la fièvre? Mon front est chaud?

Elle s'énervait. Se demandant s'il devait appeler l'infirmière, Acland posa sa main sur son front. Il était sec mais légèrement chaud.

— Tu vois ? Je n'ai pas de fièvre. Pas du tout de fièvre. Elle reposa la tête sur les oreillers et le fixa des yeux. Je ne le pense plus, maintenant. J'étais jeune. Aujourd'hui je me demande qui a pris les Purdey.

— Quoi ?

— Les fusils de Francis. Quelqu'un les a pris. Ils avaient disparu, c'est Francis qui me l'a dit. Il a peut-être menti et les aurait emportés lui-même.

— Constance ! Je vais chercher l'infirmière.

— Tu ne sais rien à propos des fusils, Acland ? Je pensais que oui. Ou ton père. Ne va pas chercher l'infirmière. Attends. J'ai quelque chose de terrible à te dire...

— Constance...

— Mon père et ta mère étaient amants. Pendant quatre ans. Même Francis l'a découvert vers la fin. Il les a vus ce jour-là. Il a vu ta mère entrer dans la chambre de mon père. Il cherchait quelque chose qu'il avait perdu. Qu'est-ce que c'était, déjà ? Ah oui, une pièce de son appareil photographique. C'est ça ! Quand il est revenu le chercher il a vu ta mère en train de refermer la porte de la Chambre du Roi. Il a pleuré.

— Ne t'agite pas.

— Et Freddie. Tous les deux. Tant de larmes. Tu as pleuré, Acland ? Mais non, tu savais déjà tout, bien sûr. J'avais oublié. Acland, j'ai si mal à la tête. Prends ma main. Serre plus fort. Voilà. Tu vois ? Je suis plus calme maintenant.

— Constance. Il faut oublier tout ça. C'était il y a longtemps. Cinq longues années.

— Acland, dis-moi une chose. Cette nuit-là, la nuit où il est mort... où étais-tu ?

— J'étais à la réception, évidemment.

— Oui, mais plus tard ? Francis a dit qu'il t'avait cherché après la fête. Il ne t'a pas trouvé. Tu n'étais pas dans ta chambre, ni en bas.

— Boy a dit ça ?

— Oui.

— Eh bien, c'est normal qu'il ne m'ait pas trouvé. J'étais ailleurs. J'étais avec... quelqu'un.

— Jenna ?

— Oui. Bon, si on passait à autre chose ?

— Toute la nuit ?

— Oui. Toute la nuit. Je l'ai quittée à l'aube et je ne me suis pas couché en rentrant.

— Toute la nuit avec Jenna...

Constance poussa un profond soupir. Toute trace d'anxiété avait quitté son visage. Elle se radossa aux oreillers.

252

— Voilà. Tu vois ? Tu as apporté le repos à mon esprit. Je le savais mais j'avais si peur.

— Constance...

— Non. Vraiment. J'avais comme un poids énorme qui pesait sur mon cœur. Il est parti maintenant. Tu m'as guérie, Acland. Deux fois. Une fois sur le balcon et une autre à l'instant. Je m'en souviendrai toute ma vie. Elle s'arrêta et prit la main d'Acland une nouvelle fois. Reste encore un peu. Parle-moi de tout et de rien. Ensuite je dormirai. Parle-moi de ton travail. Dis-moi ce que tu fais, qui sont tes amis. S'il te plaît, Acland. Ne pars pas.

Acland hésita. Pendant un moment, il eut envie d'appeler l'infirmière et de s'en aller. Mais Constance exerçait une sorte d'attraction sur lui. Il voulait partir mais ne pouvait pas.

Il jeta un regard sur la pièce et la trouva apaisante. La tranquillité d'une chambre de malade, la chaleur du feu, la couleur rouge du couvre-lit. Les yeux de Constance étaient calmement posés sur lui. Quelle étrange soirée, se dit-il. Une soirée peu ordinaire, complètement à part.

— Très bien, commença-t-il. Mon travail. Mon travail est très morne. Des papiers et encore des papiers : je lis des rapports, j'en écris, je rédige des comptes rendus, j'assiste à des réunions de comité. Je suis affecté aux affaires serbes et plus j'en apprends sur ce qui se passe là-bas, moins j'y vois clair. Je dispose de deux plateaux en bois : un à droite de mon bureau et un à gauche. A la fin de la journée, il faut que tous les papiers situés à gauche le matin soient passés à droite. Voilà ce que je fais. Tous les jours.

— Tu prends des décisions ?

— Des décisions ? Non. Il me faudra attendre encore au moins dix ans pour ça. Je fais des recommandations que personne ne prend la peine de suivre.

— Alors, ton travail ne te plaît pas ?

— Non. Pas du tout.

— Qu'est-ce que tu aimerais faire ?

— Si seulement je le savais ! Je n'ai aucune formation spéciale à part le latin, le grec et la philosophie. En ce moment, j'en suis une qui me destine à une certaine position sur le plan mondial, une position élevée, je suppose. C'est ce qui est prévu en tout cas. Mais ça ne m'intéresse guère.

— Et pourquoi ?

— Parce que tout est trop planifié. Boy va rentrer de la guerre et un jour il héritera de Winterscombe. On trouvera à Freddie une profession convenable, comme on a fait pour moi. Steenie y échappera peut-être, mais nous ?

Il s'arrêta, surpris d'avoir exprimé ces sentiments qu'il n'avait jamais révélés à personne, pas même à son ami Ego Farrell. Il regarda ses mains : elles étaient étroites et pâles, leur peau souple. Des mains de gentleman.

— Je manque de volonté, poursuivit-il, s'étonnant d'avouer sa faiblesse. Il détourna les yeux. Nous sommes des privilégiés. C'est peut-être ça. Nous avons tout reçu, tout de suite et trop facilement. Nous n'avons jamais appris à nous battre.

— Rien ne t'empêche de le faire.

Constance fit un effort pour se relever un peu et prit les mains d'Acland dans les siennes.

— Tu pourrais, Acland. Si tu le veux, tu peux aller n'importe où, faire n'importe quoi. Regarde-moi. Je le vois dans tes yeux. J'ai toujours su...

— Constance, tu es fatiguée.

— Ne me traite pas comme une enfant. C'est en toi, comme en moi. Nous sommes semblables. Tu n'es pas plus humble et faible que moi. Tu n'as rien à voir avec l'éducation judéo-chrétienne. Tu es comme moi : un païen.

— Ridicule!

Il sourit et se mit à énumérer en comptant au fur et à mesure sur ses doigts :

— Baptisé dans l'Eglise d'Angleterre. Confirmé dans l'Eglise d'Angleterre. Eton et Balliol. Fils d'un grand propriétaire terrien conservateur. Petit-fils d'un grand propriétaire terrien conservateur. Ma famille a perdu toute imagination depuis des années, depuis qu'elle a de l'argent. Dans quelques années, Constance, tu sais ce que tu verras dans mes yeux ? De la suffisance. Ce sang-froid britannique que j'aurai poussé à la perfection puisqu'il faut au moins trois générations pour l'acquérir et dix pour devenir un produit parfaitement fini.

— Tu mens, Acland. Elle ne le quittait pas des yeux. Tu mens et tu oublies quelque chose... quelque chose que tu ne m'as pas dit.

— Je me suis engagé.

Il dégagea ses mains de celles de Constance. Il y eut un silence.

— Je vois. Quand ?

— Il y a trois jours.

— Quel régiment ?

— L'infanterie légère du Gloucestershire.

— Le régiment de Farrell ?

— Oui. Ego est mort.

— Ah ? Tu veux le remplacer, alors ?

— Dans un certain sens, oui. Je lui devais quelque chose. Personne ne le sait encore. Je le leur dirai ce soir. Demain peut-être. De toute façon, il faut d'abord que je suive un entraînement. Que j'apprenne à tuer. Ils m'envoient dans un camp d'entraînement pour officiers.

— Ouvre les rideaux, Acland.

— Il faut te reposer.

– Dans une minute, pas encore. Reste encore cinq minutes. Il se remet à pleuvoir. J'entends la pluie. Ouvre les rideaux, je veux regarder.

Acland hésita puis, pour qu'elle se calme, il obéit. Il revint près du lit.

– Eteins la lumière. Regarde. Le petit visage de Constance était tendu vers la fenêtre. Regarde. On voit la lune.

Acland se retourna. La lune était presque pleine. Des nuages passèrent devant et obscurcirent un instant sa lumière. Acland compara la lune et les nuages à des pensées, des possibilités et des projets imaginaires. Informes, ils se pressaient dans son esprit, s'écartant pour ouvrir un espace plein d'espoir puis se réunissant à nouveau pour le refermer.

Il restait immobile, le visage tourné vers la fenêtre. La proximité de Constance le troublait. Il sentait sa main, à quelques centimètres de la sienne, comme s'il la touchait. Sa main, sa peau, ses cheveux, ses yeux. Ils se tournèrent l'un vers l'autre au même moment.

– Acland, prends-moi dans tes bras. Juste un moment.

Elle leva ses bras et Acland se pencha.

Ce fut une étrange étreinte. Il n'eut pas l'impression d'avoir bougé ni même d'avoir décidé de bouger. Un instant avant il se trouvait debout près du lit, et la seconde suivante il avait le corps de Constance contre le sien.

Il sentait chacune de ses côtes et la chaleur de son visage pressé contre son cou. Ses cheveux, ternis par la maladie, étaient humides et légèrement gras. Il prit une mèche entre ses doigts, comme il l'avait déjà fait. Mais cette fois, il posa ses lèvres dessus. Constance se dégagea la première. Ses mains s'agrippèrent à lui pour l'obliger à la regarder dans les yeux. Elle se mit à parler d'une voix très intense.

– Pas d'explications, dit-elle. Pas de promesses. J'ai toujours su qu'il y avait quelque chose. Toi aussi. Le jour près du lac, tu l'as su aussi. Non. Ne dis rien. Elle appuya une main chaude sur les lèvres d'Acland. Plus de questions ni de réponses. Juste ça. J'en ai besoin pour reprendre des forces.

Elle s'arrêta net, leva la main et toucha les cheveux d'Acland, puis son visage et ses yeux, qu'elle couvrit de sa main. Lorsqu'elle l'enleva, elle souriait.

– Plus tard, tu te diras que c'est la fièvre qui m'a fait agir ainsi. Mais pas maintenant. Je n'ai pas de fièvre et suis parfaitement sereine. Tu pourras partir dans une minute. Avant, il faut me promettre quelque chose.

– Quoi?

– Promets-moi de ne pas mourir.

– C'est un peu difficile... de promettre une pareille chose.

– Ne souris pas. Je veux que tu me le jures. Lève la main et mets-la contre la mienne. Comme ça. Promets.

– Pourquoi?

– Parce que je veux être sûre que tu vas vivre. Que tu es quelque part. Même si nous ne nous voyons jamais. Le temps va passer et nous allons changer mais je veux savoir que tu es vivant, quelque part. C'est important. Promets-le.

– Très bien. Je le promets.

Il se dirigea vers la porte. Quelle promesse étrange, quel lien étrange. Il lui arrivait à nouveau cette chose singulière : l'impression de franchir une barrière invisible, de passer de l'autre côté du miroir.

Il ouvrit la porte. Constance avait fermé les yeux et sa respiration était régulière. Il lui souhaita bonne nuit mais elle ne répondit pas. Il hésita. Une horloge tictaquait.

Sur le palier, il passa devant la porte ouverte de l'infirmière. Elle s'était assoupie sur une chaise. Il arriva à la cage d'escalier et regarda en bas. Au pied de l'escalier l'attendaient un monde ordinaire, une famille rentrant de l'opéra, l'annonce de son départ pour la guerre. Il aurait dû descendre et les attendre mais n'en avait pas envie. Il n'était pas encore prêt ; il n'avait pas encore... décompressé. C'est ça. Comme un plongeur qui revient des profondeurs de l'océan et qui doit attendre avant de respirer de l'air normal. Par dix mètres de fond. Il posa la main sur la rampe. Son esprit et son corps avaient besoin de quelque chose. Au bout d'un moment, il comprit que c'était d'une femme.

Il fit demi-tour et reprit le couloir. La porte de Jenna était ouverte. Elle était assise à sa table, lui tournant le dos, et écrivait. Il s'adossa au mur et ferma les yeux. Le couloir était plein de murmures.

Tu as couché avec elle, Freddie ?
Non. Elle ne voulait pas. Tout sauf ça.
Tout ?
Elle aimait me caresser. Et regarder. Parfois...
Parfois quoi ?
Elle aimait l'obscurité. Elle aimait les miroirs. Elle disait des mots...
Quelle sorte de mots ?
Ces mots. Ceux que les femmes n'emploient pas. Elle les a appris dans le journal intime.
Je ne comprends pas. C'est de la pure invention.
Non. Elle est capable de tout. Et elle me fait peur.

Acland ouvrit les yeux et regarda dans la chambre. Une plume crissait. L'air était rempli de Constance. Elle le poursuivait depuis sa chambre. Une chaise, une table, un lit, une femme : Constance était là et l'attendait.

256

Il sentait ses cheveux et sa peau. Il mettait sa main entre ses cuisses. Il caressait ses seins. Ses cheveux effleuraient ses yeux. Avec sa menotte d'enfant couverte de bagues bon marché, elle le caressait comme une femme l'aurait fait. Elle faisait remonter sa main le long de sa cuisse et le faisait bander. C'était ce qu'elle faisait... mais à quelqu'un d'autre.

Il poussa la porte et entra. Jenna se retourna et poussa un petit cri, se tenant au dossier de sa chaise.

— Qu'est-ce qui se passe? Elle a encore de la fièvre? Je viens.

Acland ferma la porte.

— Elle dort. Je suis venu te voir.

Jenna s'arrêta net.

— J'étais en train d'écrire à Jack. Je venais de commencer. Je lui dois bien ça. Acland, que se passe-t-il?

— Rien.

— Tu es tout pâle.

— Je viens de voir Constance. Et aussi, je me suis engagé. Je voulais te le dire, je suppose.

— Chut! Jenna fit un pas en avant. Parle tout bas. L'infirmière pourrait nous entendre.

Elle s'approcha encore. Ses lèvres remuaient. Elle parlait mais Acland ne saisissait pas tous les mots. Plus elle approchait, plus il la sentait loin. Elle avait l'air petite, lointaine, une silhouette gesticulant sur un quai tandis qu'un train militaire l'emportait, lui. Pour la guerre. La pièce était petite aussi. Il s'en rendait maintenant compte. Tous les détails étaient précis, à la fois pleins et vides de signification, comme vus à travers le mauvais côté d'un télescope. Une chaise, une table, un lit, une femme. La femme avait commencé à le caresser. Elle le faisait bien et il avait besoin de sexe. Constance, le sexe, la guerre : c'était le cours normal des choses.

— Regarde-moi, Acland. Elle avait pris sa main. Je sais pourquoi tu es venu. Nous pouvons. Si tu le veux, nous pouvons.

Elle murmurait, tout en l'attirant vers le lit. Mais quelque chose n'allait pas. Quelque chose manquait. *Elle aimait aller dans les endroits où on pouvait nous surprendre. Ta chambre, Acland...*

Acland se retourna et entrebâilla la porte. Jenna écarquilla les yeux. Quand elle voulut protester, Acland mit un doigt sur sa bouche.

En se dirigeant vers le lit, il se dit : « A ton tour de regarder, Constance. Je vais te montrer comment on baise ».

Le lendemain, ou la semaine suivante peut-être – il n'y avait pas de date – Constance écrivit dans son journal :

Trois faits :

1) La nuit où Acland est venu dans ma chambre, il m'a menti. Un mensonge grave. Intéressant.

2) En me quittant, il est allé voir Jenna. Ce n'est pas grave. J'aime bien Jenna. Elle me servira de doublure.

3) Il part à la guerre. Lorsqu'il l'a annoncé à Gwen, elle s'est évanouie.

Gwen pleura, insista, supplia. Lorsqu'elle s'aperçut qu'Acland resterait inflexible, que sa décision était irréversible, elle renonça : elle n'avait pas l'endurance nécessaire pour résister longtemps.

Après le départ d'Acland vers son camp d'entraînement, Gwen entreprit d'assurer sa survie. Depuis que Boy était parti, elle avait appris certaines techniques qu'elle allait réutiliser. Elle était convaincue que le sort de ses fils reposait entre ses mains : elle les protégerait contre les blessures de la même façon qu'elle les avait protégés contre les maladies lorsqu'ils étaient petits. Mais il lui fallait se concentrer. Si elle se montrait suffisamment courageuse, pensait constamment à eux et voulait très fort qu'il ne leur arrive rien, son amour aurait le même pouvoir que celui d'une amulette. Aucune balle, aucune mine et aucun obus ne pourraient traverser cet écran invisible.

Elle devint plus superstitieuse que jamais : elle bannit la couleur verte de la maison et de sa garde-robe, prit en horreur le nombre 13, même sur un omnibus, et évita de passer sous les échelles. Elle amassa dans sa chambre et sur elle un grand nombre de petits souvenirs de ses fils dont elle invoquait chaque jour les pouvoirs. Il y avait, pêle-mêle, des mèches de cheveux, des dessins qu'ils avaient faits enfants, une médaille de saint Christophe, une paire de chaussons de bébé en satin bleu, les lettres qu'ils lui envoyaient du front. Elle croyait fermement dans le pouvoir de ces objets inanimés. Lorsqu'elle les touchait, elle les sentait battre.

Elle était discrète sur ces prières et ces invocations que Denton lui aurait reprochées avec colère. Elle était sentimentale. Elle était seule.

Sa frayeur, dont elle était incapable de parler, n'arrangeait pas les choses. Elle n'avait personne vers qui se tourner. Maud, dont l'intérêt pour la guerre n'était qu'intermittent, passait son temps à sortir. Denton somnolait toute la journée près du feu. Freddie, à qui Jane Conyngham avait trouvé un poste d'ambulancier à Hampstead, et Steenie étaient occupés. Steenie ramenait des amis à la maison : Conrad Vickers, qui voulait devenir photographe, un certain Basil Hallam, parent d'un acteur, et un ours mal léché, américain, que tout le monde appelait Wexton. Ils étaient terriblement bohèmes. A l'exception peut-être de Wexton, ils n'avaient pas l'air de se rendre compte qu'on était en guerre. Gwen était donc très seule, mais sa solitude ne dura pas. Elle allait trouver une nouvelle compagne, une confidente : Constance.

Au début, cela se fit progressivement. Constance se remettait de sa mystérieuse maladie, qui s'était terminée aussi brutalement qu'elle avait commencé. Gwen prit beaucoup de plaisir à cette convalescence. Les longues semaines monotones furent ponctuées de petites victoires : Constance descendit pour la première fois, elle fit sa première promenade dans le parc, elle dîna avec la famille.

Ces progrès cimentèrent une nouvelle amitié entre elles. Les semaines passant, Gwen fit une découverte : Constance pouvait être d'une excellente compagnie.

Apparemment, sa maladie n'avait laissé aucune séquelle, aucune trace de lassitude ou de dépression. Au contraire, Constance était avide de vivre. Et elle parlait, parlait ! Gwen découvrit ses pouvoirs curatifs : quand elle était triste ou avait peur, c'était elle qui la consolait.

Elle était amusante et d'un entrain formidable. Elle adorait bavarder et écoutait attentivement toutes les histoires sur la société londonienne que Maud racontait à Gwen. Elle aimait discuter chiffons : chapeaux, gants, robes, tous les détails de la mode. Elle accompagnait Gwen pour faire les courses et leurs petites excursions duraient de plus en plus longtemps. Au retour, les bras chargés de paquets, elles s'arrêtaient dans un salon de thé et commentaient leur petit butin.

Gwen n'avait jamais eu de fille : ces plaisirs innocents étaient nouveaux pour elle. Pour la première fois de sa vie, elle acceptait Constance. La prudence qu'elle avait toujours observée à son égard avait disparu.

– Constance, disait-elle, que ferais-je sans toi ?

De plus, Constance avait une grande faculté d'adaptation. D'instinct, elle savait quand Gwen avait envie de se divertir et quand elle préférait rester au calme.

Assises près du feu, lorsque l'hiver était proche, Gwen ouvrait son cœur à Constance. Elle lui décrivait son enfance à Washington D.C., ses parents, ses frères et sœurs. A mesure qu'elle parlait, des détails oubliés refaisaient surface. Le coupé de ville de son père, la traversée du fleuve pour rendre visite à des cousins dans le Maryland, les robes de sa mère, la lecture de la Bible que faisait son père tous les dimanches matin.

A part Constance, personne de la famille ne s'était jamais intéressé à ces histoires. Constance l'écoutait, concentrée et calme, apparemment ravie.

– Ah, l'Amérique ! s'exclama-t-elle un jour. L'Amérique. J'adorerais y aller. Un nouveau monde. Comme vous avez de la chance d'avoir voyagé, Gwen.

Encouragée, Gwen lui raconta sa rencontre avec Denton et leurs fiançailles, Winterscombe, la naissance de ses enfants. Elle omit volontairement les années concernant Shawcross et Constance ne la questionna jamais sur cette période.

De sa famille, Gwen passa à celle de Denton, c'est-à-dire à Maud. Elle décrivit son prince italien, sa vie à Monte-Carlo puis passa à Sir Montague Stern et s'arrêta soudain, pensant que ce n'était pas un sujet pour une jeune fille. Constance sourit.

– Oh, ne vous en faites pas. Je ne suis plus une enfant. Je sais que Stern est l'amant de Tante Maud. Et pourquoi pas? Il est plus jeune qu'elle, bien sûr, mais il est si intelligent et généreux...

Gwen fut d'abord choquée. Le mot « amant » était inattendu. Elle aurait préféré un terme plus convenable comme « protecteur ». Mais elle n'était pas si collet monté et avait le sens de l'humour. De plus, Constance la regardait d'une façon si coquine... Les temps changeaient. Elle reprit :

– Bien sûr, il est juif. Moi, je n'ai pas tant de préjugés mais la plupart des gens, si. Ce doit être difficile pour Maud. Même Denton...

– Denton? Mais il l'invite tout le temps!

– Je sais. Je trouve ça étrange, parfois. Denton est si imprévisible. Et puis, Stern a d'énormes relations...

Le masque était tombé. Gwen était lancée. Elles eurent une discussion des plus intéressantes sur Maud, Stern, les rumeurs qui couraient sur lui, sa discrétion, sa générosité et sa fortune. A la fin de la conversation, Constance soupira et prit la main de Gwen.

– Vous savez, dit-elle, vous devriez sortir plus souvent. Je me sens coupable. Je ne voudrais pas que vous restiez enfermée à cause de moi. J'ai retrouvé toutes mes forces, maintenant. Nous pourrions sortir plus toutes les deux.

Gwen était très touchée.

– Je pense que nous pourrions maintenant... commença-t-elle avec mélancolie.

– Bien sûr que nous pouvons! Cela nous ferait du bien à toutes les deux! Si nous commencions demain?

C'est ainsi que Constance entra dans le grand monde. Dès le lendemain, elle fut invitée à prendre le thé chez Maud.

Il s'ensuivit une période des plus fastes qui allait durer neuf mois. Elle débuta à l'automne 1915, Acland étant toujours dans son camp d'entraînement, et continua après son départ pour la France.

Gwen avait déjà fait de brèves apparitions dans le monde rutilant où Maud tenait sa cour mais était toujours restée à l'écart, craignant de ne pas être suffisamment brillante pour être acceptée. Maintenant, encouragée par Constance, elle s'aventura plus loin : elle découvrit qu'il était plus facile de se faire accepter qu'elle ne l'avait imaginé.

Un grand nombre des femmes qui siégeaient au pinacle de cette société étaient américaines et toutes, dont la grande rivale de Maud, Lady Cunard, prirent Gwen et Constance en affection. Tour à tour, Maud ou Gwen servaient de chaperon à Constance. Elles furent bientôt prises dans un tourbillon incessant d'activités : déjeuners, thés, réceptions, les soupers, les bals. Il y avait aussi un nombre incroyable de comités collectant des fonds pour les veuves de guerre et pour les écoles privées d'infirmières qui envoyaient en France des femmes de la haute bourgeoisie. La présence de Gwen à ces comités était très recherchée, ainsi que les chèques qu'elle persuadait un Denton réticent de signer pour les bonnes œuvres.

Son agenda était plein : pas une heure de libre. Et si elle parvenait à obtenir quelques moments de répit, elle les passait agréablement à revoir sa garde-robe.

– Gwen ! Vous ne pouvez pas remettre cette robe, protestait Maud, enchantée de sa nouvelle alliée et recrue. Et Constance ? Elle n'a plus rien à se mettre. Nous devons immédiatement aller faire des courses.

A mesure que les mois passaient, le nombre des excursions vestimentaires ne cessait de croître. Sous la houlette experte de Maud, Gwen découvrit l'attrait du luxe.

– De la soie, Gwen, à même la peau ! Il n'y a que ça de vrai, s'exclamait Maud.

Gwen, qui, pour des raisons économiques, avait adopté le coton depuis des années, à la demande de Denton, fit une rapide reconversion.

C'était grisant... et cher. Parfois, lorsqu'elle assistait à un défilé dans un salon parfumé, elle s'inquiétait. Mais Maud balayait ses scrupules.

– Allez, Gwen ! Denton n'est qu'un vieux grippe-sou. Il n'y entend rien à l'argent. Il ne pense qu'à économiser. De toute façon, ne vous en faites pas. Ils sont très compréhensifs ici. Ils n'envoient pas la facture avant des mois...

Le crédit ! Il n'était pas difficile à obtenir. Ces endroits où Maud lui faisait dépenser l'argent de Denton étaient très discrets. Le prix d'une robe, d'un chapeau ou d'une paire de chaussures françaises était un détail vulgaire dont on ne parlait pas et qu'il était malséant de demander. Après tout, la fortune des Cavendish n'était-elle pas intarissable ? Ces petites dépenses ne sauraient l'entamer. Des robes, quelques bijoux. Comme disait Maud, c'était trois fois rien !

Toutes ces activités, ces soirées, ces courses métamorphosaient Constance.

A sa façon brusque mais affectueuse, Maud disait que Constance avait l'instinct du luxe. Elle apprenait vite.

— Non, Constance. Je sais que tu aimes les couleurs vives et qu'elles te vont bien, mais ce vert est vraiment trop criard. Tiens, regarde ça... Et elle extirpait une pièce de soie deux fois plus chère. C'est ça qu'il te faut. Tu vois?

Elle voyait. Elle commençait à comprendre la subtilité, même si ses goûts restaient excessifs. Elle commençait à comprendre que mode et déguisement n'avaient rien à voir.

Oui, elle apprenait vite. Maud s'aperçut, comme Gwen peu de temps auparavant, qu'elle était une élève très douée. Un jour, au début de janvier 1916, Maud prit Gwen à part et toutes deux contemplèrent Constance, très entourée, à l'autre extrémité du salon de Maud, avec fierté.

— Vous savez, Gwen, commença Maud pensivement. Constance a des possibilités. Je sais qu'il y a des problèmes, qu'elle n'a pas de famille et pas d'argent, mais cela n'a plus autant d'importance qu'autrefois. Ce n'est pas insurmontable. Voyez comme elle est drôle. Elle est si vive! Elle a du charme, Gwen. Elle n'est pas vraiment belle mais elle a quelque chose d'attirant, vous ne trouvez pas? Les gens l'aiment. Même les plus difficiles. Maud Cunard a été plutôt dure avec elle au début, vous la connaissez, mais elle l'a pratiquement adoptée. Elle sait que Constance est un atout. Elle a une telle énergie. Elle anime les fêtes. Les femmes l'aiment. Et les hommes aussi. Elle les intrigue. Vous savez, je crois qu'elle pourrait faire un très beau mariage.

— Mariage?

— Gwen, ma chérie. Vous manquez parfois de présence d'esprit. Constance va avoir dix-sept ans en mai. Vous vous êtes mariée à dix-huit ans et moi aussi. Il faut regarder l'avenir, Gwen, et faire des projets dès maintenant. J'en ai parlé à Monty l'autre soir. Il y a tout un tas de candidats pour elle. Je n'exclurais pas un titre, si nous nous y prenons bien. Après tout, elle est presque votre fille adoptive. Elle porte votre nom après le sien, maintenant. Et si nous n'obtenons pas un titre, nous obtiendrons en tout cas de l'argent.

— De l'argent?

— Oh, Gwen! Réfléchissez un peu! Pourquoi ne ferait-elle pas un mariage d'argent? Il y a une flopée de prétendants possibles. Monty a une foule d'amis dans la City, des hommes qui ont fait leur chemin et cherchent la femme idéale. Ils sont bien plus vieux qu'elle, bien sûr, mais la différence d'âge n'a rien à voir avec l'amour. Regardez Denton et vous, par exemple. Et pourquoi pas un Américain? Monty connaît un nombre infini d'hommes d'affaires américains. Gus Alexander, par exemple. Vous savez? Le roi de l'immobilier. Il est encore assez mal dégrossi; il serait parfait pour elle. Et pourquoi pas un Russe? J'adore les Russes. Ils sont si romantiques, si flamboyants! Elle adorerait ça. Maud Cunard en a un très amusant dans son entourage en ce moment. Elle le sort à tout bout de champ. Le Prince je ne sais quoi, un nom imprononçable. Brun, des yeux pétillants et plutôt mauvaise haleine, mais ça peut s'arranger. Ou alors...

– Maud! Arrêtez! Je n'arrive pas à vous suivre, l'interrompit Gwen en riant.

– Il faut que vous suiviez, dit Maud d'un ton grave. Il est indispensable de faire des projets. C'est très sérieux. Il faut battre le fer tant qu'il est chaud. Constance est très en vue en ce moment mais ça ne durera pas éternellement. Vous savez ce que vous devriez faire ? Vous devriez lancer Constance et donner un bal cet été à Winterscombe...

– Mais Denton ne serait pas d'accord. Cela coûte horriblement cher!

– Mais non! Mon frère n'est pas si bête. Et il n'a sûrement pas envie d'entretenir Constance jusqu'à la fin de ses jours. Présentez-lui la chose comme un investissement qui peut rapporter d'énormes dividendes. Et si vous n'arrivez pas à le persuader, je dirai à Monty de lui parler. Il sait s'y prendre avec Denton.

C'est ainsi qu'il fut décidé d'organiser l'été suivant un bal de débutante pour Constance.

Montague Stern fut donc invité à déjeuner au club de Denton, le Corinthian, dont il allait bientôt devenir membre. Peu après ce déjeuner, Denton prit sa décision et avant même que Gwen comprenne ce qui se passe, les dispositions à prendre étaient en cours.

La salle de bal allait être réouverte – depuis combien de temps n'avait-elle pas servi ? Il fallait installer une tente sur la pelouse. Les milliers de décisions à prendre, ce n'était pas une tâche facile, contrairement à ce que Gwen avait d'abord naïvement cru.

La voyant flancher, Maud prit les choses en main et tout devint bien plus sophistiqué. L'orchestre que Gwen avait l'intention de louer ne convenait pas. C'était celui de l'année dernière! Même chose pour les traiteurs, les négociants en vins, les fleuristes. La liste des invités fut un véritable casse-tête. Qui inviter ? Qui ne pas inviter ? Gwen était assiégée de tous côtés. Steenie refusait qu'un seul des membres de son groupe soit laissé de côté. Freddie faisait de nouvelles suggestions. Maud changeait d'avis d'un jour sur l'autre selon les gens qu'elle avait vus la veille au soir.

Seule Constance gardait son calme, se contentant de quelques modestes suggestions, heureuse, apparemment, de laisser Gwen et Maud s'occuper de tout. Elle attendait patiemment de récolter les fruits de toute cette agitation.

Trouvant ce comportement curieux, Gwen se dit que Constance

devait se sentir nerveuse devant la somptuosité des préparatifs. Oui, c'était ça! Gwen était touchée par ce sentiment d'insécurité de Constance et l'aimait d'autant plus.

Le bal était prévu pour le mois de juin et les invitations furent envoyées dès mars. Tout entière absorbée par cette nouvelle tâche, Gwen ne se relâcha qu'au retour d'Acland pour une permission de quatre jours.

Follement heureuse de passer ces quelques jours avec lui à Londres, elle n'entrevoyait aucune difficulté. Après tout, Boy était déjà revenu deux fois ces dix-huit derniers mois et, s'il avait refusé de parler de la guerre, il s'était montré très enjoué, plus qu'elle ne l'avait jamais vu. Il n'avait plus ses humeurs moroses et son insistance à participer à toutes les activités sociales de Gwen avait été épuisante. Elle aurait préféré rester tranquillement à la maison pour discuter avec lui.

Boy n'avait pas voulu parler mais sortir. Il s'exprimait d'une façon nouvelle, joyeuse et joviale. Une ou deux fois, Gwen avait trouvé cette jovialité un peu forcée et s'était inquiétée de la nouvelle manie qu'avait son fils de secouer la tête comme s'il avait eu de l'eau dans les oreilles. Mais il la rassura : Londres lui paraissait si calme par rapport au front et au bruit assourdissant des canons!

Ce fut l'unique fois qu'il mentionna la guerre et il changea immédiatement le sujet de conversation. Lorsqu'il repartit pour la France, Gwen se sentait rassérénée : Boy se portait bien, il était fort et de très bonne humeur. Ses prières avaient été exaucées.

Lorsqu'Acland revint de France pour la première fois, elle pensa que sa visite serait similaire et qu'il aurait envie de sortir pour « rattraper le temps perdu », comme disait Boy.

Il en fut tout autrement. Acland était un autre homme. Il était amaigri, plus calme et préoccupé. Il informa tout de suite Gwen qu'il n'avait pas l'intention de sortir, ni de rencontrer qui que ce soit, qu'il n'était là que pour quatre jours et qu'il préférait rester à la maison.

Il resta donc à la maison, et Gwen aussi. Mais elle avait beaucoup de mal à parler avec lui. Peut-être regrettait-il la brusquerie dont il avait fait preuve dès son arrivée, car il sembla faire des efforts : il posa les bonnes questions, comme une litanie, sur chacun des membres de la famille, l'un après l'autre, pour finir par Constance.

Il écoutait poliment les réponses puis passait à une autre question, comme s'il suivait mentalement une liste prédéfinie.

Ce changement de personnalité de son fils accablait Gwen. Elle avait l'impression à la fois de l'ennuyer et de s'y prendre mal. Elle aurait dû poser des questions sur la guerre mais ne savait comment les formuler. Et

264

ses réponses évasives à Denton sur la question ne furent pas pour l'encourager.

Au lieu de cela, elle se mit à bavarder de la façon la plus stupide sur de petits riens. Le bal de Constance, par exemple. Elle ne pouvait plus s'arrêter.

– J'ai pensé... Je suis presque décidée. Regarde ce brocart, Acland. Comment le trouves-tu ?

C'était le dernier soir. Denton somnolait près du feu. Steenie, Freddie et Constance étaient à l'opéra avec Maud et Montague Stern. L'échantillon qu'elle montrait à Acland était le tissu qu'elle avait choisi pour sa robe de bal. Elle le trouvait maintenant très terne.

– Et le style, Acland, poursuivit-elle. C'est un choix difficile, je ne veux pas avoir l'air démodée. Maud m'a découpé ce dessin dans un magazine. Le tout dernier cri. Je me demandais...

Elle s'interrompit. Acland s'était tourné poliment vers le morceau d'étoffe puis vers le croquis. Il avait l'air de ne voir ni l'un ni l'autre. Gwen regarda son visage et, avant qu'il puisse se reprendre, y surprit une expression qui lui fendit le cœur.

C'était un mélange indescriptible de désolation et de colère. Acland regardait le dessin comme s'il s'était agi d'une fosse contenant toutes sortes de monstres imaginaires.

– Acland. Je suis désolée. Pardonne-moi. Gwen laissa tomber la pièce de brocart.

– Ne vous excusez pas. Je comprends.

Pour la première fois depuis son retour, il eut l'air de voir sa mère. Il prit sa main. Gwen inclina la tête et éclata en sanglots.

– Parlez-moi de votre robe, dit-il. Il se leva et s'approcha de la fenêtre en tournant le dos à sa mère. Je vous assure. Je préfère. Vraiment. Parlez-moi de votre robe, de celle de Maud, de celle de Constance. Dites-moi comment la salle de bal sera décorée, qui viendra... toutes ces choses.

– Elles n'ont aucun intérêt, Acland. Je le sais.

– Vous croyez ? Sans doute. Et c'est pour cela qu'il faut tout me raconter.

Gwen commença donc à parler, lentement d'abord puis plus rapidement car elle voyait qu'Acland l'écoutait et que ses paroles semblaient l'apaiser.

Au bout d'un moment, il vint s'asseoir à côté d'elle, s'appuya contre les coussins et ferma les yeux.

Gwen détailla ses traits si pâles. Elle tendit la main et lui caressa les cheveux. Acland ne la repoussa pas. Sentant qu'elle pourrait le consoler, elle continua : les soirées à venir, les soirées passées, puis d'autres souvenirs du passé. Les longues journées à Winterscombe, les étés lorsqu'il était enfant.

Les années s'effacèrent : elle se revit dans la nursery avec ce garçon, son Ariel, son petit dernier — c'était avant la naissance de Steenie.

— Je t'appelais comme ça, dit-elle à voix basse, lançant un regard prudent vers Denton qui dormait près du feu. A cause de tes yeux. Tu étais tellement différent de Boy et de Freddie. Tu te souviens, Acland ? Tu étais si petit.

— Oui.

— Je te donnais un tas de surnoms idiots qui rendaient ton père furieux. Mais cela m'était égal. Tu les aimais. Nous étions très proches.

— Je crois que je me souviens. Je crois.

— Tu ne tenais pas en place. Tu passais ton temps à grimper partout et quand tu n'y arrivais pas tu piquais une colère. Contre toi-même. Alors je te prenais sur mes genoux et je te parlais, comme maintenant. Je me souviens qu'une fois...

Gwen parlait à voix basse. Acland avait toujours les yeux fermés, écoutait et essayait de se concentrer sur la nursery, sur ces étés révolus.

S'il arrivait à se concentrer suffisamment, l'image cauchemardesque s'en irait. Mais il avait beau essayer très fort, elle restait là, ancrée dans son esprit depuis des semaines.

Etait-ce une image si terrible, après tout ? D'autres étaient pires, mais celle-ci ne le quittait plus. C'était une partie de corps humain. Pas un pied, cette fois, ni une main ; cette main saisie par la rigidité cadavérique qu'il avait vue, enfoncée dans la boue, et prise de loin, la première fois, pour des branches d'arbre.

Non, cette fois c'étaient des mâchoires humaines dévorées par les rats. Les dents étaient intactes : on pouvait compter les plombages.

— Donne-moi un baiser, mon amour, dit l'un des hommes qui l'accompagnaient en ramassant l'objet. Il fit bouger les articulations des maxillaires pour donner l'illusion que la bouche parlait. Juste un baiser.

L'homme éclata de rire puis jeta les mâchoires au loin en disant qu'elles puaient.

Acland ouvrit les yeux et se releva.

— Où est Constance ?

— Constance ? Gwen oublia ses souvenirs et regarda son fils avec surprise. Je te l'ai dit, Acland. Elle est à l'opéra avec Steenie et Freddie. Dans la loge de Monty...

— Quel opéra sont-ils allés voir ?

— Du Verdi, je crois. *Rigoletto,* peut-être.

— Cela vous ennuie-t-il si je sors ? Acland se pencha et embrassa sa mère. J'ai envie de me promener...

— Te promener ? Dans Londres ?

— Pas longtemps. J'irai peut-être au club.

266

Acland était déjà à la porte. Le visage de Gwen s'éclaira.

– Ah! tu as envie de voir des gens, finalement. Cela me fait vraiment plaisir, mon chéri. Elle se leva, alla vers lui et lui prit la main. Cela t'a-t-il aidé de bavarder tranquillement? Sûrement. Tu as l'air bien mieux.

Elle se hissa sur la pointe des pieds pour l'embrasser puis prit son visage entre ses mains et le regarda dans les yeux.

– Acland, tu sais que je t'aime, mon chéri. Tu sais que tu comptes énormément pour moi?

– Je t'aime aussi. Très fort, répondit-il avec raideur.

Cela faisait des années qu'il ne le lui avait pas dit et Gwen sentit toutes ses frayeurs s'évanouir.

En quittant la pièce, Acland avait une idée précise en tête. Il s'agissait d'un petit hôtel anonyme proche de la gare de Charing Cross, dont plusieurs officiers lui avaient déjà parlé.

Il n'y était encore jamais allé mais voyait l'endroit très clairement, jusqu'au moindre détail de la chambre qu'il allait prendre – à l'heure, lui avaient dit ses amis. On ne posait pas de questions aux hommes en uniforme.

Il n'était pas en uniforme mais on ne lui posa pas de questions. Il signa sous un faux nom pour Jenna et lui, reçut une clé et ils montèrent dans la chambre. Elle était exactement comme il l'avait imaginée.

Tout avait été si simple et si rapide! Un mot avec Jenna dans l'escalier de service, un geste, un regard, une rencontre à quelques rues de la maison, un taxi, une fiche à remplir, une clé.

Pendant ce temps, il avait une certitude : sa mère n'était pas parvenue à chasser l'image des mâchoires mais une autre femme saurait le faire. S'il avait pu être seul avec elle, Constance y serait parvenue en une minute. Mais depuis son retour, il n'avait été seul avec elle qu'une seule fois. Elle l'évitait peut-être.

– Tu tiens ta promesse? lui avait-elle demandé en l'attrapant par le bras. Ils étaient les deux derniers à quitter la salle à manger après le petit déjeuner.

– Du mieux que je peux, avait-il répondu. Je pensais que tu avais oublié.

– Ne sois pas stupide. Elle semblait furieuse et avait enfoncé ses ongles dans la paume d'Acland. Je n'oublierai jamais. Quoi que je fasse et quoi que tu fasses. Jamais.

Ensuite elle était partie. Et ce soir elle était à l'opéra, dans la loge de Stern. Celui-ci avait rendu un service discret à Acland ces quatre derniers jours. Il lui avait présenté un avocat nommé Solomons qui avait son bureau dans un immeuble miteux non loin de la City.

— C'est le meilleur malgré les apparences, avait précisé Stern.

Acland l'estimait bon juge. De toute façon, il ne pouvait pas consulter les avocats de son père pour une affaire de ce genre.

Il avait fait son testament. « Ce n'est pas un testament très reluisant », s'était-il dit en le lisant. Mais c'était le meilleur qu'il pouvait faire puisque sa fortune de famille était en fidéicommis jusqu'à ses vingt-cinq ans... à condition qu'il les atteigne. Il avait légué sa voiture à Freddie, ses vêtements et autres effets personnels à ses frères, ses livres à Constance qui lui en empruntait parfois, bien qu'il la soupçonnât de ne pas les lire. Enfin, tout son argent disponible, environ deux mille livres, à Jenna en cas de besoin.

Cela lui ferait un petit revenu d'environ cent cinquante livres par an, avait dit Solomons. Ce n'était pas Byzance mais cela suffirait. Dans la poche de sa veste, Acland avait la carte de Solomons. Avant de quitter la chambre, ce qui ne tarderait pas, il devait la donner à Jenna et lui expliquer.

Cette nécessité le contrariait. La chambre le contrariait. Maintenant qu'il était là, il se demandait comment il avait pu imaginer qu'il y prendrait du plaisir. Il se servait de Jenna, comme il l'avait déjà fait à trois ou quatre reprises lorsqu'il avait quitté le camp d'entraînement pour une courte visite à Londres. C'était une trahison, à l'égard de Jenna comme de lui-même. Et le fait qu'elle soit consentante n'y changeait rien.

« Je ferais mieux de m'en aller tout de suite », se dit-il. Mais sa capacité de dégoût était épuisée depuis longtemps. Sans dire un mot, il commença à se déshabiller.

Il s'allongea sur le lit miteux et ses couvertures élimées et replia ses bras sous sa tête. Jenna se déshabilla plus lentement, pensant peut-être qu'il la regardait. Acland regardait effectivement dans sa direction mais son esprit était ailleurs. Il se dit qu'il était un prisonnier de guerre et que s'il avait été possible de communiquer à quelqu'un – Jenna par exemple – son expérience de la guerre, il pourrait commencer à se sentir libre. Mais il s'y refusait. Ce serait aussi inique que transmettre volontairement une maladie à quelqu'un.

— Ils vont m'envoyer à Amiens, dit-il. Enfin, c'est ce qu'on dit.

— Amiens ? Jenna enleva ses jupons. Où est-ce ?

— Encore plus au nord. Près de la Somme.

Jenna ne répondit pas et enleva le reste de ses sous-vêtements. Une fois nue, elle s'assit près de lui sur le lit et commença à le caresser. Elle procédait ainsi maintenant : elle lui faisait l'amour d'une façon osée qu'il n'aimait pas beaucoup mais qui avait le mérite d'être efficace.

Il détourna son regard et se mit à penser aux bordels français. Une file d'hommes, les officiers d'un côté, les simples soldats de l'autre. A l'intérieur, des séparations ténues : un simple rideau, en général. On entendait les soupirs et les grognements des soldats. Les femmes avaient un air renfrogné et avide : elles ne perdaient pas de temps en préliminaires et gagnaient ainsi plus d'argent.

— On n'embrasse pas, lui avait dit une fille aux cheveux noirs désordonnés. Un rai de lumière la faisait ressembler un peu à Constance.

— On ne baise pas, avait-elle ajouté.

Elle avait mis sa main autour de son pénis et commencé à le secouer dans l'obscurité. Elle était efficace. Tout fut fini très rapidement.

Jenna s'assit sur lui et se mit à se soulever et à se baisser en mouvements réguliers, les yeux fermés, une expression de plaisir sur le visage. Lorsque ce fut fini, elle s'écarta sans un mot, alla vers le lavabo et se lava. Acland lui dit :

— Ça ira ?

— Bien sûr. Je fais attention. Je compte les jours.

— Je suis désolé que ça se passe ainsi, Jenna.

— Mais non. Nous ne sommes plus des enfants. Nous prenons et nous donnons ce que nous pouvons.

Elle eut un moment d'hésitation et son visage changea. Un instant, il craignit qu'elle ne le prenne dans ses bras. Elle dut s'en apercevoir car elle recula.

— Je t'aime toujours, tu sais. Je voudrais que cet amour disparaisse mais il est toujours là. Je sais que tu ne m'aimes pas et que tu ne me reviendras jamais. Alors, je prends ce que je peux. C'est ça ou rien. Elle attrapa son jupon. Il n'y en a plus pour longtemps, n'est-ce pas ?

— Non, il ne vaut mieux pas.

— C'était la dernière fois, alors ?

Elle avait posé cette question d'une façon enfantine, debout, toujours nue, tenant son jupon serré devant elle.

— Je crois, oui.

— Ah!... Laisse-moi t'aider à mettre ta chemise.

— Non, s'il te plaît.

Lorsqu'ils furent tous deux habillés, Jenna se retourna et jeta un coup d'œil sur la chambre hideuse. Un train siffla. Acland sortit de sa poche la carte de Solomons et la lui tendit. Il expliqua que si quelque chose lui arrivait elle devait immédiatement aller voir cet avocat. Il s'occuperait de tout.

— Ce n'est pas de l'argent que je veux de toi, dit-elle en fixant le morceau de carton.

— Je sais, Jenna. Mais je n'ai rien d'autre à donner.

— Je n'en crois rien. Pour la première fois, il y avait de la passion dans sa voix. A moi, non, mais à d'autres gens. Je me souviens de toi, Acland. Je me souviens comment tu étais quand nous étions heureux.

– Tout était plus simple alors. J'ai perdu le don.

Il sourit. Elle s'était habituée à son indifférence et supporta mal son sourire.

– Prends soin de toi, dit-elle en ouvrant la porte. Je m'en vais. Il vaut mieux que nous partions séparément.

Séparément. Acland resta encore un peu, seul dans cette chambre crasseuse, à écouter les trains. Il n'était pas guéri ; il s'y attendait. Le soulagement que procurait le sexe était toujours temporaire. Il fuma une cigarette et s'en alla.

Il rentra par des rues paisibles, évitant les grandes artères, et atteignit Park Street juste après 11 heures.

Les autres n'étaient pas encore rentrés. Sa mère lui apprit qu'ils avaient téléphoné pour dire qu'ils soupaient chez Maud.

En grimpant dans l'un des taxis hélés par Stern, Steenie, qui n'avait jamais vu *Rigoletto* auparavant mais en connaissait les arias les plus célèbres, se mit à fredonner. *La donna è mobile,* cette mélodieuse célébration de l'infidélité. Il aimait ce refrain. Il s'assit sur un strapontin et se mit à siffler.

Sur le siège arrière étaient assises Jane et Constance. A côté de Steenie, sur l'autre strapontin, se trouvait son nouvel ami Wexton. C'était un homme de haute taille, dégingandé et d'une grande bienveillance. Il essaya de rentrer ses jambes sous son siège en s'excusant. Il portait une cape et un haut-de-forme d'emprunt. Le mécanisme du chapeau-claque semblait le fasciner. Il passait son temps à le plier et le déplier et à le retourner entre ses doigts. Steenie exultait. Il était amoureux de Wexton et commençait à soupçonner que cet amour était réciproque.

En face de lui, Freddie et Jane parlaient de l'opéra. Jane avança une opinion sur le ténor qui jouait le rôle du Duc et sur le baryton qui tenait celui du père bossu, l'espiègle Rigoletto. Freddie, qui évitait habituellement l'opéra, dit que le spectacle lui avait plu : surtout le bain de sang du dernier acte.

– Et quand Rigoletto croit que c'est le cadavre du Duc qui est dans le sac et qu'il s'aperçoit que c'est celui de sa fille ! C'était formidable. Et la malédiction...

– *La maledizione ?*

– C'est ça. Ça sonne mieux en italien. C'était fantastique. Mes cheveux se sont dressés sur ma tête.

– Oh oui ! et juste après, quand l'assassin vient proposer ses services à Rigoletto. C'est un arrangement pour violoncelle en sourdine et contrebasse, je crois. Et ces *pizzicati*. C'est...

270

Jane s'arrêta. Freddie la regardait d'un air ébahi. Elle sourit puis cacha sa bouche de sa main d'un geste défensif.

– Qu'y a-t-il ? demanda Wexton en se penchant en avant.

– Oh... C'est... efficace. C'est tout. Très efficace.

Wexton ne fit aucun commentaire et recommença à manipuler son chapeau. Steenie continuait à siffler. Constance, qui avait regardé par la fenêtre pendant tout ce temps et n'avait pas prononcé un mot depuis la loge, se redressa.

– Arrête de siffler, Steenie. Ça commence à me porter sur les nerfs. Nous sommes arrivés. Le taxi de Maud est juste derrière. Allez, viens !

Les soupers d'après opéra chez Maud étaient toujours informels. Tout le monde se retrouva dans la salle à manger et les domestiques furent congédiés. Maud fit un geste vague vers un buffet chargé de chauffe-plats. Wexton, perpétuellement affamé, les couvait des yeux. Au grand amusement de Steenie, il refusa le caviar et prit trois fois des œufs brouillés.

Maud s'intéressa à Jane, dont personne ne s'occupait beaucoup lors de ces petites réunions. Elle l'interrogea sur son travail au Guy's Hospital, non pas que le sujet l'intéressât tellement car elle trouvait ces endroits déprimants, mais pour briser la timidité de la jeune fille. En hôtesse accomplie, elle s'appliqua à écouter Jane tout en gardant un œil sur les autres invités.

C'est ainsi qu'elle remarqua la façon dont Steenie regardait ce jeune Américain, Wexton. Elle décida de ne pas en parler à Gwen. Elle observa Freddie qui passait de groupe en groupe, comme perdu. Elle regarda son amant, Stern, qui tentait de converser avec une Constance peu réceptive.

Vêtu d'une veste d'intérieur, Stern était adossé à la cheminée. Maud le regarda avec tendresse : il était vraiment beau et distingué. Elle aimait tant son calme et sa capacité de concentration. Bien qu'il fût peu probable que la conversation de Constance ait quelque intérêt pour lui, il l'écoutait attentivement, son visage aux lignes pures et ses cheveux fauve penchés vers la minuscule silhouette près de lui. Constance picorait ses œufs brouillés. Stern lui posa une série de questions auxquelles elle répondit sans ardeur. Puis il dit quelque chose qui sembla éveiller son intérêt. Elle posa son assiette et se mit à parler plus rapidement. Par curiosité, Maud laissa Jane à Freddie et s'approcha d'eux. Elle n'entendit que la fin des paroles de Constance.

– ... J'avais peur. La tempête faisait rage. Et puis, à la fin, quand il trouve sa fille dans le sac noir, j'aurais voulu savoir ce qu'il allait faire. J'avais envie de crier quand le rideau est tombé. Il l'aimait tellement ! Je crois qu'il s'est suicidé. Je crois qu'il s'est jeté dans le fleuve avec le sac. Oui, c'est ce qu'il a dû faire une fois le rideau tombé. Elle se secoua un peu et regarda Stern d'une façon enfantine. Je suis contente d'être venue. Trouvez-vous que c'est le meilleur opéra de Verdi ?

Cette naïveté sembla amuser Stern. Il fit un signe à Maud pour l'attirer vers eux.

— Eh bien. Qu'en penses-tu, Maud ? Est-ce le meilleur opéra de Verdi ?

— Je l'aime bien. Mais je préfère *Il Trovatore*. Elle sourit. Monty préfère Wagner à Verdi. Nous t'y emmènerons, Constance. *Tannhäuser*, peut-être. Tu aimerais ça. Ou l'*Anneau des Niebelungen*...

Au grand soulagement de Maud, qui était lasse, ses invités ne tardèrent pas à s'en aller. Stern se tenait près du feu, pensif, et Maud, qui adorait les fins de soirée seule avec lui, s'assit et contempla le feu un moment. Elle alla ensuite chercher deux verres de vin et Stern alluma un cigare.

— Vous ne trouvez pas que Constance est bizarre ? commença-t-elle. Cette question sur Verdi ! C'est curieux comme elle peut être enfantine par moments, alors qu'à d'autres... Elle soupira. C'est une adulte, maintenant. Elle va bientôt avoir son bal. Ce sera une grande réussite, je pense. Il faut que nous lui trouvions un mari, Monty.

— Tout de suite ? demanda-t-il en esquissant un sourire.

— Le plus vite possible en tout cas. Vous m'avez promis d'y réfléchir. Que pensez-vous de ce Russe... ?

— Celui de Lady Cunard ? Non. Il est bourré de dettes à ce que je sais.

— Vraiment ? Et l'Américain, alors ? Gus Alexander ? Vous l'aimez bien, m'avez-vous dit. Et il est terriblement riche. Il a envoyé deux centaines de roses rouges à Constance.

— Ah bon ?

— Vous ne trouvez pas qu'il serait parfait ? Elle fronça les sourcils. Pourtant, il est amusant et pas prétentieux pour un sou. Qui alors ?

— Ma chérie... Stern se pencha et embrassa son front. Je ne vois pas un seul candidat convenable. Le nombre d'hommes désirant une femme-enfant est plutôt limité. C'est une trop grande responsabilité. Surtout celle-là. Constance sera un bourreau des cœurs et je ne tiens pas à imposer cela à mes amis. Même si c'est toi qui me le demandes. Je sais que vous aimez marier les gens mais il vaut mieux que vous vous en occupiez toute seule. Il faut que je m'en aille. Il est tard. J'ai du travail.

— Oh, Monty ! Vous ne restez pas ?

— Ma chérie, rien ne me ferait plus plaisir mais je dois aller au Ministère de la Guerre demain matin et j'ai un conseil d'administration juste après. A demain ?

— D'accord, à demain. Elle l'embrassa.

Lorsqu'il fut parti, elle ne put s'empêcher de se précipiter à la fenêtre pour le voir s'éloigner. Il prit la direction de l'appartement qu'il avait gardé dans Albany.

Elle le regarda avec amour. Il marchait lentement, la tête nue, s'arrêtant de temps à autre pour contempler le ciel nocturne. C'était étrange. Habituellement, il marchait à pas mesurés, ni vite ni lentement, mais d'une façon décidée, comme un homme dont les journées sont faites de rendez-vous successifs. Toujours ponctuel, il ne consultait jamais sa montre et ne donnait jamais l'impression d'être pressé. Les rendez-vous pouvaient attendre, semblait suggérer sa démarche. Ils pouvaient attendre car leurs résultats ne dépendaient que de lui.

Ce soir, il marchait différemment. Il avait l'air d'un homme préoccupé, incertain du chemin qu'il devait prendre. Maud le vit atteindre le coin de la rue où il avait l'habitude de héler un taxi. Sa grande silhouette sombre s'arrêta un instant. Il regarda fixement l'autre côté de la rue. Plusieurs taxis libres passèrent. Soudain, dans un geste furieux, il se retourna et Maud crut qu'il avait changé d'avis et revenait chez elle.

Mais non. Il fit quelques pas, s'arrêta sous un réverbère et leva à nouveau la tête vers le ciel. Elle aperçut le pâle ovale de son visage. Puis, comme s'il venait de prendre une décision, il se hâta vers Albany. Maud le suivit des yeux jusqu'à ce qu'il eut disparu de son champ de vision.

Elle était intriguée : en observant son amant de loin, par la fenêtre, comme s'il avait été un étranger, elle avait été frappée par sa vulnérabilité. Un homme amoureux, aurait-elle dit s'il s'était agi d'un étranger, un homme qu'un mot, un geste ou un regard de sa bien-aimée avait rendu perplexe. Cette pensée lui donna un frisson de plaisir. Se reprenant, elle quitta la fenêtre en souriant.

Stern, amant parfait, n'était pas homme à laisser paraître ses sentiments : s'il ne le faisait pas même au lit, pourquoi le ferait-il au coin d'une rue ? Elle aurait aimé se dire que les pensées de Stern sous ce réverbère étaient tournées vers elle. Mais c'était fort peu probable. Il lui répétait toujours que lorsqu'il n'était pas avec elle, ses pensées étaient toujours orientées vers son travail.

Alors à quoi pouvait-il bien penser ? A quelque difficulté dans les affaires pourtant bien rodées de sa banque ? Ou alors, s'agissait-il d'un certain prêt qu'il venait d'accorder ? Elle commença à s'inquiéter.

Ce prêt consenti à un membre de la famille de Maud la mettait mal à l'aise. Elle pensa à la réaction de son amant au moment où il faudrait en exiger le remboursement.

Stern répétait qu'un prêt était une affaire très simple et que l'identité du débiteur n'avait aucune importance. Lorsqu'il expliquait ce principe, il se montrait très froid. Maud le trouvait alors à la fois inquiétant et excitant. Elle sentait son pouvoir et une certaine avidité qu'elle n'approuvait pas mais trouvait érotique.

Cela allait à l'encontre de deux de ses principes : élevée dans l'idée

273

que toute dette devait être honorée, elle n'en pensait pas moins que le prêteur devait se montrer indulgent. Elle trouvait vulgaire de ruiner quelqu'un pour recouvrer une dette. Cela tenait du mercantilisme : c'était une attitude de commerçant et non de gentleman.

En ce qui concernait cette dette précise, elle ne doutait pas qu'elle serait remboursée en temps voulu. Si l'emprunteur avait des difficultés, fait peu probable, elle interviendrait personnellement. Elle plaiderait en sa faveur et Montague effacerait la dette : toute autre solution était impensable.

Certaine d'avoir découvert la raison de l'attitude singulière de Stern, elle avait hâte de le questionner. Autant le faire tout de suite.

Elle téléphona à l'appartement d'Albany. Pas de réponse. Au bout de quinze minutes, elle recomposa le numéro. Toujours rien. C'était incompréhensible.

Maud avait une imagination débordante. Elle pensa tout de suite à un accident. Elle rappela encore et encore. Vers 2 heures du matin, il décrocha enfin.

Il eut l'air mécontent de ce coup de fil et le fut encore plus lorsque Maud lui exposa ses soucis. Il répondit que le prêt à son frère n'avait rien d'urgent et qu'il avait autre chose en tête.

— Mais où étiez-vous, Monty ?
— Je me suis promené dans la rue.
— A une heure pareille, Monty ? Pourquoi ?
— J'avais besoin de réfléchir. J'avais une affaire à résoudre.
— Quelle affaire ? Monty, quelque chose vous préoccupe ?
— Non. Pas du tout. L'affaire est résolue.
— Vous avez pris une décision ?
— Oui.
— Monty...
— Il est tard. Bonne nuit, Maud.

Acland retournait en France le matin même et ne vit que brièvement sa famille avant de partir.

Sa mère et son père s'étaient levés tôt pour lui dire au revoir et leurs adieux prirent un certain temps. Mais ceux des autres furent de pure forme, Freddie et Steenie s'étant réveillés tard.

Freddie émergea, d'un air coupable, en se frottant les yeux et Steenie arriva cinq minutes plus tard, vêtu comme un dandy. Il prit son petit déjeuner debout en fredonnant *La donna è mobile*. Constance n'apparut pas avant que tous soient réunis dans le hall d'entrée.

Elle descendit l'escalier en courant, les cheveux en bataille et les poignets non boutonnés, se plaignant de Jenna. Elle n'avait pas recousu un bouton manquant. C'était l'heure du départ. Acland était près de la porte, en uniforme, son sac à ses pieds et sa casquette sous le bras. La Rolls de son père l'attendait dehors.

Une poignée de main bourrue de son père. Une autre, moins bourrue, de Freddie. Une accolade de Steenie. Une longue embrassade affectueuse de sa mère. Constance était en retrait. Au tout dernier moment, elle lui piqua un baiser rapide et distrait sur chaque joue. Elle ne lui rappela pas sa promesse, ce qui le blessa, et le suivit sur le perron.

— Je suis désolée que tu manques mon bal, lança-t-elle tandis qu'il montait à l'arrière de la voiture. Elle agita la main sans conviction. Je déteste les adieux, dit-elle avec une intensité soudaine avant de se précipiter dans la maison.

La Rolls s'éloigna du perron. Son capot argenté pointait dans la direction de la gare, du bateau de troupes, des tranchées.

C'est dans cet état d'esprit, furieux contre Constance et la soupçonnant de l'avoir fait exprès, qu'Acland retourna en France.

VI

Fiançailles

Extrait de journal intime

Winterscombe, le 12 juin 1916

Il y avait une guerre en moi. Pas une grande guerre, comme en Europe, juste une petite. C'est terminé maintenant. Je vais mieux grâce à :
mon lapin
mon chien
mon Acland
moi

Comme je vais mieux, je vais écrire mon secret avant d'assister à mon bal. Je veux que le papier l'absorbe et que mon esprit l'oublie. Ecoute, papier. Toi, tu te souviendras, moi j'oublierai.
Un jour, quand j'avais cinq ans, j'ai mis mon père dans une grande colère. Au moment de me coucher, il est venu dans ma chambre. Nous n'avions plus de gouvernante. Plus de salaire à lui payer, avait-il dit, mais je crois qu'elle lui manquait.
Il avait apporté du vin et tout en buvant m'avait raconté l'histoire de son nouveau livre. C'était la première fois qu'il le faisait! Je l'ai écouté très attentivement. Je me sentais si fière, si adulte! Le héros était formidable. C'était Papa, j'en étais sûre. J'ai cru qu'il serait content que je le lui dise mais quand je l'ai fait, il a piqué une colère terrible. Il a jeté son verre contre le mur. Il y avait du vin et des débris de verre partout. La pièce était toute rouge.
Il m'a dit que j'étais stupide et qu'il allait me punir; j'étais méchante et il allait me battre pour faire sortir de moi toute cette méchanceté.

276

Il m'a mise en travers de ses genoux, a remonté ma chemise de nuit et m'a frappée.

Je ne sais plus combien de fois. Peut-être cinq, peut-être vingt. Pendant qu'il me battait, il s'est produit quelque chose. Il s'est arrêté et a commencé à me caresser.

Il a fait une vilaine chose. Je savais que c'était vilain. La gouvernante m'avait dit qu'il ne fallait pas toucher là, ni regarder. Mais Papa l'a fait. Il a dit : « Regarde, je peux t'ouvrir comme un petit porte-monnaie. Tu vois comme tu es petite ? Il y a un petit endroit minuscule juste ici. Il a levé un de ses doigts blancs et il a dit : regarde. Il va y entrer ».

Ça m'a fait mal. Je me suis mise à crier. Papa me tenait très fort. Il a dit que nous étions très proches et qu'il m'aimait beaucoup et que parce qu'il m'aimait beaucoup il allait me montrer un secret.

Il a déboutonné sa braguette et m'a dit de regarder. Entre ses cuisses, il y avait une chose étrange, comme un serpent blanc humide. J'avais peur de le toucher mais Papa s'est mis à rire. Il a dit qu'il allait me montrer un tour de magie. Il a mis ma main dessus et je l'ai senti battre. C'était vivant. « Caresse-le, a dit Papa. Tu vas voir, Constance, tu peux le faire grossir ».

« Fais comme si c'était un chaton, a-t-il ajouté. Caresse la fourrure tout doucement ». Je l'ai fait et ça s'est mis à grossir, comme il l'avait dit. Ça s'est déroulé et ça s'est tendu vers moi. « Regarde, Papa, tu as un nouvel os ». Alors il s'est mis à rire et m'a embrassée.

D'habitude, il n'aimait pas les baisers sur la bouche, à cause des microbes. Mais ce soir-là, ce n'était pas pareil. Il m'a embrassée et il m'a dit qu'il y avait quelque chose dont il avait très envie. Que je pouvais le lui donner. Il a pris son nouvel os dans sa main et a craché dessus. Il a dit qu'il pouvait...

Le mettre dans moi. Le pousser au fond. Cette grosse chose. Je savais qu'il n'y arriverait pas. Ça n'a pas marché. Je me suis mise à saigner mais Papa n'était pas en colère. Il m'a bien lavée puis il m'a assise sur ses genoux et m'a donné un verre de vin. Le vin ressemblait à mon sang.

« Ne pleure pas, a dit Papa. Ne t'inquiète pas. C'est notre secret. Nous pourrons réessayer ».

La première fois, c'était un dimanche. Je le sais parce que j'entendais les cloches sonner. Il y avait une église au bout de la rue, Saint Michael et tous les Anges. Quand on se penchait par la fenêtre, on la voyait presque.

Cette fois il a utilisé un onguent. Je devais l'enduire avec jusqu'à ce qu'il soit glissant. Comme ça il a pu rentrer jusqu'au bout et Papa a poussé un grand cri. Ça m'a fait mal, et à lui aussi je crois car il a tremblé et j'ai lu de la haine dans ses yeux. Il a fermé les yeux et quand ça a été fini il ne m'a plus regardée.

Après, ça a toujours été un dimanche. Parfois il disait : « Touche mon serpent ». Et parfois : « *Caresse le chaton, Constance* ». Parfois il disait des mots affreux. Un jour, il m'a assise sur ses genoux et l'a rentré dans cette position. Il a dit que j'étais sa petite fille à lui. Un jour, il a fait autre chose. Mais je ne veux pas l'écrire. Ça m'a fait vomir. Pendant que je vomissais, ses yeux me détestaient. Il continuait à dire qu'il m'aimait mais ses yeux me détestaient.

L'année suivante, après sa rencontre avec Gwen, ça s'est arrêté. J'étais à la fois heureuse et triste. Il ne m'a plus jamais dit qu'il m'aimait et il a commencé à m'appeler l'albatros et à se moquer de moi. Je lui disais : « Papa, s'il te plaît, ne m'appelle pas comme ça, surtout quand il y a des gens ». Et il promettait d'arrêter. Mais il recommençait le lendemain.

Petit albatros. Je me sentais très seule.

Voilà. Voilà ce qui s'est passé. C'est le plus grand de mes secrets. Je l'ai confié au papier et le papier décidera s'il m'aimait ou s'il mentait.

Je vais refermer ce cahier et en commencer un autre.

Je vais refermer cette Constance.

Je vais refermer cette vie.

Je vais aller danser. Je suis prête. Je porte ma nouvelle robe blanche. Je vais me choisir un mari. A partir de maintenant, je ferai très attention. Je ne voudrais pas redevenir un albatros – pour personne.

Constance descend donc l'escalier de Winterscombe pour aller danser. La musique commence. Elle porte sa robe de bal blanche décorée de pierreries.

Des petites bagues sont enfilées sur ses doigts fins. Ses cheveux sont relevés pour la première fois. Elle porte autour du cou des perles offertes par Maud. « Ton père est à six pieds sous terre », se dit-elle.

Elle ne fait pas un geste. Les mots tournent dans sa tête. La musique s'envole. Elle essaie de rassembler ses forces. Elle a une petite tache d'encre sur un doigt.

Six pieds sous terre, c'est profond, mais, dans le cas de Constance, l'est-ce suffisamment ?

Je crois que si son père avait été enfoui plus profondément cela n'aurait pas changé grand-chose pour elle. Il serait resté dans son subconscient. Tôt ou tard – tôt probablement – il aurait refait surface.

Constance, qui n'avait jamais entendu parler de subconscient, croyait pouvoir enfermer son père dans un cahier, dans des mots et des paragraphes, puis sceller ce cahier, cette vie. Mais la mémoire ne fonctionne pas ainsi. Personne ne peut la commander, c'est elle qui nous commande.

278

Nous ne pouvons oublier : nous sommes à la merci de notre mémoire, de toutes ces images, ces détails, ces scènes, ces épisodes que nous portons en nous et que nous appelons le passé. Nous pouvons essayer de le contrôler comme Constance a tenté de le faire et comme je l'ai fait moi-même : sélectionner une image par-ci, un événement par-là, transformer notre passé en un récit ordonné, linéaire et compréhensible. Car nous sommes tous des romanciers quand il s'agit de nos propres vies. Mais le passé résiste à toutes ces tentatives. Il a sa propre vie. Quand nous croyons l'avoir arrangé de la façon qui nous convient, il se modifie et prend une autre forme. Et si nous tentons de l'ignorer, il envoie un petit message subversif : une image, un événement que nous croyons avoir soigneusement oublié.

J'ai connu cela. J'ai passé huit ans à essayer d'oublier le bonheur. La difficulté avait été énorme et je m'étais rendu compte à Winterscombe que je n'y étais pas parvenue. Et Constance, qui essayait d'oublier un viol ?

Lorsque j'eus fini ce passage de son journal, je n'eus pas envie de continuer. Comme elle, je fermai le cahier puis me mis à errer dans les pièces de Winterscombe. J'allai dans la salle de bal où elle avait commencé une nouvelle étape de sa vie. Je me plaçai en bas de l'escalier et regardai vers le haut.

Ce n'était qu'une salle de bal. Je ne sentais aucun relent du passé. La violence des événements aurait dû y laisser une empreinte ; la qualité de l'air aurait dû être différente. Quelqu'un ne sachant rien de cette maison et de son histoire aurait dû sentir quelque chose. Mais quoi ? Un courant d'air froid, une concentration de molécules, toutes ces impressions que l'on exprime quand on veut décrire la présence d'un fantôme. Et moi, sachant ce que je savais, je ne sentais rien du tout. La salle de bal n'était qu'une salle de bal, l'escalier n'était qu'un escalier. Ils restaient obstinément inanimés.

Je retournai au journal, qui ne l'était pas, et aux photos de Constance prises ce soir-là. Je pensai à elle, debout en haut de l'escalier. J'avais pitié d'elle et peur pour elle car je pressentais ce qui allait se passer.

Je savais qu'elle s'était choisi un mari la nuit de son bal et je savais lequel. Je connaissais aussi quelques éléments de ce qui allait suivre. En fait, une bonne partie de ce que je croyais savoir était faux. Son mariage, comme son enfance, était plein de secrets. Je pensais qu'elle avait pathétiquement essayé de se libérer de son père et savais pertinemment qu'elle avait échoué. Dans sa mémoire, il était toujours vivant. Il était près d'elle en haut de l'escalier, était descendu avec elle dans la salle de bal et était encore présent dans sa nouvelle vie. Elle était persuadée qu'elle avait choisi elle-même son futur mari, de son propre gré, mais je n'en crois rien. Son choix portait l'empreinte de son père.

Il lui fallait un mari. Avait-elle le choix ? Elle était prisonnière de son époque et de son éducation. Les femmes de sa classe sociale d'adoption ne travaillaient pas; celles de sa classe d'origine faisaient un travail déprimant. Elle n'avait pas l'intention de passer sa vie comme gouvernante ou dame de compagnie. Secrétaire ? Jamais. Infirmière ? Sûrement pas. Seule la guerre rendait une telle profession acceptable socialement, et la guerre ne durerait pas éternellement.

Non. Seul le mariage pouvait la libérer de la famille Cavendish et de sa charité. Très jeune, elle associait encore la notion de mariage à celle de liberté.

Qui ? Elle avait une idée nette mais plutôt abstraite de l'homme qu'il lui fallait. Comme à son habitude, elle avait dressé une liste. Il devait être riche, bien entendu. De bonne famille, de préférence. Avec un titre, si possible. Et célibataire, pour plus de simplicité.

Cet homme, avait-elle décidé, devait être déjà établi. Elle était trop impatiente de vivre pour s'accorder à un homme qui n'était pas encore arrivé en haut de l'échelle. Il ne devait pas nécessairement être beau garçon : elle avait déjà constaté que les hommes beaux étaient souvent futiles. Elle préférait qu'il soit intelligent. Qu'il soit ou non d'un naturel gentil n'avait aucune importance. Evidemment, si elle pouvait trouver un homme à la fois beau et intelligent, fortuné et haut placé, le mariage serait d'autant plus agréable.

En dressant sa liste, elle avait pensé à Acland, qui avait chacune de ces qualités. Mais elle avait aussitôt rejeté cette idée, Acland ayant un statut à part dans son esprit. Elle le respectait trop pour le cataloguer comme un mari possible. Un époux n'était qu'un moyen pour parvenir à une fin; Acland était... lui-même. Elle préférait le considérer comme un phantasme hors de sa portée, ce qui préservait son caractère unique.

Elle l'avait donc mis dans une petite boîte, dans un recoin de son esprit, qu'elle avait fermée et dont elle avait jeté la clé... jusque quelques années plus tard. Dans cette boîte, il y avait avec lui l'impossible, l'excessif, la musique et des bruits de coups de feu : le chaos de la vie. Dans la boîte, Acland était en sécurité.

Il fallait donc trouver un autre candidat. En atteignant le bas de l'escalier, elle se dit que tout était possible puisqu'elle n'avait aucune préférence particulière.

Je soupçonne qu'elle savait, au fond de son cœur, que ce n'était pas complètement vrai. Les dés étaient pipés mais elle ne l'aurait jamais admis.

C'était faire preuve d'une grande prétention, bien entendu. Je ne pense pas qu'elle ait imaginé un seul instant que l'heureux élu pouvait ne pas être d'accord. Mais la beauté donne confiance et elle était ravissante ce soir-là.

Au pied de l'escalier, elle soulève le bas de sa robe blanche d'une main gantée de blanc et s'approche de la salle où, vingt ans plus tard, j'allais danser avec Franz-Jacob. Les rideaux roses ne sont pas en lambeaux, l'orchestre joue, les chandeliers sont allumés et l'air vibre.

Elle porte de nouvelles ballerines dont les talons plats gênent un peu son équilibre. Elle a l'apparence d'une femme mais marche comme une enfant.

Elle est accueillie par Gwen qui l'embrasse. Par Sir Montague Stern, qui s'incline au-dessus de sa main, selon sa curieuse habitude. Par Maud, qui lui fait toutes sortes de compliments et contemple sa protégée avec fierté. Comme l'exigent les conventions, Constance ouvre le bal avec Denton. Elle accorde la danse suivante à Freddie.

Lorsque la musique s'arrête, son esprit s'enflamme. Alors que Freddie la raccompagne, elle se tourne vers lui et lui agrippe le bras.

– Oh, Freddie! L'avenir. Je le veux tellement. Je l'entends, tu sais. Ecoute.

Elle s'arrête et tend l'oreille. Freddie, aveuglé par sa beauté, esquisse une réponse mais Constance l'interrompt :

– Oh, Freddie! Tu me pardonnes pour tout ce que j'ai fait? Je sais que je t'ai fait du mal. Je te promets que je ne ferai plus jamais de mal à personne. Je suis si heureuse ce soir. Je ne supporte pas de te voir triste. Toi, Francis, Acland et Steenie, vous êtes les meilleurs frères du monde. Je vous aime tous tellement. Je vous aime à en mourir. Je vous rendrai heureux. Tiens, je vais mettre un peu de chance dans ta main. Tout de suite. Ferme tes doigts dessus et serre-les bien. Voilà! Tout le passé s'est enfui et nous n'y penserons plus jamais. Tu vois ce que je t'ai donné? Je t'ai donné demain. Dans la paume de ta main, tout simplement. Va danser, Freddie. Avec quelqu'un d'autre.

C'est ce qu'il fit. Il dansa une polka, puis un fox-trot, puis une valse. Il était heureux de danser. Il était en train de guérir de Constance.

En retournant s'asseoir près de Jane Conyngham, il se dit qu'il était content de renoncer à Constance. Elle allait trop vite pour lui. Elle embrouillait tout, surtout sa vie.

Il s'abattit sur son siège, le souffle coupé. Il tamponna son front et félicita Jane. Il regarda, plein d'espoir, tout autour de lui, avec une attention particulière pour les femmes. Il n'était pas impatient de tomber amoureux – une fois avait suffi – mais il aurait aimé trouver une fille relativement ordinaire qu'il aurait pu voir de temps à autre, qu'il aurait emmenée au théâtre pour ne pas avoir à traîner Steenie derrière lui sans arrêt.

Aucune des femmes ne retint son regard, qui retomba sur la petite silhouette agile de Constance. Elle n'avait pas manqué une seule danse. Conscient de sa stupidité, il était jaloux, jaloux de ses cavaliers.

Il se força à ne plus la regarder et posa ses yeux avec soulagement sur Jane. Il l'aimait bien, tout compte fait. Elle était gentille, sensible. On lui parlait facilement. Elle avait du caractère et était très fine. Depuis qu'il était ambulancier, il était confronté à des aspects de la vie dont il avait été protégé jusque-là. Commençant à comprendre les contraintes du travail de Jane, il la respectait d'autant plus. Il fut vexé de voir que celle-ci s'intéressait beaucoup à la piste de danse et à Constance.

— Qui danse avec Constance, Freddie ?

Il évita son regard.

— Je n'en sais rien, répondit-il avec irritation. Un de ses soupirants, je suppose.

— Est-ce l'Américain dont Maud a parlé ? Quel est son nom, déjà ? Gus quelque chose. Ah oui ! Gus Alexander.

— Je n'y vois rien, dit Freddie en refusant obstinément de regarder. S'il porte des boutons de col en diamants de la taille d'œufs de pigeon, c'est lui.

— Il a effectivement de gros boutons de col qui brillent.

— Alors, c'est lui. Il danse bien ?

— Pas très bien. Il danse comme s'il avait des bottes aux pieds.

— C'est bien lui, pas de doute. Je ne peux pas le supporter. Il parle d'argent tout le temps. Il raconte à qui veut l'entendre combien il gagne, au centime près. Il croit aussi qu'il est amoureux de Constance. Vous savez combien de roses il lui a envoyées l'autre jour ? Deux cents. Des roses rouges. Dans une horrible corbeille en or. Le genre d'objet que Stern aurait pu lui aussi choisir.

— Elle était contente ?

— Evidemment. Elle adore les gestes extravagants. Elle dit que les gens devraient être plus vulgaires.

— Ah bon ? Vous savez, Freddie, parfois je me dis qu'elle n'a pas tort.

— Comment pouvez-vous dire pareille chose ?

— Oh, je ne sais pas. Toutes ces règles que nous suivons sont parfois idiotes et arbitraires. On décide un beau jour qu'on tient son couteau de telle façon ou qu'on ne parle pas de certaines choses. D'argent par exemple. Et pourquoi ça ? Pourquoi ne pas faire comme M. Alexander et dire ce que l'on pense ?

— Et manger ses petits pois avec son couteau, pendant que vous y êtes ?

— Il y a des crimes bien plus graves, Freddie. Elle marqua un temps d'arrêt. Quand je suis à l'hôpital...

*

Jane laissa sa phrase en suspens et Freddie ne fit rien pour qu'elle poursuive. Elle admira les gerbes de fleurs et les chandeliers qui éclairaient comme en plein jour. En pensée, elle passa de la salle de bal à l'hôpital.

La transition entre ces deux mondes bien distincts était brutale. Les séparer était pourtant impossible et cela l'effrayait. Cela probablement dû à sa surcharge de travail.

Ce matin, à Guy's, elle avait soigné un petit garçon prénommé Tom. L'enfant dormait sur un lit de camp dans la salle réservée aux femmes car l'hôpital était constamment bondé. Entre autres choses, Tom était rachitique : comme la plupart des enfants et des femmes, il venait de l'East End et souffrait de malnutrition. De plus, on lui avait enlevé la veille un rein malade. Il lui en restait une plaie ronde bien nette semblable à une blessure par balle.

Jane voulait que Tom vive. La mort d'un enfant était inadmissible.

Tom vivrait, elle y était déterminée. Assise sur sa petite chaise absurde, Jane avait envie d'être auprès de lui. En même temps, elle était contente de s'être échappée pour quelque temps de l'hôpital. Là-bas, elle ne cessait de mentir.

Elle avait appris le mensonge : c'était indispensable. Au-dessus de chaque lit, figurait un numéro – les malades ne portaient pas de nom, juste un numéro – à côté duquel était inscrite la maladie de la patiente : carcinome. Carcinome de l'estomac, des poumons, de la peau ou du cerveau, toujours la même maladie : c'était la salle des cancéreuses.

Ces femmes n'étaient pas au courant. La plupart étaient illettrées et les autres ne connaissaient pas le terme.

– Ce n'est pas le cancer, n'est-ce pas ? demandaient-elles les unes après les autres.

– Bien sûr que non, répondait Jane de cette nouvelle voix ferme qu'elle avait dû adopter. Allez, on va battre les oreillers et vous installer confortablement.

L'infirmière en chef disait que c'était la seule chose à faire. Au début, Jane l'avait crue. Mais maintenant elle n'était plus sûre que ce soit la meilleure solution. Elle aurait aimé demander l'avis de Freddie. Elle aurait voulu lui confier à quel point l'hôpital l'obsédait et ne quittait jamais ses pensées.

Mais cela aurait été de très mauvais aloi. Les bonnes manières, une fois de plus. En outre, Freddie était jeune et, lui semblait-il, malheureux. Elle devait donc porter seule son fardeau.

C'est pourquoi elle ne termina pas sa phrase sur l'hôpital. Elle se pencha en avant et posa son menton sur ses mains. Comme Constance, elle était en pleine métamorphose.

Elle était mince. Ses mains nerveuses étaient rougies et abîmées par le travail hospitalier. En tant que volontaire, on lui confiait des tâches ingrates comme le nettoyage au phénol.

Elle mettait souvent ses mains devant son visage, comme pour le cacher, surtout quand elle parlait. Manquant de confiance en elle, elle parlait d'une façon déconcertante : elle commençait avec un certain calme mais perdait rapidement son sang-froid et terminait avec précipitation. Elle se réfugiait souvent dans des phrases faciles, des clichés, des évidences mais, détestant sa façon timide et évasive de parler, s'interrompait brutalement. Ses propos étaient toujours confus et ne semblaient jamais aboutir quelque part. Les hommes trouvaient cela assommant.

Elle avait un visage étroit à l'ossature fine, un front haut enfantin et, ce qu'elle avait de mieux selon les autres, des yeux noisette tachetés de brun empreints de sincérité.

Autre chose : elle s'était coupé les cheveux, ce qui, en 1916, était un acte osé. Elle s'en moquait. Elle les avait coupés elle-même pour plus de commodité dans son travail et les aimait ainsi. Cela lui seyait bien. Ses traits étaient souvent anxieux et tendus mais sa nouvelle coupe lui donnait du caractère. Elle soulignait le contour de son visage et révélait la délicatesse de son cou. Ses cheveux, couleur de cuivre bien astiqué, étaient dociles sous le peigne. Depuis peu, elle commençait à s'affirmer, ce qui lui procurait une sensation étrange : ses cheveux courts lui conféraient plus d'assurance.

Un jour, elle serait sûre d'elle, se disait-elle. Mais pour l'instant, elle restait hésitante, même avec Freddie.

En interrompant sa phrase sur l'hôpital, elle cacha sa bouche derrière ses mains et au lieu de poursuivre, attira l'attention de Freddie sur le sujet le plus banal possible : Constance et la beauté de sa robe.

Freddie jeta un coup d'œil : Constance était occupée à choisir son prochain cavalier au milieu d'un groupe de jeunes gens impatients. Ses petites mains s'agitaient, son chignon maintenu par des peignes scintillants était magnifique, bien que paraissant en situation précaire, comme s'il pouvait tomber sur ses épaules à tout moment. Elle se tourna successivement vers chacun d'eux dans une sorte de ballet de séduction.

Freddie se leva. Las de ce spectacle, il laissa Jane aux bons soins d'Hector Arlington, en permission, qui approchait justement et se mit en quête de champagne.

La guerre s'éternisant, on manquait de serviteurs : ce fut finalement Jenna qui lui apporta une coupe.

Elle avait l'air si pâle, malade et épuisée qu'il ne la reconnut pas

284

tout de suite. Elle qui avait été si jolie paraissait maintenant vieille : l'âge, le temps, les changements. Il se sentit mélancolique.

Il se plaça au pied de l'estrade de l'orchestre et but son champagne à grandes gorgées.

— Qui est-ce ? grommela Denton en scrutant avidement la piste de danse.

— Où ça, très cher ?

— Là, Gwennie, là ! La jeune fille qui danse avec Hector Arlington. Qui est-ce ?

— C'est Jane, très cher. La fiancée de Boy. Jane Conyngham ! répondit Gwen en s'énervant un peu devant l'expression obtuse du visage de son mari. On aurait dit qu'il n'avait jamais entendu parler d'elle.

— Epouvantable, dit-il en grimaçant. Mais qu'a-t-elle fait à ses cheveux ? On dirait qu'elle a été scalpée !

— Elle les a coupés, très cher. C'est à la mode, je crois. Cela lui va bien, je trouve. Elle fait moins sévère et plus jeune, presque jolie.

— Elle a une robe hideuse. Parfaitement atroce. Jaune, n'est-ce pas ? On dirait une maladie de peau. Vous devriez lui parler, Gwennie.

— Jane ne s'intéresse pas beaucoup aux vêtements, très cher. Elle ne s'y est jamais intéressée, vous le savez bien. Moi j'aime bien sa robe. Elle va bien à son teint. C'est une jeune fille au grand cœur, Denton.

— Bon cœur et de la fortune, fit remarquer Denton en ricanant.

Gwen lui lança un regard soupçonneux. Denton semblait maintenant se souvenir parfaitement de Jane et elle le suspectait d'avoir feint l'oubli.

La mémoire de son mari était un grand mystère. Pour certaines petites choses comme les dates, les noms, certains mots, surtout des adjectifs, sa mémoire était indubitablement mauvaise. En revanche, lorsqu'il décrivait quelqu'un ou quelque chose, sa capacité à trouver le mot exact était étonnante. « Il est... », commençait-il, puis il se mettait à rouler des yeux et à bouger ses mains convulsivement.

— Grand ? hasardait Gwen d'une voix indulgente. Fort ? Bien bâti ? Trapu ? Vigoureux ? Large d'épaules ? Géant ?

Denton esquissait de la main droite quelque stature carrée.

— Grand, concluait-elle. Je suis sûre que c'est ce que vous voulez dire, très cher. Un mètre quatre-vingts, comme vous, Boy et Acland. Très grand, n'est-ce pas Denton ?

— Chevelu, disait alors Denton, une lueur sournoise dans les yeux.

Chevelu, ou chauve, ou nain, ou sournois : quel que soit le mot qu'il finissait par prononcer, il n'avait jamais rien à voir avec ce qu'il venait de mimer.

Dans ces moments-là, certaine d'avoir été bernée, Gwen était parfois agacée. Les pertes de mémoire de son mari n'étaient-elles en fait que de la perversité ? Il ne se souvenait pas de Jane Conyngham mais, l'instant d'après, se rappelait sa fortune. Elle soupira. C'était un réel problème.

— Vous êtes fatigué, Denton ? demanda-t-elle. Elle s'inclina vers lui avec une sollicitude toute maternelle. Il est tard. Personne ne remarquera si vous vous retirez.

— Pas fatigué. Pas du tout. M'amuse, répliqua Denton d'un ton ferme. Il regarda son verre de cognac vide, que Gwen n'avait pas l'intention de faire remplir. Il y a des gens bizarres, ici. Il jeta un regard circulaire sur la pièce. La femme là-bas, celle qui a la figure peinte, elle ressemble à une...

— Denton !

— Traînée. Que croyiez-vous que j'allais dire ? Et le type avec elle. Un vrai métèque. Qui l'a invité ? Et l'autre là-bas. Celui qui caracole dans le coin. Il a tout du pédéraste ! Des cheveux longs. Du rouge barbouillé sur les joues. On devrait l'envoyer au front, ça lui mettrait un peu de plomb dans la cervelle...

Gwen souleva son nouveau face-à-main et regarda. Le jeune homme lui tournait le dos et parlait avec animation avec Freddie et un groupe de jeunes gens, dont Conrad Vickers, celui qui voulait devenir photographe, le grand ours qui traînait les pieds que tout le monde appelait Wexton, et Basile Hallam, l'acteur.

Gwen réprouvait ces gens, Vickers, surtout, qui lui semblait particulièrement agité. Le jeune homme accusé par Denton de caracoler était toujours de dos, à côté de Freddie, en grande conversation avec Wexton. D'après Jane, ce dernier allait rejoindre une unité d'ambulances en France. Juste au moment où elle se disait qu'il fallait à tout prix éviter que Freddie n'entraîne ce jeune homme, que conduire une ambulance à Hampstead et au front n'avaient rien à voir, le jeune homme caracolant se retourna. C'était Steenie.

— C'est bien ce que je disais. La figure toute barbouillée. C'est écœurant !

— Denton, très cher. Ne soyez pas stupide. Elle lui adressa un regard de reproche. C'est Steenie. Vous l'auriez reconnu si vous aviez mis vos lunettes. Il a juste les joues roses, c'est tout. Il fait chaud ici et il a beaucoup dansé...

— En plus... Le regard de Denton s'arrêta sur sa sœur. En plus, regardez Maud. Pendue au bras de ce type. Quel est son nom déjà, à cet Israélite ?

— Denton, pour l'amour du ciel ! Elle pourrait vous entendre...

— Et alors ? Cela la ramènerait peut-être à la raison. Mais qu'est-ce qu'elle croit ? Elle est anglaise et, de surcroît, ma propre sœur. Non contente de se marier avec un métèque, elle choisit ensuite celui-là. Un... prêteur d'argent. A votre avis, comment un type pareil fait-il pour obtenir un titre ?

— Comme votre père a obtenu le sien, je suppose. En l'achetant.

— Ridicule ! Si cela ne tenait qu'à moi...

— Calmez-vous, mon cher. Vous savez ce que le médecin a dit. De toute façon, vous aimez bien Monty et vous le savez.

Elle fit un signe à l'un des serveurs âgés et le regarda remplir le verre de Denton. Il en servit peu car les domestiques avaient reçu des consignes, mais cela suffisait. Denton se calma.

— Sangsue, grommela-t-il.

Mais sa colère était retombée. Un instant plus tard, il semblait avoir oublié à la fois Maud et Sir Montague. Gwen était soulagée.

Ces explosions au sujet de Stern se faisaient de plus en plus fréquentes et, ajoutées à de petites allusions de Maud, troublaient parfois Gwen. Il lui était venu une ou deux fois à l'esprit que Denton, comme nombre de leurs amis, avait peut-être emprunté de l'argent à Stern. Celui-ci était connu pour sa sympathie envers les gens dispendieux, que ce soit des dépenses inconsidérées, comme la spéculation ou le jeu, ou plus sérieuses, comme l'achat de propriétés.

Les Arlington, par exemple. D'après Maud, qui le lui avait confié en secret, Hector Arlington s'était adressé à Stern sur les conseils de sa mère, l'admirable Gertrude. Il l'avait dépanné. Il s'agissait d'une gêne provisoire, bien entendu, une histoire de droits de succession, apparemment. Selon la rumeur, même Sir Richard Peel, le vieux camarade de Denton et le plus circonspect des hommes, avait confié son portefeuille à Stern et était enchanté des résultats. Peel était de la vieille école et n'en avait pas honte : « Je ne peux pas l'inviter chez moi, fit-il un jour remarquer à Gwen. Je sais qu'il vient ici et qu'il est invité un peu partout, mais c'est plus fort que moi. Je ne peux m'y résoudre. Du reste, il le comprend très bien. Il n'essaie jamais de se faire inviter. Il a du tact, pour un Juif ».

Stern avait-il aussi prodigué ses bons conseils à Denton ? Ces dernières semaines, Gwen en avait envisagé l'éventualité. Tout en regardant Stern, Maud à son bras, discutant paisiblement, elle y songeait maintenant. Il ne lui était jamais venu à l'idée que Denton pourrait avoir besoin d'un conseil ou d'un coup de pouce financier. Après tout, ils vivaient simplement : juste trois maisons – Winterscombe, Londres et la maison de chasse des Highlands où Denton se rendait en août et en septembre pour la chasse à courre et la pêche. Leur train de vie n'était pas somptueux et leur personnel de maison avait fortement diminué depuis le début de la guerre. Il était impensable que Denton puisse avoir besoin d'un emprunt. S'il était en affaires avec Stern, ce ne pouvait être que pour des investissements.

Et pourtant, certains faits étaient singuliers : Denton était si près de ses sous qu'elle craignait de lui remettre les factures de ses dernières robes. D'autres fois, sans fournir d'explications, il dépensait sans compter. Il faisait des présents très généreux à ses fils et avait même encouragé les préparatifs de ce bal. D'un autre côté, il y avait cette insistance inexplicable, qui remontait à plusieurs années, pour que Boy se marie avec une héritière. Pourquoi Boy aurait-il besoin d'une riche épouse ?

— Au lit ! dit soudain Denton. Je vais au lit. Je me fais trop vieux pour ce genre de divertissements, Gwennie.

— C'est stupide, Denton.

Maud venait de les rejoindre, Montague Stern sur ses talons. Elle embrassa son frère.

— Tu ne peux pas te retirer maintenant. Tu n'as dansé qu'une fois. Fais-moi danser un peu.

— Bien trop vieux. Bien trop raide, grommela Denton.

Il attrapa sa canne, dont, d'après Gwen, il n'avait nullement besoin. Mais il se plaisait à jouer les vieillards valétudinaires. Il se leva. A cet instant, Constance apparut à ses côtés, scintillante dans sa robe blanche.

— Père, dit-elle en souriant et en s'appuyant sur le bras de Denton, s'il vous plaît, c'est une soirée merveilleuse. J'aimerais que vous me fassiez danser avant de monter vous coucher.

Denton, qui ne semblait jamais remarquer que Constance l'appelait Père, lui rendit son sourire. Il vacilla légèrement, souleva sa canne et roula des yeux – Gwen détestait cela.

— Impossible, répondit-il. Même pour toi, ma chère. Autrefois, j'aimais danser avec la reine du bal, mais plus maintenant. Trop vieux. Mon pied. Mais je suis sûr que Stern ne demandera pas mieux que de me remplacer.

Sur cette remarque, il appuya fermement sur le bras de Sir Montague, juste au-dessus du coude, et le poussa en avant avec une force inattendue.

Constance semblait fort amusée et Stern déconcerté. Il ne devait pas apprécier ces manières brusques ou ne pas avoir envie de danser avec Constance. Quoi qu'il en soit, il se reprit tout de suite.

— Constance, dit-il avec son urbanité coutumière. Je ferai un piètre remplaçant mais je serai enchanté d'essayer.

— Je n'en doute pas, répondit-elle d'un ton léger.

Ils s'éloignèrent tous deux sur la piste de danse. Constance semblait toute petite et frêle dans les bras de Stern. Maud les observa avec un sourire bienveillant. Tous deux étaient des danseurs accomplis.

C'était une valse viennoise.

– Comment préférez-vous danser, Constance ? interrogea Stern après un tour de piste. Nous dansons bien mais légèrement en dessous du rythme, il me semble.

– Oh, j'aime danser vite, répliqua-t-elle. J'aimerais... m'envoler.

Stern sourit. Sa main gauche serra la sienne un peu plus fort et il renforça la pression de sa main droite sur la taille de la jeune fille. Ils accélérèrent l'allure et il se passa alors quelque chose d'étrange. Pendant le premier tour, Constance se concentra sur les pas de danse et pendant le second, sur son cavalier.

Elle s'était promis de se choisir un mari. La soirée touchait à sa fin, et elle ne s'était pas encore décidée. Lorsqu'ils entamèrent leur troisième tour, elle se dit qu'en fait, dès avant le bal, elle avait déjà fait son choix.

Elle aimait faire des conjectures et se rappela en avoir fait à une ou deux reprises concernant Stern. Cela s'était produit il y a longtemps, quand elle avait compris, en observant les convives assis à la table de Winterscombe, qu'en réalité Stern avait supplanté Denton dans le rôle de patriarche de la famille.

Elle ignorait à ce moment-là que Denton avait pris conseil auprès de lui et ne saurait jamais qu'Acland et, plus tard, Jane, en avaient fait de même. Son instinct était aiguisé : sans savoir tout cela, elle sentait l'odeur du pouvoir.

Ils atteignirent un coin de la salle de bal, tournèrent une, deux, puis trois fois. Elle lui adressa un long regard d'appréciation et se rappela les discussions avec Gwen à propos de cet homme. Elle se souvint aussi du jour où, plusieurs mois auparavant, au retour de courses avec Maud, elle fut présentée à Stern qui les attendait dans une galerie du West End.

Il voulait acheter un tableau. Constance n'avait aucun goût pour l'art, la musique ou la littérature, mais, comme disait Maud, elle apprenait vite. Elle jeta un coup d'œil aux tableaux insipides, qui se ressemblaient tous. Elle préférait les grandes toiles contenant des personnages.

De toute évidence, le goût de Stern différait du sien. Ces toiles étaient de taille modeste et représentaient toutes des paysages. L'homme qui guidait Stern de tableau en tableau était très déférent, elle le sentit tout de suite, mais pas obséquieux. Il était déférent à l'égard du jugement de Stern et non de son compte en banque.

Celui-ci passa lentement devant la rangée de peintures. Beige, marron, brun foncé, ocre brun. Constance n'était jamais allée en France et n'avait pas entendu parler de Cézanne. Elle avait envie de bâiller.

Stern s'arrêta finalement devant un tableau.

– Ah ! dit-il. Ça...

– Oh oui ! Le vendeur s'était arrêté et poussa lui aussi un soupir.

Tant de révérence! Constance examina la toile en question. Ce pouvait être une montagne et certaines formes ressemblaient à des arbres. Mais, dans l'ensemble, rien n'était certain. Elle n'appréciait pas du tout cette nature morte et soupçonnait Maud de partager son sentiment.

Stern acheta le tableau et fut félicité par le vendeur. Jetant un rapide coup d'œil sur le tarif qu'on lui avait remis, Constance constata que cette toile était la plus chère de toutes. Les belles choses sont toujours chères, lui avait enseigné Maud. Constance révisa donc immédiatement son jugement sur le tableau et, par la même occasion, sur Stern. Sans avoir consulté le tarif, il avait choisi, d'instinct, ce qu'il y avait de mieux. Ses yeux avaient perçu quelque chose d'invisible pour elle.

C'était un véritable mystère, et elle adorait les mystères. Stern comprenait des choses auxquelles elle était parfaitement étrangère. Elle eut cette impression à plusieurs reprises par la suite : quand il choisissait un vin, discutait d'un livre avec Acland ou Jane ou les emmenait à l'opéra.

Une fois ou deux, assise dans sa loge, elle avait étudié à la dérobée cet homme contenu et influent. Sa concentration sur la musique était absolue. Penché en avant, le coude sur le rebord de la loge, le menton posé sur sa main, il semblait entendre dans la succession de notes quelque chose que Constance ne distinguait pas. C'était insupportable. Il fallait impérativement qu'elle soit admise dans le cercle des initiés. Une fois, elle avait attendu l'entracte pour taper doucement sur son bras et lui avait posé une question – mauvaise, à en juger par la mine qu'il avait faite.

Patiemment – il s'agissait de *La Flûte enchantée* – il lui avait expliqué l'intrigue. Constance l'avait trouvée parfaitement ridicule mais elle avait eu la bonne idée de le garder pour elle : Stern était déjà assez agacé comme ça.

Par la suite, elle avait fait de gros efforts. Surtout quand ils étaient allés voir *Rigoletto*. Elle avait interrogé Stern à propos de Verdi pour lui montrer son envie de le prendre pour mentor.

Mentor? La valse se terminait. Elle prit une décision. Il pouvait être bien plus qu'un mentor : un mari.

L'évidence de ce choix – Stern ne remplissait-il pas jusqu'à la dernière des conditions requises? – l'étourdit un peu. Elle se demanda comment elle avait pu être si lente à comprendre. Il était célibataire – Maud ne comptait pas –, avait le pouvoir, la richesse, la position sociale et même l'intelligence nécessaires. Son physique faisait forte impression et sa discrétion légendaire était fascinante. Il aurait pu être son père, évidemment, mais l'âge n'avait aucune importance. Enfin, et par-dessus tout, elle ne le connaissait pas. Il faisait partie du cercle de famille depuis six ans mais elle n'avait pas encore exploré sa personnalité profonde. Elle n'avait aucune idée de ce qu'il était réellement. Après tout ce temps, il restait un étranger prévenant, courtois, poli et insaisissable.

Elle n'hésita pas une seconde mais, une fois de plus, montra trop de précipitation.

— Encore une danse. Vous dansez si bien, dit-elle alors qu'il la raccompagnait.

Il parut interloqué.

— Je vous en prie. Ne refusez pas. Personne ne peut rien me refuser ce soir.

Il la regarda d'un air dubitatif, comme s'il était évident qu'elle se trompait lourdement. Mais, ses bonnes manières reprenant le dessus, il inclina légèrement la tête, prit son bras et la ramena au centre de la piste.

Dans ses bras, Constance réfléchit. Elle croyait à la transmission de pensées : si elle pensait fort à quelque chose, Stern capterait cette pensée.

Elle attendit un moment puis, de façon très convaincante, manqua exprès un pas. Elle chancela et se serra contre lui pour se rattraper. Au passage, elle effleura son cou de sa main gantée.

Elle comptait sur l'effet du silence. Lorsqu'elle jugea le moment opportun, elle laissa tomber une remarque anodine en lui adressant son regard le plus incendiaire. Elle tourna lentement la tête pour qu'il ait bien le temps de saisir la perfection de ses traits, la provocation de ses lèvres puis celle, plus subtile, de ses yeux.

Son attitude pouvait paraître puérile mais elle savait que son physique était sa meilleure arme. Sa peau, aussi fine que de la porcelaine, n'avait aucune ride, ses cheveux abondants vibraient de vie, ses lèvres étaient naturellement colorées. Dieu – s'il existait – l'avait pourvue d'yeux expressifs d'une couleur ambiguë. Si la nature ne l'avait pas honorée de ces attraits, elle s'en serait passée. Mais, puisqu'elle les avait, elle savait s'en servir sur les hommes.

En revanche, elle avait travaillé l'éloquence de son regard. Elle posa donc les yeux sur Stern, rassembla sa volonté et attendit que ses pensées passent dans l'esprit de son cavalier.

Elle se mit à penser à des caresses et des chuchotements, à l'amour physique. Elle essaya d'imaginer Stern, l'homme de pouvoir, en amant. A son grand enchantement, il croisa son regard puis, à sa déception, le détourna.

Elle était consternée. Le regard qu'elle venait de surprendre exprimait un ennui sur lequel aucune femme ne pouvait se méprendre. Stern ne faisait que remplir son devoir en tant qu'ami de la famille et dansait par politesse avec une enfant. Les pensées de Constance étaient restées sans effet. Elle était anéantie.

Sans un mot, elle termina la danse d'un air absorbé. Chez elle, cette expression était synonyme de trouble.

Une fois la danse finie, Stern l'escorta jusqu'à son prochain cavalier puis retourna près de Maud. Ils se mirent à discuter avec une tendresse évidente et s'en allèrent peu après.

Constance les épia avec patience, comme un chat guette une souris ou un oiseau. Stern serait une proie difficile : la tâche n'en était que plus exaltante.

´Constance était bien la fille de son père; la facilité ne l'avait jamais intéressée. Cependant, Shawcross lui avait légué autre chose qui allait l'influencer pour le reste de sa vie. La seule chose que Constance ne pouvait absolument pas admettre d'un homme était l'indifférence.

– Tu penses parfois à l'amour ? demanda Steenie à Wexton quelques jours après le bal.

Ils venaient de visiter une petite galerie de Chelsea où Steenie espérait exposer prochainement et prenaient le thé dans un des salons préférés de Wexton – enfumé, bondé et pas chic du tout, aux serveuses en uniforme noir et blanc. Nerveux, Steenie ne voulait rien manger. Wexton, après mûre réflexion, avait commandé une brioche à la crème.

Au lieu de répondre à la question de Steenie, il lui adressa un regard circonspect et s'attaqua à sa brioche avec une petite fourchette.

– Il faut absolument que j'utilise ça ? demanda-t-il en levant la fourchette.

– Tu n'es pas obligé, dit Steenie d'une toute petite voix. Il s'éclaircit la gorge puis reposa sa question. Tu penses parfois à l'amour ?

Sa question lui parut soudain ridicule et il se mit à rougir. Wexton prit un air pensif.

– Parfois. Il existe tellement de sortes d'amour.

– Qu'est-ce que tu veux dire ? interrogea Steenie, qui n'en voyait qu'une.

– Eh bien, les enfants aiment leurs parents. Les parents aiment leurs enfants. On peut aimer un ami. Un homme peut aimer une femme ou plusieurs, l'une après l'autre ou en même temps. Il peut être amoureux ou aimer. Il y a un tas de possibilités.

Ces possibilités n'intéressaient pas du tout Steenie et l'idée d'un homme aimant une femme lui donna une légère nausée. Une éventualité atroce lui vint à l'esprit : et s'il s'était trompé sur le compte de Wexton ?

Il prit une grande gorgée de thé qui lui brûla la bouche, reposa sa tasse sur la soucoupe et fixa le visage de Wexton. C'était un visage extraordinaire, qu'une douceur mélancolique légèrement désorientée ne quittait jamais. Wexton faisait plus que ses vingt ans. C'était l'homme le plus sage et le plus gentil que Steenie ait jamais rencontré.

Steenie songea que pour dire ce qu'il s'apprêtait à dire – et il allait le faire car ils avaient atteint le Rubicon – il ne pourrait pas regarder Wexton en même temps. Il avait trop peur. Il tourna donc son regard vers une femme au chapeau grotesque assise à la table derrière Wexton et fixa la longue plume de faisan qui jaillissait de sa coiffure.

Et... commença-t-il. Il se racla de nouveau la gorge. Et je suppose qu'un homme peut... aimer un autre homme.

– Oh oui! Wexton prit une bouchée de brioche et la mastiqua avec une satisfaction évidente. C'est délicieux, fit-il remarquer.

Steenie se sentait sur le point de mourir. Il lui restait tout au plus une minute à vivre. Son cœur s'était arrêté de battre; sa tête contenait du plomb en fusion; ses poumons ne fonctionnaient plus; ses oreilles étaient bouchées; jusqu'à ses yeux, qui ne répondaient plus : il ne voyait plus la plume de faisan. Plus que trente secondes. Vingt. Dix.

– Par exemple, reprit Wexton sur un ton mesuré, je t'aime. Je ne voulais pas le dire mais j'ai changé d'avis.

– Je vais avoir une crise cardiaque. Oui, c'est ça. Regarde, mes mains tremblent.

– Est-ce un symptôme de crise cardiaque?

– Je ne sais pas.

– Moi non plus. Mais je ne crois pas.

– C'est sans doute le bonheur. La voix de Steenie était redevenue normale. Il risqua un œil vers Wexton avant de poursuivre :

– Oui, ce doit être ça. Une sensation extrême, soudaine... le bonheur. C'est une sorte de crise cardiaque. Je t'aime aussi. Je t'aime à la folie, Wexton. Complètement, irrésistiblement.

Il se pencha au-dessus de la table, prit la main de Wexton dans la sienne et le regarda dans les yeux.

– Je sais ce que tu penses de moi. Que je suis très affecté, frivole, écervelé, stupide, superficiel. C'est ce que tu penses, n'est-ce pas?

– Non.

– Je ne suis pas réellement comme ça. C'est un camouflage. Enfin, presque. J'exagère. Mais les mots ne veulent pas dire grand-chose. Qu'as-tu dit?

– J'ai dit « non ».

– Oh, Seigneur! Tu pourrais le répéter?

Wexton s'exécuta :

– Non.

Il avait terminé sa brioche. Il but son thé, resservit Steenie puis remplit sa tasse. Steenie le regardait avec extase.

– Wexton, ce thé est bien trop fort. Je suis sûr qu'on ne le boit pas comme ça en Virginie. C'est parfaitement écœurant.

— Je l'aime comme ça.

— Je t'aimerai toujours. Steenie serra plus fort la main de Wexton, ce qui commença à attirer l'attention des tables voisines. Je t'aimerai jusqu'à la fin du monde. Il ne pourrait pas en être autrement. Mais je sais que tu ne me crois pas.

— Nous verrons bien.

— Non. Rien à faire. Tu dois me croire maintenant.

— Tout de suite?

Wexton lui adressa un sourire triste mais bienveillant.

— Tout de suite.

— D'accord, je te crois. On demande l'addition?

— Je peux venir chez toi?

— Bien sûr.

— Tu me liras un de tes poèmes?

— Oui, oui.

— Tu me diras encore que tu m'aimes?

— Non.

— Pourquoi?

— Une fois suffit.

— Et si j'ai besoin d'être rassuré?

— Tant pis, alors.

Dans la rue, Steenie se mit à bondir comme un cabri. Le soleil brillait. Les rues étaient noires de monde. Dans l'état d'esprit où il se trouvait, il aurait pu tomber des cordes qu'il ne s'en serait pas aperçu. Mais avec le soleil, c'était encore mieux. Les éléments étaient de son côté. Ils savaient qu'il était amoureux.

Il s'arrêta de danser, prit le bras de Wexton et marcha à sa hauteur tandis qu'ils tournaient dans King's Road.

— Tu crois que d'autres gens sont amoureux comme nous? Je suis sûr que non. Personne ne peut être aussi heureux que nous.

— Je ne dirais pas ça. Nous n'avons tout de même pas épuisé les réserves d'amour du monde entier. Il doit en rester un peu.

— Certainement pas. Qui, par exemple?

— Eh bien, des tas de gens. Ta mère et ton père. Ils s'aiment à leur façon. Ta tante Maud et ce Stern — elle est folle de lui.

— Tante Maud? Elle est aussi racornie qu'une vieille paire de bottes. Elle ne saurait être folle de qui que ce soit.

— Jane alors.

— Jane? Tu es dingue?

— Elle est fiancée, non?

— Oh oui! mais elle n'aime pas Boy. Tu le saurais si tu les voyais ensemble. Elle l'aime bien, c'est certain, mais elle était entichée d'Acland.

— Acland?

Wexton parut intéressé.

— Oh, il y a très longtemps! Je pense que c'est fini. Elle ne pense plus qu'à ses hôpitaux. Steenie fit à nouveau quelques bonds et lança à Wexton un regard triomphant. Tu vois? Tu ne sais plus quoi dire. Il n'y a pas un seul candidat valable. Personne ne peut nous égaler. A qui d'autre pensais-tu? A Freddie? Pauvre vieux Freddie, il a toujours l'air complètement égaré.

— Non. Pas à Freddie.

— A qui, alors? Reconnais que tu es à bout d'arguments.

— Et tous les gens autour de nous? Il fit un vague geste de la main en direction des passants. N'importe lequel d'entre eux. Ainsi va la vie.

— Eux? Steenie exclut les passants d'un geste méprisant. Ils ne comptent pas. On ne les connaît pas.

— D'accord. Je renonce.

— Juste nous, alors?

— Si tu veux.

— Je le savais.

Steenie poussa un soupir de bonheur. Ils marchèrent en silence. A l'angle de la rue de Wexton, Steenie lança à son compagnon un regard en biais.

— Nous avons oublié quelqu'un. Constance.

— C'est vrai.

— Après tout, tout le monde attend qu'elle tombe amoureuse. Ou qu'elle se marie en tout cas. C'était le but du bal. Il est étrange que nous n'ayons pas pensé à elle.

— Pas du tout. C'est parce qu'il est difficile de l'imaginer...

— Aimant quelqu'un?

— Oui. Elle est capable de se persuader qu'elle aime.

— Elle est plus capable de haine que d'amour, je crains. C'est assez effrayant.

— Elle est effrayante.

— Tu trouves? C'est possible. Toute cette énergie! Mais je l'aime bien, Wexton. Je l'ai toujours bien aimée. Elle a eu une enfance épouvantable. Son père était un personnage parfaitement odieux avec elle. Avec tout le monde, d'ailleurs. Et il est mort dans des circonstances particulièrement atroces. Je t'en ai déjà parlé?

— Non.

— Je te raconterai un jour. Quand je me sentirai en pleine forme. Ça s'est passé à Winterscombe. Tout le monde a dit que c'était un accident, mais...

— Tu n'es pas d'accord?

— Je ne sais pas. J'étais très jeune. Mais c'était très curieux. Tout ça ne colle pas. Mais je ne veux pas y penser, surtout aujourd'hui. Qu'est-ce qui nous a amenés à parler de ça ?

— Constance.

— Ah oui ! Constance. Et l'amour. Je crois qu'elle voudrait aimer quelqu'un. Elle aimait son père, apparemment. Tu sais comment il l'appelait ? « Mon petit albatros ». Tu te rends compte ? C'était le plus vil des hommes. Un écrivain, lui aussi.

— Merci pour la comparaison.

Ils étaient arrivés devant chez Wexton. Celui-ci fouilla dans ses poches pour trouver ses clés.

— Ce n'est pas ce que je voulais dire. Ce n'était pas un vrai écrivain et il n'écrivait pas des poèmes. Juste d'horribles petits romans maniérés. Tu les aurais détestés. Même Constance les détestait. Elle devait savoir qu'ils étaient mauvais et l'idée lui était insupportable. Tu sais ce que je l'ai surprise en train de faire un jour ?

— Non. Quoi donc ?

— Je crois que c'était son dernier roman. Je l'ai trouvée assise par terre en train de découper les pages une par une avec des ciseaux à ongles. Il ne restait plus que la couverture. Ça lui a pris des heures. Quand elle a eu terminé, elle a mis tous les petits morceaux dans un sac et le sac dans son bureau. J'en avais la chair de poule. Alors elle s'est mise à pleurer. C'était peu de temps après la mort de son père. Elle a mis un ou deux ans à s'en remettre.

— Ah ! je l'ai trouvée.

Wexton regarda sa clé d'un air de reproche et l'introduisit dans la serrure.

Steenie éprouvait une certaine appréhension car c'était la première fois qu'il entrait chez Wexton. Il monta l'escalier avec précaution puis s'engagea dans un petit couloir. Ils entrèrent dans une pièce agréable encombrée de livres.

— C'est plutôt en désordre, s'excusa Wexton.

Il y avait des livres partout : sur les étagères, les tables, les sièges, le sol. Wexton souleva la bouilloire et alluma le gaz.

— J'ai de quoi faire du café. Ou du thé.

— C'est parfait.

— Les deux ?

— Ce que tu voudras.

— D'accord.

Wexton parut hésiter. Il se tourna vers Steenie, la bouilloire à la main.

— Une chose encore. On ne va pas parler d'elle pendant des heures et je préférerais d'ailleurs parler d'autre chose. Mais à Winterscombe, au bal...

— Oui ?

Steenie, qui fumait depuis peu, s'apprêtait à allumer une cigarette. Il regarda Wexton qui hésitait à poursuivre et soupira.

— Oh, Wexton ! Je ne suis pas aveugle. Pas plus que toi. Je savais que tu avais remarqué. Et je sais exactement ce que tu vas dire.

— Constance et Stern. Wexton grimaça. Quand ils dansaient ensemble, vers la fin de la soirée. Tu ne crois pas que... ?

— Bien sûr que si. Personne n'a remarqué à part nous. Alors que c'était tellement évident.

Il y eut un silence.

— Elle ou lui, d'après toi ? dit enfin Steenie.

— Elle, j'en suis certain. Lui, je ne sais pas. Sans doute pas. Il avait l'air de s'impatienter.

— C'est justement ce qui est intéressant. Steenie éteignit sa cigarette et se leva. Stern ne s'impatiente jamais. Rien ne peut entamer son flegme. On pourrait lui présenter la mort en personne qu'il ne cillerait même pas. Mais ce soir-là, il était contrarié. Je m'en suis aperçu quand il est parti. On s'est heurtés dans le vestiaire et il ne m'a pas même vu. On aurait dit une tornade. Non, un bloc de glace ! Terrifiant. Une seconde après, il était auprès de Tante Maud, tout à fait charmant, comme toujours. Je me suis peut-être fait des idées.

— Peut-être. L'incident est intéressant de toute façon.

— Il n'y a qu'une chose qui m'intéresse, répliqua Steenie d'une voix ferme. Il hésita puis fit un pas en avant en rougissant.

— Qu'une chose ?

— Wexton... tu crois que tu pourrais me prendre dans tes bras ?

Il rougit encore plus et fit un autre pas. Wexton ne bougea pas d'un pouce.

— Mets juste un bras autour de mes épaules. Pour commencer.

— Et le café ?

— Au diable le café.

— Tu es très jeune, Steenie. Je...

— Pour l'amour de Dieu, Wexton ! Il faut bien commencer un jour. Je veux que ce soit maintenant. Avec toi. Je t'aime. Si tu ne me prends pas dans tes bras, je vais me mettre à pleurer. Ou alors j'aurai une autre crise cardiaque.

— Il vaut mieux pas, dit Wexton en passant d'un pied sur l'autre.

Il gratifia Steenie de son regard bienveillant, lui ébouriffa une mèche de cheveux puis, l'air triste, comme toujours lorsqu'il était heureux, il tendit ses bras.

Steenie s'y précipita.

— Ils vont devoir tout vendre, Gwen. En bloc. La maison, le domaine. Tout! C'est tragique, quand on y pense. La famille Arlington y vit depuis trois cents ans.

C'était la fin du mois de juin, deux semaines après le bal. Maud trônait derrière le plateau du thé dans son salon de Londres. Elle attendait d'autres invités mais, comme toujours, Gwen et elle se retrouvaient un peu à l'avance pour quelques moments d'intimité... et de ragots. Les réserves de Maud étaient inépuisables. A l'autre extrémité de la pièce était assis un groupe de jeunes gens : Constance, Steenie, Freddie et Conrad Vickers, le jeune photographe. Wexton était parti à un cours de conduite d'ambulance.

A côté de Vickers, dont les cheveux étaient encore plus longs que ceux de Steenie, se trouvait une rangée de jeunes officiers en permission. Plusieurs d'entre eux semblaient indignés par la personne de Vickers, ce qui était prévisible, et d'autres contemplaient Constance avec un ravissement hébété. Maud estimait que ce groupe pouvait se débrouiller tout seul. Pour l'instant, elle avait des choses très importantes à dire à Gwen.

— Je n'arrive pas à y croire, dit Gwen d'un ton choqué. Les Arlington ? Ce doit être une erreur. C'est impensable. Qui vous a dit ça, Maud ?

— Je ne m'en souviens pas. Jane, peut-être. Leurs propriétés sont mitoyennes. Non, ce n'était pas elle. Elle est toujours la dernière au courant de ce qui se passe. Peut-être quelqu'un chez Maud Cunard hier soir. Mais il y avait tellement de monde, je n'arrive pas à me rappeler. Enfin, peu importe. C'est la vérité en tout cas. Monty me l'a dit ce matin. En fait, Gwennie... Elle se pencha pour ne pas être entendue. Gertrude Arlington a été obligée d'emprunter. Je crois que Monty l'a aidée à contracter certains prêts en la prévenant des risques. Le prix de la terre a tellement chuté qu'elle n'ose plus emprunter et, de toute façon, elle n'a pas les garanties nécessaires. Et puis...

Maud s'arrêta soudain. Gwen était interdite : ce n'était pas dans les habitudes de sa belle-sœur de s'arrêter au milieu d'un récit.

— Alors ? Continuez, Maudie...

— Eh bien... Elle hésita mais ne put résister. Vous vous rappelez que la pauvre Gertrude a perdu son mari il y a à peine deux ans. Les droits de succession étaient écrasants mais ils ont réussi à s'en sortir, Hector et elle. Et puis Hector s'est engagé – j'ai toujours dit qu'il n'avait rien d'un soldat. Personne n'a pu l'en empêcher. Il s'est montré aussi inflexible qu'Acland. Et maintenant...

— Il est mort ? Hector Arlington est mort ? l'interrompit Gwen d'une voix horrifiée. Ce n'est pas possible. Il était en permission. Il est venu au bal. Il a dansé avec Jane. Je m'en souviens parce que Denton m'a fait une remarque au sujet des cheveux et de la robe de Jane.

— Il est retourné au front deux jours après, Gwennie. Je croyais que vous étiez au courant.

Maud hésita. Elle se pencha et prit la main de Gwen. Elle n'aurait jamais dû s'embarquer dans cette histoire. Il fallait maintenant qu'elle réussisse à garder les détails pour elle : mieux valait ne pas mentionner qu'Hector, du même régiment que Boy, avait été envoyé sur la Somme, comme Boy et Acland, et que c'était là qu'une balle l'avait tué.

— Ils ont dit que ça s'est passé très vite, Gwennie. Il n'a pas souffert. Mais pour Gertrude, le coup a été fatal. Elle a perdu son enfant unique. Et puis, encore des droits de succession. Et tout cela en l'espace de deux ans. C'est la faute du gouvernement, je l'ai dit à Monty. Ce n'est pas juste, Gwennie. Tant d'impôts à payer. C'est inhumain. Trois cents ans; plusieurs générations. Si ça continue, nous allons tous disparaître. Même Monty est d'accord avec moi.

— Hector. Gwen posa sa tasse de thé, les yeux dans le vague. Je n'arrive pas à y croire.

— Gwen, je n'aurais jamais dû vous en parler. Je croyais que vous étiez au courant.

— Il bégayait.

— Qui ? Hector ? Non, il ne bégayait pas.

— Si. Très légèrement, quand il était enfant. Comme Boy. C'était un garçon si sérieux. Les autres se moquaient de lui.

— Gwen...

— Je suis si triste, Maud.

Ses yeux étaient remplis de larmes. Elle s'inclina pour attraper sa tasse mais sa main tremblait. Elle la laissa retomber.

Maud se pencha à nouveau et prit encore la main de Gwen.

— Ma très chère Gwennie, je sais que c'est triste. Je suis triste moi aussi. Ecoutez, ce n'était pas la seule chose que j'avais à vous dire. J'ai aussi de bonnes nouvelles. Je les ai gardées pour la fin. Ne pleurez pas. Vous ne voulez pas que Freddie et Steenie vous voient pleurer ? Respirez à fond. Voilà. Bon. Monty dit, et il le tient de quelqu'un de très bien placé, que c'est presque fini. La guerre! Cette saleté de guerre! Encore quelques mois tout au plus, m'a-t-il dit. Les généraux en sont convaincus. Et même ces pessimistes invétérés du Ministère de la Guerre. A Noël, tout pourrait être terminé.

Maud avait parlé vite, à peine consciente d'avoir inventé tout cela. En fait, Stern n'avait pas du tout été aussi catégorique et la dernière fois qu'ils en avaient discuté, ses prédictions ne s'étaient pas réalisées. Mais elle s'en souciait peu, les mots sortaient aisément de sa bouche. Elle fut récompensée quand elle vit une lueur d'espoir briller dans les yeux de Gwen.

— Oh, Maud! Vous êtes sûre ? Monty est sûr ?

– Chérie, je vous le promets. Il est au Ministère de la Guerre, maintenant. Demandez-lui vous-même. Depuis qu'il s'occupe des munitions, il est au courant de tout. De toute façon, cet horrible Lloyd George et lui sont comme ça... Elle croisa deux doigts. Vous vous rendez compte, Gwen ? A Noël, Boy et Acland rentreront probablement à la maison. Nous pourrons tous aller à Winterscombe et fêter cela en famille, comme avant. Nous commencerons l'année nouvelle ensemble et nous boirons à 1917 et à la paix...

– Mort au Kaiser ? l'interrompit Gwen en esquissant un faible sourire. C'était le toast favori de Maud.

– Mort au Kaiser. Absolument, répéta Maud. J'ai toujours trouvé que c'était l'homme le plus vulgaire qui soit.

« Mort au Kaiser », avait entendu Constance à l'autre bout du splendide salon, au-delà de l'infernal Conrad Vickers.

Elle vit Maud soulever sa tasse de thé. On aurait dit qu'elle allait la jeter derrière elle, à la russe. « Quelle femme stupide », se dit-elle en la voyant se lever pour accueillir un groupe d'invités. Mais c'était de la jalousie. En fait, Maud n'était pas stupide du tout et très habile au contraire, et sa façon de parler la desservait. Constance le savait, mais cet après-midi-là personne ne trouvait grâce à ses yeux : elle était à bout de nerfs.

Elle avait deux problèmes distincts qui divisaient son énergie et détestait cela : elle n'était heureuse que lorsqu'elle concentrait son esprit sur une seule chose et sa volonté sur un objectif unique. Aujourd'hui, elle était venue avec une seule idée en tête : voir Montague Stern et faire en sorte d'anéantir l'indifférence de son regard.

C'était son souci en arrivant. Mais plus d'une demi-heure s'était écoulée, pendant laquelle elle avait été forcée d'écouter les inepties de Conrad Vickers. Elle commençait à se dire qu'elle avait attendu pour rien et que Sir Montague n'allait pas venir.

Avec une désinvolture qui l'irritait, son esprit se mit à vagabonder vers un autre sujet qui n'avait rien à voir : sa domestique, Jenna.

Jenna n'allait pas bien. Elle s'en était rendu compte depuis des semaines mais l'excitation du bal et ses projets concernant Montague Stern avaient distrait son esprit. Quand Jenna était venue l'aider à s'habiller pour le thé, elle avait l'air vraiment malade. Son expression habituellement combative avait disparu : ses yeux étaient gonflés, par manque de sommeil, ou d'avoir trop pleuré. Elle était restée silencieuse et distraite.

Alarmée par ce changement, Constance l'avait observée. Elle en savait beaucoup plus sur Jenna que celle-ci ne le soupçonnait mais c'était une torture d'imaginer qu'elle ignorait certains autres secrets. Jenna continuait à écrire à Acland, par exemple, et recevait sûrement des réponses. Elle l'avait deviné en la suivant un jour jusqu'au bureau de poste de la gare de Charing Cross. Elle avait posté une lettre et en avait récupéré une dans l'une des boîtes numérotées. Constance en avait conclu que cela ne pouvait venir que de lui. N'importe qui d'autre aurait envoyé le courrier à la maison.

Sachant cela, elle était avide d'en savoir plus. Pourquoi Jenna écrivait-elle et pourquoi Acland répondait-il ? Leur liaison était pourtant terminée, Acland le lui avait confirmé. Alors, pourquoi continuer à écrire ? Quand elle y pensait, sa curiosité était douloureuse.

Une fois ou deux, la tentation avait été grande : Jenna devait cacher ses lettres quelque part et elle pourrait peut-être les trouver. Mais un bras invisible l'avait retenue : le mépris d'Acland s'il l'avait vue se glisser dans la chambre d'une domestique. « Comme je suis devenue morale », se dit-elle en regardant vers la porte si Stern arrivait.

Conrad Vickers continuait à vanter l'audace de ses ennuyeuses photographies et Stern se faisait toujours attendre.

— J'ai photographié Constance sur un cercueil, disait-il.

Il jeta un regard d'adoration dans sa direction. Constance savait que ce regard ne signifiait rien : Vickers était parfaitement insensible au charme féminin.

— Et puis j'ai mis une rose blanche dans ses mains. Je voulais un lys mais elle les déteste. On aurait dit Juliette sur sa tombe. Non. Quelqu'un d'encore plus dangereux que Juliette. Ce divin profil de faucon que tu as, Connie ! C'était positivement perturbant.

— Je ne vois pas pourquoi vous voulez que Constance ressemble à un cadavre, jeta l'un des jeunes officiers avec un regard glacé.

Vickers leva les yeux au ciel.

— Ce n'est pas ça du tout. Connie est magnifique vivante mais je ne fais pas ce genre de photos de famille que l'on expose sur le piano du salon, voyez-vous. Ce qui compte, c'est extraire la substantifique moelle. L'essence même de Connie, voilà ce que je voulais montrer. Pas ce qui est évident. N'importe quel imbécile pourrait le faire.

— Oui, mais qu'est-ce qui donnait l'impression qu'elle était morte ?

Le jeune officier, qui connaissait sans doute mieux le sujet que Vickers ne s'avouait pas vaincu.

— Pas morte, mortelle. Une femme fatale, répliqua Vickers d'un ton triomphant, car il aimait plus que tout expliquer l'évidence aux philistins. *La belle dame sans mercy*, voilà comment je vois Constance. Peut-être... Il fit une pause théâtrale. Peut-être ne connaissez-vous pas le poème ?

— Je l'ai lu. Tout le monde l'a lu. Vous auriez peut-être dû le faire imprimer sous la photo pour ceux qui ne feraient pas le rapprochement.

301

— Seigneur! soupira Vickers. Je ne peux pas. Je ne veux pas. J'ai une sainte horreur de l'évidence, pas vous?

Constance se désintéressa de ces chamailleries. Elle jeta un rapide coup d'œil sur la petite montre sertie de pierres épinglée sur le revers de sa veste. Presque 4 heures. Allait-il enfin arriver? Elle examina le salon.

Maud prétendait en avoir conçu la décoration mais c'était peu probable. Stern avait payé et sans doute choisi tout ce qui s'y trouvait. Elle y découvrirait peut-être la clé du mystère de cet homme.

Ce salon était célèbre. Sa modernité, son éclectisme avaient été vantés dans nombre de revues que Constance avait toutes lues. Il n'était pas tout à fait à son goût car il y manquait un minimum de fouillis.

Certains amis de Gwen l'auraient jugé vulgaire : car le snobisme britannique voulait qu'une pièce ait l'air un peu pauvre car tout ce qui était trop parfait ou manifestement onéreux faisait nouveau riche.

La pièce était peut-être un peu trop soignée, trop riche, mais Constance s'en moquait. Elle l'étudia, essaya de déchiffrer les messages codés et, soudain, comprit : la personne qui l'avait imaginée était un paradoxe vivant, un ascète incapable de résister aux belles choses.

Car de belles – et rares – choses, il y en avait tout autour d'elle, disposées avec autant de soin que dans un musée : des pièces de vaisselle en porcelaine sang de bœuf, alignées sur une commode française et, sous ses pieds, un tapis aussi complexe et délicieux qu'un jardin floral. Et ces tableaux, tous ces tableaux qu'elle n'avait jamais aimés mais qui lui disaient maintenant quelque chose.

Il suffisait de contempler tous ces objets aux couleurs éclatantes pour savoir que Maud ne les avait pas choisis. Elle s'en vantait mais ne les comprenait certainement pas.

Cette pièce était l'œuvre de Stern : il avait tout payé, choisi et réuni. Stern, le collectionneur d'objets rares.

« Et je l'ai choisi, lui », se dit-elle. A l'instant où elle sentit qu'elle pourrait le comprendre, qu'elle pourrait pénétrer son esprit, il fit son apparition.

Une de ses visites-éclairs, même si, comme à l'accoutumée, il donnait l'impression d'avoir tout son temps. Il salua Maud et la vingtaine d'invités, parut enchanté de les voir, bavarda un instant avec eux puis, dès qu'il eut jugé qu'on n'avait plus besoin de lui, se retira à l'autre extrémité de la pièce.

Constance attendit le moment opportun. Elle avait prévu chaque détail de cette rencontre et ne voulait rien précipiter.

Elle attendit donc pendant que Maud s'adressa à l'ensemble des invi-

302

tés pour leur expliquer que Stern venait du Ministère de la Guerre et que, devant encore se rendre à Downing Street, il ne pouvait rester longtemps. Stern tiqua. Toujours modeste et réservé sur ses succès et son pouvoir, il détestait qu'on le mette en avant.

Elle admira son habileté à se sortir de la situation, remarqua son léger soupir de soulagement, le vit choisir un siège, dos à la pièce, et attraper un journal.

Aucun invité ne parut trouver ce retrait singulier. Maud les avait bien polissés : Stern était quelqu'un d'important et tout le monde acceptait qu'il soit préoccupé par des questions graves. De plus, qu'il se mette à l'écart leur permettait de raconter des potins. Car Stern oubliait parfois ses bonnes manières quand il entendait parler de scandales, d'insinuations et de commérages. Bien qu'étant lui-même une source d'informations, celles-ci étaient filtrées par Maud qui veillait jalousement sur la réputation d'homme discret de son amant. Elle était horriblement bavarde mais très prudente et ne faisait jamais de gaffes. De plus, les informations qu'elle distillait incitaient les gens à faire à leur tour des révélations que, dans l'intimité, elle rapportait à Stern. Constance en était certaine.

Constance se demanda si Stern aimait réellement Maud ou si elle lui était surtout utile. Dans le doute, mieux valait agir avec prudence.

A vingt pas, Constance était capable de déceler de l'ennui dans les yeux de quelqu'un. Et qu'est-ce qui ennuyait le plus Stern ? Les flatteries des femmes, se dit-elle.

Seul le pouvoir l'intéressait et les femmes n'en avaient aucun. Il les traitait donc de façon charmante et polie mais ne tenait aucun compte de ces mouches du coche. Constance avait tiré l'enseignement de la nuit du bal : inutile de tenter le jeu de la séduction avec ce type d'homme.

Elle avait donc opté pour une autre tactique. Trop tard pour reculer ; c'était maintenant le moment de porter le premier coup. Elle s'accorda quelques secondes de répit puis, se détachant du groupe, se leva.

Pour l'occasion, elle avait mis sa plus belle tenue : une robe en soie couleur parme et un ruban noir noué autour de son cou. A ses doigts, une seule bague. Une opale noire offerte par Maud que Gwen, par superstition, l'avait suppliée de ne pas porter.

Constance regarda la bague : une lumière emprisonnée dans du jais. Elle ne croyait pas aux superstitions et n'y croirait jamais.

En revanche, elle croyait à la chance et, par-dessus tout, au pouvoir de sa volonté. La détermination était toute-puissante : quand elle était suffisamment déterminée, elle se sentait capable de tout. Elle traversa la pièce, les yeux rivés sur le dos de Stern. Un souvenir lui revint. C'était le jour où l'on avait ramené son père sur une civière. Un jour noir. Sans se rappeler tous les détails, elle se souvint que quelqu'un l'avait entraînée vers l'escalier de la terrasse et que son chemin avait été barré par cet homme. Comment était-il habillé? Elle ne savait plus. Juste une couleur : le rouge. Le sang de son père aussi était rouge. Un jour rouge et noir...

Elle s'arrêta à mi-chemin. Maud lui fit une remarque en passant et elle lui répondit d'une voix absente. Surmontant son hésitation, elle prit la place qu'elle avait prévue, derrière le siège de Stern.

— Quel âge avez-vous? interrogea-t-elle.

Sans préliminaire. Stern se retourna, se leva et la salua.

— Ah! Constance, ma chère.

Il tira un siège pour elle, se rassit, toujours dos à la pièce, posa son journal avec réticence et sourit. Elle avait réussi à attirer son attention.

— Quel âge? Il hésita, comme s'il cherchait, puis fit un geste vague de la main. Vous n'imaginez pas comme je suis vieux. J'ai trente-neuf ans.

Constance tenait de Gwen qu'il en avait quarante-trois. Elle se sentit encouragée. Elle baissa les yeux puis les leva audacieusement vers lui.

— Oh, vous êtes trop jeune! dit-elle de façon charmante. C'est ce que je craignais.

— Trop jeune? Vous me flattez. Moi je me considère comme un vieil homme, surtout en compagnie d'une délicieuse jeune fille comme vous. Trop jeune pour quoi?

— Ne vous moquez pas, dit Constance. Je ne cherche pas les compliments. Je vous pose cette question pour une bonne raison. Je me demandais si vous aviez pu connaître ma mère. Elle s'appelait Jessica Mendl avant son mariage. Elle était juive.

Elle venait d'abattre l'un de ses atouts et vit tout de suite qu'il avait porté : d'abord, comme elle l'avait prévu, cette information avait surpris Stern, et ensuite elle lui permettait d'aborder un sujet habituellement tabou. Stern ne pratiquait peut-être pas sa religion mais il ne cherchait jamais à cacher qu'il était juif. Toutefois, on n'en parlait jamais en sa présence. Elle fut ravie de le voir froncer les sourcils.

— Je suis désolé, Constance, je ne comprends pas.

— C'est très simple. Elle se pencha en avant. Ma mère était autrichienne. Sa famille vivait à Vienne, je crois. Elle est venue à Londres pour étudier l'art à Slade et elle a rencontré mon père. Ils se sont mariés. Bien entendu, sa famille en fut consternée. Les cousins chez qui elle vivait à Londres lui ont fermé leur porte et elle n'a jamais revu ses parents. Constance fit une pause. Je suis née un an après le mariage et, peu après, ma mère est morte. Vous le saviez peut-être. C'est probablement idiot, mais j'ai souvent envie d'en savoir un peu plus sur elle.

Juste une petite allusion à sa situation d'orpheline : il ne fallait pas trop en faire car Stern n'était pas un homme sentimental.

304

– Vous en êtes sûre? Il la regardait avec incrédulité. J'ai toujours pensé... Je n'ai jamais entendu parler...

– Oh, personne ne le sait! coupa-t-elle. Même pas Gwen. Ma mère est morte bien avant que mon père vienne à Winterscombe et je ne pense pas qu'il ait parlé d'elle. C'était un homme assez secret.

Maintenant certaine d'avoir éveillé sa curiosité, Constance baissa les yeux.

– C'est ma gouvernante qui m'en a parlé. Elle avait soigné ma mère avant son départ pour le sanatorium. Elle me détestait et je le lui rendais bien. Elle m'a dit ça pour me blesser, je crois. Elle pensait peut-être que j'en éprouverais de la honte. Mais elle n'a pas réussi. J'étais contente. J'étais fière.

– Fière? Stern lui adressa un regard acéré, comme s'il soupçonnait un mensonge.

– Oui, fière. Elle leva les yeux. Je devrais détester d'être anglaise. Les Anglais sont si suffisants, si satisfaits d'eux-mêmes. Leur nationalisme est proche du fanatisme, je trouve. Je me suis toujours sentie extérieure à tout cela, et j'en suis heureuse. Cela ne vous arrive jamais? Non. Bien entendu. Pardonnez-moi cette question. Elle est à la fois stupide et déplaisante.

Il y eut un bref silence. Stern observait ses mains. Lorsqu'il releva la tête, il avait dans les yeux une expression déconcertante. L'espace d'un instant, elle se dit qu'il l'avait percée à jour, qu'il avait compris ses manigances et qu'il était furieux. Il sembla hésiter. Elle s'attendit à une réprimande tranchante. Mais non. Lorsqu'il prit la parole, il était tout à fait calme.

– Ma chère, vous êtes intelligente. Ne vous faites pas plus bête que vous n'êtes. Regardez ces gens. Il fit un geste par-dessus son épaule. Et regardez-moi. Je représente tout ce qu'ils méprisent et tout ce dont ils se méfient. Je suis toléré, et même recherché, parce que je peux leur être utile et que je ne suis pas pauvre. Mes compétences sont à leur disposition parce que je l'ai voulu ainsi. S'ils croient que je n'agis que par profit, qu'est-ce que ça peut me faire? Leur opinion ne m'intéresse pas. Je suis acceptable, ma chère Constance, rien de plus. Vous le savez sûrement. Et non, je ne connais pas les Mendl de Vienne. Je suis peut-être trop jeune, comme vous l'avez dit. Ou plutôt, les Mendl et leurs cousins de Londres devaient évoluer dans des cercles plus élevés. Les gens avec qui je vivais n'envoyaient pas leurs filles à Slade. Je suis un Juif de Whitechapel, Constance. Mon père était tailleur. Je ne vous serai d'aucune aide.

Constance resta silencieuse. Elle se sentait toute petite. C'était probablement voulu. Elle hésita puis décida de ne pas poursuivre la conversation sur sa mère. De toute façon, le sujet ne l'intéressait pas beaucoup : elle s'était toujours considérée comme la fille de son père. Elle décida de changer d'angle de tir.

— Ces gens ? Pas tous, tout de même. Vous ne pouvez y inclure Maud.

Elle s'était levée en parlant. Elle le savait, appeler Maud par son prénom était un manque de respect de sa part. De plus, cela mettait sur le tapis un aspect de la vie de Stern qu'on n'évoquait pas devant elle : ses relations privées avec une femme qu'elle appelait « Tante Maud ».

Elle voulait maintenant s'adresser à lui non pas en tant qu'ami de la famille ou Juif mais en tant qu'homme. Et pour qu'il s'en rende bien compte, elle le regarda droit dans les yeux, passa sa langue sur ses lèvres et les mordit pour les colorer.

C'était un vieux truc qui allait peut-être l'offusquer. Mais il la regardait d'un air résolu.

Se sentant plus forte, elle lui rendit son regard puis détailla ses traits : sa peau couleur d'olive, rasée de près, le ton de ses cheveux, ses yeux rapprochés et attentifs, sa bouche sensuelle et son nez puissant.

Elle aimait ce nez. Et ce visage aussi. Elle aimait le luxe et le raffinement des vêtements de cet homme. Ils étaient tellement plus plaisants que les costumes traditionnels des Anglais. Elle était contente qu'il soit le fils d'un tailleur de l'East End et qu'il se soit fait tout seul — exactement ce qu'elle avait l'intention de faire.

Elle aimait tout en lui : son intelligence, le fait qu'il soit étranger, l'odeur persistante de cigare sur sa veste, la blancheur du mouchoir de sa pochette, l'éclat de l'or à son poignet.

Elle aimait la richesse de sa voix et la colère qu'elle avait surprise tout à l'heure dans ses yeux. Elle appréciait que, comme elle, il n'appartienne pas à ce monde étroit d'esprit dans lequel ils évoluaient tous deux par obligation.

Par-dessus tout, il n'était pas dupe ; il ne tentait pas de masquer son intérêt pour elle. Il était en train d'apprécier du regard ses attraits féminins, et cela sembla l'amuser car il sourit.

C'était idéal : l'humour ne gâchait rien. Elle lui rendit son regard et se sentit comblée. Son petit jeu n'était plus seulement un défi, un moyen pour parvenir à ses fins, il devenait amusant.

— Je vous aime bien, annonça-t-elle brusquement. Je vous aime bien et je vous trouve... magnifique. Cette pièce aussi est magnifique. Surtout les tableaux. Vous les avez choisis, n'est-ce pas ? Je n'en ai encore jamais vu de comme ça. Et si vous me les montriez ? J'aimerais que vous me les fassiez découvrir.

— Les post-impressionnistes ? Ceux qui sont ici, ou les autres ? Il y en a dans l'escalier et dans l'entrée principale. Mais les plus beaux sont dans la bibliothèque.

— Les plus beaux, évidemment.

— C'est ce que vous préférez ?

— J'essaie d'apprendre, répondit-elle en lui prenant le bras.

— Ma chère, dit-il en passant près de Maud, Constance a besoin d'une formation artistique. Puis-je l'emmener voir les Cézanne ?

— Bien sûr, Monty, répondit Maud avant de reprendre sa conversation passionnante avec Gwen.

Dans la bibliothèque, une fois la porte refermée, il la regarda dans les yeux.

— Vous voulez vraiment voir les Cézanne ?

— Non.

— C'est bien ce que je pensais. Je commence à comprendre, Constance, que je vous ai sous-estimée.

— Pas sous-estimée. Vous ne m'avez simplement pas regardée. Maintenant, oui.

— Est-ce pour cela que vous m'avez parlé de votre mère ? Pour me forcer à vous regarder ?

— Oui.

— Et pourquoi voulez-vous que... je vous regarde ?

— Principalement parce que je veux vous épouser.

Il se mit à sourire.

— Vraiment ? Vous devez ignorer que je suis un célibataire endurci.

— Non, je l'ai entendu dire. Mais je n'y crois pas. C'était avant que vous me rencontriez.

— Bien, bien. Il fit un pas en avant. Vous êtes très directe, ce qui est inhabituel chez une femme. Et très précise. « Principalement », avez-vous dit. Y a-t-il donc une autre raison à votre désir que je vous regarde ?

— Bien sûr. Je voudrais que vous me fassiez l'amour.

— Maintenant ?

— Nous pourrions commencer maintenant.

— Et ma position dans cette maison ? La vôtre ? Les gens en bas ?

— Je me moque pas mal de ces gens, et vous aussi.

— Et votre réputation ? Vous l'oubliez.

— Ma réputation est entre de bonnes mains. Vous êtes un gentleman.

— Un gentleman vous enverrait promener avec, au mieux, des remontrances et, au pire, une bonne fessée.

— Vous êtes un genre de gentleman particulier. Si j'avais pensé que vous alliez me traiter comme une enfant, je ne serais pas montée ici avec vous.

Il y eut un silence pendant lequel ils se dévisagèrent avec beaucoup d'intensité. Ils n'entendaient plus les bruits des conversations au loin : ils continuaient à se dévisager.

Au bout d'un moment, il fit un autre pas en avant. Il prit le menton de Constance dans sa main et lui tourna le visage d'un côté, puis de l'autre, comme un peintre examinant son modèle. A ce contact, et pour la première fois, elle ne put cacher son émoi. Elle attrapa sa main.

— Dites-moi... commença-t-elle avec une véhémence soudaine. Dites-moi ce que vous voyez.

— Je vois... une femme. Pas une belle femme au sens conventionnel. Vous avez un visage intéressant, Constance, le visage de quelqu'un qui aime transgresser les règles. Je vois... une très jeune femme qui me décourage quelque peu car je me méfie des jeunes femmes et je ne séduis pas les petites filles. Une femme habile, toutefois, et certainement avide...

— Suis-je laide ?

— Non, vous n'êtes pas laide.

— Mon père disait que j'étais laide.

— Votre père avait tort. Vous êtes... saisissante. Sans principes, fort probablement, et attirante. Provocante, aussi, et vous le savez parfaitement.

Sur ce, il baissa la tête et l'embrassa sur les lèvres. Ce baiser qui devait être bref se prolongea ; il s'enflamma et se transforma en une étreinte passionnée.

Ils se séparèrent, se regardèrent, surpris, puis retombèrent dans les bras l'un de l'autre. Constance mit ses bras autour du cou de Stern et celui-ci la saisit par la taille. Très excitée, elle ouvrit ses lèvres puis émit un gémissement de plaisir. Elle chercha la main de Stern, la posa sur ses seins et se colla contre lui. Lorsqu'elle sentit son sexe durcir, elle poussa un grognement de triomphe.

Ils se séparèrent enfin, pantelants, et se jaugèrent du regard avec respect. Les yeux de Constance brillaient, ses joues étaient rouges. Elle sourit puis se mit à rire. S'avançant, elle prit la main de Stern.

— Dites-moi que vous ne vous attendiez pas à ça.

— Je ne m'y attendais pas. Et vous ?

— Non. Comment aurais-je pu ? J'avais des doutes mais je pouvais me tromper. Ç'aurait été un moment facile à oublier... Sans plus.

— Et ce n'est pas le cas ?

— Pas du tout. Cela m'a donné envie... de plus.

— C'est dangereux. J'ai dû perdre la raison.

Il s'approcha d'elle mais avant de pouvoir la prendre dans ses bras, ils entendirent un bruit de pas sur le palier puis un toussotement discret. La porte s'ouvrit sur le maître d'hôtel de Maud, un homme âgé.

« C'est vaudevillesque », se dit Constance. Elle recula et, avec une certaine présence d'esprit, se mit à parler. Elle fit l'éloge des Cézanne et demanda à voir les autres toiles de l'entrée. A cet instant, elle découvrit l'expression du maître d'hôtel. Il n'avait l'air ni soupçonneux ni choqué. De prime abord, elle se dit qu'il était fort bien élevé. Mais il y avait autre chose. Le visage de l'homme était couleur de cendre. Dans sa main tremblante, il tenait un plateau d'argent. Sur le plateau attendait un télégramme.

– C'est pour Lady Callendar, Monsieur. Le porteur est allé à Park Street et on l'a envoyé ici. Vu les circonstances, j'ai préféré vous l'apporter d'abord.

Stern et Constance fixèrent l'enveloppe, visiblement d'origine militaire. Ils les connaissaient bien et savaient ce qu'elles signifiaient. Il y eut un silence, puis Stern dit d'une voix cassante :

– Vous avez bien fait. Constance, nous devons retourner en bas. Je vais parler à Gwen. Maud et Freddie vont m'accompagner.

Constance descendit et assista passivement à la suite des événements. Stern entra dans le salon et le traversa en direction de Gwen. Gwen leva la tête et son sourire s'évanouit. Constance entendit des propos murmurés et vit Maud capter le regard d'avertissement de Stern. Gwen se mit debout. L'atmosphère qui envahit soudain la pièce éveilla l'attention de Freddie et Steenie. Ils se levèrent aussi et suivirent leur mère, Maud et Stern hors de la pièce.

La porte se referma sur eux. Les invités se mirent à chuchoter nerveusement puis se turent. « Il ne peut s'agir que de deux personnes, songea Constance. Boy ou Acland ».

Elle se retourna et, s'écartant des autres, alla vers les grandes fenêtres donnant sur le parc. C'était une belle journée et les promeneurs étaient nombreux. Elle vit une femme portant des paquets, une autre, vêtue de fourrure malgré la saison, précédée d'un chien au bout d'une laisse rouge, un enfant avec un cerceau, une carriole de livraison, tirée par un cheval qui s'arrêta près des grilles. Elle vit ces gens, ces parfaits étrangers, avec cette netteté qui suit généralement un choc.

Elle appuya une main contre la vitre, qui était froide. Derrière elle, les invités avaient recouvré la parole : elle entendit le bruissement de leurs suppositions. Elle savait que même les plus gentils d'entre eux étaient capables de se délecter du malheur des autres. Elle avait envie de se ruer sur eux, de crier, de faire une crise de nerfs comme six ans plus tôt, lorsqu'on avait ramené son père à Winterscombe.

Quand il lui fut insupportable de se contenir une seconde de plus, elle ouvrit la porte, se rua sur le palier et regarda avec crainte la porte fermée de l'autre côté du vestibule. Elle entendit des voix indistinctes, puis un long cri déchirant s'éleva.

Elle descendit l'escalier en toute hâte. Elle voulait ouvrir la porte à toute volée et demander ce qui s'était passé, mais lorsqu'elle atteignit la porte et entendit les pleurs, elle renonça.

Une fois de plus, elle était exclue. Elle était toujours une étrangère. Personne n'avait pensé qu'elle aussi aimerait savoir ? Folle de rage et de peur, elle s'adossa violemment contre le mur et se couvrit les oreilles pour ne plus entendre Gwen pleurer.

Après un long moment, la porte s'ouvrit et Montague Stern sortit. Il vit le corps tendu et la tête baissée de Constance puis ferma doucement la porte derrière lui. Il alla jusqu'à elle et, celle-ci ayant toujours le dos tourné, posa une main sur son bras. Elle fit volte-face et s'accrocha à lui.

– Qui ? Qui ? cria-t-elle. Lequel des deux ? Je veux savoir.

– C'est Acland, dit doucement Stern en ne la quittant pas des yeux. Il est porté disparu. On le croit mort.

Stern s'attendait à une crise de larmes mais pas à une telle violence. Elle poussa un cri et recula.

– Non ! Non ! Qu'il soit maudit. Il m'avait promis. Je le maudis d'être mort...

La véhémence de ces mots le stupéfia. Il ne répondit rien et attendit. Il vit les yeux de la jeune fille se remplir de larmes, qu'elle écrasa d'une main rageuse. Il vit ses mains se crisper et sa bouche se tordre de douleur. Il trouvait cela intéressant, même dans un moment pareil. Il remarqua chaque détail, comme toujours lorsqu'il étudiait les réactions des autres pour les stocker dans son esprit.

Malgré sa colère et son chagrin, Constance remarqua probablement la froideur de cet examen car son visage se contracta. Elle se précipita sur Stern et le martela de coups. Lorsque ses forces commencèrent à faiblir, il attrapa ses poignets et les maintint fermement tandis qu'elle se débattait comme une furie.

Elle sembla encore plus enragée et se démena comme un beau diable. Soudain, sans raison apparente, elle se calma et s'abandonna. Elle regarda Stern d'un faux air de soumission. Ils se dévisagèrent puis il relâcha son étreinte.

Il jeta un coup d'œil derrière lui, vers la porte close et les pleurs de Gwen, puis se rapprocha encore un peu.

– Pleurez ! dit-il en la prenant dans ses bras.

Ils s'en allèrent en une procession bien triste. Steenie et Freddie soutenaient Gwen à peine capable de marcher, Maud, en grande agitation, virevoltait, et Constance fermait la marche. En passant devant Stern sur les degrés du perron, ébloui par le soleil, il lui glissa furtivement un morceau de papier dans la main.

Lorsqu'elle le déplia plus tard, elle y trouva l'adresse de Stern dans Albany, l'appartement qu'il avait conservé pour préserver la réputation de Maud. Constance n'y était jamais allée.

Sous l'adresse était écrit : *n'importe quel après-midi à 3 heures.* Constance considéra le message pendant un certain temps puis le froissa et l'envoya à travers la pièce.

« Je n'irai pas, pensa-t-elle. Je n'irai pas ».

Le soir, elle alla récupérer le papier froissé et le regarda une nouvelle fois. Elle ne fut pas étonnée qu'il ne porte ni destinataire ni signature.

VII

Mariages

Extrait de journal intime

Park Street, le 3 juillet 1916

Cette nuit, j'ai rêvé d'Acland. Il se relevait des morts et venait dans ma chambre. Il est resté avec moi toute la nuit. Il est venu me dire au revoir pour toujours.

Je n'ai pas eu peur. Je lui ai tout dit. Je lui ai confessé que j'avais lu les lettres dans la chambre de Jenna. Il a compris : il savait que s'il n'était pas mort je ne l'aurais jamais fait. Il a dit que tout cela était le passé. Il m'a expliqué pourquoi et comment il avait failli à sa promesse. Il est mort transpercé d'un coup de baïonnette. J'ai vu la plaie sous son cœur et il m'a permis de la toucher.

Plus de mille hommes sont morts ce jour-là, m'a-t-il expliqué. Il n'était qu'un mort parmi tant d'autres. « Regarde », m'a-t-il dit. Et il m'a montré l'endroit où il était mort. Ce n'était pas vraiment un endroit : pas d'herbe, pas de buissons, pas d'arbres, pas d'espoir. C'était effrayant. J'ai reconnu ce lieu. J'y suis déjà allée.

Il a dit que c'était possible. Que c'était un endroit que nous connaissions tous et qui nous attendait à l'intérieur de chacun de nous.

Après, nous n'avons plus parlé de la mort.

Quand l'aube s'est levée, j'ai pleuré. Je savais qu'il allait partir. Il a pris une mèche de ses fins cheveux roux et l'a enroulée autour de mon annulaire pour faire de moi son épouse. Nous l'avions toujours su : nous ne formions qu'un. Nous étions taillés dans le même roc, coupés dans le même bois, forgés dans le même métal. Nous étions plus proches que des conjurés, que des jumeaux, qu'un père de sa fille. Les faits étaient là. Ni fin, ni début. C'était grandiose !

312

« Regarde », a-t-il encore dit. J'ai tourné la tête. « J'ai vu le monde dans toute sa certitude et sa clarté. Aucun doute ne subsistait, je te le promets ». Dans mon rêve, il n'y avait aucun doute. Le monde qu'Acland m'a offert était le paradis : de sa plus petite créature à son étoile la plus brillante, j'ai constaté son harmonie.

Quand je me suis retournée, Acland était parti. On était dimanche matin et les cloches sonnaient.

« N'importe quel après-midi à 3 heures. » Je dois vivre, Acland le sait. Il comprend.

Regarde, la Mort, je me suis mariée la nuit dernière. Je porte toujours l'anneau à mon doigt. Un cercle de cheveux clairs.

Vais-je y aller ? Un après-midi à 3 heures ?

Acland comprend mais refuse de me conseiller. S'il te plaît, aide-moi. Je suis si jeune que parfois mon esprit est un peu embrouillé. Je sais que tu es venu prendre définitivement congé mais quand ce sera le moment, me le diras-tu ?

Jenna avait localisé la douleur, juste entre l'estomac et le cœur, comme une simple indigestion. Elle aurait pu poser le doigt sur l'endroit précis.

L'après-midi où Gwen et Constance étaient allées prendre le thé chez Maud, elle était seule dans sa mansarde et écrivait une lettre. C'était une lettre pour Acland, la plus difficile qu'elle ait jamais eu à écrire. Elle devait lui avouer qu'elle attendait un enfant de lui.

Elle sentait confusément qu'il existait une façon claire et simple de l'expliquer. Elle avait déjà recommencé et déchiré la lettre plusieurs fois car les mots justes ne lui venaient pas. Enceinte de trois mois, elle ne pouvait plus attendre.

Rien à faire. Les phrases s'emmêlaient, elle avait chaud et son esprit était embrumé. Les pointes de sa plume se croisaient, les mots s'enchevêtraient, elle faisait des taches.

Elle voulait faire comprendre à Acland que ce n'était pas un accident – elle lui avait bien dit à l'hôtel de Charing Cross qu'elle comptait les jours. Sachant qu'elle l'avait perdu à jamais, elle avait voulu conserver de lui un souvenir que personne ne pourrait lui enlever. Mais elle voulait aussi le rassurer : elle n'avait pas l'intention de le piéger et ne cherchait pas le mariage. « Juste ces deux choses, se dit-elle en déchirant une nouvelle page. Si je peux lui expliquer ces deux choses, ce sera suffisant ».

Sans transition, son esprit se mit à calculer. Elle pensa à ses soixante-dix livres d'économies accumulées pendant douze ans. Combien de temps cette somme pouvait-elle entretenir une femme et un enfant ? Une femme

313

qui, une fois sa grossesse connue, se retrouverait à la fois sans toit et sans emploi.

Et puis il y avait ces nausées au réveil. Elle avait envie de lui en parler. De raconter comment elle allait s'enfermer dans la salle de bains de service et laissait couler les robinets pour qu'on ne l'entende pas vomir. Et puis les ceintures qu'elle ne pouvait plus porter depuis une semaine. Et puis la chambre d'hôtel et ses tristes murs marron et le regard absent d'Acland allongé sur le lit.

Mais ce n'étaient que des détails; il fallait aller à l'essentiel.

Une fois qu'elle eut terminé, elle colla l'enveloppe et écrivit avec application les mystérieux nombres composant l'adresse militaire d'Acland. Elle aurait préféré écrire le nom d'un village, d'un endroit plus réel. Les nombres l'effrayaient : il était si facile de se tromper.

Elle fourra l'enveloppe dans la poche de son tablier. Elle agissait toujours ainsi par peur de perdre une lettre et que quelqu'un la trouve. Elle se glissa en bas. Si la gouvernante la surprenait, elle s'inventerait quelque tâche à accomplir. Dans le cas contraire, elle pourrait aller poster sa lettre immédiatement.

Constance ne devait revenir que dans une demi-heure mais la maison n'était pas aussi tranquille qu'habituellement l'après-midi. Des portes s'ouvraient et se fermaient, on entendait des bruits de pas, des sons de voix. Elle descendit dans les cuisines. C'est là qu'elle comprit tout : elle n'enverrait jamais sa lettre. Acland était mort.

Il s'écoula un certain temps avant que cette idée pénètre son esprit. Autour de la table de la cuisine étaient assis la cuisinière – qui était à Park Street depuis moins d'un mois – et Stanley, l'un des plus vieux valets, que Jenna connaissait depuis son enfance. A côté de la table se trouvait un groupe de servantes en émoi et au milieu, juché sur un tabouret à cause de sa petite taille, le jeune garçon que Maud avait engagé comme messager. Quand Jenna referma la porte, on aurait dit qu'il venait d'achever un discours très important. La nouvelle cuisinière avait couvert son visage et ses cheveux gris – qu'elle enfermait chaque nuit dans des papillotes – avec son tablier. Lorsque le garçon s'arrêta, elle baissa son tablier, se redressa et commença elle aussi un petit discours.

— Faites-le asseoir, ordonna-t-elle. Entre Stanley et moi. Voilà. Va lui chercher un verre de lait, Polly. Il est choqué lui aussi, comme nous tous. Donne-moi un verre de cognac de cuisine, Lizzie. Tu en prendras un avec moi, Stanley ? Comme remontant. Je dois préparer le dîner et je ne sais pas comment je vais faire dans l'état où je suis. Mon fils Albert est là-bas lui aussi. Voilà, bois ton verre mon garçon, et répète ce que tu viens de raconter. Lizzie et Jenna n'étaient pas là. Un télégramme au beau milieu du thé. Il a explosé, tu crois ? Ça arrive. C'est mon Albert qui me l'a dit.

Officiellement, ils tournent ça avec des belles paroles bien gentilles, mais mon Albert dit qu'ils explosent en si petits morceaux qu'on ne sait même pas à qui ils appartiennent. On ramasse tous les bouts de viande qu'on peut, comme des morceaux de côtelettes, il dit mon garçon. On ne sait même pas s'ils appartiennent à votre ennemi juré ou à votre meilleur ami. Ce n'est pas chrétien, que je lui ai dit, et il a répondu « Tu peux me croire, Maman, c'est pourtant comme ça que ça se passe ».

Jenna entendait mais ne comprenait pas. Les servantes faisaient un bruit de fond ressemblant au ressac de la mer, bien qu'elle ne soit jamais allée à la mer. Un nom s'éleva de ces murmures mais elle ne l'écouta pas.

Retapé par le verre de lait et sentant son heure de gloire lui échapper, le messager reprit la parole. Désireux de conserver le plus longtemps possible l'attention des servantes tout ouïe, il raconta une scène dont en fait il n'avait pas été témoin.

– Alors Lady Callendar a poussé ce cri perçant et s'est pliée en deux comme si on venait de lui donner un coup de poing. Ensuite elle a dit : « Oh non ! pas Acland, pas Acland mon adoré », et le gentleman juif il a pris sa main et lui a dit d'être courageuse. Qu'il était mort pour son pays. Alors, elle s'est redressée, a essuyé ses yeux et...

Jenna ne voulut pas en entendre plus. Elle retourna dans sa chambre et ouvrit la fenêtre. Elle voulut brûler la lettre mais décida de la garder. Elle la rangea dans la boîte où elle conservait toutes celles d'Acland. Elle les compta. Il n'écrivait pas souvent. Il y en avait douze.

*

Elle attendit trois semaines pendant lesquelles elle se montra très calme et méthodique, exactement comme de nombreuses années plus tard, quand je l'ai rencontrée. Quand elle repassait un chemisier de Constance, elle passait exactement vingt-cinq coups de fer, pas un de plus, ni un de moins. Elle donnait aux cheveux de Constance cinquante coups de brosse. Elle pliait les vêtements d'une manière très précise et disposait les robes dans le vestiaire par ordre de fonction et de couleur.

Je crois qu'elle était comme un enfant qui compte les pavés dans la rue et évite de marcher sur les bordures. Elle croyait que si les petites choses de ce monde étaient bien ordonnées, les choses importantes le seraient aussi ; qu'accomplir correctement les petits gestes quotidiens rectifierait les erreurs comme la mort d'Acland. Elle était persuadée qu'en travaillant dur, en rangeant toujours les robes du soir à droite dans les placards, Acland lui reviendrait. D'une certaine façon, elle a attendu toute sa vie ce retour impossible.

315

Petit à petit, elle élargit la taille de ses jupons. Elle était malade chaque matin à la même heure. Trois semaines plus tard, lorsqu'elle n'eut plus de nausées et sut que sa silhouette allait bientôt la trahir, elle écrivit à Me Solomons et prit, comme promis à Acland, un rendez-vous avec lui pour la semaine suivante.

Elle redoutait les hommes de loi. Elle ne faisait pas la différence entre un conseil juridique et un avocat et voyait Me Solomons en perruque et robe noire. Elle le classait dans son esprit dans la catégorie réservée à tous les personnages représentant une autorité : les professeurs, les policiers et les magistrats. Pour aller le voir, elle mit sa plus belle robe et reprisa ses gants. Elle s'attendait à recevoir une punition ou, en tout cas, une réprimande. Elle savait que Me Solomons la prendrait pour une personne intéressée.

En fait, Me Solomons n'était pas si effrayant. Il ne portait pas de perruque et lui lançait de petits regards. Il lui expliqua qu'il y avait un problème, qu'il y avait effectivement un testament, fort bien rédigé puisqu'il en était l'auteur et, sans se vanter, personne ne s'y connaissait aussi bien que lui en matière de testaments, même compliqués.

Cependant, pour qu'un testament soit exécuté, il fallait un certificat de décès. Un simple télégramme ne suffisait malheureusement pas. C'était un problème courant dans le contexte actuel. Tragique mais réel. Il allait falloir contacter les autorités militaires et, tout en étant persuadé que l'affaire ne pouvait qu'être résolue à la satisfaction de toutes les parties, cela prendrait du temps.

– Combien de temps ? interrogea Jenna lorsqu'elle eut compris.

Elle était gênée de poser cette question, par peur de paraître une fois encore intéressée, mais il le fallait. Mentalement, elle refit ses calculs. Combien de temps peut-on vivre avec soixante-dix livres ? Et où ? Elle ne pouvait parler du bébé à Me Solomons car, même s'il ne portait pas de perruque, il était un juriste et un homme. L'anxiété lui donna des bouffées de chaleur. « Noël », se dit-elle. C'est-à-dire au moment de la naissance de l'enfant.

– Vers Noël ? ne put-elle s'empêcher de demander.

– Oh, certainement pas ! Me Solomons lui adressa un regard bizarre. La justice est une machine très prudente, très lente, si vous voyez ce que je veux dire. Dans des circonstances normales, il faut compter douze mois. Dans le cas présent, plutôt un an et demi, voire deux. En accélérant un peu les choses, il faut tabler sur un an minimum.

Pour économiser le billet d'omnibus, elle fit les cinq kilomètres du retour à pied, en regardant droit devant elle. Le soleil brillait. Acland était mort. Soixante-dix livres n'étaient rien pour une servante sans emploi et mère d'un enfant illégitime.

316

De retour dans sa mansarde, elle enleva sa belle robe et ses gants reprisés puis écrivit à Jack Hennessy. Une page nette, sans tache. C'était bien plus facile que d'écrire à Acland. Lorsqu'elle relut la lettre, elle comprit pourquoi : elle ne contenait que des mensonges. Le régiment de Jack Hennessy était en cours de reconstitution, pratique fréquente en cette période où tant d'hommes étaient tués sur la Somme. Il suivait un nouvel entraînement dans le Yorkshire. Il lui répondit par retour du courrier. La lettre était pleine de ratures et de fautes d'orthographe mais elle contenait la réponse qu'elle espérait. Il serait auprès d'elle. Ils allaient se marier.

La lettre expliquait aussi toutes les dispositions à prendre. Jenna était très étonnée car elle s'attendait à des reproches. Hennessy lui écrivait qu'il lui avait trouvé un logement chez la mère d'Arthur Tubbs. Se souvenait-elle d'Arthur Tubbs, son ami, maintenant caporal, qui était le valet de Freddie ? Mme Tubbs était contente de ce petit supplément de revenus. En tant que femme de soldat, Jenna allait recevoir une allocation de soixante-dix shillings par semaine. Mme Tubbs en acceptait six pour le loyer. Jenna partagerait une chambre avec la fille aînée des Tubbs, Florrie.

Il avait une alliance et pouvait demander une permission pour le mariage à condition que la cérémonie ait lieu avant qu'il retourne en France. Tubbs avait dit qu'il fallait une licence spéciale car on n'avait pas le temps de publier les bans. Elle coûtait trois guinées et un billet de cinq livres était joint à la lettre.

Le papier tout barbouillé se terminait par la formule habituelle d'Hennessy : *Tu es ma chère Jenna à moi et je t'envoie tout mon amour.*

Jenna déplia le billet de cinq livres et l'examina longtemps. Elle relut la lettre une deuxième puis une troisième fois.

L'évocation de Tubbs l'intriguait : ils étaient tous les deux dans le même régiment mais elle ignorait qu'ils étaient bons amis. Oui, voilà ce qui rendait la lettre si étrange.

Elle la lut une quatrième fois : logement, bans, licence spéciale. Elle se sentait perdue. A quelle église s'adresser ? Où se procurer la licence spéciale ?

Finalement, comprenant qu'elle avait besoin d'aide, son esprit méthodique reprit le dessus. Elle pensa à Lady Callendar, mais celle-ci était enfermée dans sa chambre, rideaux fermés. A la gouvernante. A Constance. Enfin, son esprit se tourna vers Jane Conyngham, qui était infirmière et avait toujours été gentille avec elle, surtout depuis qu'elle l'avait coiffée le soir de la comète.

Elle lui écrivit pour lui demander un rendez-vous à l'hôpital.

Sur le chemin, en omnibus cette fois, elle sortit la lettre de Jack Hennessy et la relut. Elle comprit en quoi elle était étrange : ce n'était pas la mention de Tubbs mais quelque chose d'autre. Il ne lui faisait pas de reproches, ne posait pas de questions et, surtout, ne faisait aucune allusion au bébé.

Une semaine plus tard, Jane Conyngham mit Constance devant le fait accompli. Jenna avait quitté Park Street – elle l'avait emmenée elle-même en cabriolet. Elle vivait maintenant au sud du fleuve, dans la petite maison de Mme Tubbs, derrière la gare de Waterloo. Tout était prêt pour le mariage qui aurait lieu le lendemain dans une église où Jane avait des activités de bienfaisance.

Une fois Jenna mariée, Constance serait autorisée par Gwen à lui rendre visite : Jenna avait toujours été une domestique loyale et irréprochable. Jane espérait que Constance accepterait, qu'elle se sentirait concernée par le sort de Jenna, car elle-même ne serait peut-être plus là : elle avait décidé de partir en France comme infirmière.

Constance écouta ces longues explications en silence. Elle observa Jane qui, pour une fois, s'exprima avec clarté et concision, ne s'interrompit pas une seule fois et ne cacha pas son visage dans ses mains. Même quand elle parla du bébé, elle resta impassible. Elle parlait de cette façon ferme et succincte qu'elle avait apprise à l'hôpital. Au lieu de juger Jenna, elle vanta son long attachement à Hennessy et ne condamna pas un instant sa conduite. Constance en fut particulièrement étonnée car Jane sembla même suggérer que le comportement de Jenna était compréhensible en temps de guerre.

En fait, Jane parla ainsi pour une raison très simple. Elle comprenait Jenna qui, elle en était certaine, lui ressemblait. Lorsque Freddie lui avait annoncé la mort d'Acland, à l'hôpital, elle avait eu deux pensées. La première, quand Freddie commença par lui dire qu'il apportait une mauvaise nouvelle, fut : « S'il vous plaît. Que ce soit Boy. Pas Acland. » La seconde avait eu lieu plus tard, au moment du coucher, dans sa chambre du foyer des infirmières. Elle avait regardé le lit étroit avec ses draps grossiers et sa couverture d'hôpital et s'était dit que si l'impossible pouvait se produire, si Acland venait pour l'emmener au lit, elle accepterait sans une seconde d'hésitation. Mais il n'avait jamais fait un geste vers elle. Elle le regrettait amèrement.

La première de ces deux pensées la remplit de honte, mais pas la seconde. Toute la morale qu'elle s'était forgée avec les années s'était envolée.

Partie en fumée. Elle n'en avait plus besoin. Elle était infirmière, avait aimé Acland, s'était fait de nouveaux principes moraux, bien à elle. Elle ne jugeait pas Jenna, elle l'admirait plutôt : il faut donner son amour quand on le peut, car le temps nous est compté.

C'est de cette façon qu'elle s'adressa à Constance. Ses mains reposaient sur ses genoux, ses yeux ne cillaient pas. Constance l'écouta jusqu'au bout.

Bien entendu, elle ne savait pas pourquoi Jane parlait ainsi. Elle prit conscience qu'elle l'avait sous-estimée et se sentit prise d'un nouveau respect pour elle. Mais elle était aussi furieuse. Furieuse que Jane ait été dupée car l'enfant n'était pas de Hennessy ; furieuse que Jenna, qui avait eu Acland, se rabatte sur un mari comme Hennessy ; furieuse contre Hennessy, qui avait rapporté à Winterscombe la civière sur laquelle agonisait son père. Hennessy, ce jeune homme si grand, si carré et si effrayant. Elle l'avait toujours détesté ; furieuse que Jane, qui avait aimé Acland autrefois, et l'aimait peut-être toujours, puisse parler de façon aussi calme et froide ; furieuse contre le soleil qui continuait à briller et contre la ville qui continuait à vivre.

A mesure qu'elle écoutait Jane, elle sentit sa colère monter. Tous ces gens n'avaient pas mérité Acland et elle était la seule à le pleurer vraiment et à éprouver du chagrin.

Constance redoutait ses accès de rage. Elle les maîtrisait mieux que lorsqu'elle était enfant mais ne parvenait pas toujours à se contrôler. Ils ressemblaient à des crises d'épilepsie. Elle se mettait à tressauter, se tordre et se convulser. Ses mains ne tenaient pas en place. Ses pieds remuaient sans cesse.

« J'étais la seule à le comprendre, la seule à compter pour lui », se dit-elle égoïstement. Incapable de se dominer plus longtemps, elle se laissa aller à une scène que Jane n'oublierait jamais.

Les explications concernant Jenna étaient achevées. Constance et Jane étaient seules dans le salon de Park Street, dans la maison silencieuse.

C'est alors que Boy apparut. Il avait reçu une permission exceptionnelle d'une semaine et devait retourner le lendemain en France. En uniforme, il entra dans la pièce, tenant dans ses mains un album en cuir noir. L'album portait le nom d'Acland en lettres dorées, ainsi que sa date de naissance et de décès. On y avait collé les lettres de condoléances que Gwen et Denton avaient reçues. Il était courant en cette période de constituer un mémorial en l'honneur des disparus. Boy venait de quitter sa mère en lui promettant de coller dans l'album les dernières lettres. Les enveloppes bordées de noir étaient aussi dans ses mains.

A son entrée, Constance se leva précipitamment. Elle lui demanda l'heure, car sa montre retardait. Quand il lui annonça qu'il était presque 3 heures, elle se dirigea vers la porte. Boy ne lui dit pas bonjour. Il la regarda d'un air de chien battu, selon Jane, la tête légèrement penchée, les yeux détournés.

Sans prévenir, Constance se jeta sur lui, lui arracha l'album des mains et le jeta au sol. Jane était atterrée. La reliure éclata, les lettres s'éparpillèrent. Le visage de Constance était blanc comme la craie, ses pommettes marquées de deux cercles rouges.

— A quoi ça sert ? Je déteste cet album. C'est morbide. Toute cette maison est morbide. C'est irrespirable. Et Acland mépriserait tout ça autant que moi. Laisse toutes ces lettres, Francis.

Boy s'était penché pour les ramasser. Quand Constance prononça son prénom, il tressaillit et demeura pétrifié.

— Pour l'amour de Dieu ! Tu crois que toutes ces lettres hypocrites vont ramener ton frère ? Je les ai lues. Ce n'est qu'un tissu de mensonges. Elles le décrivent comme un être insignifiant, sensible, appliqué et honorable. C'est ridicule ! Il n'a jamais été comme ça. Ce sont des mensonges et ton frère est mort. C'est fini. Il faudra s'y faire. C'est irrespirable ici. Je m'en vais.

Elle claqua la porte derrière elle. Boy porta la main à son visage, comme s'il venait d'être giflé. Puis, calmement, il se mit à ramasser les lettres.

— Elle a brisé le livre, dit-il.

— Boy, elle ne l'a pas fait exprès. Jane se pencha pour l'aider. Elle est bouleversée. Elle souffre à sa manière.

— Je vais essayer de le recoller mais je ne sais pas si ça va tenir. Il se redressa. Maman va être désolée. Elle l'a commandé tout spécialement.

— Boy, oubliez ça pour l'instant. Il fait si beau. Si nous allions nous promener ? Allons au parc. Cela nous fera du bien à tous les deux. Je n'ai pas besoin de retourner tout de suite à l'hôpital...

— Entendu.

Boy fit courir son pouce le long de la reliure de l'album, replia le cuir déchiré dans un sens, puis dans l'autre et suivit du doigt les lettres dorées du prénom de son frère.

— C'est irréparable.

Il secoua la tête. C'était un nouveau tic que Jane trouvait exaspérant. On aurait dit qu'il avait de l'eau dans les oreilles. Il reposa l'album sur une petite table.

— Elle n'aurait pas dû faire ça. C'était méchant. Je la déteste quand elle est comme ça.

— Boy...

— D'accord. Vous avez raison. C'est une belle journée. Allons dans le parc.

*

En cet après-midi de juillet où, en temps de paix, la famille Cavendish se serait trouvée à Winterscombe, Constance partit de son côté tandis que Jane et Boy allèrent du leur.

A peine un kilomètre de distance les séparait les uns des autres. Il faisait très chaud. L'air de la ville était lourd et humide.

Constance se rendait à Albany. Au début, elle voulut se convaincre du contraire. Elle se dit qu'elle allait chez Smythsons acheter du papier à lettres pour Gwen. Ensuite, elle fit mine d'admirer les vitrines de Burlington Arcade, en y mettant beaucoup d'application mais sans rien voir du tout.

Puis, son petit sac et son paquet à la main, elle se dirigea négligemment vers Albany. Elle examina d'en face l'immeuble discret et chic et se demanda à quel étage habitait Montague Stern, s'il était encore là à 3 h 30 et s'il était à sa fenêtre, en train de l'observer.

Elle pouvait toujours entrer, se renseigner et laisser un message. Ce n'était pas un comportement digne d'une dame, mais rien ne l'empêchait de le faire. La prudence? Sa réputation? Tout cela lui importait peu. Elle attendit quelques minutes en balançant son sac.

Elle l'avait revu plusieurs fois depuis le thé chez Maud car il venait à Park Street trois fois par semaine. Lors de ces rencontres, il avait eu l'air de ne pas se souvenir de ce qui s'était passé. L'étreinte, le message... tout cela n'avait jamais existé.

C'était à elle de décider s'ils devaient se revoir. Elle décida soudain qu'elle n'entrerait pas et ne laisserait aucun message. D'un air rebelle, elle prit le chemin du retour.

L'air s'était légèrement rafraîchi. Elle accéléra le pas. En approchant de la maison, elle aperçut les silhouettes de Boy et de Jane au loin. Ils étaient bras dessus, bras dessous. Jane portait une ombrelle. Ils entrèrent dans le parc.

Dans la maison, elle eut des remords. Elle alla chercher de la colle, du carton et les tubes de couleur de Steenie. Elle répara l'album, le consolida avec du carton et retoucha à la peinture le cuir abîmé. Ça devrait tenir.

Dans le parc, Jane et Boy se dirigèrent vers le Serpentine. Près de l'eau, une brise soufflait, l'air était plus léger. Ils allèrent s'asseoir sur un banc à l'ombre d'un platane. Boy contemplait les rameurs. Il semblait morose et préoccupé, peu enclin à parler. Cela arrangeait Jane. Elle avait besoin de temps pour se préparer.

Elle avait plein de choses à lui expliquer. Certaines pouvaient paraître futiles : elle aurait voulu lui dire pourquoi elle s'était coupé les cheveux et combien cela lui donnait confiance en elle ; elle aurait voulu lui confier qu'elle avait décidé de corriger ce tic qu'elle avait de se cacher le visage dans ses mains ; elle aurait voulu lui raconter que Tom, le petit garçon, était rentré chez lui, guéri. Et, plus que toute autre chose, elle aurait aimé lui faire comprendre ce que signifiait pour elle son travail d'infirmière et comment, surtout depuis la mort d'Acland, elle avait décidé de changer sa vie.

Sa vie lui appartenait. Elle pouvait la modeler à sa guise, comme un morceau de glaise. Elle jeta un regard de côté sur Boy. Il avait l'air absent. Elle ne disposait que d'une demi-heure, tout ou plus. Il fallait aller droit au but.

— Boy.

Elle s'éclaircit la gorge. Ses mains gigotaient sur ses genoux. Elle les serra fort.

— Boy, je vous ai amené ici pour vous demander quelque chose. Je voudrais que nous rompions nos fiançailles.

Voilà ! C'était dit. Boy se retourna, livide.

— Rompre ?

— Il faut y mettre un terme, Boy. Nous n'aurions jamais dû... Non, écoutez-moi jusqu'au bout. Nous avons tout à gagner en étant honnêtes l'un vis-à-vis de l'autre. Nous nous apprécions, je crois. Nous nous respectons mutuellement. Mais nous ne nous sommes jamais aimés.

Elle prit une profonde inspiration.

— Vous avez accepté pour faire plaisir à votre père. Et moi... parce que j'avais peur de rester célibataire. C'est toute la vérité, Boy. Regardez où nous en sommes. Nous avons remis notre mariage jusqu'à votre sortie de Sandhurst, puis après le décès de mon père, et une troisième fois quand la guerre a éclaté. Nous sommes bien partis pour le retarder jusqu'à la fin de nos jours, vous le savez. Cela nous rend malheureux tous les deux. Arrêtons tout et soyons amis. Quand la guerre sera terminée, je suis sûre que vous rencontrerez quelqu'un qui vous aimera et aura vraiment envie de vous épouser. Mieux vaut admettre notre erreur.

— Vous ne voulez pas m'épouser ?

— Non, Boy. Je ne veux pas, répondit-elle aussi fermement que possible. Et vous ne voulez pas non plus.

— Vous êtes certaine ?

— Absolument certaine. Ce n'est pas un geste impulsif.

— Eh bien ! Il soupira et secoua la tête. De la façon dont vous le présentez, je crois que je n'ai pas le choix.

L'entrain qu'il avait mis dans ces paroles étonna Jane. Connaissant son entêtement, elle s'attendait à plus de résistance. Sa façon de s'exprimer manquait aussi de courtoisie, ce qui était stupéfiant car il avait d'excellentes manières. Il la regardait attentivement, les yeux fixés sur l'arête de son nez. Elle avait l'impression qu'il ne la voyait pas vraiment mais regardait à travers elle. Ce qu'il voyait semblait provoquer en lui des sentiments mitigés. Il avait l'air inquiet, satisfait mais craintif. Après un silence, il se tourna vers le lac. Elle attendit qu'il fasse quelques remarques d'usage sur leur amitié, leur estime réciproque. C'est ce qu'elle aurait fait en tout cas. Il n'en fit rien. Il semblait peser le pour et le contre mais peut-être ne faisait-il que compter les barques. Il fit enfin remarquer qu'il aurait du mal à expliquer cela à son père.

— Les gens ont-ils besoin de savoir? Tout de suite, en tout cas? Je retourne en France demain.

Jane avait prévu cette éventualité. Elle tenait absolument à prévenir Gwen elle-même mais voulait que Boy avertisse son père. Dès ce soir. Sinon, elle ne pourrait plus se rendre à Park Street sans se sentir hypocrite.

— Papa sera furieux. Il secoua la tête, se toucha une oreille et la tripota.

— Au début, sans doute. Mais cela ne durera qu'un temps. Il finira par accepter. Vous ne pouvez pas continuer à le laisser diriger votre vie à votre place.

— C'est surtout qu'il tenait tellement à ce mariage.

— Je sais. A cause des propriétés, je crois. Il aurait aimé les voir réunies. Je suis décidée, enfin presque, à vendre.

— Vendre? répéta Boy, ahuri.

— Pourquoi pas? Elle serra ses mains plus fort, le rouge lui monta aux joues. J'y pense depuis très longtemps. Pourquoi m'accrocher à cette immense maison, à toutes ces terres? Je n'y connais rien en exploitation agricole. Réfléchissez! Savez-vous ce que vaut cette terre? Même aujourd'hui, malgré les prix qui s'effondrent, elle a beaucoup de valeur. Songez à tout ce que je pourrais faire avec cet argent! Il y a tellement d'organismes qui manquent de fonds. Je pourrais faire tant de bien. Une clinique, par exemple. La vente de deux champs permettrait de construire une clinique et celle d'un troisième fournirait les médicaments. Certains de mes patients souffrent de maladies que l'on sait guérir depuis des années. Le rachitisme, par exemple, dû à la malnutrition. La tuberculose, due à l'humidité et au froid de leurs maisons. On ne peut guérir leurs poumons mais on peut assainir leurs maisons. Avec de l'argent...

C'était ainsi qu'elle voyait les choses: elle en parlait avec une exaltation impossible à masquer. Elle mit un certain temps, emportée par sa démonstration, à remarquer l'air réprobateur de Boy. Elle s'arrêta et porta sa main à sa bouche.

— Vous êtes surmenée. Vous devriez vous raisonner un peu, vous ne croyez pas?

— Me raisonner ? Et pourquoi ça ?

— Eh bien, tout d'abord, parce que vous êtes une femme. Les femmes n'ont pas un sens des affaires très développé. Elles ne sont pas faites pour cela. De plus, c'est une décision grave. Très grave. Votre père adorait cet endroit...

— Boy ! Il est mort !

— Et puis, il ne faut pas oublier le côté pratique des choses. Des cliniques, des médicaments, tout cela est très bien. Je ne suis pas contre. Mais vous ? Vos investissements ? Il faut vous assurer un revenu...

— Pour quand je serai une vieille fille, vous voulez dire ?

— Non, ce n'est pas ce que je veux dire. Mais... Eh bien, il faut rester pratique. Vous devez prendre conseil. Financièrement...

Le conseil d'un homme, traduisit Jane pour elle-même.

— C'est déjà fait. J'en ai discuté avec Montague Stern. De façon très générale. Il m'a conseillé d'attendre pour l'instant. Mais il n'a vu aucune raison pour que je ne vende pas à terme. Il m'a assuré qu'il pourrait trouver un acquéreur à un prix plus qu'avantageux...

— Bon, alors. Si vous avez parlé à Stern... Il eut l'air ennuyé. Si vous êtes prête à suivre l'avis de cet homme...

Il se leva.

— Vous y voyez un inconvénient ?

Il haussa les épaules.

— Il y a... des rumeurs. Il y en a toujours. On ne peut faire abstraction de sa race. Nous rentrons ?

Il lui tendit son bras. Jane se leva et le prit, ce qui l'agaça fortement.

Ils parcoururent une centaine de mètres dans le silence le plus total. Boy semblait absorbé par autre chose. Il s'était retiré en lui-même, protégé par son uniforme : masculin, mystérieux, inquiet peut-être, morose sans doute.

— C'était là ?

Ils approchaient d'une des sorties du parc. La soudaineté de la question surprit Jane.

— Quoi donc ?

— L'accident du chien de Constance, Floss. Vous vous rappelez. C'était là ?

Jane regarda autour d'elle et fit un geste vers la piste cavalière.

— Oui. Juste là. Ça s'est passé très vite.

— Ça se passe toujours vite.

Boy se remit en marche. Le bord de sa casquette ombrageait son visage et ses yeux.

— Pourquoi posez-vous la question ?

— Oh, je ne sais pas. Il tripota son oreille. C'est moi qui lui avais donné ce chien. Elle m'a écrit à ce sujet, vous savez. Et puis elle est tombée malade. Sans raison.

Boy était un soldat courageux mais un fils poltron. Il annonça effectivement la rupture de ses fiançailles à son père mais pas avant le lendemain, juste au moment de partir prendre son train. Ainsi, son père n'aurait pas le temps de se mettre en colère. Celui-ci était assis dans son bureau, près du feu, une couverture sur les genoux. Il sembla mécontent d'être dérangé : il écrivait à des généraux et des généraux de brigade.

Tous ces hommes âgés à qui il écrivait chaque jour appartenaient à l'histoire. Ils avaient participé à des batailles figurant maintenant dans les manuels : untel s'était battu en Crimée, tel autre avait perdu un bras à Sébastopol ou survécu au siège de Lucknow et s'était distingué sur le front nord-ouest. Tous contemporains de son père, il se souvenait de ces jeunes Turcs de l'armée britannique dans toute la splendeur de leurs uniformes, lorsqu'il était enfant. Pour lui, ils n'avaient pas d'âge. Il était persuadé qu'ils avaient toujours du pouvoir et de l'influence et qu'au moins l'un d'entre eux interviendrait au plus haut niveau et lui enverrait une réponse rassurante. Il y avait eu une erreur. L'armée lui avait envoyé un télégramme qui ne lui était pas adressé. Son fils était toujours vivant.

Quelques-uns de ces vieillards répondaient. Ils écrivaient des lettres courtoises de leur lieu de retraite de Cheltenham ou de la côte sud : ils regrettaient de n'être d'aucune aide. Mais Denton ne se laissait pas abattre. Il rayait leurs noms de sa liste et passait aux suivants. Il avait déjà contacté tous les généraux et s'attaquait maintenant aux généraux de brigade. Boy le savait, c'était le début de la défaite de son père.

Boy regarda ces lettres avec désespoir. Il avait vu la guerre. Il avait vu des hommes déchiquetés. Il ne savait que trop ce qui était probablement arrivé à Acland. Que son père se fasse encore des illusions était pour lui un crève-cœur. Et il en voulait à Jane de l'obliger à lui donner le coup de grâce dans un tel moment. Mais il avait promis.

Son père refusa d'accepter la réalité. Comme pour Acland.

— Ce n'est qu'une querelle d'amoureux, dit-il en arrangeant sa couverture. Une querelle d'amoureux. Il n'y a pas de quoi s'inquiéter. Tout va s'arranger.

Etait-ce une prophétie ou un ordre ? Boy commençait à transpirer.

— Non, Papa, insista-t-il avec autant de fermeté que possible. Nous ne nous sommes pas querellés. Nous restons amis. Notre décision est prise, nous ne reviendrons pas dessus.

— C'est l'heure de partir. Passe-moi le buvard.

Il n'y avait plus rien à ajouter. Boy quitta la pièce énervé. Il arpenta

325

les dalles noires et blanches de l'entrée, leva la tête vers l'impressionnante cage d'escalier, compta les quatre paliers et regarda le dôme de verre tout en haut. Il fut pris de vertige.

Ses bagages étaient prêts. La vieille Rolls de son père l'attendait pour l'emmener à la gare. Il avait déjà fait ses adieux à sa mère et à Freddie, qui était parti prendre son service d'ambulancier. Il avait dans sa poche la bague de fiançailles que Jane lui avait rendue la veille.

Il secoua la tête et titilla son oreille. Qu'en faire ? L'emporter avec lui ou la laisser ? Il était incapable de se décider. Il arpenta de nouveau le vestibule, comme il le faisait enfant : les dalles blanches à l'aller et les noires au retour. Steenie descendit l'escalier dans un vacarme assourdissant.

– Où est Constance ? lui demanda Boy.

Dès qu'il eut prononcé ces mots, il sut d'où venait son agitation. Steenie s'affaira dans l'entrée, ramassa quelques lettres, une grande écharpe, une canne à pommeau d'argent et une paire de gants dont la couleur jaune fit frémir Boy. Il lui adressa un regard curieux et un sourire soupçonneux.

– Connie ? Elle est sortie.

– Sortie ?

Boy était déçu. Son retour au front méritait plus de cérémonie qu'une entrée déserte et un frère distrait.

– Enfin, Boy ! Ta mémoire est une vraie passoire ! Connie t'a dit au revoir au petit déjeuner.

Il tripota ses gants, les enfila et en caressa le cuir jaune et souple.

– Il faut que je lui parle. Où est-elle partie ?

– Ne sont-ils pas divins ? dit Steenie en admirant les gants. Je les ai achetés hier. Dépêche-toi, Boy. Ne prolonge pas les adieux, j'ai horreur de ça.

Boy eut l'impression que la scène des gants servait à cacher l'embarras de son frère. Ils se dévisagèrent. Steenie arrangea l'écharpe sur ses épaules et se dirigea vers la porte. Boy détestait sa nouvelle démarche. Elle ressemblait à une glissade, les hanches en avant et la partie supérieure du torse exagérément inclinée vers l'arrière. En atteignant la poignée de la porte, Steenie se retourna et posa une main gantée sur la manche d'uniforme de son frère.

– Boy, je penserai à toi. Et je t'écrirai. Tu sais que j'écris toujours. Tu prendras soin de toi ?

Boy ne savait pas quoi faire. Il était touché car Steenie écrivait effectivement, et souvent : des lettres longues, amusantes, franches et décorées de petits dessins. En les lisant et les relisant dans les tranchées, il s'était rendu compte qu'elles le réconfortaient. Il eut envie d'étreindre son frère mais se ravisa et lui donna une poignée de main toute militaire. Ses yeux étaient humides.

326

Steenie redoutait les effusions. Il recula instinctivement et fit quelques remarques banales sur le temps, la voiture qui attendait, la nouvelle galerie à laquelle il se rendait.

Il en éprouva un peu de honte. Boy était sur une dalle blanche, lui sur une noire : deux pions sur un échiquier, bloqués. Pour Boy, faire part de ses sentiments n'était pas très viril. Steenie, lui, se méfiait des mots. Comme il l'avait dit à Wexton, les mots ne veulent rien dire. Mais Wexton n'était pas d'accord.

— Nous sommes stupides, dit Steenie.

Il se précipita vers son frère et le serra dans ses bras. Sentant son parfum, Boy eut un mouvement de recul.

— Laisse-moi un message pour Connie, si tu veux...

Boy ramassa un de ses sacs.

— Non. Ce n'était rien d'important.

Il fixa l'étiquette de son sac : un grade, un titre, des chiffres.

— Où est-elle ?

— Elle est allée au mariage de Jenna, tu le sais bien.

Steenie se sentait au bord des larmes. Quand il pleurait, il se donnait en spectacle : les larmes jaillissaient, faisant couler son mascara et creusant des rigoles dans la poudre de riz qu'il appliquait sur ses joues. Il se méfiait autant des larmes que des mots et pleurait trop facilement.

Mais il se pouvait qu'il ne revoie jamais son frère. Il se précipita vers la porte et cria au revoir par-dessus son épaule.

— C'était épouvantable, confia-t-il plus tard à Wexton. Nous étions tous les deux incapables d'exprimer ce que nous ressentions. Comment cela se fait-il, Wexton ? Je l'aime, tu sais.

Wexton sourit.

— Je pense qu'il s'en est aperçu.

Le mariage se passait dans une église : Jane ne croyait pas aux mariages civils. Elle était froide. Aussi froide que la charité, se dit Constance. L'été anglais est très capricieux : dehors, le vent soufflait en rafales.

L'assistance était clairsemée. Du côté de la mariée, il y avait Jane et Constance, assises côte à côte au premier rang. Les petits pieds de Constance reposaient sur le coussin en tapisserie du prie-dieu. Jane était agenouillée et priait probablement. Du côté du marié, il y avait plus de monde. La famille Hennessy, absente, était représentée par la famille Tubbs, venue en force. Il y avait une grande femme au visage usé mais doux et cinq filles qui devaient être les sœurs d'Arthur : la plus jeune avait environ quatre ans et l'aînée quinze. « C'est Florrie, avait chuchoté Jane à l'oreille de Constance, celle dont Jenna partage la chambre ». Florrie travaillait non loin de là dans une de ces usines de munitions, nombreuses au sud du fleuve, appartenant à Sir Montague Stern.

Elle était menue et peu attirante, la peau jaunâtre. Comme les autres membres de sa famille, elle était vêtue de serge. Ses pieds étaient chaussés de bottines à boutons qui semblaient trop grandes pour elle. Sa plus jeune sœur portait des mitaines en laine. Toutes avaient épinglé de petits bouquets à leurs vêtements. Constance renifla : cela sentait la misère.

Cette odeur n'émanait pas seulement de la famille Tubbs mais de l'église elle-même, qui semblait vouloir sauver les apparences dans des circonstances difficiles.

Autrefois, des familles plus prospères avaient peut-être prié dans ce lieu : des vitraux de saints et de tueurs de dragons célébraient leur mémoire et leurs actes de piété. Les murs étaient couverts de plaques commémoratives. Constance entendait les fantômes de ces marchands et de leurs épouses, le bruissement des pages de missel tournées.

Dehors, la rue était une puanteur. Les maisons, serrées les unes contre les autres, faisaient pitié. Les enfants couraient pieds nus sur le pavé immonde et se fabriquaient des jouets avec des vestiges trouvés dans les poubelles. Constance, qui ne s'était jamais aventurée au sud du parc, était choquée. L'environnement ne cadrait pas avec le style de l'église, ses fières grilles en fer forgé, ses clés de voûte en granit et ses grandes portes en chêne.

Jane avait fait apporter deux bouquets de fleurs, un de chaque côté de l'autel : des dahlias aux larges têtes hérissées d'orange, de rouge et de jaune, aux tiges rigides, et arrangés n'importe comment. Constance leur lança un regard haineux.

Hennessy et Tubbs avaient fait un effort. Arrivés du Yorkshire le matin, ils reprenaient le train l'après-midi même. Ils étaient en uniforme de simple soldat pour Hennessy et de caporal pour Tubbs. Celui d'Hennessy était impeccable. Les muscles de son dos tendaient sa veste kaki et ses godillots brillaient comme des miroirs. Ses cheveux très courts laissaient son cou dénudé et il s'était coupé la joue en se rasant. Ils formaient un couple incongru : Hennessy si imposant et Tubbs si frêle. Ce dernier avait tracé une raie au milieu de ses cheveux soigneusement gominés et sa nouvelle moustache ne parvenait pas à masquer ses marques d'acné.

Des deux, Tubbs était le plus nerveux. Il ne cessait de tripoter le bout de sa moustache, de lancer des clins d'œil à sa mère et à ses sœurs et de passer d'un pied sur l'autre. Constance l'ignorait encore, mais il allait devenir quelqu'un après la guerre. Expert en approvisionnement, il allait apprendre toutes les ficelles de l'offre et de la demande et des divers marchés, noirs ou non. Après la guerre, Tubbs allait s'élever, mais pas Hennessy. La chaudière dévoreuse de billets de banque l'attendait.

Pour l'heure, Hennessy faisait un marié parfait. Aucun signe de nervosité. Droit comme un I, il ne se retourna pas une seule fois. Un véritable chêne, se dit Constance en regardant le dos de cet homme qui, autrefois, enfermait les papillons dans des boîtes et arrachait les pattes des coccinelles.

L'orgue asthmatique entama la marche nuptiale. Hennessy ne se retourna pas.

Jenna portait une robe grise, et non blanche, offerte par Jane, dont le tissu souple était drapé sur le devant pour masquer sa silhouette. Elle remonta l'allée au bras d'un vieil homme de petite taille – un membre de la famille Tubbs, probablement, car il fit des signes dans sa direction. Ils marchaient d'un pas rythmé. Jenna avait le menton haut levé et ne regarda ni à gauche, ni à droite. Elle portait un bouquet de violettes.

Les violettes étaient bon marché. On pouvait s'en procurer à n'importe quel coin de rue. Constance était furieuse. Les fantômes de l'église se mirent à remuer, à murmurer à propos des violettes et à renifler leur odeur de terre mouillée. Jenna avait atteint la balustre du chœur. Le prêtre s'inclina, dans ses vêtements flottants. Jenna chancela juste au moment où Hennessy se retourna.

C'était insupportable. Constance voulait arrêter tout de suite cette mascarade mais ne le pouvait pas. Ses doigts fourmillaient, ses cheveux étaient en feu. Elle sentait l'odeur de fumée. C'était le bébé d'Acland qu'on menait à l'autel !

Il y avait un grand absent : Acland lui-même. Constance attendit qu'il se joigne aux autres fantômes et mette un terme à la cérémonie. Mais c'était impossible, il n'était revenu qu'une fois, pour lui dire adieu. Sa rage redoubla, arrachant les carreaux du sol de l'église et les projetant en l'air, transformant les bancs en barricades et enflammant la table de communion.

Elle les vit monter, plus haut, toujours plus haut. Au-dessus des arcs de la nef, au-dessus des fenêtres de la claire-voie, jusqu'aux pendentifs et aux voussures de la voûte, un endroit sombre rempli de chuchotements tourbillonnant avec une grande violence.

Les carreaux l'effleurèrent. Elle poussa un petit cri. C'était trop horrible. Elle referma son missel d'un coup sec, renversa le prie-dieu et se précipita vers le bas-côté de l'église. Ses talons claquant sur le sol, elle passa devant les statues, le tronc des pauvres et les fonts baptismaux. La porte du porche était très lourde. Ses gonds grincèrent. Elle se retrouva en haut de l'escalier, sous la pluie. Le vent soulevait des papiers. Londres pleurait.

Elle leva son visage vers ses larmes et avala de grandes goulées d'air. Surtout, ne pas bouger d'un pouce jusqu'à ce que sa fureur la quitte.

Mais, comme un incube qui se plaît en elle, se crampone à elle, s'insinue dans ses veines, s'incruste dans ses poumons, elle refusait de s'en aller.

Elle devait la faire partir par la force de sa volonté. Elle y était déjà parvenue auparavant. Elle ferma les yeux et se concentra. Elle essaya de rassembler cette chose amorphe et malveillante dans un coin de son corps et de la rejeter – comme pour un accouchement. Mais la chose s'accrochait.

– Va-t'en. Va-t'en, répéta-t-elle à haute voix.

La chose résista un moment puis parut fléchir. Elle se tortilla, tressauta encore une fois puis abandonna la partie.

C'était fini. Constance put à nouveau respirer. Elle mit ses bras autour de son corps, la ville se remit d'aplomb et le ciel s'arrêta de pleurer. Elle se sentit purifiée, lavée et très légère. Sèche comme une coquille de noix, légère comme une plume, capable de voler.

Aucun son ne traversait l'épaisse porte de l'église. Elle se mit à marcher en long et en large, comme si elle était en train de prendre une décision grave. Finalement, elle s'arrêta.

Elle descendit en courant la volée de marches – Acland lui commandait de se dépêcher. Elle accéléra le pas. Le sol était glissant. Acland l'encourageait.

Elle traversa un pont et s'arrêta pour regarder la Tamise couler. Elle était toute grise, ce jour-là, couverte d'une multitude de bateaux. Elle resta là exactement dix-sept minutes, une pour chaque année de sa vie.

Un taxi libre passa. Malgré son manque d'habitude, elle le héla. Il sentait la gomina et le tabac. Un journal plein de guerre avait été abandonné sur le siège. Elle grimpa à l'arrière sans indiquer d'adresse au conducteur.

Elle se pencha et frappa à la glace de séparation. Le chauffeur la fit glisser et elle lui dit : « Albany ». Il était 11 heures. Encore quatre heures à attendre.

Lorsqu'ils entrèrent dans la chambre qu'elle partageait avec Florrie, seuls pour la première et dernière fois de la journée, Hennessy dit à Jenna trois choses qui l'effrayèrent.

– C'était la seule fois ? dit-il d'abord en la secouant si fort que ses dents s'entrechoquèrent.

Jenna ne répondit pas.

– Tu l'avais fait avant. Ce n'était pas la première fois. Tu as fait des cochonneries, sale petite garce.

Il reprit sa respiration et dit la troisième chose :

– Je sais tout. J'ai installé le piège pour lui. Quand j'ai su qu'il était mort, j'ai remercié Dieu. J'espère qu'il est en train de pourrir. J'espère que les rats lui font un sort.

Il avait parlé très vite. Ses paroles étaient humides et chaudes comme ses yeux. Il avait fourni un effort physique pour les laisser franchir ses dents, ses lèvres et sa langue. Sa peau luisait de transpiration. Ce qu'il venait de dire semblait lui procurer à la fois douleur et plaisir. Jenna se dit qu'il ressemblait à un homme qui venait de faire l'amour. Il grogna et se retourna. Elle avait la nausée.

Jack Hennessy se mit à arpenter la petite pièce. Les pans coupés du plafond l'obligeaient à se baisser par endroits. Le parquet était couvert d'une bande de tapis de coco sur laquelle il allait et venait comme un lion en cage. Il ne la regardait pas. Ses mains étaient enfoncées dans ses poches.

Jenna se concentra sur l'orange qu'elle tenait dans sa main, comme si elle avait eu le pouvoir d'effacer ce qu'elle venait d'entendre. Mme Tubbs la lui avait donnée. C'était une petite folie mais elle avait dit que les enfants adoraient les oranges : on leur en offrait toujours à Noël, aux anniversaires et aux mariages.

Pour le repas de noces, ils avaient eu un gâteau de mariage, des petits pâtés ronds à la viande et aux rognons, de l'anguille en gelée, des moules et des coques macérées dans du vinaigre, un diplomate décoré de violettes en sucre, de la bière brune pour les hommes et un peu de gin pour les femmes.

Jenna avait mangé un pâté et une cuillerée de diplomate. Elle avait piqué une coque sur une aiguille et l'avait avalée. C'était caoutchouteux et aigre. Le gâteau était riche et sucré. Mme Tubbs était fruste mais gentille. Elle avait senti dans ce mariage quelque chose d'anormal qui la poussait à redoubler de gentillesse. « Allez, Arthur, avait-elle dit, laisse les deux tourtereaux tranquilles. Ils en ont assez de tes histoires. Ils ont envie d'être seuls ». Elle avait presque paru convaincante. Jenna était touchée car, de toute évidence, elle ne ressemblait guère à une tourterelle. Et Hennessy avait l'air de tout sauf d'un oiseau. Ils étaient docilement montés et Jenna avait emporté la précieuse orange. Quand elle avait ôté le papier d'argent et enfoncé son ongle dans la peau, le jus avait coulé, lui poissant les doigts. L'odeur était acidulée.

En fait, elle ne connaissait pas du tout Hennessy. Elle s'en était aperçue pendant qu'elle marchait dans l'église. Bien sûr, sa personne lui était complètement familière : elle connaissait chaque cheveu de sa tête et chaque pore de sa peau, sa voix, ses mains volontaires. Et pourtant, c'était un parfait étranger. Elle épousait un homme qu'elle connaissait depuis sa naissance mais qu'elle n'avait jamais rencontré de sa vie.

Elle avait failli s'enfuir. Mais l'enfant avait cogné dans son ventre.

Jenna avait huit ans à la mort de sa mère et Mme Hennessy, pourvue de quatre fils mais d'aucune fille, l'avait recueillie sous son toit. Les trois autres garçons, aussi carrés que Jack, étaient turbulents. Lui, non. Dedans ou dehors, il se tenait toujours à l'écart. A l'intérieur, il restait près de la porte, à l'extérieur, il hésitait un moment puis, sans donner d'explication, faussait compagnie aux autres. Il aimait se promener seul, manger seul – quand c'était possible – et boire seul. Il disparaissait parfois pendant deux jours puis revenait s'asseoir, à l'écart.

C'était un garçon lent. Les gens du village disaient, en se touchant le front de l'index, qu'il était simple d'esprit. Simple d'esprit, mais inoffensif et travailleur.

Il était capable d'abattre un arbre assez gros avec une seule main. Il pouvait travailler à la scierie huit heures d'affilée. Il aimait poncer le bois et le faisait religieusement, frottant et frottant jusqu'à ce que la surface soit aussi soyeuse que du bois flottant. Il sentait mauvais. A cet instant, il émanait de lui une odeur âcre de bière, de tissu mouillé et de sueur. Jenna se dit qu'il le savait probablement car il passait son temps à se laver : le matin, et chaque soir en rentrant du travail. Ses frères étaient paresseux mais pas lui.

La toilette était un véritable tour de force : sa mère faisait bouillir de l'eau et la lui versait fumante dans l'arrière-cuisine. Il se déshabillait jusqu'à la taille, immergeait sa tête dans l'eau, savonnait ses bras épais, ses larges épaules, sa poitrine et son dos. Il se frottait les aisselles puis les reniflait. Il répandait de l'eau partout sur la terre battue et laissait un grand désordre que sa mère nettoyait derrière lui.

Quand il émergeait – net, musclé, pommadé, luisant – sa mère lui tendait une chemise propre, qu'il enfilait et boutonnait lentement, puis s'affairait autour de lui, à lisser une manche ou écraser quelque pli invisible. Jenna l'observait, assise au coin du feu. Elle pensait que Hennessy aimait être regardé. Elle se disait aussi que sa mère souffrait que les gens traitent son Jack de simple d'esprit, mais aussi qu'elle le craignait.

Une force de la nature. Un homme de peu de mots, comme disait sa mère. Quand elle était petite, Jenna était fascinée par lui : elle ne comprenait pas comment un homme aussi grand et aussi fort pouvait être si gentil. Et il savait l'être – il l'était toujours avec elle. Il l'emmenait en promenade, lui tenait la main sans jamais lui faire mal et lui cueillait des fleurs, dont il connaissait tous les noms : cardamine des prés, arum maculé, mouron des champs, carotte sauvage. Elle l'aimait bien.

Ils passèrent sans commentaire des promenades aux sorties. Elle admirait sa pudeur. Ses frères se moquaient de lui en disant qu'il s'était entiché d'elle. Mais il n'y prêtait aucune attention. Et elle l'admirait pour cela aussi. Il avait de la dignité. Il ne lui avait déclaré son affection qu'une seule fois, quand elle avait quatorze ans. De ses silences habituels avaient émergé une fontaine de mots, non dépourvus d'éloquence.

Il lui avait dit qu'elle le tenait dans la paume de sa main, que cela avait toujours été ainsi et le serait toujours. Il lui avait dit qu'il embrassait le sol sur lequel elle marchait, qu'il lui donnait son cœur, qu'il mourrait pour elle. Il lui avait dit : « Tu m'appartiens, Jen. Je l'ai toujours su. »

Il la dévorait de ses yeux avides et anxieux. Elle était triste que les gens se moquent de lui. Il avait mis son bras autour de sa taille et ce fut la seule fois qu'il la toucha. Il dit qu'elle n'était pas comme les autres filles, qu'elle était décente, que c'était pour ça. Mais Jenna trouvait cela étrange. Elle aurait aimé qu'il l'embrasse.

Leur mariage serait une suite logique et elle continuerait donc à vivre chez les Hennessy. Mais c'est alors qu'Acland était entré dans sa vie.

Jack n'était plus qu'un alibi. Elle se servait de lui mais le faisait avec scrupule. Elle était gentille avec lui, parlait avec lui, ne se moquait jamais de lui. Elle ne lui mentait jamais que par omission. Il ne lui demandait jamais si elle l'aimait car il n'avait jamais imaginé le contraire. Cette conviction était parfois exaspérante. Elle aurait voulu soulager sa conscience en lui disant de ne pas se faire d'illusions. Mais elle ne l'a jamais fait. Son alibi était parfait ainsi.

« Il ne peut pas être blessé par ce qu'il ignore », se disait-elle. Mais cette dérobade lui donnait un sentiment de culpabilité et plus elle se sentait coupable, plus elle était gentille avec lui. Effet pervers.

Et maintenant ils étaient mariés. Elle avait un enfant dans son ventre, une bague au doigt et une orange dans la main. Hennessy continuait à arpenter le tapis de coco.

Elle examina l'orange en lissant le papier d'argent. Elle tournait et retournait dans son esprit les trois affirmations de Jack. Cet étranger qu'elle venait d'épouser était un homme violent. Il n'était ni simple d'esprit ni lent. Il savait.

— C'était la seule fois ? répéta-t-il.

Elle sursauta. Jack s'était radouci. Il fallait trouver un mensonge plausible.

En s'asseyant près d'elle, il fit grincer les ressorts du lit. Bien droit, il regardait devant lui. On aurait dit qu'il espérait un mensonge. Elle inventa une histoire aussi proche de la réalité que possible, scrupuleuse une fois encore : c'était son soir de congé, un soldat, elle avait trop bu, c'était la seule fois...

Un soldat, c'était vrai. Mais le mensonge n'était pas facile. Pour lui donner plus de force, elle le répéta une, deux, trois fois. Un soldat, une erreur, juste une fois. A cet instant, elle s'aperçut que Jack pleurait.

Il essayait en vain de prendre sur lui. Il prit une profonde inspiration, eut un frisson et écrasa ses larmes d'un geste enfantin. Jenna était bouleversée.

— Jack. Jack! Reprends-toi. Cela me donne honte, dit-elle.

Elle s'approcha de lui et, avec embarras, mit ses bras autour de son cou.

Ce geste parut le tranquilliser. Il se calma, prit sa main dans la sienne et la regarda.

— C'est moi qui ai mis le piège. Tu l'avais deviné ? Je l'ai mis là pour lui.

— Quel piège, Jack ?

— Tu le sais très bien. Il ne servait pas. Il rouillait dans un hangar. J'ai vérifié qu'il fonctionnait encore. Je ne sais pas ce qui m'a passé par la tête. Je le voyais dans le piège avec ses beaux vêtements tout déchirés. C'était ce que je voulais. Ou peut-être pas, parce que j'ai posé le piège au mauvais endroit. Je me suis trompé de victime. Je l'ai posé près de la clairière. Si j'avais vraiment voulu l'attraper, je l'aurais posé là où tu le rencontrais.

— Là où je le rencontrais ?

— Dans le bois de bouleaux. C'est là que j'aurais dû le mettre. C'était ce que je voulais faire. J'aurais pu le pousser dedans. C'était facile comme écraser une mouche ou tuer un lapin. Il était grand mais mince. Pas très fort. Je le détestais, Jen.

Il attrapa les poignets de la jeune fille. L'orange tomba. Elle la regarda rouler sur le plancher.

— Qui d'autre est au courant, Jack ?

— Personne. Juste toi. M. Cattermole aussi, je crois qu'il a deviné. Nous n'étions pas nombreux à pouvoir transporter le piège tout seul. Mais il ne m'en a jamais parlé. De toute façon, il ne pouvait pas savoir pourquoi. Tu es la seule à le savoir. J'ai regardé la comète et je t'ai vue t'éclipser. J'ai beaucoup bu. Le lendemain, j'y suis retourné pour enlever le piège. J'avais changé d'avis mais c'était trop tard. L'homme était dedans. M. Cattermole était là. Les chiens aboyaient. Il m'a envoyé à la maison.

Jack avait baissé la tête. Il ouvrit la main de Jenna et toucha les lignes de sa paume d'un doigt calleux.

— Je vous ai vus. Il referma les doigts de Jenna sur les siens. Toi et lui. Tu n'aurais pas dû faire ça, Jenna. Pas toi. Tu savais que je t'aimais. Alors, dis-moi maintenant... Il leva la tête pour la première fois et la regarda dans les yeux. Ne me mens pas. Jure-le. Mets ta main sur ton ventre. Sur la bosse. Jure-le sur sa tête. C'est son enfant, n'est-ce pas ?

Jenna posa sa main sur son ventre. Le bébé bougea. La main et le visage de Jack étaient crispés. Ses yeux humides la fixaient intensément.

— Non, Jack. Ce n'est pas son enfant, dit-elle d'une voix assurée dont elle fut fière. C'était fini entre nous. Depuis des années. Je te dis la vérité. C'était un soldat. Je l'ai rencontré dans le parc. Il m'a emmenée dans un hôtel près de Charing Cross. Je ne sais pas pourquoi j'y suis allée. Nous avons pris une chambre pour une heure. Ça se fait. Quand l'homme est en uniforme, ils laissent faire.

— Tu avais bu ?

— Oui. Il m'avait offert un verre de gin avec de l'eau. Ça m'a monté à la tête.

— Sinon... sans le verre, tu ne l'aurais pas fait ?

— Non, Jack.

— Ça s'est fait vite ?

— Très vite.

— Je ne touche pas aux femmes. Il décrispa son poing. Les autres hommes le font. Tubbs aussi. Ils font la queue pour ça. Pas moi. Je n'y touche pas. Elles sont malades. Je l'ai dit à Tubbs mais il ne veut rien entendre.

Il s'arrêta et se racla la gorge.

— Je t'ai attendue, Jen.

— Jack...

— Tout ira bien. J'ai eu le temps de penser à tout ça après avoir reçu ta lettre. Au début, j'ai eu du mal à m'y faire. Maintenant, il est mort. Quand la guerre sera terminée, tout ira bien. Nous retournerons au village tous les deux, comme je l'ai toujours prévu, et...

— Tous les trois, Jack.

— Tu te rappelles le cottage près de la rivière ? On pourra l'avoir. Après la guerre. Mon père s'en occupe. Dans quelques années, je pourrai être chef charpentier et nous ferons de ce cottage un endroit agréable. Il y a un petit jardin. De quoi faire des pommes de terre, des haricots verts, des oignons. Personne n'y habite plus depuis des années. J'ai toujours aimé cet endroit. Nous y serons tranquilles. C'est là que j'allais pour réfléchir. Et pour penser à toi, surtout. Tu le savais, n'est-ce pas ? Tu as toujours su que tu me tenais dans la paume de ta main.

Il prit la main gauche de Jenna. La jeune fille regarda son alliance. Elle savait très bien de quel cottage il parlait : près de la rivière, isolé, à moitié en ruine, inhabité depuis des années. Il était froid et humide en été et le chemin d'accès était inondé en hiver. Elle détestait ce cottage. C'était un endroit malsain, peu indiqué pour un enfant.

— C'est l'alliance de ma grand-mère, dit Hennessy en refermant sa main dessus. Sa voix était légèrement enrouée. Je l'ai enlevée de son doigt quand elle est morte et je l'ai gardée pour toi tout ce temps. Huit ans maintenant.

Jenna détestait aussi la grand-mère de Jack, une vieille femme édentée et courbée en deux. Quand elle voyait Jenna, elle lui pinçait les joues.

— C'est d'accord ? Je voudrais tout arranger avant de repartir. Ça m'aidera, dans les tranchées, d'avoir des projets en tête. Alors, j'aimerais être sûr...

— Sûr de quoi ?

— Pour mes projets. Le cottage. Le petit jardin.

Jenna flancha sous le poids du regard de Jack. Elle n'avait pas pensé à ça. Elle avait tout planifié avec méthode, sauf l'endroit où ils allaient vivre.

— Il te plaît aussi, ce cottage ?

— Oh oui! Oui, Jack. Sauf que... Je m'en souviens très bien mais... il est près de la rivière et l'hiver...

Elle s'arrêta. Le regard d'Hennessy avait changé. Elle y vit, l'espace d'un instant, une lueur de triomphe : il savait très bien qu'elle détestait cet endroit. Il baissa les paupières pour le cacher. Son visage était tendu. Jenna se demanda s'il allait rire ou pleurer.

Ce regard l'effrayait encore plus que tout ce qu'il lui avait dit. «Qu'est-ce que j'ai fait? Mais qu'est-ce que j'ai fait?» se dit-elle. Elle était horrifiée à l'idée qu'il la touche. Cet homme pourtant beau lui inspirait de l'aversion. Sa peau, ses cheveux, ses yeux la dégoûtaient.

— Avant que je parte...

Jenna se dit qu'il allait la toucher, poser une main sur elle. La caresser peut-être. Elle recula.

Il ne posa pas la main sur elle et ne la regarda même pas. Il contempla ses mains sur son pantalon kaki. Des mains larges, carrées, habiles, plutôt belles.

— Avant que je parte, dis-moi encore, Jen. C'était à Londres ?

— Oui, Jack.

— Tu sais son nom ?

— Seulement son prénom. Henry... je crois.

— Il t'a offert un gin ?

— Oui, oui. Avec de l'eau.

— Dans un hôtel près de Charing Cross ?

— Oui. Une pièce toute marron. On entendait siffler les trains.

— Ça s'est fait vite ?

— Très vite.

Et ainsi de suite. Il posait les questions, écoutait les réponses et reposait les questions, inlassablement.

A 4 heures, Mme Tubbs frappa à la porte. Les deux femmes firent leurs adieux à Hennessy et Tubbs sur le pas de la porte. Ceux-ci s'éloignèrent d'un pas vif en balançant les bras.

Lorsqu'ils furent hors de vue, Mme Tubbs ferma la porte et entraîna

Jenna dans le salon. Elle alluma la lumière et observa longuement le visage marqué de la jeune fille. Elle la prit par le bras.

— Quoi que ce soit, ma chérie, j'espère que tu as eu le bon sens de le garder pour toi. Ne le lui dis pas.

Mme Tubbs indiqua de la tête la porte d'entrée. Elle aimait son fils mais n'avait pas une haute opinion des hommes en général.

Elle fit préparer une tasse de thé par Florrie et tenta de faire manger à Jenna un morceau de gâteau.

— Tu dois manger pour deux, rappela-t-elle.

Elle attrapa la dernière orange, la coupa en deux et en offrit une moitié à Jenna et l'autre à Florrie.

Jenna secoua la tête. Le bébé gigota.

— Bon. L'économie protège du besoin, déclara-t-elle.

Elle étala son mouchoir sur ses genoux et mangea la moitié d'orange.

— Dieu me bénisse! s'exclama-t-elle en avalant le dernier quartier.

Tout en mangeant son orange, Jenna ôta son alliance. Avec précaution, elle la posa sur la pierre de cheminée puis s'empara du tisonnier. Elle frappa, frappa, certaine de pouvoir la briser. L'anneau sauta en l'air et retomba devant le foyer. Florrie et Mme Tubbs la regardaient faire d'un air affolé.

— Je déteste cette alliance. C'était celle de sa grand-mère. Je la détestais aussi, dit-elle posément.

Mme Tubbs se leva, attrapa l'anneau et le fourra dans sa poche. Elle regarda Jenna en clignant des yeux.

— Dix-huit carats. Ça se voit à la couleur. Ça vaut une guinée, peut-être plus. Une guinée, c'est le prix de deux sacs de charbon. De quoi se chauffer pendant une semaine. Mets-la au clou.

— Au clou?

— Au mont-de-piété. Tu pourras toujours la reprendre plus tard. Et si tu ne peux pas, tu lui diras que tu l'as perdue. Il te croira. C'est sûr.

Mme Tubbs renifla. C'était une femme directe. Elle se toucha le front.

— Lent, dit-elle. Beau garçon, c'est vrai. Mais lent à la comprenette.

— Vous vous trompez, répondit Jenna.

Elle se leva, plongea la main dans la poche de Mme Tubbs et en sortit l'anneau. Elle l'enfila à son doigt et le regarda briller.

— Ça, c'est intéressant, Constance. Voilà un mystère résolu.

Stern fit une pause et s'approcha de la fenêtre.

— Et quand vous en êtes-vous aperçue?

— Ce matin. Je lui rends visite une fois par semaine depuis son mariage. Je l'ai promis à Jane. Pauvre Jenna! Elle a l'air bien malade. Je lui ai apporté de la layette ravissante et elle a fondu en larmes.

Constance était chez Stern depuis un quart d'heure. Elle ôta une longue épingle scintillante de son chapeau noir, qu'elle déposa sur un fauteuil. Elle secoua la tête et ses cheveux tombèrent sur ses épaules. Stern la préférait ainsi.

Comme à l'accoutumée, il avait accueilli sans sourciller ses révélations sur Hennessy. Il regarda dehors. Constance entendait presque les fichiers cliqueter dans la tête de Stern. Elle savait qu'il était très friand d'informations mais prenait garde de les rationner et de les censurer.

— Vous savez, Jenna a eu un amant autrefois. Il y a des années.

— Un amant ? Et qui était-ce ?

— Oh, personne d'important. Un type du village. Il a été tué à la guerre, je crois, comme beaucoup d'autres. Mais Hennessy était jaloux, de toute évidence. Terriblement jaloux. Il savait où ils se rencontraient. Alors, il a posé le piège...

— Et s'est trompé d'homme ? Stern grimaça. Cela a dû vous bouleverser d'apprendre ça.

— D'une certaine façon.

Comme souvent quand elle allait chez Stern, Constance ne tenait pas en place. Cela faisait maintenant trois mois qu'elle lui rendait visite.

— De toute façon, c'était il y a longtemps. Les circonstances importent peu. Le résultat est le même. J'avais des soupçons depuis des années. Certaines choses dites par Cattermole. Mais je ne ressens aucun désir de vengeance. Je n'ai pas eu le temps de penser à moi. J'étais inquiète pour Jenna et son bébé. Maintenant que Jane est partie en France, elle n'a plus que moi. Elle avait l'air si frêle. J'ai eu peur pour le bébé.

— Vous me surprenez, Constance. Je ne vous aurais pas crue capable de pitié.

— Merci pour le compliment. J'ai pourtant un cœur, vous savez. Il est un peu coriace mais il bat. Un homme devrait pourtant comprendre les liens qui peuvent unir une maîtresse à sa domestique. Et vous, peu sentimental par nature, les bébés ne vous intéressent pas...

Stern lui adressa un regard froid. Constance alla prendre position derrière une chaise et prit sur une table une petite sculpture exquise en jade.

— De plus, j'ai fait une découverte intéressante sur ma personne. C'est pourquoi je vous ai raconté cette histoire. Savez-vous pourquoi je pardonne si volontiers à Hennessy, Montague ? Parce que je comprends la jalousie. Eh oui ! C'est un sentiment que j'ai déja éprouvé. Cela m'étonne de moi, d'ailleurs.

Elle attendit mais il ne fit rien pour qu'elle poursuive. Elle était irritée. Il lui avait simplement baisé la main à son arrivée mais ne l'avait pas touchée depuis. Il la faisait attendre. Quel homme contenu ! Elle fit tourner la statuette de jade entre ses doigts.

338

— Dites-moi, Montague. Une question de femme jalouse. Suis-je la première femme à vous rendre visite ici ou est-ce chez vous une pratique courante ?

— Est-ce que je trompe Maud ? Est-ce bien votre question ?

Il croisa les bras.

— Je sais que vous ne lui êtes pas vraiment fidèle, je suis bien placée pour le savoir, dit-elle en lui lançant un regard noir. Mais je me demande si je suis la première. Cela ne me plairait pas, dans le cas contraire.

— Constance, je suis resté fidèle à Maud, comme vous le dites, cinq ou six ans, à l'exception de quelques passades. Je ne suis pas un don Juan et tromper Maud n'a jamais été une habitude. Cela me coûte d'ailleurs de le faire.

— Mais vous le faites quand même ?

— Effectivement.

— Et... suis-je aussi une passade ?

— Vous, ma chère, vous seriez plutôt une grande aventure, et vous le savez parfaitement.

— Vous ne vous jouez pas de moi, alors ? Elle soupira de soulagement. Je me le demande par moments. Je prends toutes les précautions nécessaires pour ne pas être découverte, mon cœur bat la chamade quand je remonte cette rue et, pourtant, je ne suis peut-être qu'un simple jeu pour vous. Vous seriez un chat aux griffes acérées et je serais la pauvre petite souris.

— C'est une comparaison peu convaincante. Il eut un sourire fugitif. Je ne pense pas du tout à vous dans ces termes et vous le savez très bien.

— C'est ce que vous dites. Mais est-ce la vérité ? Comment savoir ? Quand je vous regarde, je ne vois rien du tout. Pas la moindre lueur d'affection dans vos yeux. Vous restez là, les bras croisés. Vous me regardez et vous attendez. Je ne sais jamais ce que vous pensez.

— Serais-je si peu démonstratif ? interrogea-t-il d'une voix sèche. Vous me surprenez, Constance. Je croyais vous avoir donné la preuve, à l'occasion...

— Les hommes ne savent pas cacher leur désir, Montague, et vous n'y échappez pas. Dans une étreinte, ses effets sont plutôt évidents. C'est ce que je provoque en vous. Mais c'est bien peu de chose.

— Bien au contraire. Ce n'est pas négligeable. De nombreuses femmes aux charmes indéniables me laissent de marbre.

— Oh, je vois ! Elle secoua la tête. Dans ce cas...

— Tandis que vous... Non, ne vous détournez pas. Ce que vous provoquez en moi, comme vous dites, n'est pas seulement physique.

Constance, qui s'était dirigée d'un mouvement vif vers la porte, s'arrêta et se retourna.

– Vraiment ?

– Bien sûr, ma chère Constance. J'ai le plus grand respect pour votre intelligence et votre volonté. J'admire vos façons détournées d'agir. Et tout particulièrement votre technique de séduction. C'est charmant et tout à fait ingénieux.

– Je vous déteste, Montague.

– Je trouve aussi, de temps à autre, que vous avez tendance à prolonger un peu trop le plaisir, au risque de devenir ennuyeuse. Si vous arrêtiez ce petit jeu ? Venez ici !

Elle hésita. L'atmosphère était tendue, comme à chacune de leurs rencontres. L'intensité de l'attraction qu'il exerçait sur elle lui semblait parfois effrayante. Mais elle ne voulait pas qu'il s'en rende compte. C'est pourquoi elle prenait des chemins détournés. Résister ! Elle aimait ces moments où ils se faisaient mutuellement attendre. Elle frissonna d'excitation, comme si elle sentait déjà le contact des mains fraîches et expertes de Stern sur sa peau.

Elle aurait été plus heureuse si elle avait été sûre des sentiments de Stern. Comme souvent, il affichait une expression inquiétante : on aurait dit qu'il savait, qu'il comprenait quelque chose qu'elle ignorait et qui lui donnait le dessus dans leur bras de fer.

Quand elle se mettait à marcher ainsi, en long et en large, elle avait la sensation d'être attachée au bout d'une laisse en soie que Stern tenait fermement dans ses mains. Lui désobéissant, ignorant son ton péremptoire qui la faisait brûler de désir, elle le faisait languir. Elle consulta sa montre. Il était tard. Il fallait peut-être rentrer.

– Constance, dit-il en tendant la main. Venez ici !

Il posa sa main sur le cou de la jeune fille et dégagea les cheveux qui barraient son visage. Au contact de ses doigts, elle poussa un cri étouffé, comme s'il venait de la gifler.

Elle se précipita dans ses bras et se colla contre lui. Il était déjà dur. Quand elle le toucha pour s'en assurer, prudent même en pleine excitation, il l'écarta de la fenêtre.

Il plaça sa main sur sa poitrine et titilla ses mamelons du bout des doigts en la regardant droit dans les yeux. Quand elle devint incapable de dissimuler son excitation, il l'embrassa.

Leurs langues se touchèrent. Quand il la délivra, cinq minutes de leur précieux temps s'étaient écoulées. Elle était pantelante. Sa lèvre inférieure était enflée et légèrement coupée. Il prit un mouchoir et l'appliqua sur la coupure.

– Vous m'avez fait saigner, dit-elle.

Elle leva les yeux vers lui. Ils se dévisagèrent. Pour une fois, il ne cherchait pas à cacher son état.

340

— Vous pourriez me faire saigner vous aussi, dit-il en se retournant. Avec le temps, les circonstances...

— Montague...

— J'ai un présent pour vous.

Ignorant l'expression de Constance et le ton avec lequel elle venait de prononcer son nom – un ton trop spontané qu'elle regretta une seconde plus tard – il plongea la main dans sa poche. Il en extirpa quelque chose de scintillant, qu'elle ne distingua pas bien, et qu'il fixa habilement autour de son poignet.

C'était un bracelet; celui-là même que Constance offrirait quatorze ans plus tard comme cadeau de baptême : un serpent lové, en or incrusté de rubis. La tête pointue de l'animal et sa langue fourchue en pierre précieuse venaient s'appuyer exactement à la base de sa paume, juste au-dessus du pouls. Stern souleva la main de Constance et admira son cadeau.

— Il serait encore plus beau sur la peau nue, dit-il enfin.

Constance poussa un cri et retira sa main.

— Mais je ne peux pas porter ça. Vous le savez. C'est trop beau. Trop coûteux. Les gens le remarqueraient, Gwen la première. On me demanderait d'où je le tiens.

— Peu importe. Laissez-le ici. Vous le mettrez quand vous viendrez. Pour l'instant. Ensuite...

— Tenez-vous à moi ? interrogea Constance en s'écartant. Elle poursuivit d'une voix plus assurée : Je tiens à vous, je crois. Un peu. Plus que je l'aurais supposé, plus que je m'y attendais. Je m'étais promis de rester libre comme l'air mais je ne suis pas si libre. Je ne dis pas que vous pourriez me briser le cœur car aucun homme ne le pourrait. Mais vous faites certaines choses; vous pourriez faire certaines choses. Je...

Elle s'interrompit. Accoutumé à ces tempêtes soudaines et singulières de Constance, Stern ne disait rien. Il attendait en la regardant. Encore plus troublée, elle commença à s'acharner sur le fermoir, comme si elle voulait enlever le bracelet et le jeter à travers la pièce. Il lui résista. Elle poussa un cri de rage et de frustration. Stern prit son poignet et, calmement, défit le fermoir.

— Vous voyez? Vous n'êtes pas obligée de le porter. Ce n'est qu'un cadeau.

— Ce n'est pas un simple cadeau. Rien de ce que vous donnez n'est simple.

— Je suis désolé que vous n'aimiez pas mon cadeau. Je pensais vous faire plaisir.

Il tourna le dos, posa le bracelet sur une table et s'éloigna en déplaçant ça et là quelques menus objets. Le cœur de Constance battait à tout rompre. Elle était allée trop loin : stupide, stupide, stupide! Il fallait qu'elle apprenne à se maîtriser. Elle le vit prendre un vase et l'examiner. C'était un collectionneur. Il aimait acheter de belles choses, les posséder. « Il ne me possédera jamais », se dit-elle.

Et pourtant, l'idée d'appartenir à un homme avait quelque chose de séduisant. La possession. Elle frissonna. Il remit le vase en place et se retourna, l'air mécontent.

La colère qui couvait dans cet homme lui fit l'effet d'une décharge électrique. Elle le regarda d'un air enfantin, intimidé mais légèrement impudent.

— Oh, je vous ai blessé! J'ai été désagréable et vous ai offensé. Ce n'était pas ce que je voulais, Montague. Je regrette. Vous pouvez me punir.

— Je n'ai pas envie de vous punir. Sa voix était froide.

— Vous êtes sûr? On dirait que vous êtes prêt à me... donner une fessée.

— Vraiment? Je n'ai pas l'habitude de frapper les femmes.

— Je sais que je vous ai mis en colère.

— Pas le moins du monde. Je pense à des questions pratiques. Il faut que nous parlions de projets...

— De projets?

— Exactement. Je suis un homme méthodique, Constance. Nous devons faire des projets. Nous ne pouvons pas continuer ainsi, de subterfuges en alibis et en tromperies. Cela a assez duré.

— Je ne vois pas pourquoi. Et j'ai horreur des projets...

— Vous m'avez parlé de mariage, un jour. N'est-ce pas ce que l'on pourrait appeler un projet?

Il avait pris une voix toute courtoise. Pour cacher son trouble, Constance lui tourna le dos.

— De mariage? Oh, c'est possible. Mais c'était il y a des mois. Il s'est passé tant de choses depuis. Acland est mort et je suis en deuil. C'est moi qui suis allée vers vous, je le reconnais, mais...

— C'était un autre mensonge, alors, cette suggestion de mariage?

— Un autre mensonge?

— Vous m'avez déjà menti à propos de votre mère. Je me demandais quels autres mensonges vous aviez pu me faire. C'est tout. Il avança vers elle. Constance ma chère, quand vous mentez, surtout à moi, arrangez-vous pour que je ne m'en rende pas compte. Quand on ment, il vaut mieux ne pas rajouter trop de détails. Aucune Jessica Mendl n'a jamais été inscrite à Slade. Je pense même qu'il n'y a jamais eu de Jessica Mendl. Vous avez trouvé ce nom dans un livre?

Un silence plana dans la pièce. Stern était maintenant tout près d'elle. Leurs yeux se croisèrent. Elle sourit.

– Dans un livre d'Acland.

– Et la vraie Jessica, elle était juive ?

– C'est possible. C'était la secrétaire de mon père. A l'époque où il en avait encore les moyens. Il l'a épousée quand elle était enceinte de moi. Il la détestait, il me l'a dit plus d'une fois. Si elle était juive, elle ne pratiquait pas sa religion, en tout cas. Vous non plus, d'ailleurs.

Elle avait parlé sur un ton d'énervement. Stern devait aimer qu'elle soit sur la défensive car il baissa la tête, comme s'il reconnaissait qu'elle avait marqué un point.

– Pourquoi m'avez-vous menti ?

– Pourquoi ? Pour me faire remarquer de vous. Vous le savez très bien.

– Vous est-il venu à l'esprit que je pourrais vérifier vos dires ? Cela ne vous gênait pas que je puisse découvrir la vérité ?

– Je n'y ai même pas pensé, poursuivit-elle plus lentement. J'aurais dû. Je vous ai sous-estimé. Mais je suis contente que vous m'ayez démasquée. Je n'ai jamais prétendu être une femme vertueuse et je préfère que vous me connaissiez telle que je suis.

– Oh, moi aussi ! Il prit sa main. Moi aussi. Mais il est une chose qui doit être très claire entre nous. Ne me mentez plus jamais. Vous pouvez faire marcher qui vous voulez, mais pas moi. Et quand nous serons mariés...

– Mariés ? Quand nous serons mariés ?

– Parfaitement. Et après notre mariage, plus de mensonges. Je ne vous demande rien d'autre. Pas même une déclaration d'amour.

Il se tut. Comme Constance ne disait rien, il fronça les sourcils puis poursuivit, d'une façon rigide et comme s'il avait répété son discours.

– Je ne vous demanderai pas même de m'être fidèle. Je suis plus âgé que vous et je considère que la loyauté sexuelle n'a qu'une valeur limitée. Les autres formes de fidélité m'importent plus. Alors, pas de mensonges entre nous. Ce sera notre contrat. Vous êtes d'accord ?

Son visage était grave. Il s'exprimait posément, comme pour bien faire entrer ses paroles dans l'esprit de Constance. Se demandant pourquoi il la demandait en mariage de cette façon, elle décida de prendre un air détaché.

– Comme vous y allez, Montague ! Mais j'accepte. Elle soupira et plaça sa petite main sur son cœur. Vous avez ma parole. Mais j'aimerais que vous me demandiez en mariage d'une façon un peu plus passionnée. Vous me parlez de contrat ! Nous ne sommes pas dans la City. Vous pourriez y mettre un peu plus d'émotion. Serait-ce trop de vous demander une déclaration en bonne et due forme ?

– Très bien. Il parut amusé. Si c'est une déclaration que vous voulez, vous allez l'avoir. Je ne vous aime pas, Constance, mais vous êtes la première femme qui m'inspire presque de l'amour. Je vous aime bien, malgré vos mensonges ou, peut-être, à cause d'eux. Nous nous ressemblons. Alors, ma chère, je pense que vous pourrez être un atout pour moi, de la même façon que j'en serai un pour vous. Je pense que notre... fusion ne sera pas de tout repos mais qu'elle vaut la peine. Et que ses... dividendes seront généreux. Voilà. Etes-vous satisfaite de ma déclaration d'homme de la City ?

Tout en parlant, il avait commencé à la toucher. En prononçant le mot « atout », il commença à défaire la veste de la jeune fille. A « de tout repos », il avait déboutonné son chemisier et à « dividendes » la paume de sa main avait saisi son sein.

C'était le moment que Constance préférait : il commençait à perdre le contrôle de lui-même, il essayait de prendre sur lui. Elle usait alors de tout son charme et le regardait lutter intérieurement puis, à bout de forces, succomber. Elle prit sa main, la serra sur son cœur et leva son visage vers lui. Elle l'embrassa sur la bouche et recula de quelques centimètres, les yeux brillant d'excitation.

– Vous savez ce que je pense ? Je pense, Montague, que nous pouvons conquérir le monde ensemble, vous et moi. Nous serons si puissants, si riches et si libres que le monde sera à nos pieds. Nous pourrons à loisir le fouler avec mépris, le piétiner, ou, selon notre bon plaisir, nous baisser et le prendre dans nos mains pour en faire ce que nous voulons. Nous serons invincibles...

Elle s'interrompit. Son sens pratique reprit le dessus : elle ôta sa veste, écarta les pans de son chemisier puis, ce préliminaire rituel achevé, se retourna. Elle lui adressa un regard pernicieux.

– Il y aura aussi des difficultés. J'espère que vous y avez pensé. Quand les gens sauront. Quand Gwen saura. Et Denton. Je suis mineure. Il y aura des scènes effroyables. Il va y avoir du grabuge.

– Je suis persuadé que vous aimeriez ça, Constance. Cela pourrait même m'amuser moi aussi. Mais vous vous trompez... cela n'arrivera pas.

Il l'emmena dans un coin de la pièce, vers un petit fauteuil recouvert de tissu rouge qui faisait face à une glace. Constance se laissa asseoir. Elle se demanda si le fauteuil était déjà là avant ou s'il avait été déplacé en prévision de sa visite. Déplacé, décida-t-elle. Cela renforça son excitation.

Comme il aimait le faire, Stern se livra d'abord à quelques préparatifs. Il lui enleva son chemisier, disposa ses cheveux sur ses épaules nues et arrangea sa jupe noire de façon à voir à la fois le tissu rouge du siège et les cuisses nues de la jeune fille. Lorsque son œil critique fut satisfait, il fixa le bracelet à son poignet. Cette fois, elle n'opposa aucune résistance. Comme il l'avait prédit, le bijou était plus en valeur sur la peau nue.

– Dites-moi ce que vous voyez, lui intima-t-elle en regardant son reflet dans la glace.

344

Stern regarda gravement le miroir.

— Vous avez l'air impure.

L'impureté. Elle y aspirait tellement, mais Stern la retenait toujours.

— Quand ? demanda-t-elle.

— Après notre mariage. On ne perd sa virginité qu'une fois. Il faut respecter un certain rituel. De plus, je vous l'ai déjà dit, le répertoire des choses du sexe est relativement limité. L'épuiser trop vite est une erreur. Aujourd'hui, nous n'avons plus beaucoup de temps et je me suis dit...

— Touchez-moi. Constance attrapa sa main et la plaqua contre son corps. Embrassez-moi. Parlez-moi en me caressant. J'aime ça. Racontez-moi ce qui va se passer. Dites-moi que ce sera facile. Un homme de votre âge, amant de ma tante, et une jeune fille qui pourrait être votre fille. Pourquoi n'y aura-t-il aucune scène, aucun scandale ?

Il se plaça derrière le fauteuil et se pencha en avant pour capter son regard dans le miroir. Il posa la main sur sa poitrine.

— Il y aura des discussions, et peut-être un scandale. C'est inévitable. Mais personne ne nous mettra des bâtons dans les roues.

— Et Maud ?

— J'en fais mon affaire.

— Denton ? Il ne le permettra jamais.

— Denton n'est pas votre père. De toute façon, il acceptera.

— Caressez-moi ! Oh oui ! comme ça. Denton ? Pourquoi ?

— D'abord, parce que Boy ne se marie plus avec une riche héritière. Ensuite, parce qu'il me doit beaucoup d'argent.

— Beaucoup ?

Elle se pencha en arrière et se mit à frotter sa tête contre les cuisses de Stern. Ce geste, peut-être, ou la cupidité de sa voix eurent raison de la discrétion légendaire de Stern.

— Enormément.

Un frisson passa dans leurs corps.

— Faites vite, dit-elle.

Stern bougea légèrement le siège de place. Au-dessus de la soie noire de ses bas, les cuisses de Constance étaient très blanches. Elle fixa ses yeux sur le miroir et regarda Stern la toucher. Lorsqu'il se pencha entre ses cuisses, elle se mit à caresser sa tête et à parler précipitamment. Elle aimait les mots — surtout ceux-là, les plus choquants.

Parler en regardant. Cela faisait des années qu'elle s'y entraînait.

Quelques semaines plus tard, comme elle s'y attendait, elle fut sommée par Maud de venir la voir.

A sa demande, elle s'y rendit seule. En attendant dans le salon, elle toucha les meubles et compta les tableaux.

C'était la première fois qu'elle revoyait Maud depuis que Stern était allé demander sa main à Denton. A son grand énervement, il avait refusé de lui dévoiler le contenu de ses conversations avec Maud. Sa discrétion fut absolue.

Elle avait bien tenté de questionner Gwen sur la réaction de Maud, mais en vain. Gwen était toujours plongée dans son chagrin, mais était sortie un peu de sa torpeur pour lui expliquer que ces fiançailles étaient impensables mais que, devant l'intransigeance inexplicable de son mari et l'insistance de Constance elle-même, elle avait fini par se soumettre. Tandis que Maud mettait un point d'honneur à se faire attendre, Constance se demandait dans quel état elle allait la trouver. Serait-elle en larmes ? Lui ferait-elle des reproches ? Espérait-elle encore la persuader de renoncer à ce mariage ?

Constance avait envisagé toutes les éventualités et préparé un petit discours. Lorsque Maud se décida à paraître, Constance fut décontenancée : elle entra dans le salon de sa façon habituelle, d'un air léger et apparemment de bonne humeur. Ni reproches, ni jérémiades.

Constance se lança alors dans la tirade qu'elle avait préparée. Elle rappela à Maud tout ce qu'elle lui devait et sa gentillesse à son égard. Elle lui fit comprendre que cette même gentillesse l'avait empêchée pendant longtemps de reconnaître ses sentiments à l'égard de Sir Montague, qu'elle avait essayé de les combattre mais qu'elle avait été contrainte d'admettre qu'ils avaient été les plus forts.

Elle débita ainsi son petit couplet sans que Maud l'interrompe une seule fois. Quand elle eut fini, sa tante resta silencieuse un moment.

— Tu n'as pas prononcé le mot « amour », dit-elle enfin d'un air réfléchi. C'est curieux. Montague non plus.

Constance était contrariée. Elle aurait pensé que Stern, s'il évitait ce mot devant elle, l'aurait employé pour donner de la force à ses arguments. Elle grimaça.

— Je ne veux blesser personne, commença-t-elle.

Maud l'interrompit d'un geste de la main.

— Constance, ne me prends pas pour une imbécile. Tu te fiches pas mal des blessures que tu causes, je le sais parfaitement. C'est même bien plus grave que ça. Tu as un goût inné pour créer des ennuis. De toute façon... Elle se tourna vers elle et la considéra pensivement. Je ne t'ai pas fait venir pour te poser des questions ou discuter avec toi. Tes petites tirades ne m'intéressent aucunement, alors épargne ton souffle. Je t'ai fait venir pour te dire quelque chose.

— Qu'est-ce que c'est, Tante Maud ?

— Tu n'es pas ma nièce. Ne m'appelle pas ainsi.

— De quoi s'agit-il ?

— Tu ne connais pas Montague.

Elle s'éloigna. Constance regarda son dos.

— Je vais apprendre à le connaître.

— Peut-être bien. Mais pour l'instant tu ne le connais pas.

— Et vous ?

Sur ce ton insolent, Maud fit volte-face. Constance l'avait provoquée pour lui faire perdre contenance. En vain. Maud la regarda un moment d'un air méprisant, ou compatissant.

— Oui, justement. Je le connais sans doute mieux que personne. Nous nous voyons pour la dernière fois, Constance, et je voulais t'avertir tout en sachant que tu n'en tiendras aucun compte.

— M'avertir ? Comme c'est mélodramatique ! Vous avez peut-être quelque terrible révélation à me faire. Si c'est le cas, sachez...

— Aucune révélation, Constance. Rien de tel.

Maud se dirigeait déjà vers la porte. L'entrevue était terminée.

— Juste une petite chose. Pour parler vulgairement, en jetant ton dévolu sur Montague, car je suis bien certaine que c'est toi qui l'as choisi et non le contraire, tu as eu les yeux plus gros que le ventre.

— Vraiment ? Constance secoua la tête. Mais j'ai fort bon appétit, savez-vous ?

— Tu en auras besoin, répliqua Maud en sortant.

VIII

En transit

Wexton m'a téléphoné qu'il était en fuite : il tentait d'échapper à un biographe, cette fois, ou plutôt un prétendu biographe, un jeune étudiant américain dont l'obstination le faisait frémir.

— Il me poursuit, m'a-t-il dit sur un ton lugubre. Il interroge des gens. Il est allé en Virginie, et à Yale. Même en France. Et maintenant il est à Hampstead. Il a essayé la flatterie et comme ça ne marche pas, il me menace...

— Des menaces ?

— Oui. Enfin, il dit qu'il publiera de toute façon et que je ferais mieux d'en profiter pour mettre les choses au clair avec lui. Il est capable de fouiller mes poubelles, je connais ce genre de types. Je viens à Winterscombe. C'est la seule solution.

Il a débarqué le lendemain avec deux énormes valises très lourdes dont il a refusé de me dire le contenu.

— Tu verras. Il y a autre chose que mon pyjama et ma brosse à dents, en tout cas.

J'étais très heureuse de le voir. Je m'étais aperçue que se plonger dans le passé, seule dans une grande maison, était une erreur. Mon client français étant tombé malade, ma commande suivante avait été reportée. Contrairement à ce que j'avais escompté, dix jours de travail dans mon bureau de Londres ne m'avaient pas permis de couper les liens avec le passé. Winterscombe et le journal de Constance m'avaient forcée à revenir. A l'arrivée de Wexton, massif et rassurant, je commençais à me sentir prise au piège et doutais de mon propre jugement. Aux questions qui se pressaient dans ma tête, les morts me retournaient des réponses poussiéreuses et incomplètes. En ce qui concernait Constance, les seules réponses que j'obtenais étaient d'autres questions et d'autres ambiguïtés. A deux doigts

348

de croire que je ne m'en sortirais jamais, j'ai accueilli Wexton comme le Messie.

Le jour de son arrivée, je parlai du journal de Constance et de la façon dont il m'était parvenu. Je l'emmenai dans le salon, m'attendant à ce qu'il pousse des cris d'horreur. La pièce était dans un désordre inimaginable, avec des papiers qui traînaient dans tous les coins. Je comptais sur Wexton pour me guérir de mon obsession.

A mon grand étonnement, il déambula calmement dans le salon, piochant une lettre par-ci, une photo par-là. Il découvrit un vieux paquet de cigarettes russes ayant appartenu à Steenie, en alluma une et se mit à tirer des bouffées, l'air pensif.

— C'est curieux comme les gens ne peuvent s'empêcher d'accumuler les vieilleries.

— Surtout ici. On ne jetait jamais rien. Je suppose qu'après la mort de mes parents, quand la guerre a éclaté, personne n'a eu le temps de trier. Tout a été ficelé et jeté dans des boîtes et des cartons. Personne n'a essayé d'y mettre de l'ordre, de classer. Les gens n'écrivent plus tellement aujourd'hui. Dans ma famille, c'était une manie. Et les journaux intimes... qui en écrit encore de nos jours ?

— Les hommes d'Etat, les politiciens, répondit Wexton avec mélancolie. Mais ceux-ci sont différents. Ce sont des tentatives d'auto justification. Ce sont des écrits destinés à la postérité. Enfin, tous les journaux intimes sont peut-être écrits dans cette intention...

— Regarde toutes ces lettres ! Je ne me rappelle même pas la dernière fois que j'ai écrit une lettre... à part les lettres commerciales, j'entends.

Je m'arrêtai. C'était faux. Je m'en souvenais très bien : une lettre formulée avec tant de précautions pour ne pas laisser transparaître que j'aimais toujours son destinataire et que j'avais encore de l'espoir. Je m'en souvenais aussi bien que de cet homme lui-même.

— Il en sera toujours ainsi, poursuivit Wexton. Les gens aiment laisser des traces de leur passage. Nous sommes dans une période de transition. Dans cinquante ans, plus personne n'aura besoin de trier des montagnes de lettres et de journaux intimes. Il y aura autre chose. Des films vidéo à la place des albums photos. Des ordinateurs – les gens se stockeront dans des machines. Ils ne pourront s'en empêcher. Ce sera leur ultime vanité. N'oublie pas cela en dépouillant tous ces papiers : dans ce genre de circonstances, rares sont ceux qui disent la vérité.

— Tu crois ?

Il haussa les épaules, prit l'un des cahiers noirs puis le reposa.

— Tu imagines Constance dans un ordinateur ? Ou sur un film vidéo ?

— Ne te moque pas de moi, Wexton. Ce n'est pas si simple. C'est ma

349

famille. Mes parents. Mon passé aussi. Et pourtant, je n'y comprends rien. Je n'arrive pas à distinguer les mensonges de la vérité.

J'entrepris alors de tout lui expliquer, dans la mesure du possible. Je le mis au courant de ce que j'avais appris : la conviction de Constance que son père avait été assassiné, les membres de ma famille figurant dans sa liste de suspects. Je lui décrivis brièvement la vérité telle qu'elle la présentait et son enfance. Je lui dis comment elle avait choisi son mari pendant le bal.

— Constance, Constance. Tu ne parles que d'elle. Et les autres ? Que sont-ils ? Des spectateurs ? Des figurants ?

— Bien sûr que non. Je sais bien. Mais je les cherche et je ne les trouve pas. Je ne les entends pas. Constance les étouffe. Tiens, regarde...

Je lui tendis le cahier que je venais de commencer. Il secoua la tête.

— D'accord, me résignai-je. Ecoute, alors. On est en 1916. En octobre. Je vais t'en lire un petit passage. Tu vas comprendre ce que je veux dire.

— 1916 ? Elle n'est pas encore mariée, alors ?

— Non, pas encore.

— Et c'est avant...

— Oui, bien avant. Ce sera en 1917.

— D'accord. Vas-y !

Je lui lus l'extrait qui va suivre. Comme bien souvent, c'était écrit sous forme de lettre : un long dialogue à une seule voix entre Constance et un homme qu'elle savait mort.

Pauvre Jenna. Je suis allée la voir aujourd'hui. A cause de ton enfant, Acland. Est-ce que tu espères comme moi qu'Hennessy va bientôt se faire tuer ? J'espère qu'un Allemand va lui tirer dessus. Pour Jenna, et pour moi. Si tu le peux, Acland, guide la balle. Entre les yeux, ce serait parfait.

Quoi d'autre ? Montague est un démon, mais tu le sais. Aujourd'hui, je lui ai lu la dernière lettre de Jane en imitant sa voix. Ce n'était pas très gentil mais très drôle en tout cas. Pauvre Jane. Sais-tu pourquoi elle est partie en France ? Elle veut aller là où tu es mort. Quelle perte de temps ! Elle ne te trouvera pas car tu es ailleurs. Et je suis la seule à savoir où. Tu es à moi, pas à elle. Nous avons fait un pacte, tu te rappelles ?

Oh, Acland ! J'aimerais que tu reviennes cette nuit. Tu ne veux pas ? Juste une fois.

— Tu vois ? dis-je en refermant le journal. Wexton ne fit aucun commentaire. C'est un peu pervers d'écrire à un mort. « Montague est un démon ». Qu'est-ce que ça veut dire ? Je l'ai rencontré. Constance prétend qu'il ne l'a jamais aimée mais c'est faux. Il l'aimait vraiment beaucoup.

350

– Il l'a dit ?

– D'une façon curieuse. Peu de temps avant de mourir. Il devait savoir qu'il allait mourir. Mais je n'en suis pas sûre. Il m'a raconté une histoire...

Je détournai mon regard. Tout en parlant, je revoyais Stern assis dans cette pièce paisible à New York, me racontant comment son mariage avec Constance s'était terminé et me donnant un conseil... que je n'ai pas suivi.

– Une histoire ?

– Un épisode. Je l'ai trouvé triste, amer même. Cela ressemblait à une histoire d'amour, bien qu'il n'ait jamais prononcé le mot. Et puis à la fin il a regardé ses mains – elles étaient magnifiques – et a dit : « Vous voyez, j'aimais ma femme. »

Il y eut un silence. Wexton se retourna.

– Oui. J'ai toujours pensé qu'il l'aimait. Steenie disait qu'il était froid. Lorsque je les rencontrais, ici à Winterscombe... il la regardait tout le temps et son visage était illuminé. On avait la sensation de regarder s'ouvrir la porte d'un haut fourneau : on se brûlait le visage. Tant de sentiments rentrés. C'était un voyage en enfer, ce mariage. Tu crois que Constance l'aimait ?

– Elle prétend que non. Et lui il met un point d'honneur à nier son amour pour elle. Ça non plus, je ne le comprends pas.

– Quoi exactement ?

– L'amour. Ces lettres, ces journaux, tous ces papiers. Ils ne parlent que d'amour mais chaque fois que je vois le mot écrit je n'y crois pas. Il n'y prend pas son sens véritable. Qui a raison ? Steenie ? Gwen ? Constance ? Jane ? Ou toi, Wexton ? Tu es parmi eux, tu sais.

– Je sais. Il fronça les sourcils. Et Jane, pourquoi l'appelles-tu par son prénom ?

– Parce que je pense à elle en tant que Jane.

– Ta propre mère ?

– Oui. Je n'avais que huit ans quand elle est morte, Wexton.

– Mais tu te souviens quand même un peu d'elle ?

– Je ne sais plus. Quand je lis son journal, j'en ai l'impression mais quand je prends celui de Constance elle m'échappe. Elle redevient Jane, la riche héritière, l'infirmière. Un cœur tendre. Pas d'imagination. Une vie faite de bonnes actions.

– Cela m'ennuie beaucoup.

Wexton était fortement troublé. Il se remit à déambuler dans la pièce, s'arrêta et frappa du poing sur la table.

– Ce n'est pas juste. Les bons sont effacés et les méchants ont la part belle. Pendant que ta marraine dansait dans les salons londoniens, il y avait la guerre. Ta mère était au cœur de l'action. Elle soignait les blessés. Elle

351

se rendait utile. Et Constance? Qu'est-ce qu'elle faisait? Elle semait la zizanie. Son unique préoccupation était de se trouver un riche mari...

– Wexton!

– D'accord, d'accord. Mais c'est injuste. Tu ne devrais pas la laisser accaparer le devant de la scène. Mais je ne suis pas surpris. C'est ce qu'elle a toujours fait.

Je savais qu'il avait raison. Cette explosion était violente pour un homme toujours modéré, sauf lorsqu'il s'agissait de littérature.

Plus tard dans la journée, je repris le journal intime de ma mère et la suivis dans la guerre, en France. Les deux jours suivants, je ne lus que sa version des faits. Sa voix était plus calme, très différente des autres. C'est à ce moment-là que mes souvenirs d'elle refirent surface. Je pense que Wexton s'aperçut de mon changement d'état d'esprit. Il s'excusa de son explosion de colère et me confessa ses préjugés : Constance n'était pas aussi insignifiante qu'il me l'avait laissé entendre. « J'ai exagéré », dit-il.

Un après-midi, en rentrant d'une promenade près du lac, nous nous installâmes près du feu pour prendre le thé. Le crépuscule était tombé et Wexton fumait les cigarettes russes de Steenie.

La maison était tranquille, l'air embaumait, la pièce était confortable. C'est alors qu'il me parla de la guerre et de ma mère.

– Tu sais, dit-il en se carrant dans son fauteuil et en étendant ses longues jambes. Ta mère est partie en France environ un mois après moi. Au début, je l'ai trouvée irritable, sur la défensive, difficile à connaître. Nous nous sommes rencontrés dans une ville du nom de Saint-Hilaire. J'y suis d'ailleurs retourné après la guerre. Est-ce qu'elle a écrit quelque chose là-dessus?

– Votre rencontre? Oui.

– Je m'en souviens très bien. C'était le pire hiver de cette guerre. C'est étrange, c'est la première fois que j'ai envie de me pencher sur le passé, sur la guerre. De parler de ta mère aussi. Voici comment ça s'est passé...

Aux abords de Saint-Hilaire, il y a un étroit promontoire surplombant la Manche. On l'appelle la Pointe sublime.

En hiver, elle n'est pas sublime du tout. Le froid y est mordant, le vent cinglant, la vue sur la mer est obscurcie par les nuages. Mais Jane ne s'en souciait pas. Elle avait remonté le col de son manteau, penché la tête et pris l'étroit sentier menant au sommet des dunes. Elle avait projeté d'aller jusqu'à la pointe du promontoire et de revenir.

C'était tard dans l'après-midi. Une bruine s'était mise à tomber et l'air était saumâtre. Jane avait les lèvres salées. Lorsqu'elle eut atteint l'extrémité du promontoire, elle se retourna. Elle apercevait les lumières des cafés de Saint-Hilaire. Quelqu'un jouait de l'accordéon.

A côté des cafés s'élevait la masse sombre des cinq hôpitaux, d'anciens hôtels. Le sien était le troisième à partir de la gauche. Elle y avait travaillé toute la nuit et toute la matinée. Les lumières du premier étage s'allumèrent une à une. La salle où elle avait été affectée était l'ancienne salle de banquet de l'hôtel.

La mer était luisante, huileuse. Elle la regarda onduler. A droite et à gauche, des barbelés bordaient les dunes. En bas, la plage était encore plus barricadée, intraversable.

Elle aurait dû se couvrir la tête. Le vent s'engouffrait dans ses cheveux et lui fouettait le visage. Il avait dû changer de direction car elle n'entendait plus l'accordéon mais le bruit des canons. De l'artillerie lourde à plus de trente kilomètres.

Où était la guerre ? Un peu plus loin. Et où était Jane ? Assez près, mais pas suffisamment.

En théorie, elle savait où se passait la guerre. Si elle avait eu une carte, elle aurait pu tracer ce serpent de mille kilomètres dont la tête partait de Belgique et la queue touchait la frontière suisse. L'épine dorsale sinueuse de l'animal était hérissée de tranchées. C'était un serpent somnolent qui changeait parfois de position, s'arrondissant un peu plus ici et s'incurvant là. Il s'adaptait aux avancées et aux retraites mais, dans l'ensemble, sa position variait peu. C'était un animal bien nourri qui ingérait chaque jour sa ration d'hommes.

Mais cette guerre était bien plus effrayante qu'un simple tracé sur une carte. Pour Jane, la guerre était partout et nulle part. Elle existait déjà avant d'éclater et continuerait bien après tout armistice. C'était une affaire à la fois extérieure et intérieure. Jane n'avait jamais observé au microscope le comportement d'une cellule, sa capacité à se diviser et se subdiviser. Si elle l'avait pu, elle aurait aussitôt fait le rapprochement. Mais une chose l'effrayait par-dessus tout : elle pensait que la guerre était en elle, s'était emparée d'elle et qu'elle ne s'en débarrasserait jamais.

Elle s'en voulait de penser ainsi. Elle attribuait ces pensées à la fatigue, à la malnutrition, à l'agonie de ses patients, à leurs blessures trop horribles. Toutes les infirmières éprouvaient cela. Son travail était tout pour elle. Il fallait qu'elle se protège pour pouvoir continuer.

Ce soir-là, Boy devait passer par Saint-Hilaire pour rentrer en Angleterre. Elle avait dans sa poche la lettre qu'il lui avait écrite pour lui demander une entrevue, la première depuis la rupture de leurs fiançailles. A l'abri des dunes, elle la sortit pour la relire. La pluie mouillait les pages et faisait baver l'encre. Le vent soulevait les feuilles et tentait de les lui arracher. C'était une lettre banale qui commençait, comme toujours, par

« Ma très chère Jane » et se terminait invariablement par « Avec toute mon affection, Boy ».

Elle l'enfouit dans sa poche. Elle irait au rendez-vous sans enthousiasme.

Elle se retourna et s'aperçut qu'elle n'était pas seule. A une dizaine de mètres, il y avait un jeune homme. Les cheveux complètement hirsutes, il était assis sur un petit monticule de sable. Ses épaules étaient couvertes d'une superposition de foulards, de chandails et de vestes froissées surmontés d'une capote militaire. Sur ses genoux était ouvert un grand cahier.

Ce qu'il écrivait ne semblait pas le satisfaire – il n'arrêtait pas de faire des ratures. Il fronçait les sourcils puis levait les yeux vers la mer, comme pour chercher de l'inspiration. C'était Wexton, le poète américain, l'ami de Steenie. Elle l'avait vu la veille au volant de son ambulance mais n'avait pas envie de le rencontrer.

Il ne semblait pas l'avoir vue. Elle n'avait rien contre lui mais aspirait à la solitude. Elle se dirigea à pas furtifs vers le sentier.

– Bonjour! cria-t-il d'une voix forte.

Impossible de feindre de ne pas avoir entendu. Elle s'arrêta.

– Bonjour! répéta-t-il avec un geste d'encouragement. Venez me rejoindre. Avez-vous faim? Voulez-vous un sandwich?

– Non merci. Il faut que je rentre.

Elle s'approcha à regret tout en restant tournée vers le sentier.

– Moi aussi, dit-il gaiement. Asseyez-vous une minute. Je rentrerai avec vous si vous n'y voyez pas d'inconvénient. Prenez un sandwich. L'air marin m'ouvre l'appétit. Les poèmes aussi. Tenez! C'est du fromage français mais il n'est pas mauvais quand on est habitué.

Il lui tendit une tranche de pain qu'il frotta pour enlever le sable qui s'y était incrusté. Jane mordit dans le sandwich : fromage, moutarde et une sorte de cornichon. C'était excellent.

– Prenez un peu de café, dit-il en débouchant une flasque. J'ai mis un peu de cognac dedans. Juste une goutte. C'est un cognac bon marché mais il revigore un peu.

Il lui tendit la timbale qui servait de bouchon et elle but une gorgée.

– C'est bon? lui demanda-t-il anxieusement.

– Très.

– Café et cognac. C'est souverain. Le whisky aussi, mais je n'arrive pas à m'en procurer.

Cela semblait le tracasser car il fronça les sourcils et lui tourna le dos pour regarder la mer. On aurait dit que son besoin de conversation avait été satisfait. Une fois ou deux, il écrivit quelques mots, contempla à nouveau la mer, puis les raya.

Jane avait toujours pensé qu'écrire des poèmes était une opération secrète et exaltante. Elle se sentait flattée que Wexton continue à écrire malgré sa présence. Elle but plusieurs gorgées de café puis regarda le cahier à la dérobée. Elle distingua une liste de mots dont la plupart étaient illisibles. Elle commençait à se sentir plus détendue. Le sandwich était bon, le café aussi, Wexton écrivait un poème, il n'attendait rien d'elle.

Après dix minutes de silence, elle mit ses mains autour de ses genoux et s'éclaircit la gorge.

— De quoi parle votre poème ?

A son grand soulagement, Wexton ne parut pas offensé. Il suçota le capuchon de son crayon et s'en tapota les joues. Il faisait bien plus que ses vingt-cinq ans. (Il me disait souvent qu'il était né à quarante-cinq ans et n'avait pas changé depuis). Jane examina ses joues épaisses et ses sourcils fournis. Elle trouvait qu'il ressemblait à la fois à un ours imposant et hirsute et à un hamster.

— De Steenie et de moi. Je crois. Et de la guerre aussi.

Il mordilla le crayon, arracha un petit copeau qui dépassait et se tourna vers la jeune fille.

— Je suis venu en France à la recherche de la guerre. Et maintenant que j'y suis je m'aperçois qu'elle est ailleurs. C'est comme si j'essayais de tenir debout au sommet d'un arc-en-ciel. Comme vous, n'est-ce pas ?

Il avait fait cette remarque de façon simple, directe, en s'excusant presque.

— Là-bas, reprit-il sans lui laisser le temps de répondre. Il pointa le doigt en direction des bruits de canon. Je suppose que la guerre est là-bas. On m'a envoyé sur le front la semaine dernière mais même là... Il frissonna. Vous savez ce que je crois ? Je crois que nous sommes en période de latence. Un certain temps va s'écouler, des années peut-être, avant que nous rentrions chez nous, ou ailleurs. Un jour, le diable à ressort sortira de sa boîte et nous dira : « Me voici. Je suis la guerre. Vous vous souvenez de moi ? » Mais je ne suis pas pressé que ce moment arrive. Et vous ?

— Moi non plus.

Jane dessinait dans le sable. Quand elle s'aperçut qu'elle venait de tracer le nom d'Acland, elle l'effaça vite.

— Est-ce que vous me comprenez ? J'espère que oui. J'espère que quelqu'un me comprend. Peut-être suis-je le seul à penser ainsi.

Il posa sur elle un regard pressant. Elle but la dernière goutte de café. Le vent faisait voler ses cheveux dans ses yeux.

— Non. Vous n'êtes pas le seul. Je sais exactement ce que vous voulez dire.

Cette amitié naissante dura jusqu'à la fin des jours de Jane. Le jour de cette conversation dans les dunes, elle était en France depuis deux mois.

Elle égrenait le temps, jour après jour, semaine après semaine. Dans son journal, elle consacrait une page par jour. Parfois un peu plus. Parfois rien du tout. Lorsqu'elle se relisait, elle perdait la notion du temps. Elle s'aperçut un jour que sur une page elle avait écrit trois fois les mêmes mots. Elle ne se rappelait pas les avoir écrits. C'était « En transit ».

Elle savait que tant qu'elle n'aurait pas atteint un certain endroit elle serait partout en transit. Cet endroit, c'était un grand campement des alliés à trente kilomètres de Saint-Hilaire : Etaples. C'était là qu'Acland avait passé quarante-huit heures de permission avant d'être envoyé sur le front, là où il était mort.

Bien avant de partir de Londres, elle s'était fixé Etaples pour objectif. Elle avait écrit un tas de lettres pour y être affectée. Mais l'endroit précis où Acland était tombé était soumis au secret militaire. Ce n'était qu'un point numéroté sur une carte d'état-major, au milieu d'une zone militaire, que personne ne pouvait visiter. Acland n'ayant pas de tombe, elle irait à Etaples. Elle se rendait bien compte que cette obsession était malsaine. Mais qu'y faire ? Elle se disait qu'en atteignant Etaples elle pourrait faire ses adieux à Acland. En réalité, au fond de son cœur, elle espérait y comprendre la mort d'Acland.

– Etaples ?

La jeune femme au fort accent de la haute bourgeoisie anglaise, le même que celui de Jane, portait elle aussi l'uniforme des engagées volontaires. Elles se trouvaient dans la cuisine du sous-sol d'un hôpital militaire de Boulogne. Jane était arrivée la nuit précédente après un voyage très lent car la Manche était truffée de mines. C'était le début de sa première journée en France.

– Pourquoi là-bas ? C'est partout pareil, vous savez. La confusion, les gens qui meurent. Elle lui tendit un couteau. Aiguisez-le d'abord.

Il était 5 heures du matin. La cuisine était glaciale. Debout derrière une grande table, les deux jeunes femmes avaient devant elles des morceaux de viande à découper. On leur avait dit que c'était du bœuf mais Jane soupçonnait en fait du cheval. Elle devait séparer la viande et le gras : la première était destinée aux malades et au personnel de l'hôpital et le second aux usines de munitions. Il servait à graisser les obus.

Elle regarda la viande putride. Le gras était verdâtre et le maigre écumeux. L'odeur de décomposition était si forte qu'elle avait la nausée.

– Ils ne vous laisseront pas soigner les malades, vous savez, poursuivit la jeune femme. Elle piqua un asticot du bout de son couteau et le coupa en deux. Les infirmières de la Croix-Rouge sont des anges pour les hommes mais des démons pour nous. Elles n'ont pas de temps à consacrer aux engagées volontaires. Vous aurez de la chance si on vous demande de vider un bassin. Je ne leur en veux pas d'ailleurs. Nous n'avons aucune expérience. Elle fit un geste vers les autres femmes attablées. On m'a expédiée par le premier bateau. Je ne sais même pas changer des draps.

– Mais moi j'ai été infirmière. J'ai passé deux ans en chirurgie à Guy's.

– Vous pouvez essayer de le leur dire mais elles n'écouteront pas. Regardez comment il faut faire.

Elle repoussa une bande de poils d'une main graisseuse puis inséra son couteau dans la viande et souleva la partie grasse de l'autre main. Il y eut un bruit de succion.

– Je ne devrais pas être ici, dit Jane en manipulant la viande. J'étais censée aller à Etaples. Je l'ai dit à l'infirmière en chef.

– Et elle est restée immobile assez longtemps pour vous écouter ? Bravo !

– J'ai des lettres de Londres. Elles sont très claires. Je dois aller à Etaples. Tout a été prévu.

– Des lettres de Londres ? La femme eut l'air de s'impatienter. Elles ne valent pas le papier sur lequel elles sont écrites. Pas maintenant que vous êtes ici. Personne ne connaît personne et personne ne cherche à savoir. On va là où on a décidé de nous envoyer. Quand on arrive, personne ne nous attend et personne ne sait pourquoi on est là.

Elle retourna habilement son morceau de viande, comme si elle était en train de faire de la pâtisserie.

– Vous savez ce qui m'est arrivé le mois dernier ? On m'a envoyée au front avec une cargaison de médicaments. Mais il y avait eu une erreur d'étiquetage : on m'avait donné de la quinine destinée à Scutari. Je suis restée une nuit et j'ai repris le train le lendemain. J'étais bien contente. C'est peut-être lâche mais je n'avais aucune envie de rester dans cet endroit. Pensez-y avant de demander une autre affectation.

– Pourquoi ne pouviez-vous pas rester ?

Jane se tourna vers sa compagne. Son visage avait pris une expression qu'elle connaissait bien. Elle l'avait déjà vue sur le visage de Boy, d'Acland et de nombreux autres hommes. Complètement fermé. La jeune femme fit une grimace. Jane se rendit compte qu'elle l'avait agacée.

– L'odeur. Ici au moins, les carcasses ne sont pas humaines. Elle reposa le couteau. Vous savez à quoi ressemble un homme gazé ?

– Non, mais...

– Ça brûle les yeux. Ils fondent. Vous savez à quoi ressemble un homme qui a reçu un éclat d'obus dans le ventre ? Un homme qui a sauté sur une mine ? Il y en avait, des blessés comme ça à Guy's ?

– Non. Jane empêcha ses mains de cacher son visage. Non. Mais là-bas, les gens mouraient aussi. J'ai vu des choses horribles.

— Horribles ?

— C'était le service de cancérologie.

— Le cancer est envoyé par Dieu. Ce n'est pas lui qui a inventé les bombes, le gaz, les obus, les baïonnettes et les balles. C'est l'homme. La différence est là. C'est tout ce que je sais. Autant parler d'autre chose, d'ailleurs.

Elle s'arrêta brusquement puis reprit :

— Nous nous sommes déjà rencontrées, vous savez. Apparemment, vous ne vous rappelez pas. Vous êtes Jane Conyngham, la fiancée de Boy. Nous nous sommes rencontrées il y a des années. A Oxford. Acland avait organisé un pique-nique. Nous avons fait de la barque sur la rivière. Je vous ai reconnue tout de suite.

La rivière. L'Isis. Un des canaux derrière Balliol. Jane entendait encore le clapotis de l'eau contre la barque. Les branches balayaient son visage. Acland était adossé à des coussins en face d'elle. Une de ses mains traînait dans l'eau. Son visage était tourné vers le ciel. Ce fut l'une des rares fois où elle le vit paisible.

— Acland est mort, lâcha-t-elle dans le silence de la cuisine.

Le cliquetis des couteaux reprit. Jane avait du sang sur les mains. La jeune femme soupira.

— Je l'ignorais. Mon frère est parti dans les six premiers mois et après... Je suis désolée d'avoir été désagréable. C'est à cause de la façon dont vous avez parlé d'Etaples et du souvenir que j'avais de vous. Les deux n'allaient pas ensemble. Vous avez changé, c'est évident. Nous changeons tous. Ecoutez, Jane. Vous permettez que je vous appelle Jane ? Puis-je vous donner un conseil ? Oubliez, pour Etaples. Allez voir l'infirmière en chef et expliquez-lui pour Guy's. Insistez pour avoir un poste d'infirmière. Parlez-lui du Tréport. J'y suis allée une semaine. Il y a trois hôpitaux et ils manquent de personnel. L'infirmière en chef est bien plus jeune. Si vous persistez à vouloir aller à Etaples elle vous aidera peut-être. Mais il faut vous rappeler quelque chose.

— Quoi donc ?

Elle venait de se souvenir du nom de la jeune femme : Venetia. Elle avait un lien de parenté avec la grande amie de Maud, Lady Cunard.

— Vous êtes en transit ici. Nous le sommes tous. En transit entre un lieu quelconque et un autre.

— En transit ?

— Jusqu'à la fin de la guerre. Elle se tourna vers la table et ramassa son couteau. Ce sera différent après. Je crois.

— C'est ainsi que je suis partie pour Le Tréport.

Jane leva son visage face au vent. A côté d'elle, Wexton écrivit un mot puis le biffa.

— Et ensuite ? demanda-t-il sans lever la tête.

— Dans un tas d'endroits. Je n'ai jamais pu rester très longtemps. On m'a renvoyée vers la côte. Puis vers l'intérieur des terres. Ensuite au nord, dans un endroit près du front appelé Trois Eglises. L'artillerie était toute proche. Puis à nouveau au Tréport pendant une semaine. Et maintenant ici, à Saint-Hilaire. On a fini par me laisser exercer comme infirmière. Mais je me sens toujours ballottée comme un paquet. En transit, comme elle disait.

— Vous n'avez jamais eu l'impression d'être arrivée à destination.

— Non. Seulement d'être de passage. Je crois que si j'atteignais Etaples je me sentirais près du but. Mais c'est sans doute encore une idée que je me fais.

— Et pourquoi Etaples ? Vous ne m'avez pas dit.

Elle hésita. Elle n'en parlait jamais à personne.

— A cause d'Acland, s'entendit-elle dire. C'est là qu'il était, juste avant de mourir.

Elle eut immédiatement envie de reprendre ce qu'elle venait de dire. Le vent lui renvoya ses paroles et, brusquement, elle eut honte de sa franchise.

— Acland ? dit Wexton.

— Oui, Acland. Elle se leva précipitamment et s'affaira à s'emmitoufler dans son manteau et à remonter son col pour se donner contenance. Je l'aimais bien. Il fait de plus en plus sombre. Il faut que je rentre.

Wexton ne fit aucun commentaire. Il se mit debout et rassembla ses affaires. Le ciel s'obscurcissait. Il alluma une petite torche extraite d'une de ses poches. Ils se mirent en marche, côte à côte. C'était périlleux, car le sentier était étroit, et leurs épaules ne cessaient de se heurter. La torche vacillait.

— Vous semblez avoir honte, dit Wexton au bout d'un moment. Y a-t-il une raison à cela ? Je veux dire, pourquoi ne l'auriez-vous pas aimé ?

— J'étais fiancée avec son frère.

— « Etais » ?

— J'ai rompu mes fiançailles. Steenie ne vous l'a pas dit ? Après la mort d'Acland. C'était la seule chose à faire.

Elle leva son visage face au vent. Ses yeux étaient humides. Elle ne pleurait pas vraiment, c'était le vent. Ils atteignaient les marches de la promenade. Les lumières des cafés étaient proches. On entendait à nouveau le son de l'accordéon.

— Pourquoi ? Wexton s'arrêta et secoua la torche. La pile était presque usée. Pourquoi était-ce la seule chose à faire ?

— D'abord parce que je n'aimais pas Boy.

Contrariée par l'insistance de Wexton, elle accéléra le pas.

— Et vous aimiez Acland ?

Elle s'arrêta et se tourna vers lui.

— Je n'ai pas dit ça.

— Non. Il s'arrêta aussi. Vous avez dit que vous l'aimiez bien. Mais ça ne veut rien dire. Aimer, tout court, est bien plus fort. Ou le serait si le mot n'était pas galvaudé... Je suis désolé, se reprit-il, j'ai dépassé les limites anglaises de la correction. Steenie me le dit souvent. Il dit que je ne suis qu'un vulgaire Américain. Il faudra que j'apprenne à ne pas poser de questions. A être anglais. Ou peut-être pas, après tout. Vous entendez l'accordéon ? J'aime assez. Je vais parfois dans ce café après le travail. Ils font une excellente omelette aux pommes de terre. Steenie vous a dit que j'aimais cuisiner ? J'apprends tout seul.

Il lui avait pris le bras. Jane gravit les marches comme un pantin, sans regarder Wexton. Elle n'avait pas envie de le regarder. Son côté américain et ses questions l'incommodaient. Steenie avait raison.

Ils atteignirent la promenade éclairée par des becs de gaz et s'arrêtèrent dans un cercle de lumière bleuâtre. Jane regarda ses chaussures grossières d'infirmière, le cercle qui les entourait, la lumière, les ombres au-delà. Elle s'imagina sur une petite île, encerclée par ses manières britanniques, par sa naissance. Son territoire et ses limites : Wexton les avait effectivement dépassées. Elle regarda ses pieds à lui. Ils étaient vraiment grands. Ses chaussures épaisses étaient incrustées de sable mouillé. Les lacets cassés avaient été rafistolés.

— Ne vous sentez pas coupable.

Elle le regarda.

— Je devrais. C'est ce qu'on m'a appris lorsque j'étais enfant. Je ne dis jamais ce que je pense vraiment. J'essaie, mais je n'y arrive pas. Et c'est une telle perte de temps. J'aurais au moins appris ça, ici. Nous avons si peu de temps à nous que nous ne pouvons le gaspiller. Mais vous avez raison, vous savez. J'aimais Acland. Je l'ai aimé pendant des années. Je ne le lui ai jamais dit et maintenant il est mort. C'est tout. N'essayez pas de vous montrer gentil ou poli, je ne le supporterais pas. Je sais ce que vous pensez. Vous allez vous moquer de moi dès que j'aurai le dos tourné.

— Et pourquoi donc ?

— Regardez-moi ! Elle avait haussé la voix. De colère, elle agrippa le manteau de Wexton et le força à se tourner pour qu'il la voie en pleine lumière. Elle tremblait. Son visage était inondé de larmes. Je suis quelconque. Même pas laide, ce qui serait bien plus clair. Quelconque, c'est tout. Invisible. J'étais invisible pour Acland. Je l'ai toujours su et je l'aimais quand même. Des années durant, je lui ai voué un amour stupide, timide et timoré. Je me méprise. J'aurais voulu qu'il sache. Il aurait sans doute été gêné. Vous êtes gêné. Je me gêne moi-même. Mais tant pis, j'aurais voulu qu'il sache. Avoir le courage de le lui dire.

Sa gorge fit un bruit étranglé. Son visage était complètement défait. Elle s'essuya les joues et le nez avec le dos de la main. Lorsqu'elle croisa le regard de Wexton, elle se mit à rire et à pleurer en même temps. Il lui tendit son mouchoir.

— Je suis désolée, dit-elle en se mouchant. Je dois rentrer. Je ne sais pas pourquoi je vous ai dit tout ça. Je ne pouvais plus m'arrêter. Je n'en avais jamais parlé à personne. Je pense que c'est la fatigue. J'ai travaillé toute la nuit dernière.

— Ça ne me dérange pas. Gardez le mouchoir. Aimeriez-vous une bonne tasse de chocolat chaud ? Il pointa le doigt vers le café d'où venait l'accordéon et sourit. Vous n'êtes pas obligée de rentrer tout de suite. Venez !

Ils entrèrent dans le café et s'assirent à une petite table ronde près d'une fenêtre embuée. Il faisait très chaud. En jetant un regard vers le poêle à charbon, Wexton ôta avec précaution sa capote et l'un de ses cachenez.

Il commanda deux grands chocolats chauds. Tout en remuant le sien, Jane réfléchissait. Elle savait que son visage était barbouillé et rouge. Elle avait du mal à croire qu'elle s'était donnée en spectacle. La chaleur, le silence de Wexton, la buée sur les carreaux : elle se sentait presque soulagée de l'avoir fait.

— Je vois Boy ce soir, dit-elle enfin.

— Ah bon ? Vous devriez l'amener ici.

Wexton semblait perdu dans ses pensées. Il dessinait sur la buée de la vitre : un oiseau, un homme, un bateau.

— J'étais en train d'écrire sur l'amour quand vous êtes arrivée. Ce n'était pas excellent. Ça ne l'est jamais. J'essaie. Mais les mots ne viennent pas.

Il sortit son carnet de sa poche et l'ouvrit à la page pleine de ratures. Il l'arracha, la froissa dans sa main, se dirigea vers le poêle, souleva le couvercle et y jeta la feuille. Il retourna s'asseoir. Jane posa sa cuillère. Elle se dit que Wexton la mettait à l'épreuve.

— Sur l'amour ? dit-elle d'une voix prudente. Vous disiez que le poème était sur Steenie.

— C'est exact. J'aime Steenie.

Il posa ses coudes sur la table et son menton mélancolique sur ses mains. Il la regarda.

— Vous le saviez ?

— Non.

— Je pensais que vous vous en étiez peut-être rendu compte.

Jane sut tout de suite que c'était un mensonge flagrant.

— A Londres. J'ai toujours eu l'impression que cela se voyait comme le nez au milieu du visage. Que tout le monde était au courant. Et puis je suis venu ici. Pour essayer de comprendre, en quelque sorte. J'ai déjà aimé quelqu'un, mais encore jamais aussi fort. Ça fait mal. Je pensais que venir ici y mettrait fin. Mais c'est pire. J'essaie d'écrire à ce sujet et je n'y arrive pas. J'essaie aussi d'écrire sur la guerre, sans plus de résultat. Plus j'en vois, moins je comprends.

Il s'arrêta brutalement et cligna des yeux.

— Oh! s'exclama-t-il comme s'il venait seulement d'y penser. Je vous ai choquée.

Jane regarda ses mains. Son visage était en feu. La brûlure semblait descendre jusque dans son dos. Oui, il avait raison. Elle était choquée. Elle avait vingt-huit ans et on ne lui avait parlé des aspects physiques de la vie qu'à dix-huit. La première fois qu'on avait parlé d'homosexualité devant elle – elle avait déjà bien plus de vingt ans – on l'avait qualifiée de désirs et d'actes contre nature. Pour Jane, le sexe se résumait à des manuels qu'elle feuilletait rapidement, debout, dans une bibliothèque d'hôpital et replaçait vivement sur le rayon. Autrement dit, elle était à la fois innocente et pleine de préjugés. Elle se mit à rougir et ses doigts se crispèrent sur sa tasse.

Elle savait que Wexton lui avait fait cet aveu intentionnellement pour la mettre à l'épreuve. Ou alors pour lui rendre la confiance qu'elle lui avait témoignée, peut-être. Elle pouvait faire semblant de ne pas comprendre, faire comme s'il parlait de cette amitié entre hommes dont son frère mort faisait si souvent l'éloge. Ou elle pouvait tout aussi bien se lever et quitter le café. Wexton ne la suivrait pas et il y avait peu de chances pour qu'elle le revoie jamais.

Fronçant les sourcils, elle essaya d'imaginer Steenie et Wexton ensemble, d'imaginer un homme en étreignant un autre. Elle osa enfin regarder Wexton en face : il attendait.

— Steenie vous aime-t-il ? demanda-t-elle.

Elle avait parlé sans réfléchir. C'était venu tout seul.

— C'est ce qu'il dit. Je crois que c'est vrai. A sa façon. Pour l'instant.

— Vous voulez dire que ça ne durera pas ?

— Oui.

— Il vous écrit ?

— Il m'écrivait chaque jour. Un peu moins maintenant.

— Vous l'aimez autant qu'avant ?

— Plus, je crois. Ce n'est absolument pas rationnel car je le connais bien. Et pourtant... C'est quelque chose d'incompressible. L'absence, je suppose.

— Et vous... je veux dire, vous n'êtes jamais tombé amoureux d'une femme ?

— Non. Il s'arrêta. Et vous ?

Il y eut un court silence. Elle détourna les yeux et jeta un regard circulaire sur le café. C'était un lieu figé, aussi inerte qu'une photographie : des petites tables rondes, deux Français en bleu de travail jouant aux dominos, le curé local qui venait parfois à l'hôpital pour administrer les derniers sacrements. Il la reconnut et leva son verre dans sa direction. Elle eut une soudaine sensation de bien-être. Wexton faisait son apprentissage et elle avait l'esprit vif. Il lui suffisait d'écraser sous son talon les quelques brins qui lui restaient de son ancienne morale. Elle se pencha au-dessus de la table.

— Wexton...
— Oui ?
— Je ne suis pas choquée. Enfin, plus.

Wexton s'était remis à dessiner sur le carreau. Un autre personnage et un autre bateau. Il mit le personnage dans le bateau et dessina dessous trois ondulations figurant la mer. Il ne montra aucune surprise, remit tous ses vêtements et tira la chaise de Jane. Ils sortirent et, d'un pas vif, se tenant par le bras, prirent le chemin de l'hôpital.

— Vous reprenez votre service à minuit.

Ce n'était pas une question mais une affirmation.

— Vous faites partie du convoi pour la gare, ajouta-t-il.
— Ah bon ? Je croyais...
— Vous êtes affectée à mon ambulance.
— La vôtre ?
— J'ai tout arrangé.
— Mais quand ?
— Ce matin.
— Comment se fait-il ?
— J'ai soudoyé une des infirmières. Vous prenez sa place.
— Soudoyé ?
— Oui. J'ai reçu un colis de nourriture de chez moi, hier. Il sourit. Il y a soixante kilomètres aller-retour. J'ai pensé que nous pourrions bavarder. De plus, j'avais un pressentiment.
— Un pressentiment ?
— J'étais pratiquement certain que je vous apprécierais. J'espérais que nous deviendrions amis.

Wexton resserra un de ses cache-nez autour de son visage. D'une poche, il sortit un chapeau en laine qu'il enfila sur sa tête. C'était le couvre-chef le plus ridicule que Jane ait jamais vu : un passe-montagne surmonté d'un pompon.

En partant, il leva la main. Il s'éloigna vers l'hôpital en traînant les pieds et en sifflant gaiement. Jane le suivit des yeux : au milieu de la rue, la pile de sa lampe se décida enfin à fonctionner. Wexton poussa un petit « ah ! » de satisfaction.

– Comment va Boy ? Vous avez essayé l'omelette ? Bon sang !

Wexton donna un coup de volant. Ce n'était pas un voyage de tout repos car les pneus pleins de l'ambulance n'adhéraient pas au sol. La route entre Saint-Hilaire et la gare n'était qu'un chemin rural emprunté habituellement par les chevaux et les charrettes de ferme. Il n'était pas fait pour une importante circulation de véhicules militaires et sanitaires. On était en décembre et il pleuvait sans interruption depuis deux semaines : la route n'était qu'un amas de boue et l'ambulance ne cessait de déraper. La boue était creusée d'ornières profondes semblables à des rails que Wexton tentait de suivre. Parfois, là où des véhicules s'étaient embourbés, on tombait sur des nids de poule remplis d'eau boueuse. Il était difficile de les éviter : l'ambulance de Wexton ouvrait un convoi roulant tous feux éteints.

Les autorités avaient donné pour consigne de n'allumer les lampes au carbure que sur une petite section allant d'une dizaine de kilomètres après Saint-Hilaire jusqu'à dix kilomètres avant la gare. C'était à cause des attaques aériennes, dont la seule et unique avait eu lieu deux mois auparavant : un biplan allemand avait lâché des bombes qui n'avaient manqué la route que d'une cinquantaine de mètres. Wexton se souciait peu des biplans et des autorités. Il stoppa l'ambulance, descendit et alluma les lampes au bout de cinq kilomètres. Jane descendit pour l'aider et s'enfonça dans la boue jusqu'aux mollets. Le vent avait redoublé. Il fallut dix allumettes pour que les lampes daignent s'allumer. Elles éclairaient le sol sur environ un mètre cinquante, rendant l'obscurité alentour encore plus profonde.

Sous une bâche goudronnée à l'arrière du véhicule était assis un groupe d'infirmières de la Croix-Rouge, originaires du Lancashire, qui chantaient tandis que l'ambulance brinquebalait. Contrairement à Jane et Wexton, elles étaient protégées de la pluie. L'avant du véhicule n'était pas couvert, le pare-brise était bas, les essuie-glace avaient tendance à se coincer et les passagers avant recevaient des projections de boue. Jane avait doublé ses sous-vêtements, portait trois cardigans sur sa robe, une veste, un manteau, deux écharpes et deux paires de gants. Elle était frigorifiée.

Wexton conduisait à l'aveuglette et jurait sans arrêt. Il maudissait la boue, les essuie-glace coincés, les lampes au carbure, les nids de poule, les traces de dérapage.

Lorsque les infirmières entonnèrent un chant qu'il connaissait, il se joignit à elles de sa voix de baryton. L'ambulance heurta alors un monticule et Wexton opéra une manœuvre habile, à mi-chemin entre la glissade et l'embardée. Vers le milieu du trajet, il offrit à Jane sa première cigarette, qui la fit tousser. Plus loin, il s'embarqua dans une description de la Virginie et, encore plus loin, lui parla d'un livre intitulé *Les Buddenbrooks*. Un kilomètre plus loin, il lui confia qu'il apprenait à tricoter. Ils parlèrent ensuite de trains, pour lesquels Wexton avait une grande passion. Ils devisèrent ainsi agréablement sur des sujets allant des livres aux recettes de cuisine en passant par leurs familles : Wexton avait sept frères et sœurs et Jane n'avait eu qu'un frère.

Jane appréciait le voyage : elle était transie de froid, chaque cahot était douloureux, ses cheveux trempés lui glaçaient le visage, sa gorge était à vif à cause de la cigarette, mais elle était contente. Elle avait l'impression que Wexton lui faisait faire un voyage en ballon dans un monde bourré de péripéties. Tout lui paraissait possible.

Encore un kilomètre et Wexton se mit à chanter une chanson américaine. Peu après, sans transition, il aborda son entrevue avec Boy.

– Oui. Nous avons goûté l'omelette, répondit-elle enfin.

Wexton ne la pressant pas de poursuivre – ce qu'elle appréciait chez lui – elle lui raconta comment ça s'était passé.

Depuis leur dernière rencontre, Boy avait eu une promotion. Ayant commencé la guerre avec le grade de lieutenant, au moment de leur rupture il était capitaine et maintenant commandant. La rapidité d'une telle promotion n'était pas rare : l'espérance de vie d'un officier de la garde royale était alors de six mois et l'on manquait d'hommes. Si la guerre continuait ainsi, lui avait dit Boy lorsqu'elle l'avait félicité, il terminerait général de brigade pour le moins.

– Qui sait ? Peut-être général, ajouta-t-il avec un sourire forcé.

Jane n'y croyait pas et savait que Boy non plus. Quand il essayait de plaisanter, elle était encore plus triste. Ils étaient assis à la même table que plus tôt avec Wexton et, sur son conseil, ils avaient commandé des omelettes aux pommes de terre.

Boy ne mangea que la moitié de la sienne puis commanda du poulet rôti qu'il toucha à peine. En revanche, il but une bouteille et demie de vin.

Jane savait que les deux semaines précédentes, il était resté dans une tranchée, dans un no man's land au-delà de la première ligne, sous le feu nourri d'une batterie allemande installée dans un blockhaus. La batterie avait finalement été enlevée par ses hommes. Mais Jane ne connaissait pas tous les détails : elle ne savait pas, par exemple, que Boy allait être décoré de la Croix de Guerre pour ce haut fait, ni que des vingt hommes de son peloton seuls trois étaient revenus, ni que Boy était resté dans un mètre vingt d'eau pendant cinquante-six heures. Elle ne lui demanda pas les détails : pouvait-on demander à des hommes revenant de l'enfer d'en faire une description topographique ?

Elle s'attendait à ce que la conversation soit difficile. Elle fut ponctuée de silences embarrassants qu'ils abrégeaient tous deux en se mettant à parler en même temps.

Ils parlèrent de la santé de Denton et de Gwen, du travail d'ambulancier de Freddie, de la prochaine exposition de peinture de Steenie et de la nouvelle inattendue des fiançailles de Constance et de Sir Montague Stern. Ces événements qui avaient paru très importants à Jane lui semblaient maintenant insignifiants.

A Boy aussi, sans doute, car il en parlait de façon distraite. Il cligna des yeux. Ses mains décrivirent de petits mouvements saccadés dans l'air. Il avait l'air sourd et malheureux.

En désespoir de cause, Jane aborda le sujet de la photographie et s'aperçut alors que quelque chose n'allait vraiment pas : Boy prit soudain une expression accablée.

– Je me suis débarrassé du Videx.

– Débarrassé? Vous voulez dire que vous l'avez vendu?

– Je l'ai démoli. Je ne prendrai plus jamais de photographies. J'ai brûlé toutes celles que j'ai prises en France. J'ai cassé les plaques. Quand je rentrerai à la maison – il avala une grande lampée de vin – je les détruirai toutes. Je déteste les photographies. Elles ne sont que mensonges. Vous savez quelle est la seule chose qui vaut la peine d'être prise en photo? Un bâton sous le soleil. Un bâton et son ombre. Oui, ça je pourrais peut-être le photographier.

Jane était bouleversée. Que Boy renonce à son hobby était comme renoncer à sa foi pour un croyant : c'était un blasphème. Elle l'examina attentivement.

La guerre l'avait changé. Elle avait amélioré son visage. En faisant abstraction de l'expression de ses yeux, on aurait dit qu'il revenait de vacances reposantes. Sa peau était tannée par le vent et les contours arrondis de son visage, qui l'avaient toujours fait paraître plus jeune que son âge, s'étaient durcis et lui donnaient un air plus mûr.

Ironie du sort, la guerre avait fait de lui un bel homme. Mais l'anxiété de ses yeux contredisait la nouvelle autorité de ses traits. On aurait dit un acteur qui avait oublié son texte.

Apparemment, il avait quelque chose de précis à lui dire. Mais il avait d'abord besoin d'un remontant. Lorsqu'il eut terminé le vin, il se râcla la gorge, hocha la tête et fixa la buée sur la vitre, où les dessins de Wexton étaient toujours visibles. Il était venu, lui dit-il, pour parler de Constance.

Après un début difficile, il se mit à parler avec aisance, comme s'il avait bien répété son texte. Il expliqua assez longuement qu'à part lui, la plupart des gens – dont Jane – n'avaient jamais compris Constance. Il rappela qu'elle était encore une enfant, ce qui la rendait vulnérable.

Jane n'était pas d'accord. Elle considérait les fiançailles de Constance comme une trahison envers Maud. Mais Boy ne lui laissa pas l'occasion de le dire. Il était évident que son opinion ne l'intéressait pas. Une fois lancé, rien ne l'aurait arrêté.

— Il faut mettre fin à ce projet de mariage.

Boy précisa que l'attitude de son père était inexplicable, il aurait dû refuser son consentement. Celle des autres aussi était inexplicable : celle de Maud, Stern, Freddie, Steenie et même de sa mère. Tout le monde avait tort, apparemment, sauf Constance, dont l'attitude était purement et simplement un appel au secours. Il était tellement agité qu'il bégayait plus que jamais : il butait sur les « C », ce qui l'empêchait de prononcer correctement le prénom de Constance.

Enfin, il passa au véritable motif de leur entrevue avant son retour en Angleterre. Par correction envers Jane, bien que leurs fiançailles fussent rompues, il avait voulu lui faire part la première de ses intentions. En rentrant chez lui, il mettrait un terme aux projets de mariage de Constance et lui demanderait sa main.

— C'est ce qu'elle attendait, vous savez. Depuis que nous avons rompu. Voyant que je ne me déclarais pas, elle a arrangé son mariage avec Stern. Vous comprenez ? C'est un appel au secours. Elle sait que je l'aime.

Jane avait commencé son récit peu avant d'atteindre la gare. Un train devait ramener les blessés des hôpitaux de campagne que le convoi sanitaire venait prendre. Le train ayant du retard, elle attendait sur le quai avec Wexton.

Cette histoire la troublait. Elle avait du mal à la raconter de façon cohérente et passait son temps à essayer de se rappeler la scène du café et d'autres épisodes du passé. Elle prit conscience qu'elle n'avait jamais compris Boy — elle l'avait toujours cru simple et direct. Elle le découvrait sous un jour nouveau. Elle avait été aveugle. Obsédée par son amour pour Acland, il ne lui était jamais venu à l'esprit que Boy pouvait avoir une vie secrète.

Elle se mit à arpenter le quai glacé.

— Aveugle, aveugle, aveugle! cria-t-elle.

Les infirmières du Lancashire la regardèrent bizarrement.

— J'aurais dû voir. Je me déteste.

Wexton écoutait sans intervenir. Une strophe de poème commençait à prendre forme dans son esprit. Il se cramponna aux montants de sa civière dont la toile était trempée.

Tout en fixant les rails, il écoutait Jane. Il entendit le bruit lointain d'un moteur. Le vent le déformait mais c'était probablement celui du train qu'ils attendaient.

Du passé, Jane passa à l'avenir. Elle tenta d'expliquer l'expression du visage de Boy, sa perplexité et son espoir. Elle dit qu'elle aurait dû lui parler plus longuement pour essayer de le dissuader. Se tournant vers Wexton, elle commença à expliquer qu'en lui disant au revoir elle avait eu la prémonition d'un grand malheur.

C'est alors que Wexton la poussa brutalement dans le dos en disant :
— Couchez-vous !

L'explosion lui coupa le souffle. Elle se fit mal en tombant de tout son long sur le sol mouillé, une jambe coincée sous l'autre. Wexton la plaqua au sol en la heurtant avec les montants du brancard. Leurs corps n'étaient plus qu'un amas de lainages, de toile et de cache-nez. Le coude de Wexton était enfoncé dans ses côtes. Elle se contorsionna pour libérer sa tête.

Le spectacle était ahurissant : le bord du quai était arraché et une épaisse fumée s'en dégageait. Les piliers de la verrière de la gare étaient dévorés par les flammes qui commençaient à lécher le toit.

Quelqu'un se mit à crier. Une infirmière de la Croix-Rouge se précipita, la cape en feu. Ses cheveux brûlaient, sa bouche était déchiquetée. Jane voulut se lever pour lui venir en aide mais Wexton l'en empêcha. Lorsqu'elle leva la tête, il la lui rabaissa aussitôt. Elle sentait le poing de Wexton dans son cou. Furieuse, elle se mit à frapper sur ses mains pour se libérer.

Wexton était trop lourd et trop fort pour elle. Heureusement, car à cet instant le pilote de l'avion lâcha une seconde bombe. Avec une rare précision, il toucha à la fois la gare et le moteur du train qui arrivait.

Le moteur partit en éclats en crachant de l'acier brûlant et de la vapeur. Des charbons ardents furent projetés dans l'air. Les wagons, arrêtés dans leur élan, s'imbriquèrent les uns dans les autres et déraillèrent. Il y eut un silence, puis un bourdonnement et un cri.

Wexton l'avait sauvée. Elle s'en aperçut en levant la tête. Tremblant, il l'aida à se relever. A un mètre d'eux, là où elle était avant l'attaque, un poteau métallique était fiché dans le sol. Etait-ce un morceau du train ou du toit de la gare ? Ou un rail ?

Les wagons s'étaient transformés en un gigantesque brasier. Leurs occupants brûlaient vifs.

Par la suite, ils ne tentèrent jamais de décrire cette vision d'horreur ni l'odeur émanant de l'incendie. Quand j'étais petite, Jane ne m'a raconté qu'une partie de l'histoire en insistant sur le fait qu'elle devait la vie à son ami Wexton.

Elle omit certains autres incidents que Wexton me révéla tant d'années plus tard, à Winterscombe : vers la fin de la nuit, alors que le ciel s'éclaircissait et que l'horizon passait du noir au gris, Jane retourna au wagon de queue du train. Il était moins endommagé que les autres.

Un seul homme n'avait pu être extrait de la ferraille. Sa jambe avait été brisée sous la roue d'un affût de canon quelques jours plus tôt. A travers la portière cassée, on voyait qu'il était coincé sous une plaque de métal tordue. Il ne faisait aucun bruit et on le croyait mort. Quand Jane s'en approcha, le wagon commença à prendre feu.

Le reste des vitres explosa à ce moment-là et des flammes jaillirent de la voiture. Elle baissa instinctivement la tête, sauta du quai, traversa la voie enduite de graisse encore chaude, saisit la roue du wagon et commença à se hisser vers le haut. Wexton tenta de la retenir mais elle s'agrippa au métal déchiqueté de la portière. Elle eut la sensation de toucher de la glace : ses paumes grésillèrent. Elle les regarda et vit que sa peau se détachait toute seule.

Wexton et une infirmière lui donnèrent un coup de main. La fumée les aveuglait. Ils soulevèrent, tirèrent, poussèrent et réussirent, grâce à la volonté de Jane, à délivrer le pauvre homme. Ils l'allongèrent sur un brancard et l'installèrent dans l'ambulance de Wexton. Le visage noir de fumée, les mains brûlées bandées à la hâte, Jane, ma mère, tenta de panser les blessures de l'homme. Celui-ci ne reprit connaissance que peu de temps. A trois kilomètres de Saint-Hilaire, sa tête retomba de côté. Il était mort.

Cet homme, l'un des frères Hennessy comme on l'apprit plus tard, fut le premier membre de la famille Hennessy à trouver la mort pendant cette guerre. Deux autres allaient le suivre et Jack serait le seul survivant des quatre fils Hennessy qui avaient ramené le corps d'Eddie Shawcross à Winterscombe, sur un brancard improvisé, des années plus tôt. Et Jack Hennessy – c'est en tout cas ce qu'il m'avait dit lorsque j'étais enfant – n'oublia jamais les tentatives de ma mère pour sauver son frère.

Tout en pelletant le charbon dans le sous-sol, il me racontait des histoires de guerre. Il me raconta où et comment il avait perdu son bras gauche, amputation qui lui avait coûté ses espoirs de devenir chef charpentier ; il me raconta où et comment ses frères étaient morts et, bien qu'il n'en ait pas été témoin, il me donna sa version de l'héroïsme de ma mère.

Etait-ce vrai ? Wexton dit que oui mais ma mère prétendait toujours qu'Hennessy exagérait. Dans son journal, elle ne fait pas mention de l'incident. Mais Constance l'a fait dans le sien.

C'est ainsi que quelques jours plus tard, quand elle apprit la nouvelle, elle écrivit : *Un des Hennessy est mort, aidé par Jane. Pas le bon, Acland, malheureusement. Nous avons pourtant essayé.*

Boy attendait sous la pluie devant les marches du Corinthian Club de Pall Mall. Il observa la façade grise et majestueuse du bâtiment. C'est là qu'il devait rencontrer Sir Montague Stern. C'était le soir, deux jours avant le mariage.

Il avait jeûné toute la journée : c'était sa façon à lui de se préparer à cette entrevue cruciale. Il fallait qu'il reste vif et oublie le bruit des canons de l'autre côté de la Manche. Son père s'étant montré défaillant, il devait agir à sa place. Il devait se comporter comme un officier et un gentleman.

Il était confiant. Intentionnellement, il avait mis son uniforme et sa ceinture militaire à laquelle était fixé l'étui contenant son pistolet de service. Il considéra les marches puis les gravit à grandes enjambées.

Le choix du Corinthian n'était pas un hasard : son grand-père et son père en avaient été membres et lui-même était devenu membre à vie à l'âge de vingt et un ans. Il n'aimait pas beaucoup cet endroit mais se sentait plus digne que Stern d'y avoir accès. Il se demandait d'ailleurs comment un homme comme lui avait pu y entrer.

Au début, tout se passa bien. Le portier le salua en l'appelant par son nom et son grade alors qu'il n'était pas venu depuis des années. On lui prit sa capote, sa casquette et sa badine. Plusieurs vieillards enfoncés dans des fauteuils de cuir lui adressèrent un hochement de tête. Il était le fils de son père...

Boy n'était sûr de lui que lorsqu'il jouait un rôle. De l'entrée jusque dans le fumoir, sa confiance en lui resta forte. Il aperçut alors Stern à l'autre bout de la pièce, debout le dos à la cheminée, entre un vieux duc et le ministre des Affaires étrangères. Les deux hommes avaient l'air suspendus à ses lèvres. Boy était outré.

C'est alors que tout se mit à aller de travers. Stern le salua avec une chaleur non forcée et lui tendit une main qu'il fut obligé d'accepter, malgré son envie de lui mettre son poing dans la figure. Le duc et le ministre s'éclipsèrent discrètement. Avant qu'il puisse se rendre compte de quoi que ce soit, Stern et lui étaient assis dans de profonds fauteuils de cuir près du feu et Stern avait commandé des whiskies. Le serveur les apporta rapidement et Stern attrapa une boîte à cigares.

Boy concentra d'abord son attention sur le gilet monstrueusement voyant de Stern. Il passa ensuite à sa veste bien trop neuve et agressive. Enfin, ce fut le tour des chaussures faites à la main et tout aussi neuves.

Comme son père et son grand-père avant lui, Boy méprisait les chaussures neuves. Le bon goût exigeait qu'elles soient d'abord cassées et cirées quotidiennement par un domestique bien formé pendant au moins un an avant d'être portées. Celles de Stern semblaient avoir été sorties de leur boîte le matin même. Son costume empestait l'argent, ce qui était impardonnable. Ses cheveux soignés étaient légèrement trop longs, ses poignets de chemise trop blancs et leurs boutons de manchettes trop gros. Boy faillit laisser tomber le havane que Stern lui offrit : il avait l'impression qu'il lui brûlait les doigts.

Peu après, il fut heureux d'avoir accepté le cigare : le temps d'enlever la bague, d'attendre qu'on vienne en couper le bout, de l'allumer et d'en tirer quelques bouffées, il put réfléchir. Il avait bien préparé ce qu'il avait à dire. Restait à le dire de la façon qui convenait. S'apercevant qu'il était assis sur le bord du fauteuil, il s'installa plus confortablement. Il croisa puis décroisa les jambes, carra ses épaules et essaya de faire abstraction du ministre des Affaires étrangères qui lui tournait le dos. Il voulut fixer Stern du regard qu'il avait prévu, celui qu'il employait pour s'adresser à ses hommes avant la bataille : une approche directe, d'homme à homme, sans trace de peur et sans nécessité d'insister sur la supériorité de son grade, supériorité innée, l'essence même du commandement.

Il n'arrivait pas à ouvrir la bouche. Par quelle phrase commencer ? Il prit une gorgée de whisky. L'un des pieds de Stern tapait légèrement le sol. Boy se rappela le bruit des coups de feu.

Il posa son verre avec précaution. Voyant sa main trembler un peu, il espéra que Stern ne l'avait pas remarqué. C'était un mouvement incontrôlable qui le prenait parfois.

Il passa un doigt dans son col. Il commençait à transpirer. La pièce était trop chaude, trop calme. Soudain, il eut peur de bégayer. Cela lui était arrivé une ou deux fois devant ses hommes ces derniers mois, quand il n'avait pas dormi de la nuit ou quand les événements de la veille avaient été trop pénibles. Dans ce cas, le sergent Mackay, un homme originaire de Glasgow, trapu, nerveux, au langage grossier, indestructible, se faisait son interprète si besoin était.

Mais il n'avait plus Mackay. Trois semaines auparavant, il avait reçu une grenade à fusil en pleine jugulaire et s'était finalement avéré destructible.

L'odeur de sang, de boue. Boy agita la main devant son visage, comme pour chasser la fumée de son cigare. Il attendit que le présent reprenne le pas sur le passé. Il tirailla un peu son oreille et les bruits de tirs cessèrent. Stern consulta sa montre. Boy se pencha en avant. Etre clair et concis : officier et gentleman.

– Ce mariage, commença-t-il d'une voix trop forte. Ce mariage. Je suis venu vous dire. Il n'aura pas lieu.

Boy était ensuite resté deux jours en Angleterre. Il avait fait des allers-retours entre Londres, où il voyait Maud, et Winterscombe où devait être célébré le mariage. Il avait redit un certain nombre de fois la phrase qu'il avait dite à Stern : « Ce mariage n'aura pas lieu ».

Il l'avait dite à son père, sa mère, Maud, Freddie et Steenie. Gwen s'était mise à pleurer. Son père lui avait répondu de s'occuper de ses affaires. Freddie lui avait dit qu'il ne pouvait rien faire et que, d'ailleurs, il n'y comprenait rien. Maud lui avait affirmé que quand Stern voulait quelque chose il l'obtenait toujours. Steenie lui avait conseillé de renoncer.

– Empêcher ce mariage ? avait-il dit en levant les yeux au ciel. Boy, autant arrêter une avalanche avec une balayette. Laisse tomber.

Il avait passé outre ces remarques. Il s'était mis à la poursuite de Constance, qui semblait l'éviter, et ne l'avait trouvée qu'en fin d'après-midi au bord du lac.

C'était un jour sans couleur. L'air était glacial, l'herbe craquait sous les pas, une fine couche de glace recouvrait le lac : dans la pâleur de l'air, Constance étincelait.

Elle portait un manteau à col de fourrure, de couleur claire et visiblement hors de prix. Avec le froid, la fourrure s'était raidie et quand Constance se tourna vers lui, folle de joie de le voir, son visage semblait auréolé d'une couronne de minuscules pointes, comme un halo de renard parsemé de diamants.

Des cheveux noirs, des yeux encore plus noirs que dans son souvenir, une bouche éclatante. Elle avait pris sa main, l'avait serrée dans ses gants de chevreau et s'était hissée sur la pointe des pieds.

– Francis ! Tu es là !

Elle l'avait embrassé sur la joue et s'était mise à danser autour de lui, son petit chien imitant tous ses mouvements. C'était un loulou de Poméranie blanc comme neige, minuscule et complètement grotesque. Boy aurait pu le tuer d'un simple coup de pied. En l'apercevant, le chien avait montré les dents. Après une réprimande, Constance avait attaché sa laisse en cuir rouge vif à son collier en faux diamants.

– C'est le cadeau de fiançailles de Montague, dit-elle en caressant la fourrure du loulou. As-tu déjà vu un animal plus ridicule et un collier plus vulgaire ? Je les adore tous les deux.

Elle s'était alors mise à courir et Boy était parti à leur pousuite sur la pelouse. Ses pieds laissaient de larges empreintes dans le givre du gazon. C'était le moment qu'il avait choisi pour lui livrer ce qu'il avait sur le cœur. Il était même certain de l'avoir demandée en mariage à ce moment-là.

Lorsqu'ils étaient arrivés à la terrasse, elle s'était retournée vers lui, s'était à nouveau hissée sur la pointe des pieds et l'avait embrassé sur la joue.

– Me souvenir ? Francis chéri, bien sûr que je me souviens ! Je t'aime très fort aussi. Je t'ai toujours aimé et je t'aimerai toujours. Tu es mon ange gardien préféré et mon frère. Oh, Francis ! Je suis si heureuse qu'ils t'aient laissé venir. J'aurais détesté me marier sans toi. Je te chercherai dans l'église quand je remonterai l'allée. Tu te souviens de la petite bague que tu m'as offerte ? Celle avec la pierre bleue. Je la porterai. Il me fallait quelque chose de bleu, ça porte chance. Je la porterai autour du cou pour que Montague ne soit pas jaloux. Il peut être si jaloux! Elle grelotta. Il fait froid, tu ne trouves pas ? Viens! Prends mon bras. Non, nous allons courir. D'accord ? J'ai envie de courir, de crier, de danser... Comme l'air est bon! Je suis si heureuse aujourd'hui.

Sa petite silhouette frêle s'était mise à courir, le chien ridicule sur ses talons. Après cela, elle avait fait en sorte de ne plus jamais être seule avec lui.

— N'aura pas lieu? Stern regarda Boy d'un air amusé et détaché. Mais mon cher, le mariage a lieu après-demain. Je pars ce soir pour Winterscombe. J'avais pensé que nous pourrions faire le voyage ensemble. Y voyez-vous un inconvénient ?

— Vous n'êtes pas le mari qui convient à Constance.

Boy avait enfin retrouvé la parole. Les phrases venaient toutes seules. Officier et gentleman. Il ne bégaya pas une fois.

— En faisant abstraction de votre âge et de votre... amitié avec ma tante...

— En faire abstraction? Boy, vous me surprenez.

— En laissant de côté le problème de votre race et des différences de milieu...

Et ainsi de suite. Il pensa aux nouveaux tanks de l'armée, que rien ne pouvait arrêter, comme lui. Il parvint à sa conclusion : il suggéra à Stern d'être raisonnable et d'annuler le mariage. Il fit appel à ses instincts de gentleman, tout en lui faisant comprendre qu'il ne l'avait jamais considéré comme tel. Stern prit le temps de boire une gorgée de whisky et de tirer sur son cigare.

— Impossible, je le crains.

Ce fut tout. Aucune tentative de justification, aucune allusion à l'amour. Son arrogance piqua Boy au vif. Il commençait à avoir très chaud et, pour la première fois, il eut peur. Se sentant proche de la défaite, il lança un ultime assaut.

Il souleva la question de Hector Arlington. Boy s'y connaissait moins en finances qu'il l'aurait souhaité mais suffisamment pour comprendre la situation. Il commença à s'énerver.

— Hector et moi appartenions au même régiment. Nous étions de vieux amis. Il m'a raconté les conseils que vous avez prodigués à sa mère. Avant de mourir...

— Ah oui! quelle histoire tragique. J'ai été désolé d'apprendre cette nouvelle.

— Vous les avez saignés à blanc. Boy posa violemment son verre. Vous êtes un hypocrite. Vous vous êtes fait une fortune pendant cette guerre. Vous me dites tranquillement que vous êtes désolé mais c'est votre faute si les Arlington sont ruinés. Vous vous êtes servi de mon père pour vos petites manœuvres. Si Hector était encore vivant...

— Si Hector Arlington était encore vivant, il n'y aurait eu qu'une fois des droits de succession à acquitter. Cela aurait complètement changé la situation. Boy...

— Ne me mentez pas!

Il était rouge de colère. Ses mains ne cessaient de gesticuler. Il entendit le bruit des canons plus fort que jamais, si fort que le ministre des Affaires étrangères leva la tête.

— Il ne s'agit pas seulement des Arlington. Il y a les autres. J'en ai entendu parler. Vos premiers associés, ceux qui vous ont fait entrer dans leur banque. Que leur est-il arrivé? L'un s'est suicidé. Et pourquoi? Parce que vous l'avez brisé. Vous avez tout fait pour ça. Je sais ce que vous allez dire. Que ce ne sont que des rumeurs. Mais j'ai interrogé des gens. J'ai parlé avec Maud. Et il se trouve que deux et deux font... Il s'arrêta et écarquilla les yeux. Ça y est! J'ai tout compris! C'est pour ça que mon père laisse faire. Il vous doit de l'argent. Mais bien sûr! Tout le monde vous doit de l'argent. Ce mariage est une sorte de remboursement.

Il avala une gorgée de whisky pour se calmer.

— Eh bien, poursuivit-il en commençant à se sentir fier de lui. Cela rend les choses plus faciles, d'une certaine façon. Il s'agit tout simplement d'une transaction financière. Pour combien peut-on vous acheter, Stern? Quel est votre prix?

Stern mit un certain temps à répondre. Il n'avait pas l'air offensé, ce qui déçut Boy. Il prit le temps de boire un peu de whisky.

— Eh bien, curieusement... bien que je sois juif, je n'ai pas de prix. Je suis... peu enclin à me faire acheter, selon votre expression.

Il jeta un regard sur sa montre, comme si Boy ne l'intéressait plus, sortit une enveloppe de la poche intérieure de sa veste et la posa sur ses genoux. Il regarda Boy et attendit.

— Je le dirai à Constance, explosa Boy. Et pas seulement à elle. Je ferai connaître la vérité sur vous. Je... Je...

Il regarda fébrilement autour de lui, cherchant que faire pour montrer cet homme sous son vrai jour, un prêteur d'argent et un profiteur. L'argent et les munitions. Combien gagnait-il par obus et par balle?

Stern se pencha et posa sur Boy des yeux très calmes.

— Boy, je crois que vous êtes excédé. Vous avez certainement de bonnes raisons de l'être. Vous n'avez pas l'air bien. Ne vaudrait-il pas mieux que nous oubliions cette conversation et que vous partiez?

– Certainement pas.

Boy prit une expression rebelle et entêtée. Il revit Constance s'éloigner de lui en dansant sur la pelouse.

– Certainement pas, reprit-il. Je ne vous laisserai pas gâcher la vie de Constance. A l'église, je me lèverai et je crierai la vérité. Je le ferai. Vous avez été l'amant de ma tante pendant des années. Vous pourriez être le père de Constance. Elle se fiche de vous...

Il s'interrompit. Sans un mot, Stern s'était penché et avait posé l'enveloppe sur les genoux du jeune homme.

Il la regarda fixement. C'était une petite enveloppe carrée sans adresse et non cachetée. Le sang lui monta à la tête. Lentement – ses mains s'étaient remises à trembler – il l'ouvrit.

Une photographie. Inutile de la sortir complètement de l'enveloppe, il l'avait reconnue. C'était l'un de ses grands secrets : une photo de Constance enfant. Sa robe était mouillée.

– Où avez-vous pris cela ?

Il avait buté sur le « p ». Stern ne répondit pas et fit un vague geste de la main. De toute façon, la réponse était évidente : Constance la lui avait donnée. Constance à qui il avait fait tant de petits cadeaux : la bague avec la pierre bleue, le col de dentelle, le châle en soie, le collier de perles d'ambre, tant de gages de dévotion sans espoir. Mais aussi, à sa demande – elle était si peu exigeante – la petite clé d'argent ouvrant le placard de sa chambre et le tiroir dans lequel il rangeait... ses photographies spéciales.

– Je ne l'ai jamais touchée. Je vous en donne ma parole.

C'était extrêmement pénible, mais il éprouvait le besoin de se justifier.

– Je la cherchais. Dans mes photographies. Je voulais la fixer à jamais.

C'était la meilleure explication qu'il pouvait donner : toutes ces années n'avaient été qu'une longue quête sans la moindre perversion. Une quête impossible, autant se rendre à l'évidence. Constance n'était pas un papillon que l'on pouvait attraper, épingler et étiqueter. Elle ne rentrait dans aucune catégorie.

– Je comprends et je vous crois. Néanmoins...

Une lueur dansa dans les yeux de Stern : une certaine compréhension, un brin de sympathie peut-être. Son visage se ferma. Il reprit l'enveloppe et la replaça dans sa poche. Boy se mit debout. Le sol se dérobait sous ses pieds. La table basse vacilla. Personne ne leva les yeux ; les conversations se poursuivaient. Il fit un geste peu convaincant de la main et, sans un mot, s'éloigna en titubant. Il se fraya un chemin à travers les tables et les sièges en chancelant comme s'il était saoul.

Une fois Boy parti, Stern entra dans une cabine téléphonique du club. Constance attendait son coup de fil.

– Vous l'avez fait ?

La voix de Constance avait un ton indéfinissable. De l'excitation, de la crainte ou de la tristesse.

– Oui. Je n'ai pas pu faire autrement.

Il lui fit un bref récit de l'entrevue mais elle voulait en savoir plus. Qu'avait dit Boy ? Avait-il l'air accablé ?

Stern coupa court aux questions :

– Vous ne vous attendiez tout de même pas à ce qu'il soit content ?

– A-t-il pleuré ? Ça lui arrive parfois. Je l'ai déjà fait pleurer. Oh, Montague...

– Nous en reparlerons demain.

Stern raccrocha le combiné et retourna dans le fumoir. Il tourna son siège dos à la pièce pour s'isoler. Au bout d'un moment, il sortit à nouveau la photo. Il avait toujours bien aimé Boy et ressentait de la pitié pour lui. Il contempla la photo pendant un moment.

Constance tenait à ce que son mariage se fasse vite. Elle le voulait effréné, trépidant, éclatant et rapide comme une course folle.

Elle aurait bien couru tout le long de l'allée de l'église au bras de Denton si celui-ci n'avait pas été si lent, si essoufflé, si handicapé par sa goutte. Elle se sentait légère comme l'air. Au sortir de l'immense voiture décorée de rubans blancs, l'air froid lui avait fouetté le sang.

Ses pieds étaient chaussés de petites ballerines blanches en satin que l'on avait fait venir tout exprès de Paris. Pour Montague Stern, la guerre n'était pas un obstacle : Gwen avait commandé et Stern avait payé. Des ballerines de Paris, des bas blancs de la soie la plus fine, fixés par des jarretières bleues qui la serraient un peu.

Et la robe ! Le résultat de quinze essayages chez Worth. De la mousseline de soie et de la dentelle de Bruxelles. Une longue, longue traîne déployée derrière elle, magnifique, aux volants renforcés de fils métalliques, brodée de fleurs et d'étoiles de cristal. Une petite merveille !

La taille extrêmement fine, sanglée et resanglée par sa nouvelle domestique qui s'était arc-boutée sur les lacets du corset blanc. « Plus serré ! », avait crié Constance. Ce qu'elle voulait, c'était que Montague puisse entourer sa taille de ses mains. Elle parvenait à peine à respirer mais, aujourd'hui, elle était l'air même, vif et vital.

Ses poignets et ses oreilles étaient ornés de diamants. Son voile était parsemé d'un mouchetis de diamants semblables à des larmes. C'était un cadeau de Montague.

Regardant furtivement à droite et à gauche en remontant l'allée, elle jubilait. Peu importe si l'assistance était moins nombreuse qu'elle l'aurait voulu. Les gens craignaient le scandale, voilà tout. Certains invités n'étaient pas venus, par égard pour Maud. Et alors? Elle n'en avait que faire. Tous ces hésitants la solliciteraient plus tard. Elle se les gagnerait. Montague et elle les assiégeraient.

Lady Cunard était là, malgré ses liens avec Maud. Elle avait dû pressentir la montée d'une nouvelle étoile au firmament social : Constance lui adressa un hochement de tête. Qui d'autre? Gus Alexander, le roi de la construction. Celui-là même qui lui avait envoyé une corbeille de deux cents roses. Et Conrad Vickers qui, Boy s'étant défilé, prendrait les photos de mariage. Il flirtait avec Steenie. Trois membres du Cabinet, sans leurs épouses. D'éminents financiers. Des voisins, dont Gwen s'était assuré la présence. C'était suffisant, après tout. Ce mariage n'était qu'un début.

Constance venait d'arriver à la hauteur des bancs de la famille. Il y avait Gwen, la tête inclinée. Freddie. Boy en grand uniforme et Steenie, qui tenait le loulou de la mariée sur ses genoux. Devant un pasteur consterné, elle avait insisté pour qu'il soit présent à la cérémonie.

Pauvre petite bête, elle ne pouvait pas l'emmener en voyage de noces. Constance lui envoya un baiser et sourit à Steenie, Freddie, et Boy, qui tourna la tête.

Encore vingt pas. Dix. L'autel croulait littéralement sous les fleurs. Toutes blanches, elle l'avait exigé :

– Que du blanc. Et pas de lys.

Il y avait le témoin, un ami de Montague. Et Stern, qui se retourna enfin quand elle arriva près de lui. Un regard égal, une sobriété vestimentaire inhabituelle.

Comme il fut lent pour l'échange des consentements! Elle lui lança un regard impatient. « De l'aimer et la chérir... » Constance détestait ces paroles. Elle détestait les promesses. Acland avait promis de ne pas mourir. Les gens ne tenaient jamais leurs promesses.

Lorsqu'elle eut l'alliance à son doigt, elle se sentit très agitée et la seconde suivante, apaisée. Voilà! On y était presque. Encore quelques mots et tout serait fini.

Vite, vite. Stern lui toucha la main. Elle était une femme mariée. Lady Stern. Elle prononça plusieurs fois son nouveau titre en silence.

C'était le moment du baiser. Stern la prit dans ses bras comme elle savait qu'il le ferait : avec une bienséance glaciale. Elle tourna la tête, son voile protecteur toujours baissé et enlaça le cou de son mari.

Leurs yeux se croisèrent à l'abri du voile. Le regard de Stern, comme prévu, était froid, dépourvu d'émotion et absorbé. Quand leurs lèvres se touchèrent, Constance pointa sa langue pour les séparer. Elle voulait briser son attitude.

– Eh bien, adversaire! murmura-t-elle à son oreille.

377

C'était une plaisanterie entre eux.

– Eh bien, ma femme ! répliqua-t-il avec une étrange insistance.

Ils se retournèrent. Constance tremblait. L'orgue entama une cantate de Bach.

Puis vinrent le repas de noce et les photos qui allaient lancer la carrière de Vickers. Constance les garderait toute sa vie.

Le menu avait été choisi par elle. C'était la première fois qu'elle pouvait exprimer ses préférences : ce fut donc ce qu'il y avait de plus rare, de plus coûteux... et de plus petit : des portions de caviar de la taille d'un dé à coudre, des œufs de caille dans des paniers d'argent, des truffes aussi minuscules qu'une balle de fusil.

Elle mangea très peu car elle attendait la suite des événements avec impatience. Un verre du champagne rosé de Denton, une tranche de foie gras. La seule personne de la table qui mangeait encore moins qu'elle était Boy.

Constance avait décrété qu'il n'y aurait pas de bal après le repas. La lune de miel ayant lieu dans la propriété écossaise de Denton, les jeunes mariés avaient un long voyage devant eux. Constance quitta la table à 1 heure. Une demi-heure plus tard, elle était prête à partir. Sans l'aide de sa nouvelle servante, si lente par rapport à Jenna, elle se prépara et fit quelques pirouettes devant la glace.

Pas le manteau d'hermine, tout compte fait. Elle avait appris que l'hermine était une sorte de fouine. Stern lui avait offert une zibeline. Une tenue de voyage en soie et cachemire couleur crème. Il ferait froid en Ecosse. Elle s'en moquait. S'il n'y avait pas eu la guerre et si l'on n'avait pas été en hiver, elle n'aurait pas voulu de l'Italie ou de la France. Ce n'était pas assez original.

Des bottes en chevreau lacées jusqu'aux genoux, un énorme collier de perles porté selon la mode lancée par la reine Mary, un chapeau à voilette. Elle s'admira dans la glace, satisfaite de la façon dont le voile obscurcissait son visage.

Tant d'adieux. Les invités. La famille. Gus Alexander qui, réfrénant sa jalousie, invita chaleureusement le couple à New York. Un petit juriste insipide du nom de Solomons. Lady Cunard. Conrad Vickers, Denton, Gwen, Freddie, Boy, Steenie. Boy semblait ivre mais n'était que complètement hébété. Quand Constance l'embrassa sur la joue et lui demanda de lui écrire de France, il glissa un papier dans sa main. Agacée, elle le fourra dans son sac.

Elle se rua sur Steenie, qu'elle étreignit. Elle pressa son petit chien contre son cœur, lui embrassa la truffe, le laissa lécher son visage et prodigua à Steenie un flot d'instructions de dernière minute. Elle embrassa à nouveau le chien, s'agrippa à lui puis se laissa entraîner.

Ils se rendirent à Londres dans une immense voiture puis prirent le train vers le nord.

Sa nuit de noces se passerait pendant le voyage. Se tournant vers son mari, elle l'embrassa. D'abord chastement, puis de façon plus osée.

Stern lui rendit son baiser mais semblait préoccupé. Elle s'écarta. Il ne réagit pas. Elle se tourna vers la fenêtre et posa son visage contre la vitre froide.

Dans leur compartiment de wagon-lit, ils burent du champagne et mangèrent des huîtres.

— Elles sentent le sexe, dit Constance en repoussant une coquille du doigt.

Une fois que le train eut pris son rythme de croisière, elle entreprit une exploration. Comme ces compartiments étaient surprenants et luxueux! Elle regarda tout autour d'elle avec un émerveillement enfantin. Tous ces lambris, tous ces meubles en format réduit! On aurait dit la cabine d'un commandant de bateau. Une petite table qui, relevée, se transformait en une cuvette en porcelaine. Des petits placards avec des serviettes, des savons et des verres. De nombreuses patères et étagères. Tant de jolies lampes aux abat-jour en soie rose qui prodiguaient une lumière flatteuse : une près de la cuvette, une près de la porte, une près du lit. Une vraie maison de poupée!

Constance inspecta son lit à la parure blanche amidonnée. Les couvertures étaient en tartan, comme celle dont on avait recouvert son père après l'accident. Un instant, la banquette prit la forme d'un brancard. Elle détourna la tête, se hâta vers la porte de séparation et l'ouvrit : le second compartiment était exactement identique.

— Deux lits. Elle se tourna vers Stern en souriant. Ce n'est pas vraiment ce que j'appellerais des banquettes. Ils sont trop splendides. Elle s'interrompit. Nous ferons un roulement entre les deux, ne croyez-vous pas? Le voyage sera tellement long!

— Si vous voulez.

Il avait pris position près de la porte, les bras croisés.

— Ce que j'aimerais... reprit-elle en détachant ses perles et en les balançant au bout de ses doigts. Ce que j'aimerais...

— Dites-moi ce que vous aimeriez.

— J'aimerais me coucher sur ma fourrure.

— Et?

— Et garder mes bas. Et mes jarretières. Et mes bottes françaises aussi. Oui, c'est ça. Vous allez me donner du plaisir, Montague.

379

Stern décroisa les bras et commença à ôter sa veste.

— Montrez-moi comment vous êtes, Constance, quand vous êtes allongée sur votre zibeline.

Constance jeta sa fourrure sur la couverture et fit mine de ne pas pouvoir défaire sa robe.

— Je n'arrive à rien sans domestique. Montague, voulez-vous m'aider ?

Elle se tourna et offrit à Stern son dos étroit. Les mains froides de son époux s'affairèrent sur les nombreux crochets. Elle resta immobile et ferma les yeux en écoutant le souffle régulier de son mari.

Lorsqu'il dégagea la robe de ses épaules, elle tomba à terre. Constance la repoussa du pied. Au lieu de se retourner, elle s'appuya en arrière contre Stern et se laissa enlacer. Elle prit ses mains et les dirigea vers le bas, puis les fit remonter sur ses seins.

— Caressez-moi.

Elle regarda les mains manucurées parcourir sa peau. Elle en prit une et la porta à ses lèvres. Le train accéléra. La main de Stern sentait légèrement le savon.

Elle remit sa main sur ses seins et referma les yeux. Le train eut une secousse. Elle poussa un petit cri. Le moment tant attendu était enfin arrivé. Elle s'appuya encore plus et sentit le pénis de Stern dressé contre le bas de son dos.

La regardait-il ? Elle était persuadée qu'il passait son temps à l'observer. Elle pencha la tête et il l'embrassa dans le cou. Avec l'habileté d'un homme expérimenté, il défit les cheveux de sa femme et délaça son corset. Les baleines avaient imprimé de petites traces rouges sur ses côtes. Elle ouvrit les yeux et frotta les rougeurs comme pour les effacer. Elle rassembla sa volonté.

Aussi vive qu'un poisson, elle échappa à l'étreinte de Stern, s'allongea sur la fourrure et le regarda enlever son épingle de cravate, sa veste, son gilet, puis plier ses vêtements sur une chaise. Elle se releva pour éteindre la lumière rose.

— Laissez allumé. Je veux vous voir, dit-il.

Elle ralluma. Stern resta un instant à la contempler. Il s'approcha et s'assit au bord du lit étroit.

C'était la première fois qu'il la voyait complètement nue. Elle avait espéré une réaction plus prompte. Elle comptait les secondes. Il continua à l'examiner puis fit courir doucement un doigt le long de son corps, du creux à la base de son cou jusqu'à la touffe de poils noirs entre ses cuisses.

— Vous avez une peau merveilleuse.

Il enleva sa main. Constance était incapable de dire s'il était déçu par son corps nu. Il semblait perplexe, plus que jamais sur ses gardes.

– Si nous parlions d'abord ?

Cette suggestion étonna Constance. Elle se dit tout d'abord que Stern était un jeune marié plutôt timide mais changea ensuite d'avis. Elle s'assit et entoura son cou de ses bras délicats.

– Maintenant ? Montague, nous sommes mari et femme.

– Il arrive à des époux de discuter ensemble.

Il écarta les bras de la jeune fille.

– Sans doute. Mais pendant leur nuit de noces... Vous ne trouvez pas qu'il y a plus urgent ?

– Rien ne presse. Nous avons toute la vie, après tout. Il hésita un instant. Comprenez-vous le mot « connaître », au sens biblique du terme ?

– Bien sûr. Constance sourit. Adam a connu Eve. Cela veut dire « baiser ». Je ne suis plus une enfant, Montague.

Le mot « baiser » parut le déranger. Il fit une grimace. Constance retira la main qu'elle s'apprêtait à poser sur la cuisse de son mari.

– Connaître. Très bien, je comprends ce que cela veut dire. Et alors ?

– Eh bien, j'ai pensé qu'avant de nous connaître de cette façon, nous pourrions mieux nous connaître par ailleurs. Vous en savez très peu sur moi, Constance, et je n'en sais pas très long sur vous...

– Montague ! Comment pouvez-vous dire cela ? Elle s'assit. Vous me connaissez par cœur : tout ce qui est important me concernant, je vous l'ai dit ou vous l'avez constaté par vous-même. Regardez ! Me voilà, nue devant mon mari.

Elle se rallongea et ses cheveux noirs s'étalèrent sur l'oreiller blanc. Elle replia ses bras sous sa tête pour mettre ses seins en valeur et attendit que sa pose fasse son effet et que Stern oublie son étrange besoin de conversation. Mais en vain.

– Vous croyez que je vous connais parfaitement, mais ce n'est pas le cas. Et je pensais que vous aimeriez savoir certaines choses sur moi.

Il y eut un silence. Constance regarda plus attentivement son mari. On aurait dit qu'il n'était pas encore décidé à parler. Un secret ! Il voulait lui dévoiler un secret dont il n'avait jamais parlé à personne. S'agissait-il d'argent, d'un événement grave qui expliquait la rapidité de son ascension, ou d'une femme ? Maintenant attentive, elle retenait sa respiration.

– Je n'en ai encore jamais parlé à personne, commença-t-il lentement. Et je n'en reparlerai jamais. Mais vous êtes ma femme et vous devez savoir. Cela concerne mon enfance.

Il lui raconta alors une histoire.

Enfant, issu de parents pratiquants, il portait la kippa. Dans le quartier de Whitechapel, les Juifs étaient en sécurité, mais lorsqu'ils en sortaient ils se faisaient agresser à coups de pierres par les garçons de la haute bourgeoisie. Certaines rues étaient protégées, mais pas toutes.

A neuf ans, alors qu'il revenait seul d'une course pour son père en dehors du quartier juif, il s'était fait encercler par huit de ces jeunes fils de bourgeois. Ils étaient plus âgés, plus grands et plus forts que lui. Il rapportait une pièce de worsted, très coûteuse, pour une commande spéciale. Les garçons la lui avaient prise, lacérée à coups de couteau, puis jetée dans le caniveau pendant que deux autres le tenaient fermement pour l'obliger à regarder.

Une fois le tissu fichu, ils eurent une idée encore plus terrible. Ils lui arrachèrent sa kippa de la tête, un des garçons avait craché dessus, un autre uriné dessus et un troisième la lui avait fourrée dans la bouche en lui ordonnant de la manger. Lorsqu'il refusa d'obtempérer, ils se mirent à le rouer de coups à tour de rôle. Ils lui cassèrent le nez, crièrent des obscénités sur sa mère et ses sœurs et le frappèrent à nouveau avant de s'en aller, de guerre lasse.

Lorsqu'il était rentré chez lui, sa mère s'était mise à pleurer. Son père, un petit homme à la santé fragile, avait attrapé un bâton et était sorti dans la rue pour corriger les coupables. Sans pourvoir les retrouver. L'incident avait paru l'affaiblir. Peu de temps après, il était mort d'une pneumonie. Sa femme se retrouva seule avec six enfants – Stern était l'aîné – et aucun moyen de subsistance. Avec l'aide du frère de son père, également tailleur, Stern avait quitté l'école pour reprendre l'atelier paternel. A treize ans, il avait été embauché comme garçon de courses dans une banque de la City, où il percevait cinq shillings par semaine.

– Et c'est ainsi que j'ai commencé dans les affaires, conclut-il.

Il y eut un silence. Constance attendait la suite. L'histoire ne pouvait être terminée. Où était la révélation ? Elle aurait pu deviner tout ça. Comme Stern ne disait toujours rien, elle s'assit en s'arrangeant pour que le drap découvre sa poitrine. Elle mit sa main sur la sienne.

– J'écoute, dit-elle. Racontez-moi la suite.

– La suite ? Il se retourna vers elle. Il n'y a pas de suite. C'est tout ce que je voulais vous raconter.

– C'est tout ? Mais Montague, je ne comprends pas. J'imaginais bien qu'une chose semblable vous était arrivée. C'est un terrible préjudice, certes, et...

– Une chose semblable ?

Stern se leva et la toisa du regard. Elle poussa un petit cri et essaya de mettre ses bras autour de la taille de son époux.

– Montague, ne me regardez pas comme ça. Vous ne m'avez pas comprise. C'est une histoire horrible, j'en suis consciente. Mais j'ai l'impression qu'il y a autre chose, quelque chose que vous ne m'avez pas dit. Dites-le-moi. S'il vous plaît. Je comprendrai...

— Il n'y a rien d'autre.

— Montague, très cher, vous pouvez tout me dire. Je suis votre femme. Je suis certaine que je comprendrai. Je vais essayer de deviner. Vous avez recherché ces garçons. Vous avez pris votre temps et, des années plus tard, peut-être, vous vous êtes vengé. Je sais que j'ai vu juste. Je le vois à votre visage, à vos yeux. Vous avez commis un acte... terrible. Vous en avez tué un, Montague ? Je crois que vous en étiez capable. L'avez-vous fait ?

Il se dégagea et fit un pas en arrière. Son expression était si froide qu'elle réduisit Constance au silence.

— Je n'ai jamais revu ces garçons. Vous avez trop d'imagination, Constance. Vous n'avez rien compris.

— Rien compris ? Sans doute. Je suis très stupide et lente. Mais c'est le jour de mon mariage. Et je suis en droit d'attendre autre chose qu'une évocation de Whitechapel pendant ma nuit de noces. Et, de toute façon, vous n'aviez qu'à mieux vous exprimer. Qu'est-ce que je n'ai pas compris, Montague ?

Il y eut un nouveau silence. Stern semblait en proie à une lutte intérieure.

— Vous êtes si charmante. Votre peau. Vos cheveux. Vos yeux...

Il s'interrompit pour l'admirer. Constance se sentit proche de la victoire. Elle baissa les yeux.

— Je croyais que vous me trouviez laide, Montague. C'est pourquoi j'ai été si stupide. Je...

— Vous n'êtes pas laide. Vous n'avez jamais été aussi belle.

Il posa une main légère sur le cou de la jeune fille et dégagea ses cheveux de son visage. Il avait l'air hésitant. « Lui, l'homme qui n'hésite jamais », se dit-elle. Mais il s'écarta.

— J'ai beaucoup souffert. Dans mon esprit et dans mon cœur. Je voulais que vous le sachiez. Si vous voulez comprendre ma personnalité, cela vous aidera. Ce traumatisme m'a été très utile. Avec le temps, j'en ai fait un atout.

Il s'arrêta et Constance, pour la première fois, se dit qu'elle avait peut-être commis une grave erreur. Le ton de Stern était si poli qu'elle en avait le sang glacé.

— Chaque fois que je suis sur le point d'agir avec précipitation ou de dire quelque chose que je pourrais regretter, je me rappelle cet incident. Alors, j'arrête immédiatement. Cela m'évite d'aller trop vite ou de faire confiance à n'importe qui. C'est un grand avantage, autant dans les affaires qu'avec ma femme. Bonne nuit, Constance.

Il ouvrit la porte du compartiment contigu. Constance se précipita pour agripper son bras.

— Montague, que faites-vous ? Où allez-vous ? Je ne comprends pas. Qu'est-ce que vous vous empêchez de faire ? Qu'est-ce que vous ne voulez pas dire ?

— Rien, ma chère. Retournez au lit.

— Je veux savoir !

— Rien d'important. Oubliez ce que j'ai dit.

— Montague...

— Je n'ai pas envie de vous faire l'amour dans un train. C'est tout. Il nous reste un long voyage à faire. Il vaudrait mieux que nous dormions un peu.

Il ferma la porte de séparation et Constance l'entendit tirer le verrou. Elle commençait à grelotter. Sa nudité lui parut ridicule. Elle poussa un petit cri de rage et s'enveloppa de la tête aux pieds dans sa fourrure. Immobile, elle écouta.

Le bruit des roues couvrait les autres sons mais elle crut entendre de l'eau couler et un froissement de vêtements ou de draps. Au bout d'un moment, le rai de lumière sous la porte disparut. Elle était presque sûre que son mari reviendrait si elle frappait à la porte ou l'appelait. Elle leva la main mais se ravisa.

Mendier sa nuit de noces ? Jamais !

Elle se mit à arpenter le petit compartiment en ressassant les paroles de Stern. Elle les disséqua puis tenta de rassembler les mots mais une pièce manquait. La colère manifeste de son mari restait un mystère. Qu'avait-elle donc dit pour le mettre dans cet état ?

Après une demi-heure de tergiversations, elle fut persuadée d'avoir trouvé la solution. Stern ne lui avait raconté qu'une partie de l'histoire et la seconde était très violente. Il avait commis quelque acte de vengeance et, un jour ou l'autre, elle lui ferait avouer la vérité.

C'était là la source du pouvoir de son mari : cette violence rentrée qu'il s'appliquait à cacher. Sous un extérieur de grande maîtrise de soi et de politesse, c'était un homme dangereux. Un tueur peut-être.

Elle se sentit physiquement excitée. La pointe de ses seins se durcit contre la doublure en soie de son manteau de fourrure. Elle mit sa main entre ses jambes et ferma les yeux. S'appuyant contre la porte qui la séparait de son mari, elle se mit à se caresser. Elle avait chaud et frissonnait. Faire l'amour avec un meurtrier, le laisser répandre en elle ses secrets... Elle grogna et se mordit la lèvre. Elle se caressa jusqu'au moment suprême, jusqu'à la petite mort, comme disent certains poètes. C'est Acland qui le lui avait appris.

L'orgasme la calma instantanément. Sa colère disparue, elle n'avait plus envie de frapper à la porte. Qu'il dorme! Elle pouvait attendre maintenant. Mais elle n'avait pas sommeil. Elle avait l'habitude de s'empêcher de dormir pour éviter les cauchemars qu'elle faisait fréquemment. Elle s'occupa un moment à déballer sa valise de nuit et prit ses nouvelles brosses à cheveux portant ses nouvelles initiales. « C.S. », les mêmes qu'avant. Elle se brossa les cheveux, admira sa chemise de nuit, attrapa les couvertures en tartan et les fourra sous la banquette pour ne plus les voir. C'est alors que son attention fut attirée par son petit sac en chevreau suspendu à la porte du compartiment, se balançant au rythme du train. Elle se rappela le papier de Boy.

Quelques instants plus tard, n'ayant plus rien à faire pour s'occuper, elle décrocha le sac et en sortit la lettre. Elle coupa l'enveloppe avec ses ongles : elle ne les rongeait plus. S'attendant à des reproches stupides, elle déplia la feuille.

Une seule page. Elle la lut une première puis une deuxième puis une troisième fois. Elle se mit à trembler et replaça la lettre dans son sac, qu'elle mit hors de sa vue.

Elle ne voulait plus la regarder. Elle enfila sa chemise de nuit, se glissa entre les draps et éteignit la lumière. La lettre l'obsédait. Elle savait qu'elle ne dormirait pas.

Quelle heure était-il ? Plus de minuit. Elle n'avait rien à faire et personne à qui parler.

Où était-on ? Le train s'arrêtait parfois dans la nuit. Elle se précipitait alors pour soulever le store et regarder dehors. Mais il faisait trop sombre. Birmingham ? Manchester ? Newcastle ? York ? Elle n'avait aucune idée de l'itinéraire du train et cela l'effrayait. On allait vers le nord, dans l'obscurité. Et ce train qui allait de plus en plus vite alors que, pour une fois, elle avait envie de s'arrêter.

Les invités de la réception de mariage ne mirent pas longtemps à se disperser. A 3 heures, les derniers étaient partis, hormis Conrad Vickers. Pendant un moment, les membres de la famille furent déroutés par le vide laissé par les convives. Ils se rassemblèrent autour de la cheminée du salon en essayant de faire la conversation. Pour Steenie, l'animation de la maison était partie avec Constance.

La conversation s'épuisait. Denton s'assoupit. Freddie feuilletait une revue de chasse. Gwen, assise seule près de la fenêtre, regardait vers le lac. Steenie remarqua que ses cheveux étaient plus gris que jamais. Ce n'était pas le lac qu'elle regardait, mais son fils mort, Acland.

A l'autre extrémité de la pièce, Boy était assis sur la chaise longue favorite de Maud. Raide comme un piquet, il faisait craquer les articulations de ses doigts. Où était-il réellement ? Pas à Winterscombe en tout cas.

Si Wexton avait été là, le malaise ambiant n'aurait pas gêné Steenie. Mais il était loin. En revanche, il y avait Vickers, qui faisait de si belles photos et avait le cran de porter ses cheveux encore plus longs que les siens. Steenie n'était pas certain d'aimer Vickers, même s'il se surprenait parfois à l'imiter un peu, pour les vêtements, par exemple. De plus, Vickers le courtisait, il en était sûr. C'était plutôt flatteur. Wexton était absent depuis si longtemps.

Vickers n'avait cure du silence pesant qui régnait dans la pièce. C'était un grand bavard : il avait jeté son dévolu sur les invités de la réception.

Pendant que Steenie admirait ses vêtements, Vickers passa en revue les gens qui avaient assisté au mariage. Lorsqu'il arriva à Constance, il commenta sa robe, son voile et ses diamants. Il s'étonna que pour une fois Stern ait fait un effort de goût pour sa tenue vestimentaire.

– Quelle sobriété! s'exclama Vickers en riant. Il tendit la main et la posa sur le genou de Steenie. Dis-moi, c'est l'influence de Constance?

– Oh, je ne crois pas, répondit Steenie.

Il regarda la main de Vickers. Son contact n'était pas déplaisant.

– Connie l'adore tel qu'il est. Elle dit qu'il a du courage d'être toujours vulgaire et qu'il le fait exprès.

– Non? Vickers parut enchanté de cette petite révélation. Dis-m'en davantage. Je meurs d'envie de comprendre ce mariage. Franchement, je dois dire... Il baissa la voix. Je le trouve un tantinet sinistre. Si tu savais les rumeurs qui courent. Ma sœur m'a dit...

Il poursuivit ainsi quelque temps. Steenie n'écoutait qu'à moitié en essayant de penser à Wexton. Il n'arrivait pas à se remémorer tous ses traits. De guerre lasse, il regarda dans la direction de Boy.

Il était toujours assis droit comme un I sur la chaise longue, les mains sur les genoux, les yeux fixés à mi-distance. Son visage était livide. De temps à autre, il hochait la tête. Une ou deux fois, il remua les lèvres : des mots, des phrases muets. De toute apparence, il se parlait à lui-même.

Inquiet pour lui, ou désireux d'échapper à Conrad Vickers, ou les deux, Steenie proposa une promenade. Il se leva et jeta un coup d'œil sur le loulou de Constance roulé en boule sur le sofa.

– Je vais promener le chien. Boy, Vickers! Vous venez?

Vickers leva les mains dans un geste d'horreur.

– Se promener? Avec toute cette boue et tout cet air frais? Tu n'y songes pas. D'ailleurs, il est tard et je vais...

Boy n'avait pas réagi et continuait à regarder dans le vide. Il n'avait sans doute même pas entendu la suggestion de son frère.

En hâte, Steenie entraîna habilement Vickers vers le perron. Celui-ci l'invita à venir le voir « très bientôt » chez les amis qui le recevaient.

Près de sa voiture, il jeta un regard vers la maison.

– Boy est vraiment curieux, tu ne trouves pas ? Qu'est-ce qu'il a ?

Steenie se mit à rougir.

– C'est... la guerre. La France. Acland était exactement comme lui. Ça ira mieux dans un jour ou deux. Il lui faut un peu de temps pour s'adapter...

Vickers ne parut pas convaincu. Il prit la main de Steenie puis l'embrassa sur la joue.

– C'est triste. Mon cher, n'oublie pas. Si tu as envie de parler, viens me voir.

Steenie regarda la voiture descendre l'allée et retourna vers la maison. A mi-chemin, il regretta de ne pas être parti avec Vickers, et en haut des marches il rencontra Boy qui semblait avoir repris ses esprits.

– Une promenade, dit-il à l'un des piliers du perron. Excellente idée. C'est exactement ce qu'il nous faut. Promener le chien.

Il adressa un regard de dégoût au loulou de Constance.

– Va te changer, dit-il en regardant le ciel. On se retrouve en bas dans une minute.

Steenie réapparut quinze minutes plus tard. Il avait mis un pardessus, une écharpe, des gants et des chaussures de ville. Il détestait les vêtements de campagne. Boy avait enfilé sa plus vieille veste de tweed, des chaussettes de chasse, des chaussures de marche et une casquette plate. Il avait sous le bras l'un de ses Purdey et le loulou était sur ses talons. Steenie le trouva ridicule.

– Boy, mais que fais-tu ? Nous n'allons pas chasser la grouse. Nous emmenons juste un chien microscopique faire une minuscule promenade près du lac.

– Le lac ? Je croyais que nous irions dans le bois pour tirer quelques lapins. C'est une merveilleuse journée.

– Et tu comptes sur cette... chose, répliqua Steenie en montrant le chien, pour rapporter le gibier, je suppose ? J'aimerais voir ça.

Ils prirent le sentier longeant le lac jusqu'au bois. Boy sifflait. L'air était vif. Le chien jappait derrière eux. Steenie se sentait bien. Il envisagea d'aller voir Vickers le lendemain. Wexton n'y trouverait rien à redire.

Boy avait lui aussi l'air joyeux. Il était mélancolique, mais d'une mélancolie vivifiante. Il pointa le doigt vers l'arbre où ses frères et lui avaient l'habitude de grimper. Acland prétendait que de son sommet on apercevait l'éternité. Là-bas, le vieux hangar à bateaux. Steenie se souvenait-il de la barque ? Elle était complètement pourrie maintenant. Et là, le meilleur endroit pour pêcher.

Ils poursuivirent le jeu des petits souvenirs jusqu'au bois. Oui, c'était bien l'arbre où les quatre frères avaient gravé leurs initiales. Steenie regarda la date : 1905. Le dernier été à Winterscombe avant l'apparition d'Edward Shawcross.

Steenie courut pour rattraper son frère.

— Pas ce chemin, Boy. Je n'y vais pas.

— Quoi ?

— Pas par là. C'est le chemin de la clairière. Tu sais... Là où il y a eu l'accident. Je ne veux pas y aller.

— Bon, d'accord.

Boy regarda autour de lui et s'assit sur un tronc d'arbre couché. Il fouilla dans ses poches et sortit sa pipe, une boîte d'allumettes et sa blague à tabac. Cette nouvelle manie agaçait Steenie. Tant d'énergie dépensée à émietter le tabac, bourrer la pipe, craquer en vain plusieurs allumettes et tirer dessus. Ridiculement lent !

Mais Boy tenait à ce rituel. Au bout d'un moment, Steenie s'assit près de lui, alluma une cigarette et suivit des yeux le chien qui s'ébrouait dans les feuilles mortes. Il consulta sa montre.

— Boy, il va faire nuit. Il vaut mieux rentrer.

Boy venait de réussir à enflammer le tabac. Il tira quelques bouffées.

— Je l'ai tué, tu sais. J'ai tué Shawcross. Je l'ai écrit à Constance. Je voulais qu'elle le sache, maintenant qu'elle est mariée. Tu crois qu'elle a déjà lu ma lettre ? Sont-ils dans le train ? Elle l'a peut-être gardée pour plus tard.

Steenie était paralysé. Il ne savait pas quoi faire.

— Boy ! Il posa sa main sur le bras de son frère. Boy, rentrons. Tu as l'air terriblement fatigué... Je crois que tu ne te sens pas bien. Tu as mal à la tête ? Rentrons. Tu pourras t'allonger...

— Mal à la tête ? Je n'ai pas du tout mal à la tête. Je me sens parfaitement bien. C'est un jour de fête. Bien sûr que je me sens bien.

Steenie déglutit nerveusement. Il tenta de réfléchir posément. Boy était complètement fou. C'était la guerre. Voilà quel effet elle produisait sur les gens. Il en avait parlé un jour avec Wexton. Il se demanda ce que ferait Wexton en pareille circonstance. Il ferait certainement quelque chose... d'intelligent. Il... ménagerait Boy. Oui, c'était ça. Le ménager.

Il se mit debout.

— Dieu qu'il fait froid ! Je suis frigorifié. Viens, Boy. Je ne reste pas une seconde de plus. On rentre.

Boy ne bougea pas. Il continuait à tirer sur sa pipe en regardant le chien qui, après s'être énergiquement gratté, se lécha puis se mit en boule sur un tas de feuilles, prêt à dormir.

— Je ne l'ai pas poussé dans le piège, continua Boy. Je ne voulais pas que Constance croie ça. Je ne savais pas que le piège était là. Mais Maman était allée dans sa chambre à lui, et elle n'aurait pas dû. Et lui non plus. Cela a fait du mal à Papa. Je trouve qu'il aurait dû le tuer. Mais il ne l'aurait jamais fait. Alors c'était à moi, l'aîné, de m'en charger. J'étais un homme. Je me suis fiancé ce soir-là.

Boy regarda Steenie. Il avait l'air inquiet, comme s'il attendait l'approbation de son frère. Steenie s'agenouilla et lui prit les mains.

— Bien sûr, je comprends. Ecoute, n'y pensons plus pour l'instant. Prends mon bras. On rentre à la maison...

— J'en ai d'abord parlé à Acland. Je ne sais plus très bien ce qu'il m'a dit... Il m'a dit que c'était une bonne idée, j'en suis sûr. C'est peut-être même lui qui a pensé aux Purdey. Ou moi ? C'est curieux, je ne me rappelle pas. Toutes ces armes. Le bruit ne s'arrête jamais.

Il secoua la tête. Steenie se mit à pleurer.

— Boy, sois gentil. N'en parle plus. Tout cela est faux. C'est la guerre qui te...

— La guerre ? Quelle guerre ?

— Tu sais. La France, la Belgique, les tranchées... Allez, viens !

— Oh, cette guerre ? Je vois ce que tu veux dire. Je pensais que tu parlais de l'autre.

Boy se leva, tapa sa pipe contre le tronc d'arbre et la remit dans sa poche. Son visage s'éclaira.

— De toute façon, j'ai expliqué à Constance. C'est mieux ainsi. Je lui ai expliqué que tout était allé de travers. Je voulais le tuer avec mon fusil. Ç'aurait été rapide et propre. Une belle mort. Mais... Il baissa le ton. Son père était un lâche. Je ne l'ai pas dit à Constance. C'était préférable. Il a... craqué. Il a commencé à pleurer, à supplier. Il a perdu son sang-froid. Il a même fait sous lui. Ça arrive parfois. Je l'ai vu. Quand les hommes ont peur de mourir. Ils pleurent aussi. Il a essayé de s'enfuir et c'est comme ça que c'est arrivé. C'était une grosse erreur. Il aurait dû rester immobile et respirer fort pour ne pas trembler. Regarder la mort droit dans les yeux. Surtout devant les hommes. On peut crier aussi. Le sergent Mackay dit que le mieux est de crier pour glacer l'ennemi, pour lui ficher la trouille et qu'il chie dans son froc.

Il se redressa et sourit :

— Je n'approuve pas trop son langage mais c'est sa façon à lui de s'exprimer. Et il a raison. Ça marche très bien. Ça arrête les tremblements. Mais Shawcross ne le savait pas. Il s'est mis à détaler comme un lapin, jusque dans le champ de mines.

Boy cassa son Purdey et le mit sous son bras. Il siffla le chien, prit le bras de Steenie et l'entraîna vers le chemin.

— J'ai détruit mes photos, tu sais, fit-il remarquer en atteignant le lac.

Seulement celles du tiroir du bas. Ça aussi je l'ai dit à Constance. Je voulais qu'elle le sache. Pourquoi s'est-elle mariée avec cet homme, à ton avis? Pourquoi a-t-elle fait une chose pareille?

Ils avaient atteint le bois de bouleaux. Steenie avait le visage ruisselant. Il n'osait pas se moucher. « Continue à marcher », se dit-il. On apercevait déjà les lumières de la maison. Boy semblait attendre une réponse.

— Eh bien, Boy, dit-il d'une voix douce, je suppose qu'elle l'aime bien. Peut-être l'aime-t-elle. Sait-on jamais?

— Oh non! je ne crois pas, dit Boy en s'arrêtant. Il secoua la tête. Tu te trompes. C'est moi qu'elle aime. Elle m'a toujours aimé. Je suis son frère. Son ange gardien. C'est elle qui me l'a dit.

— Oui, bien sûr. J'avais oublié.

Steenie hésita. Il venait d'apercevoir la silhouette de Freddie sur la terrasse. Il agita les bras désespérément mais Freddie regardait ailleurs. Devait-il crier? Non, cela effraierait Boy.

Boy fixait maintenant le bois de bouleaux.

— L'anniversaire de Freddie, dit-il. Nous avons fait un pique-nique. Tu te souviens? C'était ici, non? Je me rappelle. J'étais assis juste là et Constance était derrière moi, sous ces arbres...

— Oui. C'est ça. Nous avons bu du champagne rosé.

Steenie s'éloigna de quelques pas et se mit à faire de grands gestes. Mais Freddie ne le voyait pas.

— Je sais. Regarde, Boy, voilà Freddie. Tout près de la maison. Et si nous allions le chercher? Nous pourrions nous asseoir tous les trois et reparler du pique-nique, des cadeaux, de ce que nous avons mangé. Ça te plairait, n'est-ce pas?

— Bonne idée. Va le chercher. Je t'attends. Je vais fumer une autre pipe. Ce tabac est excellent. Je l'ai acheté à Londres. Rien à voir avec cet infect foin de l'armée.

Il s'assit sous un arbre. Steenie fit quelques mètres avant de se retourner: Boy bourrait tranquillement sa pipe.

Steenie se mit à courir en agitant les bras. Mais que faisait Freddie? Il était devenu aveugle ou quoi? Il risqua un petit cri et son frère leva enfin les yeux. Steenie poussa un soupir de soulagement et se hâta en appelant:

— Freddie! Pour l'amour de Dieu!

Freddie commença à marcher vers lui. Steenie trébucha, se releva et se mit à courir encore plus vite. Son écharpe tomba. Il fit à nouveau de grands signes désespérés vers son frère qui, enfin, sembla comprendre son signal de détresse. Il se mit aussi à courir. Ils se heurtèrent au pied de la terrasse. Steenie s'accrocha au manteau de son frère. Il était si essoufflé qu'il n'arrivait pas à parler.

— Freddie, viens. Viens vite.

— Mais que se passe-t-il ? Steenie, calme-toi.

— C'est Boy. Viens. C'est terrible. Il est assis là-bas. Il est complètement fou. Viens voir. Je t'expliquerai après. Il n'arrête pas de parler tout seul. Ça fait des heures que je l'écoute.

— Où est-il ?

— Là-bas, près des bouleaux. Il fume une pipe. Impossible de le ramener à la maison. Freddie... il dit qu'il a tué Shawcross.

— Quoi ?

— C'est à cause de la guerre. Il ne sait plus ce qu'il dit.

Le visage de Freddie devint livide.

— Oh, mon Dieu ! s'exclama-t-il.

Steenie se retourna. Freddie venait d'apercevoir Boy, debout, le fusil levé, à quelques mètres de l'animal, toujours assis.

— Il va tirer dessus, Freddie ! Fais quelque chose, vite. Attire son attention.

Freddie ouvrit la bouche mais aucun son n'en sortit. Ils agitèrent tous deux les bras et tentèrent de crier. Ils avancèrent un peu puis s'arrêtèrent sur place. Ils avaient entendu un cri.

C'était un cri épouvantable qui fendit l'air et se réverbéra au loin. Boy regarda la cime des arbres. Il avait dit à Constance qu'il crierait pour elle. C'était fait. Le cri qu'on poussait quand on chargeait à la baïonnette. Le cri qui glaçait le sang de l'ennemi.

Il épaula son arme et visa le chien. Freddie et Steenie suivaient la scène, effrayés. Boy se mit à trembler. Ça lui arrivait parfois. Même après avoir crié, les tremblements ne le quittaient pas. Il frissonna et jeta un regard vers ses frères qui couraient en agitant les bras.

— Allez-vous-en !

Il épaula à nouveau mais ses frères continuaient à courir en criant. Boy recula de quelques pas pour se mettre hors de vue, là où Constance était assise pendant le pique-nique. Il posa sa main sur sa poche contenant un message pour sa mère et un pour Constance.

Il espérait s'être exprimé clairement. Il ne voulait pas simplement se briser la mâchoire ou se faire une blessure horrible. Sa mère ne le supporterait pas. Comme il le lui avait expliqué dans sa lettre, il voulait se faire sauter proprement la cervelle d'un seul coup. S'il retournait dans les tranchées, les Allemands s'en chargeraient bien mais il n'en était pas certain.

Sa mère comprendrait. Il se pencha et cala la crosse de l'arme sur une ornière. Il regarda le canon du fusil et caressa la monture d'argent, sur laquelle son père avait fait graver un dessin des années avant. Il ouvrit la bouche et cala le canon entre ses dents et son palais.

Boy supposa que ses frères étaient maintenant proches car ils avaient cessé de crier. Il fallait qu'il se dépêche. Ce n'était pas très courtois de les faire assister à un tel spectacle.

Le canon avait un goût amer d'acier et d'huile. Il eut un haut-le-cœur puis remit l'arme en place. Freddie fit un pas en avant et leva la main. Steenie était incapable de bouger. Il sentait, au fond de lui, que tout irait bien : Boy était dans une position trop précaire pour parvenir à ses fins ; le fusil pouvait glisser à chaque instant ; la main de son frère n'était pas assez ferme ; il ne pourrait jamais appuyer sur la détente. Il était certain que Boy allait lâcher l'arme et se relever.

Il ouvrit la bouche pour prononcer le prénom de son frère. Impossible. Il regarda Freddie, tout aussi muet que lui. Ils se regardèrent et eurent la même idée. Ils se tournèrent en même temps vers Boy. Un seul mot pouvait l'arrêter :

– Francis !

Ils avaient crié à l'unisson d'un ton calme, sensible et ferme.

Boy sembla entendre. Les deux syllabes restèrent suspendues dans l'air. Il pressa la détente et le coup partit.

IX

Soldats inconnus

Extrait du journal de ma mère

Hôpital général 1, Saint-Hilaire, le 21 mars 1917

Il y a six jours, j'ai perdu un patient, et ce soir le Canadien est mort. Je veux écrire son nom. Il s'appelait William Barkham. Sa famille était origi-naire du Devonshire et avait tout vendu pour s'installer dans une ferme du Saskatchewan, dans un endroit nommé Fort Qu'Appelle. C'est un minus-cule hameau dont l'adresse est un numéro de boîte postale. J'ai écrit à sa mère.

Je savais qu'il allait mourir : les médecins l'avaient amputé et avaient cautérisé la plaie au goudron. Il était resté trois jours à l'hôpital de cam-pagne et quand il était arrivé, la gangrène avait fortement progressé. Je savais qu'il n'y avait aucun espoir.

Il m'a parlé pendant une heure avant de mourir. Il m'a raconté la ferme de Fort Qu'Appelle. On y cultive du blé. Il y a deux vaches, quelques coqs nains et quelques poules. Les matins d'hiver, quand il se levait tôt pour traire les vaches, il allait regarder le lever du soleil sur le lac. La glace était épaisse de plusieurs centimètres. Elle tenait tout l'hiver, de décembre à mars. Quand il était enfant, son père lui avait appris à patiner sur ce lac; devenu un homme, il y allait avec sa petite amie. Sauf qu'il n'était pas vrai-ment un homme. Il a rejoint l'armée à dix-huit ans. Hier, il avait dix-neuf ans.

Chaque matin après la traite, il retournait à la ferme. Sa mère lui fai-sait des crêpes et du bacon. A la fin, il la revoyait. En mourant, il a pro-noncé son nom. Il voulait lui dire quelque chose. Il a serré ma main très fort. Je voyais les mots dans ses yeux mais il ne parvenait pas à les prononcer. Il souffrait beaucoup. Cela m'a mise en colère.

393

J'aurais voulu faire un miracle, poser ma main sur lui et le sentir reve-
nir à la vie. J'ai prié mais rien ne s'est produit. Rien ne se produit jamais.
Il n'y a plus de miracles et Dieu n'écoute pas mes prières. Il n'y a peut-être
pas de Dieu. Il fallait que je vienne ici pour apprendre ça. Je préfère **ne**
plus croire que croire au Dieu que je vois chaque jour dans les salles d'hôpi-
tal, qui tourne le dos à un fils unique de dix-neuf ans, qui n'épargne per-
sonne et n'intervient jamais. Il pourrait envoyer un tout petit signe. Est-ce
trop demander ? Une seule résurrection.

Je pensais ne plus être capable de pleurer. Je n'ai même pas pleuré
quand on m'a dit pour Boy. Mais ce soir, pour William Barkham, j'ai
bleuré. Cela m'a mise aussi en colère. Les larmes sont inutiles. Elles ne
réconfortent pas les mourants.

Certaines infirmières prennent du laudanum. Pas moi. Wexton dit
qu'il **permet** *d'atteindre un lieu qui n'est pas au-delà des larmes mais en*
elles. Peut-être. J'attends.

Hier, Wexton m'a apporté un cadeau à l'hôpital. C'était du haggis que
lui avait donné un Ecossais. Nous l'avons fait cuire dans une bouilloire sur
le poêle et l'avons partagé avec les infirmières de garde. Une tranche cha-
cune. Je dois la vie à Wexton. De plus, il a tout arrangé pour que j'atteigne
la destination que je me suis fixée : la semaine prochaine, nous sommes
mutés. Nous partons pour Etaples lundi.

— Ne vous avais-je pas dit que j'allais tout arranger ?

Ils étaient sortis de la gare. Le train qui les avait amenés était déjà
reparti. Une foule de gens se hâtait : plusieurs infirmières, quelques soldats
français et belges, une vieille femme vêtue de noir, portant une caisse de
poulets. Jane se retourna. Comme Wexton l'avait promis, un peu plus
loin, c'était Etaples.

Un campement gigantesque, comme une petite ville : des rangées
d'abris en préfabriqué, des champs couverts de tentes kaki, un terrain de
manœuvres. Jane écarquilla les yeux. Elle discernait des silhouettes, aussi
petites que des fourmis, occupées à des manœuvres.

Sa vue était gênée par une grande femme à quelques mètres d'elle.
Elle faisait au moins un mètre quatre-vingts. Ses épaules étaient larges
comme celles d'un homme et sa poitrine comme la proue d'un bateau. Elle
arborait un uniforme que Jane ne connaissait pas, comprenant une capote
à ceinturon, une veste et une cravate. Elle portait sur la tête un couvre-chef
semblable à une cuvette enfoncée sur ses yeux. De toute évidence, elle les
avait reconnus car elle s'avançait vers eux.

— Wexton ! aboya-t-elle.

Wexton sursauta, lâcha les deux valises et fit volte-face avec un sourire épanoui.

– Winnie!

Ignorant la main qu'elle lui tendait, il l'embrassa. La géante devint écarlate.

– Winnie, vous êtes venue à notre rencontre! Comme c'est gentil! Je vous présente Jane Conyngham. Jane, voici Winnie. Je vous ai parlé d'elle. Winnie est une Auxiliaire féminine de l'Armée.

– Comment allez-vous? Elle tendit une main énorme qui broya celle de Jane. Division administrative des Auxiliaires féminines, pour être précies. C'est moi qui ai arrangé votre mutation. Bienvenue à Etaples. Donnez-moi son sac, Wexton. C'est tout ce que vous avez? Il est léger comme une plume.

– Winnie est une femme influente. Wexton la considéra avec fierté. Mieux vaut se méfier d'elle. Comment ça va, Winnie?

– Comme un charme. C'est bon de vous revoir, Wexton. Ravie de vous rencontrer, Jane. Je peux vous appeler Jane ou préférez-vous qu'on vous appelle par votre nom? Moi je préfère le nom. Je vous appellerai Conyngham, alors. On verra comment vous vous en sortez et si je vous trouve sympathique. Mais vous pouvez m'appeler Winnie. Tout le monde le fait. Je suis l'intendante du deuxième dépôt de la base. C'est un grade d'officier normalement, mais je n'y ai pas droit parce que les hommes n'aimeraient pas ça. Si vous avez besoin de moi, demandez simplement Winnie. Je suis sous les ordres du colonel Hunter-Coote. C'est un amour. Je l'ai bien dressé; il me mange dans la main. Si vous avez des problèmes, surtout avec l'infirmière en chef, n'hésitez pas à venir me voir. Nous avons déjà croisé le fer toutes les deux. Bon, vous êtes prêts? Allons-y! C'est à deux kilomètres à peine. On en a pour dix minutes tout au plus.

Elle démarra à grands pas. Wexton et Jane échangèrent un regard de connivence.

– N'est-elle pas merveilleuse? dit Wexton en souriant. Je l'adore. Etaples a été ma première affectation. Winnie m'a pris sous son aile... une sacrée aile comme vous l'avez constaté. J'étais sûr qu'en lui écrivant elle arrangerait tout. Winnie est capable d'arranger n'importe quoi...

– C'est la première fois que je rencontre une auxiliaire féminine, dit Jane, impressionnée.

– Winnie n'est pas une auxiliaire ordinaire. En fait, c'est elle qui dirige la guerre, à mon avis. Dont la sienne...

– Elle est très...

Jane s'interrompit. Le mot exact lui échappait.

– Anglaise, n'est-ce pas? Comment trouvez-vous sa voix?

Jane hésita. C'était une voix pour le moins tonitruante.

– Une voix forte... impérieuse, pourrait-on dire.

– C'est peut-être ridicule, dit Wexton, mais j'aime aussi sa moustache. En fait, tout me plaît en elle. Pressons-nous!

Devant eux, Winnie venait de s'arrêter sur un monticule.

— Regardez, tous les deux. La visite guidée commence ici. Faites bien attention, Conyngham, sinon vous pourriez vous perdre. A droite, derrière nous, la gare...

— Nous l'avions remarquée, Winnie. C'est là que le train nous a déposés.

— Pas d'insolence, Wexton! Elle lui lança un regard affectueux. Là, c'est le village. C'est bourré de Français. Méfiez-vous d'eux, Conyngham. C'est plein de vieux satyres qui mâchent de l'ail. Là-bas, c'est le camp : surtout des British, des Australiens et des Néo-Zélandais. Le colonel Hunter-Coote dit que les Américains vont arriver. On les attend toujours et mes filles s'impatientent. Là-bas, le grand bâtiment gris en dehors du périmètre, c'est l'hôpital. Vous voyez? Et le cantonnement des ambulanciers est juste à côté. Wexton sera tout près de vous. Elle les regarda et sourit d'un air entendu. Bon, et le bâtiment après le terrain de manœuvres, c'est mon dépôt. C'est là que vous pourrez me trouver. Je me suis occupée de vos laissez-passer pour le camp. Ça, là-bas... – elle pointa un doigt énorme vers un petit baraquement – c'est notre YWCA [1], notre petit club à nous. Je me suis débrouillée avec le colonel. Mes filles avaient besoin d'un endroit où aller le soir. Je lui ai dit : « Cootie – je l'appelle comme ça – mes filles ont besoin d'un foyer loin de leur foyer. Vous avez votre mess, mais nous? » Alors il nous a trouvé du linge de table et de la vaisselle en porcelaine. Je ne voulais pas de ces trucs en fer-blanc pour mes filles. Tout est de la meilleure qualité. Ça vient des entrepôts de l'armée de terre et de la marine. J'ai insisté. La fréquentation des hommes est autorisée. Mes filles l'ont demandé. Ça ne vous dérange pas, Conyngham? Parfait! Au fait, il y a un piano.

— Formidable...

— Le soir, on chante et puis on boit du chocolat. Bon! Repartons. Venez, Wexton! Mais qu'est-ce que vous regardez?

— Ça.

Wexton avait posé son sac et regardait vers le fleuve en contrebas. Le village d'Etaples était coincé entre le fleuve et des collines aussi abruptes que des falaises.

— Ça? Winnie semblait réticente à suivre son regard. C'est l'estuaire de la Canche. Les toits là-bas, Conyngham, c'est Le Touquet. Il y a des plages superbes. C'est à une station en train. On y va parfois se baigner le dimanche. J'espère que vous avez apporté un maillot de bain. Sinon, c'est pas grave, j'en réquisitionnerai un...

— Je ne parlais pas du fleuve, Winnie, mais de ça.

1. *Young Women's Christian Association* : Association des jeunes femmes chrétiennes aux Etats-Unis. (*N.d.T.*)

– Là où les hommes creusent ? Winnie refusait toujours de regarder l'endroit que Wexton pointait du doigt. C'est l'extension des tranchées. Pour les attaques aériennes. Il y en a eu une ou deux. Peu de dégâts. Dans une semaine, les tranchées iront du camp jusqu'aux grottes.

– Aux grottes ? demanda Jane.

– Là-bas. Dans les falaises derrière le village. Elles sont énormes. Le meilleur abri qui soit. C'est une idée de Cootie. Evacuer par les tranchées pour atteindre les grottes. Ça fait des semaines qu'il l'a proposé mais personne n'a rien fait. La bureaucratie, comme d'habitude.

– Je ne parle pas des tranchées, Winnie. Ni des grottes. Je suis au courant. Mais de ça, le yacht.

– Quel yacht ? demanda-t-elle, agacée.

– Il n'y en a qu'un, Winnie. Le grand, là, ancré en aval. Qu'est-ce que c'est ? Il n'était pas là avant.

– Un yacht d'évacuation. Elle renifla. Pour les huiles. Au cas où les Alliés devraient évacuer le nord de la France.

Un silence tomba.

– Evacuer ? Mais c'est impossible, dit Jane d'une voix crispée.

– C'est improbable. Winnie chargea la valise de Jane sur son épaule. Tous des alarmistes à Whitehall. Bon, on y va ?

Elle repartit. Jane et Wexton échangèrent un regard.

– Parfait. Il se pencha pour ramasser sa valise. Si c'est pour les huiles, alors..

– C'est juste par précaution, Wexton.

Jane jeta un regard sur le yacht. Il était grand et majestueux. Pour la première fois, il lui vint à l'esprit que les Alliés pourraient perdre la guerre. Elle se remit en marche. Quelques minutes plus tard, Wexton la rattrapa. De temps en temps, Winnie se retournait vers eux.

– Pourquoi nous regarde-t-elle comme ça ? demanda Jane à la troisième fois.

– Elle croit que vous êtes ma petite amie, répondit Wexton avec nonchalance.

– Que quoi ?

– Ce n'est pas précisément ce que je lui ai écrit mais c'est la conclusion qu'elle en a tirée. Je ne voulais pas la décevoir. Après tout, vous vouliez venir ici. Winnie ne sait pas, pour moi. Et je ne pense pas qu'elle comprendrait. Elle a eu une vie très protégée et elle est très romantique. Elle est éperdument amoureuse...

– Winnie ?

– De Cootie. Et c'est réciproque. C'est pour ça qu'elle ne voulait pas regarder le yacht ni en parler.

– Et pourquoi ?

— Parce que si ça tourne mal, Cootie embarquera sur le yacht et pas elle. Alors que c'est pratiquement elle qui dirige tout ici.

— Je vois.

Jane s'arrêta une dernière fois à l'approche du camp. Un groupe d'hommes en uniforme australien posaient des plaques de tôle ondulée sur les nouvelles tranchées.

Etaples. Acland était venu ici. Il s'était peut-être tenu à l'endroit où elle était en ce moment.

— Et si ça tourne mal, reprit-elle en marchant, où sera Winnie ?

— Dans les grottes, je suppose. Avec vous et moi et un millier d'autres.

Wexton et ma mère étaient arrivés à Etaples fin mars 1917. C'était le début du printemps suivant l'hiver le plus célèbre de la Première Guerre mondiale.

Peu de temps après, l'Amérique déclara la guerre à l'Allemagne et les Canadiens, dont les survivants du régiment de William Barkham, s'emparèrent de la crête de Vimy. La troisième bataille d'Ypres et celle de Passchendaele auraient lieu quatre mois plus tard.

Cette année fut le tournant de la guerre. J'ai grandi au milieu des noms de batailles évoqués par Wexton, quand il venait à Winterscombe, ou par Winnie, qui avait fini par épouser son colonel. Mais j'ai mis des années avant de comprendre que ces mystérieux noms étrangers étaient ceux de combats sanglants.

Wexton et ma mère ne restèrent à Etaples qu'un mois. C'est là-bas que Wexton écrivit son poème Shells qu'il dédia à Steenie. C'est de là qu'il écrivit lettre après lettre à Steenie, qu'il aimait toujours mais qu'il était en train de perdre.

Steenie fut hanté par ces lettres. Un demi-siècle plus tard, il me les lut sur son lit de mort, un jour où Wexton était absent.

— Tu vois ce que j'ai perdu, me dit-il à la fin d'une lettre. J'ai tout gâché. Ne fais jamais ça, Victoria.

Il ne cessait de relire deux des lettres en particulier. L'une concernait les grottes d'Etaples et l'étrange événement qui s'y était passé. L'autre, antérieure, décrivait le jour où Wexton et ma mère acceptèrent l'invitation de Winnie et du colonel pour une expédition à la plage du Touquet- Paris-Plage comme on l'appelait alors.

C'était un dimanche. Ils avaient déjeuné dehors, sur la terrasse fleurie du café Belvédère. Assis à une table ronde, sous un parasol rayé, ils avaient vue sur la mer scintillante. C'était le premier beau jour de printemps.

A côté de Wexton se trouvait le colonel Hunter-Coote. En face d'eux était assise Jane, habillée en civil et la tête couverte d'un chapeau de paille qui ombrageait ses yeux. Wexton se sentait vraiment bien. Il avait l'agréable sensation de faire partie d'un tableau impressionniste et que le bien-être qu'il ressentait n'était pas le sien mais celui de Renoir. La guerre semblait loin.

En bas, sur la plage, Winnie et un groupe de ses filles se préparaient à aller nager. Winnie leur faisait faire ce qu'elle appelait un échauffement. Il faisait chaud mais l'eau devait être glaciale. C'était donc une précaution justifiée. Gigantesque dans son maillot de bain allant de son cou à ses genoux, les cheveux couverts d'un bonnet de bain à volants, Winnie dirigeait énergiquement la séance.

– Sautez, Clissold! ordonnait-elle. Plus haut!

Le colonel Hunter-Coote, un petit homme soigné et frêle qui, à côté de Winnie, avait l'air d'un moineau déplumé, regardait la scène avec fierté. Ce n'est qu'à l'approche du serveur qu'il s'en détourna et proposa à Jane un gâteau.

– Mais il le faut, insista-t-il. Winnie adore leurs gâteaux. Laissez-moi vous en choisir un. Celui-ci par exemple, je vous le recommande chaudement. Vous êtes sûr que vous n'en voulez pas, Wexton? Oui, garçon. Deux... euh... pâtisseries, s'il vous plaît, monsieur. Non, celles-là. Parfait. Merci beaucoup.

Jane mangea son gâteau puis, lorsque le café fut servi, accepta une cigarette. Elle fumait de temps en temps, idée qui l'aurait horrifiée un an plus tôt, et assez maladroitement. Son regard errait sur la mer. « Elle rêve éveillée », se dit Wexton.

Elle avait l'air paisible, satisfaite. Quel changement, pensa-t-il. A leur première rencontre, il l'avait trouvée plus tendue, plus combative, plus sur les nerfs que n'importe quelle autre personne de sa connaissance, et cela l'avait intéressé. Son maniérisme nerveux avait presque disparu et cela l'avait intéressé également. Il aimait bien Jane, depuis leur première rencontre à Londres, d'ailleurs. Il la trouvait... bonne.

Jane avait enlevé son chapeau de paille et s'en éventait. Elle se tourna vers la promenade. Un rayon de soleil illuminait ses cheveux, les faisant rouges comme l'érable en automne. Sur ce fond coloré, la pâleur de sa peau était remarquable. Ses pommettes et l'arête de son nez étaient parsemées de taches de rousseur.

Elle avait une qualité difficile à définir, qui était évidente quand elle exerçait son métier d'infirmière. Elle avait perdu la voix rapide et vide qu'on lui avait enseignée à Guy's. Elle n'en avait plus besoin. Quand elle posait sa main sur un patient, un processus mystérieux se produisait : elle lui transmettait sa propre énergie, qui avait un effet calmant. Energie n'était d'ailleurs pas le mot exact. Il s'agissait plutôt de... grâce.

Résurgence de son éducation anglicane, le mot effrayait Wexton. Il se pencha pour regarder ce qui avait attiré l'attention de la jeune fille. Sur la promenade, au-dessous d'eux, des infirmières de la Croix-Rouge poussaient des fauteuils roulants. Elles les alignèrent consciencieusement – pour que leurs occupants soient face à la mer et reçoivent le soleil sur leur visage –, disposèrent des couvertures rouges sur leurs genoux puis se retirèrent.

On disait que ces excursions étaient bénéfiques à ces malades d'un type particulier, dont les blessures étaient invisibles. On leur appliquait divers euphémismes. Neurasthéniques, par exemple. Au camp, on les confinait dans une aile spéciale de l'hôpital et c'étaient les infirmières les plus aguerries de la Croix-Rouge qui s'occupaient d'eux. Là-bas aussi, on les mettait au soleil. Quelqu'un devait croire que l'air frais et les rayons solaires pouvaient les guérir.

Wexton, qui en avait transporté plusieurs dans son ambulance, en doutait fortement. Cela pouvait certainement guérir leurs blessures physiques mais les dommages mentaux, même avec le temps, étaient irréversibles.

Les hommes à l'esprit détraqué, ceux qui avaient vu le pire, qu'on avait tout doucement poussés vers la folie. Un instant, Wexton se dit qu'ils étaient, eux, les sains d'esprit.

Jane les regardait très attentivement. Quand elle se tourna vers Wexton, ses yeux étaient humides. De larmes, se dit-il d'abord. En fait, c'était de colère.

– Regardez!

Le colonel Hunter-Coote sauta sur ses pieds. Jane et Wexton le suivirent jusqu'aux pots de géraniums du bord de la terrasse et regardèrent en bas. Hunter-Coote était aux anges.

– Continuez, Winnie. Fantastique! Il se tourna vers ses compagnons, ses petits yeux marron rayonnant d'amour. N'est-elle pas la plus remarquable des femmes? Rien ne l'arrête, vous savez. Absolument rien.

A quelque distance, on distinguait la silhouette de Winnie. Elle avançait dans la mer la tête haute en battant des bras. Une vague impertinente lui gicla à la figure, l'immergeant jusqu'aux aisselles. Elle attendit qu'elle soit passée puis se lança à l'assaut de la suivante. Elle se mit à nager, le menton au ras des vagues. Les froufrous de son bonnet flottaient sur l'eau. Wexton mit un certain temps à comprendre en quoi sa progression intrépide était étrange : elle nageait comme un petit chien.

Jane dut s'en apercevoir au même instant car elle se mit à sourire. Quand elle regarda Wexton, son sourire s'élargit.

A la fin de l'après-midi, ils reprirent le chemin de la gare. Hunter-Coote et Winnie parlaient devant, Jane et Wexton suivaient. Le soleil était chaud et la poussière volait sous leurs pieds. Wexton sifflait. Jane s'arrêta, ôta son chapeau et leva son visage vers le ciel.

400

– C'est absurde mais... je me sens heureuse. Je suis en paix.

– Acland ?

– Oui. Je sens sa présence. Comme je l'espérais. Il est très près. Elle considéra Wexton avec anxiété. Je sais qu'il est mort mais je le sens. Vous croyez que j'ai trop d'imagination ?

– Non. Le visage ridé de Wexton était triste. Steenie m'était proche aussi. Plus maintenant. C'est difficile à expliquer. Ce doit être un sixième sens. Ou un huitième ou un dixième. Je ne sais pas.

– Je suis désolée, Wexton. Jane prit son bras. Conrad Vickers ?

– Eh bien, Vickers était là quand Boy est mort. Pas moi. Steenie avait assisté à une scène horrible. Il a eu besoin de quelqu'un à qui parler.

– Mais ce n'était pas seulement ça.

– Non. Je ne crois pas. Ça serait arrivé tôt ou tard. Steenie est très jeune et très influençable. Il aime...

– Ce qui est à la mode ?

– En quelque sorte.

Jane ne fit aucun commentaire. Wexton regarda la route blanche, les silhouettes devant lui, les fleurs des bas-côtés, le petit train qui arrivait en soufflant à la gare proche. Jane avait posé sa main sur son bras.

Il sentit l'énergie de la jeune fille passer en lui. Il ressentit la sérénité de la vallée, la perfection surprenante de l'instant présent. Il prit les choses telles qu'elles étaient, les nuages, l'herbe, et pour rien au monde n'aurait voulu qu'elles soient différentes. Pas même l'infidélité de Steenie. Il avait mal mais sa douleur renforçait la beauté qui l'entourait. Un poème se mit à poindre dans sa conscience.

– Je vais bien, finit-il par dire. Steenie aussi. Il a emménagé dans son propre atelier et va bientôt faire une exposition.

– Ses toiles... elles sont comment ? interrogea Jane.

– Certaines sont bonnes.

Elle s'arrêta une fois de plus et huma l'air.

– Je crois en Dieu aujourd'hui. C'est peut-être le soleil, et le bon air. Je ne sens pas la guerre. Peu importe. Oublions tout ça. Parlez-moi des mots, Wexton.

– Un poème, vous voulez dire ?

– Oui. Dites-moi un poème.

Il commença un sonnet qu'il connaissait par cœur et qui cadrait parfaitement avec la journée, la promenade, la route blanche, la gare juste devant et le train à vapeur.

Quatorze lignes. Il termina au moment où ils arrivaient au quai. Winnie était en rogne : il manquait deux wagons.

– Dites donc, disait-elle à un porteur français âgé. Il va falloir que nous nous asseyions sur le filet à bagages ? C'est un scandale ! Il n'y a pas de place pour mes filles...

Au mois d'avril, Oncle Steenie fit sa première – et dernière – exposition de tableaux. Ce fut un grand succès, à la fois du point de vue mondain et de celui des critiques. Les dernières années de sa vie, Steenie aimait se souvenir de cet instant de triomphe. Mais il n'était pas dupe : ce fut également l'occasion pour lui de se découvrir lui-même. « Je me suis aperçu que j'étais un amateur », disait-il.

Les circonstances entourant cette exposition s'avérèrent mémorables : elle eut lieu dans la dernière partie de la guerre, trois mois environ après la mort de Boy et, surtout, le jour même de l'événement le plus étrange de l'histoire de ma famille.

Nous reviendrons plus tard sur cet événement que Steenie et les autres n'apprirent que tard dans la soirée. Jusque-là en tout cas, selon Steenie et Constance, ce fut une journée extrêmement importante. « Un jour de règlement de comptes », affirma Constance.

Steenie et Constance passèrent la journée ensemble. Cela leur était arrivé souvent en six semaines, depuis le retour de Constance de son voyage de noces. Ce matin-là, elle avait rendu visite à Jenna et au bébé, un garçon né à Noël et prénommé Edgar. Steenie trouvait bizarre l'obsession de Constance pour ce bébé, dont elle ne cessait de vanter les charmes, le calme, les yeux verts et les menus détails de ses progrès. Il trouvait cela assommant et soupçonnait Constance d'en rajouter. Celle-ci avait plein de projets pour Jenna et l'enfant. D'après elle, son ancienne servante n'avait pas envie de vivre avec Hennessy lorsque la guerre serait terminée. Il ne voyait donc aucune raison pour qu'elle retourne vivre à Winterscombe, en tant que femme du chef charpentier, mais toutes les raisons pour qu'elle aille habiter, avec l'enfant, chez Lady Stern et son époux.

Constance l'admettait, il y avait tout de même quelques petits problèmes. D'abord, depuis leur retour de voyage de noces, Stern et elle n'avaient pas de domicile fixe. Ils avaient passé un temps fou à visiter des maisons à Londres et à la campagne mais avaient été incapables d'en choisir une qui leur plaisait à tous les deux. Steenie avait d'ailleurs l'impression que Constance lui cachait quelque chose à ce sujet. Donc, Constance et Stern louaient successivement des maisons plus belles les unes que les autres.

D'autres questions devaient être résolues concernant Jenna. En tout premier lieu, Jenna n'était pas d'accord. « Elle a peur d'Hennessy, c'est tout, disait Constance. Elle n'a pas à s'en faire. Je vais m'occuper de lui. » Mais son mari, lui aussi, était vigoureusement opposé à l'engagement de Jenna.

Steenie trouvait cela singulier. En quoi Stern était-il concerné par le choix d'une domestique ? Et en quoi le bébé pouvait-il être gênant dans une maison qui serait forcément gigantesque ? Constance ne donnait qu'une explication : son mari trouvait qu'elle s'intéressait trop à ce bébé mais elle finirait par le convaincre. Steenie qui, en son for intérieur, était d'accord avec lui, doutait qu'il fût homme à se laisser convaincre aussi facilement.

Les fréquentes visites de Constance à Jenna et au bébé la laissaient d'une humeur pensive et maussade. Le jour du vernissage n'y fit pas exception mais Steenie s'était déjà aperçu que cette humeur était de plus en plus fréquente et ne coïncidait pas toujours avec une visite à Jenna. Quand il lui parlait, elle était souvent absente. Elle avait beaucoup changé depuis son retour. Elle était plus calme, plus contenue, plus raisonnable. Même ses gestes, autrefois très vifs, étaient plus lents. Elle avait perdu son air hautain et acquis la pondération qui lui faisait auparavant défaut. Une ou deux fois, il s'était demandé si elle n'était pas enceinte. Lorsqu'il fut évident que non, il se dit que son mari était à l'origine de cette transformation. Etrange. Il aurait aimé en savoir plus sur la vie conjugale de Constance et son voyage de noces en Ecosse. Mais quand il lui demandait comment ça s'était passé, elle répondait d'une façon très curieuse. A leur arrivée au pavillon de chasse de Denton, un télégramme annonçant la mort de Boy – un accident, selon la version officielle – les attendait.

– Mon voyage de noces a commencé par un décès, disait-elle. Puis elle changeait de sujet.

Au début, cette réponse satisfaisait Steenie qui voulait oublier le drame. Ces trois derniers mois, il avait découvert à quel point les souvenirs pouvaient être impitoyables. Quoi qu'il fasse pour oublier, ils le poursuivaient toujours, s'insinuaient dans ses rêves et dans sa vie quotidienne. « Je comprends maintenant ce que les Grecs appelaient les Furies », écrivit-il à Wexton. Mais il n'envoya jamais la lettre : il ne pouvait décemment pas demander l'aide de Wexton maintenant qu'il avait une liaison avec Conrad Vickers. « Je t'ai trahi, Wexton », écrivit-il dans une autre lettre qu'il n'envoya pas non plus. Il savait que ce n'était pas l'entière vérité car il avait ajouté en post-scriptum : « Pire. Je me suis trahi moi-même. »

Le soir du vernissage, Steenie et Constance étaient donc tous les deux très tendus. Ils avaient passé l'après-midi à la galerie : Constance au téléphone pour s'assurer que tous les invités de la liste ambitieuse de Steenie seraient bien présents, et Steenie pour vérifier que ses toiles avaient été accrochées à leur avantage. Pas de souci à se faire. L'éclairage était des plus flatteurs, le travail de l'encadreur irréprochable. La texture de ses toiles, leur coloration plaisante, son coup de crayon habile sautaient aux yeux. Malheureusement, il voyait aussi leurs défauts. Elles étaient certes décoratives et charmantes mais les emprunts qu'il avait faits à Rex Whistler, un ami de Vickers, étaient trop manifestes. Il pensa alors à Boy et à ce qui était resté de sa tête après le coup de feu. Il regarda à nouveau ses œuvres. « Tout sucre, tout miel. De l'eau de rose », se dit-il avant de s'enfuir.

Il retourna avec Constance dans son magnifique atelier. Refusant de laisser paraître ses émotions, comme à l'accoutumée, il lui expliqua que son teint verdâtre et le tremblement de ses mains étaient dus à la nervosité. Le vernissage. Le cocktail. Les invités.

— Ce sera complètement raté, dit-il. Personne ne viendra. Personne n'achètera. Ils partiront en douce après m'avoir débité quelque banale politesse. Je crois que je vais être malade.

— Reprends-toi, Steenie, dit Constance en regardant dans le vide. Puis, comme pour s'excuser de son air absent, elle se fit plus gentille. Si tu prenais un verre ? Un tout petit. Ça va te remonter. Où est le champagne que je t'ai fait envoyer ?

— Au frais dans la baignoire.

— Ouvre une bouteille.

Pendant qu'il s'occupait du champagne, Constance erra dans l'atelier. Elle bougea une chaise de quelques centimètres, arrangea des coussins dignes d'un sérail, alluma puis éteignit une lampe qu'elle lui avait offerte. La jeune femme paraissait totalement absorbée.

Ce fut la première fois, dirait Steenie plus tard, qu'il constata l'intérêt de Constance pour la décoration, son désir d'imprimer son empreinte aux objets inanimés. Il ne lui vint pas à l'esprit qu'elle mettait de l'ordre dans la pièce pour pallier le désordre de sa vie. Il ne voyait rien d'autre que les certitudes de Constance dans tous les domaines.

Ce n'était pas son cas. Son esprit de décision était aussi versatile que son humeur et il était incapable de contrôler sa vie, hormis les détails de son environnement. Il pensait à Boy, et l'instant suivant à Wexton, se promettant de ne plus jamais voir Conrad Vickers mais se précipitant chez lui une demi-heure plus tard. Tout n'était chez lui que mouvance alors que Constance était d'une ténacité sans faille : tel tissu était le seul qui convenait pour les rideaux, tel canapé était impensable mais tel autre parfaitement approprié. Le résultat était un atelier éclectique, spectaculaire et peu conventionnel. Steenie se sentait très mal à l'aise. En servant le champagne, il se fit la réflexion que cette pièce était celle de Constance et non la sienne.

Mais le lui dire l'aurait peinée. Et, de toute façon, il était complètement ridicule : tout le monde s'extasiait sur son atelier et Conrad Vickers avait même décrété qu'il ne ferait rien dans son nouvel appartement sans l'aide de Constance. Lady Cunard, dont le goût était plus traditionnel mais l'instinct pour l'innovation très développé, disait que Constance devait « absolument » l'aider pour sa nouvelle maison de campagne. Ce fut le point de départ de la carrière de Constance.

Steenie tendit à Constance son verre de champagne. Elle n'y toucha pas. Il but le sien et s'en servit un second. Constance arrangea un petit groupe d'objets sur une table basse, déplaça une petite colonne en porphyre d'un demi-centimètre et fronça les sourcils en regardant le bouquet de fleurs, l'unique contribution de Steenie à la pièce. C'étaient de gros lys à l'odeur forte et très coûteux : ils avaient englouti une semaine entière de ses maigres revenus.

Steenie se sentit encore plus malade, mais pour une autre raison : la plupart des objets de cette pièce avaient été payés par Constance... donc par Stern. Elle était très généreuse avec l'argent de son mari. C'est ainsi qu'il avait acquis des objets bien au-dessus de ses moyens, son père s'étant montré particulièrement avare pour son installation. Sans cacher sa réticence, il avait payé le loyer de mauvaise grâce mais avait refusé, de façon parfaitement désagréable, d'en faire plus. Steenie avait alors réclamé sur son fonds fiduciaire une avance qui lui avait été refusée. Constance, son chéquier à la main, avait remédié à la situation. Mariée depuis peu, elle avait appris bien vite à dépenser l'argent de son mari, avait-il risqué de lui dire un jour. Constance lui avait retourné un regard complice :

– Un mari et une femme ne font qu'un. Et un seul compte bancaire aussi. N'oublie pas, Steenie.

Si Constance n'était pas intervenue, l'atelier aurait été meublé d'objets laissés pour compte par ses parents. Uniquement des souvenirs. Grâce à Constance, il avait échappé à ça mais avec le sentiment qu'elle lui avait forcé la main. Par ailleurs, son emprise sur lui l'obligeait à des compromissions, dont une en particulier, qui ne le quittait pas ce soir-là : la liste des invités au vernissage, qui incluait bien entendu Constance et son mari, excluait donc Tante Maud. Lorsque, très gêné, il le lui avait annoncé, elle avait réagi avec une grande dignité, pour ne pas dire une certaine indifférence. Elle avait répondu qu'elle pensait comprendre, qu'elle viendrait visiter l'exposition seule plus tard et qu'elle souhaitait que Steenie lui mette de côté ce petit tableau qu'elle avait toujours aimé. C'est ainsi qu'avant même l'arrivée des invités, cette toile était marquée d'une pastille rouge indiquant qu'elle était vendue. En voyant la pastille, Steenie s'était fait horreur.

Il vida sa seconde coupe de champagne, hésita puis s'en servit une troisième.

– Lady Cunard vient ?

– Bien sûr qu'elle vient, Steenie. Je te l'ai dit. Elle m'a promis.

– Et Stern ? Il va pouvoir s'échapper ?

– Montague ? Oh oui ! il me retrouve là-bas, après sa réunion.

Elle avait parlé sans chaleur, comme chaque fois qu'elle évoquait son mari. Steenie connaissait ce ton. Il savait qu'elle cherchait à masquer un sentiment fort. Il la regarda plus attentivement mais, comme toujours, son visage ne laissait rien transparaître.

— Très bien. J'aimerais avoir son opinion sur mon travail. S'il ne vient pas, je comprendrai. Je sais qu'il est toujours très occupé.

— Occupé ? Constance semblait amusée. Ça, c'est sûr. Mais il est très bien organisé. De réunion en réunion, toute la journée, il arrive même à caser sa femme dans son emploi du temps.

— Caser dans son emploi du temps ?

— Bien sûr. Elle sourit étrangement. Tu sais, il rentre à la maison tous les soirs exactement à la même heure. 6 heures, 6 h 30, au plus tard. Je pourrais presque régler l'horloge quand j'entends sa clé dans la serrure. Je l'attends en haut, ou en bas parfois. Et tu sais ce que nous faisons ? Nous allons au lit.

Steenie était stupéfait. Il n'avait pas l'habitude d'une telle franchise de la part de Constance. Pour cacher sa nervosité, il se réfugia dans une imitation de Conrad Vickers :

— Non ! Constance chérie, tous les soirs à la même heure ? C'est impressionnant. Quelle ardeur...

— A d'autres moments aussi, bien sûr. Mais tous les soirs quand il rentre. De Downing Street au lit. De la guerre à sa femme. Dis-moi franchement : tu te serais douté d'une pareille chose ?

— De la part de Stern ? Sûrement pas. Il a toujours l'air de si bien se dominer.

— Je sais.

Constance frissonna. Elle semblait hésiter. Steenie se jeta sur le canapé choisi par Constance et payé par Stern et prit une pose artistique.

— Chérie ! C'est trop fascinant. Je reconnais que je me suis demandé... Est-il... Je veux dire, quand vous...

— C'est très intime, Steenie. Je ne vais pas te révéler mes secrets d'alcôve.

— Parce qu'il y a des secrets ?

— Peut-être. Un ou deux. Montague est...

— L'amant parfait, compléta Steenie. Celui dont rêvent toutes les femmes : expert, dominant. Je n'ai pas de mal à imaginer. Connie, ma douce, tu fais de moi un envieux.

— Je pourrais l'aimer, Steenie.

Elle posa sa coupe de champagne et se détourna. Steenie la regarda d'un air complètement effaré.

— Qu'est-ce que tu as dit ?

— J'ai dit que je pourrais l'aimer. Je... je n'en suis pas très loin. Je ne m'y attendais vraiment pas. L'apprécier, l'admirer ou le respecter, oui. Mais pas l'aimer. Je n'avais pas prévu cette éventualité. Je me figurais...

Enfin, peu importe. Je me trompe certainement. C'est une lubie de jeune mariée, je suppose.

Steenie commençait à regretter d'avoir bu. Il avait l'esprit embrumé alors qu'il aurait fallu qu'il se concentre. Pendant un moment, il oublia Conrad Vickers et redevint lui-même.

— Connie, je ne comprends pas. Je te sens agacée. C'est ton mari. Pourquoi ne l'aimerais-tu pas ?

— Parce que je ne veux aimer personne. C'est vraiment difficile à comprendre ? Je me méfie de l'amour. Je n'y crois pas. Il affaiblit les gens. Il les rend dépendants, comme des marionnettes stupides dont on tire les ficelles. Je ne veux pas devenir comme ça. La plupart des femmes n'attendent que ça, ne pensent qu'à ça et ne parlent que de ça. C'est une vraie maladie chez elles. Et moi je ne veux pas l'attraper. Je préférerais avoir la malaria ou la tuberculose...

— Connie...

— C'est vrai ! Je préférerais avoir les poumons pourris que l'esprit. Et c'est ce qui arrive quand on aime : l'esprit se détraque et la personnalité aussi. Je m'en suis rendu compte bien des fois.

— Connie, arrête ! Steenie se mit debout. Tu te tortures pour rien. Tu ne penses pas la moitié de ce que tu dis.

— Oh, que si ! J'y ai beaucoup réfléchi. Mon mari ne m'aime pas, tu sais. Il n'est même pas amoureux de moi. Il me l'a dit clairement plusieurs fois.

— Connie, ne sois pas stupide. Ecoute. S'il l'a dit, il ne le pensait pas. Il joue un jeu, c'est tout. Conrad fait pareil avec moi. Stern ne veut pas que tu sois trop sûre de ta conquête. Tu es une femme, et les femmes se lassent vite des hommes qu'elles ont trop facilement, surtout toi. S'il se jetait à tes pieds, fou d'amour, tu n'aimerais pas ça. Tu le sais bien.

— Peut-être. Je le respecterais moins. Je trouverais qu'il manque de discernement, car je ne vaux pas la peine d'être aimée. Je l'ai toujours su. Et pourtant, j'aurais voulu l'être, juste une fois.

— C'est ridicule. Tu sais que c'est faux. Des tas de gens t'aiment. Moi, je t'aime. Et tous ces types qui te couraient après avant ton mariage. Ils étaient fous de toi.

— Oui, mais ils ne m'aimaient pas.

— Mais Stern doit te connaître.

— Non. Elle hocha la tête. Il aimerait sans doute. Je l'intrigue, tu sais. Comme un casse-tête chinois. Il aimerait séparer les morceaux puis les assembler. Mais je fais attention parce que je perdrais tout intérêt à ses yeux. Il ne faut pas qu'il sache ce que je ressens. Je ne le lui dirai jamais, même après cinquante ans de mariage. Les méandres de l'amour, vois-tu. Je veux que les pouvoirs restent équilibrés.

– C'est parfaitement absurde. Personne ne peut vivre comme ça. Quand on aime quelqu'un, il faut lui faire confiance et lui dire la vérité. Pourquoi en faire un combat permanent ? Wexton disait toujours... Steenie s'interrompit et devint rouge de confusion. Enfin, tu dis ça par vanité, c'est tout.

– Non, par expérience.

– Pourquoi ?

– Parce que j'aimais mon père. Je l'aimais tant, Steenie. Et je le lui disais... Tu te souviens du résultat ? Il me détestait. Plus je montrais mon amour, pire c'était. Je ne referai jamais cette erreur. Une fois suffit.

Sur ce, elle s'éloigna. Le sujet semblait clos. Edward Shawcross était d'ailleurs la dernière personne dont Steenie avait envie de parler.

– Connie, hasarda-t-il après plusieurs minutes de silence. Tu es malheureuse ? Essaies-tu de me dire que ton mariage ne te rend pas heureuse ?

Elle parut trouver la question incongrue.

– Malheureuse ? Non. Qu'est-ce qui te fait dire ça ? Tu te trompes. Je suis contente d'être mariée avec Montague. C'est une nouvelle vie. Je voulais juste te dire... Elle s'interrompit. Tu es mon seul ami, Steenie.

Steenie n'avait jamais vu Constance se reconnaître une faiblesse. Il en fut touché. Il rougit, hésita, puis se précipita sur elle pour l'embrasser.

– Toi aussi tu es ma meilleure amie. Oh, Connie... J'ai l'impression que tout va de travers. Je ne parle pas seulement du vernissage...

– Je sais.

– C'est Wexton, tu sais. Il me manque tellement. Et puis Conrad aime me rendre jaloux, je ne parle plus à Freddie, Maman ne sort jamais, même pour venir ici. Père est sénile, il ne parle que d'argent. C'est à cause de Boy. Ils ont été brisés. On ne peut plus parler ensemble. Il ne faut pas évoquer Acland. Ni Boy. Tout le monde fait semblant de croire à l'accident. Même Freddie. Je lui ai raconté toutes ces choses terribles que Boy m'a avouées. Mais il ne veut rien entendre. Il dit que c'est à cause de la guerre. Quelque chose en moi me dit qu'il a raison mais je n'arrête pas de me poser des questions.

Il avait réussi à capter l'attention de Constance. Quand il se retourna pour s'asseoir, elle le suivit, s'assit auprès de lui et lui prit la main.

– Steenie... Dis-moi quelles questions. Tu parles de ce que Boy t'a dit sur la mort de mon père ?

– Oui. Tu vois, je sais qu'il n'aurait pas pu faire une chose pareille. Il avait l'esprit dérangé mais il était si affirmatif quand il m'a expliqué qu'il avait pris le fusil et qu'il avait d'abord discuté avec Acland. Il a bien dû se passer quelque chose. Pourquoi aurait-il inventé tout ça ?

– Je comprends. Dans la lettre qu'il m'a écrite, il était aussi très affirmatif.

408

Elle s'interrompit. Elle s'apprêtait à lui révéler une chose de la plus haute importance. Plus tard, Wexton expliquerait à Steenie que cela l'avait libéré d'un grand poids. Mais quand j'ai lu moi-même ce qu'elle lui avait dit, cela n'a pas eu le même effet sur moi.

— Steenie, commença-t-elle d'une voix lasse. Je n'ai pas vraiment envie de reparler de cette nuit-là. Mais si je te disais quelque chose qui mettrait fin à tes doutes... Quelque chose qui prouverait que les aveux de Boy n'étaient qu'un effet de la guerre... Cela t'aiderait ?

— Oh oui! bien sûr. Tu vois... J'aimais Boy. Je peux comprendre qu'il ait été traumatisé par la guerre. Mais je ne supporte pas l'idée qu'il ait pu être un meurtrier.

— Il ne l'était pas, Steenie. En fait, il est matériellement impossible qu'il soit mêlé à la mort de mon père. Constance pressa sa main. La nuit de la comète, j'étais avec lui. Toute la nuit.

Les parents de Steenie n'assistèrent pas au vernissage et, dans la foule, personne ne remarqua leur absence. La réception débuta à 7 heures et une demi-heure plus tard, la galerie était tellement comble que les invités se répandaient jusque sur le trottoir. En dressant la liste avec Constance et Conrad Vickers, Steenie avait redouté qu'il y ait une division entre les invités. Il craignait une sorte de partition sociale entre, d'un côté, ses amis plus âgés et plus riches – le « contingent de Cunard » comme disait Vickers – et de l'autre les plus jeunes, plus pauvres et plus artistes. Mais l'abondance d'alcool brisa les barrières sociales. Après s'être flairés les uns les autres avec suspicion – « Comme des chiens, mais en plus convenable », dirait Steenie plus tard – les invités se mêlèrent les uns aux autres. Conrad Vickers et Steenie allaient de groupe en groupe, et quand il arrivait que Steenie s'occupe plus de ses mécènes potentiels que de ses amis désargentés, Vickers compensait en répandant ses « ché-ri » avec une absence de discrimination des plus généreuses. Des pastilles rouges apparaissaient un peu partout. En somme, nombreux étaient ceux qui ne voyaient dans son œuvre ni sucre, ni miel, ni eau de rose, ou qui, en tout cas, appréciaient un art aussi comestible.

Montague Stern, dont ce n'était pas le cas, seul invité à rester prudemment sur ses réserves, avait été à l'origine de cette ruée. Arrivé à l'heure, il réserva immédiatement trois tableaux. Et quand Stern donnait l'exemple, tout le monde suivait.

Lorsqu'elle retrouva son mari, une demi-heure plus tard, Constance l'embrassa.

— C'était vraiment gentil de votre part, Montague. Je sais que les toiles de Steenie ne sont pas à votre goût.

– J'aime bien Steenie. Je finirai peut-être par apprécier son travail.

– J'en doute.

– Cela lui fait plaisir, en tout cas. C'est la première fois que je le vois aussi heureux depuis des semaines.

– Oui. Constance jeta à son mari un regard oblique. C'est en partie à cause de moi. Il se faisait du souci à propos de Boy, vous savez. Il a fini par me l'avouer. Et je lui ai dit quelque chose qui l'a apaisé. Je vous le dirai aussi... plus tard. Quand nous pourrons nous échapper. J'aurais dû le faire plus tôt. Quand la réception sera terminée, si nous rentrions à la maison et discutions tranquillement comme un vieux couple?

– Je ne demande pas mieux, ma chère. Mais, pour le moment, vous devriez vous occuper des invités. Ce serait une bonne idée, par exemple, de délivrer Lady Cunard de ce pot de colle qui l'accapare.

Constance n'avait pas très envie d'aborder cet homme, un fameux sculpteur. La dernière fois, il lui avait tenu un discours sur Marx puis sur l'amour libre – deux termes antinomiques à son avis. Mais, passablement éméché, il commençait à devenir bruyant et Lady Cunard semblait en mauvaise posture.

Constance fit son devoir et Lady Cunard s'éclipsa promptement. Le sculpteur titubait.

– Constance! s'exclama-t-il en lui plantant un baiser rêche. Ma muse! Où vous cachiez-vous? Et ce voyage de noces?

Constance se renfrogna. Avant de pouvoir se retenir, elle lui fit la même réponse qu'à Steenie:

– Oh, mon voyage de noces? Il a commencé par un décès.

Le fameux voyage de noces. Stern et Constance étaient parvenus au pavillon de chasse de Denton en fin d'après-midi, après une route longue et pénible, la gare la plus proche se trouvant à cent vingt kilomètres. Le mot « pavillon » n'était guère approprié: la maison qui abrita le début de leur vie conjugale – que Stern achèterait plus tard – était un château grotesque que le père de Denton avait fait construire. La route qui y menait, étroite et mauvaise, serpentait jusqu'à un col entre deux montagnes puis redescendait vers une côte et une mer invisibles. Au tréfonds d'une vallée encaissée s'élevait la maison en grès rouge sang.

Ils l'aperçurent en franchissant le col. Stern demanda au chauffeur de s'arrêter, descendit de la voiture et resta debout face au vent quelques instants. Constance refusa de sortir de la voiture. Tremblant de froid, elle se pelotonna dans les plaids de voyage. Le soleil se couchait. Au-dessus de la masse rouge de la maison, le ciel était embrasé et les nuages saignaient. Elle détourna les yeux. Elle était déjà venue dans cette maison, mais en été.

En hiver, sa morne splendeur était terrifiante. Etait-ce vraiment là l'originalité qu'elle avait recherchée ? La main de Dieu était visible dans ce paysage. Les arbres étaient décharnés, les montagnes acérées comme des dents. Des rochers aux arêtes aiguës se dressaient partout. Quelle beauté sauvage, désolée et funèbre ! « Pourquoi ai-je donc accepté de venir ici ? » se dit-elle en frissonnant de plus belle.

En entrant dans la maison, le régisseur les accueillit avec un télégramme. Constance, qui n'avait pas parlé à Stern de la lettre de Boy, savait ce qu'il annonçait. Elle s'affala dans l'un des énormes sièges du gigantesque vestibule. Ses yeux se posèrent sur l'immensité de la pièce, des fenêtres de six mètres de haut, la cheminée démesurée qui engloutissait des troncs d'arbre de deux mètres de long. Ses petits pieds étaient posés sur une peau de tigre. Les yeux de verre de cerfs empaillés accrochés au mur l'observaient. Elle serra son sac contre elle, craignant que son mari, aux yeux si perçants, voie l'enveloppe à travers le cuir du sac et en lise le contenu. En ouvrant le télégramme, Stern resta imperturbable. Il leva les yeux et dit d'une voix impassible :

— Boy est mort. Un accident. Je téléphone à Winterscombe.

Il mit du temps à obtenir le numéro. Lorsqu'il eut quelqu'un au bout du fil, il fut parfait, comme d'habitude. Il exprima ses condoléances et expliqua qu'ils étaient disposés à écourter leur lune de miel et à rentrer mais que, l'heure étant tardive, ils prendraient une décision le lendemain matin.

— Je ne crois pas que c'était un accident, dit Constance d'une voix fluette, un peu plus tard.

— Sans doute. Vu les circonstances, répondit Stern.

Ce fut tout. Pas d'allusion au suicide, ni à la photo montrée par Stern à Boy au club. Constance trouva cela inquiétant mais aussi, d'une façon plus occulte, exaltant. Quel homme secret ! « La mort lui est familière », se dit-elle. Elle se sentait nerveuse : qu'allait-il faire quand ils seraient en haut, dans leur chambre ?

Ce fut décevant. Avec une froide politesse, Stern l'accompagna jusqu'à sa porte, appela la servante et l'informa que son épouse était épuisée et sous le choc et s'en alla pour la laisser se reposer.

Constance n'avait aucune envie de se reposer. Elle ne ferma pas l'œil de la nuit. Le vent hurlait dehors, se ruant contre les portes et les fenêtres. Le lendemain matin, Stern vint ouvrir les rideaux de sa chambre. La lumière était étonnamment blanche.

— Il a neigé cette nuit, dit-il. Enormément. Je crains qu'il ne soit plus question de retourner à Winterscombe. Nous sommes... coupés de tout, ajouta-t-il avant de la quitter.

Effectivement. La neige avait rendu impraticable l'unique route d'accès. Personne ne pouvait atteindre la maison, ni la quitter. La ligne téléphonique était coupée. Constance eut l'impression que son mari n'était pas mécontent de cette isolation forcée. Pas elle. Malgré les grands feux brûlant jour et nuit, elle avait toujours froid. Les pièces et les couloirs résonnaient. Des fenêtres, la vue n'était que désolation.

– Que voyez-vous, Constance ? lui demanda Stern cinq jours plus tard.

Le paysage était toujours enneigé mais la tempête avait cessé. Ils étaient assis dans le grand salon, Stern près du feu et Constance recroquevillée près d'une fenêtre.

Elle appuya son visage contre la vitre et enfonça ses ongles dans la paume de ses mains. Elle dormait seule depuis cinq nuits. Son mariage n'était pas encore consommé. Sans explication.

– Ce que je vois, Montague ? Eh bien, cinq mille hectares de neige. La même vue de toutes les fenêtres.

Le lendemain, Stern donna des instructions au régisseur. Sa femme se sentait prise au piège dans la maison, lui dit-il. Des employés de la propriété furent donc envoyés pour frayer un chemin dans la neige. Lorsque ce fut terminé, Stern amena Constance à la porte d'entrée. En souriant, il lui montra le chemin ménagé pour elle, un chemin scintillant, suffisamment large pour deux personnes côte à côte, allant de la porte à la balustrade. Cette balustrade marquait la limite des tentatives de Gwen pour aménager un jardin. Au-dessous, le sol descendait en pente jusqu'à un point de vue surplombant l'étendue déserte d'un Highland. Constance considéra le chemin, le ciel sans nuages et le soleil. L'air était glacial et légèrement salé. Stern sourit.

– Vous voyez ? C'est la liberté.

Les trois jours suivants, matin et soir, ils sortirent prendre l'air, avançant sur le chemin, bras dessus, bras dessous ; une progression lente de la maison au paysage désolé, du paysage désolé à la maison.

– Cela ressemble à une promenade dans une cour de prison, vous ne trouvez pas ? dit un jour Stern en regardant Constance d'un œil amusé, comme s'il faisait allusion à quelque chose.

– Un peu, répondit-elle en crispant sa main.

Elle décida que la remarque n'était pas à double sens. Cent pas à l'aller, cent au retour. Parfois, Constance se promettait qu'au bout de cinquante pas elle parlerait. Ce ne devrait pas être si difficile de se tourner vers lui et de lui demander pourquoi elle dormait seule.

Un, deux, trois jours passèrent. Elle ne posait toujours pas la question. Les mots restaient coincés dans sa gorge, comme les remerciements lorsqu'elle était enfant.

L'après-midi du troisième jour, elle se résolut : plus d'hésitation, elle prononcerait les mots en arrivant à la balustrade. Cent pas. Elle posa ses mains gantées sur le rebord de la balustrade, ouvrit la bouche, regarda le paysage et... aucun son ne sortit.

La vue était majestueuse. Toutes les couleurs avaient été effacées par la neige, à part le lac noir en bas. Protégé du vent par les montagnes environnantes, sa surface n'était jamais ridée.

Non, elle ne parlerait pas. D'un air craintif et désespérée, elle regarda son mari.

Cela faisait un certain temps qu'il n'avait rien dit. Elle lut sur son visage que, contrairement à elle, il aimait cet endroit. Pendant un instant, elle eut l'impression qu'il luttait intérieurement pour se mesurer à ce paysage sauvage, à sa beauté dangereuse. De profil, son visage pâle se découpant sur le ciel, elle prit conscience pour la première fois qu'elle ne l'avait jamais compris. Stern le machiavélique, le briseur de pouvoir, l'homme influent des clubs, des couloirs et des salons, voilà comment elle l'avait vu jusqu'à présent. Elle s'était trompée. « Aujourd'hui, j'ai vu l'âme de Montague », écrira-t-elle. Comme il était toujours silencieux et semblait avoir oublié sa présence, elle posa une main sur son bras. Elle aurait voulu exprimer ce qu'elle venait de surprendre sur son visage mais ne trouvait pas ses mots. Elle lui dit seulement sa surprise qu'il aime ce paysage et que si on lui avait demandé quel endroit convenait le mieux à sa personnalité elle aurait choisi l'antithèse de celui-ci.

– Une maison classique dans un parc classique. Voilà ce que j'aurais répondu. Un endroit plutôt austère.

– Je peux aimer ça aussi, répondit-il d'un air absent, les yeux toujours fixés sur l'horizon. Mais je préfère ce lieu. C'est la première fois que je viens en Écosse.

Il y eut un silence. Stern continua à contempler le paysage enneigé. Au loin, un oiseau aux ailes déployées, un aigle peut-être, planait dans le courant ascendant.

– Nous pourrions avoir tout ça.

Il s'était tourné brusquement vers elle et lui avait pris la main. Elle vit son visage dévoilé, libéré de sa retenue coutumière, nu devant elle pour la première fois, les yeux brillants d'émotion.

– Vraiment ?

Il fit un grand geste vers le paysage : les rochers, les montagnes, l'eau, la mer.

– Nous pourrions, si vous le voulez. Nous pourrions... tout avoir. Ce serait à nous. Il suffirait de... le réclamer.

– Cet endroit ?

Constance se sentit attirée vers lui. Il lui offrait tout ça, et plus encore. Elle se sentit aspirée elle aussi par le courant ascendant. Le monde était à leurs pieds. Un seul mot et il leur appartiendrait. Non, pas un mot. Son mari s'était penché vers elle. Un baiser, et elle serait libre.

Elle le regarda dans les yeux et se souleva pour l'embrasser. Le bras de Stern se resserra autour de sa taille. Au dernier moment, elle frissonna, prit peur et se déroba. Elle fit quelques petits gestes fébriles dans le vide, porta son regard vers la cime des montagnes puis l'eau du lac. Pensait-elle à son père ? Peut-être. Peut-être.

« Trop au nord, se dit-elle. Trop froid. » Elle se retourna avec un petit air de dégoût qu'elle ne réussit pas à réprimer.

— Cet endroit ? En août, oui, quand on aime chasser. Mais en hiver ?

Elle s'arrêta, épouvantée par ce qu'elle venait de dire. Quand elle se retourna, le lumière s'était retirée du visage de son mari. « Laissez-moi une autre chance », implora-t-elle silencieusement. Juste une.

— Pourquoi cette question ?

— Comme ça, répondit Stern en se détournant. Il prit son bras. Si nous retournions à la maison ?

— Montague...

— Vous avez froid. Nous en reparlerons une autre fois, dit-il d'une voix cassante.

Cent pas jusqu'à la porte. Arrivée là, elle chancela. Elle devait parler, maintenant ou jamais. Elle ramassa une poignée de neige qu'elle écrasa entre ses doigts.

— Après le dîner, dit-il d'une voix indifférente. Nous en reparlerons.

Il ouvrit la porte mais elle ne bougea pas. Elle ne le croyait pas ; ils n'en reparleraient pas après le dîner. C'était indiscutable.

— Montague...

— Ma chère ?

— Vous arrive-t-il de vous sentir confiné ? Enfermé ? Au point de ne plus pouvoir respirer ? Au point que quand vous tendez la main vous ne touchez que des barreaux ?

Il la considéra attentivement.

— Oui. Je l'ai déjà ressenti. Cela doit arriver à beaucoup de gens, je suppose.

— Vous pouvez me libérer, s'écria-t-elle en laissant les flocons de neige tomber de sa main. Vous pouvez, j'en suis sûre. Nous pourrions nous libérer mutuellement. Oh, Montague... Elle leva son visage vers lui. Vous me comprenez ? Vous pensez que j'ai raison ?

Stern regarda son visage implorant. Son expression se fit plus douce. L'attirant à elle, il lui embrassa le front puis souligna tendrement du doigt le contour de ses traits charmants.

— C'est pour ça que je vous ai épousée, répondit-il calmement. Vous ne le saviez pas ?

414

*

— A notre retour à Londres, commença-t-il en la regardant à l'autre bout de la table, nous devrons décider où nous habiterons. Avez-vous une préférence ?

— Quelque part dans Londres. Et à la campagne aussi.

Elle restait prudente. Son mari avait quelque chose en tête.

— Et après la guerre j'aimerais voyager. Je n'ai pas envie de rester toujours au même endroit.

— Je sais.

Il se concentra sur son verre. Les domestiques s'étaient retirés. Entre Constance et son mari il y avait une énorme pyramide de fruits flanquée de deux hauts candélabres en argent. Constance jeta un regard circulaire désespéré sur la pièce. Des sièges massifs, de gigantesques tapisseries armoriées, d'énormes tableaux de vallées écossaises. Tout était trop grand dans cette maison. Même les sièges lui donnaient l'impression qu'elle était naine.

— Je pourrais obtenir Winterscombe en moins d'un an, si je le voulais. La maison sert de garantie à mes prêts et je peux les exiger à n'importe quel moment. Et je sais qu'il n'y a aucune possibilité pour que je sois remboursé. Savez-vous que je possède le domaine Arlington ?

— Non, Montague.

— Je l'ai acheté après la mort d'Hector Arlington. Je possède également celui de Richard Peel. Vous vous souvenez de Peel, le vieil ami de Denton ? Celui qui était content qu'un Juif lui donne des conseils pour ses investissements mais qui ne voulait pas le recevoir à sa table ? Il est mort l'automne dernier. J'ai racheté sa propriété à ses héritiers. Il n'avait pas d'enfants.

— Arlington, Peel et Winterscombe ? Mais ces trois domaines sont adjacents !

— Absolument. Et puis il y a celui de Jane Conyngham. C'est le plus vaste de tous. Elle m'a dit qu'elle voulait vendre.

— Et sa propriété est voisine de celle d'Arlington. Vous pourriez rassembler les quatre et n'en faire qu'un.

— Je pourrais, en effet. Cet endroit aussi, peut-être. Je l'aime bien.

— Si vous le faisiez, quelle superficie auriez-vous ?

— Six mille hectares. Sans compter les cinq mille d'ici. Cela ferait quatre maisons en tout. Ça nous laisse le choix. Winterscombe n'est pas vraiment à mon goût. Peut-être du vôtre, toutefois. La maison de Jane Conyngham est belle et celle de Peel encore mieux. Nous pourrions aller les visiter et si vous ne les aimez pas nous pourrons construire. Les maisons nc m'intéressent pas tellement. J'en ai eu plusieurs. Je me sens obligé de les remplir d'objets et quand c'est fait elles ne m'intéressent plus.

— Vous voulez dire que vous préférez la terre ?

— J'aime l'espace. Il se leva. Quand j'étais petit garçon, je rêvais d'espace. Là où je vivais, il n'y avait que trois pièces. On ne pouvait jamais être seul. Mais vous ne voulez pas entendre parler de Whitechapel, si je me rappelle bien.

Il s'approcha des fenêtres, écarta les lourds rideaux et regarda dehors. C'était la pleine lune. Constance l'apercevait au-dessus de l'épaule de son mari. Elle regarda son assiette.

— Est-ce la seule raison, Montague ? Votre amour de la terre ?

— Non. J'ai toujours voulu... cela vous surprendra peut-être. J'ai toujours voulu posséder quelque chose que je transmettrais. J'aimerais... un fils. J'aimerais transmettre ma terre à mon fils. Je fais un rêve depuis de nombreuses années. Dans ce rêve, je vois très clairement mon fils, son visage, ses cheveux, chacun de ses traits. Nous nous promenons dans notre propriété. Et nous savons qu'elle est pratiquement illimitée. Parfois, nous nous tenons au centre, nous regardons autour de nous et je lui dis : « C'est à toi. Prends-le. » Mon fils est différent de moi, bien entendu. Il est plus libre que je ne l'ai jamais été. De toute façon, ce besoin ne vous concerne pas. Ce n'est qu'un rêve.

— J'aurais cru, au contraire, qu'il me concernait, dit-elle à voix basse.

— Mais bien sûr. Je suis désolé. Je ne voulais pas vous froisser.

— Dans votre rêve, vous êtes toujours seul avec votre fils, Montague ?

— Oui.

— Je n'y suis jamais ? Même maintenant ?

— Pas jusqu'à présent, ma chère. Mais je suis certain que ça va changer et que vous allez y apparaître. Mon esprit a besoin de temps pour s'adapter à notre mariage, je suppose.

— J'aurais aimé faire partie de vos rêves.

— Mais vous y êtes, Constance. Depuis un certain temps déjà.

— Vraiment ? Elle se tourna vers lui et lui tendit sa main.

— Mais bien sûr !

Il avait pris un ton plus affectueux. Il s'inclina sur la main de Constance pour l'embrasser.

— Quel visage triste ! Que se passe-t-il ? Ai-je fait quelque chose qui vous a offensé ?

— Un peu.

— Racontez-moi. Ce n'était pas dans mon intention.

— Je n'en suis pas sûre. Il se pourrait que je n'aie pas envie de vivre à Winterscombe. Ni près de Winterscombe. Cela me rappelle trop le passé. Mon père...

416

— Alors, oublions cette idée. Nous construirons notre petit empire ailleurs. Pensez-y et si c'est ce que vous voulez, nous changerons nos projets. Il fit une pause. Il y a autre chose, Constance. N'est-ce pas?

— Je suppose. M'aimez-vous bien, Montague?

— Quelle question de la part d'une femme à son mari! Bien entendu, je vous aime bien. Je vous aime même beaucoup. Mais je l'exprime peut-être mal. C'est dans ma nature d'être indirect. J'ai essayé de vous faire comprendre...

— Pourriez-vous presque... m'aimer, Montague? Je crois que cela me suffirait, dit-elle en prenant la main de son mari sur une impulsion.

— Je peux vous dire quelque chose qui répondra peut-être à votre question. Je suis certain de m'intéresser à vous depuis très longtemps. Aimeriez-vous savoir la première fois que je vous ai remarquée?

— Oui.

— Lorsque nous sommes allés voir *Rigoletto* à l'opéra. Nous étions dans le salon de Maud. Vous m'avez raconté ce que vous imaginiez qui s'était passé à l'opéra après le baisser de rideau.

— Ce jour-là?

— Oui, je crois. Votre petite supercherie sur votre mère et sa race n'était pas nécessaire. Je savais que j'allais vous épouser, des mois avant que nous en parlions.

— J'ai du mal à y croire! Vous vous moquez de moi...

— Comme vous voudrez. Mais vous vous trompez. Je ne me risquerais pas à me moquer de vous. Et de toute façon l'idée ne m'en viendrait pas. Je vous livre simplement ce à quoi j'ai pensé: nous allions nous marier et nous aurions des enfants, en temps utile.

— Mais vous étiez encore avec Maud!

— Il n'empêche.

— Vous avez pris cette décision comme ça? Aussi froidement?

— Je ne me sentais vraiment pas froid à ce moment-là. Et j'imagine que vous-même avez préparé votre petit plan assez froidement aussi. Vous voyez? Nous sommes de la même trempe. Si vous vouliez bien me faire un peu confiance...

— Me faites-vous confiance?

— J'essaie.

— Vous ne m'obligerez pas à vivre à Winterscombe?

— Non. Je n'essaierai jamais de vous faire faire quelque chose contre votre gré. J'avais cru, mais apparemment je m'étais trompé, que vous étiez attachée à cet endroit.

— A la maison? Non.

— A quelqu'un de la maison, peut-être?

— Non. Plus maintenant.

— A Acland, par exemple ?

— Pourquoi Acland ? Pourquoi dites-vous ça ?

— Pour aucune raison particulière. C'était juste... une impression.

— Oh, Acland et moi étions de vieux ennemis ! Je ne pense plus à lui. Il est mort. J'ai un nouvel antagoniste, Montague. Regardez ! Je porte sa bague à mon doigt.

— Vous portez tellement de bagues, répliqua Stern en examinant la petite main que Constance lui tendait.

— Une seule a de l'importance.

— Vraiment ?

— Bien sûr. Je suis votre femme maintenant. Enfin... presque.

— Et si nous faisions en sorte que vous soyez complètement ma femme ?

Le récit de Constance s'arrête là. Elle a laissé une demi-page blanche avant de reprendre, d'une écriture presque illisible :

Montague s'est montré si bon, gentil et patient. Ni jeux, ni paroles. Je ne m'en suis pas trop bien sortie. J'ai saigné. J'ai eu peur que ses yeux me détestent mais ce ne fut pas le cas. Je crois que cela m'a troublée. J'ai fait une chose terrible. J'ai crié ton nom, Papa. Trois fois.

Je me débrouille mieux depuis. Montague ne me pose jamais de questions. Il fait preuve en permanence de beaucoup de considération à mon égard. Quand il me touche, j'ai l'impression d'être morte. Il n'arrive pas à me réveiller. Nous devons continuer à essayer, tous les deux. Quand je suis près de lui, je dois le toucher.

Il va falloir que je lui dise. J'ai peur. Tous ces secrets.

— Dites-moi, alors, Constance, lui dit Stern.

C'était la nuit du vernissage de Steenie. Constance et son mari étaient rentrés chez eux, dans la dernière de leurs opulentes maisons de location. Il était 10 heures et le coup de téléphone qui allait changer leur vie n'aurait lieu que dans une heure. Stern était assis près de la cheminée et Constance, le visage fermé et concentré, faisait les cent pas dans la pièce. Pointilleuse sur ces questions, elle portait le demi-deuil pour Boy : une robe à la mode mais de couleur lavande, un compromis entre le chic et les conventions. Mais certains signes indiquaient qu'elle se rebellait contre ces pratiques. Elle tenait à la main un foulard magnifique aux couleurs étincelantes : indigo, vermillon et violet. Tout en marchant, elle le triturait dans ses mains.

Elle commença par expliquer que, l'après-midi, elle avait donné une version édulcorée à Steenie.

— Et moi, j'ai droit à la version non censurée ? interrogea-t-il sèchement.

— Oui, répondit-elle en enroulant le foulard autour de sa main. Mais, même si vous êtes furieux, vous ne devez pas m'interrompre. Vous devez tout savoir. J'aurais dû vous le dire plus tôt. Eh bien, vous savez déjà que Boy aimait me photographier. Ce que vous ne savez pas c'est qu'il aimait aussi me toucher.

Elle raconta alors à son mari l'histoire qui suit. Comme le seul témoin était mort, je n'ai aucun moyen de savoir si ce récit était véridique ou si, incapable de dire toute la vérité à son mari, elle l'avait inventé. Il est peut-être partiellement véridique, complètement véridique, ou fabriqué de toutes pièces. Constance n'était pas une menteuse ordinaire et elle se servait souvent de la fiction, comme le font les conteurs, pour arranger la vérité.

Une seule chose est sûre : son rôle dans tout ça n'a certainement pas été aussi innocent qu'elle a bien voulu le dire. Rappelez-vous la pose qu'elle a prise pour la photo de Boy dans la Chambre du Roi. Rappelez-vous Freddie. Qu'elle se pose en victime dans le cas de son père, oui. Mais présenter Boy comme un vil tentateur, ça ne tient pas debout. Quoi qu'il en soit, ma réaction importe moins que celle de Stern. La question est : l'a-t-il crue ?

Cela avait commencé par une conversation, puis, progressivement, les mots s'étaient transformés en une série de jeux. Le tout premier avait des règles bien définies : Boy était le père et Constance la fille. Elle devait l'appeler Papa et quand elle allait le voir dans sa chambre, elle devait lui confesser ses bêtises. Parfois, ce nouveau père était indulgent : il lui pardonnait ses petits crimes – insolence avec la gouvernante, jupe déchirée, dispute avec Steenie – et lui donnait un baiser d'absolution. D'autres fois, sans raison apparente, il décrétait que le crime était plus grave. « Inattention à l'église. Ça, c'est grave. » Ou : « Constance, ton travail est peu soigné ; tu ne t'appliques pas assez. Je dois te punir. »

La punition était toujours la même. Il la mettait en travers de ses genoux et lui administrait plusieurs fessées cuisantes. Ces séances opéraient sur lui une transformation que Constance ne comprit pas au début. Ses yeux devenaient fixes et vitreux, il se mettait à bégayer, le timbre de sa voix changeait et il avait une érection.

Constance ne savait pas alors ce qu'était une érection : tout ce qu'elle savait c'était que quand ils jouaient à ce jeu, quand Boy la plaquait sur ses genoux, elle sentait quelque chose se dresser et appuyer contre ses côtes. Boy semblait en avoir honte. Après les fessées, il ne la regardait jamais.

Peu après, Boy inventa un nouveau jeu, une forme de cache-cache peu ordinaire puisqu'ils se cachaient tous les deux. Dans sa chambre de Winterscombe, il avait un placard en acajou aussi grand qu'une petite pièce : il y tenait debout. Ils entraient tous les deux dedans et Boy refermait les portes de l'intérieur. Ils devaient rester absolument silencieux dans le noir.

A l'intérieur, Constance ne bronchait pas alors que Boy respirait très fort. Elle se mettait à compter, espérant qu'à cinquante Boy mettrait fin au jeu. Elle n'arrivait pas à respirer et n'osait par sortir.

Un jour, ou une nuit, la troisième ou la quatrième fois qu'ils jouaient à ce jeu, Boy lui a murmuré qu'ils pourraient se tenir la main puisque Constance avait peur dans l'obscurité. Il lui tint la main quelque temps puis émit un bruit étrange, mi-soupir, mi-grognement, et guida la main de Constance pour qu'elle le touche.

Elle sentit alors cette chose étrange, aussi rigide et dure que les autres fois, qui formait un renflement. Boy mit la main de Constance dessus, de sorte qu'elle en épouse le relief. Il se mit alors à remuer, à bouger ses hanches de droite et de gauche pour se frotter contre sa main. Puis, toujours sans parler, il accéléra frénétiquement le rythme puis poussa un grognement et un grand tremblement parcourut son corps. Quand il l'aida à sortir du placard, il lui donna un petit baiser au coin de la bouche et lui dit que c'était un secret entre eux, qu'ils pouvaient jouer à ce jeu parce qu'il était son père et son frère et qu'il l'aimait.

Pendant plusieurs semaines, ils jouèrent à ce petit jeu sans jamais prononcer une parole à l'intérieur du placard. Ensuite, Boy commença à innover. Un jour, il lui déboutonna sa robe. Un autre, il s'agenouilla et lui caressa les chevilles. Un troisième jour, il y eut dans le placard des mouvements et des bruits de tâtonnements. Quand Boy dirigea la main de Constance, elle s'aperçut qu'il s'était déboutonné à l'endroit du renflement. Elle le sentait, dressé comme un gros bâton dans l'obscurité. C'était chaud et humide. Boy lui dit de le caresser. Mais au moment où elle refermait sa main dessus, il se mit à trembler convulsivement. Constance était à la fois effrayée et fascinée. Elle ne savait pas si c'était une preuve d'amour, comme le prétendait Boy, ou une punition.

Au fil des semaines, Boy s'enhardit de plus en plus. Il ne se contentait plus du placard mais sortait aussi sa chose quand il photographiait Constance. Il lui faisait prendre une pose, chargeait le film, réglait l'appareil puis, avant de prendre la photo, s'asseyait en face d'elle avec sa chose dans les mains.

Il ne regardait jamais Constance en face dans ces cas-là. Il fixait des yeux la petite fente entre ses jambes. Constance détestait cette partie de son anatomie, son endroit secret à elle, mais Boy aimait la fixer tout en se caressant. Ensuite il fermait les yeux et se mettait à grogner d'une façon insupportable. Après, il se lavait toujours avec un savon à l'œillet.

Longtemps après le début de leurs ébats, Boy inventa une dernière variante qu'il appelait « explorer la grotte ». Son rituel était invariable : il s'asseyait et mettait Constance à califourchon sur ses cuisses. Une seule fois, il l'avait embrassée sur la bouche mais il n'aimait pas ça. Il mettait ses mains autour de la taille de Constance puis la soulevait et l'abaissait un certain nombre de fois. Quand il atteignait la grotte, comme il disait, son visage se contorsionnait. Ce jeu faisait mal à Constance et elle pensait qu'il faisait mal à Boy aussi parce que chaque fois qu'il atteignait la grotte son visage prenait une expression douloureuse. Elle ne comprenait pas pourquoi il aimait tant ce jeu qui les faisait souffrir tous les deux.

Quand c'était fini, il l'aidait à se rhabiller. Il était toujours gentil avec elle. Il lui donnait un baiser ou lui faisait un petit cadeau. Un jour, il lui offrit une bague avec une pierre bleue ; un autre, il lui montra une boîte dans un coin de la pièce dans laquelle dormait, à moitié sous une couverture, un minuscule épagneul. Après le cadeau, elle quittait la chambre. Il fallait faire très attention à ne pas être vue. Un jour, très longtemps après, l'été où la guerre fut déclarée, elle s'était fait prendre.

C'était un dimanche matin. Juste au moment où elle se glissait sur le palier, elle aperçut Acland en haut de l'escalier. Il s'arrêta et l'observa. Elle savait qu'il pouvait lire en elle. Sans dire un mot, il se précipita dans la chambre de Boy et, de l'autre bout du palier, elle entendit leur discussion orageuse. Quelque chose avait dû se produire car par la suite il n'y eut plus jamais de visites, de photos, de cache-cache, d'exploration de sa grotte.

Acland l'avait sauvée et elle lui en était reconnaissante. Elle n'était plus une enfant et savait que ces jeux étaient défendus. Elle n'en voulait pas à Boy car il l'aimait vraiment mais ce qu'il avait fait était un péché et elle espérait qu'Acland l'avait puni.

– Voilà quel était mon secret, dit Constance, le dos tourné à son mari, serrant fort le foulard autour de sa main. Elle avait un sentiment de honte et tremblait de tout son corps. Vous voyez ? Voilà ce qu'on m'a fait. Je n'arrive pas à oublier. Boy m'a enfermée dans son placard et j'y suis toujours, sans air pour respirer. Cela l'a tué et cela me tue maintenant. Vous êtes le seul à pouvoir me libérer.

Elle se mit à pleurer et couvrit son visage de ses mains.

Stern, qui n'avait pas dit un mot pendant le récit, se leva. Il n'alla pas tout de suite vers sa femme mais se mit à arpenter la pièce. Son visage était blanc de colère.

– C'est aussi bien qu'il se soit supprimé lui-même, sinon je l'aurais fait.

Constance ne douta pas un instant de sa sincérité. Comme plusieurs fois déjà en Ecosse, elle sentit chez son mari une grande violence intérieure. Cela l'excitait : elle avait toujours été attirée par ceux dont les émotions faisaient transgresser les limites du comportement civilisé. Surtout quand elle était à l'origine de ce débordement. Stern le justicier : plus implacable que dans les romans et les pièces de théâtre, plus satisfaisant aussi parce que le personnage était réel. Elle cessa de pleurer. Stern revint vers elle.

— Boy m'a donné sa parole, au club. Il a dit qu'il ne vous avait jamais touchée.

— Et que pouvait-il dire d'autre ? Pensez-vous qu'il allait vous confesser la vérité ? Surtout à vous ?

— Mais vu la façon dont il l'a dit, je croyais avoir compris...

— Croyez-le donc, lui ! Elle se remit à pleurer. Les hommes sont tous les mêmes, ils préfèrent croire un homme qu'une femme.

— Non. Non. Ce n'est pas ça. Ne pleurez pas. Je ne mets pas votre parole en doute. Mais quelqu'un ne dirait pas ça si... Venez ici.

Il l'enlaça, l'attira contre son cœur, embrassa son front et lui caressa les cheveux.

— Constance, dit-il gentiment, vous auriez dû me le dire plus tôt. J'aurais agi différemment avec vous. Je m'en veux. Si j'avais su, j'aurais... Quand cela a-t-il commencé ?

— La nuit de la mort de mon père. Je me sens encore plus coupable. Mon père était dehors, en train de mourir. J'ai passé toute la nuit avec Boy. Au début, nous avons discuté dans sa chambre. C'est ce que j'ai dit à Steenie. Je ne lui ai pas parlé du reste. Je voulais juste qu'il comprenne que Boy avait menti, qu'il n'avait pas pu tuer mon père.

Elle s'arrêta. Le corps de son mari était tendu.

C'est alors qu'il s'écarta d'elle, toute trace de colère disparue. Il lui prit les mains et la regarda droit dans les yeux. Le balancier de l'horloge troublait le silence. Plusieurs minutes s'écoulèrent.

— Ce n'était pas Boy ?

Il l'attira vers le canapé et ils s'assirent.

— Constance, expliquez-vous.

Expliquer quelque chose à son mari, écrivit Constance plus tard, était une entreprise difficile. C'était comme subir un contre-interrogatoire : pendant qu'elle parlait, il arrivait qu'il l'interrompe d'une question – quand ? où ? comment ? – comme pour faire des recoupements avec des éléments qu'il connaissait déjà.

— Vous voyez, dit Constance. Boy m'avait prise en photo pour la première fois le jour même. Dans la Chambre du Roi. Je n'avais jamais vraiment fait attention à lui mais ce jour-là je me suis aperçue qu'il faisait un effort de gentillesse à mon égard. Le soir, Steenie et moi avons été autorisés à rester debout pour regarder la comète. Après, Nanny m'a mise au lit mais je n'arrivais pas à dormir. Je voulais assister à la réception, regarder toutes les belles robes. Je me suis glissée au rez-de-chaussée en chemise de nuit et me suis cachée dans la véranda. Steenie et moi nous cachions souvent là pour échapper à Nanny Temple. Je me suis tapie derrière une haute rangée de camélias : je voyais le salon.

— C'est comme ça que vous avez assisté à la demande en mariage ?

— Oui. Jane était au piano et la musique m'avait engourdie. J'allais retourner me coucher quand la musique s'est arrêtée. Jane et Boy sont arrivés près de moi et... Mais vous connaissez la suite. Il a été vraiment maladroit et je me suis moquée de lui plus tard. J'en ai même fait une piécette que j'ai jouée avec Steenie devant Freddie. Je n'aurais pas dû. Je le regrette maintenant. Je ne hais pas Boy, Montague, malgré ce qu'il a fait. J'ai pitié de lui. Il était victime de son père. Il savait qu'il ne serait jamais tel que son père le souhaitait. Il était très malheureux.

— Cela a fait de lui un bourreau d'enfant. C'est cela que vous voulez dire ?

— Ne soyez pas si sévère. Boy avait peur de grandir. Il avait peur des femmes adultes. Enfant, il était certain de l'amour de son père pour lui. Mais en vieillissant, il se rendait compte qu'il n'était pas à la hauteur de ses espérances. Je comprenais qu'il ait envie de rester un enfant, de garder le même âge que quand il était heureux.

— Ah bon ?

— Oh oui ! Et il le savait. C'est pourquoi je le rassurais. D'abord, j'étais une enfant. Une enfant si moche, si peu attirante, si renfrognée, qu'à côté de moi personne ne pouvait se sentir en situation d'échec, même pas lui. Tout le monde avait pitié de lui et il ne le supportait pas. Ça aussi, je le comprenais. Il y avait donc une sorte d'alliance entre nous. Nous étions amis.

— Très bien. Je comprends.

— Je n'en suis pas certaine. Vous ne savez pas à quel point il est pénible de faire pitié. Personne ne vous infligerait cela à vous.

— Je ne suis pas aussi invulnérable que vous l'imaginez. Mais peu importe. Poursuivez.

— Une fois Jane et Boy partis, j'étais surexcitée. Une demande en mariage ! Je voulais réveiller Steenie pour lui annoncer la nouvelle mais il venait de s'endormir. Il devait être à peu près minuit. Les invités commençaient à partir. La nursery était au deuxième étage, avant le palier du couloir menant aux chambres de Boy, Acland et Freddie. Le palier surplombe l'entrée. C'est là que je me suis assise. Je voyais tout. J'ai appuyé mon front contre les barreaux et j'ai regardé les invités s'en aller. Après, j'ai vu les autres monter dans leur chambre. Maud, vous, et Boy qui a raccompagné Jane à sa chambre avant de regagner la sienne. Il avait l'air si malheureux! Après, la maison a été plongée dans le silence. Je m'apprêtais à retourner dans la nursery lorsque Boy est sorti de sa chambre. Je crois qu'il cherchait Acland parce qu'il l'a appelé à voix basse avant d'ouvrir la porte de sa chambre. Il ne devait pas être là car il est ressorti aussitôt.

— Il cherchait Acland? Quelle heure était-il?

— Tard. Tout le monde était couché, même les domestiques. Il devait être aux environs d'1 heure.

— Et Acland n'était pas là à 1 heure?

— Non.

— Vous savez où il était?

— Je le lui ai demandé un jour. Il a dit... qu'il était avec une femme. Toute la nuit.

— Vous l'avez cru?

— Oui. De toute façon, c'est hors de propos. Boy est arrivé sur le palier et il m'a vue. Il m'a demandé ce que je faisais là si tard et je lui ai expliqué pour la comète. Il a souri et m'a dit que quand il avait mon âge il se mettait exactement au même endroit pour regarder les réceptions des grandes personnes. Il m'a demandé si j'étais assez éveillée pour venir discuter dans sa chambre.

— Discuter?

— C'est ce qu'il a dit. J'y suis allée et il m'a fait asseoir près du feu. Comme j'étais en chemise de nuit, il m'a enveloppée dans une couverture. Après, il m'a donné un verre de jus de fruits et des biscuits et il m'a montré sa collection d'œufs d'oiseaux et de soldats de plomb. C'était formidable. Ensuite nous avons discuté. Je crois qu'il avait besoin de parler à quelqu'un et j'étais là.

— Vous avez parlé pendant combien de temps?

— Très longtemps mais je ne trouvais pas le temps long. Finalement, il m'a ramenée à la nursery. C'est à ce moment-là que j'ai regardé l'heure. Il était une ou deux minutes avant 5 heures. Je m'en souviens parce que ça m'a étonnée qu'il soit si tard. Quand je me suis glissée dans mon lit, l'horloge de l'église a sonné.

— Etes-vous certaine de tout ça?

— Absolument.

— A quelle heure l'accident a-t-il été découvert?

— A 6 heures. Cattermole a toujours dit aux environs de 6 h 30.

— C'est étrange.

— Pourquoi?

— Parce que, comme vous l'avez dit, Boy n'a pu être impliqué dans cette affaire. Alors pourquoi prétendre le contraire à Steenie? Voulait-il protéger quelqu'un, à votre avis?

– Protéger quelqu'un ? Son père, vous voulez dire ?

– Par exemple. Ou quelqu'un d'autre.

Constance se leva et hocha la tête.

– Je suis sûre que non. Je crois qu'il était... bouleversé. Notre mariage le rendait très malheureux. C'est la guerre qui l'a fait parler ainsi, et c'est ce que je voulais faire comprendre à Steenie.

– Vous semblez vouloir vous en convaincre vous-même.

– Parce que je veux oublier tout cela. Oh, Montague ! Cela m'a tellement obsédée. Je me suis dit longtemps que ce n'était pas un accident et que je découvrirais la vérité. J'ai essayé de remettre les morceaux du puzzle ensemble. Mais maintenant je renonce.

– Et pourquoi ?

– Parce que c'était un accident. Personne n'est à blâmer. A part Hennessy qui avait placé le piège là et qui s'est trompé de victime. C'était il y a sept ans. Je veux oublier tout ça. S'il vous plaît ! Je veux commencer une nouvelle vie... avec vous. C'est la dernière fois que nous parlons du passé. Nous devons trouver un endroit magnifique pour vivre.

– Pas Winterscombe ?

– Non. Loin de Winterscombe. Ce serait impossible autrement. Je veux notre bonheur. Je veux vous donner un fils. Je veux que nous commencions notre conquête du monde ensemble, comme prévu. Je veux...

– Vous voulez toujours Jenna comme camériste ?

– Oui. Je veux les sauver, elle et son bébé, de cet horrible Hennessy. J'aimerais veiller sur eux. Mais c'est un point secondaire. L'important, c'est nous. J'aimerais que nous soyons si proches l'un de l'autre, Montague.

– Est-ce qu'Hennessy est le père du bébé ?

– Et comment le saurais-je ? Qu'est-ce que ça peut faire, de toute façon ? Jenna dit que oui. Elle doit le savoir. Oubliez-les et écoutez-moi, Montague chéri. J'ai dit autre chose à Steenie aujourd'hui, quelque chose qui nous concerne vous et moi, et...

– Non. Écoutez-moi, vous.

Elle fut surprise que son mari l'interrompe si vertement en posant sa main sur sa bouche. Elle s'apprêta à enlever sa main mais l'expression de Stern l'en empêcha.

– Je viens de comprendre quelque chose. Moi aussi il manquait des pièces à mon puzzle mais vous venez de me donner la dernière. Maintenant, je vois bien les choses. Et vous aussi vous pourriez si vous le vouliez. C'est très simple. Si évident que j'aurais dû le voir plus tôt.

– Je ne comprends pas.

Stern soupira. Cela semblait pénible à dire.

– Constance, commença-t-il affectueusement, réfléchissez une dernière fois. Était-ce un accident ? Y avait-il quelqu'un dans la maison cette nuit-là qui avait intérêt à faire du mal à votre père ? Quelqu'un qui s'était senti trahi par lui, qui connaissait sa liaison avec Gwen ?

— Denton ?

— Ç'aurait pu être lui mais j'étais là moi aussi et je l'ai vite mis hors de cause. A la fin du dîner, il était si saoul qu'il ne tenait même pas debout. Peel, Heyward-West et moi l'avons emmené dans la bibliothèque et il s'est endormi tout de suite.

— C'était donc là qu'il était ? Boy l'a cherché partout et ne l'a jamais trouvé. Il voulait lui dire pour ses fiançailles.

— Oui, c'était là qu'il était au moment où je suis monté dans ma chambre.

— Alors qui d'autre ? Je ne vois personne.

— Oh si ! Vous ne voulez pas le voir. Posez-vous cette question : de tous les alibis, quel est le plus fragile ?

— Je vois où vous voulez en venir. Je sais ce que vous essayez de me faire dire. Vous accusez Acland. Mais ce ne peut être lui. Il m'a dit où il avait passé la nuit.

— Constance...

— Je refuse de vous écouter. Acland est mort. Il ne peut se défendre. Vous ne le connaissiez pas, moi oui, et dans les moindres détails. Vous êtes jaloux de lui, je m'en rends bien compte. Vous n'arrêtez pas de parler de lui, de me questionner à son sujet. Je ne vous laisserai pas médire sur lui. Il ne m'aurait jamais menti...

— Oui, mais vous pouvez vous mentir à vous-même. Pensez-y. Il se leva et la regarda. Vous avez cru ce que vous aviez envie de croire. Nous pouvons tous faire ça pour nous voiler la face. Quand la vérité est douloureuse et concerne un être cher, personne ne peut l'affronter.

— Vous pensez que j'aime Acland ? Les joues de Constance se colorèrent. C'est ce que vous sous-entendez ?

— J'ai envisagé cette possibilité. Entre autres. Sa mort vous a bouleversée. Je m'en souviens bien.

— Vous croyez que je le protège ?

— Je crois que vous vous protégez vous-même. Vous refusez la vérité.

— Parfait. Alors je vais vous dire ce que je sais. Elle éleva la voix. J'ai cru Acland quand il m'a dit qu'il était avec une femme car je sais laquelle. Il l'aimait alors et il était avec elle chaque fois que possible. Cette nuit-là, ils se sont retrouvés dans la grange. Il a dit la vérité. Mais je ne vous dirai pas qui elle était.

— Ce n'est pas la peine. Je le sais.

— Il est impossible que vous le sachiez.

— Oh si ! Il se tourna vers elle et lui prit le bras avec une expression de regret. Je vous l'ai déjà dit, Constance, je ne suis pas facile à duper et je déteste être trompé. C'était Jenna. Son amant n'était pas un type du village, comme vous me l'avez dit un jour, mais Acland. Et c'est Hennessy, fou de jalousie, qui a mis le piège à l'intention d'Acland. Je suppose qu'il est toujours jaloux malgré la mort d'Acland car l'enfant de Jenna n'est probablement pas le sien. Et c'est pourquoi vous vous imaginez avoir un droit de regard sur cet enfant. C'est celui d'Acland, n'est-ce pas? Vous auriez très bien pu me le dire, comme un certain nombre d'autres choses, du reste. Vous ne cessez d'arranger la vérité, Constance. Pour moi, pour Steenie, et pour vous aussi.

— Comment savez-vous tout ça?

— En observant et en m'informant. Quand Acland s'est engagé, il a fait un testament devant un homme de loi que je lui ai recommandé. C'était peu avant qu'il soit tué. Dans son testament, il laisse son argent à Jenna. Il ne vous a pas oubliée, d'ailleurs. Il vous laisse ses livres.

— Vous connaissez le contenu des testaments?

— Certains. Il se trouve que j'ai lu celui-là.

— Je vous déteste. C'est une honte.

— Dans ma position, vous auriez fait la même chose...

— Je n'en écouterai pas davantage. Constance était folle de rage. Quoi qu'il en soit, ceci confirme mon point de vue. Acland a un bon alibi.

— Toute la nuit?

— Il était amoureux.

— Je n'en doute pas et je suis certain qu'ils se sont retrouvés dans la grange. Il y est peut-être resté mais pas Jenna. Vous l'avez vue vous-même se rendre peu après minuit dans la chambre de Jane Conyngham.

Constance tressaillit.

— Mais oui! Je n'y avais pas pensé. Oh, mon Dieu!

Elle inclina la tête. Stern s'approcha d'elle et l'entoura de ses bras.

— Constance, cela ne prouve rien, de toute façon. Les autres alibis sont aussi fragiles que celui d'Acland. Denton était saoul et endormi mais il a pu se réveiller. Vous vous êtes peut-être trompée sur l'heure et vous seriez restée avec Boy moins longtemps que vous croyez. Nous pourrions échafauder des centaines d'hypothèses. Sans oublier la thèse de l'accident.

— Mais vous n'y croyez pas, n'est-ce pas?

— Non. Il força Constance à lui faire face. Je crois savoir exactement ce qui s'est passé cette nuit-là et je crois que vous le savez aussi. Mais cela vous fait du mal et vous refusez la vérité.

— Acland ne m'aurait jamais menti! Les yeux de Constance se remplirent de larmes. De toute façon, il est mort. Vous voyez bien qu'il ne vaut rien de remuer le passé. Nous devrions tirer un trait sur tout cela et repartir de zéro tous les deux.

— Parfait. Nous n'en parlerons plus.

Stern se pencha pour l'embrasser mais la sonnerie du téléphone retentit. Il se redressa, contrarié, et décrocha le combiné.

Au début, Constance ne prêta aucune attention à ce qu'elle pensait être un coup de fil professionnel. Puis, peu à peu, le comportement de Stern et les questions qu'il posait l'intriguèrent. Elle se tourna vers lui et s'approcha pour essayer d'identifier la voix au bout du fil. Une femme. Quand Stern reposa le combiné, elle se précipita sur lui.

— C'était Maud ?

— Oui.

— C'est vous qui lui avez donné notre numéro ?

— Non. Ce doit être Gwen.

— Comment ose-t-elle appeler ? Elle tapa du pied. Que se passe-t-il ? Ce doit être grave pour qu'elle appelle ici.

— Il s'est passé quelque chose.

— Vous n'avez pas l'air très content. C'est une question d'argent ? Est-elle malade ?

— Non.

Stern alla s'asseoir sans parler. De plus en plus sidérée, Constance ne le quittait pas des yeux. Elle alla vers lui, s'agenouilla et lui prit les mains.

— Oh, Montague, je suis désolée. Je suis jalouse et stupide. Qu'y a-t-il ? C'est quelque chose d'épouvantable ? Oh, dites-moi vite. Vous m'effrayez.

— Quelque chose... d'étrange... s'est produit.

— Quelque chose de grave ?

— Je n'en suis pas sûr.

— Cela me concerne-t-il ?

— Je crains que oui.

— Dites-moi.

— Curieusement, c'est une histoire de grotte.

Jane aimait les grottes d'Etaples. Au moment des attaques aériennes, toujours la nuit, tout le monde allait s'y réfugier. Ce labyrinthe de cavernes et de couloirs de calcaire la fascinait. Au plus profond des grottes, aucune lumière et aucun son ne pénétraient. On y perdait tout sens du temps et de l'espace. L'air était glacé, en hiver comme en été. Sans torche et sans un minimum de précautions, elle se serait vite perdue. Elle aimait aussi ce risque. Parfois, elle pénétrait profondément à l'intérieur de la colline puis, en atteignant une grande grotte, éteignait sa lampe. Elle mettait sa main devant son visage mais ne la voyait pas ; elle tendait l'oreille mais n'entendait que sa propre respiration et le goutte-à-goutte de l'eau suintant des parois. Il lui arrivait de compter jusqu'à vingt, puis cinquante, puis cent, avant de rallumer sa lampe. La peur lui donnait la chair de poule. Bénéfique ou maléfique, elle était convaincue que ces grottes possédaient un pouvoir.

Winnie n'éprouvait rien de tout cela et un jour que Jane tentait de lui expliquer ses impressions, elle s'irrita. Elle détestait les grottes, qu'elle trouvait étouffantes malgré leur taille. Elle se plaignait du froid, de la dureté de la roche sur laquelle elle était obligée de dormir. Il y avait une raison à cela : le colonel Hunter-Coote restait au camp avec les hommes et Winnie se considérait, elle et ses filles, comme un soldat avant d'être une femme.

Lorsque l'exode vers les grottes fut devenu une habitude, elle cessa de se plaindre. Son sens de l'organisation reprit le dessus. Pour elle, passer une nuit dans les grottes n'était tolérable qu'à certaines conditions : il lui fallait, pour elle-même, une couverture, un petit oreiller gonflable et un gonfleur. Elle ne quittait pas le camp sans emporter une bobine de ficelle, une lampe électrique, une boîte d'allumettes, un canif, un livre, de quoi écrire, des piles de rechange et des bougies. « Si nous ne pouvons dormir, mangeons au moins », déclarait-elle. Ni elle ni ses filles ne mettaient les pieds dans les grottes sans des bouteilles Thermos de chocolat, des fruits en conserve et d'énormes sandwiches dans du papier paraffiné.

Après trois ou quatre nuits de ce régime, Winnie se mit à observer les habitudes des villageois français. En quelques jours, ils avaient transformé les grottes en véritables habitations. En premier lieu, ils avaient choisi la meilleure grotte, la plus chaude, la plus sèche, et celle qui avait la meilleure vue sur ce qui se passait dehors. Ils avaient ensuite marqué leur territoire par des piles d'objets qu'ils y laissaient en prévision de la prochaine attaque. Des matelas firent leur apparition. Un vieillard avait même grimpé péniblement la colline en traînant derrière lui un fauteuil à bascule. Les enfants apportaient des paniers de nourriture et des bouteilles de vin. Les grands-pères apportaient leurs accordéons et leurs harmonicas. Une grand-mère avait même amené une chèvre attachée à une corde qu'elle trayait à l'entrée de la grotte. « Typique, absolument typique ! », dit Winnie avec une pointe d'envie après avoir visité leur grotte. « Vous savez ce que faisait cette femme – celle avec la chèvre ? Elle faisait frire du poulet sur un poêle à paraffine. En plein milieu d'un raid. Ils ne doutent de rien, ces Français ! » Le soir suivant, Winnie apporta un réchaud à pétrole sur lequel, dès le lendemain, elle avait fait réchauffer une épaisse soupe à la queue de bœuf. Il y aurait des sardines au prochain menu, avait-elle annoncé.

– Des sardines à minuit ? C'est amusant, murmura Wexton.

En fait, il n'y eut jamais de sardines car la nuit suivante les avions allemands tapèrent en plein dans le mille : pas sur les munitions, ni le terrain de manœuvres, ni les baraquements, mais juste sur le club de Winnie. Il n'y eut aucun blessé mais la Winnie qui arriva aux grottes la nuit d'après avait une mine décomposée.

– Rien! Plus rien! annonça-t-elle d'un air affligé. Toutes mes boîtes de lait concentré, que j'avais attendues pendant des semaines! La vaisselle, les tables et les chaises. Même le piano! Je suis sûre que ces sauvages l'ont fait exprès. Ce n'était pas le dépôt de munitions qu'ils voulaient attaquer, mais notre moral!

Winnie était inconsolable. Elle refusa même de prendre un chocolat chaud et se glissa sous ses couvertures. Quand elle se mit à ronfler, Jane et Wexton la laissèrent.

Jane alla vérifier la grotte où se trouvaient ses malades puis rejoignit Wexton à l'entrée surplombant le camp. Ils restèrent là quelque temps à parler avec les sentinelles, écoutant le ronronnement des avions en approche. Wexton alluma une cigarette et sortit son carnet. Jane le laissa seul.

Dans la grotte des Français, la grand-mère à la chèvre tricotait. Jane passa dans une cavité plus grande où les blessés dormaient sur des lits de camp. Elle pénétra plus profondément dans la colline et jeta un coup d'œil dans la caverne des blessés souffrant de la fatigue des combats. Cette grotte était la plus éloignée de toutes celles qui étaient occupées. Le bruit des tirs et des explosions y parvenait étouffé. Les hommes semblaient dormir paisiblement. Une des infirmières de la Croix-Rouge qu'elle avait rencontrée au club de Winnie les veillait. Elle avait un livre sur les genoux et deux bougies à côté d'elle. L'ombre des flammes dansait sur la muraille. Elle sourit à Jane, qui poursuivit son chemin.

Elle s'enfonça encore dans la colline. Le silence était absolu maintenant. Certaines des grottes étaient toutes petites et d'autres si vastes que sa torche n'était pas assez puissante pour atteindre leur voûte. La lumière faisait luire les suintements de la roche et rendait les stalactites phosphorescentes.

Jane accéléra le pas. Elle voulait atteindre une caverne aussi vaste qu'une cathédrale qu'elle avait déjà explorée. A l'entrée, il y avait une formation rocheuse incurvée contenant de l'eau. Elle y plongea les mains et s'aspergea le visage d'eau glacée. En serrant fort sa torche, elle fit dix pas puis s'arrêta, l'oreille tendue. Au-dessus d'elle, quelque chose bougeait. Des chauves-souris, probablement. Luttant contre sa peur, elle s'agenouilla. Elle venait dans ce havre de paix pour prier.

Certaines fois, elle avait le sentiment de ne pas prier avec ferveur. C'était le cas cette nuit-là. Le rocher froid lui cisaillait les genoux et le bruissement étrange au-dessus de sa tête distrayait son attention. Elle

430

essaya de prier pour Boy dont elle croyait, malgré la thèse officielle de l'accident, qu'il s'était donné la mort. Elle essaya de prier pour Tante Clara, qui était morte, pour son père, qui était mort, et pour son frère Roland, mort dans une autre guerre. L'obscurité l'empêchait de prier. Elle s'assit sur ses talons et sentit ses bas se déchirer. Elle se dit qu'elle avait tort de ne prier que pour les morts. Et les vivants ?

Elle fit alors une chose très étrange. Plus tard, lorsqu'elle voulut en faire la description dans son journal, elle dut renoncer, faute de phrases éloquentes. Ce ne fut pas une décision consciente : elle s'étendit de tout son long sur la pierre, les bras en croix.

Toutes ses sombres pensées la quittèrent instantanément : la colère et la douleur, la guerre et la pitié, la foi et ses obstacles, les contradictions. Elle se sentit légère, comme planant au-dessus de tous ces mots : comme ils semblaient infimes vus d'en haut ! Le bien et le mal, l'espoir et le désespoir, tous les extrêmes étaient maintenant en équilibre stable. Elle regarda en bas la femme qu'elle avait laissée dans la caverne, songea au cycle immuable de la mort et de la naissance, de l'extinction et de la régénération. La beauté de ses certitudes était aveuglante.

Une fois cette brillante vision évanouie, l'obscurité redevint totale dans la grotte. Elle resta un moment sans bouger puis commença à avoir peur. En voulant se mettre debout, elle lâcha sa lampe. Une seconde d'intense panique : elle était prise au piège dans ce labyrinthe. Se penchant, elle la retrouva du premier coup. Elle promena le faisceau lumineux sur la haute paroi. Était-elle entrée par cette faille à gauche ou par l'autre à droite ? Par où était-elle arrivée ?

Elle fit quelques pas puis se retourna vers l'endroit où elle s'était allongée. Mais s'était-elle vraiment allongée ? Son imagination avait dû lui jouer un tour. Sa frayeur n'en fut que plus grande. Ces grottes avaient un pouvoir ; elle l'avait senti depuis le début. Un pouvoir maléfique, se dit-elle. Elles lui voulaient du mal. Elles voulaient la perdre.

Quelque chose frôla son visage. Elle poussa un cri qui rebondit sur le rocher. La lumière de sa torche faiblit puis se rétablit. Elle se sentit rassurée. Elle regarda d'abord à gauche, puis à droite. Presque certaine d'être entrée par la petite ouverture de gauche, elle se glissa pourtant dans celle de droite. Quelques pas, un boyau étroit, une saillie rocheuse et enfin un passage. Le sol montait en pente raide.

Elle n'était pas entrée par là mais c'était bien le chemin de la sortie. Maintenant sûre de son fait, elle accéléra le pas, telle Ariane suivant un fil invisible, se dit-elle. Elle trébucha puis se mit à courir. Elle était presque arrivée. Elle s'arrêta à l'endroit où le passage se divisait en trois. Le bombardement avait repris, son bruit étant amorti par la roche. La grotte où dormait Winnie était à gauche, celle de Wexton et des sentinelles tout droit et celle qu'elle cherchait à droite.

Quand elle déboucha dans celle de droite, l'infirmière posa son livre. Elle bâilla, s'étira et sourit. Ses deux bougies étaient presque consumées. Elle en prit deux neuves, les alluma et les planta dans la cire molle. Les flammes vacillèrent d'abord puis se dressèrent.

– La nuit est longue, dit-elle.

Le regard de Jane passa de l'infirmière aux lits. Vingt-cinq hommes. Elle éclaira la rangée avec sa torche. La plupart dormaient. Réveillé par la lumière, l'un d'eux s'assit dans son lit et se mit à compter les doigts de sa main. Deux lits plus loin, un homme poussa un long grognement monotone. A côté de lui, un autre se caressait. Les couvertures se soulevaient et s'abaissaient en rythme. L'homme roulait des yeux. Sa bouche s'ouvrait et se fermait. Il soupira puis reprit son mouvement.

– Il vaut mieux les laisser, dit l'infirmière. Ils ne font pas de mal. La plupart sont comme des enfants et cela les calme. Alors, pourquoi pas ?

L'homme qui avait grogné s'agita dans son lit. Il se mit à se cogner la tête contre le rocher derrière lui.

– Celui-ci est l'un des plus difficiles. L'infirmière se leva. La majeure partie d'entre eux sont très calmes. Ils ne bronchent pas. Mais celui-ci... Elle claqua de la langue. Une fois qu'il commence, il n'y a qu'une façon de l'arrêter. Vous voulez voir ? Mais vous ne direz rien à personne. Nous le faisons toutes pour l'apaiser. Mais l'infirmière en chef ne doit pas savoir...

– Faites donc, je vous en prie. Ce sont vos patients.

Jane se tourna vers les bougies et vit des ombres danser sur la paroi. Quand elle se retourna, l'infirmière était assise au bord du lit du malade. Elle se pencha et lui caressa le front. Après un regard furtif vers l'entrée de la grotte, elle déboutonna sa blouse d'uniforme dont elle sortit un sein rebondi.

– Voilà, mon ange. Voilà.

L'homme avait toujours les yeux fermés. En entendant la voix de l'infirmière, il cessa de gémir. Celle-ci prit sa main et la guida jusqu'à son sein qu'il agrippa en faisant avec sa bouche des petits bruits de succion. Elle se pencha encore et lui mit son bout de sein entre les lèvres. L'homme se mit à téter.

Elle resta ainsi deux ou trois minutes puis se releva, caressa le front de l'homme et reboutonna sa blouse.

– Doux comme un agneau maintenant, le pauvre. Il va dormir. Ça le réconforte. Qu'est-ce que c'est, après tout ? Rien de plus que ce qu'on fait pour un bébé qui pleure. C'est mieux que la morphine et plus efficace.

– Il parle ? Vous prend-il pour sa mère ?

– Je n'en sais rien. Il gémit beaucoup, comme vous l'avez entendu. Mais il ne dit jamais grand-chose. Pas de mots intelligibles. Je crois... Elle hésita. Je crois qu'il ne s'en sortira pas. Pas lui.

— Et les autres ? Ils parlent ? Je veux dire... est-ce qu'ils parlent de ce qui leur est arrivé ? De ce qu'ils ont vu ?

— Certains, oui. L'infirmière soupira. En général, c'est une petite chose mineure sur laquelle ils font une fixation. Et d'autres, comme celui-ci, ne disent jamais rien. Certains ne se rappellent plus qui ils sont. Alors, à leur arrivée, on leur donne un numéro. Mais moi je n'aime pas ça et je leur donne un nom. Je leur dis : « Vous, vous serez Bill, ou Johnny. » Cela a l'air de leur plaire. Ils sont amnésiques.

— Comment cela se fait-il ?

— Il y a des centaines de raisons différentes. Les uns se sont empalés sur des barbelés, les autres ont été à moitié enterrés vivants ou se sont retrouvés cinq jours dans un trou, entourés de cadavres, avant qu'on les sorte de là. Cela arrive tout le temps. Certains se rappellent leur nom, d'autres finissent par être identifiés et pour le reste on ne sait rien. On les trie, je pense, quand on les renvoie en Angleterre. Oh, mon Dieu ! Regardez celui-là ! Je m'en occupe. J'en ai pour une seconde.

Elle se précipita vers l'homme dont la couverture tressaillait un peu plus tôt. Celle-ci était tombée et son pantalon était grand ouvert. Entre ses mains en action, Jane distingua une forme un peu flasque, à peine en érection. Elle se détourna puis entendit le claquement d'une fessée. L'homme grogna. Quand Jane se retourna, la couverture était à nouveau à sa place, les yeux de l'homme étaient fermés et il suçait son pouce.

L'infirmière alluma une torche dont le faisceau éclaira la rangée de lits de camp. Ses patients étaient calmes.

— Voulez-vous boire quelque chose de chaud ? demanda-t-elle à Jane. J'ai une bouteille Thermos de lait chaud et quelques gouttes d'un breuvage un peu plus fort. En voulez-vous ? Je serais heureuse de votre compagnie. Nous avons encore des heures à patienter.

— Volontiers, dans un instant. Je voulais... Jane avança entre les rangées de lits. Un des hommes que vous venez d'éclairer avec votre torche. Quelque chose a attiré mon attention...

— Lequel ? L'infirmière éclaira à nouveau la rangée. Celui-ci ? Il est calme ce soir. Celui-là non plus ne s'en sortira pas, je crois.

— Non, un autre, là-bas...

L'infirmière dirigea sa lampe de l'autre côté, sur des hommes endormis en position fœtale.

— Celui-ci ? Oh, je ne sais pas grand-chose sur lui. Ils l'ont amené il y a deux ou trois jours. Il y a eu un échange de prisonniers à Arras et ils l'ont envoyé ici. Il est tout maigre. A demi mort de faim. Et il a une blessure horrible. Elle est guérie mais toujours affreuse. Regardez.

Elle se pencha et repoussa la couverture.

— Oh, ne le réveillez pas. Il dort.

– Il ne se réveillera pas. L'infirmière lui lança un regard oblique. Et s'il se réveille, il ne parlera pas. Il est catatonique. Je lui donne une semaine tout au plus. Regardez-moi ça! Comment un homme blessé d'une telle façon peut-il être toujours vivant?

La veste et la chemise de l'homme étaient ouvertes. L'infirmière écarta les pans de sa chemise et éclaira avec sa lampe. Il avait reçu dans la poitrine un coup de baïonnette. Celle-ci devait avoir glissé sur les côtes avant de s'enfoncer juste sous le cœur. La blessure avait été suturée tant bien que mal, laissant une cicatrice blafarde en forme de croissant de lune. Les marques des points de suture étaient visibles. Autour de son cou, l'homme portait un petit médaillon en cuir au bout d'une lanière.

– Cent vingt-trois?

– C'est son numéro. L'infirmière avait l'air de s'impatienter. Elle remit la couverture en place.

– Vous ne lui avez pas donné de nom?

– A lui? Non. Je ne sais pas pourquoi. Cela ne fait pas longtemps qu'il est là et je ne me suis pas beaucoup occupée de lui. Il me fait un peu peur. Quelque chose dans ses yeux. Comme s'il voulait me tuer. Des yeux froids. Qui voient à travers vous. Et d'une couleur étrange.

Comme s'il l'avait entendue, l'homme remua, se retourna et ouvrit les yeux. Il se mit sur le dos en les fixant sans baisser les paupières. S'il les voyait, il ne le montra pas. On aurait dit qu'il fixait un mur.

– Si nous le buvions, ce lait?

L'infirmière s'en alla mais Jane ne bougea pas.

– Venez! J'ai des cigarettes aussi. Je ne devrais pas pendant le service mais le temps passe si lentement. Vous ne trouvez pas? Elle frissonna. Je déteste ces saletés de grottes.

– Oui. Très lentement.

Jane s'agenouilla près du lit. Elle sortit sa lampe, l'alluma et éclaira avec précaution à côté du visage de l'homme pour ne pas l'éblouir. Un visage émacié. Une barbe naissante de cinq jours environ. Pourquoi ne l'avait-on pas rasé, se dit-elle? Elle sentit sa colère monter. Et ses cheveux, sales et mal peignés. Elle les lissa puis enleva promptement sa main.

– Mais cet homme a des poux!

L'infirmière haussa les épaules.

– Je ferai une note à ce sujet. Ils s'en occuperont demain.

– Pas demain. Il faut le faire tout de suite. Tout de suite!

Jane s'arrêta net. L'homme venait de tourner la tête et l'observait d'un regard froid : il alla de ses cheveux à sa coiffe puis descendit vers la bouche et le menton avant de revenir aux yeux. Il avait le regard voilé d'un aveugle.

– Alors? Vous en voulez de ce lait ou **non**? s'impatienta l'infirmière. Laissez-le tranquille. Il faut qu'il dorme. Je ne veux pas d'ennuis.

434

Je le connais, dit Jane. Je le connais.

Elle se pencha pour le regarder dans les yeux. L'homme continuait à regarder droit devant lui, à travers elle. Le vert de son œil droit était légèrement différent du gauche. Jane prit sa main gauche et constata que l'auriculaire ne portait plus de chevalière.

– Acland, chuchota-t-elle pour que personne d'autre n'entende.

Pas la moindre réaction.

– Acland ? Vous m'entendez ? C'est Jane. Je suis infirmière ici. Je me suis fait couper les cheveux mais regardez-moi bien. Vous me reconnaissez ?

La voix de Jane se cassa. Elle se sentit stupide. Quelle idée de parler de coiffure dans un moment pareil ?

– Tenez ! dit-elle en posant la main inerte d'Acland sur son visage. Je pleure, Acland. Ce sont des larmes. Vous les sentez ? Je pleure parce que je suis si heureuse. Je croyais vous avoir perdu. Mais je vous ai retrouvé. Acland, vous m'entendez ? S'il vous plaît, répondez-moi !

Sa main restait rigide. Aucune pression sur ses doigts, aucune réaction dans ses yeux. « J'ai toujours été invisible pour lui », songea-t-elle.

– Acland. Je vais vous aider. Vous êtes en sécurité maintenant. Je vais m'occuper de vous. Je vais vous ramener à la maison. A Winterscombe, Acland. Chez vous. C'est le printemps là-bas.

Elle s'interrompit, lâcha la main d'Acland et recula un peu. Acland resta ainsi, le bras levé. Elle se mit à trembler. Au loin, une bombe explosa. Il y eut un souffle d'air. Elle essaya en vain de reposer de force le bras d'Acland sur la couverture. Il était aussi raide que celui d'un mort.

– Qu'est-ce qu'il a ? demanda-t-elle hargneusement à l'infirmière.

– Ce qu'il a ? Que voulez-vous que ce soit ? La même chose que les autres. Vous perdez votre temps à vouloir lui parler. Il entend peut-être mais de toute façon il n'écoute pas. Et il ne parle jamais. Allez, venez boire quelque chose. Prenez une cigarette. Sa voix s'était faite plus conciliante. Venez, ma chère. Il vaut mieux le laisser. Il est fou.

X

Lazare

— Wexton, tu peux lire ça, s'il te plaît ?

Victoria lui tendit un des cahiers noirs de Constance qu'il prit avec réticence.

— S'il te plaît, Wexton. Je voudrais que tu essaies de comprendre ce qui me gêne tellement.

— Après les grottes ?

Il mit ses lunettes.

— Cinq mois plus tard.

Wexton s'approcha de la fenêtre pour avoir plus de lumière. C'était une belle journée d'automne. Le soleil brillait sur les jardins de Winterscombe. Il pencha la tête sur le texte écrit par Constance dans cette même maison en octobre 1917.

Retour au point de départ. Nous voilà tous de nouveau réunis. C'est une idée de Gwen. La maison de famille, le cercle de famille. Elle croit que cela va guérir Acland. Cinq mois à Londres et six des plus éminents médecins ont échoué.

Le temps est magnifique. L'église a un vitrail tout neuf – une idée de Denton à la mémoire de Boy. Gwen l'a montré à Acland aujourd'hui, malgré l'opinion défavorable de Jane. Il est resté face au vitrail dans son fauteuil roulant. Il l'a peut-être vu. Il ne parle pas. La nuit dernière, ses cauchemars sont revenus. Ses cris m'ont réveillée. Je me suis précipitée sur le palier. J'ai cru que mon père était revenu.

Je suis restée là à écouter. Tout le monde remuait dans tous les sens. Même Montague est sorti de sa chambre. Quand il m'a vue, il a mis son bras autour de mes épaules. Il m'a proposé de rester avec moi mais j'ai

436

refusé. *Je n'ai pas besoin de lui. J'ai besoin de toi, Acland. Je vais te rame-*
ner du monde des morts.

Ecoute-moi bien, Acland, mon cher Lazare. J'ai été patiente mais ce
n'est plus la peine de compter sur ma gentillesse. Je laisse les bonnes inten-
tions et les prières à Jane. La gentillesse ne sert à rien. Ils ont perdu cinq
mois en gentillesse. Il te faut un remède plus énergique : la vérité, par
exemple.

Tu te crois meurtri, Acland? Eh bien attends un peu. Je peux te meur-
trir encore plus. Quoi que t'aient fait les Allemands, je suis capable de pire
encore.

Le temps ne s'arrête pas, Acland, tu devras le comprendre comme tu
me l'as fait comprendre autrefois. N'oublie pas cela la prochaine fois que tu
regarderas à travers moi.

Si seulement je pouvais être seule avec toi. Une petite heure suffirait
mais Jane te garde si férocement. Elle commence à se fatiguer : tu es telle-
ment désespérant que son optimisme bat de l'aile. Mon heure viendra. Si ce
n'est pas demain ce sera après-demain.

Et quand tu sauras ce que c'est d'avoir dans la tête des cailloux qui
ne cessent de s'écraser les uns contre les autres, tu pourras choisir. Meurs
si tu veux mais aie au moins une mort glorieuse au lieu de ce dépérisse-
ment misérable. Crache au visage de ce monde de pacotille; quitte-le
dans une mare de sang. Je t'aiderai. Que préfères-tu ? Une arme à feu ?
Un rasoir ? Ou alors, vis, pour montrer ta révolte. Parie sur toi-même,
avec le monde entier contre toi. C'est ce que je fais. Mais ne te trompe
pas : il faut que tu sois en colère et que tu conserves cette colère à tout
jamais.

Jane te proposera les bonnes vieilles consolations de rigueur : la foi,
l'espoir, la charité. Elle prétendra qu'il existe une vallée douce et tranquille
juste devant toi, que tu peux l'atteindre. Ne la crois pas. Il y a peut-être
bien une vallée, mais derrière il y aura une montagne, puis une autre et à la
fin, quand tu les auras toutes escaladées, tu te trouveras devant un dernier
précipice. Mon mari est à la porte. Acland, je vais arrêter d'écrire et mettre
mon cahier sous clé. Ne te fais pas de souci, je te protège. Mon mari est si
malin, je dois faire très attention. Oh Acland! Te souviens-tu de la nuit où
tu es venu me montrer ta blessure? Tu as enroulé une boucle de cheveux
autour de mon doigt. Cher, très cher Acland! Comme nous étions vivants
alors!

Attends moi. Je viendrai bientôt. Je te le promets. Je t'apporterai deux
cadeaux : la mort dans ma main droite et la vie dans la gauche. Dextre ou
senestre ? Réfléchis, Acland. Je t'embrasserai et tu prendras ta décision.

Wexton referma le cahier.

— Tu vois, finis-je par lui dire, elle était amoureuse de mon père. Et je crois qu'il a toujours été amoureux d'elle. Tout ce qu'elle a écrit là-dedans, elle l'a fait. Ce n'est pas ma mère qui a ramené mon père à la vie, c'est elle.

— Curieux.

Wexton ne semblait pas écouter. Il se tripota le lobe de l'oreille puis passa sa main dans ses cheveux et fit une grimace.

— Curieux. Je n'arrive pas à me rappeler... Constance est droitière ?

— Quoi ? Euh oui. Mais...

— Dextre ou senestre. J'aime bien. A part que... Il s'arrêta pour réfléchir. Un droitier offrirait la mort de la main gauche et la vie de la droite, tu ne trouves pas ? Elle a fait le contraire.

— Ça ne me paraît pas très important.

— Oh que si ! Comme dans un miroir. Cela indique clairement quelle main elle voulait qu'il choisisse. Celle qui tenait le rasoir. Son récit est coloré mais meilleur que je n'aurais cru. J'aimerais en lire un peu plus.

— Wexton ! Je ne te demande pas une critique littéraire. Il s'agit de mon père !

— A-t-elle toujours été aussi attirée par la mort ?

Wexton se leva.

— Quoi ? Je ne comprends pas.

— Réfléchis. C'est une lettre d'amour, n'est-ce pas ?

— En quelque sorte. Une parmi tant d'autres. Son journal en est truffé. Et elles sont toutes adressées à mon père.

— Oh, je ne crois pas. En fait, c'est à la mort qu'elle écrit. Et elle lui donne le nom d'Acland.

— Une lettre d'amour... à la mort ?

— C'est ainsi que je le comprends. Mais je peux me tromper. Tu connais ce vers de Keats : « ... *et pendant longtemps j'ai été à demi amoureux de la Mort facile* » ? A la différence que, dans son cas, elle n'est pas à demi amoureuse. C'est une véritable histoire d'amour. Et la mort n'est pas si facile. « Quitte-le dans une mare de sang ». C'est sexuel. La mort serait un dernier partenaire sexuel.

Il s'arrêta comme si une idée venait de jaillir dans son esprit. Son visage, animé et concentré jusqu'alors, s'assombrit. Il hocha la tête.

— Je me demande...

Il sembla sur le point d'ajouter quelque chose mais se ravisa. Il songeait à l'avenir, j'en suis certaine aujourd'hui. Mais à l'époque, j'ai mal interprété sa réaction. Je pensais que Constance avait une excellente raison d'assimiler Acland à la mort. Cela avait un lien avec la mort de son père. J'aurais voulu demander à Wexton s'il y avait pensé lui aussi.

— Wexton, tu te rappelles l'Inde ? Le jour où je suis allée voir M. Chatterjee ?

438

— Oui.

— Tu te rappelles qu'il a parlé de deux femmes ? Eh bien, ce n'est pas que je croie aux histoires de voyance. Je peux même dire que je n'y crois pas mais...

— Bien sûr.... dit Wexton en souriant.

— ... mais ce sont elles les deux femmes. Constance et... ma mère. Il a dit que je devrais choisir entre les deux. Je crois que le moment est arrivé.

— Laquelle des deux a guéri Acland. C'est ce que tu veux dire ?

— Oui. J'ai grandi avec cette histoire et j'y crois toujours.

— Moi aussi.

— Et jusqu'à présent, j'ai toujours été certaine que c'était Constance. C'est ce qu'elle a toujours dit.

— Cela ne m'étonne pas. Et ta mère, que disait-elle ?

— Que c'était Dieu.

— Cela ne m'étonne pas non plus.

— C'est tellement étrange, Wexton. Si seulement, je pouvais être sûre...

— C'est impossible.

Il hésita, traversa la pièce et me tapota affectueusement la main.

— Est-ce que tu entends la voix de ta mère maintenant ? Constance ne l'étouffe plus ?

— Plus autant. Je crois que je l'entends.

— Alors, penses-y. Fie-toi à ton instinct. Pèse le pour et le contre et tranche une fois pour toutes. Il s'interrompit. Et ne me demande pas à moi. Tu sais très bien ce que j'en pense. De toute façon, je ne pourrai pas être objectif.

— Pour toi, la vérité saute aux yeux ?

A mon grand étonnement, il hocha la tête.

— Oh non ! pas du tout. Je n'ai jamais sous-estimé les pouvoirs de Constance et je ne vais pas commencer aujourd'hui. Il fit un geste vers les cahiers. Constance et ta mère étaient à l'opposé l'une de l'autre. C'était un duel d'anges.

Cette phrase m'étonna encore plus. Wexton n'était pas porté à l'exagération. Il s'aperçut de ma surprise et sembla amusé. Son visage se fendit d'un sourire bienveillant.

— Pourquoi pas ? La vie est tout sauf ordinaire. Je l'ai toujours cru.

— Tu es sérieux ?

— Bien sûr. Mais je n'ai jamais eu de penchant pour le prosaïsme. C'est pourquoi j'écris en vers.

Sur ce, il s'installa sur un siège près du feu et alluma une des cigarettes odorantes de Steenie. On aurait dit un vieil homme se préparant à une sieste réparatrice.

Je retournai au trio amoureux que formaient Constance, ma mère et mon père.

Quand j'étais petite, l'histoire de la guérison de mon père était ma favorite au moment du coucher. « S'il te plaît, raconte-moi encore », disais-je à ma mère. Et elle me parlait des grottes et de sa certitude que si elle trouvait la bonne grotte elle trouverait aussi Acland. Elle me racontait le voyage du retour en Angleterre, les longs mois pendant lesquels la maladie d'Acland avait paru incurable et la nuit où il avait finalement retrouvé l'usage de la parole. Ensuite ils s'étaient mariés et avaient vécu heureux, comme dans tous les beaux contes.

Je ne me rappelle pas à quel âge je me suis aperçue que ma mère omettait volontairement certains épisodes. Douze ou treize ans à peu près. En fait, les différents membres de la famille étaient partagés sur la question de l'auteur de la guérison.

Ma grand-tante Maud, par exemple, toujours très péremptoire, ne connaissait pas la demi-mesure : ma mère avait été la bonne fée de mon père et l'avait soigné jusqu'à son rétablissement complet. Elle l'avait ramené de l'enfer grâce à son bon sens, de l'air frais, de la sérénité et... des œufs cuits à feu doux.

Wexton, témoin plus fiable, était lui aussi favorable à Jane : comme argument, il employait le mot très anglican de « grâce ». Steenie quant à lui était pour Constance. Elle avait aussi rendu visite à Acland le jour de sa guérison et, selon Steenie, était l'ange noir qui avait fait rempart entre Acland et la mort. Lui qui avait étudié les lettres classiques avait une version plus surnaturelle des événements : Acland avait déjà traversé le Styx et serré la main d'Hadès, et pour le faire revenir des Enfers il avait fallu autre chose que du bon sens ou de l'amour, de l'audace, de la ruse, du courage, de la démesure. Et seule Constance possédait ces qualités hors du commun.

— Dis-toi bien, s'exclama-t-il en entamant sa seconde bouteille de Bollinger, que Constance l'a ramené de force à la vie. J'ignore comment elle s'y est prise, mais elle l'a fait !

Alors je demandais à Constance de m'expliquer et, inévitablement, elle se dérobait. « Moi et un peu de magie noire », disait-elle avant de changer de sujet.

Dans son journal, elle était moins réservée. Détail après détail, elle avait consigné le processus de résurrection d'Acland. Comme toujours, c'était si clair et net que je l'avais crue. Et je pense que je la crois toujours. Un détail est primordial : Constance et ma mère avaient vu Acland le même jour, à quelques heures d'intervalle. Ange noir ou non, Constance ne perdait jamais de temps. Deux jours après avoir écrit le passage que Wexton venait de lire, l'occasion qu'elle cherchait s'était présentée : Jane devait aller passer la journée à Londres.

Deux femmes ; deux versions ; deux journaux intimes sur la table devant moi. Ma mère était bonne mais innocente et l'un des défauts de l'innocence est l'aveuglement. Avant de quitter Winterscombe, elle avait demandé à Constance de passer un peu de temps avec Acland dans la journée. Ne supportant pas de le savoir seul trop longtemps, elle lui avait suggéré de lui faire un peu de lecture. Persuadée que Constance détestait les chambres de malades, elle s'était attendue à un refus : « Je l'avais mal jugée, écrivit-elle plus tard. Constance sait être gentille. Elle a accepté sans hésiter. »

Jane se rendait à Londres pour deux raisons : elle devait rendre visite à Jenna puis, juste avant de reprendre le train, à Maud. La première visite était urgente. Jane se faisait du souci pour Jenna qui venait de perdre son enfant et dont la santé était très mauvaise.

Mais elle avait une autre raison qu'elle refusait de s'avouer. C'était la première fois qu'elle quittait Acland depuis qu'elle l'avait ramené d'Etaples et elle avait vraiment besoin de respirer.

L'état d'Acland avait peu changé. Physiquement, il y avait un léger mieux : il voulait bien manger à condition d'être seul ; il dormait tant bien que mal ; il acceptait d'être installé dans un fauteuil roulant. Mais sa coopération s'arrêtait là. Il continuait à regarder à travers les gens et refusait totalement de parler alors que dans ses cauchemars il criait des mots intelligibles.

Jane était révoltée contre ce compromis, cette demi-vie. Lorsqu'elle monta dans le train, son sentiment de révolte commença à s'atténuer. Tandis que les roues tournaient, elle tenta de se raisonner. Elle se rappela les points essentiels qu'on lui avait enseignés : l'esprit humain met du temps à guérir, il faut de la patience, de la ténacité, de la persévérance et la foi. Son souhait et son devoir étaient d'y pourvoir. Elle regarda par la fenêtre. Les champs défilaient, les haies se succédaient. Mais, au fond de son esprit, elle ne pouvait chasser une pensée : ce qu'Acland faisait était mal.

Mais elle ne voulait pas y penser maintenant. Il fallait laisser l'idée faire son chemin pendant toute la journée. Alors seulement, elle serait prête à y faire face. Elle en était convaincue. A la gare de Paddington, elle prit un taxi pour Waterloo puis prit des petites rues. Elle passa devant l'église où Jenna s'était mariée et le cimetière où reposait désormais son petit garçon. Un sentiment de révolte s'empara à nouveau d'elle.

Six semaines après la naissance de son bébé, alors que Jane était encore en France, Jenna avait pris un emploi par nécessité. A son insu, ce travail lui avait été fourni par Montague Stern, par l'intermédiaire de Solomons, l'homme de loi. Mme Tubbs gardant l'enfant, Jenna rejoignit de mauvais cœur Florence Tubbs à l'usine de munitions. C'était un emploi bien payé que beaucoup lui enviaient. Pour vingt-quatre shillings par semaine, elle assemblait des obus.

Ce travail avait laissé des traces sur la jeune fille. La manipulation du tétrachloride produisait sur les ouvrières des effets secondaires, notamment la somnolence et des nausées. Elle faisait également jaunir la peau. C'est pourquoi les assembleurs d'obus étaient surnommés les « canaris ».

La Jenna qui ouvrit la porte à Jane Conyngham ce matin d'octobre avait énormément changé : la misère et le chagrin l'avaient fait vieillir prématurément. Sa jeunesse l'avait quittée.

Elle prit la main que Jane lui tendait puis jeta un châle sur ses épaules.

— Je voudrais y aller tout de suite. Je veux que vous voyiez. C'est si joli. Je n'aurais jamais pu... Je vous suis très reconnaissante.

Elle se mit à marcher d'un bon pas en tirant Jane par le bras. Quand elles passèrent devant l'église, elle tourna la tête. Elle prit une petite rue à droite, puis une autre. Enfin, elles arrivèrent à un pavillon de gardien et à de hautes grilles en fer forgé. Jenna s'y appuya avant de reprendre sa marche, encore plus vite, de sorte que Jane courait presque pour ne pas se laisser distancer.

C'était un grand cimetière. L'un des plus grands du sud de Londres. Aujourd'hui encore, le chemin emprunté par Jenna n'a pas changé : on passe devant les anges en pierre, les urnes sculptées, les catafalques des défunts les plus opulents et on arrive aux tombes plus petites et plus serrées des pauvres. Dans un coin abrité par un if, Jenna arrêta enfin sa course folle. Contre le mur du cimetière, envahie de ronciers et de mauvaises herbes, se trouvait une rangée de petites croix en bois, certaines de travers, d'autres sans inscription, d'autres encore dont les initiales et les dates commençaient à passer sous l'effet conjugué du soleil et de la pluie. C'était le recoin des plus pauvres. Jenna le regarda avec consternation.

— C'était un petit garçon adorable. J'étais fière de lui. Je ne voulais pas qu'il soit ici. Je déteste ces tombes. Avec l'argent que vous m'avez donné... Regardez, c'est de l'ardoise. Le type m'a dit qu'elle était facile à graver.

Elle se retourna et attira Jane sous l'if. Sur le monticule récent surmonté d'une pierre tombale en ardoise bleue se trouvait un vase en pierre contenant des violettes. L'inscription mentionnait seulement son prénom, Edgar, ses dates de naissance et de décès et trois phrases : « Il était très aimé. Il manque à son père et sa mère. Qu'il repose en paix. »

Une violente colère et une grande pitié saisirent Jane. L'argent pouvait faire tant et si peu en même temps.

– J'aurais aimé que vous le connaissiez, poursuivit Jenna. Je comprends. Je sais que vous ne pouviez pas venir. Et tout s'est passé si vite. Tout le monde disait qu'il était adorable. Il ne pleurait jamais. Il s'accrochait à mon doigt et le serrait si fort ! Et il souriait. Quand je rentrais du travail, il savait que c'était moi. Je le prenais dans mes bras et... Il aurait peut-être fallu qu'il pleure plus souvent. Dès le début, il n'était pas très solide. J'aurais dû m'en apercevoir. Il buvait bien son lait, jusqu'à la veille... J'ai pensé que c'était juste un rhume, rien de grave. La maison est humide, vous savez, et c'est difficile de trouver du charbon. Florrie est allée chercher le docteur mais il était occupé. Alors j'ai enveloppé Edgar dans ce châle et j'ai couru à la clinique. C'est à cinq rues d'ici. J'ai couru aussi vite que je pouvais mais il pleuvait et la nuit tombait. Je n'aurais sans doute pas dû. Il aurait peut-être mieux valu que je reste à la maison pour attendre. Mais sa bouche était bleue et il avait du mal à respirer. Quand je suis arrivée à la clinique, son corps était encore chaud mais il était mort. Ça a dû se passer pendant que je courais et je ne m'en suis même pas aperçue. Je ne lui ai pas parlé. J'aurais voulu l'embrasser une dernière fois. Pardonnez-moi, ça me fait du bien d'en parler. Savoir qu'il est ici, avec une vraie pierre tombale... Je vous remercie. Je... Ça ira mieux dans un moment. Vous êtes vraiment bonne.

Jenna s'agenouilla et inclina la tête. Son corps tressaillait pendant qu'elle sanglotait. Jane resta debout. La pluie commençait à tomber. Elle regarda ses gants de cuir que les gouttes de pluie tachaient. C'étaient ses gants de tous les jours et pourtant ils coûtaient deux semaines du salaire de Jenna.

D'un geste excédé, elle les enleva, les roula en boule et les jeta dans l'herbe haute. Elle ôta son chapeau et le jeta aussi par terre. Elle offrit son visage à la pluie et aspira de grandes goulées d'air humide. Elle songea à toutes ses propriétés, ses maisons, sa fortune à la banque, ses placements. Ridicules, aussi inutiles que ses gants ! Le visage ruisselant de pluie, la silhouette courbée de Jenna à ses pieds, elle se remémora tout ce qui l'avait empêchée de vivre pleinement : les conventions, sa timidité, Boy, son travail d'infirmière et, pour finir, Acland.

En pensant à tout cela, le sentiment de révolte qui l'habitait dans le train la reprit. Ses mains tremblaient d'émotion. Elle les pressa si violemment l'une contre l'autre que ses articulations blanchirent. Elle se pencha, aida Jenna à se relever, passa son bras autour des épaules de la jeune femme et elles rentrèrent, lentement cette fois.

Elle resta deux heures avec Jenna puis, comme promis, traversa le fleuve pour rendre visite à Maud. Elle était impatiente de savoir ce qui allait se passer.

443

Ma grand-tante Maud était de mauvaise humeur. Plusieurs de ses amis, dont Lady Cunard, ayant déserté ses salons, elle se sentait probablement seule.

— Vous savez la dernière? demanda-t-elle sur un ton mi-dédaigneux mi-indigné. Ces peintures... Elle fit un geste vers les murs que Constance s'était appliquée un jour à passer en revue. C'était un cadeau et maintenant il semble qu'elle veuille les récupérer. C'est très délicat de sa part, n'est-ce pas? J'ai même reçu une liste.

De la part de Maud, très attachée à sa dignité et pour qui afficher ses sentiments était une faute de goût, une telle confidence était pour le moins incongrue. Elle parut d'ailleurs la regretter tout de suite car elle poussa de côté la lettre offensante. A sa propre surprise, Jane n'essaya pas de changer la conversation ni de faire preuve de tact. Elle se leva d'un bond et, sans retenue, les joues roses d'émotion, s'exclama:

— Eh bien, c'est exactement ce que vous devriez faire. Rendez-les. Tous. Vous vous sentirez bien mieux, plus libre.

— Quelle excellente idée, ma chère, répondit Maud, je pourrais aussi vivre comme une romanichelle pendant que vous y êtes!

Si elle rendait les cadeaux de Stern, elle n'aurait plus de toit à mettre sur sa tête. Maud versa le thé et changea de sujet. Le romantisme et la sensibilité aussi soudains qu'inattendus de Jane l'exaspéraient.

— Vous avez trop travaillé, lui dit-elle d'un ton de reproche lorsque Jane prit congé. Vous avez les yeux qui brillent. Auriez-vous de la fièvre?

— Non, répondit Jane d'une façon un peu trop péremptoire au goût de Maud.

Elle s'empara de la main de Maud et l'appliqua sur son front froid.

— C'est gentil d'être venue, Jane. Je n'oublierai pas ce que vous m'avez dit.

Maud était désemparée. Elle suivit des yeux les lignes brunes d'un paysage de Cézanne accroché près de la porte. Sous certains angles, on distinguait un paysage, sous d'autres, on aurait dit une peinture abstraite. Elle pensa à Montague Stern qui lui manquait tellement.

— Vous avez peut-être raison, dit-elle pensivement.

Puis, incapable de se retenir, elle poursuivit:

— Comment va Monty? Bien, j'espère?

Jane réfléchit et fronça les sourcils.

— Il est malheureux, je crois, finit-elle par dire. Oui, il va bien mais il est malheureux.

Une telle franchise était trop pour Maud. Très agitée, elle salua Jane avec effusion mais celle-ci était déjà ailleurs. Elle était impatiente de reprendre le train.

Une fois la porte refermée, elle consulta sa montre:

3 h 30. En attrapant le prochain train, elle serait à Winterscombe peu après 6 heures. Acland l'attendait. Peu importait qu'il lui réponde ou non, pour une fois elle savait exactement quoi lui dire.

Les activités de la maisonnée retardèrent l'entrevue de Constance et Acland. Tout d'abord, Gwen insista pour passer la majeure partie de la matinée avec son fils. Elle poussa un long moment le fauteuil roulant sur la terrasse puis le ramena dans sa chambre où elle fit la lecture à Acland. Quand elle partit, Denton monta péniblement l'escalier pour passer une demi-heure avec son fils. Puis Freddie et Steenie se succédèrent. Après leur départ, l'infirmière insista pour que son patient se repose. Mlle Conyngham avait laissé des instructions très claires à cet égard.

Après cette sieste, le déjeuner fut servi. Et après le déjeuner, au grand désespoir de Constance, Montague Stern lui proposa une promenade qu'elle fut contrainte d'accepter. Il emprunta le chemin qu'elle détestait le plus : autour du lac puis à travers bois jusqu'à la rivière.

Sachant que rien n'échappait à son mari, elle craignait qu'il ne découvre ses intentions. Elle dut donc prendre sur elle, d'abord pour accepter la promenade puis pour faire semblant de ne pas être pressée.

Suspendue au bras de son mari, elle s'efforça donc de bavarder d'un air le plus dégagé possible. Stern marchait d'un pas égal, les yeux fixés sur le paysage. De temps à autre, quand Constance était drôle, il souriait.

Constance se sentait encouragée. Elle était maintenant accoutumée aux silences de son mari qui l'inquiétaient tant au début.

Au bout d'un kilomètre et demi, ils traversèrent un petit pont sur la rivière et marchèrent jusqu'à une butte proche des limites du domaine de Winterscombe. De cet endroit, on avait vue sur la propriété Cavendish dans son ensemble, de la maison à l'ouest à l'extrémité des champs à l'est, là où ils jouxtaient ce qui avait autrefois appartenu à Sir Richard Peel.

Stern aimait ce point de vue. Lâchant le bras de Constance, il fit quelques pas et s'appuya contre une barrière. Il tourna son regard vers le domaine Arlington au nord, puis vers la colline marquant le début de la propriété Conyngham. Dans son dos, Constance consulta sa montre : presque 3 heures.

— Montague...

— Oui ?

Il ne se retourna pas. Constance savait qu'il contemplait maintenant la grande allée de châtaigniers et, au-delà, la masse grise d'une demeure. C'était l'ancienne maison de Peel, dont il était maintenant propriétaire.

Elle hésita puis, décidant de tirer parti de cette promenade contrariante, avança d'un pas ou deux et posa sa main sur la manche de Stern.

– C'est une maison splendide. Celle de Jane est plus majestueuse mais celle-ci est la plus parfaite. Une maison du XVIIIᵉ siècle...

– Et un parc du XVIIIᵉ siècle, dit Stern en souriant. Sobre. Classique. La façade est d'Adam. Gainsborough en a fait une toile, vous savez. Il y a même représenté une de aïeules de Peel dans le parc.

– Peel ne se lassait jamais de le raconter. Cette aïeule n'était pas très belle mais elle avait un chien charmant. Un épagneul comme mon Floss.

– Enfin, dit Stern, légèrement agacé, ce n'est qu'une maison.

– Qui vous appartient et que vous aimez, il me semble. Une maison austère qui vous convient parfaitement. Vous vous rappelez ce que je vous ai dit en Ecosse ?

– Je me rappelle. Je l'ai pris pour l'une de vos plaisanteries. Pourquoi une maison austère devrait-elle me convenir ? Ma réputation me dit plus vulgaire qu'austère.

– Vous n'êtes pas vulgaire du tout. Constance s'approcha subrepticement. C'est ce que vous voulez faire croire. Cela vous amuse sans doute. Mais vous ne m'abusez pas avec vos gilets, vos manchettes blanches et vos chaussures neuves. J'ai percé votre esprit à jour, et un peu votre cœur. Vous êtes tout sauf vulgaire. Embrassez-moi, Montague. Cela fait des semaines...

– Puisque vous le demandez, répondit-il.

Il la prit dans ses bras et l'étreignit d'une façon telle qu'elle se sentit troublée. Son esprit si clair un instant plus tôt était maintenant tout embrouillé. Elle recula d'un pas.

– Quel baiser passionné !

– L'abstinence a des avantages.

– Ne soyez pas amer.

– Je ne suis pas amer. J'énonce une simple évidence.

– Montague...

– Oui ?

– J'ai peut-être changé d'avis, vous savez.

– Vous changez souvent d'avis. C'est là une de vos particularités les plus charmantes. Changé d'avis à quel sujet ?

– Au sujet des domaines. De l'endroit où nous pourrions vivre. Tout ce dont nous avons discuté en Ecosse.

Elle se rapprocha encore, posa ses mains gantées sur la poitrine de Stern puis en glissa une entre son manteau et sa veste. Elle se mordit les lèvres pour les colorer et fixa son mari droit dans les yeux.

– Je pourrais peut-être vivre près de Winterscombe, tout compte fait. Mes sentiments ont perdu de leur violence maintenant. Je commence à oublier le passé. Nous devons nous établir quelque part et cesser de louer maison sur maison. Je crois que je pourrais vivre dans la maison de Peel... si vous y êtes avec moi.

446

– Vous me flattez.

– Mais non, Montague. Loin de moi cette idée. C'est une question de sens pratique. Il faut régler ce problème définitivement. Maintenant que nous sommes de retour à Winterscombe, tous les deux, je crois que je m'y ferai. J'ai des souvenirs pénibles ici mais d'autres agréables aussi. De plus, nous ne serions pas ici mais à côté. Cela vaut la peine d'essayer. Et puis, si cela ne nous convient pas, nous irons ailleurs. Quoi de plus simple ? Cela n'a rien d'irrévocable. Comme vous dites, ce n'est qu'une maison.

– Ce que vous dites est très sensé.

Encouragée par cette absence d'opposition, elle leva les yeux vers son mari, ses paupières lourdes qui masquaient ses expressions, ses cheveux fauve tombant sur un col de chemise immaculé. Elle se mit sur la pointe des pieds pour lui relever une mèche de cheveux et enroula son bras autour du sien.

– Dites oui, Montague. Je vous en prie. J'en ai assez de changer continuellement d'endroit et de visiter des maisons. Nous pourrions redécorer entièrement la maison. Vos tableaux seraient merveilleux dans la bibliothèque, vous ne trouvez pas ? Nous...

– Qu'est-ce qui vous a fait changer d'avis ? l'interrompit-il en se retournant.

Elle fit un geste vague de la main.

– Rien de spécial, je vous l'ai dit. Nous sommes mariés depuis près d'un an. Les choses changent. Je...

– Est-ce à cause d'Acland ?

– Acland ? Bien sûr que non. D'où vous vient cette idée ?

– Quand vous croyiez Acland mort, vous ne vouliez pas vivre ici. Maintenant qu'il est vivant, vous changez d'avis. Peut-être l'idée de l'avoir pour voisin vous séduit-elle tout particulièrement ?

– C'est absolument ridicule ! Elle se retira. Vous en revenez toujours à Acland. De toute façon, il ne sera pas notre voisin. Vous pouvez obtenir Winterscombe à tout moment. Il vous suffit de réclamer votre dû, Montague.

– Maintenant ?

– Eh bien, peut-être pas tout de suite, tant qu'il est malade. Cela paraîtrait un peu...

– Vulgaire ?

– Rapace. Elle sourit et embrassa son mari sur la joue. Vous savez que vous avez un côté rapace, comme moi d'ailleurs. Mais, pour la forme, il serait judicieux de ne pas trop le montrer. Un peu de patience. C'est vous qui m'avez appris à attendre. A la fin de l'année, peut-être. Après tout, vu que son état ne risque guère de s'améliorer, il ne se rendra compte de rien. Qu'il soit à Winterscombe ou dans un hospice, cela ne fera pas de dif férence pour lui. A propos... Elle regarda sa montre. J'ai promis à Jane de tenir un moment compagnie à notre malade cet après-midi. Vous savez comme elle dramatise tout! Je suis censée lui lire un chapitre de ces livres si lugubres qu'il affectionnait. Nous devrions rentrer.

— Bien entendu. Prenez mon bras. Le sentier est un peu glissant.

Malgré son pied sûr, Constance accepta le bras de son mari. Avec cet enjouement qu'elle éprouvait toujours quand elle s'était bien débrouillée, elle prit le chemin du retour avec entrain.

— Vous vous souvenez, Montague?

Elle se lança dans un rappel des souvenirs et des incidents de leur vie conjugale, en laissant volontairement de côté les moments difficiles au profit des plus heureux : le baiser devant l'autel, les promenades dans la neige en Ecosse.

— Vous vous souvenez, Montague?

— Religieusement.

— Il faisait si froid dehors et si chaud dedans. Vous vous plaisiez là-bas. Vous devriez prendre aussi cette maison. Après tout, elle est pleine de souvenirs importants pour nous. Nous pourrions refaire notre lune de miel tous les ans.

— Effectivement.

— Et puis ce fameux jour, à Londres. Oh, Montague! j'y pense souvent. Vous vous rappelez? Je rentrais du parc et vous écoutiez votre précieux Verdi. Vous ne vous êtes pas même aperçu que j'étais là...

— Wagner.

— Wagner, alors. Peu importe. Vous m'avez étonnée ce jour-là. Vous m'avez prise... par surprise. C'est ce qui fait que vous me convenez si bien. Vous savez toujours me surprendre.

Elle serra plus fort le bras de son mari. Ils venaient de quitter les bois et approchaient de la maison.

— Vous vous souvenez, Montague, de ce soir en Ecosse où vous m'avez parlé de vos propriétés? De votre rêve à propos d'un fils? Je n'ai rien oublié. Je crois que c'est à ce moment-là que nous avons été vraiment mariés. Et je suis certaine que si nous nous installions dans la maison de Peel, votre rêve pourrait se réaliser. Notre enfant.

Elle mit sa main sur son cœur. Stern ralentit.

— Mais qu'est-ce que je dis? Elle s'arrêta net. Pourquoi un seul enfant? Nous pourrions en avoir toute une tribu. Quatre garçons et quatre filles. Qu'en pensez-vous, Montague? La maison de Peel est idéale pour les enfants. Tous ces combles et tous ces passages à explorer. Ce jardin immense. Nous pourrions... Montague, qu'y a-t-il? Vous me faites mal!

Stern s'était arrêté et, pendant qu'elle parlait, lui avait saisi le poignet en le serrant de plus en plus fort. Pendant un moment, elle eut l'impression

448

que son poignet allait se briser. Elle poussa un petit cri d'étonnement et de douleur. Stern la lâcha et la regarda bien en face.

– Ça suffit! ordonna-t-il avec une force considérable.

Enfonçant ses mains dans ses poches, il la planta sur le chemin et se dirigea seul vers la maison.

La violence inattendue de sa réaction inquiéta Constance. Tout en grimpant quatre à quatre l'escalier menant à la chambre d'Acland, elle y réfléchit. Son mari était-il jaloux? Il le paraissait toujours quand il s'agissait d'Acland. L'idée que Montague soit capable de jalousie l'enchantait. En haut de l'escalier, elle fit une pause. Evidemment, ce qu'elle avait dit n'était pas sincère mais il ne pouvait le savoir. Non, jaloux, décida-t-elle. Et sa remarque sur l'abstinence était amère. Depuis combien de temps ne couchait-elle plus avec lui? Plusieurs semaines. Depuis la nouvelle de la découverte d'Acland en France, son envie de lui avait diminué.

Il était imprudent de lui donner l'occasion de faire le rapprochement. Devait-elle lui demander de rester avec elle ce soir? Elle hésitait. Elle s'apprêtait à le trahir et il ne fallait absolument pas qu'il s'en aperçoive. D'un autre côté, le provoquer et le faire sortir de sa réserve en le mettant en colère ou en le rendant jaloux l'excitaient. Il ne devait jamais savoir ce qu'elle allait faire – c'était bien trop dangereux – mais l'encourager à considérer Acland comme un rival ne pouvait faire aucun mal.

C'est en pensant à lui dans ces termes qu'elle arriva près de la chambre d'Acland. Elle envoya l'infirmière assise dans l'antichambre promener son chien Box pendant au moins une heure, prit le livre de Scott qu'on était en train de lui lire – L'Antiquaire – qu'elle avait toujours trouvé assommant, et entra dans la chambre. Après une brève hésitation, elle ferma à clé.

A son retour à Winterscombe, Acland avait été installé dans une grande chambre d'invité, la sienne du second étage étant trop petite et trop éloignée. Elle disposait d'une grande baie vitrée orientée au sud, donnant sur les jardins, le lac et le parc.

Lorsque Constance entra, Acland était assis dans son fauteuil roulant devant la baie. Il avait été lavé, rasé et habillé, détails sur lesquels Jane insistait toujours. Ses fines mains reposaient sur les bras du fauteuil et son visage était tourné vers la fenêtre. Un rai de lumière oblique irradiait ses cheveux.

Sans le saluer, elle prit une chaise et la plaça juste devant lui, dos à la fenêtre. S'étant assurée qu'elle était bien dans son champ de vision et que ses yeux étaient ouverts, elle regarda dehors.

— Quel panorama ! commença-t-elle. Tu peux voir la forêt, le lac et le bois de bouleaux. C'est là que Boy s'est suicidé. Tout le monde dit que c'était un accident, mais il s'est fait sauter la cervelle sous les yeux de Freddie et de Steenie avec un des Purdey. Mais avant, il s'est confessé à Steenie. Il lui a dit qu'il avait tué mon père. Je sais que ce n'est pas vrai. Et tu le sais aussi, Acland.

Elle s'assit et l'observa attentivement. Ni son visage ni ses mains n'avaient bougé. Ses yeux étaient toujours fixés sur la fenêtre. Elle fit un petit geste affligé.

— Je suis sûre que tu m'entends, Acland. Pourquoi me fuis-tu ? Pourquoi te renfermes-tu sur toi-même ? Tu n'y arriveras pas. Nous sommes trop proches. Je te connais, Acland. Tout ce que tu as fait, tout ce que tu es, rien ne m'échappe. Je peux voir au fond de ton âme. J'entends tes pensées. J'observe tes rêves. Tu ne peux rien me cacher, pas plus que je ne peux te cacher quoi que ce soit. Tu comprends ? Je ne te juge pas. Je ne pourrais pas, ce serait comme me juger moi-même. Si tu as fait des choses affreuses, vu des choses terribles, moi aussi. Je sais ce qu'on ressent quand on veut mourir. Dis-moi, Acland : est-ce la guerre qui t'a rendu ainsi ? Ou autre chose ? Un acte que tu as commis il y a longtemps et à cause duquel le remords te ronge ? S'il te plaît, Acland, dis-le-moi. C'est tellement dur...

Elle s'interrompit et attendit, les mains tremblantes. Il ne broncha pas.

— Pourquoi ne me regardes-tu pas ? Je sais que tu veux me regarder. Elle poussa un petit soupir, se leva et défit ses cheveux. Très bien. Ça m'est égal. Je ne renoncerai pas. Regarde et écoute, Acland. Je vais me montrer à toi. On verra à quel point tu es mort.

Elle secoua sa tête pour libérer ses cheveux puis, lentement et soigneusement, comme si elle était seule dans la pièce, commença à déboutonner sa robe. Un crucifix offert par Stern pendait entre ses seins.

— Je suis seule. Personne ne me voit. Je déteste qu'on me regarde. C'est tellement agréable d'être seul, dans l'intimité. Tu sais, je suis triste parfois de mentir, de jouer un jeu devant les autres. Quand ça m'arrive, voilà ce que je fais : je me mets ici, à l'intérieur de ce petit cercle que voilà. Du bout du pied, elle traça un cercle sur le sol. Tu le vois, Acland ? C'est un cercle invisible. Nous sommes les seuls à le voir. Personne ne peut nous atteindre quand nous sommes à l'intérieur. Nous pouvons faire ce que nous voulons. Ecoute, dit-elle en fermant les yeux, certaine qu'il la voyait. Je vais te raconter l'histoire de Constance et de son amant. Il s'appelle Acland. Il est le seul homme qu'elle ait jamais aimé et désiré. Il est à la fois son ennemi, son ami, son frère et son sauveur. Quel version voudrais-tu entendre ? Il y en a tellement. Quand elle était petite, il venait à elle sous la forme d'un grand oiseau blanc, une créature libre, qui l'emmenait parcourir le monde sur ses ailes. Je peux aussi te raconter ses visites sous forme humaine, toutes les nuits. Il la touchait : d'abord ses cheveux, qu'il adorait, puis son cou, ses seins et ses cuisses. Un jour ils sont allés dans les bois et un autre ils se sont couchés sur l'escalier. Une fois, ils se sont même cachés dans le vestiaire, dans l'obscurité, contre les manteaux. Quand elle l'a caressé, il était aussi dur qu'un bâton. Voilà comment c'était. Et cela a continué pendant longtemps, des années, des siècles. Il leur était insupportable d'être séparés. Et puis, il n'y a pas si longtemps, une chose terrible s'est produite. Il est venu dans sa chambre une nuit, l'a tenue dans ses bras et lui a dit qu'il revenait du monde des morts. Il lui a raconté comment il avait fait pour franchir cette frontière. C'était un grand secret ! Il a ouvert sa chemise et lui a montré sa blessure, juste au-dessous du cœur. Il a fait un anneau avec une boucle de ses cheveux et le lui a passé à l'annulaire. Elle était en même temps sa femme et sa veuve. Il est resté toute la nuit puis s'en est allé au petit matin. Tu es parti. Elle ouvrit les yeux et le regarda en face. Tu es parti et j'ai cru que tu ne reviendrais jamais. C'était la fin, ma punition, mon châtiment : rester seule pour toujours. Si c'est le cas, je survivrai à ma manière. Je ne mourrai pas... directement. Mais je dois être sûre : es-tu parti définitivement ou peux-tu revenir ? Ne bouge pas. J'ai besoin de te toucher.

A la fin de ce récit, Constance vacilla. Elle fit un pas, puis deux, et se pencha vers Acland en le regardant droit dans les yeux. Elle déboutonna sa chemise et y glissa une main. La cicatrice lui était familière.

Je voulais me transformer en magicienne, devenir la Circé d'Acland. Je lui ai raconté notre romance et je me suis mise nue devant lui. S'il ne répondait pas à mes paroles, il répondrait peut-être à mon corps. Les hommes sont ainsi. Je crois qu'ils aiment ma peau, mais aussi mes histoires.

Mes lèvres étaient proches des siennes à les toucher. Il n'était pas si mort, en fait. J'aurais pu le caresser et j'en avais terriblement envie. Mais je ne l'ai pas fait. J'étais déterminée à ce qu'il se manifeste, et c'est ce qui s'est passé.

Il a levé la main et j'ai cru qu'il allait toucher ma poitrine. Je crois qu'il le voulait mais en fait il a posé sa main sur mon crucifix en m'effleurant la peau. Il l'a serré très fort. Je sentais mon cœur battre.

J'ai attendu un moment puis je me suis décidée. C'était suffisant. J'étais presque contente qu'il ne me touche pas. Nous ne pouvons nous comporter comme des gens ordinaires. Je suis passée à l'étape suivante. Il ne me restait que peu de temps ; je devais faire vite et être pragmatique.

J'ai reboutonné ma robe et me suis assise sur ma chaise. J'étais sûre qu'il me regardait. Je lui ai alors assené les faits comme on abat des cartes sur un tapis : Boy, Jenna, Jenna et le bébé (je lui ai dit que j'aurais veillé sur le bébé), l'argent que son père devait à Montague, combien Montague voulait Winterscombe. Puis je me suis arrêtée un instant. Son visage était blême.

Je me suis dit qu'il se sentait peut-être coupable au sujet de Jenna et du bébé. Je ne savais plus trop que dire. Je crois comprendre le principe du remords mais je ne l'ai jamais ressenti, même quand Boy est mort. C'est un sentiment qui ne m'a pas été donné à ma naissance. Mais Acland est différent. Alors, j'ai essayé d'expliquer : le remords est une émotion inutile. Il ne pouvait défaire le passé mais il était en son pouvoir, s'il le voulait, d'influencer l'avenir.

Je me suis levée pour m'approcher de la fenêtre. J'ai pointé le doigt vers les jardins, le lac et les bois. J'ai dit à Acland que j'ignorais s'il tenait à cet endroit mais que si c'était le cas il devait le préserver pour lui-même, ou ses frères, ou les enfants qu'il aurait peut-être; que Montague avait jeté son dévolu dessus mais qu'il était possible de contrecarrer ses projets. Je lui ai dit que pour sauver ses biens il lui fallait une épouse riche. Et qui était plus riche et plus disponible que Jane Conyngham?

Je me suis rassise et je lui ai énuméré tous les avantages que présentait Jane. « Elle est immensément riche. Elle pourrait rembourser les dettes de ton père et sauver Winterscombe sans entamer sa fortune ». Je lui ai rappelé qu'il lui devait la vie et qu'elle l'aimait depuis toujours. Je crois qu'il a été surpris. Il peut être si obtus! Je lui ai expliqué que l'épouser serait une façon de rembourser sa dette envers elle et que s'il estimait mes projets trop intéressés il trouverait bien le moyen de rembourser l'argent autrement.

Je crois qu'il n'était pas convaincu à ce moment-là. Son visage était complètement fermé et ses yeux glacés. J'ai poursuivi ma démonstration avec plus de force. J'ai dit qu'il ne trouvait peut-être pas ma suggestion attrayante mais qu'après tout Jane ferait une excellente épouse et, le cas échéant, une mère exemplaire.

« Réfléchis, Acland, ai-je poursuivi. Elle est intelligente et courageuse. Vous avez de nombreux points communs. Elle a vu la guerre de très près elle aussi. Vous avez les mêmes goûts musicaux et littéraires. Bien sûr, il y a aussi des inconvénients. J'imagine que tu ne la trouves pas très séduisante mais après plusieurs années de mariage, si tu avais envie d'autre chose... tu pourrais faire ça discrètement. Mais tu as trop de scrupules pour la blesser. Tu vois, tu ferais un mari idéal! »

A cet instant précis, je crois qu'il commençait à en avoir assez et je me suis dit : « Il ne le fera pas, il va choisir le rasoir. » Je sortis mon dernier atout :

— Il y a encore une petite chose. Si tu te maries et que tu vis ici, je pourrai te voir de temps à autre. Si j'habite dans la maison de Peel, nous serons voisins et nous pourrons...

Je me suis arrêtée car je ne voulais pas énumérer tout ce que nous pourrions faire. Il sait très bien tout ça. Je sais qu'il en rêve. Je m'attendais à ce qu'il se mette à parler. Voyant que rien ne se produisait, je me suis sentie inquiète. Mes mains n'arrêtaient pas de bouger dans tous les sens. J'ai essayé de m'expliquer : c'était ainsi que je voyais nos relations; être à la fois proches et distants. Nous ne devions jamais nous toucher mais nous aimer de façon platonique. C'était l'amour le plus pur et le plus parfait.

J'étais furieuse d'être obligée de m'expliquer à ce point. Je sais parfaitement qu'il a compris tout cela depuis fort longtemps.

Notre amour caché. La colère me faisait trembler un peu. Je sentais un feu brûler en moi. Il fallait faire vite. Le moment était venu de lui offrir mes deux cadeaux. Je me suis mise à genoux devant lui. J'ai sorti le rasoir de ma poche avec ma main droite.

Je me suis penchée, l'ai regardé fixement puis j'ai posé mes lèvres sur les siennes pour le goûter. Je l'ai laissé m'embrasser.

– Regarde, voici tes cadeaux. La mort dans ma main droite et la vie dans la gauche. Choisis, Acland.

Il a observé le rasoir pendant un long moment. Pour l'aider à se décider, je l'ai déplié. Il était très tranchant. J'ai passé la lame sur ma paume et ma peau s'est fendue en faisant jaillir du sang. Je lui ai tendu ma main en disant :

– Goûte, Acland. Tu connais bien le goût et l'odeur du sang. Est-ce cela que tu veux? Si c'est le cas, je t'aiderai, je le promets. Tes poignets ou ta gorge? Je guiderai ta main et j'attendrai près de toi jusqu'à ce que ce soit terminé. La porte est fermée à clé. Je te promets que je ne crierai pas. Je ne suis pas comme les autres femmes. Je le ferai si c'est ta volonté. Choisis, Acland.

Ses doigts se sont refermés autour de mon poignet. Il m'a secoué la main et le rasoir a été projeté en l'air. Il est retombé sur le tapis persan, au pied d'une commode.

Il a dit :

– Tu es une femme extraordinaire. Tu es la femme la plus extraordinaire que j'aie jamais rencontrée.

Je crois que c'est ce qu'il a dit.

J'ai ramassé le rasoir et l'ai remis dans ma poche. Ce fut tout. Je voulais lui dire que la femme qu'il aimait n'avait rien d'extraordinaire, qu'elle était... un accident, un petit monstre dont les éléments avaient été montés tout à l'envers. Mais c'était inutile. Il m'aime pour mes contradictions et ma diversité. Il sait que pour lui je peux devenir n'importe quelle femme : sa petite vierge ou sa petite putain, sa petite sainte ou sa petite pécheresse. Il *est mon amour impossible, mon homme revenu de l'au-delà qui pourrait se tuer pour l'amour de moi. Acland, mon sauveur. Rien ne saurait l'arrêter!*

L'obscurité tombait. Je me suis approchée de l'interrupteur et j'ai allumé. Puis j'ai éteint en disant :

— Regarde, Acland. Je suis là et je ne suis plus là.

Et je suis partie.

Je suis allée retrouver Montague. Nous avons fait l'amour sauvagement. J'ai aimé. J'aime bien être malmenée à l'occasion. Mais je ne peux pas jouir tant qu'il est dans moi. Je lui ai demandé s'il avait déjà eu des femmes comme moi. « Une ou deux », m'a-t-il dit. Il a précisé que cela **pouvait prendre** *du temps et que je ne devais pas me faire du souci pour cela.*

Il était à deux doigts d'avoir pitié de moi et j'ai horreur de ça. La prochaine fois, je ferai semblant. Il aura son orgasme.

— Vous avez fait la lecture à Acland ? m'a-t-il demandé pendant que nous nous changions pour le dîner.

J'ai répondu que oui, que le livre était L'Antiquaire, *que l'intrigue était incompréhensible mais que j'avais lu magnifiquement.*

Il était 5 heures passées lorsque Constance quitta la chambre d'Acland. Une heure plus tard, Jane y entra à son tour. Croyant qu'il dormait, l'infirmière l'avait laissé dans son fauteuil devant la baie vitrée. Le voyant les yeux ouverts, Jane se dit qu'il regardait la guerre.

Elle avait fait aussi vite que possible pour rentrer de Londres. En se hâtant dans le vestibule, elle avait vu en passant que Gwen était seule dans le salon. Elle était assise dans la pénombre, la tête penchée, dans une attitude de chagrin et de tristesse.

Jane fut bouleversée. Elle savait à quel point Gwen souffrait, combien elle prenait sur elle pour aller voir Acland, lui parler, lui faire la lecture, rester gaie et attentionnée. Jane se hâta dans l'escalier, le cœur battant. Elle était déterminée à parler à Acland. Il ne pouvait continuer à infliger cette épreuve à sa famille. C'était du pur égoïsme.

Elle s'agenouilla près de lui et lui serra les mains. Le jour tombait, les ombres donnaient à son visage une teinte grise. Il avait pleuré. Elle écrira dans son journal :

Je ne supporte toujours pas de voir un homme pleurer. Mon cœur débordait d'amour pour lui. J'avais prévu tout ce que je voulais lui dire mais, le moment venu, tout s'est mélangé : l'amour, la colère, l'indignation. Je crois que j'ai manqué de clarté.

Je voulais lui faire comprendre que, malgré ce qui s'était passé en France, malgré ce qu'il avait fait ou vu là-bas, il avait survécu, qu'il avait

454

reçu le plus précieux de tous les dons : la vie. Combien de milliers, de millions d'hommes n'avaient pas eu cette chance ? Ceux-là ne reviendraient jamais. Le temps passerait et on les oublierait.

Bien sûr, on aménagerait des cimetières pour les soldats et les gens iraient les visiter. On fêterait les dates anniversaires de la guerre. Mais se souviendrait-on des hommes ? Pour chacune de ces tombes, un homme, pour chacune de ces croix, l'histoire d'une vie. Ceux qui les aimaient se souviendraient, mais après eux ? L'anonymat. Les gens ont la faculté de vite oublier les guerres.

Je me suis mise à pleurer. Ma voix chevrotait. Je voulais dire à Acland qu'il avait tort, que c'était plus que du gâchis : un péché. Dieu lui avait donné la vie et il lui faisait l'affront de refuser son cadeau.

J'ai su tout de suite que cet argument était stupide. Acland ne croit pas en Dieu, à moins que la guerre lui ait donné la foi, ce qui est fort peu probable. Je me suis reprise. J'ai essayé d'être cohérente : avoir tant reçu, bénéficier de tous les avantages de la vie, revenir de la guerre entier, avoir plus que le confort nécessaire, être entouré de sa famille qui l'aime... Je n'ai pas pu poursuivre. Je me sentais très forte mais je m'exprimais de façon banale, plate et grotesque.

J'étais furieuse contre moi et je le lui ai dit. Et puis j'ai dit : « Je vous aime Acland. Depuis des années, aussi loin que mes souvenirs remontent. »

Il est resté de marbre. Aucune réaction. Je savais qu'il m'entendait et j'étais sûre qu'il avait compris mais il ne s'est pas donné la peine de me le faire savoir. J'étais pleine de colère et de regrets.

J'ai laissé sa main, me suis levée et lui ai dit ce que j'avais décidé : je n'étais pas parvenue à l'aider mais il y avait d'autres gens à qui je pouvais être utile et j'avais ma propre vie à vivre. Je me souviens des mots exacts à cause de ce qui s'est produit ensuite.

En allant vers la fenêtre, je suis passée devant lui. Il faisait nuit dehors. Une chouette hululait dans les bois. J'avais la cage thoracique oppressée et ma gorge me faisait mal, à force de parler. Mais je me sentais forte. Je savais que j'avais raison et cela ne m'arrive pas souvent. J'ai dit :

— Ma vie, Acland. J'en ai une. Je vais arrêter de vous soigner. Je vous aime, pourtant. Je vous aiderais à vivre si je le pouvais, mais je ne vous aiderai pas à mourir. Je vous méprise. Je déteste ce que vous infligez à votre mère et à votre famille. Il y a des gens en bien pire état que vous. Votre fauteuil roulant et votre silence ne sont que l'expression de votre lâcheté.

Je continuais à regarder la nuit dehors. Je me suis dit : « J'ai vingt-neuf ans. » Et j'ai pensé à mes maisons, mon argent et à ce que je pouvais en faire. C'est alors que j'ai entendu quelque chose. Au début, je me suis demandé ce que c'était. Et puis j'ai compris : c'était la voix d'Acland. Il prononçait mon prénom.

Il le prononça trois fois. Jane fit volte-face et vit qu'il lui tendait la main.

— Je peux parler. Et marcher. Et penser. Et ressentir des émotions. J'ai... honte.

Jane poussa un petit cri. La lumière étant faible, elle ne distinguait que les contours du fauteuil et la silhouette d'Acland. L'espace d'un instant, elle songea qu'elle était le jouet de son imagination. Il était si immobile! Quand elle comprit, des larmes jaillirent de ses yeux. Elle prit la main qui lui était offerte et s'agenouilla.

— Vous avez coupé vos cheveux, dit-il.

Les doigts d'Acland effleurèrent son cou. Il lui prit une mèche de cheveux entre le pouce et l'index puis poursuivit :

— Je vous ai reconnue. Dans les grottes... à Etaples...

Sa voix était lente. Une lueur passa dans ses yeux puis s'éteignit.

— J'ai reconnu votre voix. Bien avant que vous vous approchiez de mon lit. Je vous ai entendue. Et cela a fait revenir tout ce que je croyais avoir perdu : l'Angleterre, cette maison, et tout le reste. J'ai voulu vous appeler mais aucun son n'est sorti.

Il baissa la tête. Dans la demi-obscurité, ses cheveux n'avaient plus de couleur. Il soupira. Doucement, Jane porta sa main au visage du jeune homme.

— Je n'ai jamais cessé de penser à vous... en tant que future femme de mon frère, reprit-il. Je ne vous voyais pas...

Jane retira sa main.

— Je sais, Acland. Je comprends. Mais nous avons toujours été amis.

— Non. Vous ne comprenez pas. Je suis si fatigué. Je n'arriverai pas à expliquer. Regardez-moi seulement...

C'est alors que Jane commença à espérer. Elle avait beau se raisonner, l'espoir ne la quittait pas. Elle contempla la pâleur d'Acland, ses yeux pers qui la troublaient depuis toujours. Ils avaient une expression qu'elle ne leur connaissait pas.

— Acland... commença-t-elle.

— Je sais. C'est étrange, n'est-ce pas? Il lui serra les mains. Je n'aurais jamais cru. Et cependant, c'est si fort. J'ai été aveugle.

Il leva la main et la posa contre la joue de Jane. D'un doigt, il suivit la ligne de ses sourcils.

— Vos yeux sont lumineux. Il laissa retomber sa main. Et vos cheveux... Vous avez été courageuse de dire tout ça. Avez-vous toujours été ainsi? Pourquoi ne m'en suis-je jamais aperçu?

— Non. Je ne suis pas courageuse. Pas du tout. Si j'ai changé...

— Venez ici.

Il se leva et l'entraîna vers la fenêtre. Un nuage passa devant la lune. Il reprit :

— Vous avez changé. Quand et pourquoi ?

Jane songea : « Je ne suis plus invisible pour lui. Je ne le serai jamais plus. »

— Mon travail peut-être. La maturité. Et la guerre...

— Ah ! la guerre, dit-il en la prenant dans ses bras.

Lorsque j'eus terminé ce récit de ma mère, je laissai Wexton somnoler dans son siège et sortis dans le jardin. Je descendis au lac et au bois de bouleaux, dans ce paysage que mes parents avaient contemplé par la baie vitrée, la nuit de la guérison de mon père.

Ce matin-là, j'entendis la voix de ma mère plus clairement que ces trente dernières années. Je me sentis redevenir enfant. Je la revis telle qu'elle était : une présence calme et sécurisante. Les huit premières années de ma vie, elle ne m'avait jamais fait douter de son amour pour mon père et pour moi. Contrairement à Constance, elle ne se mettait pas en colère pour des vétilles : une robe d'une mauvaise teinte, une coupe de cheveux mal réussie. Elle n'avait aucun orgueil. Les mensonges l'irritaient et l'injustice la mettait hors d'elle. Ainsi était ma mère. Je sentais sa force maintenant. Une femme bonne. Et comment l'avais-je remerciée ? En lui étant déloyale.

Je l'avais laissée sortir de ma vie, je m'étais laissée l'oublier, j'avais laissé Constance usurper sa place. Je pouvais me trouver mille excuses : d'abord, elle était morte jeune et les vivants réussissent toujours à prendre la place des morts ; ensuite elle était bonne et cette qualité n'attire pas toujours l'attention. Elle manquait de charisme. Je me méprisai de chercher des excuses.

Je m'assis au bord du lac en pensant à l'amour d'un couple marié, qui peut devenir ennuyeux, même s'il apporte aussi les plus grandes joies. Je savais quelle version je voulais croire : celle de ma mère. Je voulais croire à l'amour partagé de mes parents, celui qui avait guéri mon père. Nous sommes tous des enfants : nous voulons croire à l'amour qui nous a fait naître même quand nous avons atteint l'âge où ce besoin peut paraître irrationnel. L'amour qui dure, l'amour éternel, comme dans les contes de fées. Mais, à cause de Constance, j'avais encore des doutes.

Je n'étais pas loin de la haïr pour ça, pour l'aplomb incroyable avec lequel elle avait écrit sur le prétendu attachement entre mon père et elle, sur sa conviction inébranlable d'avoir marié mes parents, un mariage intéressé, de convenance.

Dans mes souvenirs de mes parents, rien ne suggérait pareille chose mais je ne parvenais quand même pas à écarter tous mes doutes. Après tout, le père mentionné dans les cahiers n'avait pas été très élégant avec Jenna ; l'iconoclaste versatile des années d'avant-guerre n'était pas le père de mes souvenirs; la silhouette barbue retrouvée dans les grottes d'Etaples, celle prostrée dans le fauteuil roulant m'étaient totalement étrangères.

Je retournai vers la maison. J'étais maintenant persuadée que Constance m'avait délibérément fait un cadeau empoisonné : je jetai un regard soupçonneux et dégoûté sur les cahiers.

Wexton se réveilla, bâilla et s'étira.

— Alors, dit-il, que s'est-il passé ensuite ?

Je subodorais la suite car j'en étais déjà à quelques pages plus loin. Je les avais lues avec un plaisir non dissimulé.

— Constance est traitée comme elle le mérite, répondis-je.

— Ah! bien, dit Wexton.

Lorsque la nouvelle des fiançailles d'Acland et de Jane parvint à Constance, elle se mit à danser dans son salon. Elle jeta en l'air la lettre de Gwen, laissant les feuillets s'éparpiller sur le tapis, puis les ramassa. Sa volonté avait décidément une puissance formidable, irrésistible. Elle couvrit les feuilles de baisers.

Toute la journée, elle chérit en pensée la bonne nouvelle. Après le retour de son mari, elle la garda encore un moment pour elle. Quand et comment la lui annoncer ? Elle qui adorait tant les secrets était comblée.

Pendant le dîner, elle joua à la perfection son rôle d'épouse aimante : ses yeux brillaient, ses joues étaient roses, ses petites mains baguées scintillaient en remuant. Elle avait laissé ses cheveux dénoués pour faire plaisir à son mari; elle portait une nouvelle robe splendide; elle avait enroulé autour de son bras son bracelet en forme de serpent : un, deux, trois tours.

Après le dîner, elle embrassa d'abord sa chienne puis son mari. Elle joua l'un de ses rôles préférés : celui de femme-enfant. D'un coup d'œil en coin, elle rappela à son mari qu'ils avaient promis d'assister à une réception après dîner et suggéra qu'il serait bien plus amusant de rester à la maison.

A 10 heures, elle l'entraîna dans l'escalier avec force baisers et murmures à l'oreille. Un quart d'heure plus tard, jouant d'abord les pudiques, puis les effrontées, elle se déshabilla. Quinze minutes après, elle attira Stern sur le lit, se mit sur lui, noua ses bras autour de sa nuque et enroula ses jambes autour de sa taille. « Je vais lui donner plus de plaisir qu'il n'en a jamais eu et ensuite je lui dirai la nouvelle » songea-t-elle.

Dans le miroir situé derrière le lit conjugal, elle se regarda à l'œuvre : elle se voyait monter et descendre, ses cheveux longs et très noirs sur les épaules, sa peau rose, ses lèvres rouge sang. « Parlez-moi, choquez-moi, chuchotait-elle, j'aime ça ».

Lorsque ce fut fini, elle resta un moment dans les bras de son mari, prit un air langoureux puis fit mine de dormir. Les yeux clos, elle attendait le moment d'agir. Combien de temps ? Quinze minutes ? Dix ? Et puis, quand elle lui aurait dit, fallait-il parler tout de suite de la maison de Peel ou attendre encore un peu ? Non, l'attente serait insupportable. Elle allait annoncer les fiançailles puis, en soulignant bien les sentiments d'Acland pour Jane, soulèverait la question de la maison.

Elle s'assit sur le lit, bâilla joliment puis s'étira comme une chatte.

— Montague, commença-t-elle, j'ai des nouvelles.

— Un moment, ma chère. Stern descendit du lit, alla à son bureau et se retourna vers elle. Un cadeau pour vous, Constance.

Elle fut instantanément sur le qui-vive : elle adorait les présents et Stern était la générosité même, mais ce cadeau-là était singulier. Avec une courtoisie inquiétante, il posa deux enveloppes sur les genoux de sa femme.

Elle les ouvrit et considéra leur contenu un certain temps. Un picotement parcourut sa nuque : elle tenait entre ses mains deux billets aller Southampton-New York sur un paquebot.

— Qu'est-ce que c'est ? dit-elle quand elle eut retrouvé sa voix.

— Des réservations. Une pour vous et une pour moi. Regardez. Nos noms sont inscrits dessus.

— Je vois. Elle avait baissé la tête pour cacher son visage. Je vois aussi la date. C'est pour le mois prochain.

— Décembre, oui. A Noël nous serons à New York, ma chère.

— New York ? Comment pourrions-nous aller à New York, avec la guerre ?

— Les paquebots continuent à circuler malgré la guerre, dit-il d'une voix égale et imperturbable.

Constance connaissait ce ton. Elle risqua un coup d'œil rapide vers son mari. Il était assis près d'elle, une ébauche de sourire aux lèvres, et la regardait avec équanimité.

— Et nous y resterons combien de temps, Montague ? Un mois ? Deux ?

— Oh, plus longtemps ! J'ai pensé que nous pourrions y rester... pour toujours.

Son ton déplut fortement à Constance. Sous la politesse superficielle, elle avait décelé un certain triomphe glacial. Elle risqua une question :

— Pour toujours ? Elle attira son mari à elle et enroula ses bras autour de son cou. Très cher Montague, ne me taquinez pas. Comment pourrions-nous vivre à New York ? Vous avez votre travail ici. La banque. Les usines de munitions...

— Oh, je m'en suis débarrassé, dit-il d'une voix légère. Je ne vous l'ai pas dit ? L'intervention des Américains dans la guerre a été décisive. Il n'y en a plus pour longtemps, je pense. J'ai vendu à un meilleur prix que je n'aurais obtenu dans un an.

459

– Mais Montague, et la banque... ?

– Mes associés s'en occuperont. De toute façon, nous avons des liens avec Wall Street. Je vous l'ai déjà dit.

– Je n'en ai aucun souvenir. Constance se renfrogna. Vous ne m'avez jamais parlé de New York, ni d'Amérique.

– Vous n'avez sans doute pas fait attention. L'idée ne vous plaît pas ? J'ai cru que vous seriez enchantée. Vous avez toujours parlé de voyager. Vous aimez le changement. Eh bien, New York va vous changer. En comparaison, Londres vous paraîtra bien ennuyeux.

– Je ne veux pas vivre à Londres! explosa Constance. Je vous l'ai dit. Nous en avons discuté. Je veux vivre dans la maison de Peel.

– Chez les Peel ? Stern parut surpris. Mais ce n'est plus possible, Constance. Je l'ai vendue.

Constance resta de marbre mais la couleur lui monta au visage.

– Vendue ? Et quand ?

Stern haussa les épaules.

– Cette semaine. La semaine dernière. Je ne sais plus. Constance, vous changez tellement souvent d'avis! J'ai cru que votre intérêt pour cette maison n'était qu'un caprice passager. Il ne m'est jamais venu à l'esprit que...

Il s'interrompit. Constance était maintenant certaine que son mari mentait. Jamais venu à l'esprit! En fait, il savait parfaitement à quel point elle la voulait, cette maison. Et, pire encore, il savait peut-être pourquoi.

Elle se mordit les lèvres pour refouler ses larmes. Se faire avoir si près du but! Elle serra les poings avec une rage rentrée.

– Chérie, dit Stern.

C'était un mot qu'il employait peu souvent. Il se pencha pour l'embrasser. Sa voix était contrite. Comme il jouait bien la comédie!

– Chérie, vous avez l'air bouleversée. Si j'avais su. J'ai reçu une offre pour la maison de Peel et la propriété Arlington. C'était très intéressant...

– Ça, j'en suis sûre.

Malgré elle, une petite larme de rage coula sur sa joue. Stern embrassa la larme puis les lèvres de Constance. Elle eut du mal à contenir sa colère.

– Constance, poursuivit-il en l'enlaçant, réfléchissez un peu. En Ecosse, vous avez été catégorique. Ni Winterscombe ni près de Winterscombe. Et notre petit empire, vous vous rappelez ? Il s'est écroulé ces derniers temps. Car sans Winterscombe et la propriété des Conyngham, il n'en resterait pas grand-chose. Si j'en crois les rumeurs...

– Rumeurs ? Quelles rumeurs ?

– Celles qui disent que Denton va miraculeusement pouvoir rembourser ses dettes, qu'Acland et une certaine héritière sont fous d'amour l'un pour l'autre.

460

– Acland et Jane, vous voulez dire ? Fous d'amour ? Constance se dégagea de l'étreinte de Stern et hocha la tête. Je n'ai jamais rien entendu d'aussi stupide.

– Au point de se marier, si j'ai bien compris.

Constance s'adossa aux oreillers. Dans l'état de rage où elle était, mieux valait se taire. Elle avait décelé de la malice dans la dernière réplique de Stern ou, du moins, un désir manifeste de blesser. Etant censée se moquer éperdument d'Acland, elle devait absolument cacher son émoi. Elle se rappela l'avertissement de Maud et se reprocha de ne pas avoir été plus prudente. Elle connaissait pourtant l'habileté de son adversaire. A force d'intriguer, elle avait complètement oublié qu'il pouvait en faire autant. Quelle erreur stupide ! Elle regarda son mari : s'il jubilait intérieurement, il le cachait bien. Il replaça posément les billets dans l'enveloppe. Elle sentit sa rage diminuer, puis se transformer en admiration. Il en fallait plus pour l'abattre, elle allait relever le défi. Stern avait gagné une bataille, mais pas la guerre et elle voyait déjà une faiblesse dans sa défense.

– Montague... commença-t-elle d'une voix pensive.

– Oui, ma chère ?

Elle lui tendit la main et l'attira vers elle avec un sourire des plus innocents. Elle remarqua que son mari était tendu.

– Montague, dites-moi la vérité. Vous ai-je mis en colère ?

– En colère ? Bien sûr que non. Et pourquoi donc ? De plus, je suis rarement en colère. La nature m'a donné un tempérament calme. Les colères sont des pertes de temps.

– Vraiment ? Vous n'êtes donc jamais en colère ?

– A l'occasion. Leurs yeux se rencontrèrent. Je n'aime pas être trompé, Constance.

– Trompé ? Dieu du ciel ! Personne n'oserait vous tromper. Surtout pas moi. Comme c'est étrange ! Ce ne serait donc pas de la colère. Et pourtant, votre expression quand vous m'avez tendu les billets...

– Un cadeau, Constance. Une surprise.

– Oui, une surprise charmante, d'ailleurs. Mais je me demande... Quand même... Si ce n'est pas de la colère, serait-ce de la jalousie ? Montague, je vous soupçonne d'être jaloux. Je le vois sur votre visage. J'ai trouvé. Vous êtes jaloux d'Acland. Cela explique pourquoi vous vous êtes débarrassé de la maison de Peel et pourquoi vous nous envoyez à l'autre bout du globe. Je vous soupçonne de vouloir m'éloigner des... tentations de Winterscombe.

Stern prit cette suggestion avec un amusement non dissimulé, ce qui ne manqua pas d'irriter Constance.

– Ma chère Constance, je déteste vous décevoir. Je sais que les fcmmes aiment attribuer aux hommes ce genre d'arrière-pensée. Hélas, dans mon cas c'est sans fondement. J'ai de nombreuses faiblesses mais la jalousie n'en fait pas partie.

— Vraiment, Montague ?

— Je suis au regret, mais c'est vrai. Acland n'est rien pour vous. Je le sais car vous n'avez pas manqué de me le répéter. La triste vérité est que mes intentions sont d'ordre exclusivement financier.

— Vous n'avez donc jamais été piqué par la jalousie ? insista-t-elle.

— Pas pour autant que je me souvienne. Je ne suis pas un homme possessif.

Sentant chez son mari une vulnérabilité mal déguisée, Constance fronça les sourcils et se rallongea.

— Bien sûr ! Je me rappelle maintenant. Comment avez-vous dit déjà ? Ah oui ! Que vous n'attachiez pas une grande importance à la fidélité physique. Vous avez vraiment une âme noble, Montague. Je ne peux pas en dire autant.

— Vraiment ?

— Je suis tout ce qu'il y a de plus jaloux et possessif. Si vous regardiez une autre femme, je commencerais à dépérir intérieurement. Si vous couchiez avec elle... Oh, Montague ! ce serait horrible. J'aurais l'impression d'avoir été coupée en mille morceaux...

— Constance. Ne dites pas de pareilles choses. Vous savez... il n'y a aucun danger... Dans l'immédiat, je veux dire. Je suis... satisfait avec vous. Je serais incapable de désirer une autre femme.

Constance poussa un petit cri et se jeta contre son mari. « Enfin, un aveu », songea-t-elle. Elle eut un sentiment de triomphe presque immédiatement tempéré par des émotions contradictoires. Leur étreinte, la façon dont Stern caressait ses cheveux, ses lèvres contre son front provoquèrent en elle un besoin d'être sincère. Mais la sincérité la rendrait trop vulnérable, surtout avec lui. Elle se reprit.

— Et voilà ! dit-elle d'une voix plus calme. Je suis d'une nature jalouse et vous non, bien que je pense que vous n'êtes pas aussi insensible que vous le prétendez. Supposez que je m'intéresse à un autre homme... Supposez que je prenne un amant. C'est une pure hypothèse, bien entendu. Mais si c'était le cas, vous n'éprouveriez rien du tout ? Ce serait inhumain, Montague.

— Bon, puisque vous insistez... Cela me ferait quelque chose, bien évidemment. Mais je saurais prendre sur moi. Je vous l'ai déjà dit : il existe entre un homme et une femme des formes de fidélité autres qui me paraissent bien plus importantes. Quand je vous ai dit cela, je pensais à l'avenir. A notre différence d'âge. J'essayais d'être... réaliste. Quand vous aurez trente ans, j'approcherai la soixantaine.

Il s'arrêta et Constance l'observa attentivement.

— Oh, je comprends, finit-elle par dire. Vous ne parliez pas de maintenant ?

— Bien sûr que non, Constance. Nous sommes mariés depuis moins d'un an...

— Un an ? Elle poussa un petit cri d'étonnement. Seulement un an ? J'ai l'impression que cela fait tellement plus ! Vous me rendez heureuse, Montague. Quand je suis avec vous, je ne vois pas le temps passer. Je trouve que... vous m'avez fait changer... Elle se pencha avec impétuosité et se mit à couvrir de petits baisers le visage de son époux. C'est vrai ! Si j'étais avec vous tout le temps, si je n'étais jamais seule, je pourrais changer encore plus, je crois. Je pourrais même... Elle s'arrêta net. Mais cela n'a aucune importance. Je veux juste vous dire que je suis heureuse que vous ayez acheté ces billets.

— Vous êtes sincère ? Il lui prit le menton et la força à le regarder. Il avait l'air un peu triste. Avec vous, je ne suis jamais sûr, Constance. Je ne sais pas si vous pensez ce que vous dites, si vous vous forcez à le penser ou si vous faites semblant...

— Je suis sincère, Montague. Maintenant. Bien entendu... Elle baissa les yeux et ébaucha un sourire. Ce que j'éprouve maintenant peut changer dans cinq minutes ou dans cinq ans... Je suis honnête, Montague. Je me connais bien. Pour vous dire la vérité, quand vous m'avez remis les billets, je n'étais pas très contente. Mais maintenant oui. Vous avez bien fait. Nous allons être heureux en Amérique.

S'agenouillant sur le lit, elle mit ses bras autour du cou de Stern.

— Ce sera un nouveau monde à conquérir, comme nous l'avions prévu. Qu'avons-nous à faire de Londres, de Winterscombe et de tous ces gens ? Oublions-les et repartons à zéro. Comme j'aimerais partir dès demain. Nous donnerons de grandes réceptions très recherchées, avec une liste d'invités prestigieux. Toute la ville sera à nos pieds. Je serai pour vous la femme idéale. Quand vous me regarderez, vous vous direz : « Constance m'est indispensable... »

— Mais, ma chère, je le pense déjà, dit Stern d'une voix sèche.

— Vous le penserez encore plus, renchérit-elle.

Elle se mit à échafauder projet sur projet : où ils vivraient, comment ils vivraient. Tous les détails y passèrent.

Amusé, Stern était très touché. L'enthousiasme de sa femme était parfois aussi débridé et émouvant que celui d'un enfant. Il s'attendait à ce que cet optimisme fasse long feu mais il dut reconnaître plus tard qu'il avait eu tort. Pendant les semaines qui allaient suivre, l'humeur de sa femme resta au beau fixe et sa tendresse envers lui fut intarissable.

Constance téléphona à tous ses amis pour réunir adresses et

463

recommandations à New York. Elle fit de nombreuses emplettes : nouvelles tenues, nouveaux bijoux. Tous les soirs, au retour de Stern, elle lui racontait en détail tout ce qu'elle avait glané dans la journée.

Une ou deux fois, il tenta de l'avertir que les victoires sociales sur lesquelles elle comptait déjà seraient peut-être plus difficiles à obtenir qu'elle ne se l'imaginait : sa race pouvait leur fermer de nombreuses portes à New York.

Mais elle secouait la tête et repoussait ces objections. Elle disait que si cela se produisait, ils répondraient par le mépris.

— Je n'inviterai pas les gens comme ça à mes réceptions, déclarait-elle.

— Mais Constance, ils ne viendraient de toute façon pas. C'est ce que j'essaie de vous expliquer.

— C'est encore mieux, répondait-elle. Je ne tiens pas à les connaître.

Son énergie et son excitation ne furent battues en brèche que pendant le voyage en bateau. La traversée était difficile mais cela plaisait à Stern. Constance se moquait gentiment de lui, de sa façon d'arpenter les ponts et de se tenir contre les rambardes surplombant l'Atlantique. L'eau avait la couleur du plomb et le ciel était gris. Le jour comme la nuit, on ne voyait qu'un mince rai de lumière à l'horizon.

Le premier soir, Stern réussit à persuader sa femme de l'accompagner sur le pont. Il lui montra le reflet de la lune sur le sommet des vagues, l'emmena à la poupe pour contempler l'eau bouillonnante et lui parla de la puissance des turbines.

Tout cela faisait frémir Constance. Elle détestait la mer. Elle retourna à l'intérieur du bateau et évita le pont pour le reste du voyage. Chaque soir elle jouait de grosses sommes au bridge, et gagnait généralement. Elle fit de nombreuses connaissances qu'elle comptait utiliser plus tard pour son ascension dans la société new-yorkaise. Elle s'occupa notamment beaucoup d'un jeune homme d'une des plus vieilles familles de New York, qui revenait de la guerre.

Le jour du débarquement, elle était à nouveau de fort bonne humeur. Elle regarda Manhattan avec amour et espoir. Sur le pont, elle embrassa fougueusement son mari et leva vers lui un visage radieux.

— Chéri, dit-elle. Elle avait commencé à l'appeler ainsi au cours de la traversée. Chéri, vous me rendez vraiment heureuse. Je suis impatiente de mettre pied à terre. Je suis plus dans mon élément quand je sens le pavé sous mes pieds.

A cet endroit précis du journal, je décidai de prendre un peu de répit. Cela me faisait un drôle d'effet de lire le récit de Constance en pressentant déjà ce qui allait se passer. Je me sentais mal à l'aise car je savais – presque – la suite.

Pour la période entre 1918, année de la fin de la guerre et du mariage de mes parents, à 1930, année de ma naissance, les grandes lignes des événements étaient déjà fixées dans mon esprit.

Pendant ces douze années, mes parents vécurent à Winterscombe. Au début, mon père travailla comme associé dans une banque d'affaires de Londres pour rembourser, je suppose, une partie de ce qu'il devait à ma mère. Il n'avait aucun goût ni aucune aptitude pour ce travail : son esprit fin, son intelligence vive, son don pour les arguments abstraits, son intérêt pour la littérature, l'histoire et la philosophie ne s'accordaient guère avec les contraintes du monde des finances. A cet égard, il était prisonnier de sa classe sociale : la recherche des profits lui hérissait le poil.

Après la mort de son père d'une crise d'apoplexie – une crise cardiaque dirait-on aujourd'hui – en 1923, il quitta définitivement la banque pour se consacrer entièrement à Winterscombe. Petit à petit, il s'engagea de plus en plus dans les œuvres de bienfaisance de ma mère, et en particulier dans la conception architecturale d'orphelinats. Il rédigea plusieurs tracts sur le sujet et milita même activement pour une réforme parlementaire en faveur des laissés pour compte de la société. Il avait la conviction que les institutions – celle des orphelinats mais aussi des prisons – avaient de graves répercussions sur ceux qui y étaient confinés. « Quand on met les gens en cage, disait-il, ils finissent nécessairement par se comporter comme des animaux. »

Nombre des idées que défendait mon père – entre autres que les prisons pour petits délinquants devraient être plus ouvertes et que les orphelins devaient être placés dans des familles et non dans des orphelinats – étaient en avance sur son temps. Je crois qu'il savait parfaitement que ces causes étaient perdues mais cela ne le gênait en rien : mon père adorait les causes perdues.

Mais elles coûtaient cher, et Winterscombe aussi : les douze années qui suivirent, un certain nombre des œuvres de ma mère connurent la réussite mais, réussite ou non, entamèrent largement son capital. Je crois qu'au début elle fut une proie facile pour les escrocs et les charlatans. Certains de ses placements – et tous ses projets étaient financés par des placements – furent malheureux. Année après année, l'idéalisme de mes parents les conduisit à la relative pauvreté de mon enfance. J'en étais fière, et le suis toujours, mais tout en lisant, je voyais l'avenir se dessiner. A Winterscombe, un idéalisme et des finances sur le déclin ; outre-Atlantique, le pragmatisme et une progression inexorable vers un succès mondial.

A New York, Constance et Stern prospéraient. Stern allait être autant redouté à Wall Street qu'il l'avait été dans la City et Constance œuvrait activement pour s'imposer dans les salons new-yorkais. « Heureux les humbles ? » aimait-elle dire. Elle n'avait jamais craint de blasphémer. « C'est parfaitement stupide ! Les humbles doivent disparaître. »

Une fois par an, quand Constance et son mari se rendaient en Europe, les deux factions de la famille se rencontraient à Winterscombe. Après sa visite de 1929, l'année du krach boursier de Wall Street, Constance assista l'année suivante à mon baptême sans son mari. Ce fut sa dernière visite avant son bannissement de Winterscombe.

Quelque chose vint alors interrompre le rythme de ces douze années. Je ne sais toujours pas quoi, mais je connais un autre fait : 1930 fut également l'année de la fin du mariage de Constance.

Voilà où j'en étais : je connaissais une partie du passé et une partie de l'avenir. La jonction entre les deux me paraissait évidente. L'obsession de Constance pour mon père était une véritable petite bombe à retardement dont l'horloge tournait depuis douze ans. Elle avait sans doute explosé l'année de ma naissance mais, des années plus tard, j'en entendais toujours la détonation.

C'est ainsi qu'une nuit, environ une semaine après l'arrivée de Wexton à Winterscombe, je pris la décision de tout arrêter. J'avais une certaine appréhension – vous verrez plus loin pourquoi – mais refusais de l'admettre. Je reléguai simplement lettres et journaux dans un coin ; je confiai le passé à des tiroirs.

Wexton ne fit aucun commentaire. Je crois qu'il savait déjà où je devais aller et attendait que je le comprenne. Il ne fit donc aucune remarque sur la disparition du tas de papiers.

– J'ai pris des places pour Stratford, m'annonça-t-il un matin au petit déjeuner.

Nous partîmes le lendemain et pendant plusieurs jours nous éloignâmes du passé.

La pièce de Shakespeare que nous allions voir était *Troïlus et Cressida,* l'une des favorites de Wexton et celle qui reflétait le plus son obsession pour la guerre.

Nous sommes partis le matin en voiture pour Stratford-on-Avon, avons déjeuné sur place, nous sommes promenés dans la ville, avons assisté à la représentation le soir puis sommes revenus à Winterscombe par des routes de campagne obscures et calmes.

Je pense que cette visite était une sorte de pèlerinage pour Wexton, une sorte d'adieu à Oncle Steenie. C'était la première fois que nous allions à Stratford sans lui. Bien entendu, Wexton n'y fit aucune allusion et ne montra pas le moindre signe de nostalgie. Nous avons déjeuné au pub préféré de Steenie au bord de la rivière puis erré dans la ville pour faire un choix parmi les nombreux salons de thé à l'ancienne de l'endroit. Wexton opta pour le pire d'entre tous, un bâtiment à colombage qui servait, pour le plus grand plaisir de Wexton, du thé à la crème Anne Hathaway [1]. Au retour, nous avons emprunté le même itinéraire qu'avec Steenie, celui qui passait devant l'église de la Sainte-Trinité, là où était enterré Shakespeare.

Wexton n'allait jamais à Stratford sans s'incliner sur la tombe du grand écrivain. C'était à peu près la vingtième fois que nous y allions. Nous nous approchâmes de la tombe, entre un groupe d'élèves bâillant d'ennui sur notre gauche et des hommes d'affaires japonais sur notre droite.

Wexton fixa des yeux l'épitaphe de la pierre tombale. Plus tard, s'étant lié d'une amitié spontanée avec l'un des Japonais, il se mit à discuter avec lui de sujets aussi divers que les virées en décapotable, la signification profonde de *Hamlet* et la probabilité qu'Anne Hathaway ait effectivement préparé du thé à la crème pour son mari.

Après le thé, visiblement aux anges, Wexton alluma une cigarette. Des étudiants l'avaient reconnu et lui jetaient des regards admiratifs. Il semblait encore en pensée dans l'église de la Sainte-Trinité et songeait à l'épitaphe qu'il connaissait maintenant par cœur :

Bon ami, pour l'amour de Jésus abstiens-toi
De déranger la poussière enclose ici.

– Excellent conseil, dit Wexton. En rentrant à Winterscombe, nous ferons un feu de joie.

Nous le fîmes dès le lendemain. A cette occasion, je découvris le contenu des mystérieuses valises de Wexton : des quantités de papiers dont il fit une haute pile et que ni l'un ni l'autre nous n'eûmes le droit d'examiner.

Pour le feu de joie, nous choisîmes un endroit près du lac et Wexton s'attela à des préparatifs méticuleux.

– C'est un bûcher funéraire. Il faut le construire dans les formes.

Dans le jardin, il y avait un tas de petit bois et de bûches sèches avec lesquels nous construisîmes un bûcher formidable. Wexton jucha sur son sommet le contenu de ses valises : des lettres et des poèmes, je crois. Une fois les préparatifs terminés, il craqua une allumette et mit le feu. Ce fut un autodafé splendide.

La chaleur nous fit reculer. De temps à autre, un papier enflammé menaçait de s'envoler et Wexton, du bout d'un long bâton, le remettait en place. Il éprouvait un grand plaisir.

1. Épouse de William Shakespeare. *(N.d.T.)*

Pas moi. Au début, en tout cas. J'aurais dû essayer de le dissuader : qu'il brûle ses lettres était une chose, mais ses poèmes... Mais il y prenait un tel plaisir que je me laissai vite gagner par son enthousiasme. En fin de compte, nous portons tous en nous un désir de pyromanie refoulé. Tandis que les flammes montaient vers le ciel, Wexton, habituellement lent dans ses mouvements, sautait de joie comme un enfant.

— Voilà, dit-il. Tout part en fumée. Je me sens bien mieux. Cela montrera à ce vautour de Yale ce que je pense de lui.

J'eus un moment d'hésitation.

— Tout n'est pas là, Wexton. Il y a encore tes lettres à Steenie. Elles sont dans la maison. Tu veux que j'aille les chercher ?

— Non, répondit-il fermement. Elles appartenaient à Steenie et sont à toi maintenant. C'est à toi de décider ce que tu veux en faire.

— Tu es sûr ?

— Oh oui ! Evidemment, je préférerais qu'elles ne finissent pas à Yale ou à Austin. Austin devient impossible, tu sais, avec toutes ses tombes d'écrivains. Mais c'est à toi de décider. Tu pourras faire un autre bûcher funéraire si tu le veux. Je m'en remets à toi. Et ne prends pas cela pour une suggestion, surtout.

Nous restâmes un bon moment à contempler le rougeoiement des bûches puis, la nuit tombée, rentrâmes à la maison. Pendant le thé, Wexton resta calme et pensif. Il y eut une courte interruption lorsque Gervase Garstang-Nott appela pour dire qu'il avait enfin épinglé son magnat de la finance entre les îles Caïman et la Suisse. Il était à Londres et voulait visiter Winterscombe.

— Battez le fer tant qu'il est chaud ! ajouta-t-il. Il aimerait venir après-demain.

Rendez-vous fut pris. En raccrochant, j'eus un regain d'optimisme que je m'efforçai de tempérer : je savais bien que cet acquéreur potentiel allait montrer autant de tiédeur que les précédents mais j'avais quand même bon espoir. En fait, j'avais raison. Il n'a pas acheté mais sa visite fut d'une importance capitale.

Toujours calme et pensif depuis son autodafé, Wexton ne porta pas grand intérêt à cette nouvelle. J'avais plein d'idées pour rendre Winterscombe plus attrayant mais il ne m'écoutait pas. Visiblement ailleurs, il m'aida tout de même à préparer le dîner.

— Pour le journal intime, finit-il par dire après le dîner. Pour Constance et ton père... Je sais que quelque chose d'autre te tracasse.

— C'est vrai. Mais je ne veux pas y penser...

— Tôt ou tard, tu y seras forcée. Je crois avoir deviné ce que c'est. Cela nous a aussi tracassés, Steenie et moi. C'est l'accident de Shawcross, n'est-ce pas ?

— Oui, avouai-je à regret. Tu as une théorie à ce sujet, je sais. Steenie l'a évoquée dans une des lettres qu'il ne t'a jamais envoyées. Il a écrit que vous en aviez discuté et que vous aviez tort tous les deux. Qu'est-ce que c'est, Wexton? Tu ne m'en as jamais parlé.

Il haussa les épaules.

— C'était une simple théorie. Fausse probablement. Je n'ai pas envie d'en discuter maintenant. Cela pourrait...

— Me bouleverser?

— Oui.

Mal à l'aise, je repoussai mon assiette tandis que Wexton continuait à manger d'un appétit apparemment normal. Enfin, il posa sa fourchette, me sourit avec bienveillance et se pencha. Il évoqua le Tibet puis fit une autre suggestion à laquelle j'aurais dû penser plus tôt.

Le lendemain matin, je m'en occupai. Après tout, ma famille comptait un grand amateur de puzzles, pour lequel j'avais d'ailleurs beaucoup d'affection. Je n'avais pas vraiment envie de le déranger avec mes questions mais, à part Constance, il était la dernière personne en vie qui avait assisté à la soirée de la comète à Winterscombe.

QUATRIÈME PARTIE

XI

Cui bono ?

Oncle Freddie avait soixante-quatorze ans et vivait toujours dans la maison de Little Venice où je lui avais rendu visite enfant. Mais la maison s'était métamorphosée. En arrivant à la grille, on comprenait tout de suite qu'un grand coup de balai était intervenu dans la vie de Freddie : la boîte aux lettres et le heurtoir de la porte luisaient de mille feux, la haie était coupée avec une précision toute militaire et un petit bassin avait été aménagé sous les fenêtres.

– Mon canard! s'exclama Winnie en ouvrant la porte et en me pressant contre sa poitrine. Elle pointa un doigt fier vers le bassin. C'est notre dernière acquisition, il y a même des tritons dedans!

Winifred Hunter-Coote s'était retrouvée veuve au milieu des années 1950 quand je vivais à New York. Elle avait beaucoup pleuré son cher Cootie et continuait à porter des vêtements sombres en sa mémoire. Mais cette femme sensée aimait trop la vie et le veuvage ne lui seyait guère. Lorsqu'elle s'en aperçut, au bout de deux ans environ, elle se mit en quête d'un nouveau mari : après avoir fait le tour de ses connaissances, elle jeta son dévolu sur Oncle Freddie et l'affaire fut réglée en trois mois.

A mon avis, c'était elle qui lui avait fait la cour. Après le décès de ma mère, ils étaient restés amis et au cours de sa quête de mari elle était allée un jour prendre le thé à Little Venice. Elle avait promené son regard autour d'elle, s'était aperçue que Freddie était à la fois malheureux et mal organisé, et avait pris sa décision.

Le facteur déterminant avait été les romans policiers de Freddie. Contrairement à ses autres « enthousiasmes », celui-ci avait perduré, avec un succès grandissant. Au grand étonnement d'un Freddie devenu modeste, un éditeur avait accepté son septième manuscrit et continuait à publier mon oncle depuis. A sa plus grande surprise encore, il y avait même des

473

gens pour acheter ses romans. En témoignaient le courrier de ses admirateurs et le montant des droits d'auteur qu'il touchait.

L'arrivée de ces relevés, deux fois par an, donnait lieu à des réjouissances.

— Regarde, Victoria, disait-il alors. J'ai vendu trois mille quatre cent trente-six exemplaires! N'est-ce pas la chose la plus extraordinaire qui soit? Je me demande qui sont ces gens et combien ont découvert l'assassin! C'était le secrétaire, tu sais, avec un poison très spécial. J'ai été obligé de lire tout un bouquin sur les poisons. Où est-il d'ailleurs?

Et il n'arrivait jamais à remettre la main sur le livre traitant des poisons, ou le manuel de balistique, ou les horaires de trains qui avaient permis au meurtrier d'être en deux endroits en même temps. Il ne les retrouvait pas parce que sa maison était dans une pagaille innommable.

Le jour où elle vint prendre le thé, Winnie comprit la situation d'un seul regard : le tapis pelucheux et plein de miettes, la table en cuivre aux pieds en forme de cobra qui n'avait pas été nettoyée depuis des années, les posters de cabarets allemands, Mme O'Brien qui servait le thé en pantoufles, la bouteille d'encre ouverte près de la fenêtre, là où Freddie s'installait pour écrire, les piles de papiers, livres, horaires, manuels, cartes de bibliothèque, fiches de lecture. C'est alors qu'elle prit sa décision : Oncle Freddie était trop mal organisé.

— Qui dactylographie vos romans, Freddie? demanda-t-elle d'une voix sévère.

— Oh, différentes jeunes filles. Quand elles ont fini, j'emballe le tout et je le porte à un agent littéraire.

— Un agent? Winnie était interloquée. Est-ce qu'il corrige votre orthographe? Elle est vraiment exécrable.

— Eh bien... non. Freddie eut l'air triste. Je ne crois pas que leur orthographe vaille mieux que la mienne. Et je lui demande de vérifier la ponctuation mais ce n'est pas non plus son fort. Mais j'ai un éditeur charmant. C'est lui qui s'en charge.

— Je sais taper à la machine, Freddie, dit Winnie.

Pour ne pas remuer le couteau dans la plaie, elle s'abstint de préciser que son orthographe et sa grammaire étaient excellentes.

Plus tard dans l'après-midi, quand Freddie lui montra fièrement son système d'archivage, Winnie devint pensive.

— J'ai tout organisé. Des fiches roses pour les suspects et des bleues pour les indices. Je ne peux pas me mélanger. Et puis mon principe est de mettre trois meurtres par livre, ni un de plus, ni un de moins.

Winnie examina le système d'archivage. Les tiroirs coincés ne lui résistèrent pas longtemps : ils finirent par s'ouvrir en crachant toutes les fiches comme des confetti. En les ramassant, elle découvrit un suspect sur une fiche bleue et un indice concernant des gâteaux à la crème sur une rose.

Elle les montra à Freddie qui poussa un gros soupir.

– Je sais, dit-il d'une voix défaite. J'ai du mal à maîtriser les objets quand je suis pris par l'intrigue. Je crois qu'il me faut une secrétaire.

Winnie lui adressa un regard approbateur. C'était une secrétaire doublée d'une épouse qu'il lui fallait. Elle devint donc sa secrétaire dans la semaine et le mariage fut inévitable.

– Winnie est une forte femme, vous savez, disait Freddie avec enchantement. Elle a pris les choses en main.

Ils formaient un couple peu conventionnel mais excellent. Oncle Freddie, si exubérant dans son adolescence, avait bien changé : à cause de Constance sans doute, puis de la mort de Boy, mais aussi de quelque faille dans sa personnalité. Après avoir dérivé pendant quelques années, l'arrivée de Winnie dans sa vie lui avait donné un but et une énergie aussi nouvelle que surprenante.

Avant Winnie, il publiait un roman policier tous les deux ans. A son contact, son rendement littéraire doubla puis tripla. Il inventa un nouveau détective, l'inspecteur Coote, en hommage au précédent mari de Winnie. Cet inspecteur, fortement influencé par de longues conversations avec Winnie, devint la coqueluche de ses lecteurs. Les ventes et, par la même occasion, les droits d'auteur, firent un bond. Il fut publié aux Etats-Unis, où ses lecteurs appréciaient particulièrement le cadre rustique de ses intrigues, en Allemagne et en France. Sa grande force était d'écrire sur un monde qui ne changeait jamais : celui de son enfance. Il aurait très bien pu transposer ses livres dans le présent mais, d'une part, son inspecteur Coote devait absolument garder l'énergie de ses quarante-cinq ans et, d'autre part, aucun de ses personnages principaux n'aurait pu envisager la vie sans un maître d'hôtel.

Le matin où je leur rendis visite, Winnie et Oncle Freddie étaient mariés depuis une dizaine d'années. Ils étaient visiblement fort heureux ensemble et menaient une vie très rangée : Winnie assurait la logistique et Oncle Freddie s'y soumettait sans broncher. Ils avaient découvert les charmes de la routine et y trouvaient tous les deux leur compte.

A 9 h 45 du matin, Freddie se mettait à sa table de travail devant la fenêtre du salon, la plume à la main. Derrière un ravissant bureau moderne à l'autre bout de la pièce, Winnie tapait à la machine.

A 11 heures, ils prenaient un café ou un chocolat en grignotant des biscuits et, un peu plus tard, se faisaient servir le déjeuner sur des plateaux par une Mme O'Brien plus pimpante qu'avant. A 3 heures, ils partaient pour une promenade rituelle d'une demi-heure le long du canal et le soir, après le travail, dînaient devant la télévision, quel que soit le programme. Oncle Freddie était chargé de régler le téléviseur : comme il aimait les gens respirant la bonne santé, il s'arrangeait toujours pour que les visages soient orangés.

Winnie et mon oncle ne faisaient une entorse à leur routine qu'une fois par an pour deux semaines de vacances à l'aventure : ils avaient déjà descendu le Nil sur une felouque, visité Angkor Vat, parcouru le Sahara à dos de chameau, fait une randonnée dans les contreforts de l'Himalaya et une visite-éclair au Tibet.

Lors de mon passage, les brochures de leur prochain voyage étaient étalées sur la table. Dans le bureau-salon, l'encrier, le buvard et le stylo d'Oncle Freddie étaient préparés sur sa table, prêts à servir, et une feuille blanche était introduite dans la machine à écrire de Winnie. Ils commencèrent à me parler de leur prochain voyage mais j'avais l'impression de déranger. Lorsque je le leur fis remarquer, ils devinrent très gentils.

– Pas du tout, répliqua Winnie. Tu as les traits tirés. Qu'est-ce qui ne va pas ? Allez ! Raconte ! C'est un homme ? Tu peux tout nous dire, Freddie et moi avons l'esprit très ouvert. Un problème partagé n'est plus qu'un demi-problème. De quoi s'agit-il ?

J'hésitais encore. Les voyant attendre, je ne voulus pas les décevoir :

– C'est au sujet de Constance.

Leur réaction fut vive. Winnie émit un grognement réprobateur et Oncle Freddie, guéri de Constance depuis le temps, leva les yeux au ciel.

– Ne me dis pas que tu l'as revue, Vicky. Tu sais bien qu'elle n'est qu'un fauteur de troubles.

Winnie renchérit :

– Je l'ai rencontrée, tu sais. A Winterscombe avant la mort de ta mère. Elle portait des chapeaux vraiment douteux. Je ne me fierais pas à une femme comme ça. Freddie sait ce que je pense d'elle, ajouta-t-elle avec une grande dignité.

Ils échangèrent un regard éloquent. Je me demandais si Freddie lui avait tout dit. Probablement. J'imaginais mal qu'ils aient des secrets entre eux. Mais, par précaution, mieux valait être prudente. Je leur racontai donc mon voyage à New York et comment j'avais cherché Constance. Winnie fit quelques remarques sur les ragots, l'âge de Constance, les croqueuses d'hommes puis... la nymphomanie. Ce mot me surprit dans sa bouche.

– Oh, Freddie et moi sommes au courant de tout. Nous avons vu une émission télévisée très intéressante à ce sujet l'autre soir. Très instructive. J'ai suggéré à Freddie de s'en servir dans son prochain roman.

Il y eut un silence au cours duquel Freddie et Winnie échangèrent des regards singuliers : il roulait des yeux d'une façon étrange et elle hochait la tête dans la direction de la cheminée – pourquoi la cheminée ? Freddie s'éclaircit la gorge.

– Et lui, tu ne l'as pas vu à New York ? Je me demandais...

– Non, je ne l'ai pas vu.

– Je pense parfois à lui. Freddie avait l'air embarrassé. Winnie et moi aimerions que tu fondes un foyer. Tu comprends? Nous vous trouvions si bien assortis tous les deux. Je l'aimais beaucoup. C'était...

– C'est, Freddie. C'est un homme exceptionnel, l'interrompit Winnie.

– Winnie... commençai-je.

– Et il n'est toujours pas marié, poursuivit-elle. Freddie et moi suivons sa carrière. Nous avons toujours su qu'il réussirait. Il y a eu un article sur lui dans le *Times* l'autre jour. Où l'as-tu mis, Freddie? Je l'ai gardé exprès.

– S'il te plaît, Winnie. Je préfère ne pas le lire.

Mes protestations restèrent sans effet. L'article fut retrouvé comme par hasard juste sous les brochures de voyages, où il avait certainement été préparé à mon intention. Il titrait : « Un conquérant de l'espace intérieur ».

La photo avait été prise à l'Institut Scripp-Foster par Conrad Vickers, ce chroniqueur des temps modernes, cet historien de l'esthétique et de la mode, qui photographiait rarement des scientifiques.

Le Dr Frank Gerhard était un savant éminent, un chef de file dans son domaine, mais ce n'était pas pour ça que Conrad Vickers avait accepté cette séance de photos. Je le sus tout de suite. Non, il l'avait photographié pour la qualité de son visage saisissant, dont la vue m'était toujours douloureuse.

Le Dr Gerhard avait été photographié dans son fameux laboratoire, au milieu des accessoires nécessaires à l'exercice de sa profession. Sa main droite touchait un microscope, il était penché en avant, et semblait en train de parler.

A l'évidence, c'était une discussion passionnée : il devait parler de son travail. Vickers avait saisi de lui des expressions dont je me souvenais très bien, une sorte de juste milieu entre l'intensité et la réticence, la conviction et la mélancolie.

Je refusai de lire l'article mais mon regard capta des phrases isolées : en substance, la recherche contre le cancer continuait, elle était qualifiée de « quête » par le journaliste, qui laissait entrevoir la possibilité d'un monde meilleur grâce à la découverte de nouveaux traitements.

« C'est un savant aux yeux de prêtre », avait dit Wexton un jour. J'observai ses yeux, ses cheveux et ses mains : ils m'étaient toujours aussi chers; j'étais incapable de les regarder avec indifférence. Mes mains tremblaient. Je pliai la coupure en deux et la rendis.

– Pas marié, dit Freddie. C'est l'article qui le dit.

Je regardai ailleurs en disant :

– Peu importe. C'est fini entre nous, tu le sais bien.

— Je ne vois pas pourquoi, insista Freddie, encouragé par les coups d'œil de Winnie. Tu es têtue, c'est tout.

— Lui aussi.

— Je sais. Mais il a des raisons pour ça. Winnie et moi pensons que si tu...

— Freddie, s'il te plaît. Je n'ai pas envie d'en parler.

A ma grande surprise, Winnie s'interposa :

— Laisse, Freddie. Victoria a raison. Ce n'est pas le moment...

— Mais Winnie... Tu as dit...

— Freddie !

Apparemment, par égard pour moi, peut-être, Winnie avait décidé un repli stratégique. Elle se pencha vers moi :

— Revenons au sujet qui nous intéresse. Nous parlions de... cette femme. Tu avais quelque chose à nous dire, Vicky.

— Eh bien... Je l'ai cherchée, comme je vous l'ai dit, et je ne l'ai pas trouvée. Mais elle a laissé quelque chose à mon intention.

— Quoi donc ? demanda Freddie, mal à l'aise.

— Son journal intime.

— Vraiment ? J'ignorais qu'elle en tenait un.

Freddie était devenu rouge cramoisi.

— Je l'ai parcouru, ainsi que des papiers que j'ai trouvés à Winterscombe. Ils m'ont forcée à penser au passé. Je me pose certaines questions auxquelles tu devrais pouvoir répondre.

Freddie prit une expression d'homme traqué et Winnie fixa le plateau devant elle.

— Quel genre de questions ? demanda-t-il après une longue pause.

— Principalement sur la mort de son père.

Il eut l'air soulagé.

— Ah, ça ? C'était il y a des siècles, bien avant ta naissance. En quoi cela t'intéresse-t-il, Vicky ?

Ce fut Winnie qui me demanda de m'expliquer. Je m'exécutai avec beaucoup de précautions. Au mot « meurtre », ils se redressèrent tous deux et m'accordèrent une attention toute professionnelle. Lorsque j'eus terminé, Winnie s'exclama :

— Typique ! Complètement typique ! Cette femme transforme tout en drame. Un meurtre ? C'est parfaitement grotesque. J'ai entendu cette histoire des centaines de fois et tout me paraît simple : son père était un sale type très louche qui est mort dans un accident stupide. Un point c'est tout ! Oublie tout ça, Victoria. Cela n'a rien à voir avec toi.

Oncle Freddie semblait pensif. Il griffonnait sur son bloc-notes.

— Si c'était un meurtre, finit-il par dire d'une voix très lente, il doit y avoir un meurtrier. C'est ça ton problème, Vicky ?

— Oui, dis-je en regardant mes mains. J'hésitai un moment puis me lançai. D'après Constance, ce serait mon père.

Mon père était mort depuis trente ans mais Freddie l'aimait toujours. Je m'attendais à ce que Winnie explose en protestations et en grognements mais elle n'en fit rien. Pour la première fois, il me vint à l'esprit que, inconditionnelle de ma mère Jane, elle l'était peut-être moins de mon père.

Quand Oncle Freddie eut terminé son petit laïus décousu mais éloquent sur son frère Acland, Winnie se leva.

— Je vais préparer le déjeuner, dit-elle. Mme O'Brien n'est pas là. Je fais du poisson.

Je me levai aussi.

— Winnie, je vous empêche de travailler. Je m'en vais.

— Certainement pas, dit-elle en posant une grosse main sur mon épaule pour me faire rasseoir. Le travail peut attendre. Continue à discuter avec Freddie. Tu en as visiblement besoin. Il va tout arranger, Victoria. Ton oncle est un homme très sage.

— Ma pauvre, dit Freddie après le départ de sa femme, je crains bien que non. J'aurais bien voulu être un sage.

Il avait l'air très triste, penaud même. Désolée pour lui, je l'engageai sur une voie qui pouvait nous aider tous les deux.

— Tu sais, Freddie, Constance ne le dit jamais ouvertement. Le jour où son mari a suggéré que mon père était impliqué, elle a démenti catégoriquement. Mais plus elle dément, plus j'ai peur. J'ai beau me dire que c'était un accident, le doute est omniprésent. J'ai le sentiment de devoir prouver l'innocence de mon père, et trouver la clé de cette énigme. Alors, je me pose une question : que ferait l'inspecteur Coote dans un cas comme celui-ci ?

Le visage d'Oncle Freddie s'illumina instantanément.

— S'il s'agissait bien d'un meurtre, tu veux dire ?

— Oui.

— Bon. Il se frotta les mains. C'est très intéressant. Que ferait-il ? Il interrogerait tous les gens présents à la réception. Les invités, la famille et le personnel. Il examinerait les emplois du temps selon son grand principe : « MOP » — mobile, opportunité, personnalité. Ce sont les trois clés. « *Cui bono?* », Vicky. N'oublie jamais ça. « A qui profite le crime ? »

— Freddie, dans tes livres le crime profite à tous les suspects. C'est ça qui complique tout.

— Mais c'est pour brouiller les pistes, Vicky. Note bien que dans le cas qui nous intéresse, le crime ne profite à personne, que je sache.

— Pas exactement, dis-je gentiment. Certaines personnes avaient tout intérêt à ce que Shawcross disparaisse. Mon grand-père, par exemple. N'était-il pas jaloux ?

— De Shawcross ? Peut-être.

— Et mon père ? Manifestement, il ne pouvait pas le voir. Je suis persuadée qu'il le haïssait.

— C'est possible, mais n'exagérons rien. Haïr est un peu fort. De nombreuses femmes mariées, comme ma mère, avaient cette sorte d'amis à l'époque. Personne ne faisait attention. Acland n'a jamais aimé Shawcross, c'est sûr, mais aucun de nous non plus. Moi-même je ne le supportais pas. Et pourtant je ne l'ai pas tué, si c'est ce à quoi tu penses.

— Bien sûr que non. Mais...

— Si l'on considère strictement cette histoire comme une intrigue policière — l'idée est bonne, d'ailleurs... un crime sans mobile ! — il faut se poser la question suivante : qui, à l'insu de tout le monde, le détestait ? Y avait-il dans la maison cette nuit-là une personne avec laquelle il avait un lien caché ? Un lien financier, peut-être. L'un des invités le connaissait peut-être avant ? Et, par ailleurs, qui était suffisamment fort pour le pousser dans le piège ou le menacer ? On imagine mal le meurtrier suivre sa victime dans les bois, l'accoster et lui dire : « Voici un piège. Veuillez avoir l'obligeance de sauter dedans. »

Cette démonstration me ramena à mon père. Je me penchai.

— Oncle Freddie. Arrête-moi si ce que je vais dire te gêne. Je suis au courant pour Boy. Et je sais ce qu'il a dit à Steenie le jour où il s'est tué. Je sais aussi que ce n'est pas possible parce qu'il était avec Constance. Mais alors ? Qui avait pris les Purdey ? A la fin du dîner, ils avaient disparu. Et ça, c'est sûrement vrai. C'est aussi dans le journal de ma mère.

Freddie soupira.

— Pauvre Boy. Il hocha la tête. Je pense souvent à lui, tu sais. C'était un type bien. Il n'aurait pas fait de mal à une mouche. Je ne sais pas qui a pris les fusils, mais je sais qui les a remis à leur place : c'est mon père.

— Denton ? Tu es sûr ? Freddie...

— Je m'en souviens très bien. Je passais devant l'armurerie et je l'ai vu les enfermer dans la valise. Shawcross était en train d'agoniser en haut. Je me suis demandé ce que Père faisait avec les armes de Boy. Cela fait de lui un suspect, c'est ce que tu penses ? J'ai peur que tu te trompes. Il n'aurait jamais pu faire ça.

— Et pourquoi ?

— Parce qu'il était dans la maison, la nuit de la comète.

— Comment le sais-tu, Freddie ?

Ses joues s'empourprèrent.

— Eh bien, cette nuit-là... j'avais un peu trop bu. Pour la première fois, on m'avait permis de rester avec les hommes pour le porto. J'avais quinze ans. J'en ai bu trois verres et même un peu de champagne. Quand je suis allé me coucher, je me sentais assez mal. J'ai renvoyé mon valet. Comment s'appelait-il déjà... ?

— Arthur Tubbs.

— C'est ça. Tu es bien renseignée, dis donc. Je l'ai renvoyé parce que j'étais trop malade pour me déshabiller. Je me suis affalé sur mon lit et j'ai dormi un peu. Peu après, je me suis réveillé parce que je mourais de soif. Le porto est un alcool bien trop acide. Je n'en bois plus jamais...

— Freddie!

— Excuse-moi. Je me suis donc levé pour boire de l'eau puis je me suis dit qu'un peu d'air frais me ferait du bien. Je suis descendu sur la terrasse pour respirer l'air à pleins poumons. Cela m'a bien réussi. Une bonne partie de la maisonnée était couchée mais il y avait de la lumière dans le billard. J'entendais des voix. J'y suis allé.

— Et ton père y était?

— Ça, j'en suis pratiquement certain. Mais ça fait tellement longtemps et j'étais encore un peu groggy. La pièce était pleine de fumée de cigare. Il y avait pas mal de monde : les vieux copains de Père, qui se couchaient toujours très tard. Voyons voir... Il y avait un type du nom de Peel. Richard Peel. Et un autre de la City...

— George Heyward-West?

— C'est ça. Décidément, tu m'étonnes. Je me souviens de lui parce qu'il faisait une partie de billard très disputée avec Montague Stern. Ils jouaient bien tous les deux. Je les ai regardés un moment...

— Montague Stern? Il était là? Freddie, c'est impossible...

— Et pourquoi donc? Freddie eut l'air irrité. Je suis certain qu'il y était. C'était notre première rencontre, ce jour-là. Heyward-West et lui avaient ôté leurs vestes et retroussé leurs manches. Stern avait un de ses épouvantables gilets. Rouge écarlate avec des broderies dorées.

— Freddie, quelle heure était-il?

— Seigneur! Je n'en sais fichtre rien. 2 heures? 3? Tard, en tout cas. De toute façon, l'important est que mon père était là. Il était assis dans un coin, dans un fauteuil à oreillettes. De temps en temps, il se réveillait puis se rendormait. Mais tout ça est plutôt flou. Je me rappelle que quelqu'un m'a donné un verre et que je l'ai bu par forfanterie. C'était la première fois que je buvais du whisky. Et Acland venait de me donner une cigarette – il savait que je lui en chipais parfois dans sa chambre. C'était une erreur. Je me suis dit que j'allais être malade. Acland m'a ramené dans ma chambre. Quelqu'un l'a aidé et j'ai toujours cru que c'était Boy mais il était impossible qu'il soit là. Ce devait être Heyward-West. C'était un chic type. Quand il venait à Winterscombe, il me donnait toujours une pièce, jamais moins d'un souverain.

Freddie fixa son regard dans le vague et soupira. Un silence tomba.

Je me mis à réfléchir. Si l'imagination débordante de Freddie n'avait pas inventé tout ça, Montague Stern n'était donc pas avec Maud. Il était en bas avec Denton et, surtout, avec mon père. L'heure était incertaine. Je crois que cela n'aurait pas satisfait l'inspecteur Coote, mais mon père était bien là. Quel criminel irait jouer au billard après avoir commis un tel forfait ?

Je jetai un regard par la fenêtre : une rue ordinaire par un jour ordinaire. Je me sentais soulagée. La mort de Shawcross était bel et bien un accident et je n'aurais jamais dû en douter. Constance avait semé le doute dans mon esprit avec toutes ses inventions machiavéliques.

Je crois qu'Oncle Freddie avait deviné mes pensées car il se mit à sourire.

— De toute façon, dit-il, en retournant au point de départ et en se mettant à la place de l'inspecteur Coote, il est évident que ce ne pouvait être un meurtre. Réfléchis. Shawcross n'est mort que trois jours après. Il était trop mal en point pour parler mais le meurtrier n'aurait pu le savoir d'avance. Et puis, on aurait pu retrouver Shawcross plus tôt et en meilleur état et il aurait identifié son assassin. Il aurait donc fallu que le meurtrier soit certain que Shawcross ne le reconnaîtrait pas. Or, avec la lune qu'il y avait cette nuit-là, c'était impossible. Il s'arrêta et me tapota affectueusement la main. Tu vois ? Tu te fais du mauvais sang pour rien. J'ai eu cinquante-huit ans pour réfléchir à cette affaire et je sais que j'ai raison. Un accident. Et si Constance prétend le contraire, ne la crois pas. Tu sais bien qu'elle n'est pas très fiable et qu'elle aime semer la zizanie.

Winnie était revenue depuis quelques minutes avec un plateau. Tout en déjeunant, nous parlâmes recettes culinaires. Une ou deux fois, je tentai d'amener la conversation sur l'année de mon baptême, 1930, et sur la mystérieuse querelle entre Constance et mes parents. Mais Freddie et Winnie éludèrent la question.

Quelques semaines plus tard, période de grands changements dans ma vie, Oncle Freddie commença un roman policier fondé sur l'accident de 1910 et qu'il intitula *Porté sur le meurtre*. Ce fut l'un de ses plus grands succès, qui allait être réimprimé un grand nombre de fois. Le décor et les personnages étaient parfaitement reconnaissables. La conclusion de Freddie divergeait de la mienne mais, après tout, son histoire était une fiction alors que la mienne était réelle.

Malgré nos vues divergentes, de nombreux faits qu'il a relatés dans son livre et d'autres qu'il m'a racontés ce jour-là à Little Venice se recoupent. Rétrospectivement, je me rends compte que pendant notre discussion sur un meurtre fictif, nous n'avons pas cessé d'approcher de la vérité, de la tutoyer, mais sans la voir.

Il y avait des raisons à cela : nous nous sentions l'un et l'autre personnellement concernés et, par amour ou par loyauté, préférions ne pas voir l'évidence.

Après le déjeuner, Winnie commença à lorgner vers sa machine à écrire, adressa à Freddie un hochement de tête mystérieux, me reconduisit à la porte d'entrée en fermant délibérément celle du salon. Dehors, une fois sûre que nous étions hors de portée de voix, elle me saisit le bras.

— Victoria, tu ne nous as pas tout dit. Il y a autre chose, n'est-ce pas ?

— Mais pas du tout, je t'assure. Je me sens bien mieux. Vous m'avez été d'une grande aide...

— Ecoute-moi, m'interrompit-elle. Ce que Freddie disait quand je suis revenue dans le salon était la pure vérité. Cette femme est une faiseuse d'histoires. Elle l'a toujours été. A mon avis, elle a fait beaucoup de mal à Freddie. Peu importent les détails mais elle lui a fait perdre sa confiance en lui. Il lui a fallu des années et des années pour en guérir. Elle a empoisonné son esprit, elle l'a monté contre certains membres de la famille et il a mis des années à s'en remettre. Je ne voudrais pas que cela t'arrive.

— Ne t'en fais pas pour moi, Winnie.

— C'est facile à dire. Quand tu as évoqué ton baptême au déjeuner, c'était une question en l'air ?

— Non.

— Je le savais. Elle t'a mis une idée dans la tête, c'est ça ? Sur ton père et elle ?

— En quelque sorte.

— Alors, permets-moi de te dire, dit-elle en me forçant à me tourner vers elle, que j'étais à Winterscombe pour ton baptême. Ce n'est pas un moment que j'aime me rappeler mais j'y étais. Je sais exactement ce qui s'est passé.

— Elle avait une liaison avec mon père, dis-je d'une voix fluette. Je le sais depuis des semaines. Juste avant ma naissance ou juste après. Il aimait ma mère mais il aimait aussi Constance. Et elle l'aimait. Ce sont des choses qui arrivent. Je me ferai à cette idée...

— Sornettes ! Ce n'est pas du tout ça et si c'est ce qu'elle insinue, elle ment comme elle respire. A ton baptême, elle a jeté son dévolu sur ton père et il l'a rembarrée. Elle est retournée à New York complètement furieuse. Elle se croyait irrésistible, même pour un homme comme ton père, heureux en mariage et père d'un nouveau-né. Elle n'a pas supporté cet échec et a voulu se venger. Tu vois ce que je veux dire ? Elle t'a fait la même chose. Quand elle a quitté Winterscombe, elle était folle de rage. C'est donc sur toi qu'elle s'est vengée. J'ai toujours dit à Freddie qu'elle avait une mauvaise influence. On n'aurait jamais dû lui laisser ta garde et tu n'aurais jamais dû aller vivre à New York. Si j'avais été mariée avec Freddie à l'époque, cela ne serait jamais arrivé...

— Winnie, elle a toujours été adorable avec moi, et plus encore. Pendant des années. Jusqu'à notre dispute...

— Oui! Et quand vous êtes-vous disputées? demanda-t-elle, triomphante. Quand elle a su qu'elle te perdait. Comme pour ton père. Quand je repense à la scène qu'elle a faite le dernier soir à Winterscombe! A tous les mensonges qu'elle a proférés! Et devant tout le monde. Demande à Wexton, si tu veux. Il était là. J'ai dit à ta mère que l'exil ne suffisait pas, que c'était une séance d'exorcisme qu'il fallait à cette femme.

Winnie avait les joues en feu mais, à ce point précis, son expression se transforma. Elle fouilla dans sa poche et en sortit une carte qu'elle me fourra dans la main en me poussant vers la porte.

— C'est de la part de Freddie et moi. Ne regarde pas maintenant. On ne peut pas y aller, alors...

Elle ouvrit la porte et me propulsa vers l'escalier, soudain pressée que je parte.

— N'oublie pas de regarder les tritons en passant. Il y en a un gros que nous adorons. En général, il est près du nénuphar de gauche.

Elle ferma la porte avec fracas. Je trouvai le gros triton là où elle m'avait dit et tendis la main vers lui. Mais il s'échappa en toute hâte.

Dans la rue, je dépliai le carton qu'elle m'avait donné et compris alors la signification des coups d'œil de Freddie vers la cheminée, là où Winnie plaçait les invitations. Je compris également son embarras quand elle me l'avait fourré dans la main. C'était une invitation à une conférence, dans deux jours, à Londres, par le Dr Frank Gerhard.

La tentation était forte car, autant se rendre à l'évidence, je l'aimais toujours. Mais je venais de passer huit ans à essayer de me faire une raison et, pour moi, des retrouvailles heureuses après tant de temps n'existaient que dans les films.

A la gare de Paddington, j'achetai quatre journaux pour m'occuper l'esprit. C'était la fin d'octobre et on y parlait beaucoup de la guerre du Vietnam : les Américains venaient d'arrêter les bombardements. Je lus la même chose selon quatre versions différentes, que je relus jusqu'à mon arrivée à Winterscombe.

Je comptais sur l'acheteur potentiel qui arrivait le lendemain pour me distraire un peu. Je fis le peu que je pouvais faire pour rendre Winterscombe plus attrayant et passai la matinée à composer des bouquets de fleurs. Mon magnat de la finance, un certain Cunningham, devait arriver à 11 heures.

Il ne pleuvait pas. C'était une chance : sous la pluie, Winterscombe n'était pas à son avantage. Le temps était froid mais beau. A 9 heures, en rentrant du jardin d'hiver avec une brassée de roses tardives, je m'arrêtai pour admirer la maison.

Le soleil matinal faisait briller la façade est, adoucissant son architecture heurtée et le rouge de ses briques. De magnifiques plantes grimpantes encadraient les fenêtres. Je me retournai pour regarder les bois. Une brume légère flottait sur le lac. Je me rappelai la phrase de Franz-Jacob, trente ans auparavant : *ein Zauberort* – un lieu magique.

Je fus prise d'un grand élan d'affection pour la maison, ses habitants d'autrefois, leurs vies et leurs secrets. Ce matin-là, je sentais la présence de leurs fantômes. Un lieu magique. Je me demandais si le magnat de la finance allait avoir cette impression.

A son arrivée – ponctuelle – à l'arrière d'une Corniche avec chauffeur, Garstang-Nott et moi l'attendions. Il n'avait pas l'air du genre à porter la mention « magique » à la colonne de l'actif d'une maison. Il se mit devant la façade en fronçant les yeux. Je lui donnais la soixantaine mais sus plus tard qu'il était plus âgé. C'était un homme soigné, mince, présentant bien et très bronzé. Ses vêtements étaient coûteux et un doigt trop classiques. Il émanait de lui une énergie nerveuse et impatiente. Dès qu'il fut à l'intérieur, sa première réaction fut de demander à téléphoner.

J'avais l'habitude des hommes d'affaires qui se sentaient en manque lorsqu'ils étaient privés de téléphone pendant plus d'une heure. C'était son cas, je pense. Mais je crois aussi qu'il cherchait à se donner de l'importance. Il décrocha le téléphone en laissant la porte ouverte, et se mit à parler à haute voix. Il fut question de chiffres faramineux. Il revint enfin, fort d'une assurance régénérée, et échangea avec Garstang-Nott un regard de défi. Il était clair qu'ils s'étaient immédiatement détestés et qu'ils n'entendaient pas le cacher. Garstang-Nott parlait de la façon condescendante qu'il avait apprise dans son collège privé et peaufinée pendant de nombreuses années ; Cunningham répondait avec l'agressivité propre aux nouveaux riches. Garstang-Nott semblait sous-entendre qu'il trouvait curieux qu'un homme comme Cunningham aspire à une telle maison et Cunningham avait l'air de lui répondre que les temps avaient changé, que les anciens élèves des collèges privés étaient maintenant des larbins et que lui-même appartenait désormais à la classe dominante. L'air était chargé de lutte de classes.

Nous commençâmes la visite de la maison. La théorie de Garstang-Nott – qui pouvait paraître perverse mais dont j'avais eu l'occasion de vérifier moi-même le bien-fondé – était que les gens très riches ne croyaient pas à la perfection. Devant une maison irréprochable à tous égards, ils se montraient tatillons. Ils trouvaient toujours quelque chose à modifier, à rectifier.

Bien entendu, Winterscombe était loin d'être irréprochable et, en pro-

485

gressant de pièce en pièce, Garstang-Nott, selon sa bonne théorie, s'empressa d'en énumérer les inconvénients. Moisissure, pourriture, infiltrations, gouttières, toiture, installation électrique, chauffage : tout y passa. J'avais une idée précise de la somme nécessaire pour restaurer Winterscombe correctement ; Garstang-Nott proposa carrément une estimation du double de la mienne.

— Au minimum, précisa-t-il d'une voix traînante. Sans compter la décoration.

Il suggérait par là, sur un ton très supérieur, que Winterscombe n'était pas dans les moyens de Cunningham. Celui-ci mordit à l'hameçon.

— Vraiment ? dit-il avec une agressivité manifeste. Il tourna le dos à l'agent immobilier, s'approcha de la cheminée et tira sur le cordon sonnant les domestiques. Ils fonctionnent ?

Je répondis par l'affirmative et il se mit à sourire curieusement. En entrant dans la chambre suivante, j'eus alors la forte impression qu'il connaissait les lieux, que leur topographie plutôt complexe lui était familière. Il avait peut-être séjourné ici pendant la guerre, après que l'armée eut réquisitionné la maison, pensai-je.

Nous passâmes de pièce en pièce. Cunningham fit peu de commentaires mais au bout d'une heure je sus qu'il n'achèterait pas. Il regardait autour de lui d'un air déçu, comme si ce qu'il voyait n'était pas à la hauteur de ses espérances.

J'en fus à la fois blessée et exaspérée. J'étais encore suffisamment vieux jeu pour attendre de lui un effort de politesse. Pour moi, si Winterscombe pâtissait des absurdités de son temps, la propriété avait quand même de bons côtés. J'étais partiale. Je soulignai la beauté du point de vue : le lac, les arbres, les bois. Il jeta un bref regard, tapa sur un lambris et inspecta le parquet. Dans son dos, Garstang-Nott faisait des mimiques insolentes.

Nous fîmes le tour des écuries, des anciennes blanchisseries et de la laiterie abandonnée. Pour la première fois depuis longtemps, je me retrouvai dans l'endroit transformé chaque été en dortoir pour les orphelins. Je revis le coin où Franz-Jacob dormait et la fenêtre d'où il m'envoyait des messages en morse, trente ans plus tôt. Je me sentais désespérée : ne jetait-on jamais rien dans cette maison ? Dans la longue pièce se trouvaient encore les lits métalliques des orphelins.

Je savais que nous perdions tous les trois notre temps. En retournant vers la maison, j'allais suggérer de mettre fin à l'inspection lorsque Cunningham s'arrêta. Ignorant l'agent immobilier, il se tourna vers moi.

— Je connais cet endroit.

J'hésitai. Il avait eu l'air réticent à faire cet aveu.

— Je m'en doutais. Etait-ce pendant la guerre ?

486

— Oh non! J'ai travaillé ici. Je suis arrivé à l'âge de quinze ans. Votre famille m'a formé. J'étais le valet de... votre oncle, je suppose. Votre Oncle Frederic. Il écrit maintenant, je crois. Des romans policiers, non?

Je le regardai avec effarement.

— Vous êtes Arthur? Arthur Tubbs?

Je l'imaginai en jeune garçon souffrant d'acné, faisant irruption dans la chambre de Freddie le matin de l'accident. Je repensai au portrait que Constance avait dressé de lui : nerveux, fouineur, garçon d'honneur au mariage de Jenna. J'avais envie de lui dire : « Vous existez donc réellement? » Je me rendis compte que lorsque j'avais prononcé son vrai nom, son bronzage avait quelque peu pâli.

— Oui... Mais je n'utilise plus ce nom. Les affaires, vous comprenez? Je m'appelle Cunningham depuis quarante ans.

Je fis le rapprochement entre Conyngham et Cunningham : il devait y avoir là-dessous une autre histoire que je ne connaîtrais jamais. Entre-temps, il s'était retourné vers la maison.

— C'est bizarre. Cette maison, je l'ai longtemps désirée. J'ai attendu des années qu'elle soit à vendre pour pouvoir l'acheter. Mais...

— Mais vous n'en voulez plus.

— C'est ça. Il haussa les épaules. Je ne sais pas exactement pourquoi. Elle n'est pas aussi bien que...

— Elle est bien abîmée, vous savez. Il faudrait d'énormes travaux, j'en suis bien consciente.

— Oh, ce n'est pas la question. J'avais l'intention de tout refaire et... J'ai vu votre travail. Je m'étais dit que, peut-être, vous... Enfin. Cela n'a plus d'importance. Le temps, c'est de l'argent. Inutile de gaspiller les deux. Je dois partir.

Il se dirigea d'un pas rapide vers sa voiture. Le chauffeur en descendit, ôta sa casquette et ouvrit la portière arrière.

— Il est très stylé, n'est-ce pas? dit-il avec un petit sourire. Vous savez, j'ai été à bonne école moi-même.

Il jeta un dernier coup d'œil sur la maison. Je compris soudain pourquoi il m'avait envisagée pour la décoration. Cela n'avait rien à voir avec mon talent. Le servant servi. Ce n'était pas Garstang-Nott mais moi qu'il n'aimait pas.

— Savez-vous combien il y avait de domestiques dans cette maison? Il me jeta un regard froid. Cinquante. En fin de compte, tout cela me manque peut-être : « Oui, Monsieur. Bien, Madame. » Vous savez combien j'étais payé pour ranger des vêtements? Une livre par semaine.

— Logé et nourri, je suppose, s'interposa Garstang-Nott peu courtoisement. Et c'était il y a assez longtemps.

Ils échangèrent un regard de cordiale hostilité. Cunningham monta en voiture et me fit une dernière remarque avant de s'éloigner.

— Espèce de parvenu! dit Garstang-Nott. Il a fait fortune dans le marché noir, je crois.

Je ne partageais pas les convictions politiques ou sociales de Garstang-Nott et je trouvais Arthur Tubbs plus intéressant et plus complexe que ça. Etre exploité et vouloir exploiter à son tour, sceller sa réussite en rachetant la maison où l'on avait été domestique : je comprenais très bien cette triste logique.

Je considérai Winterscombe d'un œil neuf en passant en revue ce qu'elle avait représenté pour des tas de gens différents : pour Tubbs, une revanche; pour mon grand-père, une échappatoire aux usines de blanchisserie; pour Montague Stern, la liberté et le pouvoir, la quête d'un fils imaginaire; pour Constance, la maison des secrets; pour mon père, une élégie; pour moi, mon enfance perdue. Chacun à notre façon, nous nous étions forgé une chimère à partir de ce tas de briques et de mortier.

J'en voyais le danger. Ce fut à ce moment précis, je crois, que je décidai pour de bon de m'en débarrasser. « Ce n'est pas... comme dans mon souvenir », m'avait lancé Cunningham avant de remonter sa vitre. Les petites remarques ont souvent leur importance.

— Wexton, dis-je après le départ de Garstang-Nott. Ça t'ennuie si je vais à Londres demain? Je voudrais assister à une conférence.

— Bien sûr que non, répondit-il d'une façon étrange.

Je compris tout de suite qu'il savait de quelle conférence il s'agissait et qu'il faisait partie de la petite conspiration de Freddie et Winnie.

En me couchant le soir, sachant que je ne trouverais pas le sommeil, je repensai à toutes les versions du passé qu'on m'avait données. Chaque personnage avait la sienne. Mais il en restait une à explorer. La mienne. Le passé dont, moi, je me souvenais.

J'avais pris soin de toujours éviter ce terrain. Une seule personne pouvait me persuader de m'y aventurer et je savais bien où menait cette voie. Elle me ramenait en arrière mais me conduisait aussi en avant, vers l'homme du laboratoire : mon Américain, le Dr Frank Gerhard.

Son métier était de guérir les gens. Après avoir obtenu son diplôme de médecin à Columbia, il avait été engagé à Yale puis à l'Institut Scripp-Foster où il poursuivait ses recherches en biochimie. Son domaine était la transmutation des cellules, autrement dit, les luttes « intestines » qui brisent l'équilibre du corps humain. Pendant les huit années écoulées depuis notre séparation, nous avions eu peu de chances de nous rencontrer par hasard : les chemins des biochimistes et des décorateurs se croisent rarement. Nous péchions tous les deux par excès de prudence : même si nous devions nous retrouver dans la même ville, il était peu probable que nous nous rencontrions. A de nombreuses reprises, pourtant, je l'avais espéré.

Je l'avais connu dans le cadre de mon travail, du fait de mon amitié avec sa mère, l'impossible Rosa. Le jour de notre première rencontre, chez Rosa, il m'avait dit deux mots : « Bonjour » et « Au revoir ». J'avais senti chez lui de l'indifférence, voire une certaine inimitié inexplicable. Je l'avais donc relégué dans la catégorie des gens inintéressants et nos relations en étaient restées là chaque fois que nous nous étions vus.

Au début du printemps 1956, je l'avais revu à Venise, où j'étais avec Constance. C'est à cette occasion que Conrad Vickers avait pris la fameuse photo devant l'église Santa Maria della Salute.

Quelques mois plus tôt, Frank Gerhard avait perdu son père, Max Gerhard, professeur de linguistique à Columbia. Il avait organisé ce voyage à Venise avec un de ses frères pour distraire leur mère, Rosa.

Toujours aussi dynamique malgré son chagrin, Rosa était habillée en rouge, avait à la main un guide touristique et venait d'entraîner ses fils dans une visite extrêmement détaillée de l'église.

Constance et moi étions accompagnées de Conrad Vickers et des jumeaux Bobsy et Bick van Dynem, jeunes gens d'une trentaine d'années dont l'immense fortune et la beauté défrayaient la chronique. Nous sortions de chez une *principessa*, quelque lointaine parente de la famille van Dynem, et nous dirigions vers le *Harry's bar*.

Les deux groupes, l'un frivole et joyeux, l'autre endeuillé et épuisé, tombèrent l'un sur l'autre par un bel après-midi vénitien ensoleillé. Apercevant Rosa au loin, Constance s'exclama : « Oh non ! Trop tard pour s'esquiver ». Rosa poussa un cri de joie, m'embrassa et salua Constance chaleureusement. Je m'écartai et contemplai les reflets de la ville sur la surface de l'eau.

– Bonjour, me dit Frank Gerhard, cinq minutes plus tard.

Nous étions en train de poser pour Conrad Vickers. Mon amie Rosa parlait avec Constance qui, depuis des années, décorait toutes ses maisons. Vickers s'affairait à la disposition du groupe, les jumeaux chahutaient avec un panama que Bobsy me mit sur la tête en ébouriffant mes cheveux. Je l'enlevai et ordonnai un peu sèchement à Bobsy d'arrêter.

Constance, qui s'était toujours plu à croire que Bobsy était l'un de mes soupirants, prit un air entendu. Bick se plaignit d'avoir soif et Conrad, énervé, continuait à disposer son groupe. Au début, il m'avait placée sur un côté, dans l'ombre de l'église, puis avait changé d'avis et m'avait remise en plein soleil. Je m'étais donc retrouvée à côté d'un Frank Gerhard muet. L'obturateur de l'appareil photo cliquetait.

Après la pose, je m'attendais à ce que Frank Gerhard me dise au revoir. Au lieu de cela, il jeta un regard distrait sur les jumeaux et m'entraîna à l'écart du groupe.

Nous échangeâmes quelques brèves remarques sur nos activités res-

489

pectives à Venise. Il se trouvait que, parvenant à m'échapper du circuit infernal des cocktails et des réceptions de Constance, j'avais visité l'Accademia la veille et qu'il s'y était rendu aussi. Nous avions dû nous manquer de quelques minutes.

Cette coïncidence sans conséquence sembla pourtant le plonger dans une profonde réflexion. Il fixa des yeux l'eau du Grand Canal, dont les mouvements se reflétaient sur son visage. Il paraissait troublé. Je tentai quelque remarque anodine sur son père à laquelle il répondit distraitement. Je risquai à nouveau quelques mots que ma timidité de l'époque rendait maladroits. Je songeai alors qu'en toutes circonstances, Frank Gerhard était décidément un homme difficile d'accès, rêveur, impoli et, je l'avais déjà remarqué, distrait.

Pendant ce temps, Rosa parlait maisons avec Constance.

– Eh bien, Rosa, à quand votre prochain déménagement? Vous savez, parfois je me dis que vous déménagez aussi facilement que d'autres font leurs valises.

– Oh, dit Rosa d'une voix douce, pas pour l'instant. A cause de Max.

Elle se tourna et, dans son dos, Constance croisa le regard de Conrad Vickers. Quand elle se fut reprise, Rosa relança la conversation mais Constance l'interrompit.

– Oui, oui. Mais ne restons pas ici. Bick ne s'en remettra pas s'il n'a pas son verre. Nous allons boire un *bellini* au *Harry's bar*. Venez avec nous!

Le visage de Rosa s'éclaira. Elle avait toujours aimé Constance et apprécia l'invitation. J'étais peinée pour elle et furieuse contre Constance. Je savais parfaitement qu'une fois au *Harry's bar*, ma marraine trouverait quelque prétexte pour laisser tomber Rosa et son entourage sans plus de cérémonie.

Frank Gerhard, qui avait capté le regard entre Constance et Vickers, alla vers sa mère et lui parla à l'oreille.

– Non, non, répliqua-t-elle. Je me sens en pleine forme. Je ne suis encore jamais allée au *Harry's bar*. Merci de votre invitation, Constance.

Frank Gerhard prit son frère à part pour lui dire quelques mots puis le groupe s'ébranla devant nous. Fronçant les sourcils, il eut l'air de prendre une soudaine décision. Alors que je m'apprêtais à suivre les autres, il prit mon bras en disant :

– Nous ne sommes pas obligés d'aller avec eux.

– Mais je pensais...

– Je sais ce que vous pensiez. Daniel va s'occuper de Rosa. Si nous allions prendre un verre? Il y a un endroit très calme près d'ici.

Sans attendre ma réponse, et tenant toujours mon bras, il me dirigea vers une rue étroite. D'un pas vif, nous parcourûmes un dédale de ruelles, passâmes sous une arche et traversâmes un pont.

Nous ne parlions ni l'un ni l'autre. Enfin, nous arrivâmes à un petit café aménagé dans une cour ombragée par un magnifique magnolia. Un lion en pierre crachait de l'eau dans un petit bassin. Nous étions les seuls clients.

— J'ai découvert cet endroit la première fois que je suis venu à Venise. Vous l'aimez?

Il semblait inquiet de ma réponse.

— Beaucoup. C'est magnifique.

Un sourire illumina son visage.

— Vous n'aimez pas trop le *Harry's bar*? dis-je tandis qu'il tirait une chaise pour moi.

— Non, je déteste cet endroit. C'est le seul lieu de Venise que je cherche à tout prix à éviter.

— Et vous n'aimez pas les *bellinis*? poursuivis-je.

Une lueur d'amusement passa dans ses yeux. C'était la compagnie et non le bar ou les *bellinis* qu'il voulait éviter.

— Les peintres Bellini, oui, mais pas le cocktail *bellini* du *Harry's bar*. Enfin, j'ai bien mérité un verre. J'ai passé l'après-midi à examiner les fenêtres, les statues, les pavés et les autels de Santa Maria. Je pourrais réciter de mémoire le Guide bleu. Cette église est gigantesque. Et magnifique, d'ailleurs. Mais au bout de cinquante-six piliers...

— Rosa est infatigable.

— C'est le moins qu'on puisse dire.

— Désirez-vous un campari?

Je me souviens encore que le bord de nos verres était enduit de sucre et que nos boissons avaient la couleur du rubis. Habituée à me reposer sur l'aisance de Constance dans n'importe quelle situation, j'étais une jeune fille timide. C'était la première fois que je me retrouvais seule avec cet homme et je le trouvais intimidant. Rosa m'avait fièrement annoncé qu'il venait de terminer son doctorat à Yale et j'essayai un moment de le faire parler sur ce sujet.

Mais ses réponses étaient mécaniques et j'avais l'impression qu'il était à cent lieues. Il m'observait; je sentais son regard sur moi. De temps en temps, quand il regardait ailleurs, je risquais un œil sur lui.

J'avais vingt-cinq ans et lui vingt-sept ou vingt-huit. Il était très grand, et mince pour sa taille. Il avait un visage étroit et concentré, des cheveux très noirs qui tombaient sur son front et des yeux d'un brun si foncé qu'ils paraissaient noirs. Il était très observateur, par métier mais aussi par tempérament. Son regard perçant ne ratait rien. C'était un homme brillant mais lors de nos précédentes rencontres je l'avais trouvé arrogant.

Ce jour-là, je fus moins certaine de mon verdict. Il nous avait amenés là sur une impulsion et avait l'air aussi emprunté que moi. Notre conversation se poursuivit maladroitement. Je m'en voulais de ne pas avoir l'aisance de Constance et me sentais incapable d'aligner deux phrases correctement. A ce moment précis, il se tourna si brusquement vers moi que je n'eus pas le temps de détourner les yeux. Nos regards se croisèrent.

C'était la première fois que je le voyais vraiment. Nous ne pouvions pas détacher nos regards. Je crois qu'il a prononcé mon prénom et que sa main posée près de la mienne sur la table a fait un mouvement involontaire avant de retomber. Je ne lisais sur son visage aucun signe d'ennui, de préoccupation, d'indifférence ou d'hostilité. J'étais déconcertée. Il eut d'abord l'air concentré, puis bizarrement joyeux et enfin grave. Je crois qu'il attendait que je dise quelque chose. Devant mon mutisme, son visage changea.

A cet instant, je compris tout le sens de l'expression « lire dans les yeux de quelqu'un ». Quelle expression étrange! Ses traits ne bougeaient pas, il ne parlait pas et ne faisait aucun mouvement et pourtant je lus dans ses yeux comme dans un livre ouvert : son regard s'obscurcit, passa de la concentration à la tristesse, puis à une certaine froideur, et tout cela en deux secondes. C'est alors qu'il se mit à parler.

Je crois qu'il s'apprêtait à dire quelque chose mais qu'il s'était ravisé et avait changé de sujet. Je ne me rappelle plus ce qu'il a dit. De toute façon, il parlait pour parler, pour faire barrière entre moi et ses pensées. Je n'écoutais pas ce qu'il disait, mais sa voix.

Au début, il parlait d'une façon un peu rude, avec une trace d'accent semblable à celui de sa mère. Rosa Gerhard était catholique de naissance et sa famille était une branche éloignée de l'aristocratie du sud de l'Allemagne. Son père, après avoir perdu tous ses biens à la fin de la Première Guerre mondiale, avait émigré en Amérique avec sa famille, où il avait amassé une fortune considérable. Rosa, fille unique très choyée, élevée dans une école catholique très fermée pour jeunes filles, balaya son éducation à dix-huit ans en épousant Max Gerhard. D'origine allemande également, né à Leipzig, il était, au grand dam des parents de Rosa, juif.

Avec son exubérance et sa détermination habituelles, Rosa s'était convertie à la religion et aux opinions politiques de son époux – il était radical – et, après avoir hérité d'une grosse somme d'argent, s'était employée au rapprochement de la grande bourgeoisie et des cercles intellectuels. Enfant, elle parlait allemand à la maison, femme mariée elle parlait allemand à la maison. Elle échappait à toute classification. Nationalité, classe sociale, religion ou race : elle n'appartenait à aucune catégorie. Comme elle se plaisait à le dire, elle était un hybride. Rien qu'à sa voix, on décelait chez elle un mélange d'influences diverses.

C'était pareil pour son fils. En l'écoutant ce jour-là, à Venise, j'entendais à la fois l'Europe et l'Amérique : une voix à la fois d'avant-guerre et moderne, un mélange de deux cultures et de deux époques.

Cela me plaisait. Frank Gerhard me faisait penser à quelqu'un mais je n'arrivais pas à me rappeler qui. Je m'aperçus alors qu'il venait de me poser une question que je n'avais pas entendue. Les coudes sur la table, il attendait impatiemment ma réponse.

– Je vous demande pardon ?

– La guerre. Je vous demandais si vous étiez en Angleterre pendant la guerre.

– Oh non ! J'ai quitté l'Angleterre en 1938 après la mort de mes parents. Je suis allée vivre avec Constance.

– Vous y retournez de temps en temps ?

– Nous allons parfois à Londres mais pas chez moi. Constance préfère l'Italie et la France.

– Et vous ?

– Je ne sais pas très bien. J'aime Venise. La France aussi. En général nous allons à Nice ou à Monte-Carlo. Une fois, Constance a loué une maison dans un village de pêcheurs près de Toulon. J'ai adoré cet endroit. J'allais au marché et j'allais observer les pêcheurs sur la plage. J'appréciais de pouvoir être seule. Je...

– Oui ?

– Oh, ce n'est pas très intéressant. Nous n'y sommes pas restées longtemps. Constance s'ennuyait...

– Et vous ?

– Pas moi. Nous sommes allées... en Allemagne. C'est moi qui ai voulu y aller.

– En Allemagne ? Et pourquoi là-bas ?

– A cause de la mort de mes parents. Un accident. Rosa a dû vous en parler.

– Oui, il me semble.

– On n'a jamais su ce qui s'était passé. Je me disais qu'il devait bien y avoir des archives à Berlin ou ailleurs et que je pourrais comprendre...

– Et vous avez trouvé ce que vous cherchiez ?

La gentillesse de son ton me surprit. Je n'avais encore jamais parlé de ce voyage. La sympathie est un sentiment qui me donne encore plus envie de pleurer que l'indifférence. Je détournai mon regard.

– Non, répondis-je d'une voix cassante. Les archives, si elles avaient existé, avaient disparu. C'était stupide de ma part. J'aurais dû écouter Constance. Je voulais seulement...

Je m'interrompis et repris d'une voix polie :

– Etes-vous déjà allé en Allemagne ?

Il se recula. Une seconde plus tôt, sa main était proche de la mienne à

493

la toucher. Il la retira immédiatement et se mit à chercher le serveur. De toute évidence, je l'avais offensé. Je fis des efforts maladroits pour me rattraper.

— Je pensais que... vous y étiez peut-être déjà allé. Après la guerre. Avec Rosa ou avec votre père. Un jour Rosa m'a dit que...

— Mon père était juif. Vous comprendrez aisément qu'après la guerre il n'avait pas très envie d'aller se promener en Allemagne.

Je devins cramoisie. Frank Gerhard se leva et régla l'addition sans s'excuser d'avoir été désagréable. Il semblait impatient de se débarrasser de moi le plus vite possible. Nous quittâmes précipitamment le restaurant. Je voulais rejoindre Constance et lui retourner à son hôtel. Il insista pour me raccompagner jusqu'à l'arrêt du *vaporetto* près du *Harry's bar*. Me sentant misérable, je n'eus pas le cœur de refuser. En tournant dans la rue qui menait au bar, il s'arrêta.

Au loin, nous pouvions voir de dos les silhouettes de Constance et de ses acolytes. Conrad Vickers parlait en gesticulant, Constance riait et les jumeaux van Dynem attendaient, appuyés contre un mur. Rosa n'était pas avec eux. Des fragments de la conversation de Conrad Vickers parvenaient jusqu'à nous. Manifestement, il parlait de Rosa.

— Sa treizième maison! Comment est-ce possible? Et cette robe! On aurait dit une boîte aux lettres anglaise ambulante. Terrifiant! En fait de veuve éplorée, c'est plutôt une veuve joyeuse, non?

J'essayai d'entraîner discrètement Frank Gerhard hors de portée de voix mais il avait déjà entendu. Il me tourna le dos, fit quelques pas puis me fit face, le visage fermé.

— Vous voulez savoir pourquoi elle porte cette robe rouge? On sentait la rage dans sa voix. Il se trouve qu'aujourd'hui c'est son anniversaire de mariage et que le rouge était la couleur préférée de Max...

— Je comprends. Ecoutez...

— Vraiment? Après tout, ce Conrad Vickers est votre ami. Ainsi que les van Dynem. Vos compagnons de voyage. Vos amis proches.

— Je voyage parfois avec eux, oui. Mais ce sont plutôt les amis de Constance.

— Et ce Bobsy van Dynem, c'est un ami de votre marraine?

Il avait prononcé le mot « ami » de façon cinglante.

— C'est aussi mon ami. Quant à Conrad Vickers, je le connais depuis que je suis toute petite. Je sais qu'il est un peu maniéré mais...

— Maniéré, c'est le moins qu'on puisse dire. Et méchant aussi.

— C'est un excellent photographe. Frank...

Je m'arrêtai, m'apercevant pour la première fois que, malgré les éloges incessants de Constance, je n'aimais vraiment pas Vickers. Je voulais le dire. Me dissocier de Vickers était tentant mais peu élégant. De plus, cela n'aurait servi à rien : à regarder Frank Gerhard, je savais qu'il nous avait mis, Vickers et moi, dans le même sac.

Il fixait l'autre bout de la rue, les poings serrés, les joues rouges de colère. J'eus peur qu'il se précipite vers Vickers pour le frapper. Le *vaporetto* approchait.

Je sais aujourd'hui que sa réaction était bien plus complexe qu'il n'y paraissait et qu'elle était empreinte de jalousie. En fait, sa colère n'était pas uniquement dirigée contre Vickers. Bouleversée, sentant que j'étais en train de perdre quelque chose, sans savoir quoi, je fis un pas vers lui et prononçai son prénom. Le *vaporetto* se rangea le long du quai et Frank Gerhard me lança :

– Quel âge avez-vous ?

Lorsque j'eus répondu, il ne fit aucun commentaire mais je savais ce qu'il pensait : à vingt-cinq ans, on est en âge d'exercer son propre jugement.

Au lieu du « Au revoir » qu'il me lança, il aurait aussi bien pu dire « Grandissez ! ». Des années plus tard, j'allais lui avouer que j'avais essayé de grandir, mais sans succès : Constance m'avait aimée comme enfant et voulait que je le reste. Même physiquement...

« Arrête de grandir », me dit-elle quand, à l'adolescence, j'atteignis un mètre soixante-dix-huit. Par bonheur, ce fut ma taille définitive.

« Ne grandis pas si vite », me disait-elle, mi-moqueuse, mi-sérieuse. Pour conserver son affection, je lui aurais obéi si j'avais pu.

« J'ai l'impression d'être une naine à côté de toi, se plaignait-elle. C'est atroce. Je ne te rattraperai jamais. »

– Comme tu es grande pour ton âge.

C'était l'une des premières choses qu'elle m'avait dites à mon arrivée à New York. Mon premier jour avec ma marraine. Mon premier jour dans un monde nouveau.

Nous étions en train de nous regarder dans les miroirs du fameux couloir aux glaces tandis que Jenna attendait en silence. Je venais de passer plusieurs jours sur un paquebot et de monter pour la première fois dans un ascenseur : sous mes pieds, le tapis ondulait comme les vagues de l'océan.

– Combien de Victoria vois-tu ? demanda ma nouvelle marraine. Et combien de Constance ?

La première fois, j'en comptai six et la deuxième huit. Constance secoua la tête et me dit qu'il y en avait à l'infini. « Comme tu es grande pour ton âge ». Je regardai notre image dans la glace. A huit ans, je lui arrivais déjà à l'épaule. Je me demandais pourquoi ma taille avait l'air de poser un problème. Elle me prit par la main et m'emmena dans un gigantesque salon. Par les fenêtres, je voyais les cimes des arbres. Je me suis dit que j'étais dans un nid d'aigle.

— Je te présente Mattie, dit Constance.

La fameuse Mattie, toute de blanc vêtue, s'avança. C'était la première femme noire que je voyais. En 1938, il n'y avait pas encore de Noirs dans le Wiltshire, ni en première classe sur les paquebots. Mattie était énorme et sa peau avait des reflets violets comme le raisin des serres de Winterscombe. Ses joues étaient rondes et lisses. Quand elle souriait, ses dents étaient vraiment très blanches.

— Ils se ressemblent comme deux gouttes d'eau, dit mystérieusement Mattie. Comme vous l'aviez dit.

En parlant, elle avait fait un geste vers la table à côté d'elle où se trouvait une photo de mon père : la même que celle qui trônait sur le bureau de ma mère. Un maillet de croquet à la main, il avait l'air ailleurs. Je pensai à mon père, à ma mère, que j'avais laissés à Winterscombe et qui étaient morts.

Un gros ours noir entra dans la pièce et vint me lécher la main. C'était le dernier chien de Constance, un terre-neuve adorable, Bertie.

A cinq mille kilomètres de chez moi, j'avais l'impression d'être une autre Victoria, une petite fille qui ressemblait tant à son père. Malgré mes bonnes résolutions, je fondis en larmes. C'était plus fort que moi. Je réclamai mon père, ma mère, Winterscombe et mon ami Franz-Jacob. Je ne pouvais plus m'arrêter. J'avouai la longue litanie de tout ce que j'avais sur le cœur : la mort de mes parents, mon sentiment de culpabilité, mes vantardises auprès de Charlotte, mes prières quotidiennes, les cierges allumés chaque dimanche à l'église. Tout le monde s'est montré très gentil avec moi mais la plus gentille fut mon étrange marraine. Elle me mit au lit dans une chambre si luxueuse que je me remis à pleurer en pensant à la modestie de Winterscombe. Ma marraine s'assit près de moi et me prit la main. Elle n'essaya pas de me plaindre, et mes larmes ne tardèrent pas à s'arrêter de couler.

— Je suis orpheline moi aussi, dit-elle. Comme toi, Victoria. J'avais dix ans quand mon père est mort, dans un accident. Et je me suis fait des reproches, exactement comme toi. On fait toujours ça quand quelqu'un meurt. On se dit : « J'aurais dû faire ci, j'aurais dû dire ça. » Et même si tu n'avais pas inventé toutes ces histoires et fait toutes ces prières, tu te le serais dit. Je ne crois pas en Dieu, Victoria, et toi ?

J'eus un instant d'hésitation. On ne m'avait encore jamais posé cette question. A Winterscombe, croire était une évidence.

— Je crois, dis-je enfin prudemment.

— Bon. Le visage de Constance devint triste comme si elle était malheureuse d'être athée. Si tu crois en Dieu et si tu crois qu'il est bon, penses-tu qu'il t'aurait joué un aussi vilain tour ?

— Même pour me punir d'avoir menti à Charlotte ?

— Bien sûr que non. Le châtiment est toujours proportionné au crime, tu ne penses pas ?

— Je ne sais pas.

— Moi, je sais. C'était un tout petit crime, Victoria. Je te le promets. Dieu s'occupe plutôt des crimes très graves : le vol, la guerre, la haine. Par amour, tu as fait un tout petit mensonge. Il ne te punirait jamais pour ça !

— Tu es sûre ?

— Je te donne ma parole.

Elle sourit, se pencha et m'embrassa. De sa petite main ornée de jolies bagues, elle me caressa le front.

Je la croyais. J'eus soudain la certitude qu'elle était capable de lire dans les pensées de Dieu. Qu'elle me donne sa parole m'avait soulagée : mon sentiment de perte était toujours là mais les remords étaient presque partis.

Elle parut s'en apercevoir — elle devait lire dans mes pensées aussi — car elle me tendit une main, paume tournée vers le plafond.

— Voilà. C'est bien. Tu n'as presque plus de remords, n'est-ce pas ? Encore un tout petit peu. Alors, donne-moi le reste. Mets-les dans ma main. Hum ! Ça chatouille. Ils montent le long de mon bras. Ça y est, ils sont partis rejoindre les autres, les miens, dans mon cœur.

— Est-ce qu'ils vivent dans le cœur ?

— Oui. Et de temps en temps, ils se mettent à remuer et on se dit : « Oh ! j'ai des palpitations ! »

— Et tu en as déjà beaucoup ?

— Des tas et des tas. Je suis une grande personne, tu sais.

— Et quand je serai une grande personne, ils reviendront ?

— Certains peut-être. Des regrets aussi. Nous allons faire un pacte toutes les deux. Si tu les sens revenir, tu me les donnes. Moi ils ne me dérangent pas, j'ai l'habitude.

— J'ai envie de dormir.

— Ça ne m'étonne pas. Tu as dormi sur le bateau ? Moi je n'y arrive jamais. J'ai horreur des bateaux et de la mer.

— Est-ce que je dois t'appeler « Tante » ?

— « Tante » ? Elle fit une grimace. Non, ça ne me plaît pas tellement. Ça fait trop vieux. Et puis je ne suis pas ta tante. « Marraine », ça fait un peu pompeux. Et si tu m'appelais Constance ?

— C'est tout ?

— C'est tout. Essaie pour voir. Dis : « Bonne nuit, Constance. » On est au milieu de la matinée mais ça ne fait rien.

– Bonne nuit... Constance, dis-je.

Elle m'embrassa une nouvelle fois. Je fermai les yeux et sentis ses lèvres effleurer mon front. Elle se leva, comme à regret. J'ouvris les yeux : elle avait l'air à la fois triste et heureuse.

– Je suis vraiment contente que tu sois là. Je suis désolée pour la photo. J'aurais dû penser à l'enlever. Tu ne t'étais pas rendu compte à quel point tu ressemblais à ton père ?

– Non. Jamais.

– Tu sais, la première fois que je l'ai rencontré il avait douze ans. Il était exactement comme toi aujourd'hui.

– C'est vrai ?

– A part les tresses, bien sûr... Elle sourit.

– Je déteste les tresses.

– Alors, nous les interdirons, dit-elle à ma grande surprise. Dénoue-les, coupe-les, fais ce que tu veux.

– On pourrait ?

– Bien sûr. On fera ça demain si tu veux. C'est toi qui décides. Elles sont à toi, après tout ! Maintenant il faut dormir. Quand tu te réveilleras, Mattie te fera des crêpes. Tu aimes ?

– J'adore !

– Parfait. Je vais lui dire d'en faire deux tonnes. Et pendant ton sommeil Bertie va veiller sur toi. Il va s'allonger sur un grand tapis au pied de ton lit et il va se mettre à ronfler. Ça te dérange ?

– Oh non !

– Il rêve, tu sais. Quand il ronfle en grattant le sol avec ses pattes, ça veut dire qu'il fait son rêve préféré. Il rêve de Terre-Neuve. Il adore y nager. Il a les pattes palmées, tu sais. Dans ses rêves, il nage et il voit des choses merveilleuses : de grandes cavernes de glace, des ours polaires, des phoques, des icebergs hauts comme des montagnes, des oiseaux...

Je ne sus pas très bien à quel moment elle était partie car ses paroles furent relayées par les ronflements de Bertie puis les ronflements par des cris de mouettes. La chambre s'était transformée en mer et tandis que je nageais je songeais que ma marraine était une personne étonnante : elle interdisait les tresses en une minute, vivait dans un nid d'aigle et m'avait rendu mon père qui était maintenant dans mes cheveux, ma peau et mes yeux. Et s'il était si proche, ma mère ne devait pas être loin non plus.

Je dormis des heures. A mon réveil, dans l'après-midi, j'engloutis cinq crêpes arrosées de sirop d'érable. Assise à la table de la cuisine, Mattie me raconta sa vie. Elle s'était enfuie de chez elle à douze ans et avait vécu des tas d'aventures : elle avait chanté dans un orchestre, lavé des draps dans une blanchisserie chinoise, appris le vol à la tire et lavé des planchers à Chicago.

— Tu sais toujours faire le pickpocket?

— Evidemment, dit-elle en me faisant une démonstration.

Le lendemain, ma marraine tint sa promesse. En grande cérémonie, elle me mit sur un drap étalé au milieu du salon et défit mes nattes sous le regard encourageant de Mattie.

Clic, clac! Elle coupa elle-même mes cheveux, à la hauteur des épaules, avec des ciseaux d'argent.

— Regarde comme tu es jolie! s'exclama-t-elle.

Je vérifiai dans la glace. Jolie était un bien grand mot mais j'étais nettement mieux, même Jenna était d'accord. Je regardai ma marraine : elle était orpheline comme moi, dans la paume de sa main les remords la chatouillaient, elle avait un chien avec des pattes palmées qui rêvait d'icebergs. Elle était très petite et très belle.

Clic, clac! Des mèches de cheveux roux s'amoncelaient sur le drap à mes pieds. J'étais en mal d'affection et là, instantanément, je décidai de reporter tout mon amour sur Constance, à la façon des orphelins : sans réserve.

Je crois qu'elle l'avait compris. Sans prononcer un mot, elle me tendit les bras et je m'y précipitai. Elle avait l'air si heureuse que j'ai tout de suite pensé qu'elle m'aimait aussi. Aujourd'hui, je ne suis plus si sûre : elle aimait faire des conquêtes et je suis peut-être tombée dans le panneau. Je ne saurai jamais.

Quel que soit son emploi du temps, tous les après-midi à 3 heures, Constance rentrait à la maison pour notre promenade quotidienne avec Bertie. Nous prenions l'ascenseur, traversions l'avenue, la remontions et emmenions Bertie explorer les odeurs de Central Park. Nous y pénétrions par l'entrée près du zoo, que nous visitions parfois. Constance adorait les bêtes mais détestait les voir enfermées. Ensuite, nous nous dirigions vers les cascades. L'ancien kiosque à musique est maintenant un café; il était bien plus tranquille à l'époque, surtout en hiver. Bertie adorait la neige : il avait une fourrure épaisse sous laquelle se trouvait un duvet très épais aussi et graisseux. Il détestait la chaleur. Au début, lorsqu'il faisait très chaud l'été, nous le mettions dans la cuisine en laissant la porte de la glacière ouverte. C'était plus formidable pour lui que pour le contenu de la glacière. Les domestiques se plaignaient. Alors Constance avait acheté un appareil à air conditionné. Nous le mettions à pleine puissance et Bertie se mettait juste devant l'arrivée d'air froid.

Nous avions un autre but de promenade favori. Pendant des années, jusqu'à mon adolescence, nous sommes allées régulièrement dans une boutique d'animaux située au coin de la 62ᵉ et de Lexington. A proximité de

499

Park Avenue, c'était une boutique chic qui vendait des animaux le plus souvent exotiques : des perroquets, des lapins angoras, des pythons dont il fallait enduire la peau d'huile pour l'empêcher de sécher, et toutes sortes de chiens et de chats.

Cette boutique ne proposait pas de vulgaires chats de gouttière mais des persans indolents et majestueux, des siamois, des birmans et, surtout, des abyssins. C'étaient mes préférés : élégants et dignes dans leur fourrure caramel et noir, du haut de leurs cages ils surveillaient le monde d'un air dédaigneux. C'étaient les chats des tombeaux égyptiens, mais j'étais trop petite pour le savoir. Tout ce que je savais c'était que j'en voulais absolument un.

J'en avais d'autant plus envie que de tous les animaux domestiques, les seuls que Constance détestait étaient justement les chats. Quand nous allions à la boutique, elle évitait soigneusement leurs cages et pour rien au monde elle n'en aurait caressé un. « Pas de chat, surtout avec Bertie », répétait-elle.

C'est au retour de l'une de ces visites que je l'interrogeai sur ses précédents chiens. Elle se mit à sourire et allongea le pas.

– Eh bien, le tout premier s'appelait Floss. C'était un cadeau de ton Oncle Francis. C'était le plus adorable des chiens. Il était marron, noir et blanc, avec une queue vaporeuse comme une plume. Après, j'ai eu Box. Il était blanc, plein de poils et très obéissant. Je l'ai amené à New York. Quand il est mort, à quinze ans, il était devenu énorme. Et après, j'ai eu un pékinois et pour finir un dogue. Je l'adorais ! Quand il est mort, j'ai voulu changer. J'avais toujours eu des petits chiens et cette fois j'en voulais un gros. Et j'ai trouvé Bertie.

– Et pourquoi voulais-tu changer ?

– Parce que... Eh bien parce que j'étais moi-même en train de changer. J'étais en train de muer comme les serpents de la boutique. Alors j'ai acheté Bertie pour fêter l'événement. J'ai bien fait. Bertie est noble et très sage.

– Tu l'aimes vraiment beaucoup ?

– Oui. C'est mon préféré. S'il mourait – les gros chiens vivent moins longtemps que les petits – ce serait atroce. Bertie sera mon dernier chien. Je l'ai décidé.

– Tu n'en auras pas d'autre ?

– Je le jure solennellement. Bertie est la meilleure partie de moi-même.

– Mais tu aimais aussi les autres ? Floss, surtout. C'était le premier et...

J'étais sur le point de lui dire qu'Oncle Freddie m'avait raconté sa triste fin et la maladie de Constance qui avait suivi.

500

– Oui, Floss, m'interrompit-elle. Il a attrapé le tétanos et il est mort à Winterscombe.

Je savais ce qu'était le tétanos car un cheval de mon père en était mort. Il me semblait que Floss s'était fait écraser par un cheval dans Hyde Park mais, par politesse, je m'abstins de tout commentaire. Constance venait de me faire son premier mensonge, mais je ne le savais pas encore. Je me dis tout simplement qu'Oncle Freddie avait dû se tromper.

On était en 1939, juste après la déclaration de guerre. J'étais au début de cette deuxième partie de ma vie qui allait se terminer avec l'armistice de 1945.

Pendant ces années, j'écrivis des lettres tous les jours pour garder le contact.

J'étais souvent seule avec Mattie, un autre domestique ou l'une des gouvernantes qui ne restaient jamais longtemps. J'écrivais de longues missives parsemées de taches : à grand-tante Maud, à mes oncles, à mon parrain Wexton, à Jenna. Deux fois par semaine sans faute, j'écrivais à Franz-Jacob.

Ma famille m'envoyait régulièrement des réponses volumineuses. Tous les matins, Constance les posait sur la table de mon petit déjeuner et tous les après-midi, pendant la promenade de Bertie, je postais mes lettres.

Le courrier de mes proches m'apprenait beaucoup sur la guerre : Tante Maud, trop malade pour écrire elle-même, dictait à sa secrétaire son récit des combats aériens au-dessus de Londres, des ballons de DCA dans Hyde Park et des quatre vérités qu'elle aurait dites à von Ribbentrop si elle en avait eu l'occasion. Steenie m'écrivit de la nouvelle villa de Conrad Vickers à Capri, puis de Suisse où il séjourna – « lâche mais sympathique », disait-il – pendant la durée des hostilités. Oncle Freddie s'était enrôlé dans les pompiers et écrivait ses romans policiers pendant le blitz. Wexton, dont la mission était plus secrète – une histoire de codes, je crois – s'en tenait à des sujets ne prêtant pas à controverse : le rationnement, entre autres. « C'est un espion », avait dit Constance en lisant une de ses lettres. Je savais qu'elle n'aimait pas Wexton.

Jenna, à qui mes parents avaient laissé un peu d'argent, était retournée en Angleterre et avait trouvé une place de gouvernante chez un pasteur à la retraite. Son mari n'était pas avec elle et cela ne m'étonnait pas. Même à Winterscombe ils ne s'adressaient jamais la parole. J'en venais même à oublier qu'ils étaient mariés. Un jour que j'en parlais à Constance, elle réagit avec violence :

– Hennessy ? Ce type horrible ? C'est une brute alcoolique. Il la frappait, tu sais ? Juste après ta naissance, il lui a fait un œil au beurre noir.

C'est à cc moment-là qu'elle est revenue à la maison. Je me demanderai toujours pourquoi ta mère à gardé ce Hennessy.

Je fus tellement surprise que j'en laissai tomber ma plume et il me fallut bien dix minutes avant de pouvoir poursuivre ma lettre à Jenna. Hennessy, le ravitailleur de chaudière, une brute et un ivrogne ? Ma Jenna avait eu un œil au beurre noir ? Les hommes pouvaient frapper les femmes ? Mon petit monde trembla sur ses bases mais retrouva finalement son équilibre. Dans ma lettre suivante à Tante Maud, j'évoquai l'incident. Sa réponse ne tarda pas :

« Non, je ne savais pas pour Jenna. Et de toute façon, je déteste les commérages. Ces histoires ne nous regardent pas, Victoria. De plus, venant de ta marraine, j'aurais quelques réserves à émettre. Tu sais qu'elle a beaucoup d'imagination. »

J'aimais bien Tante Maud mais je ne pouvais la croire. D'abord parce que, contrairement à ce qu'elle écrivait, elle était une véritable pipelette, et ensuite parce que je croyais aux histoires de Constance.

Ma marraine était devenue mon alliée. Très souvent, elle se comportait comme si nous avions le même âge : deux enfants conspirant contre les adultes. Par exemple, elle me disait : « Tu vas rester au bureau avec Prudie. Elle aboie mais elle ne mord pas. Ne la laisse pas faire le gendarme avec toi ». Ou alors elle rentrait à la maison où une gouvernante de passage – elles ne restaient jamais longtemps – essayait de m'enseigner quelques rudiments. « Les leçons sont terminées pour aujourd'hui », s'écriait Constance. Et elle m'emmenait déjeuner dans un grand restaurant ou visiter une maison de campagne qu'elle était en train de décorer. Elle était hostile aux écoles, à l'instruction, et à toute forme de discipline. Une de mes meilleures gouvernantes, une femme de Boston très austère qui me faisait trembler, avait été renvoyée à cause d'une grosse verrue dont était affligé son menton. Un jeune précepteur, beau garçon, qui semblait pourtant très en faveur et que j'aimais bien, fut congédié avec fracas. Constance m'annonça simplement qu'elle n'aimait pas ses cravates et qu'il manquait d'imagination.

Le scénario était donc le suivant : Constance et moi, les héroïnes, contre les diktats du reste du monde, ce sinistre monde d'adultes.

Quel enfant aurait préféré les déclinaisons latines à des blinis au caviar dans un salon de thé russe ? A quoi bon se débattre avec l'algèbre au lieu d'aller avec Constance dans la caverne d'Ali Baba de son agence de la 57ᵉ Rue ?

Notre alliance prenait aussi parfois une autre forme : Constance pouvait aussi nous considérer comme deux grandes personnes. Quand j'allais la voir travailler, elle me consultait souvent : « Quel jaune, à ton avis ? » me demandait-elle en exhibant deux pièces de tissu. J'en choisissais une, d'instinct, et elle hochait la tête d'approbation. « Bien. Tu as l'œil. C'est parfait ».

J'étais très flattée car on ne m'avait pas habituée à me faire des compliments. J'étais également flattée qu'elle m'écoute quand je me confiais à elle. Quand je posais une question, elle me répondait franchement, comme si j'avais été une femme.

Tante Maud semblait la détester, ce que je comprenais fort bien car je savais qu'elle avait aimé autrefois un homme que Constance avait finalement épousé. Qu'était-il devenu, ce Montague Stern ? Ils ne se voyaient jamais mais elle pensait qu'il vivait seul dans le Connecticut. Ils s'étaient séparés parce qu'il voulait des enfants et que Constance ne pouvait pas en avoir. Je demandai un jour si elle avait prié pour en avoir un. Elle me répondit que oui, à sa façon. Elle y avait mis toute la force de sa volonté et elle l'avait obtenu : c'était moi. Je m'étais contentée de ces explications rassurantes. J'étais une enfant désirée.

Comme Constance était directe avec moi, je me livrais toujours à elle. Peu après mon arrivée à New York, je lui avais raconté l'un des événements de ma vie qui me tenaient le plus à cœur : je lui avais révélé l'existence de Franz-Jacob. Et c'est principalement dans notre recherche commune de Franz qu'elle était devenue mon alliée.

Franz-Jacob ne m'écrivait donc jamais. Au début, j'en avais attribué la faute au service postal. Ensuite, je m'étais dit que l'adresse de l'orphelinat était peut-être fausse. Mais, même si mes lettres n'arrivaient pas jusqu'à lui, cela ne l'empêchait pas d'écrire. Il avait promis !

« La distance ne compte pas en amitié », avait-il affirmé en me remettant la boîte de chocolats sur le quai. Aucun doute, il devait être malade.

Constance s'était montrée très patiente avec moi. Je lui avais rabâché un nombre incalculable de fois les dons de Franz en mathématiques, ses yeux d'Européen triste, sa famille, ce jour effroyable où il avait senti l'odeur du sang et de la guerre, dans un endroit précis des bois que je j'avais décrit à ma marraine.

– A cet endroit, Victoria ? Tu es sûre ? s'était-elle écriée la première fois en pâlissant à vue d'œil. Nous devons retrouver Franz-Jacob, Victoria.

J'avais chargé Freddie et Tante Maud de faire leur enquête auprès de l'orphelinat. Sans résultat. Constance avait alors appelé elle-même les autorités de tutelle des orphelinats. Ce fut une conversation orageuse, suivie d'une lettre non moins orageuse concoctée au bureau avec Prudie : elle était si impérieuse, si insolente et si agressive contre la bureaucratie que le coup avait enfin porté.

On nous avait aiguillées vers une autre organisation de Londres s'occupant d'évacués. Pendant plusieurs semaines, on nous avait laissées entrevoir que Franz-Jacob avait peut-être été envoyé à la campagne, loin des bombardements. Puis la mauvaise nouvelle était arrivée : deux mois avant la déclaration de guerre, mon ami, à la demande de ses parents, était retourné en Allemagne.

Je me rappelle l'expression de Constance en me tendant la lettre et sa gentillesse. J'avais neuf ans : je comprenais seulement qu'il était dangereux pour Franz-Jacob de retourner en Allemagne. Très dangereux, même. La tristesse de Constance, son refus, pour une fois, d'être franche, en étaient la preuve.

Elle cherchait à me protéger mais ne pouvait le faire pour toujours. A la fin de la guerre – j'avais quinze ans – j'ai enfin compris le silence de Franz-Jacob : je savais ce qu'on avait fait aux Juifs dans son pays.

Je lui postai mon ultime lettre le jour de la Victoire. Lorsqu'elle eut disparu dans la boîte, les yeux de Constance se remplirent de larmes.

Cette fois, c'est moi qui pris les devants :

– Je sais, Constance. C'est la dernière lettre. J'ai tout compris maintenant : il est mort.

« *Ein dummes englisches Mädchen* » – une petite Anglaise stupide – voilà ce que j'avais été... J'avais mis six ans à comprendre que dans les bois de Winterscombe, avant la guerre, c'était sa propre mort que Franz-Jacob avait sentie.

Cher Franz, avais-je écrit dans ma dernière lettre, je me souviendrai toujours de toi. Je penserai à toi chaque jour jusqu'à mon dernier jour.

Curieusement – les jeunes filles de quinze ans, même sincères, ne tiennent pas toujours leurs promesses – j'ai tenu parole.

Mais c'était une promesse secrète. Je ne l'ai jamais révélée à Constance.

C'est à cause de Franz, je crois, que je me suis intéressée à Rosa Gerhard, d'origine allemande aussi, et Juive convertie. J'avais douze ou treize ans lorsque j'entendis parler d'elle pour la première fois. Ce jour-là, Constance m'avait débarrassée de mon tout dernier professeur, un émigré russe blanc, lugubre, un de ses protégés. Elle était la spécialiste des aristocrates déchus. Grand-ducs serbes dans le besoin, marquises désargentées, comtesse ou duchesse de machin-chose : les réceptions de Constance étaient l'antichambre de l'histoire ancienne.

Mon précepteur russe s'appelait Igor. Sa nature indolente ne déparait pas ses méthodes désinvoltes. La première semaine, dans un élan d'enthousiasme, il m'enseigna quelques principes vitaux : comment distinguer le caviar sevruga du beluga, ou quelle étiquette respecter devant une grande-duchesse russe. J'appris aussi à cette occasion le nom du chef de rang d'un des meilleurs restaurants de Moscou avant la révolution – restaurant qui avait explosé quelque quinze ans auparavant. Igor exécrait les Bolcheviks.

La deuxième semaine, surmontant sa nostalgie, il me fit la lecture en russe. Lorsqu'il s'aperçut que je n'en comprenais pas un mot, il se rabattit sur le français. Tressaillant à chacune de mes réponses laborieuses, il renonça également. Exaspéré, il me conseilla en dernier recours de lire en anglais.

Pour lire, je lisais. Je m'asseyais dans un coin avec Bertie à mes pieds tandis qu'Igor, dans un autre coin, rêvait en sirotant une vodka. Ce compromis nous arrangeait tous les deux. Il y avait juste un problème : l'appartement de Constance, luxueux par bien d'autres aspects, ne regorgeait pas de livres.

— Tu es comme ton père, me dit un jour Constance. Acland n'arrêtait pas de lire. Et tous ses livres, que sont-ils devenus ? Ils sont à toi maintenant.

— Je suppose qu'ils ont été emballés quand l'armée s'est installée dans la maison. Ils doivent être dans la véranda.

— Je vais les faire venir ! Prudie va écrire à tous ces hommes de loi gâteux.

Les livres mirent trois mois à arriver, période pendant laquelle Constance s'employa à leur faire de la place. Une pièce de l'appartement fut convertie en bibliothèque. Constance elle-même procéda à sa décoration et je n'eus le droit d'y pénétrer qu'une fois son œuvre achevée.

Ce jour tant attendu arriva enfin : Igor, Bertie et moi fûmes conduits dans une pièce resplendissante dont les quatre murs, du sol au plafond, étaient couverts de livres.

J'étais très touchée que Constance ait fait pour moi une telle dépense. Même Igor s'avoua impressionné. Passant de rayon en rayon, il caressa les livres de Shakespeare tandis que je leur préférai ceux de Sir Walter Scott. Progressivement, je fis une découverte étrange : la disposition des volumes était peu conventionnelle. Tous ceux de ma mère étaient à droite de la pièce et ceux de mon père à gauche.

C'était dans cette pièce singulière que je travaillais tous les jours – si tant est que lire des romans peut s'appeler travailler.

Un jour que j'étais en train de lire *Persuasion*, Constance me fit accompagner à son agence de la 57ᵉ Rue. Elle me demanda mon avis sur la couleur d'une pièce de soie puis m'oublia. Cela arrivait parfois. De temps à autre, Prudie levait les yeux sur moi, faisait cliqueter ses fausses perles et m'adressait un petit signe désinvolte. Les téléphones sonnaient, Constance s'affairait à droite et à gauche. J'aimais être là, regarder, apprendre, écouter.

Ce fut l'assistante la plus proche de moi, une femme élégante et intimidante, qui prit l'appel de Rosa Gerhard.

— Oh, Madame Gerhard ! dit-elle. Un silence tomba.

Les personnes présentes échangèrent des regards inquiets. L'assistante tenait le combiné à plusieurs centimètres de son oreille et n'avait pas souvent la parole. Lorsqu'elle raccrocha, Constance compta à voix haute jusqu'à dix.

— Ne me dites rien... C'est pour la chambre jaune ?

— Non, Miss Shawcross. Pire. Elle déménage. Elle a acheté une nouvelle maison.

— C'est la septième, non ?

— La huitième, très précisément. Je peux essayer de me débarrasser d'elle.

— Se débarrasser d'elle ? Vous n'y songez pas. Rosa Gerhard est un monument ; autant essayer de faire entrer un cyclone dans un aspirateur. Je m'en occupe. Vous allez voir. Je lui donne vingt secondes.

Les vingt secondes s'écoulèrent. Une secrétaire pouffa d'un rire nerveux. Trente. La sonnerie du téléphone retentit. Constance décrocha. On entendit un cri perçant.

— Ah, Rosa !... dit Constance une minute plus tard. Comment allez-vous ? Comme c'est gentil de donner de vos nouvelles...

Rosa Gerhard était aussi ponctuelle que Noël : elle revenait une fois par an. Chaque année, elle trouvait la maison idéale. Mes années d'enfance furent égrenées par ces maisons : 1942, 1943, 1944. Sa huitième, sa neuvième, sa dixième. A la dixième, nous avons bu le champagne.

Pour moi, cette Mme Gerhard était un mystère, un de plus dans la vie de Constance. Si elle était vraiment impossible, pourquoi Constance ne refusait-elle pas tout simplement de travailler pour elle ? Ne pouvait-elle pas l'adresser à quelqu'un d'autre ? La fameuse Sister Parish, par exemple ? Un jour que Prudie m'avait prise chez elle, je lui dis ouvertement ce que j'en pensais. Je vivais dans l'espoir qu'elle me donnerait enfin des explications. J'aimais bien aller chez elle.

Prudie poussa un soupir en rectifiant d'un doigt la position d'un napperon en dentelle.

— Je crois qu'elle amuse beaucoup ta marraine, mon ange. C'est tout.

— Mais Mme Gerhard la rend complètement folle, Prudie. Chaque fois qu'elle l'énerve, elle dit qu'elle ne lui adressera plus jamais la parole, mais elle ne le fait jamais.

— Elle est comme ça, mon ange.

C'était toujours ce que disait Prudie. Comme si cela expliquait tout : l'humeur imprévisible de Constance, ses absences intempestives. Je trouvais cela curieux. Quand elle s'en allait, comme en ce moment, je me demandais pourquoi.

— Prudie, tu as déjà entendu parler des Jumeaux célestes ?

Je savais que oui. Leurs exploits faisaient sans arrêt la une des carnets mondains. Leurs vrais noms étaient Robert et Richard van Dynem mais on les appelait toujours Bobsy et Bick. Héritiers d'une colossale fortune de la côte est, ils étaient encore plus célèbres pour leur beauté que pour leur richesse. Ils allaient connaître une fin malheureuse : l'un dans un accident de voiture à la fin des années 1950, l'autre d'alcoolisme. Mais en 1944, Bobsy et Bick étaient de jeunes Adonis blonds de vingt ans, dans la pleine fleur d'une jeunesse dorée. Ils n'étaient pas particulièrement intelligents mais doués d'une excellente nature. Tous deux, ainsi que leur père et leur oncle, jumeaux eux aussi et piliers des réceptions de Constance, se montraient toujours adorables avec moi.

— Bien sûr que j'en ai entendu parler, répondit Prudie en continuant de tripoter le napperon.

— Constance va chez eux parfois ? En ce moment, par exemple ?

Prudie savait toujours où était Constance et savait que je le savais.

— Sur l'île ? Prudie haussa les épaules. Et pourquoi ça ? Elle a sa propre maison.

— Oui, mais elle n'y est pas, malgré ce qu'elle a dit. J'ai essayé de téléphoner hier soir.

— Tu n'aurais pas dû. Prudie était rouge comme une pivoine. Elle déteste ça, tu le sais bien. Elle a dû sortir, voilà tout.

C'était plausible mais la fête avait dû se terminer très tard : j'avais téléphoné à 3 heures du matin puis à 4. Mais je m'abstins de le révéler à Prudie.

— Et pourquoi Bobsy et Bick ? demanda soudain Prudie. Il y a des centaines d'endroits où elle pourrait être.

— Parce que j'ai entendu Bobsy dire quelque chose à Constance. Ils ont organisé un rendez-vous. Mais le lendemain, elle m'a dit qu'elle allait ailleurs.

— Elle a changé d'idée, tout simplement. Et de toute façon, ça ne te regarde pas, petite indiscrète.

— Ce n'est pas par indiscrétion, Prudie. Mais j'aimerais savoir... parfois...

Le visage de Prudie se radoucit.

— Ta marraine aime bouger. Tu le sais bien. Et avec la guerre elle n'a pas tant d'occasions de voyager.

— Prudie, dis-je précipitamment, tu connais son mari ? Montague Stern ?

— Non, répondit-elle d'une voix bourrue.

— Tu crois qu'elle l'aimait et qu'il l'aimait ?

— Qui sait ? En tout cas, ce ne sont pas mes affaires. Ni les tiennes, d'ailleurs.

Je me heurtais donc à un mur. J'étais sûre que Prudie en savait bien plus qu'elle ne voulait le dire. Elle savait pour Montague Stern, Bobsy et Bick, mais n'avait pas l'intention de m'expliquer. Elle savait la raison des absences de Constance, et bien d'autres choses encore : par exemple, les fleurs qui arrivaient à la maison et dont les cartes étaient immédiatement déchirées, les coups de téléphone abrégés quand j'entrais dans la pièce, la façon dont elle se liait d'amitié très rapidement avec certains hommes, pourquoi les livres de mon père étaient d'un côté et ceux de ma mère de l'autre. Je savais qu'il était question d'amour : j'avais lu assez de romans pour le comprendre.

Constance n'était pas dans de meilleures dispositions :

– L'amour ? Je ne crois pas à l'amour entre un homme et une femme. Ce n'est que de l'attirance et beaucoup d'égoïsme. Toi, je t'aime. Mais ce n'est pas la même chose.

Il semble qu'à quatorze ans on me trouvait trop jeune pour me parler de l'amour. J'avais le droit de lire, d'imaginer et de rêver – ce dont je ne me privais pas – mais pas de poser de questions. Je mis donc une croix sur ce sujet et passai à celui des clientes de Constance qui m'intriguaient le plus. Rosa Gerhard, entre autres.

– Comment est-elle ? demandai-je un jour à Constance.

C'était au printemps 1945. J'avais presque quinze ans et ma dernière lettre à Franz-Jacob datait de quelques mois. Bertie, contrariant toutes les prédictions de longévité, avait onze ans. Nous nous promenions dans Hyde Park.

– Eh bien... Elle est d'origine noble et de nature plutôt excentrique. Elle a été élevée dans la religion catholique et s'est convertie quand elle a épousé Max. Elle va chaque semaine à la synagogue et à l'église et n'y voit aucune contradiction.

– Elle est toujours mariée avec Max ?

Constance sourit.

– Ça, je ne me rappelle pas. Elle collectionne les maisons mais aussi les maris et les enfants.

– Les maris ? Tu veux dire qu'elle n'arrête pas de divorcer ?

– Grands dieux, non ! Je crois plutôt qu'ils meurent. C'est ça. Ils meurent les uns après les autres. Elle les aime beaucoup mais elle les use. Celui qui a duré le plus longtemps est M. Gerhard, je crois. Il a bien duré dix ans. Ce devait être un homme remarquable.

– Et les enfants ?

– Je crois que je n'en ai jamais rencontré un seul. Mais ils sont nombreux. Neuf ou dix, je crois. Rosa m'en parle tout le temps : il y a le metteur en scène, le sénateur, le maire de New York, le procureur et puis sa fille qui vient de gagner le prix Pulitzer. Ah, et j'ai oublié son fils qui a reçu le Prix Nobel.

— Le maire ? Le Prix Nobel ?

— Oui. Constance sourit. De physique ou de médecine ? Je ne me rappelle plus. C'était il y a quelques années. Il avait treize ans.

— Ils sont vraiment tout ça ?

— Tu sais, Rosa est une mère. Et elle est très optimiste. C'est l'optimiste la plus sublime que j'aie jamais rencontrée.

— Tu l'aimes bien ?

— Bizarrement, oui. Je ne sais pas pourquoi. C'est la seule femme que je connaisse qui soit capable de changer trente fois d'avis en trente secondes sur un morceau de tissu. Même moi je n'y arriverais pas. Mais je l'aime bien. C'est une force de la nature. Et c'est aussi un oiseau rare : elle n'a pas une once de méchanceté.

En arrivant au lac, j'avais déjà oublié Rosa Gerhard. J'allais la connaître autrement que de vue cinq ans plus tard seulement. Cet après-midi-là, j'avais d'autres soucis en tête.

J'observais Bertie. Il se déplaçait très lentement maintenant et quand il courait il se mettait souvent à tousser. Je me demandais si Constance l'avait remarqué. Je pense que oui car à notre retour à la maison elle était particulièrement préoccupée.

Elle s'assit près de lui sur une couverture. Elle avait l'air effrayé. Elle lui dit qu'elle l'aimait puis le caressa en lui chuchotant à l'oreille des histoires d'icebergs, de phoques, de mouettes et de mers froides de sa Terre-Neuve d'origine.

L'été suivant, celui de mes quinze ans, fut triste et mouvementé. J'étais triste parce que je commençais à comprendre le destin de Franz-Jacob et parce que personne ne répondait à mes questions sur la vie et l'amour. D'autre part, Constance et moi étions toutes les deux tristes à cause de Bertie : nous refusions de l'admettre, mais il était évident qu'il déclinait.

— Le travail, disait Constance. Nous devons travailler deux fois plus, Victoria.

C'était son remède à la tristesse. Elle ne cessait de dire que le travail était une thérapie.

Cet été, donc, mon buveur de vodka fut congédié et ce fut la fin pour moi de toute tentative d'instruction. L'Europe n'était toujours pas à l'ordre du jour.

— Attends, disait Constance. Après la guerre nous voyagerons.

Comme chaque été, nous partîmes pour la maison d'East Hampton mais Constance refusa de s'y installer. Elle était dans une de ses périodes fréquentes de grande agitation. Même la proximité de Bobsy et Bick ne la

509

consolait pas. « Le travail », disait-elle en regardant Bertie. Ce fut donc l'été où elle entreprit mon initiation aux mystères de son art.

Je possédais déjà quelques rudiments : bien souvent, je l'avais regardée faire, assise dans un coin, j'avais été chargée de petites courses et de messages et consultée sur des couleurs. Désormais, on me confiait la préparation des planches d'échantillons. Je savais déjà – Constance disait que j'étais vive – mesurer une pièce à l'œil nu et je commençais à m'y entendre en proportions. Mais je n'étais encore que quantité négligeable. Cet été-là, le dernier de la guerre, Constance m'enseigna véritablement les rites de son temple.

On lui avait commandé la décoration d'une maison aussi énorme que belle, avec plage privée, à une quinzaine de kilomètres de la sienne, à East Hampton. Le propriétaire était en Californie. Elle avait remporté cette commande après une âpre compétition avec ses concurrents. La « maison de l'espoir », comme elle l'appelait. Elle disait qu'en travaillant dur, nous n'aurions plus le temps de céder à la tristesse.

Nous nous y rendions tous les jours avec Bertie, dans le coupé Mercedes que Constance conduisait trop vite et dangereusement. A notre arrivée, nous installions Bertie dans le grand vestibule pavé puis nous mettions au travail. Formes, lumières, couleurs, proportions : Constance me donna un cours intensif. Je trouvais le salon magnifique.

– Regarde-le mieux, insista-t-elle.

Et je remarquai alors que ses dimensions étaient imparfaites.

– Les portes sont trop hautes et pas alignées, me dit-elle. Et le style des fenêtres est anachronique. Tu vois ?

Oui, je commençais à voir. Quelques semaines plus tard, lorsque les ouvriers arrivèrent, mon coup d'œil s'était encore amélioré. Je savais depuis longtemps que je voulais être décoratrice : ce fut dans la « maison de l'espoir » que je fis mes premiers pas dans la profession.

J'appris les propriétés du velours, la docilité de la soie ; j'appris que les couleurs, tout comme la vérité, étaient fluctuantes, qu'elles variaient selon l'éclairage, la texture et l'emplacement.

– Prends n'importe quel tissu, Victoria. Il est vert émeraude, à ton avis ? Si tu le poses sur du blanc, je suis d'accord. Mais sur du noir ou de l'abricot ? Tu vois ? Sa teinte change. Ne te fie jamais à ce que tu vois au premier abord.

Elle m'enseigna aussi les proportions et les formes. Avec elle, tout était possible. D'une grande pièce froide, elle faisait un endroit chaud et intime. A partir d'un espace fermé, elle créait un volume ouvert. Elle savait agrandir, rétrécir, diviser, subdiviser une pièce mal conçue. La duplicité des décorateurs permet de modifier tous les espaces.

– Regarde les angles inégaux de cette pièce ! Donne-moi de la lumière, de la couleur et de l'argent, je lui rendrai sa symétrie. Avec des angles inégaux et des proportions bancales, je peux faire du Palladio.

Cet été-là, j'appris la sorcellerie et le trompe-l'œil. Constance, décoratrice-née, était aussi une excellente pédagogue.

Nous sommes restées toute la saison à la « maison de l'espoir ». C'est là, dans la longue véranda surplombant la mer, dans une maison où je ne suis jamais retournée depuis, que Constance me donna enfin sa propre version de mon baptême.

Je n'avais posé aucune question. Le récit de Constance fut spontané. La chaude tranquillité d'un après-midi d'été, les embruns salés venant de l'océan et le bracelet en forme de serpent que je portais y furent sans doute pour quelque chose. Ce bracelet, cadeau de baptême de ma marraine, était arrivé à New York avec les livres de mes parents. Constance voulait que je le porte continuellement.

– Ah! Winterscombe, dit-elle. Elle se pencha et toucha mon poignet, comme à regret. Tu es bien jolie aujourd'hui. Tu es presque une femme. Bientôt, tu n'auras plus besoin de ta petite marraine.

La main toujours posée sur mon bras et les yeux rivés sur la mer, elle m'expliqua pourquoi elle avait été bannie de Winterscombe.

Je fus déçue. Après avoir lu tant de romans, je m'attendais à quelque chose de plus dramatique : une vieille querelle, une naissance illégitime, une idylle inavouable. Rien de tout ça. Ce n'était qu'une question d'argent.

– L'argent, dit Constance en soupirant. C'est souvent comme ça. Tu es en âge de savoir ce qui s'est passé. J'ai oublié les détails mais tes parents avaient emprunté de l'argent. A mon mari, malheureusement. C'était un homme formidable, Victoria. Mais il valait mieux ne pas lui devoir de l'argent. Il y a eu une dispute atroce. Des choses horribles ont été dites de part et d'autre. J'avais un pied dans chaque camp, tu sais. Ton père était un frère pour moi. Je l'aimais vraiment beaucoup. J'aimais Montague, aussi, à ma façon. Mais c'est le passé. Winterscombe me manque encore... Il se fait tard. Bertie est fatigué. Si nous rentrions? Nous passerons chez les van Dymen sur le chemin du retour.

Quelques jours plus tard, Constance et moi rentrâmes à New York. C'était la fin septembre et la fin de la guerre. J'écrivis ma dernière lettre à Franz-Jacob. Je pensais à l'amour et à la façon de le reconnaître quand il se présentait. Je pensais aussi aux différentes sortes d'amour et à la façon d'aimer un ami, un frère ou un mari.

Je songeais aussi à la mort. J'avais perdu Franz-Jacob et, un mois après la fin de la guerre, je perdis Tante Maud. Elle avait eu sa dernière attaque, assise dans un fauteuil de son salon autrefois célèbre. Je ne la reverrais plus jamais. En fait, nous nous étions dit adieu sept ans plus tôt, avec notre dernier échange de lettres.

« Un malheur n'arrive jamais seul », disait Constance. Ce fut le cas cet automne-là : Bertie commença à mourir lentement. Petit à petit, la promenade quotidienne fut raccourcie et plus lente. Il toussait quand il marchait. Il sentait mauvais et je suis sûre qu'il s'en rendait compte.

Constance faisait cuire pour lui du poulet ou son poisson favori et essayait de le nourrir à la main, avec de minuscules bouchées. Mais il lui lançait un regard lourd et plein de reproches et détournait la tête. Il savait qu'il se mourait et voulait rester digne. Comme un animal sauvage sentant sa fin proche, il commençait à chercher des recoins pour se tapir. Constance était aux abois. Elle annula tous ses rendez-vous et renonça à donner des réceptions. Elle ne voulait plus quitter son chien un instant.

Un mardi, Bertie se leva, s'étira et se mit à humer l'air. Avec un cri de joie, Constance fit un bond vers lui. Il s'approcha de la climatisation en battant de la queue. Constance mit l'appareil en marche. Bertie resta un instant devant, les oreilles au vent, puis se dirigea pesamment vers la porte.

– Il veut sortir, Victoria ! Il va mieux.

Nous le sortîmes dans l'air frais d'une belle soirée d'automne. Il nous emmena jusqu'au parc, où il examina les cascades et les escaliers. Il humait l'air avec beaucoup de dignité, sans tousser une seule fois. C'étaient ses adieux aux odeurs de Central Park.

A notre retour dans l'appartement, il se trouva un nouvel endroit, derrière le canapé et s'assoupit en ronflant. Constance caressa ses pattes palmées.

Dès mon réveil le lendemain matin, je sus qu'il était mort. Il était très tôt. Constance chantait une mélopée funèbre.

Bertie avait la tête posée en travers de ses pattes, ses flancs étaient immobiles, son énorme queue, capable autrefois de balayer d'un seul mouvement tout ce qui se trouvait sur une table basse, était repliée sous son corps. Constance était allongée à côté de lui. Habillée comme la veille. Elle avait passé la nuit là, le bras autour du cou de son chien, ses petits doigts bagués emmêlés dans sa fourrure. Elle ne pleurait pas et refusait de bouger. Elle resta ainsi encore deux heures et si je ne devais garder qu'un souvenir d'elle, ce serait celui-là.

Ses détracteurs se trompaient sur son compte. Winnie et Maud avaient tort. Et moi aussi, d'une certaine façon. Ceux qui ne l'aimaient pas ne connaissaient qu'un seul aspect de sa personnalité.

Bertie eut de grandes funérailles. Il fut enterré dans ce cimetière pour animaux bien entretenu choisi par Constance. La pierre tombale fut conçue par un jeune homme qui s'était fait un nom dans les décors de ballets. Elle devait représenter un iceberg et, sous un certain angle seulement, c'était le

512

cas. Mais il est difficile de donner à une pierre en même temps l'opacité et la transparence de la glace. Du propre aveu de Constance, la tombe était frappante mais un échec.

Le jeune designer se vantait de sa réussite mais Constance l'accusa d'avoir insulté son chien avec son morceau de pierre mal sculpté.

Constance resta fidèle à sa promesse : Bertie fut son dernier chien. Mais sa mort l'affecta profondément. Pendant plusieurs semaines, elle fit une dépression. Elle s'enferma dans l'appartement, ne travailla plus et mangea du bout des lèvres. Un jour, en rentrant de son atelier, je la trouvai la tête enfouie dans ses mains, non maquillée, les cheveux en bataille.

Elle me dit qu'elle avait ouvert la fenêtre et qu'un oiseau était entré dans la pièce. Les battements d'ailes de l'animal pris au piège lui donnaient des maux de tête. Je n'entendais rien mais, pour la calmer, j'entrepris de fouiller partout. Comme toutes les pièces de Constance, celle-ci était encombrée de paravents, de tables, de sièges, de fleurs et d'un millier d'objets que je dus déplacer. Bien entendu, il n'y avait pas d'oiseau mais je prétendis l'avoir découvert, ouvris la fenêtre et fis mine de rendre la liberté à ce volatile imaginaire. Constance parut reprendre ses esprits.

Trois jours plus tard eut lieu un événement extraordinaire.

J'étais allée à l'agence pour tenter de compenser l'absence de Constance. Toutes les commandes avaient du retard. Il fallait prendre un certain nombre de décisions qu'elle était la seule à pouvoir prendre. L'une d'elles concernait Rosa Gerhard qui, après une période d'accalmie, s'apprêtait à déménager une nouvelle fois. Dans un premier temps, elle avait insisté pour que sa chambre soit bleue puis s'était ravisée et hésitait entre le rose et le lavande. De plus, elle commençait à se poser des questions du même ordre pour toutes les autres pièces de sa gigantesque maison alors que les combinaisons de couleurs étaient déjà arrêtées.

Le jour en question, Rosa Gerhard était revenue à son idée première de chambre bleue mais ne parvenait pas à se décider entre deux tissus pour les rideaux. Sachant que si l'on tardait trop, de deux tissus différents on passerait bientôt à cinquante, je lui dis au téléphone que j'allais en référer à Constance.

Je retournai donc à la maison avec deux rouleaux de tissu sous le bras et, dans le couloir aux miroirs, je tombai nez à nez avec un homme âgé que je n'avais jamais vu.

Il s'apprêtait apparemment à prendre congé d'une Constance radieuse. A ses vêtements, je me dis de prime abord que ce devait être encore un des aristocrates déchus de Constance. Quelque Roumain ou Russe. Il était en tout cas étranger et la coupe de ses vêtements aurait été à la mode une trentaine d'années plus tôt.

Un homme de grande prestance aux traits prononcés et aux cheveux fauves clairsemés. Il portait un manteau noir à col d'astrakan et tenait un chapeau mou dans une main et une canne à pommeau d'argent dans l'autre.

Nos regards se croisèrent. Au milieu des nombreuses images renvoyées par les glaces, je vis Constance bouger. Elle ne disait rien.

– Vous devez être Victoria, dit l'homme.

Il avait une voix profonde et un accent que je ne pouvais situer. « Quelque part en Europe centrale », songeai-je. Il s'inclina de façon plutôt formelle.

– Enchanté.

Il sortit de l'appartement et entra dans l'ascenseur.

– C'était mon mari, dit Constance, une fois la porte refermée.

*

Il était venu, me dit-elle, lui présenter ses condoléances au sujet de Bertie. Elle ne semblait pas trouver curieux que son mari, qu'elle n'avait pas vu depuis quinze ans, revienne sous ce simple prétexte.

– Il est comme ça, me dit-elle. C'est tout à fait lui. Tu ne le connais pas.

Je pouvais comprendre mais restait à savoir comment il avait appris la mort de Bertie. Constance était tout à fait capable de faire paraître une annonce de décès dans le *New York Times* mais elle ne l'avait pas fait.

– Il sait toujours tout, dit-elle avec insouciance.

Cette visite lui rendit ses forces. Malgré un résidu de tristesse, elle retourna au travail et s'y consacra pendant plusieurs mois avec une grande énergie.

J'espérais en mon for intérieur que cette visite marquait le début d'un rapprochement entre son mari et elle. Mais je fus déçue. Il n'y en eut pas d'autre. Constance reprit une vie intrépide.

Avec la fin de la guerre, elle se remit à voyager : avions, bateaux, trains, visites mouvementées dans l'Europe d'après-guerre, sauts de puce de Venise à Paris, de Paris à Aix, d'Aix à Monte-Carlo, de Monte-Carlo à Londres.

A mesure que le temps passait, ses déplacements devinrent intempestifs : à minuit, elle décidait de quitter l'Europe le lendemain matin et abandonnait ses clients. « Ils peuvent bien attendre ! » répétait-elle. Au début, je la suivais partout mais, par la suite, elle préféra partir sans moi. Je gardais la boutique, comme elle se plaisait à dire.

Je mis longtemps à comprendre qu'elle ne voyageait pas seule. A seize

514

ans, je me rendis compte qu'elle avait **des** amants. Mais je me refusais à appeler amants ces hommes qui traversaient sa vie à la vitesse d'un éclair et leur préférais le terme d'admirateurs. A dix-huit ans, je dus admettre qu'ils n'étaient pas tous de passage et que deux d'entre eux, Bobsy et Bick, de plus de vingt ans ses cadets, étaient permanents.

Je me gardais de tout commentaire. Avec le temps, elle était devenue irascible et ne supportait plus qu'on la questionne ni qu'on l'observe.

« Elle m'aime moins », me disais-je parfois. Certaines fois, en rentrant de voyage, elle me jetait un regard mauvais et disait d'un ton accusateur :

– Tu as encore pris un centimètre.

D'autres fois, elle me comblait d'affection et me couvrait de cadeaux. Elle disait que pour mes vingt et un ans elle ferait de moi son associée et qu'en attendant elle me confiait une commande, une ravissante maison, que je pouvais commencer tout de suite et qu'elle me téléphonerait de Venise, Paris ou Aix, pour mettre les détails au point.

C'est ainsi qu'à la fin de 1950, peu avant mon vingtième anniversaire, je me mis en route un jour pour le Westchester où Rosa Gerhard m'attendait dans sa douzième maison. Constance avait décidé de me jeter seule dans la fosse aux lions après m'avoir annoncé son départ pour l'Europe le lendemain.

Elle n'était pas la seule à trouver cette idée désopilante : Prudie, les assistantes, les secrétaires et le reste du personnel organisèrent pour moi une petite fête d'encouragement et m'offrirent comme porte-bonheur des boules *Quiès*.

– Et surtout, montre-toi absolument ferme ! me lança Constance avant de partir.

Les secrétaires étaient écroulées de rire derrière leurs bureaux et quelqu'un me rappela de demander des nouvelles des enfants de Mme Gerhard.

Je leur jetai un regard froid, les trouvant vraiment puériles. A vingt ans, optimiste bien que sans expérience, j'estimais pouvoir m'en sortir. Bien sûr, Rosa Gerhard était une cliente difficile mais rien n'était insurmontable. Il suffisait de trouver la bonne tactique.

En rentrant à la maison, dix heures plus tard, j'étais anéantie.

– Je t'en supplie, Constance, tout mais pas ça ! Je l'aime bien mais je ne peux pas travailler avec elle. Ne pars pas en Europe, ou alors passe l'affaire à quelqu'un d'autre.

– Mais elle t'adore, Victoria. Elle m'a téléphoné trois fois depuis ton départ de Westchester. Elle te trouve merveilleuse, sympathique, intelligente, belle, originale. Elle est folle de toi.

Constance éclata de rire. Elle s'amusait beaucoup.

– Ecoute, en ce qui concerne Rosa Gerhard, je suis morte. Elle m'a fait subir le même sort qu'à ses maris. Je suis usée. Et, au fait, tu t'es trompée à leur sujet. Il n'y en a jamais eu qu'un : Max.

— Ah bon ? répondit Constance avec un regard innocent. Dommage, l'histoire était intéressante. En tout cas, une chose reste sûre : si tu peux t'entendre avec elle, tu t'entendras avec n'importe qui. Mme Gerhard est désormais ta cliente attitrée, tout comme son mari ou ses enfants. A propos des enfants, tu en as rencontré ?

— Oui, un. Mais je ne l'ai vu qu'en arrivant et en partant.

— Au moins tu en as vu un. Lequel était-ce ?

— Un des fils.

— Alors ? Comment est-il ? J'exige tous les détails.

— Il n'y a aucun détail. Il m'a juste dit bonjour et au revoir.

— Je ne te crois pas une seconde. Tu me caches quelque chose.

— Mais pas du tout. Nous nous sommes juste serré la main après avoir été présentés.

— Tu l'as trouvé comment ?

— Je n'ai pas eu le temps de me faire une opinion. Mais je crois qu'il ne m'aime pas...

— Impossible !

— Au contraire. Il est peut-être allergique aux décorateurs ? Vu les circonstances, je ne lui en voudrais pas.

— Oui, peut-être. Et lequel était-ce ?

— Le second fils, Frank Gerhard.

— Beau garçon ?

— Mémorable, et très brillant à entendre Rosa. Je tournai le dos à Constance. A propos, c'est le Prix Nobel, je crois.

XII

Frank

Le Prix Nobel : Frank Gerhard. S'il s'était montré peu communicatif le jour de notre première rencontre, des années avant celle de Venise, sa mère fut très différente.

En dix heures, nous avions peu progressé dans la décoration de sa maison mais avancé à pas de géant dans d'autres domaines. A mon départ, je savais tout de la famille de Rosa. Constance, qui mélangeait toujours tout, s'était donc fourvoyée.

Elle avait vu juste sur un seul point : il y avait bien une douzaine d'enfants. Neuf étaient ceux de Rosa, et trois autres étaient les orphelins du frère de Max, que Rosa avait recueillis à la mort de leur père. Max, seul et unique mari, était absent : la ribambelle d'enfants âgés de cinq à vingt ans empêchait le professeur de travailler à la maison.

Pendant la visite guidée de sa maison – sens dessus dessous – Rosa dut s'arrêter un bon nombre de fois : un genou écorché, un arbitrage de dispute, un ballon crevé, un adolescent énervé à la recherche d'une chemise propre. Elle réglait énergiquement chaque problème puis reprenait le fil de la discussion, comme s'il n'avait jamais été interrompu.

– Comment trouvez-vous ce tapis ? Je le déteste mais Max l'aime bien. On le laisse ici, alors ? Que diriez-vous de bleu pour aller avec ? Non, du jaune peut-être. Ou du vert. Voici Daniel. Il a quinze ans. Il passe son temps à écrire des poèmes... et à égarer ses chemises. Daniel, tu veux la chemise bleue ou la blanche ? D'accord, la bleue. Dans la commode de ta chambre. Deuxième tiroir à partir de la gauche. Est-ce que j'ai recousu le bouton ? Oui, je l'ai fait. Peut-être que si nous changions le tapis de place... En bas ? Vous croyez que Max y verrait un inconvénient ? J'ai parfois l'impression qu'il ne voit que ses livres. Ah ! Victoria, je vous présente Frank.

517

Frank Gerhard, un beau jeune homme, se leva à notre entrée dans ce qui semblait être son bureau. Par politesse, il posa le livre qu'il était en train de lire et me serra la main. Rosa se lança alors dans un long dithyrambe, d'abord sur les réalisations de son fils puis sur les miennes. Suivit une liste très embarrassante de mes talents de décoratrice et une explication chaleureuse mais tout aussi gênante de la sympathie que j'avais inspirée à Rosa dès notre rencontre.

Frank Gerhard écouta cette litanie en silence. Il avait l'air de douter du bien-fondé de tels éloges et de considérer cette sympathie comme un peu précipitée. Il écouta jusqu'au bout, patiemment, les bras croisés. Rosa dut sentir l'atmosphère de malaise car, ce qui lui était peu coutumier, elle se mit à hésiter, essaya de se reprendre, puis m'entraîna en hâte hors de la pièce.

Cette rencontre ne correspondait pas exactement à celle que j'avais décrite à Constance, et Frank n'était pas le seul enfant de Rosa que j'avais rencontré. Il devait s'être passé quelque chose que je voulais garder pour moi. J'étais très intriguée et Rosa devait l'être également car en descendant pour le thé, elle remit le sujet de son fils sur le tapis.

– Il travaille si dur, dit-elle. Nous l'avons dérangé. Il va bientôt passer ses derniers examens à Columbia. C'est un perfectionniste. La nuit dernière, il ne s'est pas couché. Quand il est descendu pour le petit déjeuner, il était blême. Il n'a rien mangé. Je lui ai dit : « Frank, tu vas te rendre malade. Il y a d'autres choses dans la vie ». J'ai essayé de lui parler de la maison et de votre visite mais il ne voulait rien entendre. Il était pâle aussi quand nous sommes entrées, vous ne trouvez pas ?

J'en convins, bien que ce ne fût pas ce qui m'avait le plus marquée. Je laissai Rosa me vanter encore quelque temps les mérites de son fils – sa vocation pour la médecine, les honneurs qui l'attendaient – puis réussis à ramener la conversation sur l'objet de ma visite.

Pendant un moment, elle me décrivit ses projets avec animation mais cela ne dura guère. Je crois qu'en fait les maisons ne l'intéressaient pas tellement. Ce qu'elle voulait, c'était un cadre parfait et ordonné pour sa vie de famille : une chambre par enfant, de l'espace pour chaque membre de sa famille nombreuse, la possibilité pour chacun d'avoir à la fois une vie communautaire et de l'intimité, des repas ponctuels, des pièces conviviales. Elle rêvait de tout cela mais aurait détesté l'obtenir. La décoration de ses maisons successives n'était qu'un prétexte pour absorber une partie de son inépuisable énergie. Ce qui l'intéressait réellement était son mari et sa famille.

Les combinaisons de couleurs de Rosa étaient exténuantes, les récits de ses drames familiaux intéressants : j'étais fille unique, je n'étais jamais allée à l'école, j'avais très peu d'amis de mon âge, entre mon enfance en

Angleterre et ma vie à New York j'avais toujours vécu avec des gens plus âgés, je vivais dans un appartement où chaque objet, chaque meuble et chaque tableau avait sa place idéale, inamovible; bref, l'opposé de cette maison. Aller chez les Gerhard était comme voyager à l'étranger. A écouter Rosa, je me sentais terriblement seule et plus que tout au monde j'aurais aimé avoir des frères, des sœurs, des amis.

Rosa faisait partie de ces femmes qui, par leur chaleur, attiraient les confidences. Elle avait aussi cette franchise et cette détermination qui font échec à la pudeur. Justement, elle me dit qu'elle me trouvait très pudique et, quand je lui eus un peu parlé de mon passé, elle se mit à rire.

– Vous êtes anglaise, alors? Les Anglais sont comme ça. Il leur faut bien soixante ans avant d'admettre qu'ils sont amis avec quelqu'un. Moi, il me suffit de soixante minutes. Soixante secondes parfois.

Elle avait raison à mon sujet : j'étais trop anxieuse et pudique. J'avais envie d'être différente, sans complexes comme Constance et ouverte et impulsive comme Rosa.

Je m'en ouvris à elle ce premier jour, et tous ceux qui suivirent pendant des mois. A la fin, elle en savait bien plus sur moi que n'importe qui d'autre, hormis Constance, et je ne pus lui résister lorsque, à pas feutrés, elle m'amena sur le sujet de l'amour.

Rosa était une romantique convaincue. Elle m'avait déjà raconté maintes fois sa rencontre avec Max, la cour qui avait suivi et leur mariage. Elle m'avait également régalée avec les romances de ses parents, ses grands-parents, son oncle maternel, plusieurs de ses cousins et d'une femme qu'elle avait un jour rencontrée dans un autobus.

C'était une excellente narratrice. J'eus droit aux premières rencontres, aux coups de foudre, à l'opposition des parents, aux quiproquos, aux espoirs, aux tentations. Tous ces récits avaient un point commun : un dénouement heureux. Ni divorce, ni décès, ni querelle, ni adultère. Comme dans les romans de Tante Maud, toutes les histoires de Rosa se terminaient pas une alliance et une étreinte.

Je mis un certain temps à m'apercevoir que tous ces récits étaient une manœuvre pour me faire avouer ma propre histoire d'amour. Or, à mon grand regret, je n'en avais aucune. Lorsque je le lui confessai, elle se montra très compréhensive : elle reconnaissait bien là ma pudeur toute britannique; elle comprenait très bien et était persuadée qu'avec le temps je me confierais à elle; en attendant, elle ne me questionnerait plus. Cette bonne résolution ne dura pas longtemps :

– Sinon, vous avez un ami qui vous est cher?

Nous étions assises dans son salon, des échantillons de soie à mes pieds, une assiette de délicieuse *Sachertorte* sur les genoux.

– J'en suis sûre... poursuivit-elle en me regardant en coin. Une jolie fille comme vous, si jeune, avec toute la vie devant elle... Il doit bien y avoir quelqu'un. Vous attendez son coup de fil, n'est-ce pas ? Votre cœur bat plus vite quand vous entendez sa voix ? Il écrit peut-être, comme le faisait Max, et quand vous recevez ses lettres...

— Non, Rosa, dis-je aussi fermement que possible. Ni coup de fil ni lettres. Je vous l'ai dit. Je n'ai personne.

Je m'interrompis. Frank Gerhard venait d'entrer dans la pièce. Il posa quelques questions à sa mère puis, sans un regard pour moi, s'en alla.

Une fois la porte refermée, Rosa m'adressa un sourire complice :

— Vous me cachez quelque chose. Mais vous me le direz un jour.

Elle avait raison. Ce jour-là eut lieu des mois plus tard, alors que mon travail dans la maison de Westchester était achevé depuis longtemps.

Rosa avait un goût très éclectique : les pièces dans lesquelles elle vivait étaient à son image, hybrides. Elle avait hérité de sa famille quantité de meubles magnifiques mais un peu lourds et quelques tableaux excellents. Elle possédait également des tapisseries qui auraient été parfaites dans un château mais convenaient bien mal à Westchester. Enfin, des armoires allemandes anciennes en chêne noir et d'énormes candélabres religieux venaient compléter le mobilier souvent très chargé qu'elle avait acheté elle-même.

Elle aimait les dorures et les courbes, avait une douce passion pour le rococo, une faiblesse pour Buhl et possédait toute une collection de chaises Louis XIV coûteuses mais probablement fausses, un lot d'animaux en cristal de Steuben et quelques Meissen exquis. Enfin, on reconnaissait la patte de Max et des enfants dans les livres éparpillés un peu partout et une flopée de papiers, registres, instruments de musique, jouets, équipements de sport et revues professionnelles. Cette maison était un champ de bataille où s'affrontaient en permanence l'ordre et la pagaille. J'aurais aimé y vivre, mais y travailler signifiait renoncer à tous mes principes.

De temps à autre, j'essayais de l'expliquer à Constance mais elle se contentait de rire :

— Allez, ne sois pas si puriste ! Finis le travail et oublie-le. Tu n'auras plus besoin d'y retourner.

Mais j'y retournais. Rosa et sa famille m'attiraient et, petit à petit, je fus admise dans le cercle familial : je dînais chez eux, prenais le thé avec Rosa. Nous discutions des prochaines pièces à décorer mais à chacune de mes visites je m'apercevais que mon travail précédent était complètement fichu. Rosa « usait » chaque pièce à peine une semaine après sa réalisation. Un abat-jour que j'avais mis au rancart avait refait surface, un Meissen avait reculé de quelques centimètres — ce qui faisait plutôt mon affaire — mais se retrouvait à côté d'un pélican en verre de Steuben.

— Rosa, explosais-je, je me demande à quoi je sers. Qu'est-ce que vous attendez de moi en réalité ?

J'ai mon caractère mais Rosa aussi. Nous finissions par nous querel-
ler et, au moins deux fois à chaque dispute, je sortais de la pièce en jurant
de ne plus jamais y remettre les pieds. Invariablement, tremblant d'indignation, serrant contre sa poitrine le pélican, le coussin ou l'abat-jour incri-
miné, Rosa me congédiait. Le lendemain, elle me demandait de revenir et
je revenais.

Vers la fin des huit mois, la maison presque terminée, nous nous
étions aperçues toutes les deux que nous avions besoin de ces altercations.
Ce que nous ignorions, c'était que leur violence attirait de petits curieux.
Nous allions découvrir bien plus tard que plusieurs enfants de Rosa, attirés
par le tohu-bohu, nous observaient de la porte, tordus de rire, et que leur
grand frère Frank venait les en chasser et écouter la fin de nos disputes.

– Je sais ce que vous pensez! criait Rosa. Vous pensez que je n'ai
aucun goût. Eh bien, si vous voulez mon avis, tout le monde n'a pas envie
de vivre dans un musée. Je vais vous dire votre problème : vous en avez
trop, du goût! Un œil parfait, ça je vous l'accorde, mais aucun cœur. Mes
enfants et Max vivent ici, eux aussi. Cette maison n'a rien à voir avec une
vitrine ou une photographie. C'est chez moi.

Rosa s'arrêtait sur une note parfaitement indignée puis éclatait de rire :

– Regardez-nous! Cela fait huit mois que nous nous battons comme
des chiffonnières. Je vais vous expliquer. Quand vous avez fini cette pièce,
je l'ai bien regardée – elle était si simple et ravissante – et je me suis dit :
« Rosa, il faut que tu changes. Tu as beaucoup à apprendre de Victoria.
Essaie, au moins ». Et puis je me suis assise et j'ai ressenti un grand vide.
Mes petits objets me manquaient. Mon pélican, par exemple. C'est Max
qui me l'a offert. Et j'aime voir traîner les livres de Frank, les pipes de
Max et les photos des enfants. Et tous ces bons vieux gros coussins que ma
mère a brodés de ses blanches mains. Nous ne serons jamais d'accord, Victoria. Nous allons finir par nous dire des choses que nous regretterons et je
perdrai une amie. J'ai une suggestion à vous faire...

La suggestion était de ne plus avoir de relations professionnelles mais
amicales seulement. Rosa m'a enseigné une chose importante ce jour-là. Si
je suis une décoratrice moins autoritaire – ce que j'espère – c'est grâce à
elle. Elle m'a appris un principe que Constance avait oublié : une maison
est avant tout un lieu de vie.

C'est ainsi que je me rendis compte que l'appartement de Constance
était tout, sauf un foyer. Constance s'irritait :

– Tu y retournes encore? Et qu'y a-t-il de si spécial à Westchester?
C'est la deuxième fois cette semaine. Tout le monde va penser que Rosa t'a
adoptée.

Dans un sens, c'était vrai. Constance était souvent en voyage et, malgré toutes ses qualités, elle n'avait jamais été très maternelle. Rosa, oui. Je cherchais chez elle ce qui faisait défaut chez moi : les dîners familiaux bruyants, les jeux, les discussions animées étaient si différents des dîners guindés et chics avec les amis de Constance. Ou peut-être y allais-je pour Frank Gerhard. Mais entre-temps celui-ci était entré à Yale pour son doctorat et se faisait rare à Westchester. Le peu de fois où il était là, il m'observait sans jamais me parler. Sur l'insistance de Rosa, j'avais été une fois sa partenaire au bridge et j'avais horriblement mal joué ; une autre, ses sœurs l'avaient forcé à danser avec moi ; une troisième, son père avait suggéré qu'il me raccompagne en ville dans sa voiture. Heureusement, il s'était un peu détendu pendant le voyage et je me souviens avoir souhaité poursuivre la soirée avec lui. A sa demande, je lui avais parlé de l'Angleterre et de Winterscombe. Mais au moment où nous étions passés devant le parc où je promenais Bertie, brusquement, ses manières avaient à nouveau changé, comme si j'avais dit ou fait quelque chose qu'il ne fallait pas. Il était redevenu distant. Il m'avait déposée plutôt froidement devant chez Constance et quand j'avais pénétré dans l'immeuble, il était déjà cinquante mètres plus loin.

Intriguée, j'avais interrogé Rosa : je voulais savoir ce qui pouvait bien provoquer tant d'hostilité de sa part. Elle avait fait un geste d'impuissance. Cela n'avait rien à voir avec moi. En ce moment, Frank était impossible, de mauvaise humeur et préoccupé. Même en famille. Elle voyait une raison évidente à cela : il était amoureux.

Il s'agissait manifestement d'une de ses collègues de Yale, une scientifique comme lui. Rosa l'avait rencontrée, c'était une femme ravissante.

C'était au mois de juin et nous prenions le thé. Rosa avait fait une description interminable et exaspérante de tous ses mérites. Plus elle parlait, plus je détestais cette femme. Des cheveux noirs, des yeux noirs, un brillant avenir. Frank présentait tous les symptômes d'un homme amoureux. Sa mère était contente mais inquiète : il était le genre d'homme à ne pas pouvoir aimer à la légère.

— C'est un idéaliste, continua Rosa avec un certain vague à l'âme. Il est rebelle à tout compromis. Avec lui, c'est tout ou rien.

A mes yeux, c'était une qualité. A ceux de Rosa, apparemment pas. Cela pouvait être dangereux, d'après elle. Et s'il se trompait de femme ?

— Rosa, quels sont ces symptômes ?

Elle m'en fit une liste en bonne et due forme. On aurait dit un cas de grippe.

— Vous connaîtrez ça un jour.

— Vous croyez?

— Je suis une femme. J'en suis sûre.

C'est alors que, dans le feu de l'action, je lui parlai de Bobsy van Dynem. En fait, je ne savais pas grand-chose de lui mais, des jumeaux, c'était celui que je préférais.

Cet été-là, Constance était en Italie et je soupçonne aujourd'hui que Bick van Dynem l'accompagnait. Sans son frère, Bobsy n'appréciait pas autant les parties de tennis et les jeunes filles qui papillonnaient autour de lui. Il semblait enclin à parler. Et à moi. Il m'avait invitée chez lui un premier week-end, puis un second. Il aimait se promener avec moi sur la plage puis s'asseoir en silence, les yeux fixés sur l'océan. Il aimait faire des pointes de vitesse, la nuit, avec sa Ferrari. Parfois il arrêtait la voiture sur un embarcadère près de chez lui et nous discutions en écoutant la musique venant de sa maison. Il me parlait de Bick et, à l'occasion, de son amitié avec Constance, comme si c'était un mystère qu'il ne parvenait pas à percer.

Un soir, sur l'embarcadère, il m'avait embrassée. Ce fut un baiser triste et gentil. Je l'aurais oublié, tout comme il devait l'avoir fait, si nos longues conversations enflammées avec Rosa ne me l'avaient pas remis en mémoire. A cause d'elle, j'avais envie d'être amoureuse, d'expérimenter enfin tout ce que j'avais lu dans les romans, et j'étais à deux doigts de croire que je l'étais.

Tant mes lectures que les encouragements de Rosa avaient éveillé en moi un besoin pressant. Invitée une nouvelle fois chez les van Dynem, je m'étais littéralement jetée à la tête de Bobsy, d'une façon dont j'ai encore honte aujourd'hui. Mes efforts désespérés, cependant, avaient abouti.

Garçon complaisant et, surtout, profondément malheureux, Bobsy ne s'était pas fait prier. Pendant des mois, nous avions flirté, étions allés à la plage, avions discuté sur l'embarcadère. Au bout de quelques semaines, il m'avait embrassée une deuxième fois, en s'excusant presque.

Notre « idylle » fut de courte durée : je voulais me persuader que j'étais amoureuse; Bobsy avait besoin de se changer les idées. J'étais gauche; il était immature. J'essayais d'ignorer l'immense fossé entre le rêve et la réalité; il essayait d'être débonnaire et galant.

Pendant plusieurs semaines, nous avions joué chacun notre rôle respectif : nous dansions joue contre joue sur la musique de Frank Sinatra, faisions de longues virées nocturnes en voiture, nous promenions sur la plage au clair de lune. Mais vers la fin de l'été, nous avions dû admettre tous les deux que nous faisions fausse route.

Avec un homme moins scrupuleux que lui, j'aurais sans doute été meurtrie. Mais, grâce à sa gentillesse, nous allions rester bons amis jusqu'à sa mort, quelques années plus tard, période pendant laquelle je compris enfin l'évidence : Bobsy ne m'avait pas choisie au hasard. J'avais joué un rôle de substitution, étant la personne la plus proche de Constance qu'il pouvait atteindre cet été-là.

Rosa ne comprit jamais vraiment ce qui se passait. Elle aurait désapprouvé mes actes – ils ne cadraient pas avec ses scénarios – et je cédai à la facilité de ne pas tout lui raconter. Bienveillante et, par bien des aspects, naïve, elle était persuadée d'assister à une véritable idylle. Ne lui ayant pas annoncé la fin de mes relations avec Bobsy, elle me fit comprendre un jour qu'il était temps pour l'héritier van Dynem de déclarer ses intentions. Elle avait même fait allusion au mariage. Je fus alors contrainte de lui avouer la vérité mais elle fit la sourde oreille et sourit devant mes protestations. Elle refusait de me croire.

Mon histoire était entrée dans la légende, au même titre que celles de sa famille. Plus tard, j'allais apprendre de Frank Gerhard qu'elle confiait ses espoirs à sa famille, allant jusqu'à demander conseil à son mari et ses enfants sur ce qu'elle pourrait faire pour m'aider.

Ainsi, lorsque Bobsy et moi allions chez elle, nous avions droit à des sourires complices, des regards de connivence et des silences qui en disaient long. Bobsy trouvait cela amusant ; pas moi. En outre, présent à deux reprises, Frank n'avait pas manqué d'exprimer son dédain à son égard.

Pauvre jumeau céleste ! Assis autour de la table du dîner en compagnie de la brillante progéniture de Rosa, Bobsy, avec l'assurance propre à sa classe sociale, exprimait des idées reçues et les opinions politiques qu'on lui avait inculquées. Parfois, il perdait le fil au milieu d'une phrase. Il avait du charme mais aucun esprit d'analyse et, parmi les enfants de Rosa, les plus âgés le trouvaient parfaitement stupide. Mais, à part Frank, ils avaient la décence de ne pas le montrer.

Assis en face de Bobsy, Frank fronçait les sourcils et le regardait ouvertement. Une ou deux fois, à la suite d'une remarque particulièrement sotte de Bobsy, il l'avait remis à sa place. Celui-ci ne s'en apercevait même pas mais moi, gênée pour lui, je m'évertuais à le protéger. Je connaissais ses insuffisances mais aussi ses qualités. Il pouvait être indolent et bête, mais en même temps gentil et plein de sollicitude. En outre, je commençais à comprendre à quel point il était malheureux et je détestais Frank pour ses sarcasmes.

Bobsy, comme il le disait, aimait « frayer » avec les gens. Il avait fait plusieurs tentatives pour faire sortir Frank de sa réserve et engager la conversation avec lui. Un soir, sur le pas de la porte, il l'avait questionné sur Yale – son père y avait fait ses études – et Frank Gerhard avait eu l'air de se retenir pour ne pas le frapper.

– Il est bizarre, ce type, avait commenté Bobsy après notre départ. Qu'est-ce que j'ai dit ? Qu'est-ce que j'ai fait ? Je lui ai juste posé une question sur Yale et j'ai cru qu'il allait me tuer.

Peu après ce fameux dîner, Max Gerhard tomba soudainement malade et mourut dans l'hiver. Je revis Frank aux obsèques puis au printemps suivant à Venise.

Après tout ce qui s'était passé, je ne pouvais lui en vouloir de ne pas chercher à me rencontrer et j'avais de ses nouvelles par ses frères et sœurs ou par Rosa. Peu après Venise, il accepta un poste de maître-assistant dans un collège d'Oxford. Sa décision d'aller en Angleterre avait été soudaine et personne ne savait combien de temps il y resterait, m'avait expliqué Rosa. D'après elle, il n'avait pas accepté ce poste pour des raisons professionnelles uniquement, c'était un honneur dont il n'avait pas besoin. Non, la vraie raison était qu'il cherchait l'oubli. A l'évidence, le parangon de vertu qu'elle m'avait décrit un jour avait disparu de la scène. Elle ne parlait plus jamais d'elle.

Je crois qu'à ce moment-là, j'étais persuadée de ne plus jamais revoir Frank Gerhard. Avec le temps, il s'éloignerait de plus en plus de mon orbite et je n'aurais plus de nouvelles que par le truchement de sa famille : ses déplacements, sa carrière, son mariage. Malgré moi, cette dernière nouvelle me donna une étrange impression de regret, d'absence de conviction. Sans chercher à m'expliquer mes états d'âme, je les dissimulai derrière les petits riens qui faisaient mon existence et qui me procuraient le sentiment général que ma vie s'en allait à vau-l'eau.

Vingt-cinq, vingt-six, presque vingt-sept ans. Le temps passait. Je travaillais beaucoup et connaissais un certain succès. Mais, malgré mon acharnement, le travail n'y suffisait pas. Par moments, j'étais en proie à une impatience indéfinissable, une sorte d'aspiration à quelque chose que j'ignorais. Sans le savoir, j'approchais du grand tournant de ma vie.

Je devais rencontrer à nouveau Frank Gerhard, par des chemins plus que détournés, à la fin de 1957, à New Haven. Cette rencontre fut la conséquence d'un certain nombre de hasards, dont un scandale.

L'homme par qui le scandale arriva : Oncle Steenie. A cinquante-sept ans, il vivait à Winterscombe et, malgré la précarité de ses finances, persistait à mener joyeuse vie.

Le temps passant, il avait acquis des mœurs de plus en plus légères et le jeune homme qui avait déclaré à Wexton un amour indéfectible dans un salon de thé avait pris goût aux aventures rapides et faciles. Notamment porté sur les soldats, en particulier ceux de la garde royale, il avait pris l'habitude de les aborder dans Hyde Park et de les ramener dans son appartement. Or, au début de l'année, il en avait rencontré un, habitué à de telles pratiques, qui lui avait suggéré, par commodité, de faire ça derrière un buisson.

C'était une première expérience pour Steenie, qui déclara par la suite l'avoir trouvée « délicieusement furtive ». Il plongea donc dans les fourrés avec le soldat mais, au moment fatidique, fut pris sur le fait par des policiers en civil. Le soldat fut rendu à la vie civile et Steenie envoyé en prison pour six mois. A sa libération, ses amis lui tournèrent le dos. Steenie, qui n'avait jamais caché son homosexualité, avait commis un péché impardonnable : se faire prendre en flagrant délit.

Immédiatement, Constance l'invita à New York et s'afficha en public avec lui dans les concerts, les galeries d'art, les restaurants et les réceptions. Ceux de ses amis qui se dérobèrent à l'idée de rencontrer un homosexuel repris de justice furent purement et simplement mis au rancart. Constance savait être loyale et n'avait jamais manqué de courage.

Confortablement installé dans le luxe de l'appartement de Constance, Steenie faisait bonne figure mais souffrait intérieurement. Il avait perpétuellement la larme à l'œil et se lançait de façon impromptue dans des harangues sur la vie. Son comportement était alarmant.

Vers la fin de décembre, nous apprîmes que Wexton donnait une conférence mémorable à Yale et qu'il nous invitait, Steenie et moi, à y assister. Steenie était aux anges. Il décréta qu'il n'avait pas vu Wexton depuis des siècles et qu'une bonne conversation avec lui lui ferait du bien.

J'en doutais fortement et Constance, qui n'était pas invitée, était maussade. J'acceptai l'invitation et, par précaution, confisquai à mon oncle sa flasque d'argent. Mais mon instinct me disait que nous allions au-devant des pires difficultés.

*

Deux jours avant notre départ, mon mauvais pressentiment se renforça. J'allai rendre visite à Rosa – rituel devenu hebdomadaire depuis l'année précédente. Elle que je trouvais habituellement triste et pensive depuis la perte de son mari était ce jour-là d'une humeur radieuse.

— J'ai de bonnes nouvelles, me dit-elle en agrippant ma main. Frank est revenu.

— Revenu?

— Hier. Il est sorti mais vous le verrez avant qu'il parte pour New Haven. Il m'a demandé de vos nouvelles, comme d'habitude. Quand il m'écrit d'Angleterre, il me demande toujours comment vous allez. Je lui ai parlé de la conférence de votre parrain. Quel grand homme! Frank y sera et...

— Il y va?

— Bien sûr, c'est un grand admirateur de votre parrain. Il ne manquerait ça pour rien au monde. Je crois qu'il aimerait que vous le retrouviez après la conférence, ou après le dîner. Pour prendre un verre, peut-être. C'est la première fois que vous allez à Yale. Il aimerait vous accueillir lui-même.

— Rosa, je crains que ce ne soit impossible. Je serai avec mon oncle et...

— Votre oncle aussi. Frank a insisté.

Rosa continua à parler mais je ne l'écoutais qu'à moitié. La réapparition de Frank Gerhard et son invitation inattendue me rendaient nerveuse. J'essayai de me représenter le choc d'une rencontre entre le taciturne Dr Gerhard et Oncle Steenie, avec ses cheveux teints, son maquillage et sa cravate pastel.

Pour ne pas contrarier Rosa, je lui cachai mon appréhension. Elle ne connaissait pas Steenie et aurait jugé inconcevable que j'aille à New Haven voir ce grand homme qu'était mon parrain sans lui présenter cet autre grand homme qu'était son fils.

Une fois passés l'excitation initiale et le flot des nouvelles, Rosa retrouva un certain calme et un débit de parole plus lent. Petit à petit, son air pensif et sa tristesse reprirent le dessus. Elle m'observait avec attention.

— Parfois, j'aimerais que Frank...

— Vous aimeriez quoi, Rosa?

— Des choses stupides. Je me fais vieille. Je me rends compte que Max faisait tout pour me protéger. Avant, quand j'avais des soucis j'en parlais avec lui. Il était si avisé! Mais maintenant...

— Vous pouvez me parler à moi, Rosa.

— Bien entendu. Bien entendu. Mais pas de tout. Vous êtes trop jeune et... Oubliez tout ça et allumez la lampe, il fait si sombre dehors. Je déteste les longues soirées d'hiver. Mes enfants... Max disait toujours que je me tracassais trop pour eux. C'est le lot de toutes les mères, je lui répondais. Je ne peux pas m'en empêcher. Je veux leur bonheur. J'aime les voir... établis.

— Rosa...

— Vous aussi, Victoria. Elle se leva, prit mes mains et m'embrassa. Vous avez changé. Deux ans déjà...

– Je suis plus âgée, c'est tout.

– Je sais. Je sais. Elle hésita. J'ai une question à vous poser. Nos vieilles discussions, vous vous rappelez ? Bobsy van Dynem, c'est fini avec lui, n'est-ce pas ?

– Depuis longtemps, Rosa. Nous sommes amis maintenant, rien de plus.

– Et il n'y a personne d'autre ? Je me suis demandé, une ou deux fois...

– Moi aussi, une ou deux fois. Mais cela n'a rien donné.

Lorsque je pris congé d'elle, elle me fit un dernier petit sermon. Je ne devais pas parler ainsi, comme une vieille femme, et je ne devais pas penser ainsi non plus : c'était du gâchis.

J'étais très touchée. Je la laissai dans son salon désordonné mais confortable et passai dans le vestibule. Aucun signe de Frank. Des voix d'enfants me parvenaient d'en haut. Je boutonnai mon manteau avec mélancolie.

Il pleuvait dehors. Sur l'escalier du perron, je regardai la pluie tomber et le ciel s'assombrir. Le retour vers Manhattan serait long et morne.

J'avais emprunté la décapotable de Constance. Les clés s'échappèrent de mes mains et lorsque je me penchai pour les ramasser dans le gravier, je sentis une présence. Une main d'homme se referma sur le trousseau.

En me le rendant, Frank Gerhard me prit la main et dit :

– Ne partez pas. Attendez. J'ai quelque chose à vous dire.

Je me tournai vers lui, étonnée du ton de sa voix. Nous nous revoyions pour la première fois depuis l'arrêt du *vaporetto* à Venise mais il parlait comme si c'était hier.

Son visage était pâle, son manteau et ses cheveux étaient trempés. Il avait l'air épuisé et bien plus vieux que dans mon souvenir. Pendant un moment, il sembla lutter intérieurement.

– Je voulais vous remercier de venir si souvent. Les temps sont difficiles pour Rosa...

– Rosa est mon amie. Vous n'avez pas à me remercier.

– Je vous ai mal jugée. La dernière fois... à Venise. Et d'autres aussi. Il m'arrive souvent de faire des jugements hâtifs et prétentieux. C'est un de mes défauts.

Cet aveu semblait lui coûter énormément.

– Je pense que vous l'avez su avant moi, reprit-il.

– Une ou deux fois, admis-je dans un sourire.

– Je voulais vous expliquer.

– Il n'y a rien à expliquer. Cela n'a aucune importance. C'était il y a très longtemps.

– Je sais. Je pourrais vous dire exactement le nombre de mois, de jours et d'heures...

— Frank. Pour Venise... ne vous excusez pas. A votre place, j'aurais réagi de la même façon. Conrad Vickers, Constance. La façon dont ils se sont conduits envers Rosa.

— Ce n'étaient pas les seules raisons.

Je l'observai, perplexe. Sa voix était devenue très ferme et son visage décidé. Il me regarda dans les yeux.

— Il y en avait d'autres ?

— Oui.

Un silence tomba. Il leva une main et, très peu de temps, la posa sur ma joue. Je sentis la chaleur de sa peau. Nous échangeâmes très peu de mots mais je savais que nous nous verrions à New Haven.

La conférence de Wexton se passa bien. Il parla du temps et des métamorphoses et, en guise de conclusion, lut des extraits de poèmes, dont certains de lui. Il réserva pour la fin un des sonnets de *Shells*, le recueil de poèmes qu'il avait écrits pendant la Première Guerre mondiale et dédiés au jeune homme qu'avait été Steenie.

Le Dr Gerhard était assis plusieurs rangs devant nous. A côté de moi, Steenie pleurait abondamment mais en silence. La conférence terminée, des applaudissements s'élevèrent et Steenie me prit la main.

— J'étais différent autrefois.

— Je sais, Steenie.

— Je n'ai pas toujours été un vieux dépravé. J'aurais pu devenir quelqu'un. J'étais plein d'énergie mais elle s'est usée. Wexton aurait pu m'aider si j'avais voulu. Mais il est trop tard maintenant.

— Mais non, il n'est pas trop tard. Si tu as déjà changé une fois, tu peux changer encore.

— Non. Je suis fichu. Garde-toi de tout ça, Vicky.

Steenie se moucha bruyamment dans un mouchoir en soie et s'essuya les yeux.

— C'est la faute de Vickers.

Il semblait avoir retrouvé ses esprits. Il se leva et applaudit à tout rompre en criant un « hourrah ! » gênant.

Pendant le cocktail et le dîner qui suivirent, il se saoula tranquillement.

Nous réussîmes finalement à nous échapper du dîner. Steenie ne tenait plus sur ses jambes. Devant nous, Wexton râlait et Frank, notre hôte pour le reste de la soirée, marchait d'un pas rapide et décidé.

En passant devant les bâtiments en pierre grise aux murs couverts de lierre, Steenie, peu impressionné par leur similitude avec Oxford ou Cambridge, prétendit que tout cela faisait peu naturel :

– On dirait un décor de théâtre. Non, je ne me calmerai pas, Victoria !

Les appartements de Frank étaient désordonnés. Il y avait des livres partout et même un microscope sur une chaise. Je surveillais Steenie. Son visage était verdâtre. J'étais terrifiée à l'idée qu'il pourrait être malade.

Je n'osais pas regarder Frank qui commençait probablement à regretter de nous avoir amenés chez lui. Lorsque j'eus apaisé Steenie en le poussant sans façon sur un siège, je risquai un coup d'œil. Frank nous dévisageait : un poète distingué, un vieux débauché s'adonnant à la boisson, et moi. Son visage ne trahissait rien, à part peut-être un peu d'amusement lorsque Steenie se mit à nous chanter quelque chose. Je le calmai.

Au moment où une conversation s'amorça, Steenie s'endormit en ronflant. Se rendant compte de la tension qui régnait ou par égard pour Frank, Wexton, apercevant un échiquier et ses pions, lui proposa une partie.

Frank me demanda si j'y voyais un inconvénient et, quand je lui répondis que non, nous prépara d'abord un verre.

Je les regardai jouer. Le silence. J'étais contente. Il me permettrait de me remettre des événements.

Wexton était un joueur d'échecs remarquable. Je me rappelai qu'il battait toujours mon père, lui même très bon joueur. Une demi-heure passa. Une heure. Si Wexton gagnait, il y mettait du temps. Je me penchai pour examiner l'échiquier. Comme à l'accoutumée, Wexton jouait un jeu défensif. Ses pions étaient bien déployés mais sa reine semblait en mauvaise posture.

Je n'y connais pas grand-chose aux échecs. A cet instant, certaine que personne ne pouvait me voir, je commençai à examiner Frank Gerhard.

J'avais dû être complètement aveugle ou il s'était métamorphosé depuis. Autant je l'avais jugé renfermé, préoccupé et sévère, autant son visage exprimait maintenant la gentillesse et la force. Je voyais désormais toutes ses qualités : intelligence, loyauté, humour, résolution. De l'amour-propre ? Oui, mais j'en étais contente. De l'arrogance ? Sans doute, mais c'était un défaut pardonnable quand il était un moyen de défense. De l'obstination ? Oui, je l'avais constaté à plusieurs reprises, mais ce type d'obstination me séduisait énormément.

Les minutes passaient. Je remarquai que la pendule de la cheminée retardait d'une demi-heure. Ce détail me plut. Quelque chose dans l'air me donnait le vertige.

Frank continuait à jouer avec rapidité et assurance. Mais j'avais l'impression qu'il avait ressenti la même chose que moi. Il fit alors un geste surprenant.

C'était à son tour de jouer. Je pensais qu'il allait faire bouger son cavalier ou sa tour. Dans l'un et l'autre cas, il aurait mis Wexton en péril. Sans lever les yeux et sans se départir de sa concentration, il tendit sa main vers moi. Je me levai pour la prendre et la regardai. Toutes ces années, ces rencontres. Bonjour et au revoir. C'était si loin.

Frank bougea son fou en gardant ma main dans la sienne. Cinq minutes plus tard, Wexton abandonna. La partie était terminée.

Je garde le vague souvenir que Wexton s'est levé pour aller réveiller Steenie et qu'il l'a entraîné malgré ses protestations. En passant, Steenie a heurté le microscope.

Nous avons dû échanger quelques mots. Je crois que Frank a dit qu'il me raccompagnerait à l'hôtel à pied.

La porte s'est refermée et j'ai entendu Steenie regimber dans la cour. Mais c'est très flou dans mon souvenir. Frank et moi nous tenions toujours la main et je continuais à l'observer.

Il s'était levé. Au départ des autres, je suppose. Il était considérablement plus grand que moi. Il me dévisageait curieusement, comme s'il mesurait la longueur de mon nez ou l'écart entre mes yeux. Le bonheur qui m'envahissait me brouillait la vue. Je me rappelle m'être demandé à quoi cela tenait et m'être dit que c'était à ma main dans la sienne.

La pendule égrenait le temps. Frank fronça les sourcils et je me dis que c'était la chose la plus merveilleuse que j'aie jamais vue.

– Soixante-douze, dit-il soudain.

J'étais tellement concentrée sur ses sourcils que je sursautai.

– Soixante-douze, répéta-t-il avec sérieux. Tu en as soixante-quinze maintenant. Ça fait trois de plus. Sous l'œil gauche. Je parle de tes taches de rousseur.

J'ai dû dire quelque chose, ou plutôt émettre un son inintelligible. Une expression qui m'était familière vint éclairer son visage.

– C'est très simple, dit-il. Tu avais soixante-douze taches de rousseur et maintenant tu en as soixante-quinze. Mais ça ne me gêne toujours pas. Non, c'est faux. La vérité est que je les aime beaucoup. Tes taches de rousseur, tes cheveux, ta peau, tes yeux. Surtout tes yeux.

Il s'arrêta.

– Franz-Jacob! m'écriai-je.

– Tu vois, quand je regarde tes yeux... Victoria, j'ai eu tant de mal à ne pas te dire, à ne pas faire...

Il y eut un silence. Il leva la main puis la laissa retomber. Je me lançai dans une liste de souvenirs : les lévriers, l'algèbre, les messages en morse, les valses, Winterscombe, Westchester, les enfants que nous avions été et les adultes que nous étions maintenant.

Ma liste s'arrêta rapidement, à l'algèbre peut-être. Frank dit :

– Il faut que je t'embrasse tout de suite.

— Pas d'algèbre ?

— Ni algèbre, ni géométrie.

Il m'attira vers lui, m'enlaça, et je sus que je n'irais pas au bout de la liste.

— En fait, je me fiche pas mal de tes progrès en mathématiques.

— Tu es sûr ?

— Oui.

— Pour l'instant, il n'y a qu'une chose qui m'intéresse.

Il m'embrassa puis me regarda dans les yeux et caressa mon visage. Il me dit avec une extrême gentillesse :

— *Verstehst du*, Victoria ?

— *Ich verstehe*, Franz, répondis-je.

Nous avons parlé toute la nuit, ou presque. Frank m'a tout expliqué :

— Rosa a adopté deux enfants : Daniel, qui vient de Pologne, et moi, d'Allemagne. Nous n'en parlons jamais car cela blesserait Rosa. Pour elle, nous sommes tous ses enfants. On m'a laissé choisir. Ou bien je restais Franz-Jacob, sans famille, ou je devenais Franz Gerhard. J'admirais beaucoup Max et je les aimais tous les deux. J'ai accepté l'adoption pour les remercier de ce qu'ils avaient fait pour moi.

— Et maintenant ? Qui es-tu ? Frank Gerhard ou Franz-Jacob ?

— Les deux, bien sûr. Mais je ne le dis jamais à Rosa.

— Et comment dois-je t'appeler ?

— Comme tu veux. Cela n'a aucune importance. Tout ce qui compte, c'est que tu sois là.

Il me prit les mains et les serra fort avant de poursuivre :

— Tu sais combien de lettres je t'ai envoyées ? Une par semaine pendant trois ans. Au début, elles étaient courtes, sèches et pleines d'opérations à effectuer. J'avais du mal à exprimer ce que je ressentais et j'en ai encore aujourd'hui. J'ai souvent très envie de dire ce que j'ai au fond du cœur mais je ne le fais pas. Je suis un scientifique. Les mots ne sont pas mon fort. Surtout en anglais. En allemand, je peux être un peu plus éloquent.

— Je te trouve très éloquent. Pour moi, en tout cas. Les mots ne comptent pas quand je te regarde. Frank, parle-moi de tes lettres.

— Eh bien, au début c'étaient des lettres de petit garçon. Je ne pouvais pas raconter ce qui s'était passé à mon retour en Allemagne alors j'écrivais sur autre chose. J'avais douze ans. Si tu les avais reçues, tu les aurais trouvées bien ennuyeuses. Mais plus tard, les dernières...

— Elles étaient différentes ?

— Très différentes. Très... désespérées. J'avais quatorze-quinze ans.

Je me suis livré à toi. Je ne l'avais jamais fait auparavant et je ne l'ai plus jamais fait depuis. Je te disais... Peu importe!

– C'est important pour moi.

– C'était il y a longtemps. J'étais un petit garçon...

– Je veux savoir, Frank.

– Très bien. Je disais que je t'aimais.

– On dirait que tu as honte. Pourquoi? C'est si terrible?

– Je n'ai pas honte du tout. C'est seulement que...

– Je te l'ai écrit, moi aussi. Si je pouvais me relire, je serais sûrement gênée. Quelle importance?

– Toi aussi?

– Bien sûr. Dans un style affreux. Trop d'adjectifs. Des adverbes partout.

Frank se mit à sourire.

– Parle-moi de ces adjectifs et de ces adverbes.

Je commençai à les énumérer mais ma liste n'alla pas beaucoup plus loin que la précédente. En arrivant à « tendrement » ou « passionnément », un baiser me réduisit au silence.

Peu après, il me prit la main. J'étais trop étourdie de bonheur pour avoir les idées claires mais je vis quand même qu'il était perturbé.

– Je ne comprends pas. Toutes nos lettres, où sont-elles passées?

Je répondis que cela n'avait plus aucune importance.

– Pour moi, si. Je t'ai écrit pendant toute la guerre. Tu sais combien de lettres cela représente? Une par semaine pendant trois ans, cela fait cent cinquante-six. Et à la bonne adresse. Que cinq ou dix aient été perdues, en temps de guerre, je peux le comprendre. Mais cent cinquante-six? C'est contraire à toute théorie des probabilités.

– Maintenant, nous savons ce que nous nous sommes écrit...

– Ce n'est pas la question! Est-ce que tu en saisis les conséquences? Tu as pensé que tes lettres s'étaient égarées, mais les miennes? Qu'as-tu pensé de moi? Que je n'avais pas tenu ma promesse?

– Je croyais que tu étais mort.

– Oh, ma chérie! Ne pleure pas. Ecoute-moi. Regarde-moi. Tu pensais que j'étais mort mais moi je savais que tu étais vivante. Et je savais même où tu vivais. Tu as oublié de me poser la question essentielle. Tu ne m'as pas demandé pourquoi j'avais arrêté de t'écrire.

– Parce que j'ai peur de la réponse.

– N'aie pas peur. Il n'y a plus rien à craindre. A la fin de 1941, j'habitais à New York avec Rosa et Max depuis quelques semaines. Un après-midi, je suis allé jusque chez toi – l'adresse de Constance, la fameuse décoratrice, n'est un secret pour personne – et j'ai attendu devant l'immeuble. Je voulais rassembler mes forces pour avoir le courage d'entrer. Et puis je t'ai vue sortir, bras dessus, bras dessous, avec ta marraine. Tu avais coupé tes cheveux magnifiques et tu avais un chien aussi gros qu'un ours.

– C'était Bertie. Il est mort. Tu étais là ? C'est impossible...

– Je vous ai vues remonter la Cinquième Avenue. Vous marchiez vite en riant et en discutant. Vous êtes entrées dans le parc et je vous ai suivies jusqu'au zoo. Il faisait beau et il y avait foule. Tu ne t'es pas retournée.

– Et ensuite ?

– Rien. J'ai pris la décision de ne plus t'écrire.

– Tu t'es décidé comme ça ? En une seconde ? Moi, je t'aurais couru après, je t'aurais pris par le bras et...

– C'est vrai ? Il me fit pivoter vers lui. Je croyais... Tu imagines bien ce que je croyais.

– Non. Dis-moi.

– Je croyais que tu m'avais oublié, que tu te moquais de notre amitié, que notre promesse était tombée dans les oubliettes. Je n'avais pas une haute opinion de toi à l'époque. Je me suis dit que cent cinquante-six lettres suffisaient. Je suis rentré à la maison et me suis enfermé dans ma chambre pour travailler. C'est toujours ce que je fais quand je suis malheureux.

– Tu travailles ? Oh, Frank !

– Je fais des mathématiques. C'est très efficace.

Je détournai mon regard et songeai à un garçon enfermé dans une chambre étrangère, une maison étrangère, une ville étrangère. Un garçon qui avait perdu sa famille et son amie. Je comprenais que, devenu un homme, il ait du mal à admettre la force de ses sentiments. Incident après incident, tous les épisodes de notre passé récent se remettaient en place. Je lui pris la main.

– Frank, si je t'avais reconnu le premier jour où je suis allée chez Rosa, est-ce que les choses auraient été différentes ?

– Pour moi, oui. Je me serais mieux comporté.

– Et à Venise ? Tu as failli tout me dire ?

– Oui. Je peux être horriblement jaloux. C'est un autre de mes défauts.

– Ça ne me gêne pas du tout.

– C'est pénible d'être assis en face d'une femme qu'on aime et qui ne vous reconnaît pas. Et de se dire que même si elle vous reconnaissait, cela ne changerait rien. Surtout quand on est susceptible, arrogant et très obstiné...

– Tu aurais pu...

– Oh, je sais ! Mais j'ai fait tout le contraire de ce que j'aurais dû. Je suis parti à Oxford pour oublier.

— Et tu n'y es pas arrivé.

— Non. Pour le meilleur et pour le pire, je suis ainsi fait.

Je regardai le jour se lever par la fenêtre.

— Mais tu as changé d'avis. Quand?

— Quand j'étais en Angleterre. Et quand je t'ai demandé de venir ici. Et ce soir, je crois. Pendant la partie d'échecs.

— Et pourquoi?

— Parce que j'en avais assez de me cacher. J'ai fait une tentative risquée.

— Risquée?

— Oui. Je t'ai pris la main.

— Et ensuite?

— J'ai su que j'avais bien fait.

En rentrant par le train avec Wexton et Steenie, je n'ai pas cessé de jacasser. Wexton essayait de lire et, de temps à autre, souriait. Steenie avait la gueule de bois et râlait sans arrêt.

— L'amour? S'il te plaît, Vicky. J'ai mal à la tête. Il y a tout un tas de mouches qui dansent devant mes yeux. Ce n'est vraiment pas le moment de parler d'amour. De plus, tu radotes. Les amoureux sont aussi barbants qu'égoïstes.

— Je m'en fiche. Je n'ai pas l'intention de m'arrêter et tu vas m'écouter. Je l'aime et je l'ai toujours aimé. Ecoute-moi, Steenie. Il n'est pas seulement Frank Gerhard. Il est aussi Franz-Jacob. Tu te souviens de Franz-Jacob?

— Je ne me souviens de rien. Je ne sais même plus comment je m'appelle. Qu'avons-nous bu, déjà, hier soir?

— Qu'est-ce que ça peut faire. Tu l'aimes bien? Je le tirai par le bras. Tu l'aimes bien? Comment l'as-tu trouvé?

— Je l'ai trouvé tout à fait inquiétant. Il a un regard fou et marche bien trop vite.

— Mais tu l'aimes bien?

— Aucune idée. Je dormais. Tout ce que je sais, c'est qu'il range ses microscopes sur des chaises. Ça, je m'en souviens.

— Tu étais complètement saoul. Si tu avais été à jeûn, tu aurais vu à quel point il est merveilleux. Et toi, Wexton?

— Il est très fort aux échecs.

— Et puis?

— Il arrive à te tenir la main et à me mettre échec et mat en trois coups. Je suis très impressionné.

— Wexton, arrête de te moquer!

— Mais pas du tout. Je suis très sérieux.

— Vous êtes vraiment insensibles tous les deux. Vous avez complètement oublié ce que c'est d'être...

— Dis donc! m'interrompit Steenie. Détrompe-toi. Je m'en souviens parfaitement, je regrette. Pas toi Wexton?

Ils échangèrent un regard affectueux quoique désabusé.

— Bien sûr, et pour toujours, répliqua Wexton.

— Toutefois... Steenie fouilla dans ses poches, exhiba une flasque en argent identique à celle que j'avais confisquée la veille et en prit une gorgée. Toutefois, je préfère ne pas me rappeler. C'est trop fatigant. Etre amoureux, c'est parfait à ton âge, Vicky mon ange, mais cela prend trop d'énergie. Regarde-toi! Tu pétilles comme du champagne. C'est charmant et ça te va à merveille. Mais je te conseille de moins pétiller quand tu vas raconter tout ça à Constance.

— Constance? Et pourquoi?

— Juste une impression.

Il avala une autre gorgée d'alcool. Wexton ferma son livre, le rouvrit et le posa à côté de lui.

— Constance sera très heureuse, dis-je. Steenie... Pourquoi devrait-elle y voir un inconvénient?

— Je ne dis pas qu'elle va y voir un inconvénient. Je te conseille simplement d'être moins pétillante. D'avoir l'air un tout petit peu moins heureuse, en d'autres termes. En général, elle est allergique au bonheur des autres.

Je trouvai cette réflexion injuste et déloyale de la part de Steenie qu'elle venait de recueillir. Il soupira.

— Vicky chérie, ne t'énerve pas. Ce n'était qu'une remarque en passant. Tu as peut-être raison. Je ne peux pas m'empêcher de penser à ce qu'elle était avant, il y a des années, quand elle était enfant.

— Steenie, tu n'es pas juste. Elle a le même âge que toi. Tu as dit hier soir que tu avais changé. Eh bien, elle aussi a dû changer.

— J'en suis persuadé.

Il inséra une cigarette dans un long fume-cigarette, l'alluma et tira pensivement quelques bouffées.

— Cent cinquante-six lettres, reprit-il finalement. Ça fait beaucoup. Et disparaître comme ça. C'est étrange, tu ne trouves pas, Wexton?

Ils échangèrent un nouveau regard puis Wexton me regarda d'un air ennuyé.

— Oui. Comme tu dis. C'est pour le moins étrange...

— Raconte-moi tout! Commence par le commencement et va jusqu'au bout. Je veux tout savoir. La vie est si étrange! J'adore quand elle joue des petits tours comme ça.

Pour écouter mon histoire, Constance m'avait emmenée dans la bibliothèque. Des livres à droite, des livres à gauche. Je m'efforçai de ne pas pétiller.

— Mais je ne comprends pas, dit-elle en secouant la tête. Il t'a écrit à la bonne adresse, tu es sûre ?

— Oui, Constance.

— Chaque semaine, comme il l'avait promis ?

— Oui, Constance.

Elle fit une petite grimace.

— Mais comment est-ce possible ? Tes lettres, je comprends qu'elles se soient égarées, mais les siennes. Raconte-moi encore tout ce qu'il a fait.

Je lui racontai une nouvelle fois ce que Frank m'avait dit. Une partie, du moins. Son retour en Allemagne où un haut responsable avait assuré à son père que pour un érudit comme lui un visa de sortie n'était qu'une question de temps ; la conviction de sa mère que la famille devait rester unie ; puis l'inévitable : le bruit des bottes, l'arrestation.

— Ils ont emmené son père pour l'interroger, ont-ils affirmé. Personne n'a eu le droit de le voir. La mère de Frank a paniqué. Elle voulait rester mais a décidé de faire partir les cinq enfants. Ils n'avaient toujours pas de visa. Elle savait qu'ils n'y arriveraient jamais en groupe, alors elle les a séparés. Elle l'a fait sous forme de jeu pour que les enfants ne s'effraient pas. Ils ont tiré au sort pour savoir qui irait chez quel ami ou quel oncle. Frank est tombé sur un cousin de Karlsruhe, pas très loin de la frontière. Il y est resté une semaine puis ils ont appris l'arrestation de sa mère. Ses parents avaient été envoyés vers l'est. Le cousin était terrifié. Il avait une amie à Strasbourg qui connaissait quelqu'un à Paris. Frank a été mis dans un train avec un petit balluchon. A la frontière, il s'est caché. C'est ainsi qu'il est entré en France et qu'il a été envoyé en Angleterre auprès d'un organisme pour réfugiés. Les enfants étaient évacués vers l'Australie, le Canada et l'Amérique. On l'a envoyé ici, dans un camp du nord de l'Etat. Ils portaient tous autour du cou une plaque avec un numéro. C'est là que Max et Rosa l'ont trouvé.

— Mon Dieu ! s'exclama Constance. Elle se leva et se mit à arpenter la pièce. Et sa famille ?

— Il n'a rien su d'eux jusqu'à la fin de la guerre. Ils sont tous morts dans différents camps.

Je m'arrêtai. Le visage de Constance était livide. Elle continuait à marcher en long et en large.

— Des centaines d'enfants ont connu ce sort, poursuivis-je. Frank a eu de la chance, il le sait.

– De la chance ? Devenir orphelin de cette façon et porter une plaque autour du cou, tu appelles ça de la chance ?

– Constance, il est vivant !

– Oh, si nous avions su ! J'étais tellement sûre qu'il était mort. Cela me faisait tant de peine de te voir écrire en continuant à espérer... Mais il y a quelque chose que je ne comprends pas. S'il était ici, à New York, et savait ton adresse, pourquoi ne t'a-t-il pas contactée ?

Je lui fis une réponse évasive. Je ne voulais pas lui raconter que Franz-Jacob nous avait suivies dans le parc : c'était un secret entre lui et moi. Je crois qu'elle a remarqué que j'éludais sa question et qu'elle en a été blessée, car elle m'a coupée brutalement :

– Enfin ! Le principal c'est que nous l'ayons retrouvé. C'est étrange. Franz-Jacob perdu et retrouvé. Comme ton père. Alors, tu l'aimes ?

– Oui, je l'aime.

– Oh, ma chérie ! Je suis si heureuse pour toi. Je suis impatiente de le connaître. Mieux, je veux dire. A Venise, j'avais juste remarqué que c'était un beau garçon mais je n'aurais jamais... Enfin ! Nous y voilà. Je suppose que je vais te perdre. Tu vas me quitter. Oh, ne prends pas cet air ! Je sais ce qui va se passer. Est-ce qu'il... avez-vous parlé de projets d'avenir ?

– Non.

– Cela viendra en temps utile. J'en suis sûre. Est-il ce type d'homme ?

– Quel type ?

– Résolu, bien sûr. Tu vois ce que je veux dire. Certains hommes passent leur temps à tergiverser. J'ai horreur de ça.

Elle grimaça tout en regardant les livres de mon père. Lorsque je lui répondis par l'affirmative, elle ne parut pas m'écouter et se remit à déambuler.

– Il faut qu'il vienne ici, s'écria-t-elle. Le plus vite possible. Je vais donner une réception en son honneur.

– Oh non ! surtout pas, Constance. Il détesterait ça et moi aussi. Pas une réception.

– Un déjeuner alors ? Pour que nous puissions discuter tranquillement. Je veux apprendre à le connaître. J'ai déjà l'impression de le connaître avec tout ce que tu m'as raconté. Je le vois à Winterscombe, avec ses équations ou promenant les lévriers... Et ce jour où vous êtes allés dans les bois. Qu'il était étrange ce petit garçon avec son don de double vue ! Et maintenant c'est un homme et tu l'aimes...

Elle s'interrompit et se tourna vers moi :

– Au fait, tu le lui as dit ?

– Constance, ça ne regarde que moi.

– D'accord ! Garde tes petits secrets. C'est seulement que...

538

– Que quoi ?

– Oh, rien! Tu es parfois un peu trop directe, tu sais. Pour une femme, en tout cas. Tu fais trop confiance. Tu te livres facilement aux gens...

– Tu trouves? Pas moi.

– Quand tu les aimes bien, oui. Et quand tu les aimes tout court, encore plus. C'est tout à fait touchant et je t'admire pour ça. Mais avec les hommes ce n'est pas toujours judicieux. Ils ont le sens de la chasse; ils aiment traquer les femmes. Il ne faut pas qu'il soit trop sûr de toi et trop vite...

– Mais je veux qu'il soit sûr de mes sentiments.

– Comme tu voudras. Mais c'est une erreur... si tu veux l'épouser.

Je me mis à rougir et Constance regretta tout de suite ses paroles. Elle m'embrassa et me prit dans ses bras.

– Ma chérie, je suis désolée. Je n'aurais pas dû dire ça. Je vais toujours trop vite. Non, tais-toi! Je vais arranger ce déjeuner. Viens! Allons consulter Steenie et Wexton.

– Frank!

Une petite silhouette, un élan impétueux dans un grand salon exquis, des fleurs sur toutes les tables, la lumière se réfléchissant dans les miroirs, une odeur tourbillonnante de fougère, Constance en robe verte, les yeux scintillants, les mains en mouvement.

La première rencontre. Elle lui prit les mains, se mit à rire en le regardant et l'obligea à se baisser pour lui planter un baiser sur la joue droite puis la gauche.

– Frank! répéta-t-elle. Je suis heureuse de vous connaître enfin. Laissez-moi vous regarder. Vous savez, j'ai déjà l'impression que nous sommes amis. Victoria m'a tout raconté. Est-ce que je dois vous appeler Frank ou Franz-Jacob?

Frank prit cette avalanche de paroles avec une sérénité qui m'étonna. Lorsqu'elle voulait faire un coup de charme, Constance pouvait aussi bien éblouir que déconcerter les hommes. Frank n'avait pas l'air troublé. Il ne lui rendit pas son étreinte mais ne chercha pas non plus à y échapper.

– La plupart des gens m'appellent Frank, dit-il très poliment.

– Pas Francis?

– Non. Jamais.

– Quel dommage! J'aime beaucoup ce prénom. Un des oncles de Victoria s'appelait Francis. Tout le monde l'appelait Boy mais il n'appréciait pas du tout. J'étais la seule à l'appeler par son vrai prénom. Nous étions très bons amis. Il est mort maintenant.

539

Elle prit à peine le temps de respirer avant de poursuivre :

— Vous connaissez tout le monde, je pense. Non ? Alors voici Conrad Vickers...

— Ah oui ! Nous nous sommes croisés à Venise.

— Mais oui ! Et là-bas, celui qui boude près de la bouteille de cognac c'est Steenie, vous le connaissez. Je sais que vous avez déjà rencontré Bobsy van Dynem que voici. Ou bien est-ce Bick ? Qui d'autre ?...

Sans m'en avertir, Constance avait réuni un tas de personnes qui, prétendait-elle, pouvaient intéresser Frank. Il y avait, je me rappelle, une vieille comtesse allemande von quelque chose, complètement sourde, qui fut placée à côté de Frank à table ; une ou deux personnalités en vue à New York qui avaient l'air ahuri de se trouver là et regardaient avec inquiétude ce jeune savant ; et plein d'autres gens sans importance. Les rôles principaux avaient été attribués à Vickers et aux jumeaux van Dynem, les trois personnes de l'entourage de Constance qui risquaient le plus de mettre Frank mal à l'aise.

J'aurais empêché tout cela si j'avais été au courant mais avant d'entrer dans le salon, dix minutes avant l'arrivée de Frank, je n'avais aucune idée des gens invités. Comme pour la bibliothèque, Constance avait voulu me faire une surprise.

En entrant dans le salon, donc, je me sentis désemparée. Je n'avais pas raconté à Constance l'incident de Venise avec Vickers et les van Dynem – du moins le croyais-je. Ce fut un déjeuner effroyable, ostentatoire et vulgaire. Dans son ardeur pour faire bonne impression, ma marraine se révéla en fait pitoyable. Elle insista sur le grand millésime du champagne, fit servir le caviar dans un plat en argent grand comme un seau et, à l'arrivée du foie gras, fit une remarque désobligeante sur Strasbourg.

— Oh, mais j'oubliais ! Vous y étiez pendant la guerre, Frank ? Vous avez vu ces fameuses oies ? Pauvres petites choses !

J'étais morte de honte et elle me faisait pitié. Pour la première fois, elle accusait son âge. Elle avait mis trop de fond de teint, la couleur de son rouge à lèvres était criarde, sa robe haute couture était bien trop sophistiquée pour un déjeuner. Je ne la reconnaissais pas. Elle avait même commis la faute de goût de couvrir de broches sa robe déjà peu flatteuse. J'avais vraiment pitié d'elle. Pour tout ça, et pour sa façon maniérée et artificielle de s'exprimer, pour la platitude de ses commentaires et la trivialité de sa conversation. Ce jour-là, elle n'était plus qu'une femme vieillissante et vulgaire.

— Mon Dieu ! me dit-elle plus tard. Quel désastre ! J'étais si nerveuse. Je voulais tellement qu'il m'apprécie. Plus j'essayais, pire c'était. Tu crois qu'il me déteste ?

— Mais non, dis-je avec autant d'assurance que possible. Il a très bien compris. Il était nerveux lui aussi.

– Pas du tout! Il était parfaitement à l'aise. Il est amusant et charmant. Je ne m'attendais pas à ça. Tu m'as tellement répété qu'il était réservé et d'un abord difficile. Il a été si gentil avec cette horrible vieille comtesse. Sourde comme un pot! Je pensais qu'ils parleraient ensemble de l'Allemagne. Comment pouvais-je savoir qu'elle avait un appareil acoustique?

– Mais Constance! Elle n'a jamais eu d'appareil acoustique!

– Mais si. Je l'ai vu. Un truc énorme en plastique rose. Frank a été formidable. Elle l'adore. Il l'a aidée à mettre son manteau, l'a raccompagnée à sa voiture, a écouté sans sourciller ses histoires assommantes...

– Ça va, Constance. Frank l'aime bien aussi. Il ne l'a pas du tout trouvée ennuyeuse.

– Et les autres? dit Constance en gémissant. Je suis sûre qu'il les a détestés. Vickers qui répandait ses « ché-rie » comme des confetti. Bobsy et ses remarques stupides sur les Russes et la Hongrie – je suis certaine qu'il ne sait même pas où c'est. Et Bick! Qu'est-ce qui m'a pris d'inviter Bick? Je ne m'étais même pas rendu compte à quel point il buvait. Après le dîner, il est tombé par terre en voulant s'asseoir sur le canapé. J'avais terriblement envie de rire. C'était drôle mais parfaitement épouvantable.

– Constance, ne t'en fais pas. Il a déjà vu des gens ivres.

– En tout cas, Bick et Bobsy ne mettront plus les pieds ici. J'en ai assez d'eux. De toute façon, je n'inviterai plus jamais personne. Dis à Frank que je l'adore et que je ne lui infligerai plus jamais une telle épreuve. Il viendra pour le thé, juste tous les trois, et je ferai tout pour me faire pardonner.

– Constance, je suis sûre qu'il t'aime bien.

– Il te l'a dit?

Je repensai à ce qui s'était passé après notre départ. Dans le couloir, je lui avais demandé:

– Frank, je voudrais que tu oublies ce déjeuner. Constance a juste voulu trop en faire pour te plaire. Tu comprends?

– Ah bon? J'aurais plutôt cru le contraire.

Vu les circonstances, j'avais pris ça pour une plaisanterie. Mais ce n'était pas le moment de la répéter à Constance.

– Il m'a dit que tu étais plus qu'à la hauteur de ta réputation...

– Il a dit ça? demanda Constance, quelque peu apaisée. Eh bien, je l'aime bien aussi. C'est un homme très bien, ton Frank Gerhard.

– Dis-moi, Frank, lui ai-je demandé en sortant de chez Constance. Comment la trouves-tu?

— Elle est plus qu'à la hauteur de sa réputation, a-t-il répondu en accélérant le pas.

J'étais à moitié obligée de courir pour ne pas me laisser distancer. Nous marchions dans la ville vers une destination inconnue. « Je t'emmène quelque part », m'avait-il dit.

Il faisait frais mais beau en cette fin de printemps. Frank avait remonté son col et me tenait fort par le bras.

Maintenant que nous étions dehors, les détails de ce repas catastrophique semblaient moins importants. A table, aux pires moments, l'aisance de Frank m'avait surprise et il m'avait jeté des regards d'encouragement. Des moments aussi pénibles étaient supportables pourvu que nous puissions en rire ensemble.

Après le parc, nous avons pris vers le nord. En passant devant l'immeuble Dakota, Frank m'a dit brusquement :

— Je connais son mari mais je n'ai pas voulu en parler.

Je m'arrêtai de stupeur.

— Le mari de Constance ? Tu connais Montague Stern ?

— Oui, depuis un certain temps.

— C'est impossible ! Et pourquoi ne l'as-tu pas dit ? A quoi ressemble-t-il ?

— Premièrement, je ne vois pas pourquoi ce serait impossible. Deuxièmement, cela ne me paraissait pas approprié ; je ne le connais pas si bien. Et troisièmement, je ne sais pas trop à quoi il ressemble. En tout cas, c'est un homme... formidable. J'adore quand tu poses les questions trois par trois.

— Comment le connais-tu et où l'as-tu rencontré ?

— Je l'ai rencontré pour la première fois il y a quatre ans. L'Institut Scripp-Foster finançait un projet sur lequel j'ai travaillé à Yale. Stern en est un des mécènes. Je l'ai rencontré lors des entretiens de recrutement.

— Et tu l'as revu depuis ?

— Plusieurs fois. Je crois que je lui dois mon engagement à l'Institut.

— Tu veux dire que le département de recherches qu'ils t'ont donné, c'est grâce à lui ?

— Il faisait partie des administrateurs qui m'ont reçu en entretien. Je pensais qu'ils voulaient quelqu'un de plus âgé mais Stern était intéressé par mon travail. La décision n'appartenait pas à lui seul mais je crois qu'il a pesé dans la balance.

— Mais ils te voulaient tous. J'en suis sûre. La décision a dû être unanime.

— Chérie, tu es trop partiale. Les choses ne se passent pas exactement comme ça. De toute façon, nous ne saurons jamais. Stern ne voudrait rien me dire. Je l'aime... beaucoup.

— Il t'arrive de le voir en dehors du travail ?

— De temps à autre. Pas souvent. Nous dînons ensemble à l'occasion.

— Où vit-il ? Pas à New York.

— Non. Quelque part en dehors de la ville.

— Dans le Connecticut ? Constance dit qu'il vit là-bas.

— Non, je ne crois pas. Plus près de New York, je pense. Quand il est en ville, il descend au *Pierre*. Nous dînons toujours dans sa suite et c'est son valet de chambre qui nous sert. L'ambiance est la même que dans un club anglais. Et l'horloge est arrêtée à 7 h 30.

— 7 h 30 ? Est-ce qu'il parle de Constance ?

Le vent soufflait en rafales. Frank me serra contre lui et accéléra l'allure.

— Dieu qu'il fait froid ! Dépêchons-nous. Ce n'est plus très loin. De Constance ? Non, pas que je me souvienne.

J'eus l'impression que ce n'était pas exact et qu'il me cachait quelque chose. La minute suivante, j'avais oublié. Frank s'arrêta devant un immeuble miteux entre Amsterdam et Columbus.

— Je te le ferai rencontrer si tu veux. Bon, tu te sens en forme ? Il y a un ascenseur mais il ne fonctionne jamais.

C'était l'immeuble où je suis retournée quand je cherchais Constance. Celui avec l'escalier d'incendie et le linge séchant sur une corde que j'ai regardé en me demandant si un autre couple vivait dans l'appartement.

Il y avait une chambre, un salon, une minuscule salle de bains et une cuisine. C'était propre, vide et repeint en blanc. De la fenêtre, on voyait tout Manhattan.

En entrant, je sentis que Frank était tendu. Son visage arborait une expression fermée que je connaissais maintenant bien.

— Tu aimes cet appartement ?

— Oui, Frank. La vue est merveilleuse.

— Cette pièce n'est pas si petite. Et la cuisine est fonctionnelle. C'est très mignon. L'ascenseur fonctionnait la semaine dernière.

Sa voix était mélancolique. Dans le lourd silence qui suivit, le son pur d'une trompette fendit l'air. Je sursautai.

— Ça vient de l'appartement du dessous. C'est un type qui s'appelle Luigi. Il est trompettiste dans une troupe de danse. Il a cinq enfants. Il est... très sympathique.

— J'en suis sûre, Frank. Je me tournai vers lui et, commençant à soupçonner la vérité, mis mes bras autour de sa taille. A qui est cet appartement ?

— A moi. Je l'ai loué la semaine dernière. Quand je travaillerai à l'Institut, je vivrai ici. J'irai au boulot à pied. Ça fait une petite trotte mais...

Il s'enferrait complètement. J'étais triste et un peu déçue. Je compris pourquoi il m'avait amenée là. Ces derniers mois, quand j'allais le voir à Yale ou quand il venait à New York, il n'avait jamais parlé de l'avenir. C'était une curieuse façon de m'expliquer qu'il allait vivre ici. Seul. Je pris la voix la plus assurée possible :

— Ce sera parfait ici pour toi, Frank. Regarde! Il y a des étagères pour tes livres et quand ce sera meublé tu...

— Je n'avais pas pensé aux meubles.

— Il t'en faut. Tu ne peux pas dormir par terre. Tu as besoin d'une table, d'une chaise et...

Je fus incapable de poursuivre. J'étais furieuse contre moi. J'avais eu tort d'espérer qu'après avoir quitté Yale il me demanderait... Me demanderait quoi? De l'épouser, comme Constance semblait s'y attendre? De vivre avec lui? Peu importe. J'avais vécu dans l'attente de ce moment.

Il me fit pivoter vers lui.

— Je suis vraiment stupide. Je fais tout de travers. Mais tu pleures?

— Non. J'ai juste quelque chose dans l'œil... Ça va.

— Je t'aime. Tu m'entends. J'aurais dû tout t'expliquer. Pour l'argent. Pour le manque d'argent, je veux dire. Je ne suis pas... riche, Victoria.

— Je sais. Tu crois que ça me gêne?

— Non, je sais que tu n'es pas vénale. Néanmoins... Son visage se crispa. Quand j'ai débarqué dans le pays je ne possédais que mes vêtements sur mon dos. Max et Rosa m'ont recueilli et payé mon entretien et mes longues études. Depuis la mort de Max... Il fit une pause. Rosa n'est pas aussi fortunée qu'elle le croit. Max n'a pas laissé grand-chose. Elle est assez dépensière et a encore plusieurs enfants à charge. Je tiens à la rembourser.

— La rembourser?

— Chérie, les études universitaires coûtent très cher et les chercheurs ne sont pas très bien payés. Je lui ai déjà remboursé une partie et quand je serai à l'Institut ce sera plus facile. Pendant quelque temps, je vivrai modestement, comme un moine... un moine savant, si je peux dire.

— Pas vraiment comme un moine, j'espère.

— Pas complètement, dit-il en souriant. Et quand tout cela sera réglé, je serai en mesure... je pourrai... nous pourrons... enfin j'espère... je désire plus que tout que...

Il s'interrompit et se mit à jurer en allemand, ce qui ne lui ressemblait guère. Je souris, submergée par un grand bonheur. Il me regarda sourire avec suspicion.

— Tu trouves ça drôle? Pas moi, je t'assure.

— C'est toi qui me fais rire, Frank. Pourquoi ne termines-tu pas ta phrase?

— Je n'y arrive pas. J'essaie de t'expliquer mais je me trouve stupide. Je voulais que tu saches qu'un jour — proche — je pourrai te demander quelque chose que je ne suis pas en mesure de te demander maintenant. Si je le faisais maintenant, ce serait...

— Ce serait quoi?

— Une erreur.

— Une erreur?

— Déshonorante.

Un silence tomba.

— Frank? En quelle année sommes-nous?

— En 1958.

— Dans quel pays sommes-nous?

— En Amérique, bien sûr.

— Alors, du moment que nous ne sommes pas en Angleterre ou en Allemagne en 1930 ou en 1830 même, tu ne trouves pas que tu te tracasses pour rien? Que tu es un peu vieux jeu?

— Je sais que je suis vieux jeu. C'est parce que je te respecte. Et aussi... parce que j'ai vu aujourd'hui ton cadre de vie. Un grand appartement, des domestiques, du caviar au déjeuner...

— Frank, j'aimerais vivre avec toi dans cet appartement.

— C'est vrai?

Il eut l'air étonné et son visage s'éclaira.

— Aussi surprenant que cela puisse te paraître, je serai très heureuse dans un petit appartement sans domestiques et sans caviar. Tu te rappelles comment nous vivions à Winterscombe? Nous n'avions pas d'argent et les tapis étaient pleins de trous.

— Mais il y avait un maître d'hôtel.

— Il y avait William, qui était très vieux, une cuisinière qui rendait son tablier une fois par semaine, et Jenna. Cela n'avait rien d'extraordinaire en 1938.

— C'était une grande maison.

— Frank, arrête! Tu es l'homme le plus obstiné, le plus entêté et le plus bouché que je connaisse. Qu'est-ce qui pourrait m'empêcher de vivre ici du moment que j'en ai envie et que je t'aime? Dois-je en déduire que tu ne veux pas de moi ici? C'est ça?

— Tu sais que c'est faux, explosa-t-il. Je te voudrais avec moi tout le temps. Je veux vivre avec toi, penser avec toi, parler avec toi, dormir avec toi, me réveiller avec toi... Mais tu ne peux pas vivre ici. Quand j'aurai les moyens de subvenir à nos besoins, alors...

– Frank! Je travaille. Je peux subvenir à mes propres besoins.

– Même! Je veux gagner suffisamment bien ma vie pour que tu arrêtes de travailler. Je ne suis pas si vieux jeu que tu le crois, mais... En certaines occasions, une femme doit arrêter de travailler. Quand elle a un enfant, par exemple.

Il me prit dans ses bras avant de poursuivre :

– Je m'y prends vraiment mal. J'en étais sûr. Tu sais, il n'y en aura pas pour longtemps. Je t'aime si fort. Je veux que tout soit parfait pour que nous nous en souvenions toujours et... A ce moment-là, je te dirai ce qu'il faut et, je l'espère, comme il faut. Et en anglais. Je te ferai la déclaration que tu mérites. J'y ai travaillé toute la nuit.

– Tu y as travaillé? Frank!

– J'ai déjà fait trois brouillons.

– Trois ?

– *Natürlich.* Je pense qu'il m'en faudra cinq ou six pour obtenir quelque chose de correct.

– C'est une plaisanterie ?

– Pourquoi pas? Toi aussi, tu t'es moquée gentiment de moi.

– Tu es un homme vraiment bizarre et je t'aime à la folie. Une chose encore...

– Laquelle?

– Est-ce que ton sens moral très rigide me permettra de te rendre visite ici? Si nous sommes discrets, ma réputation n'en souffrira pas. Crois-tu que je pourrais venir en cachette?

– Il ne peut en être autrement, dit-il.

– A l'année 1959! Une année très spéciale, dit Rosa.

Elle se mit alors à embrasser tous les membres de sa famille, à parler beaucoup, à gesticuler dans tous les sens puis à fondre en larmes.

En parlant d'année très spéciale, elle avait jeté un coup d'œil vers Frank et moi. Un peu plus tard, elle me prit à part et dit :

– Regardez Frank.

Frank était en train de jouer avec ses neveux et nièces. Rosa était plusieurs fois grand-mère et la jeune génération des Gerhard avait été autorisée à rester éveillée pour assister au début de la nouvelle année. Au beau milieu du salon encombré de Rosa, Frank et les enfants étaient en train de construire un monument en cubes. A genoux, Frank leur expliquait quelque loi de physique nécessaire à la construction d'un pont. Il expliquait et les enfants exécutaient. De temps en temps, il faisait quelque suggestion modeste mais capitale sur l'endroit où placer tel cube sans faire effondrer l'édifice. Parfois aussi, il faisait une suggestion manifestement inadéquate et se faisait rembarrer. Des gamins de quatre ou cinq ans lui expliquaient alors patiemment pourquoi on ne pouvait mettre le cube à tel endroit : Frank acceptait leurs arguments avec grande humilité.

– Voyez comme il s'y prend bien ! me dit Rosa.

Incapable de s'en tenir là, elle me démontra avec force détails et un bonheur manifeste à quel point Frank ferait un bon père.

Je savais qu'elle avait raison. Mais je savais aussi qu'elle ne comprenait pas tout à fait son fils adoptif. Elle en traçait un portrait débordant d'amour mais inexact.

Je pensais qu'elle ne voyait pas les sombres pensées enracinées en lui depuis son enfance. Il avait tant souffert et tant perdu. Jamais il n'oublierait. Même dans les meilleurs moments de bonheur, les *Gespenster* – les fantômes – étaient là. Ils influençaient son code moral rigide et excluaient tout compromis. Ils affectaient aussi sa volonté. Quand il croyait à quelque chose, il poursuivait son but avec ténacité. Dans un certain sens, il n'était pas à sa place dans son époque. Les changements de mœurs sociales glissaient sur lui : il avait élaboré son propre code et n'y dérogeait jamais. Ceci allait beaucoup jouer dans nos relations et, surtout, dans son attitude vis-à-vis de Constance.

Frank Gerhard avait des valeurs simples : la loyauté, le travail, le mariage, la fidélité, les enfants et la vie de famille. Constance représentait l'antithèse de ses principes mais il ne le disait jamais. Au réveillon du Nouvel An chez Rosa, il habitait son petit appartement depuis l'été. Je lui avais rendu visite pendant six mois et, parfois, malgré son sens moral, mes visites se prolongeaient. Pendant toute cette période, il n'avait jamais critiqué ma marraine devant moi, pas plus qu'il n'avait fait son éloge. Il n'avait jamais dit un mot contre elle. Constance me disait souvent : « Il ne m'aime pas » ou « Il me désapprouve, je le sais ». Chaque fois, je la rassurais mais, au fil du temps, j'étais de plus en plus mal à l'aise.

Malgré son entêtement à ne pas vouloir l'avouer, je savais que Frank ne l'aimait pas. Il éprouvait même à son égard quelque chose de bien plus profond qu'une simple antipathie. Quand nous étions tous les deux chez Constance, il affichait par moment un air d'hostilité implacable. Quand je parlais d'elle avec lui, il prenait son expression fermée et je soupçonne qu'il en savait plus qu'il ne le disait. Une fois ou deux, je me suis demandé si Stern n'était pas à l'origine de ces informations. De plus, il ne m'avait toujours pas présentée à lui, plusieurs rencontres prévues ayant finalement été décommandées pour des raisons de santé.

D'autres fois, j'avais au contraire la sensation qu'il ne savait rien de spécial sur Constance et que sa réaction à son égard était purement instinctive. Devant elle, il se retirait dans sa coquille comme pour se prémunir contre quelque chose.

En rentrant de chez Rosa ce soir de réveillon, Frank semblait préoccupé. Les yeux fixés sur la route, il conduisait avec précision mais, contrairement à son habitude, dépassait largement la limite de vitesse.

Nous nous rendions au réveillon de Constance, prévu pour durer toute la nuit. Il n'était pas loin de 2 heures et je tombais de sommeil. Je me serais bien passée d'y aller, mais ces derniers mois Constance s'était plainte de mes absences et je craignais qu'elle ne soit jalouse de Rosa.

Frank ne voulait pas lui donner d'autres occasions de se plaindre et si j'avais suggéré de ne pas aller au réveillon, il m'aurait rappelé que j'avais donné ma parole.

— Est-ce que tu as su pourquoi Constance et tes parents s'étaient disputés et pourquoi elle n'était jamais retournée à Winterscombe ? Tu te rappelles ? Nous en parlions quand nous étions enfants.

— Oui. Je bâillai et me carrai dans mon siège. Pour la plus vieille raison du monde : l'argent. Mes parents en avaient emprunté à Montague Stern. Ils n'ont pas dû rembourser assez vite ou le taux d'intérêt était trop élevé. Je ne sais pas exactement. En tout cas, ils se sont disputés. Constance dit qu'être le créancier de Stern n'était pas une situation enviable.

— Je veux bien le croire. Oh, cette pluie !

Il ralentit puis accéléra de nouveau.

— Tu ne trouves pas curieux de se disputer pour ça ? Après tout, elle connaissait ton père depuis son enfance. Elle a grandi à Winterscombe. On aurait pu croire...

— Je ne sais pas. Les gens se disputent souvent à propos d'argent. D'argent et d'amour. Ce sont les deux principales causes de querelles, d'après elle.

— Tu la cites souvent, tu sais ?

— Vraiment ? Cela se comprend, tu ne crois pas ?

— Je ne parlais pas de ses mots mais de ses idées.

— Certainement pas. Nous sommes très différentes l'une de l'autre.

— Je sais.

— Je ne suis pas d'accord avec elle sur un millier de choses. Bobsy et Bick, par exemple. Je les aime bien et j'aimerais qu'elle les laisse tranquilles. Elle dit toujours que c'est ce qu'elle va faire. Cela dit, ils ne valent pas mieux. Ils se querellent avec elle mais reviennent toujours. Ils sont dépendants d'elle. Je n'ai jamais compris pourquoi.

Il y eut un silence. Frank paraissait hésitant.

— Ils ont plus de vingt ans de moins qu'elle. Ils sont jumeaux et sont tous les deux ses amants. Alors...

— Qu'est-ce que tu dis ?

– Tu m'as très bien entendu.

– C'est faux! Ils sont amoureux d'elle mais ils ne sont pas ses amants. Quelle idée ridicule! Les gens racontent n'importe quoi. Dès qu'elle se montre au théâtre avec un homme, ils jasent. Je vis avec elle. Je sais bien.

– Donc, ils ne sont pas ses amants? Quelle est leur relation, alors? Une amitié platonique?

– Pas exactement. Je reconnais qu'elle flirte avec eux, je ne suis pas aveugle. Elle fait ça avec tous les hommes. Cela ne veut rien dire.

– Elle n'a pas d'amants?

– Si, je sais qu'elle en a. De temps à autre. Mais pas autant qu'on le dit. Elle aime faire des conquêtes, je crois. Autant par vanité que par solitude. Cela ne fait de mal à personne.

– Ah bon? Et les épouses? Et les enfants? Ou alors, se contente-t-elle de célibataires?

J'étais étonnée de sa façon de parler. Et blessée. En outre, sachant qu'il avait raison, j'étais furieuse.

– Pourquoi dis-tu cela? Tu ne parles jamais d'elle et tout d'un coup tu lances des accusations comme ça. Tu n'as pas le droit de la juger. Je lui dois tout et je l'aime...

– Chérie, je sais.

– Si tu l'avais vue quand je suis arrivée à New York. Elle était adorable avec moi. Elle me faisait rire, elle était...

– Parle-m'en un peu. Je veux comprendre. Raconte-moi.

– Eh bien... elle peut être drôle à mourir de rire. Elle est capable d'éclairer la journée la plus triste. Quand elle dit quelque chose, elle le tourne et le retourne dans tous les sens, à la façon d'un jongleur. On ne s'ennuie jamais avec elle. Elle a une vivacité d'esprit ahurissante. Et tu l'aurais vue avec Bertie!

– Parle-moi de Bertie.

Je n'avais pas souvent parlé à Frank de mon enfance à New York et, de fil en aiguille, bercée par le rythme de la voiture, je lui racontai tout ce qui me passait par la tête.

Je voulais tellement le convaincre, le « convertir » à Constance, que je lui racontai aussi comment elle m'avait aidée à le rechercher, par des coups de téléphone et des lettres multiples.

– Elle souhaitait presque autant que moi l'arrivée de tes lettres, Frank. Quand le courrier arrivait le matin, elle le posait sur la table du petit déjeuner. J'en avais toujours beaucoup: Maud, Steenie, Wexton, Freddie. Constance connaissait leur écriture et elle savait qu'il n'y avait pas de lettre de toi. Alors elle m'embrassait en hochant la tête... Frank, que fais-tu?

– Rien, excuse-moi. Les phares m'éblouissent. Je vais ralentir. Continue.

549

— Il n'y a rien d'autre en particulier. J'aimerais tellement que tu la voies sous son vrai jour.

— Je la comprends mieux maintenant.

— Frank, ça me ferait tellement plaisir que tu l'apprécies.

— Raconte-moi encore.

— Nous emmenions Bertie en promenade tous les jours, sauf si Constance était absente, bien sûr. Elle passait nous prendre en revenant du travail et nous sortions. Dans le hall, je postais mes lettres et puis nous allions au parc...

— Quel rituel ! Et elle était souvent absente ? Qui t'apportait tes lettres quand elle n'était pas là ? Et qui les postait ?

— Oh, je ne me rappelle pas. Un domestique, sans doute. Mattie, probablement. C'est une ancienne pickpocket. Je l'aimais bien. Elle nous a quittées à la fin de la guerre. Quant à Bertie, je n'avais pas le droit de le promener seule. Une gouvernante venait avec moi et nous respections le rituel. Mais je m'ennuyais sans Constance.

— Tu devais te sentir seule dans cet énorme appartement. Avec juste des domestiques qui vont et viennent...

— Non, je ne me sentais pas seule. Je lisais tout le temps. Frank, il se fait tard. Il est plus de 3 heures. Où sommes-nous ?

— Nous sommes presque arrivés. Quand nous y serons, tu me montreras la boîte aux lettres dans le hall. Je voudrais t'imaginer en train de glisser tes lettres dedans. Et la bibliothèque aussi. J'adorerais la voir.

Je lui montrai donc la boîte aux lettres, mais pas la bibliothèque. Pas ce soir-là en tout cas. En approchant de la porte de l'appartement, je lui dis :

— On n'entend rien. Je crois que la fête est finie.

La fête était effectivement terminée. Les invités étaient partis depuis plusieurs heures, sauf un. Lorsque nous entrâmes dans le salon, Constance était seule avec Bick van Dynem. Pour une fois, il n'était pas ivre mort. C'est lui qui nous annonça la nouvelle : Bobsy était mort.

— Les gens vont dire qu'il s'est suicidé, dit-il d'une voix terne. Ce n'est pas vrai. C'était un accident. Il était là ce soir. Je lui ai parlé. C'est mon jumeau, je sais qu'il ne s'est pas tué.

Si ce n'était pas un suicide, c'était en tout cas un accident étrange. Bobsy était venu au réveillon de Constance, était parti vers 10 heures puis avait fait une pointe de vitesse sur la voie express de Long Island. Pris en chasse par trois voitures de police, il avait pris la direction de l'embarcadère où nous allions discuter et avait jeté la voiture à pleins gaz dans l'océan. Il ne portait pas sa ceinture de sécurité, les portières étaient verrouillées et toutes les fenêtres ouvertes; on n'a trouvé aucune trace d'alcool dans son sang; il ne s'était pas noyé mais était mort sur le coup au moment où la voiture avait heurté l'eau, le sternum enfoncé par la colonne de direction.

Après l'accident, Bick allait s'adonner à la boisson jusqu'à ce que mort s'ensuive, deux ans plus tard. Je ne l'ai jamais revu. Ma dernière image de lui est celle d'un homme blafard cloué sur place au milieu du salon de Constance et répétant sans cesse que ce n'était pas un suicide.

Frank le regarda avec une expression dure puis son visage fut adouci par la pitié. En parlant doucement, il s'approcha de lui.

— Ne devriez-vous pas être auprès de vos parents? Ils vont avoir besoin de vous.

— Je n'ai pas de voiture.

Il tourna vers Frank un regard de chien battu. Je me rendis soudain compte que Frank paraissait bien plus âgé que lui alors qu'il avait plusieurs années de moins.

— Je n'ai pas le droit de conduire, poursuivit-il. Mes parents sont certainement déjà sur l'île. Je ne trouverai jamais un taxi un soir de 31 décembre...

Je baissai les yeux en pensant à la voiture de Constance en bas.

— Cela s'est passé il y a combien de temps, Bick?

— Je ne sais pas. Vers minuit ou 1 heure.

Il se racla la gorge. Son admirable visage de patricien avait l'air perdu.

— Je crois que je devrais faire quelque chose mais je ne sais pas quoi. Je voudrais y aller. J'avais une voiture avant. Je ne sais plus très bien pourquoi on me l'a enlevée.

— Ce n'est pas grave, dit Frank. Je vais vous conduire.

— Jusqu'à l'île? dit Constance en se levant. Elle était livide et se tordait les mains. A cette heure? Bick est sous le choc. Il devrait rester ici.

— Ses parents vont avoir besoin de lui et lui d'eux. Ne vous faites pas de souci, Constance. Je vais l'emmener.

Je perçus une confrontation entre leurs deux volontés. Je crois que Constance s'apprêtait à protester encore mais que la fermeté de Frank l'en empêcha. Je vis passer sur son visage une expression d'inquiétude et compris qu'elle ne voulait pas que Bick parte avec Frank.

— Victoria va rester avec vous, dit Frank en accompagnant Bick vers la porte. Victoria, tu devrais peut-être appeler un médecin.

— Je n'ai pas besoin de médecin, répliqua Constance. Je me sens parfaitement bien. Bick...

Celui-ci avait atteint la porte. Lorsque Constance l'appela, il parut hésiter.

Il se passa alors quelque chose de presque imperceptible que je n'oublierai jamais. Frank et Bick se tenaient près de la porte et Constance était à l'autre bout de la pièce. Elle regarda Frank avec une haine manifeste puis tourna les yeux vers Bick et hocha à peine la tête. C'était une autorisation : Bick quitta immédiatement la pièce.

Je me mis à frissonner. C'est à cette seconde précise que j'ai commencé à comprendre qui était Constance.

Elle dut sentir mon état d'esprit – nous nous connaissions bien – et que je lui cachais quelque chose. Quand je revis Frank le lendemain, il me raconta peu de chose sur le trajet et rien de sa conversation avec Bick. Il ne m'en parla que plus tard. Mais je le sentais anxieux. Il me dit simplement :

– Il va falloir que nous ayons une discussion sérieuse sur ta marraine. Cela ne peut plus attendre.

Mais il n'aborda pas la question tout de suite, se disant probablement que j'étais encore bouleversée par la mort de Bobsy. Il me prit les mains et me dit :

– Montague Stern va mieux. Je vais organiser une rencontre mais... je crois qu'il préférerait que tu n'en parles pas à Constance.

Je ne lui en soufflai mot. Prenant conscience que je lui échappais, Constance passa à l'attaque. Elle me fit d'abord comprendre qu'elle en voulait beaucoup à Frank depuis la mort de Bobsy. Ensuite, pendant des mois, elle orchestra une véritable campagne de petites allusions perfides qui finirent par se transformer en véritables reproches. « Je ne suis plus aussi sûre de lui qu'avant, Victoria. Va-t-il enfin se décider ? Cela fait plus d'un an maintenant. Est-ce que tu vis avec lui ? Enfin, plus ou moins. Tu disparais pendant plusieurs jours. Je suppose qu'il ne t'a pas demandée en mariage. Fais attention à toi. Je ne voudrais pas que tu sois malheureuse... »

C'était sa tactique favorite. « Je suis très ennuyée. Je me pose des questions sur votre lien d'enfance. Tu es sûre de ne pas être amoureuse de Franz-Jacob plutôt que de Frank Gerhard ? Je crains que tu ne sois attachée à lui à cause de tes souvenirs de Winterscombe. Et lui, il a perdu foyer et famille... J'ai peur que vous ne soyez amoureux du passé et non l'un de l'autre. »

Comme cela ne marchait pas, elle essaya autre chose.

– Toutes ces différences entre vous, ma chérie. Réfléchis ! Combien gagne-t-il ? Je sais que les scientifiques ne gagnent pas autant qu'ils le mériteraient. Mais je crains qu'il ne nous envie nos gros salaires. Il est si vieux jeu, parfois. Quand tu es allée travailler en dehors de la ville, chez les Gianelli, il n'était pas ravi, reconnais-le...

– Constance, c'est parce que nous avons dû modifier nos projets. C'est tout. Tu avais dit que tu t'occuperais toi-même des Gianelli.

— Je ne peux pas m'occuper de tout! Il ne comprend pas ça? Notre travail est incompatible avec les horaires de bureau.

— Constance, il le comprend très bien. Lui-même n'a pas d'horaires de bureau.

— J'espère que tu as raison. Mais j'ai l'impression qu'il ne comprend pas ce que nous faisons. D'abord, il n'a aucun sens de l'esthétique : il ne pourrait même pas dire la différence entre un Aubusson et un Boukhara...

— Constance, arrête! Je ne comprends rien non plus à son travail. J'essaie, mais la structure des cellules est du chinois pour moi...

— Ça n'a rien à voir! Il est indispensable que vous ayez quelque chose en commun. Pas pour une amourette, bien sûr, mais pour se marier, oui. Prends l'exemple de tes parents. Ils aimaient la même musique et les mêmes livres. Montague et moi...

— Vas-y! Qu'avais-tu en commun avec Montague Stern?

— Nous pensions de la même façon.

— Et qu'est-ce qui te dit que Frank et moi ne pensons pas de la même façon?

— Bien sûr... c'est ce que j'ai pensé au début. Maintenant, j'ai des doutes. Il ne vit que pour son travail et il est très intelligent. Toi aussi tu es intelligente. Ce n'est peut-être pas évident pour tout le monde mais pour moi oui. Mais il a un esprit d'analyse alors que tu es purement intuitive. Il aurait plutôt besoin de quelqu'un qui comprend son travail, qui a la même formation que lui. Tiens! Je le savais! Tu y as déjà pensé, n'est-ce pas? Je le vois à ton visage. Oh, chérie! ne sois pas triste. Tu es bourrée de talent et...

Et ainsi de suite, pendant des mois. Un jour, incapable de supporter cette ambiance plus longtemps, je disparus presque une semaine. A mon retour, Constance fondit en larmes en disant qu'elle savait que cela devait arriver, que Frank Gerhard la détestait et qu'il faisait tout pour nous brouiller.

— Mais ce n'est pas vrai, Constance. Il ne dit jamais rien contre toi. Tu deviens complètement paranoïaque. Je suis partie parce que j'en avais assez de tout ça. Je refuse de continuer à t'écouter. Ou bien tu t'occupes de tes affaires et tu ne me parles plus de Frank, ou bien je fais mes valises pour de bon.

— Non, non... ne fais pas ça! Il va croire que tu veux l'obliger à t'épouser...

— Constance, je te préviens : à partir de maintenant nous ne parlons plus de lui. Cela nous fait du mal à toutes les deux. Je l'aime et je ne te laisserai pas parler de lui de cette façon. Plus une seule fois. Je suis sérieuse, Constance.

— Parfait! Je ne dirai plus un mot. Mais avant, il faut que tu saches une chose. Je t'aime comme si tu étais ma propre fille. J'aimais aussi ton père et j'ai essayé de le remplacer du mieux que je pouvais. Je me demande tout le temps ce qu'il ferait, ce qui se passerait s'il était là pour te protéger. Je parle pour lui et je sais que ce n'est pas ce que tu voudrais entendre. Je sais aussi que cela risque de te monter contre moi. Mais je le dis quand même, dans ton intérêt et parce que c'est ce qu'il te dirait. N'oublie pas cela, Victoria.

La grande force de Constance était de trouver le talon d'Achille des gens. Ai-je rejeté tout cela en bloc ? Non, pas tout. Ses paroles se sont infiltrées dans mon esprit et imprégnaient ma réflexion.

Ce printemps-là, pendant ce que Constance appelait notre « guerre froide », c'est-à-dire une période de trêve mal vécue, je finis par rencontrer Montague Stern. C'était le 15 mai : je me rappelle la date et tous les détails de notre entrevue.

J'avais rendez-vous avec Frank à son appartement. Il arriva très en retard, retenu par un rapport devant être publié dans une revue médicale.

— Chérie, je suis vraiment navré. J'ai eu du mal à partir et il va falloir que j'y retourne plus tard. Tel que c'est parti, je vais y passer la moitié de la nuit. Je te laisserai seule avec Stern...

— Ne vaudrait-il pas mieux annuler ?

— Non, c'est trop tard. Ce serait impoli. Et puis nous avons déjà remis plusieurs fois et sa santé n'est pas excellente. Si nous annulons maintenant... Je tiens absolument à ce que tu le connaisses.

— Il est gravement malade ?

— Chérie, il a plus de quatre-vingts ans. Allez, viens !

Je le sentais tendu mais je me serais plus inquiétée si je n'avais pas eu moi-même des soucis : ces derniers temps, Constance avait plus que doublé ma charge de travail. L'après-midi même, elle m'avait annoncé une nouvelle commande – qu'elle espérait depuis des mois –, la restauration d'un grand château dans la région de la Loire, dont les propriétaires possédaient l'une des plus formidables collections de meubles d'Europe. « Chérie, m'avait-elle dit en me sautant au cou, nous l'avons eue. Elle est pour toi. Je veux que tu t'en occupes, Victoria, tu l'as méritée. Ce sera excellent pour ta réputation. Je suis si heureuse ! »

Pas moi. C'était une commande tentante, bien sûr, mais elle impliquait un séjour de trois mois en France.

— Frank, commençai-je en marchant, j'ai quelque chose à te demander. A propos de mon travail.

— Demande, chérie, mais dépêche-toi. Ah ! ces taxis. Nous allons être en retard.

— Est-ce que mon travail te paraît dérisoire ? Pendant que tu cherches des remèdes à des maladies, je bricole avec des couleurs et des morceaux de tissu.

— Mais tu ne bricoles pas du tout. C'est très intéressant, ce que tu fais. Je n'en comprends pas toujours les subtilités, mais j'essaie. Tu te rappelles quand tu as fait ces essais de couleurs ? C'était passionnant.

Il évoquait le jour où je voulais créer pour un client une pièce rouge, mais d'un rouge très différent de celui que Constance qualifiait d'étrusque. J'avais fait des essais de superpositions de rouges au moyen de verres teintés pour parvenir à la couleur idéale. J'étais fascinée par ces recherches. C'était magique !

— Comme la vérité, avais-je dit à Frank. C'est ce que dit Constance. On peut toujours superposer une couche et chaque fois celle du dessous change.

— Comme la vérité ? Je ne suis pas d'accord. On ne peut changer la vérité. Elle est une et indivisible. Je l'ai toujours considérée comme la simplicité même.

M'apercevant qu'une fois de plus j'avais cité Constance, je décidai de ne rien ajouter. J'aurais bien aimé qu'il ait raison mais je n'étais pas d'accord.

Nous marchions donc vers le sud et aucun taxi n'était en vue. Je lui pris le bras et songeai à ma commande en France et à son travail au laboratoire.

— Je me demande parfois... repris-je. Nous sommes très différents. Ton travail est vital et le mien superficiel. Je le fais parce que c'est le seul que je sache faire et que j'aime ça. Mais il doit te paraître bien vain... Je me dis parfois...

Frank s'arrêta, se tourna vers moi et prit amoureusement mon visage entre ses mains.

— Tu es sérieuse ? Chérie, qu'est-ce que tu te dis parfois ?

— Eh bien... que tu pourrais avoir besoin de quelqu'un qui comprenne ton travail, avec qui tu pourrais en parler. Regarde-moi. Je ne suis jamais allée à l'école. Je suis ignare en sciences, exécrable au bridge et aux échecs. Je ne sais même pas cuisiner, à part les spaghettis. Tout ce que je sais faire, c'est décorer une pièce. C'est vraiment peu.

— Y a-t-il autre chose que tu ne saches pas faire ?

— Laisse-moi un peu de temps et j'en trouverai plein d'autres.

— Je vais plutôt te dire ce que tu fais très bien. Tu es très douce et compréhensive. Tu parles et tu penses bien. Et tu sais aimer. Peu de gens ont ces qualités, surtout la dernière.

— Frank, c'est vrai ? Tu es sûr ?

— Sûr de quoi ?

— Sûr pour moi. Tu sais, je comprendrais si avec le temps... Si tu avais besoin d'une femme différente de moi. Disons, une scientifique, comme toi...

— Ah ? Tu comprendrais ?

— Eh bien, ce ne serait pas de gaieté de cœur, mais oui...

— Je préfère ! Bon ! Prends mon bras et pendant que nous marchons je vais te décrire ma femme idéale. Voyons... Elle est physicien nucléaire. Tout en préparant mon petit déjeuner, elle m'explique en quoi Einstein s'est trompé. C'est un véritable cordon bleu : elle a pris des cours de cuisine... et de russe aussi.

— De russe ?

— Bien sûr. Et de chinois par la même occasion. Quelle femme ! C'est elle qui a appris les échecs à Bobby Fischer. Et elle est superbe physiquement...

— Ah bon ?

— Oui. Elle ressemble à... Voyons voir... A une de ces femmes bizarres des couvertures de magazines. Et au lit, c'est une tigresse et une séductrice...

— Frank ! Arrête !

— ... célèbre sur trois continents pour son charme. En fait, cette femme parfaite n'a qu'un petit défaut...

Nous étions enfin arrivés devant le *Pierre* et Frank avait l'air tout à fait sérieux.

— Elle n'est pas toi. Tu comprends ? Et c'est toi que j'aime. Ne me redis jamais ça, tu entends ? Jamais. Je sais qui t'a fourré ces idées dans la tête. Je vais y remédier. Allez ! Viens faire connaissance avec le mari de ta marraine.

La suite de Stern était exactement comme Frank me l'avait décrite. Des lambris, un éclairage faible, une atmosphère paisible de club anglais. En observant les fauteuils en cuir patiné, les tapis raffinés, le vieux valet de chambre, je me dis que Frank avait eu raison sur tout sauf sur une chose : l'horloge était effectivement arrêtée, mais depuis bien avant 1930.

Je me suis sentie transportée dans l'époque de mon grand-père et l'homme qui se leva par courtoisie pour m'accueillir était du plus pur style édouardien.

La silhouette de Stern était un peu voûtée. Il se déplaçait lentement. Constance m'avait parlé de son goût peu sûr pour les gilets criards mais il ne portait rien de tel. Ses vêtements, dont une veste d'intérieur en velours sombre, dataient mais n'avaient rien de vulgaire.

— Ma chère, je suis heureux de vous connaître enfin. Je vous prie de me pardonner tous ces ajournements. Ce sont les inconvénients de mon grand âge, je le crains. Ma santé ne me permet plus de faire de projets à long terme comme autrefois.

Avec urbanité, il prit la situation en main. On aurait dit un hôte conduisant deux jeunes gens à travers une période ancienne. Il engagea la conversation de façon à ce que chacun puisse s'exprimer.

Ni avant ni pendant le dîner, il n'a été question de ma marraine. Et lorsque la conversation s'aventurait sur un terrain risquant de mener à elle – des amis communs ou mon travail de décoratrice, par exemple – il la détournait habilement en la gardant bien en main.

Je fus surprise que Frank l'aide dans ces manœuvres. Je pensais que Stern allait parler de Constance, ou au moins me demander de ses nouvelles. Je m'étais même dit que c'était pour mes liens avec elle qu'il m'avait fait venir.

Vers 11 heures, Frank prit congé. Il avait prévenu Stern des problèmes à l'Institut et ce dernier ne montra aucun signe de déception. Pensant qu'il était peut-être fatigué, je suggérai de m'en aller moi aussi mais il insista pour que je reste encore un peu.

— Ma chère, je déteste prendre mon café seul. De plus, c'est un excellent café. Ne voulez-vous pas rester pour me tenir compagnie ? En général, je m'autorise à fumer un cigare après le dîner. Vous n'y voyez pas d'inconvénient ? Mes médecins, oui. Mais leur fonction n'est-elle pas justement de présenter des objections inutiles depuis longtemps ?

Je ne pouvais refuser une invitation formulée avec autant de charme. Le valet de chambre servit donc le café et Stern alluma un cigare qu'il fuma avec un plaisir évident.

— Quel dommage, dit-il, que Frank ait dû nous quitter ! Je l'admire beaucoup, sachez-le. A une époque... Il s'interrompit. J'aurais aimé avoir un fils qui lui ressemble. Enfin ! Je suppose qu'il est inutile que je vous énumère toutes ses qualités. Je suis vraiment heureux qu'il vous ait trouvée. Quand je l'ai rencontré, il y a plusieurs années, j'ai craint... Mais laissons le passé. Parlez-moi de vous. Qu'est devenu Winterscombe ? J'en conserve des souvenirs émus.

Je lui racontai ce qui était advenu de la maison. Tandis que je parlais, je notai qu'il était de moins en moins sur sa réserve. Il se détendit et j'eus l'impression qu'évoquer le passé lointain lui procurait un réel plaisir. Il m'encouragea à parler de mon enfance et de mes parents.

— Vous voyez, dis-je, j'avais presque l'impression de déjà vous connaître. Tante Maud parlait souvent de vous et, bien sûr...

Je m'arrêtai juste à temps. J'allais ajouter que Constance m'avait aussi parlé de lui.

— Oui ? Continuez.

– Oh... rien. J'allais dire que c'est étrange de connaître quelqu'un par le truchement d'autres personnes. S'il n'y avait pas eu cette dispute avec mes parents, je vous aurais rencontré depuis longtemps à Winterscombe et...

Je m'arrêtai à nouveau. Les yeux de Stern étaient fixés sur mon visage et il me regardait attentivement.

– Dispute ? De quelle dispute voulez-vous parler ?

Je me mis à rougir, me demandant comment j'allais me sortir de cette situation. Je regardai ma montre.

– Il se fait tard. Je me disais que j'allais rentrer.

– Ma chère, vous ne vous disiez rien de tel. Quelle dispute ?

– Vous avez raison. Je suis désolée. Je crois que j'ai manqué de tact...

– Que voulez-vous dire par là ?

– Parce que vous ne voulez pas parler de Constance, répondis-je précipitamment. Je le sais et je le comprends parfaitement...

– Vous n'avez pas parlé de Constance, vous avez parlé d'une dispute.

– Eh bien, je sais qu'il y a eu un problème d'argent entre mes parents et vous. C'est pour cette raison que Constance et vous n'êtes jamais retournés à Winterscombe. Elle m'a tout expliqué et je comprends. Je trouve aussi qu'il n'est pas bon de s'emprunter de l'argent entre amis. Cela aboutit toujours à des désaccords.

Je m'interrompis pour la troisième fois. Je ne faisais que m'empêtrer un peu plus. Stern fronçait les sourcils, apparemment peu satisfait.

– Vous vous trompez, dit-il d'une voix froide. Je suis d'accord sur le fait qu'il n'est pas judicieux de prêter ou d'emprunter à des amis. Mais je n'ai jamais prêté d'argent à vos parents. Ils ne me l'ont pas même demandé. En fait, je ne me suis même jamais disputé avec eux. J'ai simplement cessé de les voir après la fin de mon mariage.

– J'ai dû mal comprendre alors, je suis désolée.

Il continua à me regarder pensivement. Il écrasa son cigare puis, comme s'il avait pris une soudaine décision, se pencha en avant.

– Qu'y a-t-il ? Vous avez l'air malheureuse. Dites-moi tout. Attendez ! Il leva la main et sourit. Si je dois jouer un rôle de confesseur – ce dont j'ai l'habitude à mon âge – il vaut mieux que je me serve d'abord un bon cognac. A vous aussi, d'ailleurs. Ne refusez pas. Vous allez l'apprécier, il est excellent.

Effectivement. Je regardai mon verre en me demandant si je devais reprendre la parole.

– Si cela peut vous aider, dit doucement Stern, pensez à mon âge et à ma situation. Bien peu de ce que vous allez me dire saurait me surprendre. Et puis... Frank me parle souvent, vous savez. Je connais ses espoirs et bon nombre de ses soucis.

558

— Frank se confie à vous ?

— Ne prenez pas cet air farouche. Frank Gerhard, vous le savez aussi bien que moi, est à la fois loyal et discret. Il ne m'a rien dit sur vous ou sur un de vos proches qu'il n'ait d'abord dit à vous. Mais je suis capable de tirer mes propres conclusions. Alors pourquoi ne pas me dire ce qui vous tracasse ? Ne vous en faites pas. Vous pouvez très bien me parler de ma femme.

Je crois que ce n'était pas vrai. Je suis certaine que parler de Constance lui faisait de la peine. Je le voyais dans ses yeux. Je l'ai quand même fait. J'avais désespérément besoin de son conseil. Et la question que je voulais lui poser était finalement celle que je me posais depuis toujours : qui est Constance ?

Je ne lui racontai pas l'histoire des jumeaux van Dynem. C'était inutile. Je me bornai simplement au goût de Constance pour la fiction. Je tentai d'expliquer de quelle façon elle s'interposait entre Frank et moi et sa capacité à retourner la vérité. Le point crucial était que quand j'étais avec elle, je ne me reconnaissais plus.

Il m'écouta jusqu'au bout.

— Vous voyez, dis-je finalement. J'aime vraiment Frank et j'aime aussi Constance. Elle me pousse à choisir entre elle et Frank. Et j'appréhende énormément cet instant...

— Je comprends, dit Stern après un long silence.

Il avait les yeux dans le vague, comme s'il était en train de prendre une décision. Juste au moment où j'allais suggérer de m'en aller, il se leva.

— Je vais vous raconter une histoire.

Cette histoire concerne un certain appartement, et je la raconterai en temps utile. Mais c'était aussi l'appartement dans lequel, des années plus tard, Constance allait me laisser son journal intime avec un petit message : « Me voilà. »

Je suis convaincue que Stern ne l'avait encore jamais racontée et qu'il ne l'a jamais racontée depuis. Il l'a fait pour moi mais aussi pour lui comme pour examiner une dernière fois une vérité qu'il détenait. Lorsqu'il eut terminé, il me dit souhaiter que cette histoire ne se répète pas. Pendant un moment, j'ai pensé qu'il regrettait d'avoir parlé.

Il se pencha au-dessus de la table et me prit la main. Il demeurait très digne mais avait perdu toute réserve.

— C'est ce qui a mis fin à mon mariage. Je vous dis tout cela parce que j'apprécie énormément Frank et qu'en ce qui le concerne vous ne devriez pas hésiter. Si vous deviez faire un choix, ce serait celui-là. Je vous le dis aussi parce que j'ai connu la même situation fâcheuse que vous

559

aujourd'hui. Mais quelles qu'aient été les circonstances, j'ai toujours aimé ma femme.

Plus tard, je retournai à l'appartement de Frank et lui racontai cette histoire. Il m'écouta en silence en regardant le ciel nocturne par la fenêtre.

— Je savais qu'il l'aimait. Il parle rarement d'elle mais je le savais.

— Elle m'a menti, Frank. Et ce ne sont pas de petits mensonges. Ce sont des mensonges graves sur mes parents, Winterscombe et la prétendue dispute...

— Il t'en a parlé?

— Non. Mais je sais qu'elle a menti. Ce n'était pas une question d'argent. Elle a menti sur son mariage, sur Stern, sur elle-même. J'ai l'impression de ne plus la connaître. Je ne sais plus comment je vais faire pour lui parler, lui faire confiance...

— Je suis persuadé que tu savais tout cela depuis longtemps. Chérie, je me trompe?

— A moitié. En fait, je ne voulais pas savoir.

— Est-ce que je peux te dire quelque chose? Quelque chose d'important sur elle et sur ses mensonges?

Il s'assit à côté de moi et mit son bras autour de mes épaules.

— Tôt ou tard, il faudra que je te le dise. J'avais espéré que... Mais le moment est venu.

Il y eut un silence.

— C'est elle qui a pris nos lettres, reprit-il enfin, avec une certaine réticence. Il faut que tu le saches. De tous ses mensonges, c'est le pire. Tu m'entends? Je suis sûr que c'est elle.

J'avais les yeux rivés sur le plancher. Quand avais-je pensé pour la première fois à cette éventualité? Ah oui! La nuit où Bobsy van Dynem était mort, quand elle avait fait ce petit hochement de tête à l'adresse de Bick. Alors, j'avais compris : Constance aime détruire les gens.

— J'y ai déjà pensé, dis-je. J'ai même pensé lui poser la question mais elle aurait simplement nié. Je n'avais aucune preuve.

— Je sais qu'elle les a prises. Je crois que je l'ai su dès que je l'ai rencontrée. Quand elle m'a embrassé, la première fois. Tu te rappelles? Je me suis dit que je faisais erreur, que c'était impossible. Mais cela correspond tout à fait à son personnage.

— Je ne peux pas le croire. Je me tournai, suppliante, vers lui. Et pourtant elle m'aime, Frank.

— Je sais. Je n'en ai pas douté une seconde. Mais elle détruit ce qu'elle aime. Tu ne comprends pas qu'elle va te détruire si tu la laisses faire? Elle va te briser. Et quand tu t'en apercevras il sera trop tard.

— Ce n'est pas vrai, répondis-je en me levant. Tu ne devrais pas dire ça. Tu me prends pour un pantin ou quoi?

560

— Tu n'as rien d'un pantin mais elle a un gros avantage sur toi. Quand tu es arrivée chez elle, tu étais une enfant. Tu sais ce que disent les Jésuites : « Confiez-moi l'enfant, je vous rendrai l'homme ».

— Ce n'est pas vrai non plus. Je ne suis pas sa chose.

— Je sais, mais une partie de toi lui appartient. Quand tu doutes de toi, c'est qu'elle l'a voulu. Et quand tu doutes de nous, c'est pareil.

Je savais qu'il avait raison et sa tristesse me fendait le cœur.

— Est-il si mauvais de douter ?

— Très mauvais, parfois. Je me trompe peut-être, mais je trouve que nous passons trop peu de temps sur cette terre pour le gâcher inutilement en doutes ou en hésitations. Et je me sens spécialement visé par ce que je viens de dire.

Il s'interrompit, jeta un regard circulaire sur la pièce et se retourna vers moi.

— Je voulais attendre un contexte parfait, reprit-il. Le moment où je pourrais t'offrir tout ce que tu mérites. Mais je me suis trompé. Je t'avais dit que je te ferais un petit discours le moment venu mais je ne vais pas le faire. Je t'aime et je veux t'épouser, Victoria.

Un mois plus tard et quelques semaines avant la date de notre mariage, Montague Stern mourut d'une crise cardiaque. Constance me téléphona la nouvelle en France, où Frank était venu me rejoindre pour quinze jours. Ce vendredi matin, par une belle journée d'été magnifique, nous prenions le petit déjeuner sur la terrasse d'un hôtel surplombant la Loire. Nous apercevions dans la vallée la maison que j'étais en train de décorer. Lorsque j'annonçai la nouvelle à Frank, il se leva et me tourna le dos. Il y eut un long silence.

— Quand cela s'est-il passé ? dit-il enfin.

— Cette nuit. Frank, Constance est complètement désemparée. Ce n'est pas du bluff. Il faut que je rentre.

Il tourna la tête vers le fleuve et dit posément :

— Cela fait trente ans qu'elle ne vit plus avec lui et qu'elle ne lui parle pratiquement pas. Mais elle est si bouleversée que tu te sens obligée de rentrer ? Tu vas faire cinq mille kilomètres et interrompre ton travail après tout ce qui s'est passé ?

— Elle est sa veuve. Ils n'ont jamais divorcé. Si tu avais vu son visage quand il est venu la voir après la mort de Bertie. A sa façon, elle l'aimait.

— Nous avons déjà parlé des conséquences de son amour. Le visage de Frank se durcit. Stern mérite d'être pleuré, mais pas en compagnie de Constance.

— Je lui ai promis de venir. Les obsèques ont lieu dimanche. Elle m'a suppliée et j'ai accepté. Frank, quels que soient ses torts, ce n'est pas le moment de la laisser tomber. Elle vient de perdre Stern et elle est en train de me perdre...

— Vraiment ? Ce n'est pas parce que tu m'épouses qu'elle va te perdre.

— C'est son sentiment en tout cas. Et elle a raison dans un sens. Nous ne sommes plus aussi proches que nous l'étions. Je t'en prie, Frank, elle a besoin de moi. Je ne resterai qu'une semaine...

— Elle a besoin de toi ? Moi aussi, alors. Je te demande de rester.

— Mais pourquoi ?

— Je n'ai pas l'intention d'en discuter.

Je crois que je ne l'avais jamais vu dans une telle colère. Je le regardais lutter intérieurement. Puis, d'une voix très froide que je ne lui connaissais pas, il me dit :

— Très bien. Tu rentres et je rentre avec toi. De toute façon, je veux assister aux obsèques. Tu pourras soutenir ta marraine dans cette grande épreuve mais je doute que son chagrin s'éternise.

Il avait tort. Le profond chagrin de Constance dura des mois.

A mon arrivée, elle insista pour aller aux obsèques sans moi le lendemain. « J'irai toute seule, à ma façon, cria-t-elle de colère lorsque je tentai de la dissuader. C'était mon mari. Toi, tu ne le connaissais même pas ! »

Elle était très agitée. Je ne voulais pas provoquer une scène en lui avouant que j'avais rencontré Stern. Le lendemain, j'essayai de lui expliquer que Frank l'avait connu et qu'il serait à l'enterrement. Je suis presque certaine qu'elle ne m'a pas entendue. Elle arpentait la pièce en long et en large, vêtue de noir de la tête aux pieds, brandissant la lettre qu'elle avait reçue des avocats de son mari. Elle me l'avait fait lire : il léguait la globalité de ses liquidités à une œuvre de bienfaisance et ses biens immobiliers à Constance.

— Regarde-moi cette lettre ! Je la déteste. Je déteste les hommes de loi. Des maisons – comment ose-t-il me laisser des maisons ? Surtout celles-là ! Celle d'Ecosse, où nous avons passé notre lune de miel. Voilà ce qu'il m'a laissé ! Comment a-t-il pu être aussi cruel ? Je sais ce qu'il a voulu faire : m'obliger à me souvenir. Mais ça ne marchera pas. Je vais tout vendre.

Je lui avais promis de l'attendre dans son appartement jusqu'à son retour de la cérémonie. J'avais compté qu'elle rentrerait vers midi mais elle ne réapparut qu'en fin d'après-midi.

Ses vêtements de deuil lui faisaient un visage cendreux. Elle était incapable de rester assise ou debout sans remuer. Elle arpentait la pièce en commençant des phrases qu'elle ne terminait jamais.

– Je déteste le temps! s'écria-t-elle violemment. Ses mains gantées de noir tremblaient. Pourquoi ne peut-on pas l'arrêter? Le remonter? Il marche sur nous. J'entends ses bottes. Elle se couvrit les oreilles de ses mains. Une! Deux! Une! Deux! C'est assourdissant. Je veux que ça cesse. Si seulement j'étais Dieu!

Elle laissa ses mains retomber et se remit à marcher.

– Tu sais ce que je ferais si j'étais Dieu? Je ferais tout différemment. Personne ne vieillirait. Personne ne mourrait. Il n'y aurait ni maladies ni malheurs ni accidents. Et, surtout, aucun souvenir. Nous resterions pour l'éternité de petits enfants, trop jeunes pour avoir peur, trop jeunes pour se souvenir. Voilà comment ce serait, si j'étais Dieu!

– Constance...

Elle ne m'entendait pas et je doute qu'elle ait été consciente de ma présence.

– J'ai tant de regrets. Je souffre. Où est partie ma vie? Je veux la refaire autrement. Je ne veux pas être seule. Je ne l'ai jamais supporté. Je veux Montague. Je veux le bébé que j'ai perdu. J'aimais Montague. Je l'aimais presque. Mais il était si froid! Quand je repense à lui, je le vois faire les cent pas en Ecosse, pendant notre voyage de noces – «comme l'exercice dans une cour de prison», disait-il.

– Constance. Je suis certaine qu'il n'était pas si froid. Il t'aimait, tu sais...

– Qu'est-ce que tu en sais? Que sais-tu de l'amour? Absolument rien. On croirait entendre ta mère. Tu crois que l'amour et le bonheur ne font qu'un mais ça n'a rien à voir. L'amour, c'est un supplice permanent.

– Constance, assieds-toi s'il te plaît. Calme-toi...

– Et pourquoi? Je ne suis jamais calme, de toute façon. J'ai horreur de ça. Tu ne sais pas qui était aux obsèques? Ton type. Costume noir. Cravate noire. Pourquoi est-il venu? Pourquoi passe-t-il son temps à m'espionner?

– Constance, il connaissait Stern par son travail. Je t'ai dit qu'il y serait.

– Non, tu ne me l'as jamais dit. Je sais ce que vous avez mijoté. Vous vous êtes dit que dans la foule je ne le verrais pas. Eh bien, vous vous êtes mis le doigt dans l'œil. Quand je l'ai vu, je me suis dit que même si je devais attendre des années je serais la dernière à partir du cimetière. Je suis la femme de Montague. C'est mon droit. Alors j'ai attendu, sous la pluie. Et puis ton type est venu pour me dire que je devais rentrer. J'ai crié et il est parti. Ils ont fini par tous partir. Et je suis restée seule. C'était horrible. Toutes ces tombes si blanches. Pourquoi les tombes juives sont-elles ainsi?

Elle se cacha le visage, se tourna vers la fenêtre, puis vers moi, s'immobilisa et reprit:

563

— Tu sais, je n'ai jamais compris Montague. Je m'en suis aperçue aujourd'hui. Je ne comprenais pas ses goûts en peinture, ni en musique. Wagner. *Tannhäuser*. C'était son opéra préféré. Pourquoi ? Le service a eu lieu en hébreu. Je me demandais ce que je faisais là. Une parfaite étrangère. Je crois qu'il l'a fait exprès, Victoria. Un dernier coup bas, un dernier souvenir. Je ne parlais pas son langage, tu comprends ?

— Le vide. Rien que le vide.

C'était une demi-heure plus tard. Rien ne pouvait arrêter son débit de paroles.

— Nous n'apportons rien à ce monde et nous n'en emportons rien. Avec Montague, nous avions plein de projets. Que sont-ils devenus ? Je n'ai rien ni personne... Mais qu'est-ce que fait cet oiseau ici ? Victoria, fais-le sortir. Attrape-le. Je sais que tu veux me quitter pour aller parler de moi dans mon dos. Mais attrape d'abord l'oiseau. Vite ! Jette-le par la fenêtre.

Elle se remit à pleurer et cacha son visage dans ses mains. Elle pleurait toujours quand Frank arriva, dix minutes plus tard. En l'apercevant du pas de la porte, il me dit brutalement :

— Appelle son médecin. Tout de suite.

Puis il disparut. Après avoir téléphoné, je me mis à sa recherche et le trouvai dans la cuisine. Une domestique terrifiée était en train de rassembler tous les couteaux et de les enfermer dans le buffet.

— Frank, que fais-tu ?

— Le médecin va lui administrer un sédatif. Il faut enlever tout ce qui est dangereux dans l'appartement : couteaux, barbituriques, lames de rasoir. Je suppose qu'elle prend des somnifères.

— Oui, du Nembutal parfois. Frank...

— Enlève-les tous. Fais le tour des tiroirs et des placards. Vérifie les poches des vêtements. Tout.

— Est-ce vraiment nécessaire ?

— Je t'assure que oui. Tu verras. Fais-le maintenant. Pendant ce temps, j'irai lui tenir compagnie.

Cela me prit un certain temps de fouiller toutes les pièces et leurs armoires, tiroirs et cachettes possibles. Dans son dressing-room, je me rendis compte à quel point elle aimait accumuler les souvenirs du passé : des robes qu'elle ne portait plus depuis vingt ans, des dizaines de paires de chaussures, des cartons de gants, tous méticuleusement étiquetés. Je trouvai même sa robe de mariée. En ouvrant la boîte, mes mains tremblaient. J'avais l'impression de violer un lieu saint.

Lorsque j'eus terminé, le médecin était déjà reparti. Constance était au lit, immobile comme un gisant, aussi blanche que sa taie d'oreiller. J'avais déposé le produit de mes fouilles sur la coiffeuse. J'avais trouvé des médicaments dans des chaussures, des sous-vêtements, des poches, au fond de tiroirs. Une multitude de médecins, de prescriptions, de dosages, de dates : certains médicaments avaient été prescrits l'année même et d'autres bien avant. La plus vieille ordonnance remontait à 1920.

Je fis une autre découverte capitale. Dans la poche d'un vieux manteau, je trouvai une enveloppe déchirée portant un timbre américain. La lettre était brève :

Ma très chère Victoria. J'ai le cœur lourd. J'ai peur que tu n'aies oublié ton ami. Pourquoi n'écris-tu pas ? Je t'ai peut-être contrariée avec tous mes mots d'amour. Oublie-les. Aujourd'hui je te demande simplement d'être mon amie pour que nous puissions aller nous promener et parler comme avant. Je t'envoie encore une opération à effectuer. Elle est facile. Si tu n'y arrives pas, je t'aiderai. Promis. Il est difficile de persévérer quand on n'obtient jamais de réponse. C'est la dernière lettre et la dernière opération que je t'envoie, Victoria. Si tu ne me réponds pas cette fois, je saurai que tu as oublié ton ami Franz-Jacob.

Je lus et relus la lettre, au pied du lit de Constance, jusqu'à ce que les larmes brouillent ma vue. Frank entra. Il vit d'abord le tas de médicaments puis le papier dans ma main. Sans un mot, il me tint serrée contre lui tandis que je pleurais sur cette preuve d'amour – et de trahison.

Frank me dit qu'il fallait faire très attention et qu'il y avait d'autres moyens de se tuer que les barbituriques.

– Si elle veut se suicider, elle y arrivera.

Il avait raison. La veille de notre mariage, Constance cassa un verre et s'ouvrit les poignets. Le mariage dut être annulé.

L'après-midi où nous devions nous marier, nous étions tous les deux chez Frank.

– Ecoute Victoria, me dit-il. Quelqu'un qui veut vraiment se suicider de cette façon s'enferme dans une pièce et s'ouvre les veines dans la longueur. C'est bien plus efficace. Et il ne reste pas dans sa chambre en sachant qu'une infirmière vient jeter un coup d'œil toutes les dix minutes. Ce n'était pas une véritable tentative de suicide. C'était un avertissement.

– Tu en es sûr ?

– Je sais pertinemment que ta marraine est malade et qu'elle l'est peut-être depuis de nombreuses années. Mais je pense qu'elle a tout un tas de raisons de vivre. Elle aime se battre. Tant qu'elle croira qu'elle peut t'arracher à moi, elle ne se tuera pas. Pas elle.

— Mais pourquoi, Frank ? Pourquoi ?

— Je n'en ai aucune idée. Elle est comme ça.

Elle était effectivement comme ça et continuerait à l'être. Des mois passèrent. L'automne succéda à l'été. L'état de Constance était fluctuant.

Avec des tranquillisants, du repos et des soins, elle commença à aller mieux. Un jour, elle quitta sa chambre et, le lendemain, annonça qu'elle se sentait mieux et qu'elle voulait sortir. Ensuite, elle voulut recevoir des amis et plus tard encore insista pour retourner au travail. Elle avait repris de l'appétit et semblait lucide, calme et repentante. Elle s'excusait humblement des ennuis qu'elle me causait, de m'avoir laissé tout le travail et d'avoir retardé mon mariage.

— J'avais raison au tout début pour Frank, me dit-elle un jour. Il a été si gentil avec moi.

Je ne l'ai pas crue mais je me suis prise à espérer. Dans quelques semaines, un mois tout au plus... Mais je me trompais. Aussi soudain qu'elle avait semblé guérir, elle rechuta.

J'étais à bout de forces. J'avais accumulé du retard dans mon travail, certaines commandes avaient été reportées – le château en France par exemple – et d'autres annulées par des clients furieux. Et tout cela dans une ambiance plus que chaotique, Constance téléphonant aux assistants pour se plaindre, se mêler de tout et même annuler mes instructions.

J'avais une impression de harcèlement : quand j'étais avec un client, elle téléphonait ; quand j'étais avec Frank, elle téléphonait. Parfois à 3 heures du matin puis à nouveau à 4 et à 6.

— Pourquoi es-tu là-bas ? pleurait-elle. Tu devrais être avec moi. J'ai besoin de toi, Victoria.

Au début, je supportai cette situation parce que Frank était là pour me rassurer et me soutenir. Mais, à mesure que les mois passaient, son attitude changeait : il ne m'expliquait plus en détail les progrès de ma marraine, son visage se fermait quand j'en parlais, nous nous voyions de moins en moins. J'étais le plus souvent avec Constance et lui retranché dans son laboratoire. Chaque fois que nous étions ensemble, Constance se manifestait. A croire qu'elle connaissait intuitivement le meilleur moment pour nous déranger. Un jour, je laissai le téléphone sonner dix fois avant, de guerre lasse, de décrocher. Frank me prit le combiné des mains et le plaqua violemment sur son socle.

— Laisse, dit-il avec colère. Pour une fois, laisse !

Nous eûmes ce soir-là notre dispute la plus pénible. Le lendemain matin, tous les deux silencieux à la table du petit déjeuner, nous étions très malheureux. Frank finit par me prendre la main et dit :

– Tu vois ce qu'elle nous fait ? Elle ne nous laisse jamais tranquilles. Nous ne pouvons jamais être seuls tous les deux. Voilà ce que j'ai fait : nous avons notre licence, j'ai pris les dispositions nécessaires, nous nous marions la semaine prochaine. Je veux que tu me promettes que, quoi qu'il arrive, nous ne remettrons plus le mariage. Tu promets ?

J'ai promis.

Le même jour, Constance arriva au bureau en pleine forme. Toute la matinée, elle travailla avec ses assistantes à sa façon habituelle : impérieuse mais amusante et créative. J'attendais un couple de futurs clients vers midi et je me sentais nerveuse. Constance et moi leur fîmes visiter les ateliers, parlâmes couleurs, préférences, goûts. Tout se passait bien jusqu'à ce que, vers midi et demi, s'approchant d'une table magnifique pour la leur faire admirer, Constance s'arrêta net et me dit :

– Victoria, qui a mis ce miroir ici ? J'avais dit pas de miroir.

Ce miroir français du XVIIIᵉ siècle, lourdement ouvragé, était fixé au mur. Constance le regarda un moment puis attrapa un énorme vase chinois de valeur et le lança de toutes ses forces contre le miroir. Les deux objets volèrent en éclats. Elle se mit alors à ramasser tous les objets qui lui tombaient sous la main et à les lancer à travers la pièce. Elle s'en prit ensuite à une chaise ancienne : avec un morceau de verre cassé, elle lacéra la soie qui la recouvrait, puis le calicot en dessous et finit par atteindre le crin de rembourrage.

Bien entendu, les clients partirent avant qu'elle achève son œuvre et, dès le soir, l'histoire avait fait le tour de New York.

Constance fut ramenée à la maison où les infirmières la prirent en charge et un nouveau médecin fut appelé. Au bout de trois jours, je me résolus à raconter l'incident à Frank. Il me prit le bras et me dit :

– Mets ton manteau. Je veux te montrer quelque chose. Je t'emmène à l'Institut.

– Je veux te faire comprendre une bonne fois pour toutes qui est ta marraine, dit-il en me faisant entrer dans le laboratoire. Regarde.

Il me força à m'asseoir. Devant moi, il y avait deux microscopes.

– Observe ces lamelles et dis-moi ce que tu vois.

« Une bonne fois pour toutes ». Ces mots résonnaient dans ma tête et me faisaient peur. Le laboratoire aussi me faisait peur, avec son odeur d'hôpital, ses objets soigneusement étiquetés : lamelles, tubes à essais... Des instruments de précision partout. Le seul illogisme admis dans cet endroit était les cellules anormales. Chaque objet avait son utilité. Aucune place pour l'imagination. Je comprenais pourquoi Frank disait que la vérité était simple.

Non sans réticence, je me penchai sur les microscopes. Debout derrière moi, Frank dit :

— Ce sont des échantillons sanguins grossis plusieurs milliers de fois. Sur la lamelle de droite, c'est du sang sain. Les cellules rondes sont des globules blancs, celles qui forment des bâtonnets sont des virus. Tu vois le mouvement des globules blancs ? Ils poursuivent les virus, les attaquent et les désarment, si tu préfères. Dans un corps sain, cette guerre est permanente. Chaque fois qu'un virus ou un germe pénètre dans le corps, celui-ci envoie ses globules blancs pour se défendre. Regarde dans le microscope de gauche maintenant. C'est un échantillon sanguin d'un malade se mourant de leucémie avancée. Les défenses du corps, le système immunitaire, ne fonctionnent plus. Pire, au lieu de défendre le corps, les globules blancs l'attaquent. Le corps s'autodétruit.

Quand il s'arrêta, je me redressai. Il reprit, plus doucement :

— Tu comprends ? C'est la seule façon que j'ai trouvée pour t'expliquer. Pour moi, la lamelle de gauche c'est Constance.

— Mais c'est monstrueux ce que tu dis !

— Je sais. Mais je ne suis pas aussi insensible que tu le crois. Je peux avoir pitié d'elle, jusqu'à un certain point. Je ne crois pas à la méchanceté pure. Mais je pense tout de même qu'elle est méchante. Pas en elle-même, mais dans les effets qu'elle produit sur les autres. Montague Stern, les jumeaux van Dynem, nous. Tu te trompes si tu crois que tu peux faire un pacte avec le diable.

Je percevais dans sa voix une sorte de supplique, mais aussi la fierté et l'inflexibilité de l'idéaliste qu'il était. Je mesurai des yeux les carreaux du sol : vingt-cinq centimètres.

— Je peux ajouter quelque chose ? dit-il en se penchant vers moi. A la Faculté de médecine, j'ai travaillé avec des mourants, des gens qui souhaitaient ardemment guérir et vivre. Des enfants, des hommes et des femmes de vingt ou trente ans, des pères qui voulaient survivre pour leur femme et leur enfant. Ils voulaient désespérément vivre, et moi je savais qu'ils allaient mourir. C'est pourquoi je n'ai pas eu ta réaction quand ta marraine s'est ouvert les poignets. Elle n'est pas atteinte physiquement, elle a tout le confort matériel, elle a ton amour. Elle a donc tout ce qu'il lui faut pour vivre. Si elle choisit de mourir, ce sera uniquement pour causer du tort aux autres.

— Frank ! Elle est malade. Son esprit est malade.

— Peut-être. Mais je crois plutôt qu'en prenant prétexte d'un chagrin réel elle veut nous faire croire à une dépression nerveuse. Et elle continuera tant que ce sera efficace. Quand nous avons fixé la date de notre mariage, elle s'est ouvert les veines. Elle s'amuse à lancer des vases et à casser des miroirs. Plutôt pratique, sa prétendue maladie, non ? On pourrait presque prévoir ses coups d'éclat. Il y a deux jours, elle a fait cette scène et aujourd'hui, à déjeuner, elle était de charmante humeur.

— Tu as déjeuné avec elle ?

— Oui. Chez elle. Elle avait quelque chose d'urgent à me dire. En fait, elle m'a donné ça.

Il sortit un papier de sa poche. C'était un chèque d'un montant faramineux à l'ordre de l'Institut Scripp-Foster.

— Elle veut m'acheter. Elle m'a dit que le moment était venu de te rendre ta liberté, que nous n'étions pas faits l'un pour l'autre, que je te rendais malheureuse, que je gênais ta carrière et que tu n'étais pas la femme qui convenait à un savant. Elle a suggéré que tu étais incapable de vivre modestement et que je ferais mieux de ne m'occuper que de mon travail. Ce chèque devait m'y aider. Il est postdaté d'un mois : je ne pourrai l'encaisser que si elle obtient satisfaction.

— Elle te donnerait tout ça ?

— C'est ce qu'elle a dit. J'ajoute qu'elle était parfaitement lucide à ce moment-là. Bon, maintenant que tu l'as vu, je le déchire.

Il déchira le papier en tout petits morceaux, qu'il jeta sur la table, et se tourna vers moi.

— J'ai encore une chose à te demander... Tu veux toujours m'épouser cette semaine ? Ne me réponds pas tout de suite. Il y a une condition.

— Laquelle ?

— Quelles que soient les circonstances, je ne reverrai plus jamais ta marraine. Elle a pris nos lettres, elle a signé ce chèque et elle s'est comportée envers toi d'une façon inexcusable.

— Tu ne la reverras plus jamais ?

— Plus jamais. Elle ne viendra pas chez nous et si nous avons des enfants – je l'espère de tout mon cœur – j'aimerais qu'ils ne la connaissent pas.

— Tu la bannis, dis-je lentement. Comme l'ont fait mes parents. Tu te rends compte de ce que tu fais ?

— Bien sûr. J'y ai pensé.

— Et cette condition s'applique-t-elle également à moi ?

— Je ne veux rien t'imposer. Tu décideras toi-même mais je préférerais que tu ne la voies pas non plus.

— Tu préférerais ? C'est gentil de ta part de me donner le choix de revoir ou non la femme que je considère comme ma mère. Je te remercie de ta magnanimité.

— Elle n'est pas ta mère. Le noyau du problème est justement que tu la considères comme telle. Il m'attrapa le poignet. Tu trouves qu'elle s'est comportée comme une mère ? Quelle mère subtiliserait le courrier de deux enfants ? Quelle mère tenterait d'acheter un futur mari pour qu'il disparaisse ? Quels dégâts doit-elle encore commettre pour que tu aies le courage de couper les ponts avec elle ? Quand il s'agit d'elle, tu es complètement aveugle.

— Tu te trompes. Je ne suis pas aveugle... Je libérai mon poignet. Et ce n'est pas une question de courage. Je ne te laisserai pas me faire la leçon...

— Quelle leçon ?

— M'amener ici comme une enfant, me faire asseoir, me faire regarder dans ces microscopes. Tu veux m'épouser mais en imposant des conditions. C'est inique !

— Victoria, attends. Tu m'as mal compris. Ecoute...

— Non ! Toi, tu m'écoutes. Constance a raison au moins pour une chose : nous ne pensons pas pareil et nous ne partageons pas les mêmes sentiments. Pour toi, la situation est claire, nette et précise. Comme ton travail. C'est noir ou c'est blanc. Mais pas pour moi. Finalement, peu m'importe que Constance soit bonne ou mauvaise. Elle est les deux et je l'aime. Je ne peux pas arrêter de l'aimer parce que je ne suis pas d'accord avec elle. Ça ne fonctionne pas comme ça. Ce n'est pas une question de morale. Quoi qu'elle ait fait, je l'aime comme un enfant aime sa mère ou son père et vice-versa.

Je m'arrêtai. Frank était blême.

— *Ein dummes englisches Mädchen*, poursuivis-je plus calmement. Il y a une partie de toi qui continue à penser ça de moi. Tu me trouves stupide, je le vois à ton visage. Tu me crois incapable de faire face à la réalité, mais tu fais erreur. Je ne suis pas aussi intelligente que toi mais il m'arrive de comprendre des choses qui t'échappent. Je ne suis pas toujours aveugle. Je vois certaines choses.

— Que je ne vois pas ? C'est ce que tu veux dire ?

— Je veux dire que tu simplifies à outrance. Tu ranges les gens en deux catégories : ceux qui sont conformes à tes idéaux et tes principes, et les autres.

Il me tourna le dos et répondit :

— Je t'aime... sans condition. Je croyais que tu l'avais compris.

— Mais tu ne changeras pas d'avis pour Constance, n'est-ce pas ?

— Non. Je veux que notre mariage dure. Je ne changerai pas d'avis.

— Tu crois que Constance serait une menace pour notre mariage ?

— J'en suis convaincu.

Il y eut un long silence. Nous étions dans une impasse. Si Frank s'était tourné vers moi, s'il avait dit quelque chose ou s'il m'avait touchée, j'aurais faibli et renoncé. J'aurais accepté n'importe quoi pour rester avec lui. Il le savait très bien et, par scrupule, ne bougea pas : la décision appartenait à moi seule.

— Parfait, dis-je au bout d'un moment. Je pars. Cela vaut mieux.

— Tu pars ?

— En France. J'ai un travail à finir. Je vais m'occuper quelque temps de mes affaires en Europe. C'est la meilleure chose à faire.

Frank saisit un microscope et le reposa d'un air désespéré.

— Le travail. C'est sans doute ce que je vais faire aussi. Je donnerais n'importe quoi pour éviter tout ça, tu sais ?

— N'importe quoi ? Pas tes principes, tout de même ?

Je regrettai instantanément mes paroles. Frank rougit et se détourna.

— Mes principes sont rigides et inflexibles, tu me l'as déjà dit. Je n'ai pas envie de me disputer. Je ne veux pas que nous nous quittions sur une dispute.

— Je m'en vais, alors.

Je m'accordai quelques secondes supplémentaires en m'affairant avec mes gants et mon sac. Frank était près de la fenêtre, le dos tourné. Lorsque je compris qu'il ne romprait pas le silence, je me dirigeai vers la porte. Quand je fus dans le couloir, il m'interpella :

— Ne m'écris pas. Cela me ferait espérer.

Etait-ce un ordre ou une prière ?

Je me rendis directement chez Constance. Je sentis dans l'air qu'elle m'attendait. Elle dînait seule et quand j'entrai dans la chambre, elle congédia sa domestique. Elle était magnifiquement habillée et maquillée. Comme d'habitude, elle grignotait : une miette de toast, un fragment de fromage, un demi-biscuit, quelques grains de raisin. J'avais décidé que ce serait notre dernière rencontre. Je regardai la pièce surchargée et laquée, semblable à une boîte chinoise, tandis que Constance devisait gaiement. J'entendais à peine ce qu'elle disait. Je pensai à elle et à Frank, les deux personnes que j'aimais le plus au monde et qui, chacune avec ses propres armes, m'obligeaient à faire un choix.

— Constance, pourquoi as-tu pris nos lettres ?

Un peu de rose monta à ses joues. Je m'attendais à des protestations mais j'aurais dû savoir qu'elle était plus subtile que ça.

— Tu en as trouvé une ? Je sais que tu as fouillé dans mes affaires. Je n'en ai ouvert qu'une. La dernière. J'ai détruit les autres sans les lire.

— Ça ne change rien. Tu as été cruelle.

— Je le sais.

— Alors pourquoi l'as-tu fait ? Constance, je m'en vais. Je vous quitte, Frank et toi. Je ne reviendrai jamais ici et nous ne nous reverrons plus. Alors, avant de partir, je te repose la question : pourquoi as-tu fait cela ?

— Je ne sais pas très bien. J'ai toujours eu du mal à analyser mes actes. Certaines personnes n'ont aucun problème pour le faire. Moi, je trouve une multitude de raisons et elles changent tous les jours...

— Constance, tu m'as déjà raconté tout ça. Je veux la réponse!

— Eh bien, je suppose que je l'ai fait pour toi. Et pour moi aussi, je ne peux pas le nier. J'étais jalouse. Mais c'était surtout pour toi. Je te plaignais de te faire tant d'illusions sur cette amitié. Je pensais à l'avenir ; je pensais qu'un jour il en aurait assez d'écrire, qu'il t'oublierait ou qu'il mourrait. Les hommes sont ainsi avec les femmes. Je voulais te protéger. Tu avais mis tous tes espoirs en lui et c'était une erreur. Ne fais jamais ça, Victoria. C'est comme s'enfermer dans une prison. Plus on s'attache à quelqu'un, plus la déception est grande. Les hommes le savent mieux que les femmes.

— Mais, Constance, je n'étais qu'une enfant, écrivant à un ami en temps de guerre...

— Oui, mais un ami particulier. Un ami doué de pouvoirs surnaturels, qui peut sentir le sang et la guerre... dans un bois. C'est sans doute ça qui me l'a fait détester.

— Et pourquoi donc ? Tu m'as dit que tu aimais cette histoire.

— Mon père est mort à cet endroit. Je n'ai jamais aimé cette histoire.

Je savais que continuer n'aboutirait à rien. Elle ne ferait que trouver d'autres excuses plus tarabiscotées les unes que les autres. Je me levai.

— Qu'est-ce que tu fais ?

— Je te l'ai dit. Je m'en vais.

— Tu ne peux pas. Il faut que nous parlions.

— Non. Tu parles toujours trop. Je ne veux plus t'écouter.

— Tu ne vas pas me laisser ? Je suis malade.

— Il va falloir que tu guérisses sans moi. Je suis sûre que tu y arriveras. Ah! au fait, Frank a déchiré le chèque.

— Quelle belle âme! Mais il le montre un peu trop. C'est pour ça que tu le quittes ?

— Non. Je l'aime et je l'admire. Cela n'a rien à voir. Je m'en vais maintenant...

Constance se leva, dans tous ses états.

— Tu ne pars pas vraiment ? Quand reviens-tu ?

— Je ne reviens pas.

Je m'approchai de la porte et elle me courut après. Je la vis avec les yeux de Frank : rapide, esthétique, magnétique, dangereuse, absorbant les autres dans son champ de force. L'espace d'un instant, elle eut l'air désemparé. Ses mains minuscules gesticulaient dans l'air. Ses petites bagues brillaient. Elle se précipita vers moi, à la façon d'un enfant réclamant une marque d'affection.

Au moment où je passais la porte, elle m'attrapa le bras et essaya de m'embrasser.

– Arrête! S'il te plaît! Tu pars pour toujours, j'ai compris. Reste encore un peu. Ne me laisse pas seule. Je ne suis pas très solide. Regarde... Là! C'est juste là que je t'ai coupé tes nattes. Et Bertie? Tu penses à Bertie? Quand il était vieux, il se tapissait dans le petit coin là-bas. Et le couloir. Tu te rappelles le jour de ton arrivée? Je t'ai demandé de compter combien il y avait de Victoria dans les miroirs du couloir. Je suis si triste. Mon cœur saigne. Ne t'en va pas, Victoria!

J'entrai dans l'ascenseur en la laissant seule face à tous les reflets de son image dans les glaces. Jusqu'à ce que la porte se referme, je suis certaine qu'elle pensait encore pouvoir me retenir.

Pendant quelques semaines, elle me harcela au téléphone et je revis Frank plusieurs fois avant de partir pour la France. Nous étions incapables de nous regarder dans les yeux.

Il insista pour m'accompagner à l'aéroport mais nous n'avions rien à nous dire. Après le contrôle des passeports, je me retournai pour garder une dernière image de lui.

La foule le pressait de tous côtés. Il paraissait égaré, dépossédé. Il me rappelait certaines photos de réfugiés hagards, échoués au milieu de nulle part.

Au lieu de faire demi-tour, comme j'en avais envie, je pris mes valises et montai à bord.

Quelque temps plus tard, trois ans je pense, j'eus de ses nouvelles.

Le *Times* consacrait un dossier spécial à la nouvelle génération de scientifiques américains. La couverture montrait une photo des spécialistes qui, d'après le journal, étaient à la pointe de leurs disciplines : un astrophysicien, un physicien nucléaire, un biochimiste. Le biochimiste était le Dr Gerhard. Je lui ai écrit pour le féliciter et j'ai reçu une réponse d'un ton très semblable au mien : poli, réservé, neutre.

Deux ans plus tard environ, en Californie où je travaillais, je l'ai vu à la télévision dans une chambre d'hôtel. C'était un documentaire de NBC visant à mettre la recherche médicale à la portée de tout le monde. Frank a été formidable : il a réussi à parler de la science et de la lutte contre la maladie de façon émouvante et compréhensible.

Il m'a paru inchangé. Cette émission et une autre qui a suivi l'ont rendu très célèbre. J'ai failli lui écrire mais sa célébrité m'intimidait. A l'émission suivante, je n'ai pu m'empêcher de toucher l'écran de télévision, de caresser ses cheveux, son visage, ses yeux, sa bouche. Il me manquait beaucoup.

Six mois avant que Steenie tombe malade, il m'a écrit à la suite d'un article paru sur mon travail. J'avais restauré dans le nord de l'Angleterre une maison du XVIᵉ siècle transformée en musée.

Il m'a complimentée dans une lettre brève que j'ai relue des centaines de fois. Je l'emportais partout avec moi. Il l'avait signée comme dans les lettres qu'il m'envoyait enfant : « *Ton ami, Frank* ».

Je considérai le terme « ami » : d'un côté, il évoquait un lien puissant avec le passé, chargé d'émotion. De l'autre, de la part d'un amant, d'un homme que j'avais failli épouser, c'était un mot trop faible.

Si Frank m'avait fait le moindre signe dans sa lettre, je lui aurais répondu. J'ai hésité longtemps puis Oncle Steenie est tombé malade et je suis retournée à Winterscombe pour l'aider à mourir. Je l'ai écouté lire les lettres de Wexton. Pour être honnête, c'est à ce moment-là que je me suis sentie changer.

Cela s'est fait en plusieurs étapes : les obsèques, l'Inde, l'Amérique, la recherche de ma marraine, mon retour à Winterscombe, la lecture des cahiers.

Un soir d'octobre, je suis allée assister à une conférence à Londres. La salle était très spacieuse mais comble. J'étais assise au dernier rang à côté d'un jeune homme à la chemise en jean couverte de badges : « Faites l'amour, pas la guerre ».

Je me souviens parfaitement du moment où le Dr Gerhard est monté sur l'estrade. La conférence était très technique et accompagnée d'une projection de diapositives. Je n'entendais pas ce qu'il disait : j'étais trop occupée à écouter le son de sa voix.

A un moment, je suis sûre qu'il m'a aperçue. Il regardait dans ma direction et s'est arrêté quelques secondes au milieu d'une phrase avant de poursuivre. Il parlait sans notes. Ce fut son seul instant d'hésitation.

Après la conférence et les discours de félicitations et de remerciements, le Dr Gerhard a quitté la pièce. Je savais qu'une réception était organisée en son honneur.

Je laissai au portier le message que j'avais préparé à l'avance.

*

Je rentrai à Winterscombe vers 10 heures du soir. Wexton était allé se coucher mais m'avait laissé un mot : « Ta marraine a appelé. Elle n'a pas voulu laisser son numéro. Elle rappellera peut-être. »

Le feu s'éteignait et j'y remis quelques bûches. Je regardai les flammes les lécher puis les enflammer. Constance était très loin de mes pensées. Ce n'était pas son appel qui m'intéressait.

Je m'assis près du feu après avoir apporté le téléphone près de moi. J'essayai de calculer combien de temps la réception allait durer et quand Frank allait recevoir mon message. Et quand il l'aurait reçu, allait-il m'appeler tout de suite, ou le lendemain, ou pas du tout ? Une heure s'est écoulée. J'imaginais toutes les raisons pour lesquelles il ne téléphonait pas : la réception n'était pas terminée, le portier avait oublié mon message, ou alors il l'avait remis mais Frank ne l'avait pas lu.

Vers 11 heures, j'avais trouvé encore d'autres raisons – moins inoffensives celles-là – à son silence : j'étais vraiment stupide d'avoir cru qu'après tant de temps Frank pouvait penser à moi comme je pensais à lui.

Une minute après minuit, le téléphone sonna. Mon cœur fit un bond dans ma poitrine. Je décrochai. La ligne était très mauvaise et je n'entendais qu'une sorte de soupir, comme lorsqu'on écoute la mer dans un coquillage. Quand j'entendis enfin une voix, elle était complètement déformée par la distance.

– Victoria.

C'était Constance.

Ma déception était telle que je suis restée muette. Il y eut un autre silence puis la voix reprit :

– Tu as lu mon cadeau ?

– Une partie. Pas tout. Constance, où es-tu ?

– Dans une gare.

– Constance...

– Tu n'as pas triché ? Tu as commencé par le commencement ?

– Oui.

– J'en étais sûre. Tu as aimé les fleurs sur la tombe de Bertie ?

– Constance...

– Tout cela est vraiment triste ! La vie des autres. Cela ne paraît pas vraiment réel, tu ne trouves pas ? As-tu résolu le meurtre ? As-tu découvert qui a été tué ? Je dois partir maintenant...

– Attends !

– Chérie, je ne peux pas. Je suis avec quelqu'un. Il m'appelle en me faisant de grands gestes. Je crois qu'il s'impatiente. Je voulais être certaine que tu avais mon cadeau. Au revoir, ma chérie. Et bonne chance !

Elle avait raccroché. Sa voix résonnait en moi : elle exerçait toujours un certain pouvoir sur moi.

Je ne sais pas si c'est elle qui m'a incitée à me pencher une dernière fois sur le passé. En partie elle, en partie l'homme que j'aimais. Mais surtout l'attente insupportable.

Je sortis les cahiers du tiroir, les posai sur le bureau de ma mère et les observai un moment. J'avais peur mais je voulais y trouver le passage sur Frank et moi.

Constance les avait disposés par ordre chronologique. Pour une fois, je trichai en prenant le dernier. J'en avais assez des meurtres présumés et des histoires de famille lointaines. Je voulais comprendre la disparition des lettres.

J'ouvris donc le dernier cahier à la première page. Il commençait ainsi : « *J'ai décidé de mettre fin à ce mariage* ».

Je crus avoir trouvé la bonne page du premier coup, jusqu'à ce que je lise la date : décembre 1930. L'écriture était un peu estompée. En tournant frénétiquement les pages, je tombai sur la date du tout dernier récit : janvier 1931. Les pages suivantes étaient vierges.

Je jetai le carnet derrière moi et me mis à fouiller dans les autres. C'était Constance qui avait triché : elle avait arrêté d'écrire trop tôt.

J'étais furieuse. Puisque je ne pouvais pas entendre la voix de Frank j'aurais bien voulu lire son nom. Mais le journal de Constance s'était arrêté à mon baptême.

Sur le point de jeter tous les cahiers au feu, je me ravisai et repris le dernier.

Le dernier récit était profondément bouleversant. Je lisais les mots, qui formaient des phrases, qui elles-mêmes formaient des paragraphes, et le tout prenait un sens qui me fournit la clé du mystère et l'explication de mon passé.

Toutes les pièces du puzzle se mirent enfin en place entre 1930, juste avant mon baptême, et 1910, vingt ans plus tôt. Un décès, une naissance : je tenais enfin le nom de la victime, l'identité du meurtrier et la nature du crime.

XIII

Le dernier récit

Extrait de journal intime

New York, le 19 décembre 1930

J'ai décidé de mettre fin à ce mariage.

Acland a eu son bébé aujourd'hui. Quand le câble est arrivé, Constance ne tenait plus en place. L'Atlantique est trop vaste. Acland, je te veux proche. C'est décidé, je viens te chercher.

Montague est au courant, je crois. Il a fait une telle grimace quand je lui ai annoncé que je partais en Angleterre. Il ne s'est pas laissé abuser par le prétexte du baptême. J'espérais qu'il allait m'interdire d'y aller. Mais il est si maître de lui! Il accepte même les amants : il respecte ce qu'il m'a dit un jour. Je me suis demandé ce qu'il ferait si je n'observais pas la règle du jeu. Les amants de passage sont une chose; toi tu en es une autre. Montague le sait : il croit que tu as tué mon père.

Sais-tu qu'il ne m'a jamais dit qu'il m'aimait? Pas une fois. N'est-ce pas extraordinaire? Nous sommes mariés depuis tant d'années et je ne suis toujours pas sûre de lui. Parfois je pense qu'il tient à moi et à d'autres moments qu'il est indifférent. A une ou deux reprises, j'ai senti chez lui de la lassitude à mon égard et même du dégoût. Pour être honnête, cela m'a alarmée.

Je vais venir en Angleterre, Acland. Mais je me demande encore pour qui j'y vais. Pour toi, je crois. Mais peut-être pour mon mari.

C'est ta faute, Acland. Je ne sais pas si tu m'es loyal. Quand je trace mon petit cercle pour toi, tu ne viens pas toujours. Tu m'y laisses toute seule et tremblante. Cela me donne la migraine.

J'aurais aimé avoir un enfant. Il y en a eu un — je te l'ai dit? Je me suis fait avorter. J'ai dit que c'était mal mais Constance n'était pas d'accord

577

avec moi. Un moyen sûr, dit-elle, pour qu'enfin Montague se dévoile. Nous l'avons regardé dans les yeux : Constance a dit qu'il souffrait, moi j'étais d'avis contraire. Les médecins ont dit que je n'aurais plus d'enfants. Pendant un moment, cela m'a ennuyée. Ce bébé me hantait. Je me demande ce qu'ils font des bébés morts. J'en ai rêvé la nuit.

Aujourd'hui, ça m'est égal. Tu as eu un enfant pour moi. Une fille. Est-ce qu'elle te ressemble ? Est-ce qu'elle me ressemble ? J'insiste pour être sa marraine.

Tu sais ce que j'ai fait aujourd'hui, pendant que ton bébé naissait ? J'ai fait une pièce. Argent, noir et rouge. C'est la perfection. Le moindre objet est à sa place idéale.

Acland ? Tu es là ? Tu m'écoutes ? Parle. Dis quelque chose. Je distingue mal ta voix. C'est une voix trop quelconque, je ne l'aime pas. Parle plus fort. Crie. Acland, s'il te plaît. Constance ne t'entend pas.

Cet après-midi-là, quand **Stern** passa la tête par la porte entrebâillée du salon argent, noir et rouge, Constance écrivait.

Assise à son bureau, la tête penchée, elle faisait crisser son stylo-plume. Quand il prononça son nom, elle sursauta et couvrit de sa main la page qu'elle était en train d'écrire. Quand il s'approcha, elle referma prestement le cahier.

Il n'y prêta pas attention. Ce n'était pas la première fois que sa femme lui jouait cette comédie, dans le but, à son avis, d'aiguiser sa curiosité. Au début de leur mariage, elle avait soigneusement caché l'existence de ce journal. Mais au bout d'un certain temps, comme par mégarde, elle en avait parlé et, depuis, en laissait traîner un de temps en temps qu'elle faisait semblant d'avoir oublié de mettre sous clé. Il savait pourquoi : sa femme voulait l'inciter à l'espionner, de la même façon qu'elle l'espionnait, elle. Par prudence, il n'y avait donc jamais touché.

– Ma chère, dit-il en déposant un léger baiser sur ses cheveux. Soyez sans inquiétude. Je respecte votre intimité.

Constance tenta de masquer son déplaisir.

– Comme vous êtes respectueux ! Moi, je suis incapable de résister aux secrets des autres. Autrefois, j'étais une grande lectrice des lettres qui ne m'étaient pas adressées, vous savez.

– Je n'en doute pas.

Il jeta un regard circulaire sur la nouvelle pièce de sa femme et ajouta :

– Cette pièce vous plaît ?

Ce n'était pas vraiment une question et Constance l'interpréta comme une critique.

— Je l'aime bien. Elle me convient... à moi.

Elle avait parlé sur un ton de défi. Il regarda la neige tomber par la fenêtre puis se retourna vers sa femme qui tripotait stylo, papier et enveloppes, manifestement impatiente qu'il s'en aille.

La lumière formait un halo flamboyant autour des cheveux noirs de Constance. Ils étaient coupés au carré et lui donnaient une allure devenue célèbre et imitée d'Egyptiennes de l'Antiquité. Stern regrettait son ancienne coiffure qui permettait à sa longue chevelure, lorsqu'on enlevait épingles et peignes, de retomber sur ses épaules nues. Il savait que ses goûts étaient démodés.

Constance joua avec les nombreux bracelets qu'elle portait au poignet et lissa sa jupe. Le regard de son mari semblait l'incommoder. Sa robe courte, conçue par l'un de ses amis stylistes français, était d'un bleu électrique que peu de femmes pouvaient se permettre de porter. Malgré son élégance, il ne l'aimait pas. Il ne parvenait pas à s'habituer aux talons hauts, aux bas à coutures. Il regrettait la mode passée, les vêtements qui, dévoilant moins, étaient plus suggestifs. Il se dit qu'il vieillissait.

— Vous sortez?

Elle rangea le cahier dans un tiroir.

— Oui, ma chère. Je suis venu vous prévenir. J'en ai pour une heure à peu près. Vous vous rappelez ce Sud-Africain de chez de Beers? Il est de passage. Je dois le rencontrer au Plaza.

— Vous avez toujours des gens à voir. Elle se leva. Vous savez ce que j'aimerais parfois? J'aimerais que vous ayez perdu votre fortune l'an dernier, comme tout le monde, et que nous partions tous les deux vivre modestement quelque part.

— Je crois au contraire que vous n'aimeriez pas du tout cela. Je suis désolé de ne pas avoir fait faillite. J'ai toujours été prudent, vous le savez.

— Je déteste la prudence.

— J'ai essuyé quelques pertes, cependant. Comme tout le monde.

— Vraiment? Cela m'étonne de vous.

— Cela nous arrive à tous.

Son ton intrigua Constance. Elle hocha la tête.

— Sans doute. Sans doute. Je ne veux pas vous retarder si vous sortez.

— Je serai de retour vers 7 heures.

— Bien. Bien. Nous devons partir à cette réception à 8 heures. Vous n'avez pas oublié?

— Non. Je serai à l'heure.

— J'en suis certaine. Vous êtes toujours ponctuel. Elle consulta sa montre. Deux heures pour votre Sud-Africain? Ce doit être un personnage important, surtout un samedi!

— Ce sera peut-être moins long. Je ferai aussi vite que possible.

579

— Oh, ne vous pressez pas pour moi. J'ai un tas de choses à faire. Je m'en voudrais que vous le négligiez à cause de moi.

Stern sortit en ignorant l'allusion. Il ferma la porte et resta derrière. Comme il s'y attendait, Constance décrocha le téléphone.

Elle se mit à parler à voix basse mais il ne resta pas pour écouter. Il savait qu'elle appelait un détective privé.

En sortant de l'immeuble, situé tout près de l'appartement de la Cinquième Avenue où j'allais vivre plus tard avec Constance, il s'arrêta. Pour se rendre à l'hôtel Plaza, à ce rendez-vous fictif, il aurait dû prendre à gauche, vers le sud. Il prit à droite, vers le nord.

Il marchait à pas lents. Les rues étaient surpeuplées, les gens ayant commencé leurs achats de Noël. Les trottoirs étaient couverts de neige boueuse. Il repensa à l'Ecosse et à son voyage de noces, treize ans plus tôt.

L'appartement où il se rendait était à dix minutes de marche. Situé au cinquième étage d'un immeuble neuf de Park Avenue, c'était celui dont il m'avait parlé peu avant de mourir, celui que j'allais visiter des années plus tard à la recherche de Constance. Il l'avait acheté sous un faux nom, par l'intermédiaire d'une de ses sociétés, et avait veillé à rendre difficile, mais néanmoins possible, de faire le rapprochement entre l'appartement et lui.

Les détectives engagés par sa femme y étaient parvenus : ils avaient eu plus d'un an pour le faire.

Dès le début, ils l'avaient suivi. Pour ne pas les décevoir, il avait choisi l'appartement dont les fenêtres donnaient sur l'avenue. En laissant les lumières allumées et les stores relevés, son suiveur, qui se plaçait toujours au même endroit, avait une vue excellente sur l'appartement.

Stern appréciait ces détectives : ils étaient la preuve vivante de la jalousie de sa femme.

Par égard pour ces hommes laborieux, il ne se pressait pas. En général, ils commençaient leur filature au carrefour de Park et de la Soixante-Douzième. Ce n'est qu'à ce point précis qu'il accélérait le pas.

*

L'appartement avait été acheté sous le nom de Rothstein. Après avoir été salué en passant par le portier, Stern prit l'ascenseur jusqu'au cinquième étage, entra dans l'appartement et alluma les lumières du salon donnant sur Park Avenue. Il passa une ou deux fois devant la fenêtre et, sûr d'avoir suffisamment encouragé son observateur, s'assit hors de sa vue.

La femme qu'il attendait serait ponctuelle : il la payait pour ça, entre

580

autres choses. Selon son habitude, il s'était alloué quinze minutes de solitude avant son arrivée.

Au début, il n'avait pas meublé l'appartement : il appréciait sa nudité et son anonymat et n'avait besoin ni de meubles ni de femme. Il y venait pour peu de temps et irrégulièrement. Il y cherchait la paix qu'il trouvait rarement dans ses bureaux de Wall Street et jamais chez lui.

Après quelques mois, il s'était dit que si les détectives ne se contentaient pas de l'observer de dehors mais finissaient par entrer dans ce « nid d'amour », ils trouveraient étrange de n'y voir aucun meuble. Il l'avait donc, à sa grande surprise, meublé avec grand soin. Quarante ans plus tard, je le découvrirais dans son état d'origine : murs blancs, meubles blancs, tapis blancs. Des pièces neigeuses, immaculées, à la pointe du modernisme.

En regardant autour de lui, il vérifia qu'il avait obtenu exactement l'effet recherché : un environnement sans souvenirs, un espace vide.

Plusieurs mois s'écoulèrent avant qu'il s'aperçoive qu'un élément manquait pour satisfaire les détectives : une femme.

Celle dont il avait acheté les services convenait parfaitement à la pièce. Il allait découvrir son véritable nom l'après-midi même mais, pour l'instant, ne connaissait que son nom de scène : Blanche Langrishe. C'était un nom absurde et artificiel que seule une personne naïve pouvait avoir choisi. Mais le prénom était parfait pour un appartement entièrement blanc.

Elle était chanteuse. La première fois qu'il l'avait vue, elle était au premier rang du chœur du Metropolitan Opera. La deuxième fois, chez un ami, elle avait chanté des *Lieder* après le dîner. Elle avait une voix cristalline de soprano méritant d'être perfectionnée mais d'une pureté extraordinaire. Charmé par sa voix, il l'avait abordée et avait découvert quelque chose d'intéressant : Blanche avait beau être dotée d'une voix d'ange, elle voulait faire du music-hall.

Originaire du Queens, elle prenait des cours de danse et rêvait de passer du Metropolitan Opera à Broadway. Elle disait qu'un jour son nom serait écrit en grandes lettres lumineuses sur le *Great White Way* [1].

Stern n'en doutait pas : elle était pleine d'énergie et faisait preuve d'un bon sens étonnant. Lorsqu'il lui avait présenté sa proposition, quelques semaines plus tard, Blanche avait réfléchi et, sans discuter, accepté. Elle ne posait jamais de questions mais aimait parler. Avec ses cheveux courts platinés, son visage coquin et ravissant, elle était l'antithèse de sa femme. En la regardant allongée sur le canapé, ses longues jambes posées

1. La principale avenue de théâtres à Broadway. *(N.d.T.)*

sur le cuir blanc, il se disait parfois que, avant même de la connaître, il avait choisi des meubles parfaits pour elle.

Pour deux visites hebdomadaires, il la payait deux cents dollars par semaine.

Encore cinq minutes d'attente. Nul besoin de consulter sa montre, il avait une horloge dans la tête. Il se leva, s'approcha de la fenêtre et ajusta le store pour redonner espoir à son observateur. Il retourna s'asseoir sur le siège en cuir blanc et se mit à réfléchir.

À son mariage, comme bien souvent. Autrefois, il était capable de penser à autre chose. Ses affaires, les intrigues financières, la musique, l'art : tous ces sujets avaient eu jadis le pouvoir d'occuper ses pensées. C'était moins vrai aujourd'hui. Au travail parfois, à l'opéra peut-être, ou dans une galerie, il arrivait à chasser Constance de son esprit mais, le temps passant, cela devenait rare. Constance l'obsédait et il ne comprenait pas pourquoi il continuait à aimer une femme qu'il ne respectait plus.

Il pensa à sa duplicité : des trahisons d'abord négligeables, puis plus graves. Il songea à la longue liste de ses amants, au bébé perdu l'année précédente à l'occasion d'une fausse couche, d'après elle. Il n'était pas certain de l'existence de tous ces amants ; quant au bébé, s'il avait existé, y avait-il eu avortement ou fausse couche ?

— J'essaie de me convaincre que c'est mieux ainsi, avait-elle dit, étendue sur son lit, le visage cireux et exténué. Je n'étais pas sûre que vous étiez le père. Oh, Montague ! ne soyez pas fâché. J'ai fait une bêtise. Je ne recommencerai pas.

Stern enfouit son visage dans ses mains et se rendit compte qu'il avait oublié d'ôter ses gants et son manteau. Il les enleva et se rassit. « Je n'aurai jamais de fils. Nous n'aurons jamais d'enfants », se dit-il. Il se demanda à quel moment il s'était fait une raison.

Il jeta un regard dans la pièce et aperçut des silhouettes d'hommes. Certains amants de sa femme lui étaient connus, d'autres n'étaient que des noms. Constance voulait qu'il les connaisse.

— Mais Montague ! disait-elle en s'accrochant à son bras. Je ne fais que vous obéir. Vous avez dit que la fidélité physique ne vous intéressait pas tant que je vous racontais tout.

— Constance, tenez-vous en à un minimum de détails. Je veux juste savoir quand et qui. Ce que vous faites au lit ne m'intéresse vraiment pas.

— Vraiment ? Vous avez l'air très sûr de vous mais je ne vous crois pas. Je crois au contraire que vous voulez tout savoir. Ce jeune homme, par exemple, le tout dernier, est bien plus jeune que vous et je ne peux m'empêcher de faire certaines comparaisons.

Pour dire cela, elle prenait un air enfantin et naïf, son charmant visage rose d'excitation et ses yeux brillants. Parfois, il tentait de la faire taire. Une ou deux fois, souffrant horriblement, il avait été proche de la violence, pour le plus grand plaisir de Constance. Le plus souvent, il quittait la pièce en se disant qu'il allait aussi quitter sa femme. Mais il lui arrivait aussi de l'écouter. Après tout, elle avait raison : il voulait savoir.

Une partie de son esprit réclamait des détails : les cris, les soupirs, les positions. Etait-ce du voyeurisme ? Lorsque les récits de Constance provoquaient chez lui une érection, c'en était sûrement.

Tout ce que lui racontait sa femme était-il véridique ? Il ne le saurait jamais. Cependant, réels ou imaginaires, il se plaisait à imaginer ces amants : leur sueur ou, sur l'insistance de Constance, le plaisir qu'elle éprouvait dans leurs bras, toujours plus grand que celui qu'elle prenait avec son mari. C'était un supplice permanent. Il se demanda quelle prochaine torture elle allait inventer.

L'ambiguïté des mensonges, la séduction de la demi-vérité, le charme du mystère, des énigmes non résolues : voilà ce qu'il aimait. Une supercherie, un appartement secret et une femme achetée étaient sa vengeance. Il serra fort les bras chromés de son siège. Malgré la sensation que ses mains étaient sèches, ses doigts laissèrent leurs empreintes sur le chrome quand il les enleva. L'air les sécha et elles disparurent sous ses yeux.

« La destruction absorbe une énergie formidable », se dit-il avec lassitude. Après tant d'années et de déchirements, il commençait à se rendre compte que son mariage était une prison, pour Constance comme pour lui. « Le seul moyen de nous rapprocher maintenant, c'est dans la souffrance. La complicité entre la victime et le bourreau ; le besoin que l'otage et le preneur d'otage ont l'un de l'autre. On ne saurait être plus proches », se dit-il.

Au moment où il ramassait son manteau, il entendit le bruit familier d'une clé dans la serrure. « Voilà ce que je suis devenu », songea-t-il. Etait-il encore temps de revenir en arrière ? Il reposa le manteau et, quand la chanteuse entra, se leva.

Blanche Langrishe portait un chapeau exquis. Un petit voile moucheté masquait ses yeux bleu de Chine. Ses talons aiguilles frappant le parquet, elle alla directement à la fenêtre.

— Le pauvre garçon ! Il est en train de geler sur place dehors. Il a l'air malheureux comme les pierres.

Elle ôta son chapeau et jeta son manteau sur un siège en secouant les cheveux.

— Je parie qu'il a un carnet. Vous ne trouvez pas que nous pourrions enfin lui donner matière à écrire ?

– Quoi par exemple?

– Ne souriez pas comme ça! Que diriez-vous d'un baiser... pour commencer?

– Vous pensez qu'un baiser lui redonnerait du cœur à l'ouvrage?

– Oui. Cela et d'autres petites choses auxquelles j'ai pensé. Elle lui lança un regard appréciateur. Je vous aime bien. Vous êtes beau. J'aime votre façon de vous habiller. Quel âge avez-vous?

– Ma chère... Il s'approcha de la fenêtre et tripota le store. Je suis vieux comme Mathusalem, surtout quand je suis en compagnie d'une jeune personne comme vous...

– Quel âge?

– J'ai... cinquante-sept ans.

Il se surprit d'avoir avoué la vérité.

– On ne dirait pas. Elle prit son bras. Vous faites à peine quarante-huit ans. Allez! Ne faites pas cette tête! Elle s'arrêta un instant. Vous n'avez pas envie de m'embrasser, après toutes ces semaines?

– Je pense que je pourrais.

Il avança et la prit dans ses bras. A côté de la petite stature de sa femme, il fut surpris par la taille de la chanteuse. Sa peau sentait le lait, la poudre de riz et le sucre.

– Le rouge à lèvres ne vous dérange pas?

– Non.

– Il est rose flamand. Je me demande où les gens vont dénicher des noms de couleur pareils. Elle s'écarta d'un pas. Rapprochez-vous. Il ne peut pas nous voir. Voilà.

Stern l'embrassa. Cela faisait quatorze ans qu'il n'avait embrassé d'autre femme que la sienne. Il s'exécuta de façon plutôt mécanique. Blanche avait un goût de cosmétique qui ne lui déplaisait pas.

– Je ne sais pas en ce qui le concerne, dit-elle en faisant un geste vers la fenêtre, mais moi j'ai apprécié. On recommence?

– Inutile de le surexciter, le pauvre garçon.

– Et moi?

Elle s'éloigna de la fenêtre et se jeta sur le canapé en cuir blanc. Elle secoua les pieds pour faire tomber ses chaussures et examina la symétrie des coutures de ses bas.

– Vous savez à quoi j'ai pensé aujourd'hui? J'ai pensé que deux cents billets par semaine pour papoter n'étaient pas très rentables. Je pourrais vous donner bien plus, vous savez?

– C'est très généreux de votre part mais...

– Mais non, hein? Elle soupira. J'étais sûre que vous alliez dire ça. Pourquoi ne pas être franc avec moi? Je serai muette comme une carpe. Vous m'intriguez. Toute cette mise en scène... c'est pour un divorce, n'est-ce pas?

– Un divorce? Cette possibilité ne m'est jamais venue à l'esprit.

– Mais vous êtes marié?

– Oui, je suis marié.

– Bon. Bon. Fin de l'interrogatoire. A part que... Elle hésitait. Du bout des orteils, elle traça un petit cercle sur le parquet. A part que... Vous savez ce que je pense? Je pense que votre femme est stupide.

– Bien au contraire.

– Ah oui? Elle vous rend malheureux. Elle est en train de vous perdre. Il y a un tas de femmes dans cette ville qui...

– Je n'ai pas envie de discuter à propos de ma femme, Blanche.

– D'accord, d'accord. Vous êtes un homme loyal. C'est quelque chose que je comprends très bien. Elle hésita à nouveau et, à la surprise de Stern, rougit. J'aimerais que vous me regardiez quelquefois, c'est tout.

– Mais je vous regarde. Nous... parlons ensemble.

– Oh oui! Bien sûr! Nous parlons. Et vous me regardez. Mais vous ne me voyez pas. Je pourrais aussi bien être invisible. Je suis bien là. Blanche Langrishe en chair et en os.

– Ce n'est pas votre véritable nom.

– Pas plus que Rothstein est le vôtre.

– Vous connaissez mon vrai nom?

– Oui. J'ai posé quelques questions. Mais je ne dirai rien à personne.

– Dites-moi votre vrai prénom.

– Vous voulez réellement savoir?

– Curieusement, oui. Aujourd'hui, j'aimerais savoir qui vous êtes. Elle hésita et le rose lui monta aux joues.

– Ursula. Vous vous rendez compte? Je déteste ce prénom. On dirait un nom de bonne sœur : sœur Ursula. Quelle horreur!

Elle tordit le nez de dégoût, ce qui fit sourire Stern.

– Cela vous sied bien. Cela va bien à votre voix quand vous chantez.

– Vous trouvez? Elle avait l'air touché. Enfin, peu importe! Qu'est-ce qu'un prénom après tout? J'étais Ursula. Je suis Blanche.

Stern se leva et se dirigea vers la fenêtre.

– Je ne suis pas d'accord. Le prénom que l'on reçoit à sa naissance est important. C'est une partie de son identité. Etes-vous déjà allée en Ecosse?

– Quoi? En Ecosse? Vous vous moquez de moi. Je ne suis jamais allée en Europe. Pourquoi cette question? Pourquoi là-bas?

– Comme ça. Sans raison. Il lui tournait toujours le dos. J'y suis allé une seule fois. Au début de mon mariage. En hiver. Il y avait tellement de neige que ma femme et moi sommes restés bloqués quelque temps. Quand j'étais là-bas...

Il s'arrêta et un silence s'installa. Blanche, sentant la tension intérieure de Stern, se pencha et dit :

— Continuez.

— C'était un endroit désert, je crois, mais je ne m'en rendais pas compte. Quand j'étais là-bas... j'étais très heureux. J'avais l'impression que le monde était plein de promesses. Que mon mariage était plein de promesses. Une terre promise.

— Une terre promise ? L'endroit, ou votre mariage ?

— Les deux. Les deux étaient intimement liés. Je croyais. J'espérais. Ma femme...

Sa voix se cassa. Blanche le vit incliner la tête et couvrir son visage de ses mains. Elle regarda s'effondrer cet homme qui ne s'était jamais départi de son sang-froid devant elle. Elle le voyait lutter contre son chagrin. Ses yeux s'embuèrent de larmes à leur tour. Elle le laissa pleurer.

Un moment plus tard, lorsqu'il eut retrouvé son calme, elle se leva. Elle savait qu'il ne la regarderait pas, par honte de s'être donné en spectacle. Elle lui toucha doucement le bras.

— Restez-là, près de la fenêtre. Je vais chanter pour vous. Vous aimez quand je chante. C'est pour ça que je suis ici, je suppose. Je vais vous chanter des *Lieder*, comme le premier soir.

Debout au centre de la pièce, elle prit sa respiration. Sa voix d'ange, d'une pureté incontestable, s'éleva. Face à la fenêtre, les yeux tournés vers les lumières de la ville, qu'il ne voyait pas, Stern écoutait les notes : hautes, claires, douces, pures, vraies. Il se revit avec sa femme marchant sur un étroit sentier enneigé. Ils arrivèrent à une balustrade et contemplèrent le magnifique paysage. « Nous pourrions posséder tout ça... » Ils l'auraient pu, oui. Mais maintenant, trop d'années s'étaient écoulées et trop d'erreurs avaient été commises, des deux côtés. Il avait sa part de responsabilité dans la prison, l'enfer, qu'était devenu leur mariage.

Un manque de confiance de sa part à lui, de l'orgueil, une volonté si féroce qu'il était incapable d'ouvrir son cœur. Les choses auraient-elles été différentes s'il avait su exprimer son amour ? « Peut-être, pensa-t-il tristement, mais peut-être seulement. »

Il était pris tout entier par la musique, qui lui offrait la consolation de l'art et l'amenait dans un lieu de paix. Il avait conservé au moins cela. Il ressentit un grand soulagement, comme si les portes de sa prison s'ouvraient enfin vers la liberté, la paix et le réconfort.

Lorsque Blanche eut terminé, il la prit dans ses bras. Elle savait qu'ils ne se reverraient plus dans cet endroit et elle l'acceptait. Il serra ses mains, la remercia de son merveilleux cadeau et s'en alla.

En sortant de l'immeuble, il traversa l'avenue. Cette entorse à la routine prit le détective au dépourvu. Il se tourna en hâte pour fixer ses yeux sur une vitrine de magasin. En passant près de lui, Stern s'inclina courtoisement et souleva son chapeau.

*

En rentrant de leur réception, les époux restèrent quelque temps ensemble. Stern s'était servi un verre de whisky et Constance jouait avec ses deux petits chiens. Box était maintenant vieux et gras. L'autre, un carlin, était une acquisition récente. La conversation étant décousue dès le début, Stern restait silencieux et sirotait son verre. Constance était à genoux sur le tapis avec les chiens. Elle paraissait à la fois de bonne humeur, comme lorsqu'elle mijotait un mauvais tour, et tendue. Elle parlait de son futur voyage en Angleterre, du baptême et d'Acland, en insistant beaucoup sur ce dernier. Mais Stern ne fit aucun commentaire. Les *Lieder* résonnaient encore dans sa tête. Il se sentait en sécurité.

— Eh bien, Box, qu'en penses-tu? dit Constance en embrassant son loulou sur la truffe. Irai-je en Angleterre? Vais-je provoquer la colère de Montague? Vais-je le rendre jaloux? Il est très jaloux quand je parle d'Acland, tu as remarqué? Oh oui! tu as remarqué. Tu es un chien très intelligent. Tu n'es pas jaloux toi? Savoir qui j'aime t'est bien égal...

— Constance, ne soyez pas si puérile. Vous cajolez trop ces chiens. Vous allez en faire des toutous de salon.

— Ils aiment ça. Elle lui adressa un regard boudeur. N'est-ce pas mes chéris? Vous voyez qu'ils aiment ça. Box vient de me donner un baiser.

— Constance, il est tard. Je vais me coucher.

— Vous ne voulez pas parler de l'Angleterre? Je crois que si. Je le lis sur votre visage.

— Il n'y a pas à en discuter. Je vous ai demandé de ne pas y aller...

— Demandé? Vous passez votre temps à demander. C'est ennuyeux, à la fin. Pourquoi ne m'interdisez-vous pas d'y aller? C'est pourtant ce que vous voudriez faire. Vous ne supportez pas l'idée que j'y aille. Vous me lancez un regard noir chaque fois que j'évoque Acland.

— Vous exagérez. De toute façon, je n'ai pas la prétention de vous interdire quoi que ce soit. C'est à vous de choisir.

— J'ai choisi. Mais ce serait tellement plus amusant que vous essayiez de me l'interdire. Je pourrais voir si j'ose vous défier...

— Constance, arrêtez votre petit jeu stupide. Si vous vouliez un mari se comportant comme un père tyrannique, il fallait épouser quelqu'un d'autre.

— Vraiment?

Tout mouvements l'instant précédent, Constance se calma instantanément. Elle jeta à son mari un regard mauvais et calculateur. Sachant, depuis le temps, que cette expression annonçait une grande tirade théâtrale ou une explosion quelconque, Stern se leva.

— Vous avez probablement raison, reprit-elle. J'aurais dû épouser quelqu'un d'autre. Acland, peut-être. J'aurais très bien pu, vous savez. Rien qu'en claquant des doigts.

— Vous croyez ? J'ai des doutes.

Stern s'approcha de la porte, s'arrêta et regarda derrière lui. Constance était accroupie par terre, les yeux brûlants. La colère commençait à monter en elle. Il pouvait presque la voir, tapie dans son corps, prête à bondir comme un ressort.

— Qu'en savez-vous ? Rien ! Vous n'avez aucune imagination, Montague. Vous n'avez jamais compris ce qu'il y avait entre Acland et moi. Tout ce que vous savez, c'est qu'Acland constitue une menace.

— Une menace ? Pour moi ou pour vous ?

— Pour vous, évidemment. Elle bondit sur ses pieds. Comment Acland pourrait-il être une menace pour moi ?

— Eh bien, les gens que l'on invente sont toujours une menace. Je suis bien placé pour le savoir.

— Inventer ? Vous croyez que j'ai inventé Acland ? Vous êtes complètement stupide. Qui êtes-vous pour dire ça ? Vous ne savez rien faire d'autre qu'amasser de l'argent. Acland et moi sommes très proches. Aussi proches que ça ! Elle plaqua ses mains l'une contre l'autre. Nous l'avons toujours été. Comme des jumeaux. Je vais vous dire quelque chose. Vous savez pourquoi je suis si attachée à lui ? Parce qu'il a été le premier.

Stern réfléchit à cette nouvelle. Il s'attendait à quelque chose de ce genre.

— Constance, l'heure est un peu tardive pour de grands aveux. Je vais au lit.

— Vous ne me croyez pas ?

Il regarda sa femme. La colère, comme toujours, l'embellissait.

— Non, ma chère. Je ne vous crois pas.

— C'est pourtant vrai !

— Vous souhaiteriez que ce soit vrai. Mais souhaiter ne suffit pas. D'ailleurs, si c'était vrai, vous vous seriez lassée de lui, comme vous vous lassez de tout le monde.

— Vous pensez que c'est une question de sexe ? Vous n'êtes qu'un imbécile ! Un parvenu sans la moindre étincelle d'imagination !

— C'est possible. En outre, vu votre ardeur à assouvir votre appétit sexuel, je suppose que vous n'y trouvez pas autant votre compte que vous le prétendez.

— Je cherche ce que je ne trouve pas avec vous.

— Ma chère, se lancer des accusations sur la virilité de l'un et la frigidité de l'autre ne présente aucune espèce d'intérêt. Disons simplement que je suis navré de vous avoir déçue sur ce point. Cela dit, il est tard et nous avons déjà eu de nombreuses fois cette conversation.

— Et si j'aimais vraiment Acland ? Cela détruirait notre marché, n'est-ce pas ? Des amants, oui. Mais l'amour, non. Il n'y avait que vous pour mettre au point un contrat pareil. Vous avez toujours voulu me brider, me tenir en laisse... Vous posez vos conditions et je n'ai d'autre choix que les respecter. Et pourquoi le ferais-je ? Elles m'emprisonnent, elles m'empêchent de respirer, d'être moi-même. Mais si j'aimais quelqu'un, je serais libérée de votre joug. On peut se lasser d'un amant mais pas de quelqu'un qu'on aime.

— C'est ce que vous croyez. Je ne suis pas d'accord. Je pense au contraire qu'on peut se lasser... de quelqu'un qu'on a aimé.

La pondération de sa voix sembla déconcerter Constance. Elle s'écarta de lui, prit l'un de ses chiens et l'embrassa. Elle regarda ensuite son mari et lui adressa un sourire forcé.

— Vous avez baisé Blanche Langrishe aujourd'hui ? Vous êtes restés assez longtemps dans l'appartement. Vous avez eu le temps de la baiser plusieurs fois. Vous m'avez crue assez naïve pour croire à cette histoire de Sud-Africain ?

— Que vous le croyiez ou non ne m'intéressait pas du tout.

— Je croyais que nous avions conclu un marché : pas de secrets entre nous. Cela fait des mois que vous fréquentez cette femme et vous n'en avez rien dit.

— Ma chère, vous connaissez tous mes secrets. Je savais que la découverte de celui-ci n'était qu'une question de temps.

— Une petite chanteuse aux cheveux décolorés, venant du Queens. Ce n'est pas ce que j'aurais attendu d'un homme raffiné comme vous. Je suppose que c'est une bonne affaire au lit. Une petite pute bon marché qui reluque votre portefeuille. Qu'est-ce qui vous plaît en elle, Montague ? Je meurs d'impatience de l'entendre. Pas son intelligence, en tout cas. Alors quoi ? Ses jambes de danseuse de music-hall ? Ses seins ? Son cul ? Ou ses talents au pieu ?

Une expression de dégoût aux lèvres, Stern s'arrêta près de la porte.

— Vous ne devriez pas parler de cette façon, dit-il posément. Les mots que vous employez sont vulgaires. J'ai toujours détesté que vous parliez ainsi. Ces mots ne sont pas... dignes de vous.

— Oh, désolée ! J'ai oublié que vous étiez un gentleman. Une femme n'est pas censée connaître de tels mots, encore moins les prononcer. Je ne dois pas dire « baiser ». N'est-ce pas Montague ? Ou alors seulement à vous, au lit. C'est un peu hypocrite, non ? Mais c'est tout de même le verbe approprié : deux fois par semaine, vous baisez votre petite putain dans votre appartement. Vous la payez ou vous lui offrez des cadeaux ? Des cadeaux vulgaires ? Des cadeaux de youpin ? Comme ceux que vous m'offrez ?

Constance avançait vers lui. Plus elle se rapprochait, plus elle semblait petite, cette femme miniature, rageuse, blessante, vulgaire. Sa colère électrisait l'air. Toujours terrifié par ces scènes, le loulou partit se réfugier sous un meuble.

— Vous effrayez les chiens, Constance, dit Stern d'une voix polie. Ne criez pas. Ils n'aiment pas ça et moi non plus. Et les domestiques vont vous entendre.

— Qu'ils aillent se faire voir! Et vous aussi. Et ces saletés de chiens aussi. Je les déteste de toute façon. C'est vous qui me les avez donnés. Un collier en fausses pierres avec une laisse rouge. Il n'y avait que vous pour acheter pareille chose. Vous avez les goûts de l'East End, vous savez? Des goûts vulgaires. Et vous êtes vulgaire aussi avec votre maniérisme. Vous faites rire les gens. Vous savez ce que je leur dis? « Excusez-le. Il ne peut s'en empêcher. Il ne connaît rien d'autre. Il a grandi dans un taudis. Ce n'est qu'un petit Juif ordinaire. »

Elle n'était encore jamais allée aussi loin. Elle dut s'en rendre compte car, voyant les traits de Stern se durcir et le mépris l'envahir, elle poussa un petit cri et se couvrit le visage de ses mains.

— Oh, mon Dieu! Que je suis malheureuse! Je souffre tant. Pourquoi ne me frappez-vous pas? Vous en mourez d'envie.

— Je n'ai aucune envie de vous frapper.

Il se tourna vers la porte mais Constance s'agrippa à son bras pour le retenir.

— Regardez-moi. Vous ne comprenez pas? Je ne pensais pas tout ce que j'ai dit. Je l'ai dit pour vous blesser, c'est tout. C'est la seule façon de vous atteindre. Vous êtes si froid. J'essaie de vous mettre en colère pour vous faire réagir. Je suis jalouse, voilà. Vous êtes content? Je suis sûre que oui. Vous voulez me faire souffrir. Tout cela m'est insupportable. Cela ne vous ressemble pas. C'est sordide et mesquin. Prendre un appartement, prétendre des rendez-vous... Et cette fille! Cette Blanche! Quel prénom vulgaire. Je le déteste. Moi, au moins, je choisis mes amants. Par égard pour vous. Tandis que vous, vous ramassez une catin sur le trottoir...

— Ce n'est pas une catin. Stern ouvrit la porte. Et Blanche n'est que son nom de scène. Elle s'appelle Ursula.

— Ursula?

Curieusement, Constance sembla troublée. Elle recula et regarda son mari.

— Ursula? Ursula comment?

— Qu'est-ce que ça peut vous faire?

— C'est un beau prénom. Comme Constance.

— Oubliez tout ça et allez dormir.

— Attendez! Dites-moi encore une chose...

– Constance, je déteste ce genre de scènes. Elles sont sans objet. Nous avons déjà parlé de tout ça des centaines de fois.

– Je suis donc quelqu'un de prévisible. Elle soupira. Vous trouvez cela ennuyeux, Montague ?

– Ce peut être lassant, oui.

– C'est une sentence de mort. J'aurais dû me douter que vous alliez la prononcer avec autant de froideur.

Malgré lui, Montague s'arrêta. Il regarda sa femme se métamorphoser sous ses yeux. L'instant précédent, elle était une véritable virago et maintenant elle était calme. Elle lui rendit un regard désespéré qui, autrefois, l'aurait poussé vers elle. Elle posa ses mains sur son cœur.

– Je souffre tellement. Vous avez changé, Montague. Depuis quand ?

– Hier. Aujourd'hui. Il y a un an. Je n'en sais rien.

– J'aurais dû le prévoir. Maud m'avait avertie.

– Maud est une femme avisée mais pas infaillible.

– Sans doute. Sans doute. Avant de partir, dites-moi une chose. Votre maîtresse – je suis polie, n'est-ce pas ? – que lui trouvez-vous ? Qu'a-t-elle que je ne puisse vous donner ?

Stern hésita.

– Sa voix, je crois. Oui, j'aime quand elle chante. Elle a une voix admirable.

– Je vois. Les yeux de Constance se remplirent de larmes. Cela me fait mal. Je ne peux pas rivaliser avec ça.

– Vous êtes toujours ma femme, Constance.

– Toujours ? Je n'aime pas cette précision. Elle m'effraie.

– Constance, il est très tard. Il mit son bras autour d'elle. Vous êtes fatiguée. Allez vous coucher.

– Si je vous disais... Elle leva les yeux. Si je vous disais que je vous aime... ?

Stern réfléchit aux réponses qu'il aurait pu donner autrefois, un an auparavant, une heure plus tôt. Doucement, il retira son bras.

– Ma chère, dit-il comme à regret, je dirais que cette confession vient trop tard.

– Vous êtes certain ?

– Je le crains.

– Je vais à Winterscombe, alors.

Elle lui serra le bras. Doucement, il lui fit lâcher prise.

– C'est votre droit. Et votre choix.

Constance assista donc effectivement à mon baptême. Elle espérait que cela provoquerait une crise entre Stern et elle. Serait-elle partie si son mari le lui avait interdit? Probablement : plus on lui interdisait quelque chose, plus elle le voulait. Elle quitta donc New York au début de 1931, le baptême étant fixé à la mi-janvier. Sa venue et le fait qu'Acland l'ait acceptée comme l'une de mes marraines posaient des problèmes. Elle aurait été ravie de savoir qu'Acland et Jane, qui se querellaient rarement, avient été près de se disputer à cause d'elle.

Ma mère Jane avait eu un accouchement difficile qui l'avait affaiblie. Pendant des semaines, elle n'eut pas la force de s'opposer au choix de Constance pour marraine. Ce n'est que la veille du baptême, le lendemain de l'arrivée de Constance, qu'elle se résolut à en parler.

Malgré une grande anxiété et la crainte d'ennuis à venir, elle ne dit rien de la matinée. L'après-midi, pendant le repos imposé par les médecins, elle se décida à protester. Acland l'avait aidée à s'installer dans le lit et s'apprêtait à partir en promenade avec Steenie et Freddie.

La chambre était calme, un feu avait été allumé et le bébé dormait dans un berceau au pied du lit. C'était la chambre à la baie vitrée dans laquelle Acland était resté pendant toute la durée de sa maladie. C'était pour cette raison qu'elle l'avait choisie après leur mariage.

Son bébé était né dans cette pièce. Défiant les conventions de leur époque et de leur classe sociale, Acland et elle y dormaient ensemble, lui à gauche et elle à droite. Quand, pour quelque raison, Acland n'était pas là, elle n'arrivait pas à s'endormir sans la chaleur rassurante de son corps.

Jane regarda la baie vitrée, puis le feu, et Acland se pencha pour l'embrasser. Tout en sachant que le moment n'était pas opportun et que c'était trop tard, elle commença à lui présenter des objections rationnelles. L'idée que Constance soit la marraine de leur enfant la tracassait. Les parrains et marraines devaient avant tout être chrétiens, sans quoi cela ne signifiait plus rien. Constance, de son propre aveu, était athée, et lors de son dernier séjour à Winterscombe, elle avait refusé d'aller à l'église.

— Acland, dit-elle d'un air fatigué, pourquoi as-tu accepté? Je ne comprends pas.

Acland qui, à part le fait que Constance avait insisté, ne savait pas très bien lui-même pourquoi, était énervé. Il fit remarquer que leur bébé aurait deux marraines et deux parrains et que les parrains, Wexton et Freddie, n'étaient pas non plus des chrétiens fervents.

— Freddie va à l'église, répliqua Jane. Quand il est ici, il va à l'église.

— Chérie! Pour l'amour de Dieu! Il le fait par politesse, parce que nous y allons. Et Wexton ne se joint jamais à nous.

— Freddie et Wexton sont bons. A sa façon, Wexton est très religieux. Je ne sais pas comment t'expliquer.

— Chérie, je sais. Je crois qu'en vérité tu n'aimes pas Constance. Sois franche et reconnais-le.

592

— Ce n'est pas vrai. Je pense simplement qu'elle n'est pas un bon choix. Je crois que tout cela va lui passer au-dessus de la tête. Et puis il y a le problème de Maud.

— Je te l'ai dit. Maud a accepté de venir.

— Je ne crois pas qu'elle va venir. Pas si Constance est là. Et si elle vient quand même, elle va faire semblant de ne pas la voir.

Acland sourit.

— Elle m'a promis de ne pas le faire et de bien se tenir. Elle est marraine elle aussi.

— C'est épouvantable. Elles se détestent toutes les deux. Un baptême doit être une fête, un moment de bonheur. L'église sera remplie de haine et de colère au lieu d'être remplie de Dieu. Nous sommes censés faire cela pour l'avenir de notre enfant mais nous ne ferons que ressasser le passé. Régler de vieux comptes. Acland, je t'en prie!

Elle s'adossa contre les oreillers et prit la main de son mari.

— S'il te plaît, est-il trop tard pour changer d'avis?

— Chérie, c'est fait maintenant. Je ne peux plus reculer. Le bateau de Constance est arrivé hier. Elle est à Londres et sera ici demain. Qu'est-ce que je vais lui dire? Qu'elle a fait cinq mille kilomètres pour rien et que nous avons changé d'avis? Qu'elle n'est pas une marraine convenable? Chérie, je ne peux pas faire ça. Si tu réfléchissais un peu, tu le comprendrais.

— Même pour moi?

— Même pour toi.

— Même pour Victoria?

— Même pour elle. Il se pencha pour l'embrasser sur le front. Tu t'inquiètes pour rien, ma chérie. Pour Victoria, cela ne changera pas grand-chose. Je ne sais même plus qui étaient mon parrain et ma marraine. Ils ont dû me faire un cadeau de baptême et c'est tout. Je suis convaincu que ma vie spirituelle ne les a jamais intéressés.

— Ne prends pas ça à la légère, dit-elle en retirant sa main.

— Je ne le prends pas à la légère. Mais tu es un peu trop grave, parfois.

— C'est important pour moi. Tu crois que j'ai tort d'être grave sur quelque chose d'important?

— Non, probablement pas. Mais ce n'est pas très charitable de ta part. Que Constance n'aille pas à l'église n'est pas une raison suffisante pour l'exclure. Je croyais que le ciel accueillait aussi les pécheurs repentis.

— Arrête, Acland!

— Elle va peut-être se repentir. Qui sait? Ce baptême pourrait lui faire du bien. Après tout, qu'est-ce qui nous dit qu'elle ne va pas devenir la marraine idéale?

— Tu crois qu'il y a une chance?

— Non, ma chérie. C'est fort improbable. Mais les voies du Seigneur sont impénétrables. Il fait des miracles.

— Tu me fais peur parfois. Comme autrefois, avec tes...

— Avec mes quoi?

— Avec tes plaisanteries quasiment blasphématoires.

— Je ne crois pas au blasphème. C'est sans doute pour ça. Il se leva, impatient. J'ai vu le blasphème: ce n'est pas ce que les gens font ou disent. Tu le sais autant que moi. Tu l'as vu toi aussi.

Il y eut un silence. Acland s'éloigna vers la fenêtre. Jane se demanda s'il regardait les bois et le lac ou la guerre. Elle savait qu'il continuait à voir la guerre, et elle aussi, souvent.

C'était une belle journée froide. Le visage baigné de lumière, Acland faisait encore très jeune. Jane avait plus de quarante ans. Parfois, elle avait le sentiment que leur écart d'âge se creusait un peu plus chaque année. Pourquoi avait-elle des cheveux gris et pas lui? Pourtant, le visage de son mari était marqué par le passé: sa maladie, la guerre, les moments difficiles de leur mariage, deux bébés perdus, les difficultés financières, l'emploi qu'il détestait et qu'il avait fini par quitter.

Ces marques du passé ressortaient sur son visage quand il était fatigué et découragé. A d'autres moments, en revanche, quand il travaillait sur des projets comme un nouvel orphelinat, elles disparaissaient pratiquement. Il redevenait vif et impétueux et retrouvait sa ferveur d'autrefois. Dans ces cas-là, il avait l'air à la fois jeune et d'âge mûr. Elle trouvait cela émouvant. Elle songeait parfois: « C'est un homme jeune lié à une femme vieillissante. »

Cela la déprimait. Elle ferma les yeux pour essayer de refouler ses larmes. Elle détestait les pleurs, cette réaction incontrôlable du corps. Pourtant, les médecins l'avaient prévenue, sans ménagement, qu'à son âge et après un accouchement difficile, c'était chose courante.

— Chérie! Acland avait aperçu les larmes. Il revint vers le lit et prit sa femme dans ses bras. Ne pleure pas. Je suis désolé de t'avoir parlé ainsi. Ecoute... Puisque c'est si important pour toi, je vais faire comme tu as dit. Je préfère froisser Constance que toi. Au diable Constance! Je vais lui téléphoner dès ce soir et lui dire de ne pas venir. Nous prendrons Winnie à sa place.

— Non, Acland. Tant pis. Elle s'assit et essuya ses yeux. Oublie ce que j'ai dit. Tu as parfaitement raison: je suis stupide et peu charitable. Je me sens comme une vieille femme grincheuse. Je suis désolée. Dépêche-toi, tu vas être en retard pour ta promenade.

— Vieille? Mais tu n'es pas vieille.

— Oh, Acland! ne mens pas. J'ai des yeux pour voir.

— Tu es magnifique. Tes cheveux brillent. Ta peau est douce. Tes yeux sont pleins de lumière. Je vais les embrasser parce que je les aime. Je déteste te voir pleurer. Voilà! Tu es presque aussi jolie que notre fille.

Jane sourit.

— Acland, elle n'est pas jolie du tout. Nous le savons bien. Je l'aime de tout mon cœur, mais...

— Mais quoi?

— Mais elle est presque chauve. Et son visage est tout rouge, surtout quand elle pleure. Et elle est maigre comme un coucou. Tu ne peux pas prétendre le contraire.

— Mais pas du tout. Il se leva et se pencha au-dessus du berceau. Elle ne pleure pas. Elle n'est pas rouge. Ses oreilles sont comme de jolies coquilles délicates. Elle s'accroche à mon doigt, regarde! Mais je ne veux pas la réveiller. Et de plus... Il se pencha soudain.

— Quoi?

— Elle aura des taches de rousseur sur le nez. Comme toi. Et des cheveux roux.

Il revint vers le lit et prit les mains de Jane.

— Promets-moi de ne plus pleurer.

— Je ne peux pas. Je suis trop sensible. Je ne pourrai pas m'empêcher de pleurer au baptême.

— Dans ce cas, je t'accorde encore quelques larmes. Quelques-unes seulement. Et après, jusqu'à...

— Jusqu'à quand?

— Jusqu'à son mariage, je suppose. Les mères pleurent toujours au mariage de leur fille.

— Mais ce sera dans vingt ans au moins.

— Exact.

— Cela fait beaucoup de temps sans pleurer.

— Vingt ans? Ce n'est rien. Pense à tout le temps que nous avons encore. Trente ans. Quarante. Donne-moi ta main.

Il déposa un baiser sur la paume de Jane et referma ses doigts dessus. Il leva les yeux.

— Tu sais à quoi j'ai pensé quand elle est née? J'ai pensé... à tout ce que je n'avais pas fait. A tout ce que ma famille attendait que je fasse. J'ai pensé à ma mère et aux déceptions que je lui ai causées.

— Mais tu ne l'as jamais déçue.

— Si. Mais cela n'a aucune importance. J'ai au moins réussi deux choses : je t'ai épousée et je l'ai faite, elle... Il fit un geste vers le berceau. Ce n'est pas grand-chose, peut-être. Des tas de gens ont des enfants. Mais c'est le mieux qu'il pouvait m'arriver. J'ai conçu quelque chose de... durable. Je sais que je ne ferai jamais rien de plus important. Cela ne t'ennuie pas, j'espère? Tu préférerais peut-être un mari plus ambitieux?

— Je ne préférerais aucun autre mari que toi. Tu le sais bien.

Elle serra ses mains. Voyant sur son visage une force qu'il croyait à jamais disparue, Acland posa sa tête sur sa poitrine. Jane lui caressa les cheveux. Le feu crépitait. « Je me sens bien », pensa-t-il.

Au bout d'un moment, il se redressa et l'embrassa.

— Il faut que j'y aille. Freddie et Steenie doivent s'impatienter. Nous allons faire une grande balade. Essaie de dormir. Veux-tu que Jenna vienne te tenir compagnie ?

— Oui. J'aime bien être avec elle. Elle tricote. J'aime bien le bruit des aiguilles.

— Vous êtes très proches toutes les deux.

— Nous sommes amies, Acland. Je le sens. Je suis heureuse qu'elle soit revenue. C'était épouvantable pour elle dans cette petite maison.

— Tu as probablement raison. Je vais lui dire de venir.

— Merci. J'ai sommeil. Mes yeux se ferment tout seuls.

— Je t'aime. Il l'embrassa encore une fois. Je t'aime et je déteste que nous nous disputions.

*

Des trois frères, c'était Acland qui marchait le plus vite. Légèrement en avant dans les bois et sur le pont, il était loin devant en arrivant à la colline. Steenie flânait derrière lui, regardant le paysage d'un air ahuri. Freddie, déjà bien enveloppé, fermait la marche, tout essoufflé.

Steenie portait un manteau voyant, deux cache-col en soie et une paire de gants en peau de porc très semblables à ceux qui avaient tant choqué Boy des années auparavant. Il venait d'arriver de Paris où il avait eu avec Conrad Vickers l'une de leurs éternelles bagarres. Il n'arrêtait pas de se plaindre avec volubilité des défauts de Vickers et du voyage en avion.

Freddie n'arrivait pas à décider comment qualifier la démarche de Steenie : c'était un mélange de petits pas maniérés et de glissades. Il grimaça en voyant les gants jaunes. Cependant, ces critiques silencieuses n'étaient pas méchantes. Il aimait les réunions de famille et retourner à Winterscombe quand il le pouvait.

Vers le haut de la colline, Acland s'arrêta pour attendre ses frères. Freddie le trouvait heureux et insouciant, d'une humeur qu'il ne lui avait pas vue depuis des années. Son visage était hâlé par son travail en plein air. Avec beaucoup d'enthousiasme, Acland se mit à parler de ses vaches.

Freddie aurait juré que, deux ans plus tôt, il avait été question de moutons. Mais, porté lui-même à s'enthousiasmer facilement, il comprenait son frère. Il sentait une grande connivence entre Acland et lui.

Ce n'était pas le cas de Steenie. Désargenté depuis fort longtemps, il était heureux de se faire entretenir. Mais subvenir aux besoins de Steenie – Acland le faisait probablement parce que personne d'autre ne s'en chargeait – ne protégeait pas contre sa langue bien pendue.

– Pour l'amour de Dieu, Acland! dit-il quand ils s'arrêtèrent près du sommet. Tu ne peux pas parler d'autre chose? Tu parles comme un fermier.

– Mais je suis un fermier. Enfin, j'essaie. Il faut bien tirer quelque chose de toute cette terre.

Acland grimpa sur une clôture et alluma une cigarette.

– Eh bien, cela ne te va pas du tout. Tu ne sais pas de quoi tu parles, de toute façon. Et tu es bien trop optimiste. Les vrais fermiers sont des râleurs impénitents.

– Je ne peux pas râler. Pas aujourd'hui. Je suis père. Freddie comprend sûrement, n'est-ce pas, Freddie?

– Donne-moi une cigarette. Père? Il n'y a pas de quoi pavoiser. Des tas de types sont pères. Pratiquement tous le sont. Qu'est-ce que ça a de spécial?

– Pour moi, c'est spécial. J'ai envie de crier le nom de ma fille.

Debout sur la clôture, il se mit à crier «Victoria! Victoria!»

Les bois lui renvoyèrent l'écho. Son cri se réverbéra sur les collines. Il descendit de la clôture et s'y adossa. Il fronça les yeux et mesura du regard la dimension de ses champs. Il les aimait. Ce n'était plus un endroit contre lequel il fallait se battre, où les récoltes n'étaient jamais suffisantes : c'était maintenant un lieu de promenade.

– Père aimait cet endroit, dit Freddie, appuyé lui aussi contre la clôture. Il aimait se tenir juste ici. Je suis venu avec lui une ou deux fois.

– Oui, d'ici il pouvait contempler l'ensemble du domaine, dit Steenie. Ça fait grand. Il aimait cette impression de puissance.

– Ferme-la, Steenie! Il n'était pas odieux à ce point.

– Ce n'est pas ce que j'ai dit. Je l'aimais bien quand même, Freddie. Il me rendait dingue mais je l'aimais. Je ne crois pas qu'il l'ait remarqué. Mes cheveux l'intriguaient. Il les trouvait vraiment trop blonds.

Il tira sur sa cigarette et poursuivit :

– Quand est-ce que Wexton arrive? Je suis content de le revoir.

– Dans la matinée, répondit Acland sans se retourner. Constance aussi. Et Winnie. Maud vient pour la cérémonie et repartira juste après. J'apprécierais que tu ne fasses aucune remarque à ce sujet, Steenie.

– Et pourquoi le ferais-je? Il lança un regard innocent à ses frères. Je peux avoir du tact quand je veux. Je ne prononcerai pas une seule fois le nom de Montague.

– Oh, ce ne serait pas grave, de toute façon! dit Freddie. Cette histoire remonte à des siècles. Maud s'en est remise.

— Je suis persuadé que Maud sera la dignité personnifiée. Mais ce n'est pas elle qui m'inquiète. C'est Constance. Elle adore les scènes. A mon avis, elle nous prépare encore quelque chose d'épouvantable. C'est sûrement pour ça qu'elle vient...

— Elle vient parce qu'elle est la marraine de Victoria. Elle a insisté et j'ai accepté. De toute façon, elle ne reste que deux ou trois jours. Tu exagères, comme d'habitude, Steenie. Elle est venue je ne sais combien de fois et ça s'est très bien passé.

— Oui, mais elle était avec Stern. Il l'avait à l'œil. Cette fois, il ne vient pas.

— Son mari n'est pas le seul capable de la surveiller, dit Acland, agacé. Je peux le faire si besoin est. Et Freddie me donnera un coup de main, n'est-ce pas Freddie ?

— Je suppose. Il n'avait pas l'air très sûr de lui. J'essaierai. Mais je ne l'ai pas vue depuis des années. Je ne sais même plus à quoi elle ressemble.

Steenie ne fit aucun commentaire et sourit de façon énigmatique. Quand ils se mirent à redescendre la colline, il s'appuya sur le bras de Freddie qui essayait de suivre le rythme d'Acland. Il était hors de souffle.

Quand ils atteignirent le bas de la colline, le jour tombait. Ils traversèrent la rivière et prirent le chemin qui passait devant chez Jack Hennessy et conduisait vers le village et les bois.

Le jardin de Jack Hennessy était envahi de mauvaises herbes. Le toit s'affaissait. Il n'y avait pas de lumière derrière les fenêtres sans rideaux.

— C'est un véritable taudis, dit Steenie. Acland, attends-nous. Est-ce que Hennessy vit toujours ici ?

— Oui. Il a réclamé cette maison en revenant de la guerre. Elle a l'air de lui convenir. Il n'est pas tout à fait normal, vous savez. Il vit en reclus.

— Et Jenna ? C'est vrai qu'il la bat ? En fait, ce n'est pas vraiment une surprise. Il m'a toujours donné la chair de poule.

— Il l'a battue la semaine dernière. Je crois surtout qu'il boit. Mais Jane a tout arrangé. Jenna vit dans la maison avec nous maintenant. Elle va s'occuper de Victoria. Ça arrange tout le monde. Venez...

Il se remit en marche.

— Tu aurais dû faire quelque chose pour cet endroit, Acland, reprocha Steenie en trottant à côté de lui. Le toit va tomber sur la tête de Hennessy un de ces jours. Toutes ces maisons aussi, d'ailleurs.

Ils avaient atteint la place du village. Steenie soupira en regardant tout autour de lui.

— C'est sens dessus dessous ici, Acland, reprit-il. Je sais que je ne suis pas venu depuis longtemps mais la moitié des maisons ont l'air vides.

— La moitié sont vides. Tu veux savoir pourquoi ? Parce que la moitié

598

des ouvriers sont partis. Parce que je n'ai pas les moyens de les payer. Et personne ne veut acheter les maisons.

— Mais si! Il y a sûrement des gens qui en voudraient. Des écrivains, des peintres, des poètes, par exemple. Des potiers! Les potiers adorent ce genre d'endroits. Tu pourrais réparer les maisons. Elles étaient charmantes autrefois. Il y avait des légumes, des rames de haricots, des roses trémières...

— Steenie!

— Acland, je dis simplement comment c'était. Sois honnête. Tu as laissé le village se dégrader.

— Steenie! Il y a eu une guerre. Tu t'en souviens? Réfléchis un peu. Sais-tu combien de ces hommes qui plantaient des haricots et des roses trémières sont revenus de la guerre? Non, bien sûr. Tu es trop occupé à baguenauder. Il y a un mémorial dans l'église. Demain tu pourras compter les noms de ceux qui ne sont pas revenus.

— Oh, la guerre, la guerre! J'en ai assez de cette saleté de guerre. C'est une obsession chez toi. Chez Jane aussi. Même chez Wexton. Pour l'amour de Dieu! La guerre est terminée depuis plus de douze ans...

— Terminée? Tu trouves? Acland attrapa le bras de son frère et l'obligea à se tourner vers les baraques abandonnées. Regarde bien, Steenie. Et réfléchis pour une fois. La guerre ne s'est pas terminée en 1918, elle n'a fait que commencer. Regarde ton village. Tu sais ce qui permettait d'entretenir tout ça? Les revenus des placements, des impôts minimes, des domestiques pour rien, des redevances ridiculement basses. Mais tout cela a changé. J'en suis heureux, d'ailleurs. Je fais tout mon possible pour maintenir tout ça debout. Ma femme fournit l'argent et moi l'énergie. Mais, d'année en année, c'est de plus en plus difficile. Tout devient très cher. Comme toi, Steenie, je te ferais remarquer.

— Tu es injuste, gémit Steenie. Je déteste que tu parles comme ça. Tu es lugubre. J'essaie pourtant d'économiser. Si Père avait mieux fait les choses, je ne serais pas dans cette situation. Comment aurais-je pu savoir que la moitié de l'argent allait s'envoler en fumée? Maman a toujours dit... La voix de Steenie se brisa et des larmes jaillirent de ses yeux. Regarde ce que tu fais! Tu me fais pleurer...

— Tu as toujours eu la larme facile, Steenie.

— Je sais. C'est plus fort que moi. Il se moucha, s'essuya les yeux et adressa à ses frères un regard plein de dignité. C'est dans ma nature. Quand les gens ne sont pas gentils avec moi, je pleure. A quoi cela servirait-il que j'essaie de me comporter comme un homme, tu peux me dire? Et mes larmes sont sincères. Si tu veux savoir, je pleure à cause des roses trémières et d'une idylle qui n'a jamais...

— Et sur toi, Steenie.

— D'accord, sur moi aussi. Je sais que je suis faible. Mais ce n'est pas facile d'être un homme entretenu...

— Steenie, tu es vraiment impossible. La voix d'Acland s'était radoucie. Il se secoua un peu comme pour se débarrasser de toute trace de colère. Il vaut mieux rentrer. Cela ne sert à rien de discuter. Il va faire nuit.

— Dis-moi que tu me pardonnes. Steenie courut derrière Acland et lui attrapa le bras. Allez! Dis-le que je suis un imbécile, un mondain et un égoïste... et que tu me pardonnes.

— Tu es un véritable emmerdeur.

— Et je suis ton frère...

— D'accord! Acland soupira. Tu es un emmerdeur, et mon frère. Et je te pardonne.

— Dis-moi quelque chose de gentil. Il mit son bras sous celui de son frère. Dis... je ne sais pas... que tu aimes mes gants jaunes.

— Steenie, ce serait un mensonge. Tes gants sont absolument hideux.

— Voilà qui est mieux. Steenie émit un gazouillement. Je me sens bien mieux. Allez viens, Freddie! Regardez-nous, tous les trois. Trois frères. N'est-ce pas mignon? Il eut un sourire moqueur. Qu'est-ce qu'on fait, maintenant? On rentre pour le thé ou on parle de théâtre?

L'intérêt de Freddie pour ce sujet était plus que limité. Heureux qu'une nouvelle querelle ait été évitée, il se mit à siffler puis parla du thé.

— Si nous coupions par les bois? suggéra-t-il en arrivant à un embranchement. Prenons le raccourci par la clairière. Je meurs de faim...

A sa surprise, Acland et Steenie hésitèrent.

— Ce n'est pas beaucoup plus rapide..., commença Acland.

— Mais si. On gagne dix bonnes minutes. Quel est le problème?

— Rien. C'est seulement que je ne passe pas souvent par là.

— Le fantôme vengeur de Shawcross! dit Steenie en ricanant. Je déteste passer par là et je n'ai pas honte de le dire. Je suis un trouillard, surtout quand il fait sombre. Cette partie des bois me donne la chair de poule.

— Ne sois pas ridicule, dit Freddie en s'engageant dans cette direction. Il pensait à des toasts chauds, un bon feu, du thé, du gâteau, peut-être. Pour l'amour de Dieu! Qu'est-ce qui vous prend? Vous ne croyez pas plus que moi aux fantômes. Allez! Dépêchez-vous!

Il se mit en marche vers la clairière, suivi d'un Acland réticent. Steenie poussa un vagissement qui fit sursauter Freddie.

— Attendez-moi, appela-t-il. Attendez-moi!

En atteignant la clairière, sans se concerter, ils ralentirent tous les trois puis s'arrêtèrent.

— Vous voyez ce que je veux dire ? dit Steenie en scrutant les fourrés. J'en ai la chair de poule.

Il sortit sa flasque et en but une longue gorgée. Il la proposa à Acland qui refusa d'un hochement de tête puis à Freddie qui en prit un peu.

Le cognac le réchauffa agréablement. Il rendit la flasque à son frère et regarda tout autour de lui.

Tout ridicule que cela soit, il était d'accord avec Steenie. Dans la pénombre, les arbres et les fourrés avaient l'air de se refermer sur eux. Les branches nues des arbres s'élançaient vers le ciel. Les monticules de terre recouverts de feuilles mortes avaient un aspect menaçant. Freddie se demanda où, exactement, le piège avait été placé.

Quelque part dans le sous-bois, se dit-il. Il frissonna. Steenie lui tendit à nouveau la flasque et il but une seconde gorgée. Tout pâle, Acland fixait un endroit précis.

— C'était juste là.

Il avait parlé si soudainement que Freddie sursauta. Acland pointa le doigt.

— Juste là.

— Tu es sûr ? Steenie tremblait.

— Oui. Juste à droite du sentier.

— Comment le sais-tu ?

Acland haussa les épaules et se détourna.

— Il a fallu l'enlever, après.

— Je croyais que Cattermole s'en était chargé.

— J'y suis allé avec lui et quelques-uns des hommes. Les frères Hennessy, je crois.

— Quelle horreur ! Steenie regardait fixement l'endroit indiqué par Acland.

— Tu ne crois pas si bien dire. Il y avait plein de sang, des lambeaux de tissu. C'était pénible.

Acland fit quelques pas en tournant le dos à ses frères. Freddie songea que cet endroit exerçait une singulière attraction sur ses frères et lui. Ils s'étaient arrêtés sans se concerter et semblaient incapables de s'en aller. Il se dit que par une belle journée ensoleillée, le lieu du drame devait être un endroit comme un autre. C'était la tombée du jour qui le rendait sinistre. D'une voix moins ferme qu'il l'aurait voulu, il dit :

— Rentrons.

— Tu te rappelles ce que Maman a dit en mourant ? demanda Steenie à Acland.

— Oui, je me rappelle.

— Se rappeler quoi ? interrogea Freddie.

A la mort de sa mère, plusieurs années auparavant, il se trouvait en

Amérique du Sud. Elle était morte de pneumonie après une brève maladie. Prévenu tardivement, il était arrivé à Winterscombe le lendemain du décès. Cela l'avait profondément affecté : Steenie, Acland et Jane étaient auprès d'elle, et lui, il l'avait laissé tomber.

Il regarda ses frères puis le sous-bois d'un air malheureux. Ses relations avec sa mère étaient entachées depuis de nombreuses années avant sa mort. Il ne s'en était jamais remis. Il aurait voulu, avant qu'elle meure, lui dire qu'il l'aimait.

— Qu'est-ce qu'elle a dit ?

Acland ne répondit pas et Steenie soupira.

— Eh bien, à la fin... Steenie hésita. Elle a beaucoup parlé de lui.

— Mon Dieu ! Freddie baissa la tête.

— Elle n'était pas bouleversée, Freddie, dit Steenie en prenant son bras. Vraiment. Elle était assez calme. Mais je crois... je crois qu'elle pensait que Shawcross était dans la pièce. Pas toi, Acland ? Elle lui parlait.

— Vous aviez dit que cela n'avait pas été pénible ! explosa Freddie. Vous avez dit tous les deux qu'elle était juste... partie.

— C'est bien ça. En quelque sorte. Steenie fronça les sourcils comme s'il tentait de fixer ce souvenir. Elle avait l'air contente de s'en aller. Elle ne se plaignait pas. D'ailleurs, de sa vie elle ne s'est jamais plainte. Mais comment en sommes-nous venus à ce sujet ?

— J'aimerais le savoir, Acland. Freddie serra son bras. Qu'a-t-elle dit ?

— Rien. Acland enleva sa main. Elle a parlé de Shawcross, c'est tout. Comme Steenie l'a dit. Les médicaments l'assommaient complètement. Elle ne savait pas ce qu'elle disait...

— Si. Steenie se retourna. Elle a dit que quand Shawcross était ici, la nuit de la comète, il l'avait entendue l'appeler, qu'elle n'était pas là mais qu'il l'avait entendue. Il le lui a dit avant de mourir. C'est la dernière chose qu'il a dite. Au moment de sa mort, elle s'en est souvenue. C'était vraiment bizarre...

— Bizarre ? Comment ça ?

— Elle est devenue très agitée. N'est-ce pas, Acland ? Je crois qu'elle savait que nous étions là et qu'elle voulait nous dire quelque chose, qu'elle avait peur.

— Elle était très malade, dit Acland d'une voix cassante. Ce n'est pas la peine de faire revivre tout ça, Steenie. Elle était troublée... Il hésita. Elle s'est endormie après. Elle était très calme à la fin, Freddie, comme... fatiguée. Je crois qu'elle était contente que tout soit enfin terminé.

Steenie réprima un tremblement.

— C'est vrai, dit-il. Père lui manquait, je crois. Elle avait besoin de lui et depuis qu'il était mort...

— Elle avait cessé de se battre. La voix d'Acland était terne. C'est ce que nous faisons tous, d'une certaine manière.

— Oh, mon Dieu! Je suis si triste, dit Steenie en s'agrippant au bras de Freddie. Je déteste cet endroit. Nous n'aurions jamais dû venir ici. Nous l'avions tous déçue de diverses façons. Elle avait fait des tas de projets pour nous et regardez-nous : Acland, l'aristocrate raté, qui joue au fermier, moi le peintre raté et Freddie...

— Moi, je suis le pire des trois. Je suis un raté tout court. A la grande surprise de ses frères, Freddie avait dit cela presque sans amertume. Inutile de nous lamenter, Steenie. Et en plus ce n'est pas complètement vrai. Acland, contre vents et marées, maintient quand même la propriété debout. C'est courageux. Toi, Steenie, tu ne peins plus mais tu continues ton bonhomme de chemin. Tu fais rire les gens. Tu es toi-même et tu ne t'en excuses pas. C'est aussi une forme de courage. Quant à moi... je vais mon chemin tant bien que mal, comme je l'ai toujours fait. Je ne fais de mal à personne, de toute façon. Enfin, j'essaie. Nous pourrions être vraiment pires. Et puis nous ne sommes pas seuls, nous nous avons.

— Oh, Freddie! dit Steenie en souriant. Il mit un bras autour des épaules de son frère. Il n'y a que toi pour faire des sermons pareils.

— Ça m'est égal, répliqua Freddie avec rudesse. Je sais que je ne suis pas une lumière mais je crois sincèrement ce que j'ai dit. Nous sommes comme tout le monde : un mélange de bon et de mauvais. Juste... ordinaires.

— Et affamés, ajouta Acland en souriant. N'oublie pas, Freddie. Venez, ou nous allons tous nous mettre à pleurnicher. Freddie a raison. Ça ne sert à rien. Pensez à tout ce que nous avons. Ma femme et mon bébé me manquent. Et j'ai envie de thé. Allez, on rentre!

Freddie se sentit tout revigoré. Ils se mirent à marcher, doucement d'abord, plus d'un pas plus vif. Ils laissèrent les bois derrière eux. Il se sentit pris d'une vague de tendresse pour ses frères. En ce qui concernait leurs relations, en tout cas, ils n'auraient pas déçu leur mère.

*

— Nous vous prions... commença le prêtre.

Il aperçut le chapeau de Constance. Celui que Winnie avait qualifié de douteux avec sa couleur de violette de Parme. Il détourna les yeux et s'éclaircit la gorge.

— Nous vous prions, en votre infinie bonté, de veiller sur cette enfant, de la purifier et de la sanctifier dans l'Esprit-Saint. Faites... Il s'arrêta. Faites qu'elle soit ferme dans sa foi, qu'elle rayonne d'espoir et d'amour de son prochain, qu'elle parvienne à la vie éternelle, pour régner avec vous, par Jésus-Christ, notre Seigneur. Amen.

— Amen, dit Constance d'une voix calme.

— Amen, dit Wexton en regardant Steenie.

— Amen, dirent Acland et Jane en échangeant un regard puis un mouchoir.

— Amen, dit Freddie en regardant le vitrail à la mémoire de Boy.

— Amen, dit Steenie en pensant au monument aux morts où, sur le conseil d'Acland, il avait compté quarante-cinq noms.

— Amen, dit Maud en regardant le bébé.

— Amen, dit Winifred Hunter-Coote en regardant Freddie.

— Amen, dit Jenna, assise derrière avec le vieux William.

— Amen, dit Jack Hennessy, seul au fond de l'église, sa manche vide soigneusement épinglée sur le devant de sa veste du dimanche.

Le pasteur poursuivit les prières. C'était lui qui avait marié Constance treize ans plus tôt et il n'était pas près d'oublier cette femme qui avait insisté pour que son chien assiste au mariage. Il avait le souvenir cuisant de cet animal assis sur les genoux de Steenie, haletant pendant les prières, jappant pendant les psaumes et reniflant chaque banc en sortant de l'église.

Il avait protesté.

— C'est une créature de Dieu! avait répliqué Constance.

Il avait renoncé mais, encore aujourd'hui, se sentait vexé. Constance le regardait d'une façon à la fois insistante et insolente. Indigné, il détourna son regard et le posa sur la large silhouette bienveillante de Wexton, ce poète qu'il admirait tant. « Un choix judicieux comme parrain », pensa-t-il.

Il avait été convenu qu'au moment des promesses du baptême Freddie et Maud se tiendraient d'un côté du bébé et Wexton et Constance de l'autre. Acland leur avait fait répéter cette disposition « diplomatique ».

Le moment venu, tout alla de travers. Wexton, par distraction, alla du mauvais côté et se retrouva près de Freddie, laissant Maud aux côtés de Constance. A la consternation de tout le monde, le pasteur poursuivit la cérémonie avec deux parrains d'un côté et deux marraines — à couteaux tirés — de l'autre.

Maud, moins fiable que Freddie l'avait prédit, se comporta d'une façon discrètement provocante. Serrant son missel contre son superbe tailleur et remettant en place son étole en fourrure, elle réussit — par inadvertance, naturellement — à pousser Constance sur le côté.

Elle était grande et Constance toute petite. A la suite de cette manœuvre, la vue de Constance sur le bébé fut entravée par l'épaule de Maud et une tête de renard triangulaire aux yeux de verre.

— Mes bien chers frères..., commença le pasteur.

604

– Je suis désolée, dit une petite voix claire. Je suis désolée, mais je n'y vois rien.

Le pasteur toussa mais Maud ne bougea pas d'un pouce.

– Tout ce que je peux voir, reprit la voix, c'est une épaule et un renard mort. Je suis marraine et j'aimerais assez voir le bébé.

– Ah! Constance, c'est toi? s'exclama Maud. Tu es là? Je ne t'avais pas vue. J'avais oublié que tu étais si petite. Tiens, c'est mieux maintenant?

Elle avait bougé de quinze centimètres sur sa droite.

– Merci beaucoup, Maud.

– C'est peut-être ton voile qui gêne ta vue. Tu devrais le relever.

– Curieusement, je vois très bien à travers mon voile. Les voiles sont prévus pour ça.

– Enfin! Ce n'est pas vraiment le moment de parler chapeaux.

Maud se retourna vers le pasteur. De toute façon, elle n'avait aucun respect pour les pasteurs. Son frère avait doté cette église et sa survie était maintenant entre les mains d'Acland. En ce qui la concernait, ce pasteur n'était qu'un employé. Elle lui adressa un regard hautain :

– Continuez!

Le pauvre homme soupira et termina sa phrase. Au moment des promesses, il se tourna vers les quatre visages attentifs.

– Renoncez-vous, au nom de cet enfant, à Satan et à ses œuvres, à toutes ses séductions, au désir charnel?

– J'y renonce, répondirent trois voix.

Freddie et Maud avaient parlé fermement, à l'unisson, et Constance plus lentement, un peu en retard sur les autres. Wexton n'avait rien dit du tout. Il regardait Constance d'un air préoccupé. Le pasteur s'éclaircit la gorge : les grands poètes avaient sans doute le droit d'avoir l'esprit distrait. Wexton réagit enfin :

– Oh, pardon! Oui, bien sûr, j'y renonce aussi, dit-il en rougissant.

Le pasteur demanda alors si les parrains et marraines, au nom du bébé, croyaient en Dieu le Père, en son Fils unique, à la crucifixion et à la résurrection, à la Sainte Eglise, à la Communion des Saints, au pardon des péchés et à la vie éternelle.

– Je crois, répondirent-ils.

Acland dira plus tard qu'à ce moment précis il remarqua que Constance avait l'air émue. Pendant les promesses, elle était restée sans bouger, les mains jointes. Ses yeux n'avaient jamais quitté le pasteur et elle semblait suspendue à ses lèvres, le visage concentré et triste.

– Je te baptise au nom du Père, et du Fils, et du Saint-Esprit.

Acland vit Constance pleurer en silence. Une larme, puis deux coulèrent sous son voile. Très ému, il songea : « Elle est bien meilleure qu'elle paraît ».

— Victoria Gwendolen, dit-elle à Acland à la sortie de l'église. Elle lui prit le bras puis le lâcha. Ce sont de jolis prénoms.

— Ceux de ses deux grand-mères.

— Ça me plaît. C'est un lien avec le passé.

Devant eux, Maud attendait près de sa voiture.

— Je retourne à la maison avec Steenie, dit Constance en souriant. Je voulais juste te remercier de m'avoir choisie pour marraine, Acland. Cela signifie beaucoup pour moi. Je suis si heureuse pour Jane et toi.

Elle n'ajouta rien. Avec une discrétion admirable, elle évita Maud et monta dans la première voiture avec Steenie. Avec une expression hautaine, Maud regarda la voiture s'éloigner. Elle se tourna vers Jane, puis vers Acland, et les embrassa.

— Je reviendrai quand cette femme sera partie, dit-elle. Acland, pour une fois je vais te dire ce que je pense. Je ne m'explique pas que tu l'aies choisie comme marraine ; c'est un choix peu judicieux. Et vous, Jane, je ne comprends pas comment...

— C'est moi qui ai pris la décision, coupa Acland d'une voix calme.

— Toi ? Eh bien, tout ce que je peux dire c'est que tu es bien bête. Elle ne s'est vraiment pas améliorée. Elle est même pire, à mon avis. Et ce chapeau ! C'est une véritable insulte.

Derrière, Winifred Hunter-Coote, parfaitement d'accord avec elle, émit un grognement sonore.

— Inconvenant pour un baptême, reprit Maud. Il faut toujours qu'elle attire l'attention sur elle. Elle s'en délecte. Ce chapeau faisait bien trop jeune pour elle. Elle commence à faire son âge.

— Maud, tu veux bien arrêter, s'il te plaît, l'interrompit Acland. Ce n'est pas gentil et ça ne sert à rien. Tu embarrasses Jane.

— Jane ? Maud lui adressa un regard glacial. Ce n'est pas Jane qui est embarrassée.

— Maud, ça suffit maintenant.

— Tu as vu comment elle regardait mon pauvre renard. Elle lui a lancé un regard malveillant.

— Il lui bouchait la vue, Maud.

— Je sais. C'était exprès. Je préférais qu'elle regarde mon renard comme ça que ton bébé.

— Maud, je t'en prie.

— Très bien. Je me tais. Je retourne à Londres.

Les joues roses, elle ajusta le renard cause de discorde puis jeta un regard majestueux à droite et à gauche. Il ne lui échappa pas que Freddie, qui avait écouté sa sortie, avait du mal à s'empêcher de rire.

— Je ne dirai qu'une chose... Freddie, cela n'a rien de drôle. Cette femme manque de savoir-vivre.

— On dirait que je suis tombée en disgrâce, dit Constance après le déjeuner.

Wexton, Steenie, Acland et elle descendaient vers le lac. Jane se reposait, Freddie s'était endormi sur le dernier roman de Dorothy Sayers et Winnie, lançant un regard foudroyant vers Constance, avait refusé de participer à la promenade en invoquant qu'elle devait écrire à Cootie.

— Winnie estime que je devrais écrire à Montague, dit Constance d'un air désabusé. J'ai l'impression qu'elle trouve que je manque à mes devoirs d'épouse.

— Elle est du côté de Maud, dit Steenie en jubilant. Elle est contre toi. Je crois qu'elle a pris ton chapeau comme prétexte...

— Ce n'est vraiment pas gentil. J'ai mis des heures à le choisir.

— Maud a dit qu'il était une véritable insulte, continua Steenie en ignorant le regard d'avertissement d'Acland. Tu sais comment elle t'a appelée ? « Cette femme ». Elle a dit que tu avais lancé un regard malveillant à son pauvre renard.

— Elle a raison, répliqua Constance en prenant le bras d'Acland. Je dois dire, Acland, que je suis ravie d'être accueillie si chaleureusement dans mon ancien foyer après un voyage de quatre mille kilomètres.

— Oh Maud ne pense pas la moitié de ce qu'elle dit ! plaida Acland sans grande conviction.

Constance le regarda.

— Bien sûr que si ! Je l'imagine très bien en train de dire : « Cette femme est d'une influence néfaste. Je me demande vraiment pourquoi tu l'as choisie comme marraine. Tu as vu comment elle regardait mon pauvre renard ? »

Elle sourit. Elle avait imité à la perfection les intonations de Maud et, l'espace d'un instant, malgré sa petite taille, elle lui avait ressemblé. Acland sourit, Steenie se mit à rire et Wexton n'eut aucune réaction. Redevenant elle-même, Constance soupira.

— Je ne peux pas le lui reprocher. Elle aimait Montague et elle ne me pardonnera jamais. Je le regrette beaucoup car je l'ai toujours bien aimée.

Elle hocha la tête et ils marchèrent un moment en silence. Acland se demanda si elle n'était pas plus blessée par les remarques de Maud qu'elle voulait bien l'admettre. Il avait décelé dans son ton une sorte de bravade, comme autrefois quand, enfant, elle voulait faire abstraction de l'inimitié qu'elle inspirait aux gens.

Au bout de dix minutes, ils arrivèrent à un embranchement. Constance s'arrêta.

— Vous savez où j'aimerais aller ? A la Maison en Pierre. Elle existe toujours ? Tu te rappelles, Acland ? C'était le lieu favori de ta mère. Je n'y suis pas allée depuis des siècles.

— Oh oui! elle existe toujours. Elle n'est pas en meilleur état que le reste mais elle est encore debout.

— Si nous y allions ? Steenie, Wexton, vous venez ? C'était là que Gwen gardait ses aquarelles. Boy nous y a photographiés un matin. Voyons voir... Il y avait Gwen, et toi, Steenie. Ah! Et mon père aussi.

Elle s'interrompit en faisant un petit geste de la main, se retourna et fit quelques pas.

Voyant Acland déconcerté, Steenie lui dit tout bas :

— Nous étions dans la Maison en Pierre le matin de la réception pour la comète. Je crois qu'il vaudrait mieux ne pas y aller. Tu sais comment elle est quand elle part dans ses souvenirs.

— De toute façon, je retourne à la maison, annonça Wexton avec rudesse. Il fait froid. Tu viens, Steenie ?

A la grande surprise de Steenie, Wexton se mit à marcher à grandes enjambées – contrairement à son habitude – sans un regard en arrière. Impatient de lui raconter sa dispute avec Vickers, et mal à l'aise, Steenie hésita. Il regarda Constance puis Acland.

— Tu peux y aller, lui dit son frère.

— Tu es sûr ?

— Oui, vas-y. Nous vous rattrapons. Il baissa la voix. Je crois qu'elle est bouleversée. Ça ira mieux dans une minute.

— Bon, d'accord.

Non sans réticence, Steenie commença à suivre Wexton, se retourna, puis se mit à courir pour le rattraper. Wexton ralentit et les deux hommes s'arrêtèrent pour regarder en arrière. Constance et Acland étaient hors de vue.

— Tu crois qu'il y a un risque à les laisser seuls ? interrogea Steenie. Je crains pour Acland.

— Moi aussi. Mais c'est son problème, non ?

— Elle était peut-être vraiment bouleversée, après tout. Elle se met souvent dans cet état quand elle repense à son père. Elle l'aimait vraiment, tu sais ?

— Ah bon ? Pourtant... Tu te rappelles l'histoire que tu m'as racontée un jour à propos du roman de son père et des ciseaux à ongles ?

— Oui.

Wexton haussa les épaules.

— Si elle aimait tellement son père, tu crois qu'elle aurait découpé ses livres en mille morceaux ?

608

– Tu veux rentrer ? demanda Acland en atteignant la Maison en Pierre.

– Non. Je t'assure. Ça va aller. Je suis contente que nous soyons venus ici. Tous mes souvenirs ne sont pas douloureux, tu sais. J'ai toujours aimé cet endroit. On aperçoit les bois et le lac. Tu te souviens ? Il y avait une table ici et ta mère mettait ses aquarelles et son chevalet là-bas. Sur ces étagères il y avait des livres. Les romans de mon père. Il les avait fait relier tout exprès pour elle.

Constance semblait insensible à l'humidité de l'endroit et à son sol en pierre glacial. Elle toucha les piliers du balcon extérieur puis entra dans le petit bâtiment.

Acland ne savait trop que faire. Il était à moitié dehors et à moitié dedans. Il alluma une cigarette. Un cygne noir passa sur le lac et disparut derrière un massif.

Constance n'avait pas l'air pressée de s'en aller. Il la regarda aller et venir, ôter ses gants et passer les doigts sur une étagère. Ses bagues scintillaient. Acland la trouva petite, délicate et ravissante – une créature très exotique pour Winterscombe. Elle avait une expression désespérée, presque inconsolable comme si, une fois les autres partis, elle n'avait pu conserver son masque d'insouciance.

Elle portait un manteau gris foncé – étonnamment sombre pour elle – qui la faisait ressembler à une religieuse ou à une infirmière. Sous le manteau, il apercevait la blancheur d'un chemisier dont le col était légèrement froissé. Tandis qu'il la regardait à son insu, elle déboutonna son manteau. Lorsqu'elle se hissa sur la pointe des pieds pour toucher sur le mur la marque laissée par un tableau, son vêtement s'entrouvrit. Acland aperçut en transparence du chemisier un sein rebondi, l'aréole d'un mamelon. Choqué qu'elle ne porte aucun sous-vêtement, il détourna son regard.

Lorsqu'il posa à nouveau ses yeux sur elle, elle était assise sur un vieux banc de bois. Elle semblait avoir totalement oublié sa présence. Elle avait la tête penchée et les mains jointes. Il eut à nouveau l'impression de voir une religieuse. Il sourit. Cette image ne lui seyait guère. « Elle est vraiment adorable », se dit-il. Il se rappela quand il était allé dans sa chambre à Londres, pendant sa maladie, et sentit une vague de tendresse le submerger. On dirait un objet précieux dans une vitrine de magasin de luxe. Ce type d'objet dont les passants disent : « C'est magnifique, mais ce n'est pas pour moi. »

– Je n'aurais pas dû venir à Winterscombe. Elle leva vers lui un visage triste. Et je n'aurais pas dû demander à être la marraine de Victoria. Je t'ai mis dans une situation impossible. Tout ce que j'ai fait c'est énerver tout le monde. Même Jane. Mais pourquoi suis-je comme ça ? Oh, comme j'aimerais ne pas avoir mis ce chapeau ridicule...

— C'est un joli chapeau, pourtant, dit Acland en souriant.

— Oh, Acland! Tu es un véritable gentleman. En fait, ce n'est pas le chapeau qui est en cause, c'est moi. Cela n'a jamais été chez moi, ici. Et j'ai eu tort d'insister pour être marraine. Mais je suis quand même contente d'être là. C'est la première fois que j'assiste à un baptême. Les paroles de la cérémonie étaient merveilleuses. Je m'en souviens par cœur.

— Ce genre de paroles est toujours émouvant, même quand on n'est pas croyant. Elles exercent une sorte de pouvoir. Il entra dans la Maison en Pierre, regarda les étagères de sa mère et s'assit.

— Elles donnent l'impression qu'on est croyant, poursuivit Constance. Elle frissonna. Elles font croire à l'impossible. La rédemption, le change-ment, je ne sais pas. J'étais sincère, tu sais, pour les promesses. C'était si solennel. Personne ne voudra me croire, mais c'est vrai.

— Si nous rentrions ?

— Non. Pas encore. J'aimerais rester encore. J'ai juste un peu froid aux mains. Prends mes mains, Acland. Voilà, comme ça. Frotte-les pour me réchauffer. J'ai l'impression que mon sang ne circule plus.

Acland réchauffa ses mains entre les siennes.

— Tu n'as pas perdu l'habitude de porter toutes ces bagues, dit-il.

— Oui. Je ne sais pas pourquoi mais j'adore ça. Elles me rappellent des gens. Tu vois la bleue, là ? C'est Boy qui me l'a offerte quand j'avais quatorze ans. Celle-ci vient de Montague et cette opale est un cadeau de Maud.

— Tu as pleuré dans l'église. Je t'ai vue.

— Excuse-moi. Je croyais que personne n'avait remarqué.

— Tu as été très discrète. Juste deux fois deux larmes.

— Des larmes de crocodile, dirait Maud. Mais c'est faux. Je ne pleure pas souvent. Je ne suis pas comme Steenie. J'ai pleuré à la mort de Floss mais pas à celle de mon père. C'est étrange, non ?

— Pas forcément.

— Acland, il y a eu une question que j'ai toujours voulu te poser.

— Vas-y !

— Tu ne te fâcheras pas ? C'est à propos de mon père.

Acland lâcha ses mains et recula un peu. Elle le regarda avec crainte. Mais il haussa les épaules :

— Pose ta question. Je m'y attendais.

— Tu crois que c'était un accident ?

— Ça date d'il y a vingt ans, Constance.

— Pour moi, c'était hier. S'il te plaît, dis-moi.

Il soupira et s'appuya contre le dossier du banc. Il regarda vers le lac et les bois. Après un silence, il dit :

— Non. A l'époque, je ne croyais pas que c'était un accident.

— Et maintenant ?

— Maintenant, je ne sais plus. Tant de choses se sont passées depuis. Certains souvenirs se sont évaporés.

— A cause de la guerre ?

— Peut-être.

— Tu crois que la guerre a effacé certains de tes souvenirs ?

— C'est possible.

— Acland.

Elle posa une main sur le genou d'Acland et son manteau s'ouvrit encore une fois. Acland tourna son regard vers l'horizon et se dit qu'il allait faire nuit.

— Acland, réponds-moi franchement. Je crois que je connais la réponse et je te promets de ne pas m'offusquer. C'est toi qui as pris les fusils ?

— Les fusils ?

— Ceux de Boy. Les Purdey.

Il se retourna et posa sur elle un regard serein et distant.

— Oui. Il soupira, soudain fatigué. Pendant le thé sur la terrasse, ton père était furieux contre toi. Il t'a renvoyée dans la maison et Jane t'a accompagnée. Tu te souviens ?

— Oui. Très bien.

— Après, je suis allé me promener vers le lac avec Boy. Il était très troublé. Il venait de voir ton père et ma mère entrer dans la chambre de ton père. Boy était un garçon étrange. Il avait toujours l'air serein, mais à l'intérieur... Sa réaction a été très violente. Il avait une vision du monde très simpliste. Il m'a parlé longtemps puis nous sommes rentrés. Je suis allé dans l'armurerie. J'avais dit à Boy ce que j'avais l'intention de faire.

— Tu as pris les fusils ?

— Oui. Je ne sais pas pourquoi. C'étaient les meilleures armes de la maison. Mon père en était très fier. Je crois que c'était pour ça. Je les ai cachés dans le vestiaire. En allant y chercher des bottes pour Jane l'après-midi, j'avais constaté qu'il était en pagaille. C'était une bonne cachette.

— Que voulais-tu faire avec ?

— Quelque chose de mal. Contre ton père, bien sûr.

— Tu le détestais ?

— Oui. J'avais dix-sept ans. Je n'ai jamais autant haï quelqu'un que ton père. Je le haïssais pour ce qu'il avait fait à mes parents. Et à Boy aussi. Je pensais que le monde serait meilleur sans lui.

Un silence tomba. Constance avait les mains posées sur ses genoux. Elle se mit à compter ses bagues.

— Dis-moi ce que tu as fait avec les armes, Acland. Il faut que je sache, dit-elle en se penchant.

Acland contempla la courbe de son cou, le contour de son menton, ses lèvres rouges.

— Constance, je n'ai pas très envie de continuer cette discussion. C'était il y a si longtemps! Mieux vaudrait oublier tout ça.

— Je n'oublierai jamais. Je veux savoir. J'attends la vérité depuis si longtemps. Je t'en prie, dis-le-moi. Quand es-tu retourné les chercher? Après avoir quitté Jenna dans la grange?

— Peu après, oui. Il était vers 11 heures du soir quand j'ai quitté la grange. Je n'avais pas envie de retourner à la réception. Je voulais rester seul, dans l'obscurité, pour réfléchir. Et puis j'ai vu ton père sortir et prendre le chemin des bois. Je savais qu'il allait retrouver ma mère.

— Tu l'as suivi?

— Non, pas tout de suite. J'ai attendu. Les invités sont partis et j'étais à deux doigts d'aller me coucher, d'oublier tout ça. Jenna m'avait un peu rasséréné. Mais j'ai vu ma mère sortir. Elle m'a vu sur la terrasse et m'a appelé. Je me souviens qu'elle a touché mon manteau, qui était humide. Elle a insisté pour que je rentre. Je savais pourquoi : elle était en retard. Elle ne voulait pas que je la voie partir vers les bois.

— Oh, Acland! Comme tu as dû détester mon père à ce moment-là!

— Oui. Je suis allé prendre l'un des fusils et je suis parti vers les bois. A mi-chemin, j'ai chargé les deux canons.

— Les deux?

— Avec un seul coup, j'aurais pu le manquer. Je voulais lui tirer à bout portant dans la tête ou en plein cœur. Je voulais qu'il meure sur le coup.

— C'était possible?

— Oui, tu n'as jamais vu un accident de chasse?

— Non, jamais. Prends ma main, Acland, s'il te plaît. Je veux savoir. Je veux comprendre. Mais j'ai si peur. Mets ton bras autour de moi. Comme ça. Nous sommes tout près. Nous n'avons jamais eu de secret l'un envers l'autre – à part celui-là. Tu es mon frère. Non, plus qu'un frère. Tu m'as sauvé la vie. Raconte-moi. Tu as chargé le fusil et tu as repris le sentier...

Elle posa sa tête sur l'épaule d'Acland.

— J'ai continué mon chemin.

— Tu savais pour le piège?

Elle se pressa contre lui. Elle tremblait. Acland lui caressa le bras tout en continuant à regarder le lac.

— Non. Les pièges à hommes étaient interdits. Je ne croyais pas mon père quand il disait en avoir mis. De toute façon, je me suis arrêté en route.

— Arrêté?

— Au beau milieu du chemin. Je me suis vu en train de marcher, un fusil à la main, avec la ferme intention de tuer quelqu'un. Je me suis rendu compte que c'était ridicule, je suppose.

– De tuer quelqu'un que tu haïssais ? Cela t'a paru ridicule ?

– Constance, ce n'est pas si difficile à comprendre. Je me suis regardé agir de l'extérieur et j'ai trouvé cela absurde. Un adolescent vengeant l'honneur de sa mère... Et j'avais raison. Je suis rentré et j'ai remis le fusil dans sa cachette. A la maison, j'ai commencé une partie de billard. Il marqua une pause. Mais le lendemain, quand on a ramené ton père, il s'est passé quelque chose. Il se tourna vers elle. Toi, Constance. Ta façon de crier et de me regarder, comme si tu avais connu mes intentions. Je me suis senti meurtrier. Exactement comme si je l'avais vraiment tué. Le lendemain, je suis allé voir mon père pour tout lui raconter. Il s'est montré très compréhensif. Je ne lui ai pas dit pourquoi je voulais tuer Shawcross et à aucun moment je n'ai parlé de ma mère. Mais il était au courant, j'en suis sûr. Il n'était pas aussi stupide que je me l'étais imaginé. Je lui ai montré où j'avais mis les fusils. Il a dû les remettre en place le jour même, ou le lendemain.

Il y eut un silence. Constance trembla et pressa ses mains sur son front. Son regard erra sur les arbres, le lac, le crépuscule.

– Je croyais que tu l'avais tué, dit-elle comme à regret. Je l'ai vu sur ton visage quand ils l'ont ramené. J'ai regardé mon père sur le brancard puis je t'ai regardé. Pendant ces trente années, je n'ai rien dit à personne parce que je croyais que c'était toi.

Elle prit les mains d'Acland et les serra fort entre les siennes.

– Acland, tu ne me mentirais pas, à moi ? Regarde-moi dans les yeux et dis-moi : « Je ne l'ai pas tué. »

– Je ne l'ai pas tué, Constance. Pendant six ou huit heures, j'étais fermement décidé à le faire. Mais je ne suis pas allé jusqu'au bout. C'est l'armée qui m'a entraîné à tuer et, malgré cela, je n'étais pas un bon tueur. Pour être bon, il faut aimer ça ou avoir peur.

Il avait parlé d'une voix très calme. Constance couvrit le visage d'Acland de ses mains.

– Ne me regarde pas comme ça. Ne parle pas comme ça. Je déteste quand tu es comme ça. Tu as l'air si fatigué, et si vieux. Tu as l'air si différent.

– Je suis différent.

– Je te crois. Elle se leva et commença à s'agiter. Tu ne me mens pas mais je ne comprends pas. C'est donc quelqu'un d'autre qui l'a tué. Par plaisir ou par peur, as-tu dit ? Mais qui ? Pas ton père, pas Boy, pas toi. Ce n'est donc personne ? Oh, je n'aurais jamais dû te le demander ! J'étais si certaine. Et maintenant, je dois recommencer à me poser toutes ces questions. Cela fait vingt ans qu'elles me hantent. Est-ce que ce serait un accident, comme tout le monde l'a dit ? J'aimerais le croire. Cela m'apporterait enfin le repos.

– Constance, tu te fais du mal. Nous n'aurions pas dû venir ici ni remuer le passé. Attends... Constance...

Il s'était levé, inquiet de la voir si bouleversée. Elle tremblait de tout son corps. Il la prit par le bras et, quand elle voulut se dégager, l'attira doucement vers lui.

– Je suis désolé. Oublie tout ça. Tu pourras ?

Il l'attira encore plus près et se mit à lui caresser les cheveux. Petit à petit, elle parut se calmer.

– Comme tu es gentil, Acland, dit-elle d'une toute petite voix. Quand je pense à toi, je te vois toujours en colère, furieux. Et aujourd'hui, tu es si gentil. Tu as changé. Oh, j'ai si froid. Je n'arrête pas de grelotter. Tiens-moi tout contre toi. Réchauffe-moi, s'il te plaît. J'irai mieux dans un moment. Nous pourrons partir.

Elle eut un nouveau frisson et se pressa contre lui, son manteau glissant légèrement sur ses épaules. Sans savoir comment, il se retrouva avec un bras autour de sa taille, sous le manteau.

Il eut un sentiment de malaise, comme s'il s'était compromis. Il arrêta de lui caresser les cheveux et, quand il voulut s'écarter, elle s'accrocha à lui.

– Je t'en prie, tiens-moi fort. Encore un peu. Je suis si malheureuse. Regarde, je pleure. Ta veste est toute mouillée. Je la déteste. Elle gratte. Mais pourquoi faut-il que les Anglais portent toujours du tweed ? Voilà, c'est mieux comme ça.

Elle venait de déboutonner sa veste. Elle poussa un soupir de contentement en posant sa tête contre la poitrine d'Acland, une main sur son cœur.

Il sentit le contact de ses seins à travers sa chemise. Les mamelons se mirent à durcir.

Des années de mariage avec une femme bien différente avaient dû affaiblir son instinct : une partie de son esprit persistait à vouloir le convaincre que ce contact érotique était accidentel lorsque Constance fit un geste. Elle commença à le caresser d'une façon sans équivoque.

Il la lâcha immédiatement et recula.

Elle le regarda d'un air patient, compréhensif et presque triste, et hocha la tête.

– Quel visage d'homme marié tu fais ! Elle sourit. Comme c'est stupide ! Oh, Acland ! Cela ne sert à rien de t'enfuir, dit-elle quand il se dirigea vers la porte. Tu ne peux pas me fuir. Je ne me laisserai pas impressionner par tes démonstrations de loyauté conjugale.

– Je ne m'enfuis pas, je retourne à la maison. Je préfère la compagnie de ma femme.

614

– Sa compagnie ? Constance le suivit vers le pas de la porte. Je peux te la faire oublier en moins de cinq minutes. Embrasse-moi et tu verras que sa compagnie ne sera plus un besoin urgent.

– Constance, j'aime ma femme.

– Bien sûr. Je n'en ai jamais douté. Après tout, c'est moi qui suis à l'origine de votre mariage. Tu as besoin d'elle comme moi de Montague – jusqu'à un certain point. Mais tu as aussi besoin de moi. Tu me veux. Tu m'as toujours voulue. Si tu me touchais, tu le comprendrais tout de suite. Mais tu n'oses pas. C'est pour ça que tu t'enfuis. Cela ne sert à rien. Tu ne pourras pas m'échapper. Je serai toujours présente dans ton esprit.

Elle avait l'air très sûre d'elle. Son arrogance mit Acland en colère.

– Tu crois vraiment ça ?

– Bien sûr. Je l'ai toujours su.

– Eh bien tu te trompes. Je pourrais très bien te toucher et ne rien ressentir du tout. Le problème est que je n'ai aucune envie de te toucher.

Constance poussa un petit cri. Acland ne fut pas dupe de son jeu. Très sûre d'elle l'instant précédent, elle voulait maintenant lui faire croire qu'elle avait du chagrin, qu'elle était vulnérable. Il la connaissait suffisamment pour savoir que c'était de la comédie.

– Ecoute... Je suis marié. Toi aussi. Tu es venue pour le baptême de ma fille. Il y a un instant nous parlions de la mort de ton père, tu étais bouleversée et j'ai voulu te consoler. C'est tout. Tu t'es méprise sur mon geste et j'en suis navré. Et maintenant, si nous retournions à la maison ?

– Tu m'as sauvé la vie un jour.

– C'était il y a très longtemps. Tu étais malade et je t'ai peut-être aidée un peu à guérir.

– Tu m'as promis de ne pas mourir. Les yeux de Constance se remplirent de larmes. Tu me l'as juré. Et tu n'es pas mort. Tu es revenu.

– Je sais, je sais. Je ne nie pas tout ça. Mais c'était avant mon mariage.

– Ton mariage ! Ton mariage ! Tu en parles comme si c'était une barrière insurmontable. Comment peux-tu parler ainsi ? Oublier tout ce qui s'est passé ? J'ai cru en toi. J'ai cru en nous. De toute ma vie, c'est la seule chose à laquelle j'aie vraiment cru.

– Constance, je n'oublie rien. Je dis simplement que c'est le passé. Ecoute-moi...

– Non !

Elle recula d'un pas et Acland se demanda si elle n'était pas sincère. La couleur avait quitté son visage et elle tremblait d'émotion.

– Tu m'aimais. Je le sais. Tu essaies de tuer ce qu'il y avait entre nous. Tu as changé. Tu n'aurais pas agi ainsi autrefois. Tu prenais des risques, tu étais rebelle. Depuis quand es-tu devenu un homme quelconque ?

Acland se détourna et regarda vers le lac et le ciel sombre. Les bois ne formaient plus qu'une ombre derrière le lac.

– Est-il quelconque d'aimer sa femme et son enfant? Est-il quelconque de tenir à son mariage? Peut-être. Il haussa les épaules. Dans ce cas, je suis un homme quelconque.

Il y eut un silence. Lorsque Constance reprit la parole, sa voix était posée et pensive.

– Je me demande... C'est vraiment étrange. Tu as peut-être toujours été comme ça. C'est moi qui ai tout inventé. Oui, c'est ça. J'ai fait de toi un héros. Quand je pensais à toi, je voyais un homme exceptionnel, un ange. Tu étais invincible, immortel. J'ai imprimé cette image dans mon esprit et je te l'ai insufflée, année après année, pour te rendre fort. Je regardais tes mains et sais-tu ce que j'y voyais? La mort dans l'une et la vie dans l'autre. Tu étais mon rédempteur et mon sauveur, l'être qui pouvait me sauver, qui avait eu le courage de tuer mon père. Tout cela s'est évanoui. Tu n'es plus rien.

– Constance, nous n'aurions pas dû venir ici. Tu ne te sens pas bien.

Il se tourna vers elle. Elle était crispée. Les mains jointes, elle jetait un regard absent sur les eaux sombres du lac. On aurait dit qu'elle réfléchissait à haute voix et ne voyait pas Acland. Il lui prit le bras.

– Viens, on rentre. Tu m'entends? Il fait froid. On rentre.

– Je suis plus courageuse que toi. Je le comprends maintenant. Je ne te pardonnerai jamais.

– Ne parle plus. Prends mon bras. Nous allons rentrer tranquillement et tu pourras te reposer.

– Je ne veux pas de ton bras ni me reposer. Tu es complètement grotesque. Laisse-moi tranquille!

– Constance...

– Tu sais quel est le seul courage qui vaut la peine? Celui de tuer. Et je croyais que tu l'avais. J'ai été stupide. Tu as chargé le fusil et tu as fait demi-tour. Je te méprise.

– Constance, arrête! Tu ne sais pas ce que tu dis. Allez. Assieds-toi et calme-toi. Tu veux que j'aille chercher quelqu'un? Steenie, par exemple. Il va te parler.

– Je suis parfaitement calme. Elle tendit une main, la paume vers le haut. Regarde! Le calme absolu. Pas un souffle. La surface de l'eau est immobile et noire. Aucune ride.

– Tu es malade. Je vais chercher quelqu'un.

Il se dirigea vers l'escalier et s'arrêta soudain. Il n'était pas raisonnable de la laisser seule. La proximité du lac était inquiétante.

A cet instant, il entendit un son si soudain qu'il sursauta et – réflexe qu'il avait conservé de la guerre – mit ses bras devant son visage pour se

616

protéger. L'air frémit et une forme sombre passa tout près. Ce n'était qu'un cygne noir qui venait de s'envoler. C'est alors que Constance se mit à crier.

Son cri de goéland, une note claire, haute et perçante. Acland fit volteface. Ses souvenirs refirent surface : pendant une seconde, il pensa voir une enfant au visage blême, vêtue de noir, hurler en fixant sur lui un regard accusateur.

Mais non. Ce n'était que Constance dans son manteau gris. Elle avait elle aussi levé les bras pour se protéger le visage. Elle recula et se fondit dans l'ombre. Il ne voyait plus que son visage blanc.

Elle dit – ou du moins est-ce ce qu'il pensa plus tard : « Non. Pour l'amour de Dieu, ne fais pas ça ! »

Elle poussa un petit cri d'animal blessé. Au moment où Acland commença à s'avancer vers elle, elle laissa retomber ses bras et se redressa.

Il s'arrêta. Elle fit quelques pas et leva la tête vers lui.

– Tu sais ce que mon père a fait un jour ? Il m'a fait boire mon propre sang. Dans un tout petit verre. Ou était-ce du vin ? Non, je ne crois pas. Le sang et le vin n'ont pas le même goût. Je m'en serais aperçue.

Avant qu'Acland puisse parler, elle leva une main et toucha son visage.

– Pauvre Acland. Je ne suis pas malade. Mon esprit n'a jamais été aussi clair. Je comprends maintenant. Je savais que je finirais pas comprendre. Tu m'as bien aidée. La voix. Je n'avais qu'à l'écouter. J'aurais dû le faire plus tôt mais j'avais peur. Je pensais qu'avec le temps elle partirait mais au bout de vingt longues années elle est toujours là. Après tout, on ne peut pas étouffer une voix. Une personne, oui. Mais pas une voix.

Elle hocha légèrement la tête. Acland sentait ses doigts sur son visage.

– Il fait presque nuit, continua-t-elle. Je ne te vois plus très bien. C'est bien ce que je pensais. Si peu d'imagination. Rapide et malin... tu ne comprends toujours pas, n'est-ce pas ? Tu veux que je te montre ? Oui, je vais te montrer.

Elle descendit les marches en courant. Arrivée en bas, elle s'arrêta pour se retourner. Elle serra son manteau autour d'elle puis prit le chemin de la maison.

L'obscurité était presque totale. Acland entendit le crissement du gravier puis un bâton qui se brisait sous ses pas.

Il scruta dans le noir. Elle avait disparu. Pris de panique, il descendit les marches en courant et fouilla le chemin du regard. Il voyait au loin les lumières de la maison, la blancheur du gravier, des ombres qui bougeaient. Il eut l'impression de voir sa silhouette. Mais était-ce bien elle ? Il hésitait, craignant qu'elle ne se soit dirigée vers le lac. Il se mit à marcher puis à courir. Une branche s'accrocha à ses cheveux. Il ralentit le pas puis s'arrêta complètement.

De l'obscurité devant lui, une voix appelait. Son cœur s'arrêta de battre, une sueur froide envahit son cou. C'était la voix de sa mère.

Dans le silence qui suivit, il tenta de se convaincre qu'il l'avait imaginée. Mais la voix revint. Impossible de se tromper, l'imitation était parfaite.

— Eddie, appelait la voix de sa mère. Eddie. Par ici. Je suis là.

A la maison, Acland s'arrêta dans le vestibule. Du salon s'échappaient des sons familiers : le craquement des bûches dans la cheminée, le tintement des tasses de thé, le murmure d'une conversation. Il tendit l'oreille : la voix de sa femme, celle de Wexton, une interjection de Steenie, un échange de remarques entre Freddie et Winnie puis, au milieu des autres, celle de Constance. Elle était donc rentrée. Elle discutait, apparemment, des différentes sortes de miel. Sa voix ne portait aucune trace de trouble ou d'émotion. Il s'adossa au mur et ferma les yeux. « C'est un tour de mon imagination », se dit-il.

Comme paralysé, il ne voulait pas quitter l'abri du vestibule; il ne voulait pas entrer dans le salon; il ne voulait pas regarder Constance en face. Il était certain que les événements de l'après-midi avaient eu lieu mais tout aussi certain du contraire. Il ne se souvenait plus exactement de ce que Constance lui avait dit ni dans quel ordre. Il était complètement perdu.

En tout cas, il était sûr que, sur le chemin, elle l'avait appelé avec la voix de sa mère, et sûr des mots qu'elle avait prononcés. C'était cette voix qui avait attiré Shawcross dans le piège.

Encore une fois, c'était possible et impossible. Après tout, Constance était une menteuse invétérée et une fabulatrice. Mais s'il avait bien entendu ce qu'il croyait avoir entendu, elle était soit une meurtrière, soit une malade mentale. Au mieux, elle avait une imagination perverse. Le sentiment de culpabilité – il était bien placé pour le savoir – est capable de faire croire qu'on a commis une action qu'on a seulement eu le désir de commettre. Avait-elle tué ou imaginé avoir tué ? Il avait déjà vérifié la capacité de Constance à croire à ses propres inventions. Plus il tournait la question dans sa tête, moins il y voyait clair. Le crime – si crime il y avait – remontait à trop longtemps.

« Je saurai la vérité quand je la verrai », se dit-il. Il traversa donc le vestibule et entra dans le salon. Constance n'était ni plus calme ni plus agitée que d'habitude. Elle prenait le thé avec sa famille, assise près du feu, ses petits pieds devant la chaleur des flammes.

Apparemment, elle venait d'offrir son cadeau de baptême et Jane, cachant son dégoût pour ce genre d'objet, se leva pour le montrer à Acland. C'était un bracelet coûteux qui n'avait rien de religieux : un serpent à la tête en pierre précieuse. Constance expliqua qu'elle avait préféré, à la place des cadeaux de baptême traditionnels, offrir à Victoria un bijou qu'elle porterait plus tard et qu'il serait plus en valeur sur la peau nue. Elle sourit. Elle avait acheté cet objet sur un coup de tête, la veille, sur Bond Street.

Acland était sur des charbons ardents. Il avait mal à la tête. Lorsqu'il alla s'habiller pour dîner, son mal empira. Il souffrait de migraine depuis la guerre. Le seul remède efficace était le silence et l'obscurité. Mais ce soir c'était hors de question.

Jane avait organisé un dîner pour fêter le baptême. Ce n'était qu'un repas de famille mais elle y tenait beaucoup.

Acland prit de la codéine pour soulager la douleur et descendit à 7 h 30. Tout le monde était là, sauf Constance. Pendant que les autres buvaient un verre de xérès, elle faisait les cent pas dans sa chambre, se mirant dans la glace pour se rassurer sur sa beauté.

Elle préparait une petite scène : que dire en premier ? Fallait-il seulement punir Acland pour être quelconque ou les punir tous les uns après les autres ? Tous, décida-t-elle.

Elle envoya un message télépathique à Montague qui, lui au moins, n'était pas quelconque. Il aurait approuvé ce qu'elle s'apprêtait à faire. « Nous sommes semblables, lui dit-elle, nous savons haïr et si cela était nécessaire nous aurions tous les deux le courage de sauter dans le vide. Regardez-moi détruire le temple, Montague. Regardez. Vous allez bien vous amuser. J'ai mis vos diamants. »

C'était l'heure. Sa peau était blanche, sa robe noire, ses lèvres rouges. « Je peux tuer, disait sa volonté. Je suis capable de tout. »

Elle éteignit les lampes une à une. Même l'obscurité n'était pas effrayante. En descendant lentement l'escalier, elle admira ses pieds menus, la finesse de ses souliers de satin et de leurs boucles semblables à des prismes.

« Fais-leur du mal », se dit-elle. Cette femme-enfant, qui n'avait jamais compris que punir les autres n'est qu'une manière misérable de se punir soi-même, se sentait très forte. Elle entra dans le salon, très sûre d'elle, comme toujours quand elle avait un but bien déterminé. Elle scruta chaque visage un à un avant de s'employer à obtenir son propre bannissement. Acland fut sans doute l'instrument de cet exil mais il ne fait aucun doute que Constance fut à la fois juge et partie : en faisant tout pour se faire proscrire, elle avait elle-même décidé de la sentence.

N'oublions pas le décor : la salle à manger très vieux jeu et formelle de Winterscombe, une table bien astiquée trop grande pour sept personnes et un nombre impair de convives. William, aidé par une vieille domestique, servit un excellent bordeaux d'un air déférent. Les quatre hommes étaient en smoking, les trois femmes en robes du soir. Des chandeliers, un feu dans la cheminée, un service de table somptueux de cent pièces, des filets de sole fort bien cuisinés et de la selle de mouton rôtie. Ce dernier plat est excellent mais personne n'y touchera – pas plus qu'au dessert – car au moment où Acland, en sa qualité de maître de maison, s'apprêtait à la découper sur la desserte, Constance déclara les hostilités. Ce fut la pauvre Winnie qui lui en donna l'occasion.

Inconditionnelle de Wexton, Winnie venait de lire son dernier recueil de poèmes, dédié à mes parents, comme elle le souligna au passage.

Elle expliqua assez longuement que Cootie et elle aimaient se lire à haute voix les poèmes de Wexton en prenant une tasse de chocolat avant de se coucher. L'un d'eux, un sonnet sur l'amour, était son préféré. Malgré l'embarras de Wexton, elle alla jusqu'à en réciter quelques vers de mémoire.

D'une certaine façon, elle les avait mal interprétés car, à bien des égards, elle était plutôt naïve. Pour elle, c'était un poème sur l'amour, mais l'amour qu'elle connaissait, celui qu'elle éprouvait pour son mari.

Lorsqu'elle eut terminé, un court silence plana. Steenie, qui n'avait pas encore eu le temps de se saouler, adressa à Wexton un clin d'œil discret. Jane, émue, échangea un regard avec Acland. Constance se pencha :

– Bien sûr, dit-elle d'une voix haute et claire, vous n'ignorez pas que ce poème a été écrit pour un homme ?

Winnie faillit laisser tomber son verre. Elle battit des paupières et regarda Wexton d'un air consterné. Son cou et ses joues virèrent au rouge.

– Il décrit une nuit d'amour, bien entendu, insista Constance au milieu du silence le plus total, mais entre deux hommes. Des hommes comme Wexton. Ou comme Steenie. Savez-vous, Winnie, que Steenie et Wexton ont été amants ? Quel âge avais-tu, Steenie ? Seize ans ? Dix-sept ? Tu étais mineur, en tout cas.

On entendit un grand fracas. La domestique, moins imperturbable que William, avait laissé tomber le plat de légumes. Elle s'agenouilla pour réparer les dégâts.

– Des homosexuels, poursuivit tranquillement Constance. Je déteste les mots « tapette » ou « pédé ». Ils sont stupides et méchants. Vous ne trouvez pas Winnie ? Les gens...

Acland arrêta de découper la viande et posa son couteau. Il fit un petit signe aux domestiques qui sortirent.

— Les gens les emploient parce qu'ils trouvent l'inversion sexuelle effrayante. « Honteuse », diraient certains, mais ce n'est pas mon avis. Les gens comme Steenie et Wexton nous rappellent qu'il n'y a aucune règle en matière d'amour ou de sexe. Certains prétendent que si. Ils sont franchement ennuyeux. Vous, Winnie, par exemple, comment définissez-vous l'amour normal ? Hétérosexuel ? Et les rapports sexuels normaux ? Conjugaux ? Une fois par semaine ? Dans la position du missionnaire ? Ah ! comme j'aimerais que Cootie soit là. Il aurait pu nous dire ce qu'il en pensait. Pour la baise, il faisait cela plutôt à la papa ou était-il inventif ?...

Winnie se leva en renversant sa chaise. Elle tremblait de la tête aux pieds. Sa bouche s'ouvrit puis se ferma. Avec une certaine autorité, Acland intervint :

— Constance, arrête tout de suite !

Elle se tourna vers lui en écarquillant les yeux.

— Acland, je t'en prie. C'est très intéressant. Je me bats pour la libération sexuelle et pour l'amour. Les deux sont intimement mêlés, tu ne trouves pas ? Cela ne facilite pas les choses, d'ailleurs. Prenons la sodomie, par exemple. Tout le monde sait que les homosexuels la pratiquent...

— Biblique ! s'écria Steenie en se levant précipitamment. Devrions-nous rester bibliques sous prétexte que nous...

— Mais, après tout, poursuivit Constance, la sodomie n'est pas une pratique réservée aux homosexuels. Il paraît que des hétérosexuels s'y adonnent également. Est-ce donc une perversion ? Et si oui, pourquoi ? Winnie, quelle est votre opinion ? Cootie tiendrait-il cela pour de la perversion ? Que penserait-il de, disons, la masturbation ? Du cunnilingus ? De la fellation ? De la fornication ? Personnellement, j'ai toujours considéré que ce qui donne du plaisir est autorisé. Et si ça ne l'est pas, c'est encore plus agréable. Mais je ne me suis jamais posée en moraliste. Elle soupira. Je suis sûre que si Cootie était là il s'expliquerait là-dessus. Ainsi, je pourrais comprendre pourquoi telle pratique est permise et telle autre non. Vous savez, je crois qu'il y a un problème de terminologie. Je me demande pourquoi la luxure est un péché et l'amour une vertu alors que l'amour cause tant de problèmes dans ce monde. Et je n'ai jamais compris pourquoi certains termes latins sont plus acceptables que leurs équivalents en langage courant. Pourquoi dire « pénis » alors qu'on pourrait tout simplement...

— Jamais !... s'exclama Winnie, retrouvant enfin l'usage de la parole.

— Quant au verbe « baiser », la coupa Constance, mis à part le fait qu'il n'a aucun synonyme valable, je le trouve charmant. Pas vous Wexton ? Il a des qualités poétiques et...

— Jamais !... s'exclama à nouveau Winnie, d'une voix tonitruante. Jamais de ma vie je n'ai entendu quelqu'un parler de cette façon ! Cette femme est-elle dérangée ? Saoule ?

En parlant, Winnie avait drapé son châle avec dignité autour de ses épaules, s'était redressée et avait fixé Constance d'un œil noir. Constance regarda son verre.

— Non, Winnie. Je ne suis pas saoule. Je ne l'ai jamais été de ma vie, d'ailleurs.

— Alors, vous avez encore moins d'excuses. Je refuse d'en entendre plus.

— Moi aussi, renchérit Freddie en se levant. Il jeta un regard circulaire. Acland, tu ne peux pas l'arrêter? Tu la connais. Une fois qu'elle se lance...

— Constance...

— Acland, ne sois pas stupide. Nous parlons de linguistique et de morale. Je ne suis qu'une faible femme... Tu vas me jeter dehors?

— Freddie. Sois gentil, j'ai besoin d'un peu d'air frais, intervint Winnie.

Elle se dirigea vers la porte. Freddie hésitait. Il regarda Constance comme s'il s'apprêtait à risquer une repartie et lut dans ses yeux qu'il valait mieux s'abstenir. Il offrit son bras à Winnie. La sortie de Winnie fut magistrale, celle de Freddie moins brillante. La porte se ferma.

— J'ai la nausée, dit Steenie. Il but son verre et se resservit. Vraiment, Connie, pourquoi as-tu fait ça?

— Fait quoi? demanda Constance innocemment. Ce n'était qu'une discussion.

— Un monologue, je dirais, précisa Wexton en se penchant. Votre seul objectif était de blesser Winnie.

— Peut-être. Constance esquissa un sourire. Mais avouez qu'elle est stupide! Elle a fait des grimaces à mon chapeau toute la matinée...

— Doux Jésus! s'exclama Steenie.

— De plus, les gens comme elle m'énervent. Toi aussi, Jane, soit dit en passant. Je ne supporte pas la censure morale. Quand on a des œillères, ce n'est pas par morale, c'est par lâcheté. Et Winnie n'a rien compris à votre poème, Wexton. Avouez que vos poils se sont hérissés dès qu'elle a commencé à le réciter.

— Ils se hérissent chaque fois qu'on récite un de mes poèmes.

— Vraiment? Quelle modestie! Je peux vous poser une question?

— Bien sûr.

— J'admire vos poèmes, vous le savez. Ils sont bons. Mais je me suis toujours demandé pourquoi vous les dédiiez à un type comme Steenie. Ni pourquoi vous étiez tombé amoureux de lui, d'ailleurs. Oh, Steenie! Arrête de rouler des yeux et de remuer de l'air comme ça. Tu sais que j'ai raison. Je t'aime beaucoup; et quand tu étais jeune et que tu ne buvais pas autant tu étais vraiment mignon. Mais je n'aurais jamais cru qu'un homme comme Wexton se serait laissé avoir par un joli minois...

— Arrête, Constance! Tu ne vas pas t'en prendre à moi maintenant. Parce que si tu le fais...

— Eh bien, pour être honnête, Steenie. Tu n'es qu'un amateur. Tu n'as fait qu'une seule exposition, tu n'es pas resté fidèle plus de cinq minutes à Wexton, et quand Boy s'est tué, qu'est-ce que tu as fait? Tu t'es précipité dans le lit de Conrad Vickers en rejetant la faute sur Boy. Mais personne n'a jamais dit la vérité sur Boy. Après toutes ces années, nous continuons à prétendre que c'était à cause de la guerre. Mais cela n'avait rien à voir. Il s'est suicidé parce qu'il aimait les petites filles...

— Qu'est-ce que tu dis?

— Qu'il avait un faible pour les petites filles, Acland. Tu l'avais sûrement deviné. Si tu ne me crois pas, demande à Freddie. Il a vu les photos que Boy a prises de moi quand j'étais petite. Elles étaient plutôt pornographiques. Mais Freddie ne sait pas qu'il n'y avait pas que des photos... Elle s'interrompit. Puis-je employer le mot «baiser» maintenant que Winnie est partie? Boy aimait baiser les petites filles. Moi, par exemple. Ce n'est pas la peine de me regarder comme ça, Acland. Toi non plus, Steenie. Les faits sont là. Si tu réfléchissais un peu, Acland, tu verrais que j'ai raison. Tu te rappelles quand tu m'as vue sortir de la chambre de Boy?

— Non. Et de toute façon, je ne crois pas à tout ça et je ne sais même pas de quoi tu parles.

— Acland, je vois que tu préfères te voiler la face, mais moi je n'ai pas oublié. J'avais douze ans.

— Je n'en crois pas un mot.

— Et tu as bien raison, explosa Steenie. Ne discute pas avec elle, Acland. C'est la pire des menteuses. Son père n'était qu'un vulgaire petit faiseur et elle est exactement comme lui...

— Steenie, calme-toi. Ton mascara coule. Tu vas fondre en larmes, comme d'habitude.

— Espèce de garce, dit Steenie. Boy est mort et il ne peut pas se défendre.

— Steenie, c'est idiot de m'injurier comme ça alors que tu sais très bien que dans deux jours tu vas revenir me manger dans la main. Et puis, tu es vraiment moche quand tu perds ton sang-froid. Tu sais que dans quelques années tu ressembleras vraiment à une vieille tapette?

— Ah vraiment? Steenie se redressa en reniflant. Eh bien, il vaut mieux que tu saches que je ne suis pas le seul à vieillir. Maud a dit que tu commençais à faire ton âge. Quelques petites rides autour de ta bouche, ma chérie. Et quand je serai une vieille tapette, tu seras une vieille sorcière. A ta place, je consulterais tout de suite un chirurgien esthétique.

— Steenie, sors d'ici!

— C'était exactement ce que je voulais faire, ma chérie. Tu dépasses les bornes. Jamais de ma vie je n'ai vu un acteur forcer autant son rôle que toi. Tu viens, Wexton?

— Non, je reste. Elle dépasse les bornes, mais c'est intéressant. Je voudrais voir la chute du dernier acte.

— Eh bien, si elle arrive jusque-là, demande-lui de te parler d'un certain docker de New York. Tu verras, c'est très édifiant.

Sur ce, Steenie sortit en claquant la porte. Wexton regarda Jane, qui n'avait pas encore parlé, puis Acland, qui avait tourné le dos. Il sourit, s'installa plus confortablement sur son siège et se versa un verre de vin.

— Vous savez, commença-t-il d'une voix aimable, Steenie a tort. Cette histoire de docker ne m'intéresse pas du tout. Allez, maintenant que vous avez évincé tous ceux dont vous ne vouliez pas, à part moi...

— Wexton! Ce n'est pas gentil.

— Allons-y! Jane est là. Acland aussi. Allez droit au but.

— Non, Wexton, interrompit Acland. J'en ai assez. Ce n'est pas un jeu, il s'agit de ma famille, de mes frères. Steenie a raison. Boy n'est plus là pour se défendre. Je ne veux pas qu'on parle de lui de cette façon.

— Mon Dieu! Quelle voix glaciale! Que vas-tu faire Acland? Me faire sortir *manu militari*? Ça me plairait beaucoup.

— Ce ne sera pas nécessaire. Avant de partir, Constance, si tu nous parlais un peu de toi? Pourquoi ne pas raconter ce qui s'est passé cet après-midi? Après tout, c'est bien ça qui a déclenché ta vengeance, non?

Constance soupira.

— Peut-être bien. Cet après-midi, j'ai pris conscience de quelque chose qui vient de se confirmer. Une famille anglaise se serrant les coudes. Toutes les familles font peut-être ça. Ou alors, c'est une qualité toute anglaise. Je suis une étrangère ici. Je l'ai toujours été.

— Ce n'est pas vrai, intervint Jane d'une voix indignée. La famille d'Acland t'a adoptée. Acland a même accepté que tu sois marraine.

— Oui, mais j'ai dû lui forcer un peu la main, dit Constance. Je ne pense pas que vous étiez d'accord.

— C'est vrai, j'étais contre.

— Vous voyez. Elle sourit. C'était une attitude très sensée. J'ai toujours eu tendance à mordre la main qui me nourrit. C'est un de mes défauts. J'ai toujours détesté la charité.

— La gentillesse serait-elle une forme de charité?

— Jane, ne discute pas avec elle, interrompit Acland.

— Acland, n'empêche pas ta femme de parler. J'adore écouter ses arguments. J'ai parfois l'impression que si je l'écoutais plus souvent je pourrais devenir comme elle. Calme, bonne, raisonnable, toujours droite. Et puis, l'instant d'après, je me dis : « Plutôt mourir! » J'adore braver les interdits, tu sais. C'est ce que j'ai toujours fait.

— Braver les interdits ! Mon Dieu ! Qu'est-ce qu'il ne faut pas entendre !

— C'est une expression, mais il y en a d'autres. C'est bizarre... Elle se leva et se mit à marcher dans la pièce. Chaque fois que je viens à Winterscombe, je me sens très... pernicieuse. Je regarde cette belle maison et cette belle famille et je n'ai plus qu'une idée en tête : tout détruire.

— Tu es quelqu'un de destructeur, de toute façon, répliqua Acland. Tu l'as toujours été.

— Ah bon ? Elle parut réfléchir. Peut-être, mais je ne le ressens pas comme ça. Je vois plutôt là une façon de tout nettoyer. Plus de bonnes intentions, plus de faux-semblants, plus de secrets. Tu vois, j'ai toujours eu l'impression que Winterscombe était un édifice fragile, avec toutes ses fissures qu'on s'empresse de cacher avec du papier peint. Moi, quand je vois une fissure, j'ai envie de l'élargir jusqu'à ce que tout s'écroule.

— Mais pourquoi ? interrogea Jane en fronçant les sourcils.

Constance haussa les épaules.

— Juste pour voir si quelque chose va rester debout, je pense. Il ne restera peut-être plus que du bon. L'amour ou la vérité. Mais il ne restera peut-être plus rien. Vous ne trouvez pas que je suis courageuse ? Moi oui. Mais personne ne s'y risquerait avec moi, à part Wexton peut-être. Mais sûrement pas toi Acland, ni ta femme. Vous préférez rester à l'abri.

— A l'abri ? Le mot parut troubler Jane. C'est faux, Constance. Si tu avais vu la guerre de près, tu ne dirais pas cela. Cette maison — cette famille — n'est pas simplement un refuge. C'est quelque chose en quoi je crois. Et Acland aussi. Elle est fragile et vulnérable, nous le savons. Nous nous battons chaque jour pour qu'elle vive...

— Et votre mariage ? Vous vous battez aussi pour qu'il vive ?

Jane, s'interposa.

— Acland, ne lui réponds pas. Tu ne vois pas que tu fais son jeu ?

— Je n'ai pas l'intention de la laisser détruire tout ce à quoi je tiens. Elle est très habile. A l'écouter, on lui donnerait presque raison. Constance, tu dis des mensonges épouvantables et tu te moques pas mal de blesser les gens...

— Des mensonges ? Je n'ai pas dit un seul mensonge ce soir. Tout ce que j'ai dit sur Steenie et Boy était vrai. Je trouve même que j'ai été très indulgente. J'aurais pu vous en raconter de bonnes sur Freddie, aussi. Quant à Acland...

— Laisse Acland en dehors de ça...

— Et pourquoi ? Il illustre parfaitement ce que je veux dire. J'ai une bonne mémoire. Je me rappelle comment il était avant que vous vous acharniez à le dompter. Regardez-le, maintenant : le mari parfait, le père parfait...

625

— Quel mal y a-t-il à cela?

Constance prit un couteau et l'observa.

— Il joue bien son rôle. Il est presque convaincant. Mais certains éléments ne collent pas. Nous sommes ici pour un baptême, pour nous réjouir de la naissance de sa petite fille. Enfin! Sauf que ce n'est pas son premier enfant. Il a eu un garçon de Jenna, qu'il a aimée autrefois. Il s'appelait Edgar et il avait les yeux de son père...

— Arrête! hurla Acland. Tu vas arrêter, oui?

— Non, Acland, s'interposa Jane en se levant. Elle posa la main sur son bras. Laisse-la continuer.

— Merci, Jane. J'étais en train de dire... Edgar est mort. Et depuis longtemps, ce qui est bien pratique pour prétendre qu'il n'a jamais existé. Tant que tout le monde croit que c'était le fils d'Hennessy, tout va bien, n'est-ce pas? Et qui est actuellement en haut, à s'occuper de la petite fille? Jenna. Et je trouve l'intérêt de Jane pour Jenna plutôt étonnant. Est-ce par ignorance ou par générosité? Je me suis posé la question. Etiez-vous au courant, Jane? Vous n'êtes pas jalouse?

Un silence pesant tomba. Acland mit sa main sur ses yeux. Jane et Constance se mesuraient du regard. Wexton était là en observateur.

Jane ne répondit pas tout de suite. Elle fronça les sourcils, comme hésitant sur ce qu'elle allait dire.

— Constance, dit-elle enfin, je suis au courant de tout cela. Tu n'es pas la seule à penser à Edgar. J'y pense, moi aussi. Je parle de lui avec Acland et Jenna. J'ai pensé à lui ce matin à l'église et je suis certaine qu'eux aussi. Personne ne l'oublie. Acland et moi sommes mariés depuis douze ans. Nous n'avons plus de secrets. Jenna a perdu un enfant et moi deux. Le passé ne peut être cause de division. Il nous rapproche au contraire. Es-tu capable de comprendre ça?

Il y eut un nouveau silence. Constance fit un geste des mains étrange.

— Douze ans? Déjà?

— Pourquoi fais-tu tout cela? demanda Jane, très posément. Elle se pencha pour mettre sa main sur le bras de Constance. Comment peux-tu utiliser un enfant mort pour parvenir à tes fins? Pourquoi as-tu demandé à être marraine pour faire ce que tu fais maintenant? Quel acharnement à faire du mal!

— Laissez-moi tranquille.

— Steenie est ton ami et tu l'as blessé. Winnie a peut-être mal interprété le poème de Wexton mais elle en a compris l'essentiel. Pourquoi ne pas lui avoir laissé ses illusions? Boy, Freddie et Acland... je sais qu'ils te sont chers. Alors pourquoi te comporter comme si tu les haïssais?

— Je les aime. Ils sont mes frères.

Alors, pourquoi leur faire du mal? Cela ne fait que t'isoler. Tu ne vois pas que tu fais plus de mal à toi qu'à nous?

Le mot « nous » agit comme un coup d'épée. Constance fit volte-face.

– Vous avez pitié de moi! Je vous l'interdis! Pauvre petite ex-infirmière. Vous êtes complètement stupide. Vous savez pourquoi Acland vous a épousée? Pour votre argent. Et c'est moi qui lui ai dit de le faire.

– Alors, je profite de l'occasion pour te remercier, dit Jane. Il ne reste pas beaucoup d'argent mais c'est un bon conseil que tu lui as donné. Nous t'en sommes très reconnaissants.

Tout en parlant, elle avait lancé un regard vers son mari. Etait-ce ce regard affectueux, était-ce parce qu'Acland s'était rapproché d'elle, était-ce parce que Wexton, l'observateur, s'était mis à sourire? Quelle qu'en soit la raison, Constance perdit définitivement son sang-froid.

Comme d'habitude, sa rage fut soudaine et très physique. Elle frappa du poing sur la table et balaya couteaux, fourchettes et assiettes qui tombèrent au sol. Wexton se baissa pour esquiver puis se leva. Constance se mit à lancer les verres, répandant partout cristal brisé et mares de vin. Un tourbillon d'énergie parut traverser la pièce, emportant tout sur son passage. Puis le silence.

Constance était au milieu de cette pagaille, le bras gauche tendu, poignet vers le haut, et tenait dans l'autre main le pied d'un verre brisé.

– J'y vais, Acland? Tu crois que je n'aurai pas le courage? Ne vous approchez pas. Vous trouvez que ça ne se fait pas de se couper les veines dans la salle à manger des autres? Je suis capable de le faire et Acland le sait parfaitement.

– Constance...

– Reculez. Tous! Si vous approchez...

Jane était paniquée. Acland fit un pas en avant et s'arrêta. Le visage de Constance était triomphant.

– Alors, j'y vais, Acland? Le poignet ou la gorge? Ce verre est très coupant. Il suffit de couper la veine dans le bon sens et ça ira très vite. Un geiser de sang. Et vous assisterez tous au spectacle.

– D'accord. Acland croisa les bras. Sa voix était très ferme. Vas-y! Nous te regardons. Mais choisis plutôt une artère si tu veux que ce soit rapide.

– Acland, non, intervint Jane. Elle est malade. Constance, pose ce verre!

– Approchez-vous et je vous l'écrase sur la figure...

– Laisse-la et reste où tu es, dit Acland en s'interposant entre Constance et sa femme. Constance frissonna.

– J'y vais, Acland? Je saute?

– Vas-y, je te dis!

– Tu as compris cet après-midi?

– Oui.

— Je déteste cette maison.

— Donne-moi ce verre.

— Elle est hantée. Je sens la présence des fantômes.

— Donne-moi ce verre.

— Où est mon père ? Es-tu mon père ?

— Non, Constance.

— Il n'est pas là ? Le visage de Constance se décomposa. Je croyais qu'il était là. J'ai entendu sa voix.

— Il n'est pas là, Constance. Mets le verre dans ma main, doucement.

— Comme tu voudras, soupira-t-elle. Toute tension quitta son corps et sa main retomba. Tu as sans doute raison. Vivre un peu plus longtemps, puis encore un peu plus longtemps, jour après jour, nuit après nuit. J'aimerais être seule. Je vais me coucher. Tout va bien. Ne vous inquiétez pas. Je partirai dans la matinée. Quel capharnaüm ! Je suis navrée.

Lorsqu'elle eut quitté la pièce, un silence tomba. Jane se pencha pour ramasser une assiette puis renonça. Wexton fit les cent pas puis s'assit en disant :

— Seigneur !

— Je sais, dit Acland en regardant les verres brisés, le repas non terminé, le désordre sur la table.

— J'ai besoin d'un whisky, dit Wexton.

— Bonne idée. J'en veux bien un aussi, s'il vous plaît.

— Ça lui arrive souvent ?

— Elle adore faire des scènes. C'était l'une de ses meilleures. Elle arrive à maîtriser la situation un certain temps et puis elle perd tout contrôle d'elle-même, comme vous l'avez vu. Mais aujourd'hui, elle avait ses raisons.

— Je m'en doute.

— Acland, intervint Jane, tu ne peux pas la laisser partir ainsi. Elle est malade. Elle a besoin d'aide.

— Elle part et elle ne remettra jamais les pieds ici.

— Tu ne peux pas faire ça. Nous ne pouvons pas. Elle est gravement atteinte.

— Je sais mais ça ne me regarde pas. Je ne veux plus d'elle dans cette maison. C'est fini. Tu as bien vu ce qui s'est passé...

— Il ne faut pas lui en vouloir, Acland. Elle n'est pas responsable de ses actes.

— Je connais sa maladie. Elle en guérit quand ça l'arrange. Demain matin, elle fera comme si rien ne s'était passé. Et tout le monde devra en faire autant. Je te l'ai dit : elle ne remettra jamais les pieds ici. C'est tout.

— Tu la laisserais retourner seule à New York ? Le voyage est long. C'est risqué. Tu ne peux pas.

– C'est bien ce qu'on va voir.

– Son comportement de ce soir... Tout ce qu'elle a dit, la façon dont elle regardait le verre... Jane hésita. Acland, elle n'est pas saine d'esprit.

– Elle n'est pas folle, si c'est ce que tu veux dire. Elle aimerait que tu le croies, mais c'est faux. N'est-ce pas, Wexton ?

Pendant cette conversation, Wexton était resté assis à un bout de la table, le menton posé sur ses mains, son whisky devant lui. Il se redressa un peu pour se mettre dans sa position favorite : en point d'interrogation.

– Est-ce qu'elle est folle ? Cela dépend... Acland a raison, Jane. Il faut qu'elle parte. Elle veut s'en aller, de toute façon. Ou plutôt elle veut qu'on la force à s'en aller.

– Et pourquoi ça ?

– Pour se punir, je suppose. Il haussa les épaules. Quand les autres ne s'en chargent pas, elle se punit elle-même. Non, Acland, ne dites rien. Quoi qu'elle vous ait dit, je ne veux pas le savoir. Ce soir, elle a tout fait pour qu'on la condamne à l'exil. Laissez-la partir, Jane. Elle a encore son mari, après tout.

Plus tard, lorsqu'Acland lui eut expliqué les événements de l'après-midi, Jane envoya un câble au mari de Constance, puis un second le lendemain.

Le matin, de sa chambre, Jane entendit les bruits étouffés du départ de Constance. Elle s'approcha de la baie vitrée.

Seul Steenie était là pour lui dire au revoir. Comme Constance l'avait prédit, il semblait lui avoir pardonné. Il l'étreignit affectueusement sur les marches du perron. Malgré le froid, il n'avait pas mis de manteau et son écharpe voletait dans le vent. Les petites mains blanches de Constance s'accrochèrent à son cou. Elle l'embrassa trois fois.

Lorsqu'elle le lâcha, elle se retourna et regarda autour d'elle. Une petite silhouette bien droite couverte d'un manteau rouge écarlate, seule tache de couleur dans le paysage blanc monochrome. Jane la vit tourner le visage vers la maison puis vers le lac et les bois. Elle ne portait pas de chapeau. Le vent s'engouffrait sous ses cheveux noirs. Elle enfila lentement ses gants.

Son dernier adieu à Winterscombe. Pour une fois, apparemment, elle n'avait rien à dire. Elle monta à l'arrière de la voiture. Jane regarda partir la grande Daimler noire puis se tourna vers son mari, qui n'avait pas voulu assister à la scène. Assis devant la cheminée, il regardait le feu. A l'autre extrémité de la pièce, le bébé dormait.

– Elle est partie, dit doucement Jane.

– J'espère. J'aimerais en être certain.

Elle s'agenouilla et prit les mains de son mari.

— Elle n'a pas pu faire cela, Acland. Tout est dans son imagination. Comment aurait-elle pu tuer son propre père ? C'est impensable. Elle avait dix ans.

— Je sais. Je n'y crois pas non plus. Mais elle, oui.

— Tu crois que Stern est au courant ?

— Il sait bien des choses. Il n'est pas facile d'avoir des secrets pour lui. Mais dans le cas présent, je ne crois pas. Si tu avais vu Constance dans la Maison en Pierre, tu comprendrais. D'abord, elle semblait si convaincue que j'étais le meurtrier... Et puis elle s'est mise à parler, parler... Tu la connais. Tout en pleurant, elle m'a parlé d'une voix. Je m'en souviens parfaitement. Et puis elle a dit qu'elle allait me montrer et elle s'est mise à courir. J'aurais du mal à te décrire son regard quand elle a dit ça.

— Elle me fait peur, Acland.

— Je sais. A moi aussi. Tu comprends pourquoi je ne voulais pas qu'elle reste ici ? C'est ma faute. Personne n'est en sécurité avec elle. Ce qu'elle a dit sur Boy... Elle transforme tout pour brouiller les cartes et elle s'y prend d'une telle façon qu'on la croirait presque. Elle fait du mal aux gens et je ne veux pas qu'elle te blesse, toi. Ou Victoria.

— Acland... Nous devons mettre Stern au courant de sa maladie. Il comprendra.

— Elle aurait pu être différente, tu sais. Acland se leva et commença à arpenter la pièce. Quand elle était petite... Elle peut être... formidable.

— Elle est très belle, dit Jane en fixant le sol.

— Oui, mais ce n'est pas ce que je veux dire. Elle n'est pas belle au sens habituel du terme. Elle est si vivante, si pleine d'énergie.

— Tu l'aimes, Acland ?

Il arrêta de marcher et se retourna en regardant sa femme.

— Oh non !

— Mais... avant ? Dis-le-moi. Je veux savoir.

— Je ne peux pas répondre à cette question. A une époque, avant et au début de la guerre, elle m'a ensorcelé un peu, je crois.

— Ensorcelé ? C'est un mot étrange dans ta bouche. Mais je comprends. Elle est charmante et étrange. N'importe quel homme pourrait tomber amoureux d'elle.

— Et il doit y en avoir un certain nombre, répondit-il sèchement. Il mit ses bras autour de la taille de sa femme. Mais je t'ai trouvée.

— Oui. Je suis l'épouse, moi.

— Ne parle pas comme ça. Je ne pourrais jamais te quitter.

— Et moi ? Le pourrais-je ? Il arrive aux femmes les plus vertueuses d'envier le statut de maîtresse, tu sais.

Une lueur d'amusement passa dans les yeux d'Acland.

630

— Vraiment ?

— Bien sûr. Mais je n'ai aucun talent pour être la maîtresse idéale, j'en ai conscience. Je connais mes limites. Mais je ne suis pas aussi collet monté que le croit Constance. Parfois, je me demande quelle aurait été ma vie si j'avais été ce genre de femme : belle, insouciante, capricieuse, un objet de désir.

— Et facile à remplacer.

— Sans doute. Mais ce n'est pas certain. La maîtresse parfaite...

— Est-ce que cela existe ?

— La maîtresse parfaite est... inaccessible. Comme l'amant parfait. On peut l'obtenir mais pas la posséder.

— Et tu crois que les hommes peuvent vouloir ce genre de femme ? Moi, par exemple ?

— Moi, je suis une épouse. Et les épouses sensées sont discrètes. Je ne te poserai jamais la question, Acland. Non, ne dis rien, je n'écouterais pas.

— J'allais dire, dit-il en l'embrassant, que tu as une vision toute féminine de l'imaginaire de l'homme. La majorité des maris sont moins compliqués que ça. Soit ils sont comme moi, exemplaires, dévoués, soit ils cherchent un divertissement. Et l'intérêt du divertissement, c'est la satisfaction immédiate mais aussi la possibilité de s'en débarrasser facilement. Chérie...

— Acland, je parle sérieusement.

— Je sais. C'est charmant. Et très drôle aussi.

— Tu penses que je me trompe ? Alors, comment expliques-tu le succès de Constance ?

— Avec les hommes ? Je vois où tu veux en venir. Effectivement, elle a dû avoir un tas d'admirateurs et de victimes. Tu as peut-être raison. Steenie l'appelle « la femme fatale de la Cinquième Avenue ». Elle a l'air d'apprécier. Mais je ne crois pas vraiment aux femmes fatales, bien que...

— Moi oui. Surtout quand la femme en question est aussi une femme enfant.

— Que dis-tu ?

— Elle n'a pas d'enfants. Elle n'a jamais grandi. Elle est à la fois une femme et une enfant. Il y a des hommes qui aiment ce genre de femmes... Parfois, je me dis que tous les hommes aiment ce genre de femmes.

Sa voix parut soudain lasse. Acland hésita mais ne répondit rien. Il pensait à la Maison en Pierre, la veille. L'odeur prononcée des cheveux de Constance lui revint. Il vit la courbe de son cou blanc, la rougeur de ses lèvres entrouvertes, l'anxiété enfantine de ses yeux. Il avait voulu entourer une enfant de ses bras et ses doigts avaient effleuré la poitrine d'une femme. « Si j'étais resté, comme elle me l'a demandé, que se serait-il passé ? », songea-t-'l.

Il se retourna brusquement et traversa la pièce.

— Je vais écrire à Stern. S'il ne répond pas aujourd'hui au câble d'hier, j'en enverrai un autre à son bureau demain.

Il envoya sa lettre et n'obtint aucune réponse. Ni Jane ni lui n'allaient plus jamais revoir Stern.

— Vous ne pouvez pas faire ça! explosa Constance.

— Vous n'avez qu'à signer ici et parapher la première page. Mes secrétaires seront témoins de la signature.

— Je ne signerai pas. D'ailleurs, vous ne voulez pas que je signe. Je vous aime. Je suis revenue pour vous le dire. J'ai pris le premier bateau et me suis précipitée à l'appartement. C'est cruel de votre part d'avoir emporté toutes vos affaires. J'ai cherché partout. Les placards étaient complètement vides...

— Au bas de la deuxième page, Constance.

— Non! Elle posa ses mains à plat sur le bureau de son mari. Vous ne comprenez pas. Vous n'écoutez pas mes explications. Acland n'est rien pour moi. Vous savez ce que j'ai découvert? Qu'il est exactement comme vous l'avez dit. Un Anglais rébarbatif avec une veste en tweed, une femme et un berceau dans la chambre. Et rien d'autre, sauf dans mon imagination. Je l'ai inventé. Je me suis montrée stupide. Je me suis enfuie. Montague, pourquoi faut-il que votre bureau soit si grand? Je le déteste. Vous êtes si loin, et si froid, derrière votre bureau. Je ne suis pas une cliente, je suis votre femme. Vous m'aimez, je le sais. Mais vous voulez me le cacher, comme je l'ai fait moi-même. Tous ces jeux puérils, Montague. C'est fini maintenant. Nous allons être si heureux. Je vous en prie. Si je me penche au-dessus du bureau, vous allez m'embrasser?

— Signez. Soyez gentille. J'ai un autre rendez-vous.

— Allez au diable! Je ne signerai pas. Saletés de papiers. Du jargon juridique. Je déteste les hommes de loi.

— Constance, si vous ne signez pas l'acte de séparation, je demande le divorce.

— Le divorce? Vous n'oseriez pas.

— Détrompez-vous. Et les conditions financières vous seraient nettement moins favorables que celles-ci. Je vous suggère donc de signer.

— Vous cherchez à me punir, c'est tout. Vous me punissez d'être allée en Angleterre.

— Constance, ne faites pas l'enfant. Nous avons conclu autrefois un contrat. Vous ne l'avez pas respecté. Il est donc nul et non avenu.

— Vous pensez peut-être que je vais vous croire? Vous en avez simplement assez de moi. Vous allez vous précipiter dans les bras de cette Ursula à la si jolie voix. Vous croyez que je ne le sais pas?

– Constance, je vous l'ai dit. Je suis las de vos mensonges et de vos amants, de votre façon de changer d'idée en permanence, de ce mariage. Je vous prie de signer.

– Acland n'a pas tué mon père, vous savez. Il voulait le faire mais il ne l'a pas fait. C'est pour cette raison que je suis allée en Angleterre. Pour lui poser la question. Vous voyez, vous n'avez aucune raison valable d'être jaloux.

– C'est peut-être l'une des raisons de votre voyage là-bas, mais certainement pas la seule. Et, de toute façon, je savais déjà ce que vous venez de dire.

Constance leva brutalement la tête et écarquilla les yeux.

– Quoi ? Vous saviez qu'Acland était innocent ? Mais vous avez dit...

– Vous avez mal interprété ce que j'ai dit. Allez-vous signer ?

– Vous saviez ? Et comment ?

Elle se leva précipitamment et regarda fixement son mari qui, lui, était toujours assis et l'observait calmement.

– Je vous l'ai dit. J'étais présent cette nuit-là.

– Vous étiez avec Maud après la réception. Vous me l'avez dit vousmême.

– Pendant un moment, oui. Mais je ne suis pas resté. Plus tard, je suis descendu jouer au billard.

– Je ne vous crois pas.

– Peu m'importe. J'ai joué au billard de 1 h 30 environ à 3 heures du matin. En compagnie de la plupart des autres hommes, dont Acland et Freddie, qui était saoul, et Boy. J'ai donc trouvé singulier que vous prétendiez avoir été toute la nuit dans la chambre de Boy. Vous avez dû vous tromper de nuit.

– Vous saviez ! Les yeux de Constance se remplirent de larmes. Pendant toutes ces années...

– Ma chère – il se fit plus doux – j'ai essayé de vous le dire. Pour finir, j'ai préféré laisser les choses comme elles étaient. Tout ce que je peux vous dire, c'est que cela n'avait pas plus d'importance à l'époque que maintenant.

– Montague, je vous en prie. J'ai besoin de vous. Je mourrais sans vous. Je ne peux pas vivre seule avec moi-même. Je ne supporte pas la solitude.

– Vous ne mourrez pas. Vous avez une grande résistance naturelle. Essuyez vos yeux. Vous n'avez qu'à signer et tout sera réglé. Les scènes douloureuses sont inutiles. Sur la première page, vous verrez que la maison va être vendue mais que vous ne manquerez de rien. J'ai ajouté une clause selon laquelle les tableaux de Maud lui seront restitués. C'était un cadeau.

– Montague, je vous en supplie. Ne faites pas cela ! Vous allez souffrir vous aussi. Vous n'êtes pas aussi solide que vous le prétendez.

– A la deuxième page, vous verrez que le capital est important. Il vous permettra d'acheter un appartement. Je me suis dit également que vous auriez peut-être envie d'ouvrir votre propre agence de décoration. Vous **pourriez** facturer vos conseils à vos amis au lieu de décorer gratuitement leurs maisons. Vous avez énormément d'énergie. Pourquoi ne pas l'utiliser intelligemment au lieu de la gaspiller dans vos histoires d'amour ? Le travail a son utilité.

– Embrassez-moi, dit Constance en allant vers lui. Je vous mets au défi de m'embrasser et de vouloir me faire signer ensuite. Vous serez forcé d'admettre que tout cela – ces papiers – est un mensonge. En fait, vous m'aimez presque.

Stern s'était mis debout. Constance avança et entoura sa taille de ses bras en levant la tête vers lui. Il la regarda gravement.

– Oh, Montague ! Regardez-moi. Comment suis-je ?

– Vous êtes adorable. Vous l'avez toujours été, à mes yeux. Un jour je me suis dit... que j'aimerais...

Il baissa la tête et l'embrassa. D'abord sur la bouche, puis sur les paupières. Il essuya les larmes sur ses joues et l'embrassa une nouvelle fois. Constance poussa un cri et mit sa tête contre la poitrine de son mari. Il lui caressa les cheveux, la base du cou, puis posa sa main sur sa gorge délicate. Lorsqu'il se reprit, il s'écarta d'elle.

Elle leva la tête, émit un petit cri de détresse, posa sa main sur la joue de son mari puis recula.

– Je vois maintenant ce que j'ai fait. Je le lis sur votre visage. Je me déteste. Je regrette tellement.

Elle alla au bureau et prit l'acte de séparation.

– De l'autodéfense, Montague ?

– En quelque sorte, répondit-il.

– C'est parfait. Je comprends. Je vais signer par amour pour vous. Voilà ! Elle prit le stylo et apposa sa signature. Quelle âme noble je suis ! C'est la chose la plus désintéressée que j'aie jamais faite de ma vie. Elle sourit. Parapher ici ? Voilà. C'est fait.

Elle rejeta le papier et remit le capuchon du stylo.

– Nous sommes semblables ? dit-elle, la tête courbée.

– Très semblables.

– Montague...

– Oui, ma chère ?

– Si nous devons ne jamais nous revoir, comme vous l'avez dit, si je promets de quitter cette pièce dans la minute suivant votre réponse, puis-je vous poser une question ?

– Tiendrez-vous votre promesse ?

– Absolument. J'en suis capable, vous savez.

– Parfait. Posez votre question.

– Est-ce nécessaire ? Vous la connaissez.

– Vaiment ?

– Oui. C'est la seule qu'il y ait jamais eu.

– Je suppose que oui.

Il hésitait.

– Est-ce si difficile ? Je vous l'ai pourtant déjà dit, moi.

– L'habitude de toute une vie... Il haussa les épaules.

– Montague, oubliez vos habitudes, pour une fois !

– Très bien... Je vous aime, Constance. Je vous ai toujours aimée.

Il y eut un silence. Constance regarda le sol.

– Malgré ce que je suis ? Malgré ce que vous savez de moi ?

– Malgré tout cela, oui. Comme vous le savez certainement, la raison n'a rien à voir là-dedans.

– Oh, comme j'aimerais être différente ! Comme j'aimerais défaire ce que je suis et repartir de zéro, effacer le passé. Enfin, pas tout. Il y a eu des moments... Mais non, je vous ai fait une promesse. J'ai du mal à la tenir. Regardez par la fenêtre, Montague. Quelle journée grise. Voyez-vous la pluie qui tombe ?

Il se tourna vers la fenêtre. Le ciel était bas et nuageux. Il n'entendit aucun bruit de pas, de porte fermée, mais quand il se retourna, elle avait disparu.

A mon avis, elle était retournée vers le passé, vers ses cahiers noirs et le dernier récit qu'elle allait y écrire. Il n'est pas daté, mais je suis certaine qu'elle l'a écrit un peu plus tard le même jour. Ce fut son ultime tentative pour régler ses comptes avec le passé. Je le lus très tard dans la nuit, à côté d'un téléphone désespérément muet, d'un piètre feu dans la cheminée, au milieu d'une chambre glaciale.

Sous la force de l'émotion, l'écriture de Constance était irrégulière. Elle avait dû écrire sa confession très vite. En la lisant, j'eus pitié d'elle.

Regardez, regardez, regardez, commençait-elle. Les mots avaient été imprimés si fort sur le papier qu'il était presque troué par endroits. *Regardez, regardez, regardez. Ecoutez, Montague. Constance va vous raconter ce qui s'est passé.*

Comment cela s'est passé.

C'est le lapin qui a décidé Constance. S'il n'était pas mort de cette façon, elle n'aurait jamais fait ça. Mais le collet était si profondément incrusté dans sa fourrure et sa chair que l'animal saignait. C'était vilain d'avoir fait ça. Vilain, vilain, vilain.

Elle n'avait pas vu sa mère mourir mais quand le lapin est mort il a eu des convulsions. Ses yeux se sont voilés. La mort est douloureuse, s'est dit Constance, et elle a ramassé un bâton pour fouiller tous les fourrés de la clairière.

Quand elle a vu le piège, elle s'est dit : « Le voilà. Il attend sa proie. Il a faim. » « Donne-moi quelque chose à manger, disait-il d'une voix métallique. » Il avait une grande bouche affamée.

Constance était méchante à cette époque-là. Elle a d'abord enterré le lapin qu'elle aimait tant. Quand l'animal a été en sécurité, elle est retournée en courant à la maison. Personne de l'a vue. Elle était tout essoufflée. Elle n'avait pas le droit d'aller dans cette partie de la maison mais elle l'a fait quand même. Elle a pris l'escalier et a ouvert la porte du vestiaire. Tout était rouge là-dedans. De l'autre côté des rideaux fermés, elle les a entendus. Elle entendait ce qu'ils faisaient.

Ce n'était pas la première fois. Elle avait déjà entendu ça à Londres, avec la gouvernante. Des grognements, des gémissements, des halètements. Elle savait que c'était un secret. Elle savait que c'était sale. Mais elle n'avait pas encore vu, sauf des baisers. « Cette fois, je vais regarder », s'est-elle dit. Et elle a entrouvert le rideau.

Son père le faisait à Gwen, qui était attachée comme une volaille troussée. Et Papa lui faisait toutes ces choses spéciales qu'il faisait à Constance quand il disait qu'il l'aimait.

Exactement pareil. Il avait son os dans sa main et il le caressait. Il le frottait pour qu'il devienne de plus en plus gros et qu'il se dresse tout droit. Le gros bâton de Papa, celui avec lequel il aimait Constance et la punissait.

Constance s'est dit : « Il ne va peut-être pas le lui enfoncer. Il ne le faisait qu'avec moi parce que je suis spéciale. » Mais il l'a fait. Il s'est retourné et il l'a enfoncé. Gwen a crié mais il ne s'est pas arrêté. Dedans, dehors. Dedans, dehors. Exactement pareil.

Il ne fallait pas faire ça. Constance se sentait plus morte que le lapin. Elle ne pouvait plus bouger ses pieds ni ses mains ni sa langue ni ses yeux. Elle regardait Gwen pleurer. Elle avait pitié d'elle. Avec lui, ça ne servait à rien de pleurer. Et puis Papa a dit à Gwen qu'il l'aimait. Il avait la même voix et les mêmes mots que pour le dire à Constance. Il voulait recommencer, la nuit, dans les bois. Après la comète.

Constance s'est enfuie. Elle s'est cachée dans un placard. Il faisait sombre. Personne ne pourrait la trouver, même pas Steenie. Après, elle est descendue pour le thé et, quand il l'a vue, Papa a dit cette chose horrible qu'il avait promis de ne plus jamais dire devant des gens. Il l'a traitée d'albatros.

Constance s'est dit : « Je vais le tuer. J'ai toute la soirée pour préparer un plan. C'est sa faute. Son heure est venue. »

Ça a été très facile. Elle est allée dire à Gwen que Steenie était malade. Comme ça, elle ne sortirait pas de la maison. Elle resterait près de Steenie comme elle le faisait toujours quand il était malade. Parce qu'elle l'aimait.

Il y a un grand buisson juste devant la véranda. Constance s'y est cachée. Elle a attendu patiemment. Elle n'avait pas froid : elle avait tout prévu. Elle avait un manteau, une écharpe et une paire de bottines. Elle s'est allongée par terre. Comme l'attente était exaltante!

Il est sorti à minuit. Il fumait un cigare. Elle voyait son bout incandescent luire dans le noir. Acland l'a vu partir aussi. Elle le voyait mais il ne pouvait pas la voir. Il était sur la terrasse, dans l'ombre, et il regardait. Acland était au courant. Elle était au courant. Personne d'autre.

Elle a regardé Acland un moment. Elle a compté jusqu'à cinquante puis elle a suivi son père jusqu'au bois. Par le même chemin. En se glissant entre les arbres. La comète était partie. Il faisait sombre dans le bois. C'était excitant et effrayant.

Papa s'est assis par terre dans la clairière et s'est adossé à un arbre. Son pied était juste à côté de la tombe du lapin. Constance s'est glissée vers lui. Il a regardé sa montre, puis le ciel. Après, il a fermé les yeux. Constance a attendu. Et puis, elle a compris. Il s'était endormi.

Elle s'est approchée de lui à le toucher. Il aurait pu se réveiller parce que les branches bruissaient et le piège parlait. Mais il n'a rien entendu. Constance l'a regardé respirer. Sa poitrine se soulevait puis se baissait. Sa bouche était ouverte. Quand elle s'est penchée sur lui, son haleine sentait le porto, une odeur douce de vin et de miel.

Elle s'est dit : « Je ne suis pas obligée de le faire. Je pourrais lui dire que je l'aime. » Mais elle avait peur. Ses yeux auraient pu la haïr. Il aurait pu sortir son os et l'obliger à le caresser. Elle détestait et elle aimait son os. Ce mélange d'amour et de haine lui donnait mal à la tête. Constance s'est dit : « Les tourments de l'enfer. »

Une attente interminable. Elle s'est éloignée et s'est cachée dans les buissons au-delà du piège. Les buissons étaient humides. Les feuilles lui lavaient le corps. Son âme brillait à travers sa peau. La voix métallique du piège réclamait de plus en plus fort : « J'ai faim. J'ai faim. » Une bouche énorme. Son père aimait les bouches. « Avale-moi, avale-moi », lui avait-il dit un jour.

Il a fini par se réveiller. Il a regardé sa montre. Il a marmonné quelque chose. Constance s'est dit : « Papa est ivre. » Quand il s'est mis à marcher, il titubait. Il a uriné contre un arbre, sur l'herbe et sur la tombe du lapin. C'était une erreur. Le piège n'a pas apprécié.

Et si elle lui disait, pour le lapin ? Mais elle savait ce qu'il répondrait. Il lui dirait qu'elle était stupide, qu'elle aurait dû le rapporter à la maison pour en faire un pâté. Stupide Constance. Hideuse Constance. Papa disait qu'elle sentait mauvais, qu'elle avait une odeur aigre. Il disait qu'elle était étroite et que c'était de sa faute si elle saignait. « Sale petite garce, disait-il. Tes mains sont maladroites. »

« Je vais lui montrer si je suis stupide », s'est-elle dit. Et elle l'a appelé. « Eddie. Eddie, par ici. Je suis là. » L'imitation était parfaite. Il aimait cette voix bien plus que la sienne et il est allé vers elle. Il a glissé dans les fougères et a poussé un juron. Elle a appelé encore une fois. Une seule. Le piège l'a happé.

« Avale, avale! », a dit Constance. Elle s'est mise à danser, comme quand elle est en colère. Avale, avale. Noir, noir. Le piège a claqué. Ses dents ont broyé. Tous ces os et tout ce sang. Le piège s'est léché les babines. Il a gargouillé. Il a dit que c'était juteux.

Elle s'est enfuie en courant. Plus vite, encore plus vite. Elle n'entendait que le vent dans ses oreilles. Aucun cri.

Elle ne les a entendus que plus tard quand elle a fermé les yeux. Comme ils lui faisaient mal! Mais l'albatros disait : « Non, ils sont agréables. Ils me soulèvent dans les airs. Regarde, Constance. » Et il a supprimé toute la douleur avec ses plumes blanches et douces. Il l'a emmenée là-haut, très haut, hors de portée. Il s'est envolé jusqu'au bout de la terre puis il est revenu. Une autre nuit, il est revenu dire à Constance : « Ne t'inquiète pas. Ce n'était pas toi. C'était Acland. Regarde-le au fond des yeux. Il savait que tu le voulais. »

Et Constance a regardé. Elle a tout de suite vu cette haine noire aussi profonde que l'eau la plus profonde. Elle l'a aimé instantanément. Et Acland l'a aimée instantanément. « Tu es mon jumeau, lui disait Constance. Si tu plonges ton regard dans le mien, tu peux te noyer dans mes yeux. »

Ils sont alors entrés dans le cercle et ils étaient très proches l'un de l'autre. Un jour, ils le seront encore plus. Constance a essayé de le lui faire comprendre. Elle lui a dit : « Regarde, nous nous coucherons au bout du monde, Acland. Nos bouches vont se rencontrer. Nous serons la symétrie même. Nous vois-tu, Acland et Constance, ensanglantés de la tête aux pieds, un homme et une femme, toi et moi, amants et meurtriers? »

Acland a répondu que non. Il a dit que cet endroit était sombre, qu'il n'irait pas. Alors, Constance y est allée seule. Elle avait peur, au début, de cet endroit sombre. Elle a fait un pas, puis un autre, et s'est enfoncée dans le noir. Elle s'est sentie de plus en plus courageuse. Elle a creusé avec ses mains, de plus en plus vite, toute la journée d'hier et d'aujourd'hui. Elle a cru que si tu allais avec elle au centre du péché, si tu creusais avec elle aussi profond que tu pouvais, tu atteindrais l'autre côté du péché et la lumière te laverait aussitôt.

La lumière disait : « Te voilà, Constance. Pose tes fardeaux. Regarde comme le monde est beau. Tu vois? Les feuilles sont inévitables. L'herbe *pousse toute seule. Le jour succède à la nuit. Les planètes suivent leur cours. Un homme meurt et un enfant naît. Ainsi va le monde. Ne vois-tu pas la Providence ?* » Voilà ce qu'a dit la lumière, de l'autre côté de l'obscurité. « N'écris plus. Tu peux aller en paix, Constance », a-t-elle encore dit.*

Il était très tard quand je terminai cette étrange lecture. La chambre était calme. Je refermai la couverture noire et posai le cahier.

Pour moi, il fallait que Constance soit folle pour avoir écrit cela, mais aussi qu'elle soit saine d'esprit. Ses contradictions me touchaient : l'amour et la haine, la démence et la bonne santé mentale, la mort et la naissance, et même ces mots puérils que je n'avais pas entendus depuis de nombreuses années, le péché et la rédemption.

Il devait être 3 ou 4 heures du matin. L'aube était encore loin. J'allai à la fenêtre, ouvris les rideaux et regardai dehors.

C'était la pleine lune, le sol était couvert de givre. Winterscombe était monochrome. Je voyais le lac vert-de-gris, le coq en cuivre sur le toit des écuries, la bande noire des bois et, sur une colline au-delà des serres et du verger, la flèche de l'église où j'avais été baptisée.

Je ne voulais pas dormir mais je crois que j'ai fini par somnoler sur une chaise, à demi rêveuse, à demi éveillée.

A 6 heures, au lever du jour, je me levai. Je fis le tour de la pièce puis, lentement, de la maison endormie. Je pense que je faisais mes adieux à Winterscombe et à tous les gens que j'y voyais. En passant de pièce en pièce, je compris pourquoi Constance m'avait transmis son journal. Il était plein de morts, mais aussi de vie et d'amour : elle avait tenté d'être équitable. Etrangement, il m'avait libérée.

J'entrepris une sorte de pèlerinage. Dans la véranda où Boy avait demandé Jane en mariage, les châssis métalliques des fenêtres étaient rouillés et des carreaux brisés. Je passai à l'étage dans la nursery, la Chambre du Roi, celle de mes parents avec sa baie vitrée. Je redescendis dans la salle de bal où Constance avait choisi son mari et où j'avais dansé la valse avec Franz-Jacob. En quittant chaque pièce, vide et pourtant vivante, je fermai la porte derrière moi.

Je retournai dans le salon et me mis à l'emplacement du piano sur lequel ma mère avait joué la nuit de la comète. Il n'était plus là depuis longtemps mais je me rappelais parfaitement sa place.

Je me tins debout là où ma mère avait été assise. Je m'attendais à voir défiler le film des événements tels que ma mère les avait vus.

J'étais sa fille. Sa personnalité et celle de mon père étaient mélangées en moi. Je leur ressemblais, physiquement mais aussi sentimentalement et intellectuellement. Je ne bougeais pas. Soudain, j'entendis distinctement la musique du piano, note après note, se répandre dans la maison.

Je ressentis toute la puissance de l'amour : l'amour présent et passé, celui de mes parents, celui de Constance pour Stern, de Stern pour Constance, l'amour éternel, l'amour rebelle. J'ouvris les portes et sortis dans l'air frais du matin.

J'avais tant d'endroits à revoir une dernière fois : le belvédère où mon père avait lu un jour, à l'envers, un roman de Scott. Le bois de bouleaux où Boy était mort. La Maison en Pierre, l'église, les écuries.

Je levai la tête vers la grange où Jenna et mon père avaient regardé décliner la lumière de la comète, puis vers la fenêtre de la nursery où une petite fille avait mis au point le meurtre de son père. Constance avait probablement tué son père mais c'était lui qui l'avait tuée la première : ils étaient tous les deux des victimes.

Pour finir, je me rendis au lac. Je me promenai le long du bord, près des roseaux. Je suivis des yeux la forme grisâtre d'un héron s'envolant de la surface de l'eau. Je me dis : « Il faut que j'y aille. Je vais traverser le bois jusqu'à la clairière. »

Je pris le chemin emprunté par Shawcross cette nuit-là, celui que Constance avait aussi pris en le suivant. En été, il devait être impraticable. Même en automne, son tracé n'était plus très distinct. Un lapin surgit d'un fourré. J'étais pleine d'espoir.

Je finis par découvrir la clairière. Les lapins avaient brouté l'herbe. Le seul son était le chant des oiseaux. Si l'ombre des événements du passé avait jamais été là, elle n'y était plus. L'endroit avait été purifié par les saisons qui s'étaient succédé. L'air sentait le petit matin et les feuilles humides. Sous le chêne, le sol était recouvert d'un tapis de feuilles mortes. Je me penchai et les écartai par endroits. Mais trop de temps avait passé : la petite tombe creusée par Constance n'existait plus.

L'endroit avait été entretenu par l'homme autrefois, mais la nature avait repris ses droits. Je pris une feuille entre mes doigts et la tins dans la lumière pour en observer les nervures. Je me relevai et crus entendre une voix m'appeler. Pourtant, j'étais seule.

Je pris le chemin du retour, lentement. *Ein Zauberort.* Je me dis que j'allais marcher jusqu'au lac, le longer et qu'en arrivant au bord de la pelouse j'entendrais le téléphone sonner. Je me mettrais alors à courir, bien qu'il n'y ait aucune urgence puisqu'il sonnerait jusqu'à ce que je décroche. Je calculai le chemin que j'avais à parcourir et consultai ma montre. « Dans vingt minutes, j'entendrai le son de sa voix », songeai-je.

Je m'étais trompée. En sortant des bois, je regardai machinalement de l'autre côté du lac et j'aperçus Frank. Son visage était orienté dans ma direction. Les mains profondément enfouies dans ses poches, il attendait.

Nous étions à quatre cents mètres l'un de l'autre et cinq minutes me suffirent pour le rejoindre. Lorsque j'arrivai près de lui, il était 7 h 30, un matin d'automne.

Je touchai sa main puis son visage. Il était bien plus serein que moi. Je crois qu'il était 8 heures lorsque nous rentrâmes ensemble à la maison.

— Comment se fait-il, dit-il, que je ne reçoive jamais tes lettres ? Que disait ton message ?

— Sans savoir le contenu de mon message, tu aurais quitté une réception en ton honneur, par la porte de derrière, tu serais monté dans ta voiture, tu aurais fait des kilomètres dans l'obscurité et tu te serais promené dans les jardins la moitié de la nuit ? Tu as vraiment fait ça ?

— Oui, je réfléchissais.

— Sans avoir reçu mon message ?

— Oui. Ou indirectement. Qu'est-ce qu'il disait ?

— Rien d'important. Enfin, sans importance maintenant.

— Tu es sûre ?

— C'était très court. Une histoire de déplacements. Un jeu d'échecs.

— J'adore ta mémoire.

— Tu m'as vue à la conférence, Frank ?

— Non. Mais je savais que tu étais là. J'ai perdu le fil au milieu d'une phrase. Si j'avais su ta présence, j'aurais jeté mes notes aux quatre vents...

— Tu n'avais pas de notes...

— Alors, j'aurais sauté de l'estrade, les grands professeurs se seraient écartés comme la mer Rouge devant Moïse et...

— Et ?

— Et j'aurais donné à cette audience éminemment distinguée quelque chose de bien mieux qu'une conférence : une démonstration de quelque forme beaucoup plus élémentaire de la biochimie.

— Frank... dis-je, après une pause. Tu sais que Wexton est là ?

— Non, mais ça ne fait rien. C'est un homme plein de tact. Il fait un peu froid pour s'embrasser dehors. Si nous rentrions ? D'ailleurs, j'ai quelque chose à te montrer.

— Ah bon ?

— Un cadeau, je crois. Destiné à nous deux. Je ne l'ai pas encore ouvert. On me l'a apporté à l'hôtel hier soir. Sans message. Juste une étiquette avec mon nom. J'ai reconnu l'écriture.

Je reconnus aussi l'écriture. C'était une petite valise de cuir munie d'une vieille étiquette à bagage indiquant : *Dr Frank Gerhard*. Le tracé des lettres était gras, l'encre noire. La valise était très lourde. Je regardai Frank.

— Tu sais ce que c'est ?

— Je crois savoir.

— Moi aussi. Si on l'ouvrait ?

– Plus tard. Ce n'est pas urgent.

Nous l'ouvrîmes le lendemain matin au beau milieu du salon. Toutes nos lettres étaient là, non décachetées. Mon écriture ronde et mal formée, l'écriture européenne de Frank. Des timbres américains, anglais, français et allemands. Nous les comptâmes : il n'en manquait pas une.

Comme Frank le fit remarquer plus tard, ce geste de revirement soudain était typique de Constance. Mais j'aurais dû comprendre aussi que c'était sa toute dernière scène, sa façon à elle de laisser tomber le rideau sur une vie qui avait été un morceau de bravoure permanent.

Je crois que Frank l'avait perçu ainsi mais il ne m'en a rien dit sur le moment. J'étais aveugle : j'étais pleinement heureuse et je n'avais plus rien à craindre d'elle.

Frank et moi nous sommes mariés à Londres, en présence d'un Wexton ébouriffé comme garçon d'honneur, d'un Freddie rayonnant et d'une Winnie triomphante comme témoins. Le mariage eut lieu un mois de novembre, il y a vingt ans maintenant, mais je m'en souviens comme si c'était hier.

Je suis persuadée que Constance attendit que le mariage soit célébré avant de passer à l'acte.

La nouvelle de sa mort nous parvint trois semaines plus tard. Ce ne fut pas un ami qui me l'annonça, mais quelque journaliste inconnu, correspondant écossais d'un quotidien de Londres, qui en cherchait la confirmation.

Je crois que Constance aurait été ravie de savoir que les circonstances de sa mort restèrent inexpliquées et furent attribuées, en fin de compte, à un accident. De la même façon qu'elle avait vécu, elle avait réussi à mourir en provoquant des questions et de l'étonnement.

Telle est en tout cas la version de sa mort adoptée par la presse, ses collaborateurs, ses amis, ses amants et ses concurrents. Mais ce n'est pas la mienne : j'étais pratiquement certaine de ce qui s'était passé mais, contrairement à tous ces gens-là, j'avais lu son journal intime.

Constance avait choisi de mourir dans la maison de sa lune de miel, en Ecosse, celle qui avait appartenu à mon grand-père, que Stern avait rachetée et qu'il lui avait laissée en héritage. Je suis convaincue qu'elle n'y était jamais retournée avant sa mort.

Parfois, je me prends à penser qu'elle avait commencé son dernier voyage à la mort de Steenie. A d'autres moments, je me dis au contraire qu'elle l'avait commencé bien plus tôt, peut-être à la mort de son mari. D'autres fois encore, je pense que c'était une question d'arithmétique : elle avait trente-huit ans quand je suis entrée dans sa vie, j'en avais trente-huit quand elle est sortie de la mienne. Mais, en fin de compte, l'explication la plus plausible est la plus simple : de la même façon qu'autrefois elle décidait à minuit de quitter l'Europe le lendemain matin, peut-être qu'un jour, à son réveil, elle avait claqué des doigts et dit : « Ça suffit. A nous deux, la mort. »

Si je n'ai jamais pu retracer les circonstances, j'ai tout de même retrouvé le trajet qu'elle avait suivi. D'abord, elle s'était rendue à l'appartement de Park Avenue, resté tel quel depuis le départ de Stern, là où elle m'avait laissé ses cahiers. Ensuite, elle avait rendu une série de visites dont les détails firent surface dans les semaines suivant sa mort. Il y a des blancs, mais aussi des certitudes : elle est retournée dans deux des maisons qu'elle avait louées avec Stern et a fait des recherches sur l'enfance de son mari à Whitechapel.

Je ne suis pas persuadée qu'elle cherchait Stern pendant les mois qui ont précédé son voyage en Ecosse. Je crois plutôt que, comme moi, elle a erré dans une partie de son passé avant de lui dire adieu pour toujours. Elle était probablement seule, à ce moment-là, car on n'a retrouvé aucune trace de compagnon de voyage. J'ai repensé à ce coup de téléphone qu'elle m'avait donné d'une gare. Je croyais connaître l'identité de l'homme qui l'attendait impatiemment.

Quoi qu'il en soit, elle est finalement retournée vers Stern. Elle est restée dans cette majestueuse maison écossaise pendant une semaine avec pour seule compagnie une vieille gouvernante.

A la fin de cette semaine, par une belle journée sans vent, elle est sortie dans l'air glacé et a pris le sentier descendant au loch noir qu'elle avait tellement détesté.

C'est un bras de mer qui subit l'influence des marées. Il semble qu'elle ait soigneusement calculé ces marées. Elle est montée dans un des bateaux tirés sur la grève et s'est mise à ramer ou s'est laissée dériver assez loin. Un pêcheur qui passait au bord de l'eau l'a remarquée.

Trop loin pour distinguer s'il s'agissait d'un homme ou d'une femme, il avait décidé que c'était un homme et poursuivi son chemin vers le village. Plus tard, dans l'après-midi, en repassant par là avec son chien, il avait vu le bateau dériver, vide. Cela s'était donc passé entre 11 heures du matin et 3 heures de l'après-midi, à marée descendante.

Frank et moi avons pris l'avion pour l'Ecosse dès que la nouvelle nous est parvenue et avons découvert cette maison que je connaissais seulement d'après le journal intime de Constance. Nous avons parlé à la gouvernante, au pêcheur, aux policiers, aux sauveteurs. L'après-midi, quand nous nous sommes finalement retrouvés seuls, nous avons pris le sentier vers le loch.

J'ai contemplé les montagnes de l'autre côté, dont les cimes se reflétaient sur la surface noire et vitreuse de l'eau. C'était exactement comme Constance l'avait décrit : un endroit désolé mais magnifique où l'on n'avait pas envie de solitude.

Un acte de bravoure et de bravade, c'est ce que j'ai toujours pensé de la fin de Constance. Frank et moi sommes restés longtemps à regarder l'eau en silence. Quand elle bougeait, le reflet des montagnes se déformait puis se reformait.

J'ai repensé à cette phrase : « Ton père gît à trente-six pieds sous terre. » Mais, bien sûr, le loch était bien plus profond que ça et c'était de l'eau. On n'a jamais retrouvé le corps.

ÉPILOGUE

Il y a quatre ans, pour la première fois depuis près de vingt ans, je suis retournée à Winterscombe. C'était en janvier 1986. Nos deux enfants – ils sont presque adultes maintenant – étaient restés en Amérique. Frank et moi allions en Angleterre pour deux raisons qu'il qualifia l'une de majeure et l'autre de mineure. La raison mineure était professionnelle – Frank devait prononcer un discours à la Royal Society dont il venait d'être fait membre – et la raison majeure concernait Oncle Freddie. L'été précédent, il avait eu quatre-vingt-dix ans, ce dont dont il était particulièrement fier, et nous voulions, malgré un léger retard, fêter son anniversaire. Mais de quelle façon? La rage de vivre de Freddie et Winnie n'avait pas diminué d'un iota et nous avions du mal à trouver une idée d'anniversaire qui marquerait vraiment le coup.

Dîner au restaurant ou aller simplement au théâtre nous semblait bien fade pour un couple qui avait parcouru l'Amazonie à l'âge de quatre-vingts ans! Une fête? Ayant survécu à presque tous ses contemporains, Freddie n'aimait plus les fêtes.

A notre arrivée à Londres, la question n'était toujours pas résolue, pas plus qu'à notre retour à l'hôtel après le discours de Frank. Assez désespérée, j'étudiai les programmes des réjouissances offertes par la ville de Londres, à la recherche d'un concert qui plairait à mon oncle. De son côté, Frank feuilletait les brochures mises à notre disposition par l'hôtel.

Soudain, il poussa un cri d'exclamation en en brandissant une sous mon nez. Je regardai la photo : c'était Winterscombe.

J'avais fini par vendre la maison, peu après notre mariage, à un couple d'éducateurs qui l'avaient trouvée parfaite pour leurs méthodes d'enseignement révolutionnaires. Celles-ci n'ayant rien révolutionné du tout, ils avaient vendu à quelque caisse de retraite qui avait revendu quelque temps plus tard à un milliardaire de l'informatique. La capacité de Winterscombe à s'adapter aux temps et aux changements semblait infinie : la propriété était par la suite devenue un hôtel de luxe à la mode.

En regardant les photos, je n'en croyais pas mes yeux. C'était et ce n'était pas Winterscombe. La maison avait été entièrement redécorée par un décorateur d'intérieur américain que je connaissais bien. Il lui avait redonné son aspect d'énorme maison de campagne édouardienne – ou plutôt l'idée qu'il s'en faisait – en y incluant le confort moderne et le luxe. Les caves avaient été transformées en piscine et en salle de sport et la salle de bal avait cédé la place à un restaurant. Mon grand-père aurait adoré la restauration de la salle de billard : bien plus fastueuse qu'à son époque, ses murs étaient couverts de grandes fresques représentant des scènes de chasse. Il y avait un héliport, et une piste de jogging autour du lac pour les cadres en mal d'exercice et toutes les chambres avaient leur lit à baldaquin.

— Frank! tu n'y songes pas sérieusement? Freddie et Winnie détesteraient cet endroit.

J'avais tort. Le lendemain, à Little Venice, ils jetèrent un coup d'œil sur la brochure et décrétèrent que l'idée était excellente. En ce qui me concernait, je n'étais pas du tout sûre de vouloir retourner là-bas.

Par téléphone, Frank réserva des chambres pour le week-end suivant et Winnie alla à son bureau pour noter l'événement dans son agenda. Soudain, elle s'anima et ses joues devinrent roses d'excitation.

— Freddie! cria-t-elle. (Oncle Freddie était un peu sourd.) Freddie! Nous allons pouvoir la regarder de Winterscombe! Tu te rends compte? C'est fantastique! Elle sera visible ce week-end. Je l'ai lu dans le *Times* et je l'ai noté dans mon agenda.

— Comment? Comment? dit Freddie en triturant son appareil acoustique.

— La comète! s'exclama Winnie. La comète de Halley! Je l'ai ratée la dernière fois. J'étais à Pékin avec mon père, je crois.

— Ça, c'est vraiment extraordinaire, dit Freddie lorsque l'information lui fut enfin parvenue. Deux fois dans une vie. Et du même endroit, qui plus est. Une telle occasion n'est pas donnée à tout le monde.

C'est ainsi que nous sommes retournés à Winterscombe. Freddie et Winnie n'y étaient pas allés depuis l'enterrement de Steenie; Frank et moi l'avions quitté définitivement dix-huit ans plus tôt, quand nous étions partis pour l'Amérique.

Le paysage du Wiltshire avait changé, comme de nombreuses régions d'Angleterre : les longues rangées d'ormes avaient disparu, les haies des bocages n'existaient plus et la ville la plus proche, autrefois à quarante-cinq kilomètres de Winterscombe, s'était étendue jusqu'à dix kilomètres de la propriété.

Nous franchîmes les hautes grilles et, pendant un instant, regardant le lac et la vallée, voyant la maison et les jardins dans une douce lumière d'après-midi d'hiver, j'eus l'illusion que rien n'avait changé. En fait, la grande différence était que, maintenant, Winterscombe était bien soigné : l'allée était ratissée, il n'y avait aucune ornière et l'on distinguait une légère odeur de désherbant. Par ailleurs, la direction de l'hôtel voulait donner l'impression à sa clientèle que le personnel était composé de domestiques de famille.

Un homme en tenue de maître d'hôtel nous accueillit courtoisement à la réception, où, en guise d'enregistrement, nous dûmes signer un livre d'or en cuir. Les clés des chambres portaient un nom au lieu d'un numéro. Il y avait probablement des ordinateurs et autres dispositifs techniques mais ils étaient bien cachés. A l'étage, les tapis avaient été remplacés par d'épaisses moquettes. Un homme muni d'une canne à pêche passa devant nous en se plaignant de ce que la rivière était polluée. (Ce n'était pas la saison de pêche.) Un autre était équipé d'un téléphone portable. D'après les accents autour de nous, Freddie et Winnie semblaient être les seuls clients anglais.

Une fois dans notre chambre, Frank et moi nous regardâmes. La pièce, immense, était dominée par une reproduction de lit à baldaquin. Les fenêtres étaient pourvues d'un double vitrage et le radiateur, chauffé à blanc, répandait une température ambiante d'environ 24 °C. Les meubles anciens avaient été l'objet d'un choix minutieux, les tableaux accrochés aux murs étaient irréprochables, le revêtement des chaises assorti au dessus-de-lit et aux rideaux. Sur l'une des commodes se trouvaient, en cadeau de bienvenue, deux petits flacons de xérès, un panier de fruits, un bouquet de fleurs séchées et la carte des plats pouvant être servis vingt-quatre heures sur vingt-quatre dans la chambre. Nous éclatâmes de rire.

– Je me demande ce qu'en dirait Maud, demanda Frank.

– J'ai une idée très précise de ce qu'elle dirait et ferait. Elle pouvait être terriblement snob, mais pas toujours dans le sens habituel du terme. La première chose qu'elle ferait serait de tirer le couvre-lit, de tâter l'oreiller et de dire : « Oh, Victoria ! ça ne va pas du tout. C'est du coton, pas du lin ! »

Après avoir téléphoné en Amérique pour parler à nos enfants, Max et Hannah, nous descendîmes le soir dans le salon de l'hôtel – l'ancien salon de Winterscombe – où nous attendaient Freddie et Winnie. Assis sur un siège chesterfield en velours rouge, près d'un grand feu, ils attiraient des regards de curiosité.

Freddie portait un très vieux smoking verdâtre qui avait connu des jours meilleurs. Quant à Winnie, elle portait une robe longue qui n'avait été à la mode à aucune époque ou, au mieux, aux alentours de 1940. Elle avait épinglé sur le devant de son corsage une broche noire de la taille d'une soucoupe et mis du rouge à lèvres, ce qu'elle ne faisait que dans les grandes occasions.

Tous les deux avaient l'air ravi.

— Ma chère, tu ne devineras jamais dans quelle chambre ils nous ont mis, dit Winnie à voix basse — c'est-à-dire qu'on devait l'entendre de l'autre bout du jardin. Dans la Chambre du Roi, Vicky! Tu te rends compte?

— Et ce n'est pas tout, dit Freddie, tout excité. Dans la salle de bains, il y a un appareil tout simplement incroyable. On fait couler l'eau, on met un peu de bain moussant...

— C'est gratuit! interrompit Winnie.

— Et puis on appuie sur un bouton et l'eau se met à bouillonner.

— C'est un jacuzzi, Freddie, dis-je.

— Ah bon? On met ça dans les hôtels maintenant? C'est extraordinaire. Il y a même de la moquette dans la salle de bains! Ça s'achète ces jack-machins? J'aimerais bien en avoir un à la maison. J'ai dit à Winnie : « Quel endroit fantastique pour un meurtre! Que ferait l'inspecteur Coote? »

A l'hilarité générale, Freddie parlait toujours du jacuzzi en passant dans la salle à manger. Là, dans l'ancienne salle de bal, Freddie et Winnie firent connaissance avec les délices de la nouvelle cuisine, qui les impressionnèrent toutefois moins que le jacuzzi.

— Bonté divine! s'exclama Freddie quand on lui apporta trois mousses de couleurs différentes au milieu d'une gigantesque assiette blanche. C'est tout? On dirait une portion pour enfant. Regarde, Winnie! Il y a une rose dans mon assiette. Ah non! c'est une tomate.

La nourriture était excellente et, à mesure que les plats se succédaient, Freddie était de plus en plus enchanté, tout en se plaignant qu'il n'y eût pas de nourriture « correcte » comme un bon steak ou un pâté de viande.

A 9 h 30, l'heure où Winnie et lui allaient toujours au lit, il avala son incontournable verre de whisky puis frotta son ventre généreux comme s'il s'était agi d'un vieil ami de toujours.

— Vous savez, dit-il à Frank sur le ton de la confidence, pendant la guerre, la première, j'entends, ma mère m'a emmené voir un éminent médecin qui a déclaré que j'avais une faiblesse cardiaque ou je ne sais plus trop quoi. Eh bien, je trouve que je ne m'en sors pas mal pour un cardiaque. Quatre-vingt-dix ans, Frank. Qu'en dites-vous?

— J'en dis que nous vous ramènerons ici, Winnie et vous. Pour vos cent ans.

650

Freddie se mit à rougir et serra les mains de Frank.

— Tu as un mari adorable, Vicky, dit Winnie au pied de l'escalier. Tout à fait adorable.

Ils montèrent l'escalier dans la ferme intention de regarder la comète de la fenêtre de leur chambre. Le ciel était nuageux et la visibilité faible mais Winnie, d'un caractère invariablement optimiste, ne se laissait jamais démonter par ce genre de détails. Je pense qu'elle s'imaginait que la comète allait passer lentement, juste devant sa fenêtre.

— Y aura-t-il des étincelles, Freddie ? demanda-t-elle à mi-chemin.

— Je ne me souviens pas, Winnie. Mais je ne crois pas.

— J'espère que oui. Un tas d'étincelles et une longue queue. Tu sais ce que je pense, Freddie ? Je crois qu'elle ressemble à une bombe volante.

— Nous ne la verrons pas, dit Frank avec regret quelques instants plus tard.

Nous avions enfilé nos manteaux et attendions sur la terrasse. Frank leva mélancoliquement la tête vers le ciel.

— On voit à peine la lune et il n'y a pas une seule étoile. On ne pourrait la voir qu'à travers un radiotélescope.

— Ça ne fait rien. Elle est là et nous le savons. C'est le principal.

— Sans doute.

Frank, le scientifique, ne semblait pas convaincu.

— J'aurais aimé la voir une fois, reprit-il. Elle ne passe que tous les soixante-seize ans. Nous ne pourrons plus jamais la revoir.

— Max et Hannah la regarderont pour nous.

— Tu y crois ?

— A moitié. Ce soir, j'ai l'impression de la regarder pour tous les gens qui l'ont vue d'ici la dernière fois. Ma mère, mon père, mes grands-parents, Maud, Montague Stern, Constance, Steenie, Boy, Jenna... Tous.

— Allons nous promener. Frank prit ma main. D'accord ? Nous pourrions faire une très longue promenade. Je n'ai pas envie de retourner dans l'hôtel.

— Moi non plus. Tu as raison. J'adore me promener la nuit.

Nous quittâmes donc la terrasse et prîmes le chemin menant au lac. Au début, nous étions côte à côte puis, comme souvent quand nous nous promenions ensemble, Frank finit par prendre de l'avance. Nous avions l'habitude, les enjambées de Frank étaient bien plus grandes que les miennes. Comme Oncle Steenie l'avait dit un jour, il marchait sans modération. Moi, j'aimais marcher lentement en regardant parfois en arrière.

Il y avait toujours des cygnes sur le lac mais ils étaient blancs. Nous les admirâmes un moment. Ils ressemblaient à des fantômes blancs et silencieux se détachant sur l'obscurité

Nous reprîmes notre marche. Je regardai les nuages passer devant la lune et les arbres remuer. L'air était humide. Je me mis à penser aux disparus les plus récents : Wexton et, quelques années avant lui, Jenna. Quelques années après mon mariage, j'avais retrouvé sa trace et je lui avais rendu visite au milieu de sa nouvelle famille, son mari, les enfants et les petits-enfants de celui-ci. Elle avait fini par trouver le bonheur et j'étais heureuse pour elle.

Je songeai ensuite à ceux des miens que j'avais perdus avant, vers le milieu de ma vie : Steenie et Constance. Puis, en remontant encore plus loin, mes parents, un oncle que je n'avais jamais connu, la famille perdue de Frank. Tant de fantômes. J'aurais aimé leur parler.

— Pas par les bois, me dit Frank.

— D'accord. Si on prenait ce sentier ?

— Où mène-t-il ?

— Nous l'avons pris autrefois avec les lévriers de Freddie. Il fait des kilomètres. Il sort de la vallée et monte jusqu'à la plaine. Il va jusqu'au cercle. Plus loin, peut-être. Nous nous étions arrêtés là, sur cette colline.

— Le cercle ? Le cercle de pierres ? Je ne l'ai encore jamais vu. Il est à quelle distance ?

— Six ou sept kilomètres.

— On y va ? J'ai envie de marcher le plus loin possible sans m'arrêter.

Tandis que nous marchions, le vent se mit à souffler plus fort et le ciel commença à se dégager. Nous vîmes tout d'abord l'Etoile Polaire puis toutes les constellations. Je pensai : « Cassiopée, Orion, Castor et Pollux. » C'est probablement à cet instant que j'ai décidé d'écrire l'histoire de mes parents et de Constance. Lorsque j'en avais eu l'idée, quelque temps auparavant, j'en avais discuté une ou deux fois avec Frank.

Je crois qu'il lisait dans mes pensées et, tandis que nous marchions, je savais qu'il pensait à la même chose que moi.

Nous venions d'aborder une petite colline.

— Si je l'écrivais, Frank...

— Winterscombe ?

— Oui, Winterscombe. Par où devrais-je commencer ?

— Oh, je sais. C'est simple. Il faut commencer par le diseur de bonne aventure.

— Pourquoi ?

— Pour commencer par de la magie.

— Pourquoi de la magie ?

— A cause de tous les tours de magie qui se sont produits : la maladie de Constance, sa guérison, celle de ton père, ce qui est arrivé à ta mère dans les grottes, ce que j'ai senti dans le bois. Tout cela, c'est de la magie.

— Tu y crois, à la magie ?

– Bien sûr.

– Toi, un scientifique ?

– Justement parce que je suis un scientifique. Et quand tu écriras sur nous, dans ton livre, n'oublie pas les exercices d'arithmétique...

Il sourit, partit en avant et s'arrêta au sommet. Je contemplai la silhouette de mon mari se découpant sur le ciel. Ce qu'il vit de là-haut sembla lui plaire car il leva les bras dans un de ses gestes impulsifs, mi-triomphe, mi-jubilation. Je le regardai avec amour. Lorsque j'atteignis à mon tour le sommet, il me tendit la main.

– Regarde d'abord de ce côté.

Je me retournai et admirai Winterscombe. Le clair de lune permettait maintenant de distinguer la cuvette de la vallée, le ruban foncé de la rivière se jetant dans le lac, les bois et la grande masse de la maison, avec ses toits noirs, ses baies vitrées, ses tourelles et ses rangées de fenêtres éclairées.

– Maintenant, par là.

Il me fit tourner vers un autre point de vue. Je retins ma respiration. Au pied des collines dénudées se trouvait le monument, un énorme cercle de pierres, un lieu préhistorique. Au clair de lune, les pierres étaient aussi blanches que des os.

Les nuages amassés à l'horizon étaient comme festonnés d'une lumière surnaturelle. Au-dessus d'eux, le ciel était complètement dégagé. Devant la beauté du spectacle, nous étions incapables de parler. Nous regardions les nuages s'épaissir, se rencontrer puis se disperser.

– C'est la comète, Frank ?

– Je n'en suis pas sûr.

– Je ne l'imaginais pas comme ça.

– Moi non plus.

Nous restâmes un certain temps à regarder. La lune se leva et la lumière qu'elle jetait atténua la coloration des nuages. Petit à petit, ils devinrent argent puis gris puis noirs.

– Nous sommes vraiment petits, dis-je.

– Petits, mais grands en même temps. Tu ne trouves pas ?

– Oui.

– J'ai envie de descendre jusqu'en bas, dit-il en tendant le doigt vers le monument. J'ai envie de me mettre juste au centre du cercle avec toi.

Il commença à dévaler la colline. Le vent balayait ses cheveux. Toujours indifférent aux éléments, il ne s'en rendait même pas compte.

Je regardai une dernière fois en arrière, vers les lumières de Winterscombe. Frank se retourna et m'attendit.

Je courus le rejoindre. Main dans la main, face au vent, nous descendîmes vers le cercle de pierres.

Cet ouvrage a été réalisé par la
SOCIÉTÉ NOUVELLE FIRMIN-DIDOT
Mesnil-sur-l'Estrée
pour le compte de France Loisirs
en janvier 1992

Cet ouvrage a été achevé par la
SOCIÉTÉ NOUVELLE FIRMIN-DIDOT,
Mesnil-sur-l'Estrée
pour le compte de France Loisirs
en décembre 198?